MOJA WALKA

Karl Ove
KNAUSGÅRD

Moja walka

KSIĘGA DRUGA

Z norweskiego przełożyła Iwona Zimnicka

Wydawnictwo Literackie

Część 3

29 lipca 2008 roku

Lato było długie, właściwie nadal trwa. Dwudziestego szóstego czerwca skończyłem pierwszą część powieści i od tamtej pory, a minął już ponad miesiąc, Vanja i Heidi nie chodzą do przedszkola, są z nami w domu i w związku z tym nasza codzienność stała się niebywale intensywna. Nigdy nie rozumiałem sensu wakacji, nigdy nie czułem potrzeby, by je mieć, zawsze pragnąłem jedynie więcej pracować. Ale skoro muszę, to muszę. Pierwszy tydzień planowaliśmy właściwie spędzić na działce, w kolonii domków letniskowych; na kupno takiego domku Linda namówiła mnie zeszłej jesieni, miał być miejscem częściowo do pisania, a częściowo do spędzania weekendów, ale po trzech dniach poddaliśmy się i wróciliśmy do miasta. Zgromadzenie trojga małych dzieci z dwojgiem dorosłych na niewielkiej przestrzeni, w bliskim sąsiedztwie innych ludzi — przy braku dodatkowych zajęć oprócz pielenia

grządek w ogrodzie i koszenia trawy — nie jest najlepszym pomysłem, zwłaszcza gdy atmosfera już wcześniej była napięta. Wielokrotnie kłóciliśmy się głośno i przypuszczalnie w ten sposób zapewnialiśmy rozrywkę sąsiadom; swoją drogą, setki pedantycznie utrzymanych ogródków i wszyscy ci półnadzy staruszkowie wywoływali moje rozdrażnienie, płynące z poczucia klaustrofobii. Dzieci błyskawicznie wychwytują takie nastroje i natychmiast je wykorzystują, zwłaszcza Vanja, która reaguje niemal momentalnie na każdą zmianę tonu i poziomu intensywności głosu, a kiedy coś zgrzyta, od razu robi to, co — jak wie — lubimy najmniej i co wyprowadza nas z równowagi, jeśli tylko trwa dostatecznie długo. Kiedy w człowieku nabrzmiewa frustracja, obrona staje się wręcz niemożliwa, no i wtedy się zaczyna: płacze, krzyki, koszmar. W następnym tygodniu wypożyczyliśmy samochód i pojechaliśmy na wyspę Tjörn koło Göteborga; przyjaciółka Lindy, Mikaela, która jest również 8
matką chrzestną Vanji, zaprosiła nas do letniego domu swojego partnera. Spytaliśmy, czy zdaje sobie sprawę, jak wygląda życie z trojgiem dzieci, i czy naprawdę jest pewna, że chce nas tam widzieć; stwierdziła, że tak, bo wymyśliła sobie, że może piec ciasteczka z dziećmi, zabierać je nad wodę, kąpać się i łowić kraby, żebyśmy mogli mieć trochę czasu dla siebie. Daliśmy się na to nabrać. Pojechaliśmy na Tjörn, zaparkowaliśmy przy posesji na samym koniuszku wyspy, której dziwny krajobraz przypominał południe Norwegii, i wyładowaliśmy się z czeredą dzieci i wszystkimi klamotami. Mieliśmy zamiar zostać tam cały tydzień, ale już trzy dni później spakowaliśmy rzeczy do samochodu i znów wzięliśmy kurs na południe, ku oczywistej uldze Mikaeli i Erika.

Ludzie, którzy nie mają dzieci — bez względu na to, jak bardzo są dojrzali i inteligentni — rzadko rozumieją, na czym to polega. W każdym razie tak było ze mną, dopóki nie urodziły się moje własne. Mikaela i Erik są skupieni na karierze. Mikaela przez cały okres naszej znajomości zajmowała wyłącznie kierownicze stanowiska w instytucjach kultury, natomiast Erik jest dyrektorem jakiejś światowej organizacji, mającej bazę w Szwecji. Z Tjörn miał jechać na spotkanie do Panamy, a na urlop wybierali się do Prowansji, bo właśnie tak wygląda ich życie: miejsca, o których tylko czytałem, przed nimi stoją otworem. I w takie właśnie życie wpakowaliśmy się z naszymi wilgotnymi chusteczkami i pieluchami, z pełzającym wszędzie Johnem oraz z Heidi i Vanją, które biją się, śmieją, krzyczą i płaczą, nigdy nie jedzą przy stole i nigdy nie robią tego, co im każemy, a w każdym razie nie wtedy, kiedy jesteśmy wśród ludzi i naprawdę *chcemy*, żeby się dobrze zachowywały, bo przecież to wyczuwają — im bardziej nam zależy, tym bardziej są niegrzeczne; więc chociaż owo drugie letnisko było duże i przestronne, to jednak nie na tyle, by dało się nie zwracać na nie uwagi. Erik udawał, że nie boi się o swoje rzeczy, bardzo chciał uchodzić za otwartego i przyjaznego dzieciom, lecz stale przeczyła temu mowa jego ciała — ręce mocno przyciśnięte do boków, nieustanne odkładanie rzeczy na miejsce i wielki dystans w spojrzeniu. Bliskie były mu zarówno przedmioty, jak i samo miejsce, znał je od zawsze, ale dla istot, które w tych dniach je zaludniały, pozostawał daleki, patrzył na nie mniej więcej tak, jak się patrzy na kreta albo jeża. Rozumiałem go i lubiłem. Ponieważ jednak zwaliłem się do niego z tym wszystkim, bliski kontakt między nami nie był możliwy. Erik studiował w Cambridge i Oksfordzie, wiele lat pracował jako makler wśród londyńskiej finansjery, ale podczas wycieczki na nadmorskie wzgórze, na którą wybrał się z Vanją, pozwolił jej się wyprzedzić o kilka kroków i swobodnie wspinać, a sam stanął, zapatrzony, podziwiając widok i zupełnie nie biorąc pod uwagę, że ona ma dopiero cztery lata i nie potrafi ocenić ryzyka, więc z Heidi na ręku musiałem pobiec i się nią zająć. Kiedy pół godziny później usiedliśmy w kawiarni — ja ze sztywnymi nogami po tej nagłej wspinaczce — i poprosiłem go, żeby dawał Johnowi kawałeczki bułki, którą przy nim położyłem, ponieważ sam musiałem zapanować nad Heidi i Vanją, a jednocześnie zdobyć dla nich coś do jedzenia, kiwnął głową, mruknął: oczywiście, ale nie złożył gazety, którą czytał, w ogóle nie podniósł wzroku i nie zauważył, że John, znajdujący się w odległości pół metra od niego, złości się coraz bardziej, a w końcu zaczyna płakać, aż cały czerwienieje na twarzy, sfrustrowany tym, że bułka, na którą ma taką ochotę, leży na jego oczach, lecz poza zasięgiem ręki. Ta sytuacja wkurzyła Lindę, siedzącą przy drugim końcu stołu, widziałem to po niej, ale przemilczała sprawę, nie skomentowała, zaczekała, aż wyjdziemy i zostaniemy tylko we dwoje; wtedy oświadczyła, że wracamy do domu. Już. Przyzwyczajony do jej humorów, powiedziałem, żeby się zamknęła i nie podejmowała pochopnych decyzji pod wpływem cholernej złości; to oczywiście rozzłościło ją jeszcze bardziej i tak to między nami trwało aż do następnego poranka, kiedy wsiedliśmy do samochodu, żeby stamtąd odjechać.

Otwarte błękitne niebo, lekko pofałdowany, wysmagany wiatrem, ale piękny krajobraz oraz to, że siedzimy dla odmiany w samochodzie, a nie w przedziale kolejowym lub na pokładzie samolotu, co w ostatnich latach było naszym typowym sposobem podróżowania, nieco złagodziły nastrój, lecz niewiele czasu minęło i znów zaczęliśmy się kłócić, bo musieliśmy przecież coś zjeść, a restauracja, którą znaleźliśmy i przy której się zatrzymaliśmy, należała, jak się okazało, do jachtklubu; kelner jednak powiedział mi, że gdy tylko przejdziemy przez most, dotrzemy do miasta i tam, jakieś pięćset metrów dalej, jest inna restauracja; tak więc dwadzieścia minut później znaleźliśmy się na wysokim, wąskim moście, na którym panował duży ruch, i głodni pchaliśmy dwa dziecięce wózki, mając przed sobą w zasięgu wzroku wyłącznie obszar przemysłowy. Linda była wściekła, oczy jej pociemniały, syczała, że zawsze pakujemy się w takie sytuacje, nikomu innemu się to nie zdarza, nic nam nigdy nie wychodzi, mieliśmy coś zjeść całą rodziną, mogłoby być milutko, ale zamiast tego idziemy przez jakiś cholerny most, walcząc z wiatrem, otoczeni spalinami i śmigającymi z szumem samochodami. Czy widziałem kiedyś inną rodzinę z trojgiem dzieci w takich okolicznościach? Droga, którą ruszyliśmy dalej, kończyła się przy metalowej bramie z logo firmy ochroniarskiej. Aby dotrzeć do miasta, które na dodatek wyglądało na zaniedbane i smutne, musieliśmy obejść obszar przemysłowy, co zajęło przynajmniej piętnaście minut. Miałem ochotę ją zostawić, bo wiecznie zrzędzi, zawsze chce czegoś innego i nigdy sama nie zrobi nic, żeby to osiągnąć, tylko narzeka, narzeka i narzeka, nigdy nie przyjmuje sytuacji takimi, jakie są, a kiedy rzeczywistość nie odpowiada jej wyobrażeniom, obwinia o to mnie, w sprawach zarówno małych, jak i dużych. No, dobrze, może nawet byśmy się wtedy rozeszli, ale logistyka, jak zawsze, nas połączyła. Mieliśmy jeden samochód i dwa wózki, pozostawało więc jedynie udać, że to, co zostało powiedziane, jednak powiedziane nie zostało, przepchnąć poplamione, zgrzytające wózki z powrotem przez most, aż pod piękny jachtklub, wrzucić je do samochodu, zapiąć dzieci w fotelikach i jechać do najbliższego McDonalda, czyli na stację benzynową w pobliżu centrum Göteborga, gdzie ja zjadłem hot doga na ławce na zewnątrz, a Vanja i Linda zjadły swoje w samochodzie. John i Heidi spali. Zaplanowaną wycieczkę do parku rozrywki Liseberg odwołaliśmy. Atmosfera tylko by się pogorszyła. Zamiast tego kilka godzin później pod wpływem impulsu zatrzymaliśmy się przy lichej, zbudowanej z nie wiadomo czego tak zwanej krainie baśni, w której wszystko było najgorszej jakości, i zabraliśmy dzieci do małego „cyrku", składającego się z psa przeskakującego przez obręcze na wysokości kolan, otyłej kobiety w bikini, o wyraźnie męskich cechach, prawdopodobnie pochodzącej z Europy Wschodniej, która podrzucała te same obręcze w powietrzu i kręciła nimi na biodrach, a więc wykonywała sztuczki, które umiały wszystkie dziewczyny z mojej klasy w podstawówce, oraz jasnowłosego mężczyzny w moim wieku, w butach z wywiniętymi noskami i turbanie — oponki na brzuchu wylewały mu się z szarawarów — który cztery razy napełnił usta benzyną i plunął ogniem pod niski dach. John i Heidi gapili się tak, że oczy o mało nie wyszły im z orbit. Vanja miała w głowie wyłącznie mijane wcześniej stoisko z loterią, gdzie można było wygrać pluszowe zwierzątko, więc stale mnie skubała i pytała, kiedy przedstawienie się skończy. Od czasu do czasu zerkałem na Lindę. Trzymała Heidi na kolanach i miała łzy w oczach. Kiedy wreszcie ruszyliśmy w stronę niedużego wesołego miasteczka, każde z jednym wózkiem, i minęliśmy wielki basen z długą zjeżdżalnią, za której szczytem królował ogromny, może trzydziestometrowy troll, spytałem ją, dlaczego płacze.

— Nie wiem — odparła. — Cyrk zawsze mnie wzruszał.

— Ale dlaczego?

— Taki jest żałosny, taki mały i tani, a jednocześnie taki piękny.

— Ten też?

— Tak. Nie widziałeś Heidi i Johna? Siedzieli jak zahipnotyzowani.

— W przeciwieństwie do Vanji — uśmiechnąłem się.

Linda też się uśmiechnęła.

— Co? — Vanja się odwróciła. — Co powiedziałeś, tatusiu?

— Powiedziałem tylko, że kiedy byliśmy w cyrku, myślałaś wyłącznie o maskotce, którą widzieliśmy wcześniej.

Vanja uśmiechnęła się w sposób, w jaki zwykle się uśmiecha, gdy rozmawiamy o czymś, co zrobiła. Z zadowoleniem, ale też ożywiona, gotowa usłyszeć więcej.

— A co robiłam? — spytała.

— Skubałaś mnie za rękę i mówiłaś, że chcesz już ciągnąć los.

— Dlaczego?

— Skąd mogę wiedzieć? Pewnie bardzo chciałaś tego pluszaka.

— Pójdziemy tam teraz?

— Tak — odparłem. — To tam dalej. — Wskazałem na wyasfaltowaną ścieżkę prowadzącą wśród drzew, za którymi z trudem można było dojrzeć urządzenia wesołego miasteczka.

— Heidi też dostanie los? — spytała Vanja.

— Tak, jeśli będzie chciała — odparła Linda.

— Będzie — orzekła Vanja i nachyliła się nad siostrą w wózku. — Chcesz, Heidi?

— Tak.

Musieliśmy kupić losów za dziewięćdziesiąt koron, zanim wreszcie obie trzymały w rękach maleńkie pluszowe myszki. Słońce płonęło na niebie nad nami, powietrze w lesie znieruchomiało, wszelkie zgrzyty i wizgi urządzeń mieszały się z dyskotekową muzyką z lat osiemdziesiątych, dobiegającą z kramów rozstawionych dookoła. Vanja zażyczyła sobie waty cukrowej, więc dziesięć minut później siedzieliśmy już przy stoliku obok kiosku, a wokół nas latały podniecone, natrętne osy; panował taki upał, że cukier lepił się do wszystkiego, do czego tylko się zbliżył, to znaczy do blatu, do oparcia wózka, do ramion i dłoni, ku głośnej irytacji dzieci — nie tak to sobie wyobrażały, kiedy patrzyły na zbiornik z wirującym cukrem. Moja kawa miała gorzki smak, prawie nie nadawała się do picia. Jakiś mały, brudny chłopczyk nadjechał w naszą stronę na trójkołowym rowerku, zatrzymał się na wózku Heidi i spojrzał na nas wyczekująco. Był ciemnowłosy i ciemnooki, mógł być Rumunem, Albańczykiem albo może Grekiem. Kilka razy stuknął kołem w wózek, potem ustawił się tak, że zablokował nam wyjście, i stanął ze wzrokiem wbitym w ziemię.

— Spadamy? — spytałem.

— Heidi chciała pojeździć konno — odpowiedziała Linda. — Może jeszcze to zaliczymy?

Pojawił się potężny mężczyzna z odstającymi uszami, również ciemnowłosy, dźwignął chłopca z rowerkiem, zaniósł go na placyk przed kioskiem, kilka razy pogłaskał po głowie i podszedł do mechanicznej ośmiornicy, którą obsługiwał. Trzymała w mackach kosze z miejscami do siedzenia, macki unosiły się i opadały, jednocześnie kręcąc się w kółko. Chłopiec ruszył w głąb placyku, przez który cały czas przechodzili ludzie w letnich ubraniach.

— Jasne — odparłem, wstałem, wziąłem od Vanji i Heidi watę cukrową, wyrzuciłem ją do kosza i popchnąłem wózek z Johnem, który nieustannie poruszał głową z boku na bok, żeby uchwycić wszystkie ciekawe rzeczy, jakie się tu działy. Przeszliśmy przez plac w stronę ścieżki prowadzącej do „miasteczka z westernu", składającego się z trzech niedawno wybudowanych na kupie piachu szop z napisami: „Kopalnia", „Szeryf" i *Prison*, przy czym dwie ostatnie pokrywały plakaty *Wanted dead or alive*. Z jednej strony miasteczko otaczały brzozy, a z drugiej miało rampę, po której młodzież jeździła na deskach z małymi kółeczkami, ale plac do jazdy konnej był zamknięty. Za ogrodzeniem, tuż przy „Kopalni", siedziała na kamieniu tamta cyrkówka z Europy Wschodniej i paliła papierosa.

— Na koniku! — Heidi rozejrzała się dokoła.

— No, to pójdziemy pojeździć na osiołku przy wyjściu — stwierdziła Linda.

John rzucił butelkę wody ze smoczkiem na ziemię. Vanja przelazła pod ogrodzeniem i pobiegła w stronę „Kopalni". Heidi, widząc to, zeskoczyła z wózka i ruszyła za nią. Na tyłach biura szeryfa dostrzegłem czerwono-biały automat z colą; wyjąłem zawartość kieszeni szortów i uważnie ją obejrzałem: dwie gumki do włosów, spinka z biedronką, zapalniczka, trzy kamyki i dwie białe muszelki, które Vanja znalazła na Tjörn, banknot dwudziestokoronowy, dwie piątki i dziewięć jednokoronówek.

— Ja sobie na razie zapalę — oświadczyłem. — Usiądę tutaj. — Ruchem głowy wskazałem zwalony pień drzewa, zamykający teren. John wyciągnął do góry ręce.

— Dobrze. — Linda go podniosła. — Głodny jesteś, John? — spytała. — Ale gorąco! Czy tu nigdzie nie ma cienia, żebym mogła gdzieś z nim usiąść?

— Tam, na górze. — Wskazałem restaurację na szczycie wzgórza, mającą kształt pociągu, z kontuarem w lokomotywie i stolikami w wagonach. Nie było tam widać żywego ducha. Krzesła oparto o blaty.

— Pójdę i trochę go nakarmię — oznajmiła Linda. — Spojrzysz na dziewczynki?

Kiwnąłem głową, podszedłem do automatu z colą i kupiłem puszkę. Przysiadłem na pniu i zapaliłem papierosa, obserwując niedbale skleconą szopę, do której Vanja i Heidi wbiegały, po czym zaraz z niej wybiegały.

— W środku jest zupełnie ciemno! — zawołała Vanja. — Chodź zobaczyć!

Uniosłem rękę i pomachałem do niej, co najwyraźniej wystarczyło. Myszkę cały czas przyciskała jedną ręką do piersi.

A gdzie się podziała myszka Heidi?

Omiotłem wzrokiem zbocze. Tam, tuż pod biurem szeryfa, leżała maskotka z łebkiem w piasku.

W restauracji Linda przysunęła krzesło do ściany, usiadła i zaczęła karmić piersią Johna, który najpierw wierzgał nogami, ale w końcu się uspokoił. Kobieta z cyrku szła pod górę. Giez uciął mnie w łydkę. Uderzyłem go z taką siłą, że zmienił się w miazgę roztartą na skórze. Papieros w upale miał wstrętny smak, ale uparcie wciągałem dym w płuca, wpatrzony w czubki świerków, intensywnie zielone w blasku słońca. Kolejny giez usiadł mi na nodze. Strąciłem go, zirytowany, wstałem, rzuciłem papierosa na ziemię i poszedłem do dziewczynek z niepełną już, ale ciągle zimną puszką coli w ręku.

— Tatusiu, idź od tyłu, jak my będziemy w środku, to sprawdzisz, czy możesz nas zobaczyć przez dziurę. Okej? — Vanja patrzyła na mnie, mrużąc oczy.

— Okej — zgodziłem się i obszedłem szopę. Słyszałem, jak się kręcą i chichoczą w środku. Nachyliłem się do szpary i zajrzałem. Ale różnica między światłem na zewnątrz a ciemnością w środku była zbyt duża, abym mógł cokolwiek dostrzec.

— Tata, jesteś tam? — zawołała Vanja.

— Jestem.

— A widzisz nas?

— Nie. Zrobiłyście się niewidzialne?

— Tak!

Kiedy wyszły, udałem, że ich nie widzę. Patrząc wprost na Vanję, zacząłem ją wołać.

— Przecież jestem tutaj! — zamachała rękami.

— Vanja? — zdziwiłem się. — Gdzie jesteś? Przestań się chować, to wcale nie jest śmieszne.

— Jestem tutaj! Tu!

— Vanja...?

— Naprawdę mnie nie widzisz? Naprawdę jestem zupełnie niewidzialna?

Pytała z ogromnym zadowoleniem, ale jednocześnie wychwyciłem w jej głosie cień zaniepokojenia. W tej samej chwili John głośno zapłakał. Spojrzałem w górę. Linda stała, tuląc go do siebie. Nigdy dotąd nie płakał w taki sposób.

— O, tu jesteś! — zwróciłem się do Vanji. — Byłaś tu przez cały czas?

— Ta-ak.

— Słyszysz, że John płacze?

Kiwnęła głową, przenosząc wzrok w tamtą stronę.

— To znaczy, że musimy iść. Chodźcie — złapałem Heidi za rękę.

— Nie chcę — powiedziała. — Nie chcę za rękę!

— No to nie. Ale w takim razie wsiadaj do wózka.

— Nie chcę do wózka.

— Mam cię nieść?

— Nie chcę.

Poszedłem po wózek. Zanim wróciłem, Heidi zdążyła wspiąć się na ogrodzenie. Vanja usiadła na ziemi. Na szczycie wzgórza Linda wyszła już z restauracji, stała teraz na drodze i patrzyła w dół. Jedną ręką przywoływała nas do siebie. John nie przestawał płakać.

— Nie chce mi się iść — oświadczyła Vanja. — Nogi mnie bolą.

— Przecież dzisiaj przeszłaś ledwie kilka metrów, to jak cię mogą boleć nogi?

— Nie mam nóg. Musisz mnie wziąć na ręce.

— Nie wygłupiaj się. Nie mogę cię nieść.

— Możesz.

— Wsiadaj do wózka, Heidi. Pójdziemy pojeździć na koniku.

— Nie chcę do wózka.

— Nie mam nóóóg! — Ostatnie słowo Vanja wykrzyczała.

Zapłonęła we mnie wściekłość. Odruch kazał mi wcisnąć je sobie pod pachy i zawlec na górę. Nieraz już mi się zdarzyło nieść je pod pachami, wierzgające i wrzeszczące; zachowywałem wtedy kamienną twarz, 18
nie reagując na mijających mnie ludzi, którzy zawsze gapią się z takim zainteresowaniem na nasze sceny, jakbym miał na sobie maskę małpy albo coś podobnego. Ale tym razem zdołałem się opanować.

— Możesz wobec tego wsiąść do wózka, Vanju? — spytałem.

— Jak mnie podniesiesz.

— Nie, sama wsiądź.

— Nie, bo nie mam nóg.

Gdybym się nie ugiął, stalibyśmy tam do następnego ranka, bo chociaż Vanji brakowało cierpliwości i poddawała się w zetknięciu z najmniejszym oporem, to była niesłychanie uparta, kiedy chciała postawić na swoim.

— Okej. — Wsadziłem ją do wózka. — Znów wygrałaś.

— Co wygrałam?

— Nic. Chodź, Heidi, idziemy.

Zdjąłem młodszą z płotu i po paru wypowiedzianych bez przekonania „nie, nie chcę" zaczęliśmy się wspinać pod górę. Heidi u mnie na rękach, Vanja w wózku. Po drodze zgarnąłem jeszcze myszkę Heidi, otrzepałem ją z kurzu i wrzuciłem do siatki.

— Nie wiem, co mu się stało — powiedziała Linda, kiedy dotarliśmy na szczyt. — Nagle zaczął płakać. Może go ugryzła osa albo coś? Zobacz…

Podciągnęła Johnowi bluzę na brzuchu i pokazała mi nieduży czerwony ślad. John wił się w jej uścisku, poczerwieniał na buzi, a włosy zwilgotniały mu z wysiłku.

— Mój biedny mały chłopczyk! — westchnęła Linda.

— Przed chwilą ugryzł mnie giez. Może jego też? Wsadź go do wózka. Idziemy. Tutaj i tak nic na to nie poradzimy.

John, już zapięty w szelki, obrócił się i wbił głowę w materac, cały czas krzycząc.

— Musimy iść do samochodu — stwierdziłem.

— Tak, ale najpierw trzeba mu zmienić pieluchę — odparła Linda. — Na dole jest pokój do przewijania dzieci.

Kiwnąłem głową i ruszyliśmy w dół. Spędziliśmy tu już kilka godzin. Słońce stało niżej na niebie, a światło, które wypełniało las, przypomniało mi letnie popołudnia wiele lat temu, kiedy jeszcze mieszkaliśmy na wyspie i jeździliśmy z rodzicami nad otwarte morze, żeby się kąpać, albo z Yngvem szliśmy na skałki w cieśninie poniżej osiedla. Na kilka sekund wypełniły mnie wspomnienia — nie w formie konkretnych zdarzeń, raczej przywołały atmosferę, zapachy, odczucia.

Odżyło tamto światło, w środku dnia bielsze i bardziej neutralne, które po południu zaczynało nabierać pełni, wszystkie kolory stawały się bardziej nasycone. Ach, pobiec ścieżką przez cienisty las w upalne miesiące, jak w latach siedemdziesiątych! Skoczyć na główkę do słonej wody i przepłynąć na wysepkę Gjerstadholmen! Słońce rozświetlające skały, które wydawały się niemal złote. Sztywna sucha trawa w szczelinach skalnych. Przeczucie głębi pod powierzchnią wody, takiej mrocznej w cieniu pod skałą. Przypływające ryby. I korony drzew nad nami, wiotkie, drżące na bryzie gałązki! Cienka kora, pod nią gładkie drewno przypominające kość, zielone liście...

— To tam! — Linda wskazała nieduży ośmiokątny budynek z desek. — Zaczekasz?

— Będziemy wolno schodzić — odparłem.

W lesie za ogrodzeniem stały dwa krasnale wyrzeźbione z drewna. Ich obecność miała usprawiedliwiać nazwanie tego przybytku krainą baśni.

— Patrz, kasnolulek! — zawołała Heidi.

„Kasnolulek", czyli bożonarodzeniowy krasnal, już od dawna bardzo ją interesował. Jeszcze późną wiosną wskazywała na werandę, z której krasnal przyszedł w Wigilię, i powtarzała: „Kasnolulek idzie", a gdy bawiła się prezentem, który od niego dostała, zawsze zaczynała od stwierdzenia, kto go przyniósł. Niełatwo jednak było określić, jaki status ma u niej krasnal, bo kiedy w wyniku nieszczęśliwego zbiegu okoliczności w okresie między świętami a sylwestrem zauważyła strój krasnala w mojej szafie, wcale się nie zdziwiła ani nie zdenerwowała, że odkryła bolesną tajemnicę, pokazywała tylko i wołała: „kasnolulek", jakby właśnie tutaj się przebierał, a gdy natykaliśmy się na bezdomnego starca z siwą brodą, który zwykle kręcił się po placu w pobliżu naszego domu, potrafiła stanąć w wózku i krzyczeć: „kasnolulek", ile sił w płucach.

Nachyliłem się i pocałowałem ją w pulchny policzek.

— Buzi nie!

Roześmiałem się.

— A tobie, wobec tego, mogę dać buzi, Vanju?

— Nieee — odparła Vanja.

Cały czas przez wesołe miasteczko sunęli ludzie, wąskim, ale równym strumieniem, większość w jasnych ubraniach, w krótkich spodniach, T-shirtach i sandałach, niektórzy w dresach i adidasach, zadziwiająco wielu grubych, prawie nikogo eleganckiego.

— Mój tatuś siedzi w więzieniu! — zawołała zadowolona Heidi.

Vanja obróciła się w wózku.

— Nie, tata wcale nie siedzi w więzieniu — zaprotestowała.

Znów się roześmiałem i stanąłem.

— Poczekamy tu chwilę na mamę — powiedziałem.

„Twój tata siedzi w więzieniu" — tak dokuczały sobie dzieci w przedszkolu. Heidi natomiast uznała te słowa za wyjątkowo miłe i zwykle je powtarzała, kiedy chciała się mną pochwalić. Linda opowiadała, że gdy poprzednio wracaliśmy z działki, Heidi oznajmiła: „Mój tatuś siedzi w więzieniu", starszej pani siedzącej za nimi w autobusie. Ponieważ mnie przy tym nie było, bo stałem z Johnem na przystanku, oświadczenie to zawisło w powietrzu, nie doczekawszy się sprzeciwu.

Schyliłem głowę i rękawem koszulki otarłem pot z czoła.

— Kupisz mi jeszcze jeden los, tatusiu? — spytała Vanja.

— Wykluczone — odparłem. — Przecież już wygrałaś maskotkę!

— Tak cię proszę, tatusiu! Jeszcze tylko jeden!

Odwróciłem się i zobaczyłem, że Linda już do nas idzie. John siedział wyprostowany w wózku, w kapeluszu przeciwsłonecznym, i wyglądał na zadowolonego.

— Wszystko w porządku? — spytałem.

— Mhm. Przemyłam to ukąszenie zimną wodą. Ale on jest śpiący.

— No to zaśnie w samochodzie.

— A jak myślisz, która jest godzina?

— Pewnie wpół do czwartej.

— To co, na ósmą w domu?

— Mniej więcej.

Jeszcze raz przeszliśmy przez teren wesołego miasteczka, minęliśmy statek piracki, nędzną drewnianą fasadę z kilkoma kładkami, za którymi tu i ówdzie stali jednonodzy albo jednoręcy mężczyźni, zagrodę z lamami i strusiami, nieduży podest, na którym kilkoro dzieciaków jeździło na quadach, i w końcu znaleźliśmy się w okolicy wejścia, gdzie urządzono trasę biegu z przeszkodami, to znaczy z kilkoma balami i ścianami z desek przegrodzonymi siatką; znajdowały się tam również stelaż do skoków na gumie oraz polana do jazdy na osiołkach, przy której się zatrzymaliśmy. Linda wzięła Heidi na ręce i ruszyła z nią w stronę kolejki. Włożyła jej na głowę kask, natomiast Vanja i ja z Johnem zostaliśmy przy płocie i obserwowaliśmy.

Jednocześnie pracowały cztery osły, które prowadzili rodzice dzieci. Ścieżka miała nie więcej niż trzydzieści metrów, ale w większości wypadków pokonanie jej zajmowało dużo czasu, bo to były osły, a nie kucyki, osły zaś zatrzymują się, kiedy chcą. Zrozpaczeni rodzice z całych sił ciągnęli za uzdy, ale zwierzaki ani drgnęły. Poklepywanie po zadzie nie pomagało, cholerne osły uparcie stały nieruchomo. Jakieś dziecko się rozpłakało. Bileterka przez cały czas wykrzykiwała rady dla rodziców. Trzeba ciągnąć z całej siły! Mocniej! Ciągnąć, nic im się nie stanie. Mocno! O, tak!

— Widzisz, Vanju? Osiołki nie chcą się ruszyć.

Vanja się roześmiała. Ucieszyłem się, że ona się cieszy. Jednocześnie trochę się martwiłem, jak pójdzie Lindzie, bo jej cierpliwość była niewiele większa niż Vanji, ale poradziła sobie znakomicie. Za każdym razem, gdy osioł się zatrzymywał, obracała się plecami do jego boku, jednocześnie cmokając. W dzieciństwie jeździła konno, konie długo były dla niej najważniejsze, pewnie dlatego tak dobrze jej szło.

Heidi na ośle promieniała. Kiedy zwierzak nie dawał się dłużej oszukiwać, Linda mocno i zdecydowanie ciągnęła za uzdę, nie pozostawiając mu żadnej możliwości sprzeciwu.

— Pięknie jeździsz! — zawołałem do Heidi i patrząc z góry na Vanję, spytałem: — Ty też chcesz?

Z zaciętą miną pokręciła głową. Poprawiła okulary. Jeździła na kucykach, odkąd skończyła półtora roku, a tamtej jesieni, kiedy przeprowadziliśmy się do Malmö, gdy miała dwa i pół roku, zaczęła chodzić do szkółki jeździeckiej. Mieszcząca się w Folkets Park ponura i zniszczona hala jeździecka z podłogą wysypaną trocinami była dla Vanji zjawiskiem rodem z baśni, chłonęła tam wszystko i po zajęciach dużo o tym mówiła. Prosta jak struna siedziała na swoim rozczochranym kucyku, prowadzonym przez Lindę lub — kiedy przychodziłem z nią sam — przez jedną z tych jedenasto- czy dwunastoletnich dziewczynek, których życie wydawało się koncentrować właśnie w tym miejscu, a instruktor stał pośrodku i mówił, co mają robić. To, że Vanja nie zawsze rozumiała polecenia, nie było takie groźne. Ważne były przeżycia związane z końmi i ich otoczeniem. Stajnia, kotka z młodymi w sianie, lista, z której wynikało, kto tego popołudnia będzie jeździł na którym koniu, kask, który sama wybrała, chwila wprowadzania konika do hali, sama jazda, później drożdżówka z cynamonem i sok jabłkowy w kawiarni. To były najważniejsze chwile w całym tygodniu. Ale następnej jesieni wszystko się odmieniło. Pojawił się nowy instruktor i przed Vanją, wyglądającą na więcej niż niespełna cztery lata, postawiono wymagania, którym nie zdołała sprostać. Mimo interwencji Lindy sytuacja się nie zmieniła, a Vanja zaczęła protestować przed pójściem na lekcję. Nie chciała, nie chciała bezwzględnie, więc w końcu zrezygnowaliśmy. Nawet kiedy patrzyła, jak Heidi odbywa na ośle króciutką przejażdżkę przez park, podczas której niczego nie wymagano, nie chciała spróbować.

Zaczęliśmy też chodzić z nią na śpiew, na zajęcia, podczas których dzieci trochę razem śpiewały, a trochę rysowały i układały puzzle. Na drugim spotkaniu trzeba było narysować dom; Vanja przed swoim namalowała niebieską trawę. Kobieta, która prowadziła zajęcia, podeszła do niej i zwróciła jej uwagę, że trawa przecież nie jest niebieska, tylko zielona, więc czy mogłaby zacząć rysować od nowa? Vanja podarła rysunek na strzępy i wpadła w taką złość, że inni rodzice zaczęli unosić brwi i cieszyć się, iż mają takie dobrze wychowane dzieci.

Vanja ma wiele różnych cech, ale przede wszystkim jest wrażliwa, i to, że już zaczyna twardnieć, bo tak właśnie się dzieje, bardzo mnie niepokoi. Obserwowanie jej dorastania zmienia również mój obraz własnego dzieciństwa, może nie tyle z uwagi na jakość, co na ilość, ilość czasu spędzanego z dziećmi, którego jest niezmiernie dużo. Tyle godzin, tyle dni, tak nieskończenie wiele przeżywanych sytuacji. Z własnego dzieciństwa pamiętam jedynie garstkę epizodów — wszystkie uważałem za niezwykle ważne i przełomowe, lecz teraz rozumiem, że są skąpane w morzu innych zdarzeń, przez co całkowicie zatraca się ich sens, no bo skąd mogę wiedzieć, czy akurat te zdarzenia, które utkwiły mi w pamięci, były decydujące, a nie inne, o których kompletnie nic nie wiem?

Kiedy dyskutuję o takich sprawach z Geirem — a rozmawiam z nim przez telefon codziennie przez godzinę — zwykle cytuje on Svena Stolpego[1], który napisał o Bergmanie, że pozostałby Bergmanem bez względu na to, gdzie by się wychowywał, a więc w domyśle, że człowiek jest taki, jaki jest, bez względu na warunki, w jakich dorasta. Zatem sposób, w jaki przyjmuje rodzinę, jest określony, jeszcze zanim się z nią zetknie. Kiedy dorastałem, nauczono mnie, że wszystkie cechy, poczynania i zjawiska należy tłumaczyć środowiskiem, w którym powstały. Biologia i genetyka — a więc to, co dane z góry — prawie nie istniały w świadomości, a kiedy się pojawiały, patrzono na nie z podejrzliwością. Taka koncepcja na pierwszy rzut oka może wydawać się humanistyczna, ponieważ jest silnie związana z poglądem o równości wszystkich ludzi, lecz jeśli się jej bliżej przyjrzeć, może równie dobrze wyrażać mechanistyczny stosunek do człowieka jako istoty, która rodzi się pusta i pozwala, by jej życie kształtowało otoczenie. Długo odnosiłem się czysto teoretycznie do tego problemu, który jest tak podstawowy, że można go wykorzystać jak trampolinę w rozmaitych kontekstach,

---

[1] Sven Stolpe (1905–1996) — szwedzki pisarz, tłumacz, dziennikarz, badacz i krytyk literatury. (Wszystkie przypisy pochodzą od tłumaczki).

na przykład w rozważaniach, czy środowisko jest czynnikiem formującym, czy ludzie w punkcie wyjścia są tacy sami i można ich kształtować, a dobrego człowieka można stworzyć, ingerując w jego otoczenie; stąd zresztą brała się wiara pokolenia moich rodziców w państwo, w system edukacyjny i w politykę, stąd brały się pragnienie odrzucenia przeszłości i nowa prawda, kryjąca się nie we wnętrzu człowieka, w jego indywidualności i wyjątkowości, lecz przeciwnie, na zewnątrz, w zbiorowości i ogólności; może najwyraźniej uwidoczniło się to u Daga Solstada, który zawsze był chronografem swojej współczesności — w tekście z 1967 roku znajduje się jego słynne oświadczenie: „Nie będziemy przyprawiać skrzydeł dzbankowi do kawy", co miało znaczyć, że należy zlikwidować duchowość, zlikwidować wewnętrzność, utorować drogę nowemu materializmowi; ale że ten sam pogląd może stać za burzeniem starych dzielnic, budowaniem na ich miejscu dróg i parkingów, czego intelektualna lewica oczywiście sobie nie życzyła — to nigdy nie przyszło im do głowy, i chyba nie było takiej możliwości aż do teraz, kiedy związek między ideą równości a kapitalizmem, państwem opiekuńczym a liberalizmem, materializmem marksistowskim a społeczeństwem konsumpcyjnym jest przecież oczywisty, ponieważ największym ze wszystkich twórcą równości jest pieniądz — on wyrównuje wszelkie różnice, zatem jeśli twój charakter i twój los są wielkościami formowalnymi, to pieniądze są najbliższe temu, co nadaje formę, a w ten sposób powstaje owo fascynujące zjawisko polegające na tym, że całe masy ludzi podkreślają swoją indywidualność i oryginalność poprzez dokonywanie identycznych zakupów, natomiast ci, którzy kiedyś otworzyli dla tego furtkę swoim zachwytem nad równością, uznaniem dla rzeczy materialnych i wiarą w zmianę, teraz wściekają się na swoje własne dzieło, stworzone, jak uważają, przez wroga — ale tak jak wszystkie proste rozumowania, również to nie do końca odpowiada prawdzie, życie nie jest wielkością matematyczną, nie ma żadnej teorii, jest jedynie praktyka, i nawet jeśli kuszące wydaje się tłumaczenie, że w ciągu życia jednego pokolenia społeczeństwo zostało postawione na głowie przez poglądy na dziedziczenie i wpływ środowiska — jest to pokusa literacka, polegająca bardziej na radości spekulowania, przewlekaniu myśli przez najbardziej niejednorodne obszary działania człowieka niż na radości mówienia prawdy. W książkach Solstada niebo jest niskie, widać w nich niezmierne wyczulenie na współczesne prądy — od poczucia wyobcowania w latach sześćdziesiątych, przez zachłyśnięcie się polityką na początku lat siedemdziesiątych, po zdystansowanie się do niej pod koniec tej dekady, akurat wtedy kiedy takie wiatry zaczęły wiać. Owa cecha, kojarząca się z kurkiem na dachu, nie musi być ani siłą, ani słabością twórczości pisarskiej, może być po prostu częścią jej materii, orientacji, a poza tym w wypadku Solstada to, co istotne znajdowało się zawsze gdzie indziej, mianowicie w języku, który lśni neostaroświecką elegancją, zupełnie wyjątkowym blaskiem, nie do podrobienia i pełnym duchowej wzniosłości. Tego języka nie można się wyuczyć, tego języka nie da się kupić za pieniądze, i właśnie w tym tkwi jego wartość. Nie rodzimy się zatem równi, a warunki, w jakich żyjemy, nie sprawiają, że nasze losy są różne, tylko odwrotnie — rodzimy się różni, a warunki, w jakich żyjemy, upodobniają nasze losy do siebie.

Kiedy myślę o trojgu moich dzieci, przed oczami stają mi nie tylko ich charakterystyczne twarze, lecz również bardzo konkretne, niezmienne uczucia, jakie budzą: to, czym dla mnie „są”. A to, czym „są”, obecne było w nich już od pierwszych chwil, gdy je zobaczyłem. Wtedy przecież nic nie umiały, a te niewielkie umiejętności — ssania piersi, odruchowego unoszenia rąk, patrzenia na otoczenie, naśladowania — posiadały wszystkie, tak więc to, czym dla mnie „są”, nie ma żadnego związku z ich cechami, z tym, co potrafią, a czego nie potrafią robić, tylko bardziej z czymś w rodzaju światła, które w nich świeci.

Cechy ich charakterów, które nieśmiało zaczęły się ukazywać już po kilku tygodniach, pozostały niezmienione i są tak różne u każdego dziecka, że trudno sobie wyobrazić, aby warunki, jakie im oferujemy, czyli nasze zachowanie i sposób bycia, miały decydujące znaczenie. John ma łagodne, życzliwe usposobienie, kocha swoje siostry, samoloty, pociągi i autobusy. Heidi jest otwarta i z każdym nawiązuje kontakt, interesują ją buty i ubrania, chce nosić wyłącznie sukienki i czuje się dobrze w swoim małym ciałku, co przejawiło się na przykład wtedy, gdy na pływalni stanęła naga przed lustrem i powiedziała do Lindy: „Mamo, zobacz, jaką mam ładną pupę!”. Nie znosi strofowania; gdy ktoś podniesie na nią głos, odwraca się i płacze. Vanja natomiast się odgryza, ma gwałtowny temperament, silną wolę, jest wrażliwa i wyczulona na relacje z innymi. Ma dobrą pamięć, zna na wyrywki większość czytanych jej książek i kwestie z filmów, które razem oglądamy. Charakteryzuje ją poczucie humoru, w domu zawsze dużo się razem śmiejemy, ale poza domem ulega panującym w innych miejscach nastrojom i w natłoku nowości lub rzeczy niezwykłych zamyka się w sobie. Poczucie wstydu pojawiło się u niej, kiedy miała około siedmiu miesięcy — gdy zbliżał się do niej ktoś obcy, zaczęła po prostu zamykać oczy, jakby spała. Czasami wciąż jeszcze potrafi się tak zachować; na przykład kiedy siedzi w wózku i nieoczekiwanie spotkamy rodzica innego dziecka z przedszkola, oczy natychmiast jej się zamykają. W przedszkolu w Sztokholmie, mieszczącym się naprzeciwko naszego mieszkania, po drugiej stronie ulicy, po ostrożnych i niepewnych początkach przywiązała się mocno do chłopczyka w jej wieku; miał na imię Alexander i razem tak swawolili na placu zabaw, że przedszkolanki czasami musiały chronić przed nią Alexandra, bo nie zawsze wytrzymywał tę jej intensywność. Na ogół jednak rozpromieniał się na jej widok i smutniał, kiedy wychodziła, a ona od tamtej pory woli bawić się z chłopcami, najwyraźniej potrzebuje fizycznego wyładowania, może dlatego że jest proste i łatwo wzbudza poczucie, że się coś opanowało.

Kiedy przeprowadziliśmy się do Malmö, Vanja zaczęła chodzić do nowego przedszkola; mieściło się tuż przy Västra Hamnen, Porcie Zachodnim, w nowo wybudowanej dzielnicy, w której mieszkali najzamożniejsi, a ponieważ Heidi była jeszcze maleńka, to ja wziąłem na siebie przyzwyczajenie Vanji do nowego środowiska. Codziennie rano jeździliśmy rowerem przez miasto, obok terenu starej stoczni i dalej w stronę morza — Vanja w malutkim kasku na głowie, ściskająca mnie w pasie, ja z kolanami na wysokości brzucha na niedużej damce, swobodny i wesoły, bo wszystko w tym mieście wciąż było dla mnie nowe, a poranne i popołudniowe zmiany światła na niebie obejmowałem spojrzeniem jeszcze nieznużonym rutyną. To, że rano Vanja w pierwszych słowach oznajmiała, niekiedy z płaczem, że nie chce iść do przedszkola, uznawałem za przejściowe; oczywiste dla mnie było, że z czasem je polubi. Na miejscu jednak nie dawała się oderwać od moich kolan, bez względu na to, czym wabiły ją trzy młode przedszkolanki. Uważałem, że najlepiej będzie rzucić ją na głęboką wodę, po prostu stamtąd odejść, żeby radziła sobie sama, ale o takiej brutalności ani one, ani Linda nie chciały słyszeć. Siedziałem więc na krześle w kącie sali z Vanją na kolanach, otoczony bawiącymi się dziećmi, w blasku słońca, który z dnia na dzień stawał się coraz bardziej jesienny. Podczas posiłku na dworze, składającego się z kawałków jabłek i gruszek, rozdzielanych przez opiekunki, Vanja zgadzała się usiąść sama tylko wtedy, kiedy od innych dzieliła ją odległość dziesięciu metrów; uśmiechałem się wówczas przepraszająco i nie bez zdziwienia, bo przecież sam miałem taki stosunek do ludzi. Jak ona, dwuipółletnie dziecko, zdołała go przejąć? Oczywiście przedszkolanki z czasem ściągnęły ją z moich kolan, więc mogłem wracać do domu, żeby trochę popisać, chociaż Vanja płakała rozdzierająco za moimi plecami, a po miesiącu, kiedy ją przywoziłem i odbierałem, wszystko odbywało się w miarę normalnie. Wciąż jednak zdarzało jej się rano mówić, że nie chce iść, wciąż od czasu do czasu płakała, więc kiedy z innego przedszkola, położonego w pobliżu naszego mieszkania, zatelefonowano z informacją, że mają wolne miejsce, nie wahaliśmy się z przyjęciem tej propozycji. Przedszkole nazywało się Ryś i było spółdzielnią rodziców, co oznaczało, że każdy rodzic musiał przez dwa tygodnie w roku uczestniczyć w opiece nad grupą dzieci, a ponadto obsłużyć jedno z wielu stanowisk administracyjnych lub technicznych. O tym, jak głęboko to przedszkole przeniknie w nasze życie, nie mieliśmy wtedy pojęcia, przeciwnie, rozmawialiśmy głównie o jego zaletach: dzięki dyżurom poznamy wszystkich towarzyszy zabaw Vanji, a dzięki pracy na różnych stanowiskach i zebraniom, które się z tym wiążą — również ich rodziców. Dowiedzieliśmy się, iż rzeczą zwyczajną jest to, że dzieci odwiedzają się w domach, wkrótce więc mogliśmy w razie potrzeby liczyć na odciążenie. Poza tym, i był to może najważniejszy argument, nie znaliśmy nikogo w Malmö, ani jednego człowieka, i stwierdziliśmy, że to prosty sposób na nawiązanie kontaktów. Rzeczywiście się sprawdził — po dwóch tygodniach zaproszono nas na przyjęcie urodzinowe jednej z dziewczynek. Vanja ogromnie się cieszyła, szczególnie że dostała na tę okazję parę eleganckich złotych bucików, ale jednocześnie nie chciała tam iść, co było dość zrozumiałe, bo nie znała jeszcze dobrze innych dzieci. Zaproszenie leżało na jej przedszkolnej półce w pewne piątkowe popołudnie, impreza miała się odbyć w następną sobotę i przez ten tydzień Vanja co rano pytała, czy to dzisiaj są urodziny Stelli. Kiedy mówiliśmy, że nie, pytała, czy pojutrze;

był to dla niej najodleglejszy horyzont przyszłości. Tego poranka, kiedy nareszcie mogliśmy pokiwać głowami i powiedzieć, że tak, dzisiaj idziemy do Stelli, zerwała się z łóżka i pobiegła prosto do szafy, żeby włożyć złote pantofelki. Kilka razy na godzinę pytała, czy to jeszcze długo, więc przedpołudnie mogło stać się nieznośne, pełne marudzenia i scen, ale na szczęście było je czym wypełnić. Linda zabrała Vanję do księgarni, żeby kupić prezent, później przy stole w kuchni rysowały kartkę z urodzinowymi powinszowaniami, potem wykąpaliśmy dziewczynki, uczesaliśmy je, ubraliśmy w białe rajstopki i wyjściowe sukienki. Nieoczekiwanie humor Vanji całkowicie się odmienił — nagle nie chciała mieć na sobie ani rajstop, ani sukienki, nie było mowy o pójściu na urodziny, a złotymi pantofelkami rzuciła o ścianę. Cierpliwie przeczekaliśmy ten wybuch, który trwał kilka minut, po czym udało nam się jednak ubrać ją we wszystko, nawet w robioną na drutach białą chustę, którą dostała na chrzciny Heidi, i kiedy wreszcie obie siedziały w wózku, znów były pełne nadziei i oczekiwań. Vanja, poważna i milcząca, w jednej rączce trzymała złote buciki, w drugiej prezent, ale kiedy odwracała się do nas, żeby coś powiedzieć, miała na ustach uśmiech. Obok niej siedziała Heidi, ożywiona i wesoła, bo chociaż nie rozumiała, dokąd idziemy, to jednak ubranie i wszystkie przygotowania musiały jej podpowiedzieć, że to coś wykraczającego poza zwykłe zajęcia. Mieszkanie, w którym miał się odbyć kinderbal, znajdowało się kilkaset metrów dalej na tej samej ulicy, przy której mieszkaliśmy. Panowała na niej aktywność charakterystyczna dla sobotnich popołudni w mieście, kiedy ludzie robiący ostatnie zakupy i dźwigający torby mieszają się z młodzieżą ściągającą do centrum, żeby wystawać pod Burger Kingiem i McDonaldem, a samochody sunące jezdnią nie pełnią już wyłącznie funkcji transportowych, nie należą do rodzin zmierzających na parking albo wyjeżdżających z parkingu, pojawia się bowiem coraz więcej niskich, lśniących czarnych aut z drżącą od basów karoserią, którymi jeżdżą dwudziestokilkuletni imigranci. Przed supermarketem było tyle ludzi, że na chwilę musieliśmy się zatrzymać; kiedy udręczona chuda staruszka, która zwykle o tej porze przesiadywała tam na wózku inwalidzkim, dostrzegła Vanję i Heidi, nachyliła się do nich i zadzwoniła dzwonkiem zawieszonym na kiju, obdarzając je uśmiechem, który według niej z pewnością wyrażał miłość do dzieci, ale im musiał się wydać przerażający. Nic jednak nie powiedziały, tylko na nią patrzyły. Po drugiej stronie drzwi wejściowych siedział narkoman w moim wieku; w wyciągniętej ręce trzymał czapkę z daszkiem. Obok stała klatka z kotem. Vanja, zobaczywszy go, odwróciła się do nas.

— Kiedy się przeniesiemy na wieś, będę miała kotka — oznajmiła.

— Kotek! — Heidi pokazała palcem.

Zjechałem wózkiem z chodnika na jezdnię, żeby wyprzedzić trzy osoby, które szły cholernie wolno i najwyraźniej wydawało im się, że mają chodnik tylko dla siebie. Pokonałem kilka metrów najszybciej, jak mogłem, i po ominięciu tych ludzi znów wjechałem na chodnik.

— Wiesz, Vanju, ale to może jeszcze potrwać.

— W mieszkaniu nie można trzymać kota — powiedziała.

— No właśnie — potwierdziła Linda.

Vanja znów usiadła prosto. Torbę z prezentem ściskała w obu rękach.

Spojrzałem na Lindę.

— Jak on ma na imię? Ten ojciec Stelli.

— Kompletnie wyleciało mi z głowy... No, chyba Erik, prawda?

— Chyba tak. A czym się zajmuje?

— Nie jestem pewna. Coś z designem.

Przejechaliśmy obok Gottgruvan, sklepu ze słodyczami; obie, i Vanja, i Heidi, wychyliły się, żeby zajrzeć do środka przez szybę. Tuż obok był lombard. W następnym sklepie sprzedawano rozmaite posążki, biżuterię, aniołki i figurki Buddy, a oprócz tego kadzidła, specjalne herbaty, mydła i inne gadżety New Age. W oknach wisiały plakaty informujące o terminach przyjazdu rozmaitych guru jogi i słynnych jasnowidzów. Po drugiej stronie ulicy mieścił się sklep odzieżowy z tanimi markami, Ricco Jeans and Clothings, „Moda dla całej rodziny”, obok TABOO, coś w rodzaju sex-shopu, który kusił wibratorami, lalkami w rozmaitych stopniach negliżu i przypominającą gorsety bielizną na wystawie przy drzwiach, osłoniętej od ulicy. Dalej był sklep Bergman z torebkami i kapeluszami, najprawdopodobniej o wnętrzu i asortymencie niezmienionym od czasów, gdy go założono w latach czterdziestych, oraz Radio City, które właśnie zbankrutowało, ale wciąż wabiło wystawą pełną włączonych telewizorów w otoczeniu najprzeróżniejszych urządzeń elektrycznych z cenami wypisanymi na wielkich, niemal świecących tekturowych planszach, pomarańczowych i zielonych. Obowiązywała zasada, że im dalej w głąb ulicy, tym sklepy tańsze i o bardziej wątpliwej reputacji. To samo dotyczyło ludzi. W odróżnieniu od Sztokholmu, gdzie również mieszkaliśmy w centrum miasta, tu ubóstwo i nędza były widoczne na ulicach. Podobało mi się to.

— To tutaj — oznajmiła Linda, zatrzymując się przed kolejną bramą. Nieopodal, przed salonem gry w bingo, stały trzy kilkudziesięcioletnie panie o niezdrowej cerze i paliły papierosy. Linda przesunęła wzrokiem po liście lokatorów umieszczonej przy domofonie i wstukała numer. Dwa autobusy przejechały z hałasem jeden za drugim. Zaraz rozległ się brzęczyk i weszliśmy do ciemnego korytarza. Odstawiliśmy wózek pod ścianę i pokonaliśmy schodami dwa piętra, ja z Heidi na rękach, Linda — prowadząc Vanję. Kiedy dotarliśmy na górę, drzwi do mieszkania okazały się otwarte. W środku też było ciemno. Poczułem się trochę nieprzyjemnie, że wchodzę tak bez zapowiedzi, wolałbym wcisnąć dzwonek, to by bardziej zaakcentowało nasze przybycie, bo teraz po prostu staliśmy w przedpokoju i nikt nie zwracał na nas uwagi.

Postawiłem Heidi na podłodze i zdjąłem jej kurtkę. Linda chciała rozebrać Vanję, ale ta zaprotestowała. Najpierw buty, żeby mogła włożyć złote pantofelki.

Po obu stronach korytarza były pokoje. W jednym bawiły się podniecone dzieci, w drugim na stojąco rozmawiało kilkoro dorosłych. W głębi przedpokoju dostrzegłem Erika. Stał tyłem do mnie, zajęty rozmową z rodzicami jednego z przedszkolaków.

— Halo! — zawołałem niezbyt głośno.

Nie odwrócił się. Położyłem kurtkę Heidi na jakimś płaszczu na krześle; zauważyłem spojrzenie Lindy poszukujące miejsca, w którym mogłaby powiesić kurtkę Vanji.

— Wchodzimy? — spytała.

Heidi objęła mnie za nogę. Wziąłem ją na ręce i zrobiłem kilka kroków w głąb korytarza. Erik się odwrócił.

— Cześć — powiedział.

— Cześć.

— Cześć, Vanju — dodał.

Vanja odwróciła się do niego plecami.

— Dasz prezent Stelli? — spytałem.

— Stella, Vanja przyszła! — zawołał Erik.

— Ty daj — powiedziała Vanja.

Od grupki dzieci oderwała się uśmiechnięta Stella.

— Wszystkiego najlepszego, Stello. Vanja ma dla ciebie prezent. — Spojrzałem na Vanję. — Dasz go Stelli?

— Ty daj — powtórzyła.

Wziąłem od niej prezent i wręczyłem go Stelli.

— To od Vanji i od Heidi — powiedziałem.

— Dziękuję. — Stella zaczęła zrywać papier. Gdy zobaczyła, że to książka, rzuciła ją na stół, na którym leżały już inne prezenty, i wróciła do pozostałych dzieci.

— I jak? — spytał Erik. — Wszystko w porządku?

— Jasne — odparłem. Czułem, jak koszula lepi mi się do piersi. Czy to było widać?

— Masz bardzo ładne mieszkanie — pochwaliła Linda. — Trzy pokoje?

— Tak — potwierdził Erik.

Zawsze miał przebiegłą minę, zawsze wyglądał tak, jakby miał jakiegoś haka na osoby, z którymi rozmawiał, i trudno go było ocenić; ten jego półuśmiech równie dobrze mógł być ironiczny, jak ciepły lub niepewny. Gdyby miał wyraźny albo silny charakter, mogłoby mnie to zaniepokoić, ale on był mglisty, słaby, jakby bezwolny, więc to, co mógł sobie myśleć, nie martwiło mnie w najmniejszym stopniu. Skoncentrowałem się na Vanji. Stała tuż przy Lindzie i patrzyła w podłogę.

— Wszyscy są w kuchni — powiedział Erik. — Jest też trochę wina, jeśli macie ochotę.

Heidi już weszła do pokoju; stała przy regale, w ręku trzymała drewnianego ślimaka. Ślimak miał kółka i sznurek, za który można było go ciągnąć.

Skinąłem głową parze rodziców stojących głębiej w korytarzu.

— Cześć — powiedzieli.

Jak ten facet miał na imię? Johan? A może Jacob? A ona? Może Mia? Nie, do jasnej cholery, na pewno miał na imię Robin.

— Cześć — odpowiedziałem.

— Co u was? — spytał mężczyzna.

— W porządku. A u was?

— Też w porządku.

Uśmiechnąłem się do nich. Oni też się uśmiechnęli. Vanja puściła Lindę i z wahaniem weszła do pokoju, w którym bawiły się dzieci. Przez chwilę stała i na nie patrzyła, potem jakby zdecydowała się na skok.

— Mam złote buty! — oznajmiła.

Nachyliła się, zdjęła pantofelek i uniosła w górę, na wypadek, gdyby ktoś chciał go zobaczyć. Ale nikt nie chciał. Kiedy to zrozumiała, włożyła bucik z powrotem.

— Nie usiądziesz tam z nimi i nie pobawisz się? — spytałem. — Zobacz, mają duży domek dla lalek.

Posłuchała mnie, usiadła obok dzieci, ale nic nie robiła, tylko siedziała i patrzyła.

Linda wzięła Heidi na ręce i poszła z nią w stronę kuchni. Ruszyłem za nimi. Wszyscy się z nami witali, odwzajemnialiśmy się, a potem usiedliśmy przy długim stole, ja przy oknie. Toczyła się rozmowa o biletach tanich linii lotniczych, o tym, że początkowo wydawały się kupione za bezcen, ale powoli drożały wraz z koniecznością zamawiania jednego dodatku po drugim, aż w końcu trzymało się w ręku bilet równie drogi jak w zwykłych liniach. Później rozmowa zeszła na handel emisjami zanieczyszczeń, a następnie na niedawno wprowadzony nowy rodzaj wyjazdów wakacyjnych pociągami czarterowymi. Z całą pewnością mogłem coś na ten temat powiedzieć, ale się nie odezwałem; towarzyskie pogawędki są jedną z niezliczonych dziedzin, których nie opanowałem, więc jak zwykle siedziałem, potakując, uśmiechając się, kiedy inni się uśmiechali, i całym sobą pragnąłem stamtąd wyjść. Przy kuchennym blacie stała matka Stelli, Frida, przyrządzając coś, co wyglądało na dressing. Rozstała się z Erikiem i chociaż w sprawach Stelli dobrze się dogadywali, od czasu do czasu na zebraniach w przedszkolu dawało się wyczuć w ich stosunkach urazę i irytację. Frida była blondynką, miała mocno zarysowane kości policzkowe, wąskie oczy, smukłe, szczupłe ciało i umiała się dobrze ubrać, ale była zbyt zadowolona z siebie, za bardzo się na sobie skupiała, abym mógł uznać ją za atrakcyjną. Nie mam żadnych problemów z ludźmi nieciekawymi czy mało oryginalnymi, bo mogą być obdarzeni innymi, ważniejszymi cechami, takimi jak ciepło, troskliwość, życzliwość, poczucie humoru, talent do podtrzymywania rozmowy, do wytwarzania wokół siebie poczucia bezpieczeństwa, do odpowiedniego kierowania rodziną, żeby dobrze funkcjonowała, ale w towarzystwie nieciekawych ludzi, którzy uważają się za niezwykle interesujących i tym się chełpią, czuję się wręcz fizycznie źle.

Frida postawiła miskę z tym, co uważałem za dressing, a jednak okazało się dipem, na tacy, na której już wcześniej stały dwie miseczki, jedna z pokrojoną w słupki marchewką, druga z pokrojonym tak samo ogórkiem. W tej samej chwili w kuchni pojawiła się Vanja. Kiedy nas zlokalizowała, podeszła bardzo blisko.

— Chcę do domu — powiedziała cicho.

— Przecież dopiero przyszliśmy.

— Pobędziemy jeszcze troszeczkę — wyjaśniła Linda. — Zobacz, zaraz dostaniecie coś pysznego.

Miała na myśli tacę z warzywami?

Chyba tak. 38

Ludzie w tym kraju powariowali.

— Pójdę z tobą do pokoju — zaproponowałem Vanji. — Chodź.

— Weźmiesz też Heidi? — spytała Linda.

Kiwnąłem głową i z Vanją depczącą mi po piętach zaniosłem Heidi do pokoju, w którym były dzieci. Frida szła za mną z tacą w rękach. Ustawiła ją na niedużym stoliku na środku.

— Macie tutaj coś do przekąszenia — oznajmiła. — Zanim będzie tort.

Dzieci, trzy dziewczynki i chłopiec, dalej bawiły się przed domkiem dla lalek. W drugim pokoju dwaj chłopcy biegali w kółko. Stał tam też Erik przy wieży stereo, z płytą CD w ręku.

— Mam trochę norweskiego jazzu — zagadnął do mnie. — Interesujesz się jazzem?

— Taak…

— Norwegia ma niezłą scenę jazzową.

— A co masz?

Pokazał mi okładkę płyty. Nigdy nie słyszałem o tym zespole.

— Świetnie — pochwaliłem.

Vanja stała za Heidi i próbowała ją podnieść. Heidi protestowała.

— Ona tego nie chce, Vanju. Nie rób tak — poprosiłem.

Ponieważ nie przestawała, podszedłem do niej.

— Zjesz marchewkę? — spytałem.

— Nie — odparła Vanja.

— Ale jest też dip. — Wziąłem ze stolika kawałek marchewki, zanurzyłem go w białym sosie, przygotowanym prawdopodobnie na bazie kwaśnej śmietany, i włożyłem do ust. — Mmm — cmoknąłem — ale pyszne.

Dlaczego dzieci nie mogą po prostu dostać parówek, lodów i oranżady? Lizaków? Galaretki? Puddingu czekoladowego?

Cholera, co to za głupi kraj? Wszystkie młode kobiety piją wodę w takich ilościach, że wylewa im się uszami, wierzą, że to „korzystne” i „zdrowe”, ale przez to jedynie szybuje w górę krzywa wyznaczająca liczbę młodych osób cierpiących na nietrzymanie moczu. Dzieci jedzą makaron i chleb z pełnego ziarna, a także wszelkie dziwaczne odmiany niełuskanego ryżu, którego ich żołądki nie potrafią w pełni spożytkować, ale to nie ma żadnego znaczenia, ważne, że są „korzystne”, „świeże” i „zdrowe”. Ludzie mylą jedzenie z duchem, wydaje im się, że dzięki odpowiedniemu odżywianiu mogą się stać lepsi, nie rozumieją, że jedzenie to jedno, wyobrażenia zaś na jego temat to coś zupełnie innego.

A kiedy się o tym powie głośno, kiedy się o tym choćby napomknie, uznają człowieka za reakcjonistę albo po prostu za Norwega, a więc kogoś opóźnionego w rozwoju o dziesięć lat.

— Nie chcę — oświadczyła Vanja. — Nie jestem głodna.

— No to nie. Ale spójrz tam, widziałaś? Tam jest pociąg. Pobudujemy?

Kiwnęła głową, więc usiedliśmy tuż za innymi dziećmi. Zacząłem układać kawałki drewnianych torów w półkole, jednocześnie delikatnie pomagając Vanji przy układaniu jej klocków. Heidi przeniosła się do drugiego pokoju, szła wzdłuż regału, przyglądając się wszystkiemu, co na nim stało. Za każdym razem, gdy ruchy biegających chłopców stawały się bardziej gwałtowne, odwracała się i patrzyła na nich.

Erik wreszcie włączył płytę i podgłośnił. Fortepian, bas i rój instrumentów perkusyjnych, uwielbiany przez pewien typ perkusistów jazzowych — tych, którzy walą kamieniem o kamień albo w inny sposób wykorzystują materiały ze swojego otoczenia. Czasami na to nie reagowałem, a czasami mnie śmieszyło. Jednak kiedy na koncertach jazzowych nagradzano taki występ oklaskami, czułem wściekłość.

Erik przez chwilę kiwał głową, w końcu się odwrócił, puścił do mnie oko i ruszył w stronę kuchni. Rozległ się dzwonek do drzwi. Przyszedł Linus ze swoim synkiem Achillesem. Linus, który trzymał pod górną wargą porcyjkę snusu, był ubrany w czarne spodnie, białą koszulę i ciemny płaszcz. Jasne włosy miał odrobinę rozczochrane, oczy, zaglądające w głąb mieszkania, patrzyły szczerze i naiwnie.

— Czołem! — powiedział. — Co słychać?

— Dobrze — odparłem. — A u ciebie?

— Jakoś leci.

Achilles, drobny chłopczyk z wielkimi ciemnymi oczami, zdejmował kurtkę i buty, wpatrzony w dzieci, które bawiły się obok nas. Dzieci są jak psy, w tłumie zawsze wyłapią podobnych do siebie. Vanja także na niego patrzyła. Był jej ulubieńcem, to jego wybrała do dźwigania roli Alexandra. Ale Achilles, kiedy się wreszcie rozebrał, ruszył prosto do innych dzieci i Vanja w żaden sposób nie mogła temu zapobiec. Linus skierował się w stronę kuchni, a ożywienie, które dostrzegłem w jego spojrzeniu, nie mogło zostać wywołane niczym innym jak nadzieją, że trochę sobie pogada.

Wstałem i spojrzałem na Heidi. Siedziała przy dużej juce stojącej przy oknie, wybierała ziemię z doniczki i usypywała na podłodze małe kopczyki. Podszedłem do niej, odstawiłem ją na bok, tyle ziemi, ile mogłem, wsypałem z powrotem do doniczki i pomaszerowałem do kuchni poszukać jakiejś ścierki. Vanja ruszyła za mną. W kuchni wdrapała się na kolana Lindy. Z głębi mieszkania dobiegł płacz Heidi. Linda spojrzała na mnie pytająco.

— Zajmę się nią — powiedziałem. — Muszę tylko znaleźć coś do wycierania.

Przy kuchennym blacie zrobiło się tłoczno, chyba wjechało jakieś danie, więc zamiast się tam przeciskać, poszedłem do toalety, odwinąłem spory kawał papieru, zwilżyłem go pod kranem i wróciłem do pokoju, żeby posprzątać. Wciąż płaczącą Heidi zaniosłem do łazienki, żeby jej umyć ręce. Wiła się w moich objęciach, próbując się wyrwać.

— Już dobrze, dobrze, grzeczna dziewczynka — usiłowałem ją uspokoić. — Zaraz skończymy, jeszcze tylko chwilka. Już.

Gdy wyszliśmy z łazienki, przestała płakać, ale nie była w pełni zadowolona. Nie chciała, żebym postawił ją na podłodze, wolała siedzieć u mnie na ramieniu. W pokoju Robin stał z założonymi rękami i obserwował swoją córkę Theresę, starszą od Heidi zaledwie o kilka miesięcy, ale mówiącą już pełnymi zdaniami.

— No i co tam? — spytał. — Piszesz coś ostatnio?

— Tak, trochę.

— Piszesz w domu?

— Owszem, mam osobny pokój.

— Czy to nie trudne? Nie masz ochoty pooglądać telewizji albo zrobić prania czy czegoś takiego, zamiast pisać?

— Jakoś to idzie. Oczywiście mam mniej czasu, niż gdybym pisał w osobnej pracowni, ale…

— No tak, to oczywiste — stwierdził.

Miał półdługie jasne włosy, wijące się na karku, przejrzyste niebieskie oczy, płaski nos, szeroką szczękę. Nie był potężny, ale też nie wyglądał na słabeusza. Ubierał się tak, jakby miał dwadzieścia kilka lat, chociaż dobiegał czterdziestki. Co myślał, nie miałem pojęcia. Nie potrafiłem powiedzieć nic o jego wnętrzu, ale też nie zauważałem w nim nic intrygującego. Przeciwnie, zdawał się emanować otwartością. Wyczuwałem w nim jednak coś innego, jakiś cień. Mówił mi kiedyś, że pracuje w urzędzie gminy i zajmuje się integracją uchodźców, ale po kilku dodatkowych pytaniach, ilu uchodźców przyjęto i tak dalej, porzuciłem ten temat, ponieważ przypuszczałem, że moje poglądy i sympatie są dalekie od szwedzkiej normy, którą reprezentował, i prędzej czy później to się objawi, przy czym znów wyjdę na złego albo głupiego, wszystko jedno — nie widziałem ku temu powodów.

Vanja, która siedziała na podłodze w pewnym oddaleniu od innych dzieci, spojrzała na nas. Postawiłem Heidi na ziemi, a Vanja jakby tylko na to czekała, bo natychmiast podeszła i wzięła Heidi za rękę, zaprowadziła ją do półek z zabawkami i podała jej drewnianego ślimaka z antenkami, obracającymi się, kiedy się go ciągnęło — tego samego, którym się wcześniej bawiła.

— Zobacz, Heidi! — Wyjęła ślimaka z rąk siostry i postawiła na podłodze. — Trzeba ciągnąć za ten sznurek, to się będą kręcić. Rozumiesz?

Heidi złapała za sznurek i szarpnęła. Ślimak się przewrócił.

— Nie, nie tak! — pouczyła ją Vanja. — Pokażę ci.

Postawiła ślimaka i delikatnie pociągnęła go kilka metrów.

— Mam młodszą siostrę! — rzuciła głośno.

Robin podszedł do okna i wyjrzał na podwórze. Stella, energiczna i prawdopodobnie wyjątkowo podniecona, ponieważ to były jej urodziny, krzyknęła coś, czego nie zrozumiałem, wskazując na jedną z dwóch mniejszych dziewczynek — ta podała jej lalkę, którą trzymała w objęciach. Stella wyciągnęła malutki wózek, włożyła do niego lalkę i ruszyła z nim w głąb korytarza. Achilles dotarł do Benjamina, chłopca o pół roku starszego od Vanji, który najczęściej tkwił w głębokim skupieniu nad rysunkiem, stosem klocków lego czy nad statkiem z figurkami piratów. Miał dużo fantazji, był samodzielny i miły, a teraz razem z Achillesem zabrał się do budowania torów, które zaczęliśmy układać z Vanją. Tamte dwie mniejsze dziewczynki pobiegły za Stellą w głąb mieszkania. Heidi popłakiwała. Musiała być głodna. Przeszedłem do kuchni i usiadłem obok Lindy.

— Pójdziesz do nich na trochę? — spytałem. — Wydaje mi się, że Heidi zgłodniała.

Kiwnęła głową, na moment położyła mi rękę na ramieniu i wstała. Potrzebowałem kilku sekund, aby zorientować się w treści dwóch rozmów równolegle toczących się przy stole. Jedna dotyczyła car-sharingu, druga samochodów; zrozumiałem, że musiały się rozdzielić zaledwie przed chwilą. Ciemność za oknem zgęstniała, światło w kuchni było oszczędne, rysy szwedzkich twarzy wokół stołu pozostawały zacienione, oczy błyszczały w blasku świec. Erik, Frida i kobieta, której imienia nie pamiętałem, stali przy blacie, odwróceni do nas tyłem, i przygotowywali jedzenie. Wypełniła mnie czułość dla Vanji, nic jednak nie mogłem zrobić. Spojrzałem na mężczyznę, który akurat coś mówił, uśmiechnąłem się lekko przy jakimś żarciku i napiłem się czerwonego wina z kieliszka postawionego przez kogoś przy moim miejscu.

Naprzeciwko mnie siedział jedyny człowiek, który się tu wyróżniał. Twarz miał dużą, policzki naznaczone bliznami, rysy grube, oczy intensywnie wpatrujące się w rozmówcę. Wielkie dłonie położył na blacie. Był ubrany w koszulę w stylu lat pięćdziesiątych i niebieskie dżinsy z podwiniętymi mankietami. Fryzurę również miał rodem z lat pięćdziesiątych, i bokobrody. Ale nie to go wyróżniało, tylko bijąca od niego aura. Wyraźnie się czuło, że tu siedzi, chociaż za wiele się nie odzywał.

Kiedyś w Sztokholmie zaproszono nas na imprezę, na której był też pewien bokser, również siedział w kuchni, a jego fizyczną obecność wyczuwało się wręcz namacalnie; we mnie wywoływała wyraźne, lecz nieprzyjemne poczucie niższości, podległości. W dziwny sposób wydarzenia owego wieczoru miały to potwierdzić. Impreza odbywała się u jednej z przyjaciółek Lindy, Cory. Jej mieszkanie było niewielkie, więc wszędzie stali i rozmawiali ludzie. Z wieży stereo w salonie płynęła muzyka. Ulice na zewnątrz pobielały od śniegu. Linda była w zaawansowanej ciąży, to było prawdopodobnie ostatnie przyjęcie, w którym mogliśmy uczestniczyć przed narodzinami dziecka i odmianą całego naszego życia, więc mimo że czuła się zmęczona, chciała chociaż przez pewien czas tam pobyć. Wypiłem trochę wina i rozmawiałem z Thomasem, fotografikiem, przyjacielem Geira; Corę znał przez swoją partnerkę, Marię, poetkę i instruktorkę Cory podczas seminarium na wyspie Biskops-Arnö. Linda siedziała na krześle, odsuniętym nieco od stołu z uwagi na duży brzuch, śmiała się i była zadowolona, a z tego, że w ciągu ostatnich miesięcy zamknęła się w sobie i odczuwała lekkie przygnębienie, prawdopodobnie tylko ja zdawałem sobie sprawę. Po pewnym czasie wstała, żeby wyjść z salonu. Uśmiechnąłem się do niej i wróciłem do rozmowy z Thomasem, który skomentował geny rudowłosych, tak bardzo rzucające się w oczy tego wieczoru.

Nagle rozległo się stukanie.

— Cora! — usłyszałem. — Cora!

Czyżby to była Linda?

Wstałem i wyszedłem do przedpokoju.

Stukanie dobiegało zza drzwi łazienki.

— To ty, Lindo? — spytałem.

— Tak. Chyba drzwi się zatrzasnęły. Możesz sprowadzić Corę? Pewnie jest jakaś sztuczka, żeby je otworzyć.

W salonie dotknąłem ramienia Cory, która w jednej ręce trzymała talerz z jedzeniem, a w drugiej kieliszek z czerwonym winem.

— Linda zatrzasnęła się w łazience — powiedziałem.

— O nie! — Odstawiła kieliszek i talerz.

Przez chwilę konferowały przez zamknięte drzwi, Linda usiłowała stosować się do otrzymywanych instrukcji, ale nic nie pomagało, drzwi nie dawały się otworzyć. Teraz już wszyscy zdawali sobie sprawę z sytuacji, zapanował dość wesoły nastrój, pełen podniecenia. W korytarzu zebrała się cała grupka udzielająca Lindzie dobrych rad, natomiast Cora, skonsternowana i wystraszona, przez cały czas powtarzała, że Linda jest w zaawansowanej ciąży, więc szybko musimy coś zrobić. W końcu zapadła decyzja o wezwaniu ślusarza. W trakcie oczekiwania na niego stałem pod drzwiami i rozmawiałem z zamkniętą Lindą, nieprzyjemnie świadomy, że wszyscy słuchają tego, co mówię, a zarazem w poczuciu własnej niezdolności do działania. Nie mogłem po prostu wyłamać tych drzwi i jej stamtąd wyprowadzić, szybko i skutecznie?

Nigdy nie wyłamywałem drzwi, nie wiedziałem, jak solidne są te tutaj. A gdyby od kopnięcia ani drgnęły, czy bardzo głupio by to wyglądało?

Ślusarz pojawił się pół godziny później. Położył płócienny worek z narzędziami na podłodze i zaczął grzebać w zamku. Był nieduży, nosił okulary i miał zaczątki łysiny. Nie odzywał się do ludzi otaczających go kręgiem, wypróbowywał jedno narzędzie po drugim — bez rezultatu, cholerne drzwi dalej były zamknięte. W końcu się poddał, oświadczył Corze, że się nie da, on tych drzwi nie otworzy.

— No to co mamy zrobić? — spytała Cora. — Ona jest w zaawansowanej ciąży!

Wzruszył ramionami.

— Wyłamcie drzwi — odparł i zaczął pakować narzędzia.

Kto miał się tym zająć?

To musiałem być ja. Byłem mężem Lindy. Byłem za nią odpowiedzialny.

Serce mocno waliło mi w piersi.

Miałem to zrobić? Cofnąć się o krok i na oczach wszystkich kopnąć w te drzwi z całej siły?

A gdyby nie drgnęły? Albo gdyby się otworzyły i uderzyły Lindę?

Powinna się cofnąć w kąt.

Kilka razy odetchnąłem głęboko, ale to nie pomogło, dalej trząsłem się w środku. Takie skupienie uwagi na sobie było najgorszą rzeczą, jaka mogła mi się przydarzyć, a ponieważ istniało ryzyko, że mi się nie powiedzie, czułem się jeszcze gorzej.

Cora się rozejrzała.

— Musimy wyłamać drzwi — oświadczyła. — Kto się tego podejmie?

Ślusarz już wyszedł. Jeśli miałem to zrobić, powinienem teraz wystąpić naprzód.

Ale nie potrafiłem się przemóc.

— Micke — zdecydowała Cora. — Jest bokserem.

Chciała po niego iść.

— Ja go poproszę — zaproponowałem. Przynajmniej nie będę ukrywał upokarzającego aspektu tej sytuacji, powiem mu wprost, że oto ja, mąż Lindy, nie mam odwagi wyłamać drzwi, dlatego proszę ciebie, boksera, olbrzyma, abyś mnie w tym zastąpił.

Stał przy oknie z piwem w ręku i rozmawiał z dwiema dziewczynami.

— Hej, Micke — odezwałem się.

Spojrzał na mnie.

— Linda ciągle jest zamknięta w łazience. Ślusarzowi nie udało się otworzyć drzwi. Myślisz, że mógłbyś je wyłamać?

— Oczywiście — odparł, przez chwilę patrzył na mnie, po czym odstawił butelkę i wyszedł do przedpokoju. Ja za nim. Ludzie się przed nim rozstąpili.

— Jesteś tam? — spytał.

— Jestem — odpowiedziała Linda.

— Odsuń się od drzwi najdalej, jak tylko możesz, zaraz je wyłamię.

— Dobrze.

Odczekał chwilę, potem uniósł stopę i uderzył nią w drzwi z taką siłą, że zamek wpadł do środka. Posypały się drzazgi.

Kiedy ukazała się Linda, ktoś zaczął klaskać.

— Biedactwo — powiedziała Cora. — Ogromnie cię przepraszam. Narażanie na coś takiego akurat ciebie, i to teraz...

Micke odwrócił się i wyszedł.

— Jak się czujesz? — spytałem.

— W porządku — odparła Linda. — Ale chyba już pójdziemy do domu.

— Jasne.

W salonie przyciszono muzykę, dwie kobiety tuż po trzydziestce miały czytać swoje agresywne wiersze. Podałem Lindzie kurtkę, włożyłem swoją, pożegnałem się z Corą i Thomasem; wstyd płonął we mnie, ale pozostawała jeszcze ostatnia rzecz — musiałem podziękować Mickemu za to, co zrobił, utorowałem więc sobie drogę między słuchaczami poezji i stanąłem przed nim koło okna.

— Bardzo ci dziękuję — powiedziałem. — Uratowałeś ją.

— E tam. — Wzruszył ogromnymi ramionami. — To nic takiego.

W taksówce wiozącej nas do domu prawie nie patrzyłem na Lindę. Nie wystąpiłem naprzód wtedy, kiedy powinienem był to zrobić, okazałem się tchórzem, bo pozwoliłem na to komuś innemu, i wszystko widać było w moich oczach. Okazałem się nieudacznikiem.

Kiedy się położyliśmy, Linda spytała, o co chodzi. Powiedziałem, że się wstydzę, iż nie wyłamałem tych drzwi. Popatrzyła na mnie zdumiona. W ogóle nie przyszło jej to do głowy. Dlaczego miałbym to robić? Przecież nie jestem takim typem, prawda?

Od faceta, który teraz siedział po przeciwnej stronie stołu, biła podobna aura jak od tamtego boksera ze Sztokholmu. Nie miało to związku z rozmiarami ciała ani z masą mięśniową, bo chociaż wielu obecnych tutaj mężczyzn prezentowało wytrenowane, potężne torsy, to jednak sprawiali wrażenie lekkich, a ich obecność w pomieszczeniu wydawała się przelotna i nic nieznacząca, jak przypadkowa myśl. Chodziło o coś innego; za każdym razem, gdy to wyczuwałem, na jego tle wypadałem fatalnie, widziałem siebie jako skrępowanego i słabego mężczyznę, żyjącego w świecie słów. Zastanawiałem się nad tym, od czasu do czasu zerkając na niego, a zarazem jednym uchem słuchając toczącej się rozmowy. Dyskutowano teraz o różnych systemach pedagogicznych i szkołach, do jakich obecni tu rodzice planowali posłać swoje dzieci. Po krótkim intermezzie — Linus opowiedział o dniu sportu, w którym brał udział — rozmowa zeszła na ceny mieszkań. Skonstatowano, że w ostatnich latach poszły ostro do góry, ale w Sztokholmie bardziej niż w Malmö, i że odwrócenie tej tendencji jest prawdopodobnie jedynie kwestią czasu, może nawet ceny spadną równie nagle, jak wzrosły. W końcu Linus zwrócił się do mnie:

— A jak z cenami mieszkań w Norwegii? — spytał.

— Mniej więcej tak jak tutaj — odparłem. — Oslo jest równie drogie jak Sztokholm. Trochę taniej jest na prowincji.

Przez chwilę patrzył na mnie, na wypadek gdybym chciał wykorzystać otwarcie, jakie mi zaproponował, lecz ponieważ tak się nie stało, odwrócił się i dalej mówił.

Tak samo się zachował na pierwszym ogólnym zebraniu rodziców, w którym uczestniczyliśmy, ale wówczas ze swego rodzaju krytycznym podtekstem, ponieważ stwierdził, że zbliża się koniec zebrania, a tymczasem ani Linda, ani ja jeszcze się nie odezwaliśmy, no a przecież chodzi o to, żeby wszyscy się wypowiedzieli, bo na tym polega sens spółdzielni rodziców. Nie miałem zielonego pojęcia, co myśleć o omawianej właśnie sprawie, więc padło na Lindę, która — lekko zaczerwieniona — w imieniu rodziny musiała rozważać za i przeciw pod pręgierzem spojrzeń wszystkich uczestników. Chodziło, po pierwsze, o odpowiedź na pytanie, czy przedszkole powinno zrezygnować z zatrudnionej w nim kucharki i zamiast niej postawić na tańszy catering, a po drugie, na jakie wyżywienie dzieci należy się zdecydować, wegetariańskie czy zwykłe. Właściwie było to przedszkole wegetariańskie, właśnie dlatego swego czasu je założono, ale teraz z wegetarian zostały jedynie dwie pary rodziców, a ponieważ dzieci nie za bardzo chciały jeść wszystkie warzywa, które im serwowano, wielu rodziców uważało, że równie dobrze można zrezygnować z tej zasady. Dyskusja trwała kilka godzin i przeorywała temat jak sieć trawlera dno morskie. Wyciągnięto na przykład kwestię procentowej zawartości mięsa w różnych rodzajach parówek, ponieważ w sklepie na opakowaniach mają podany procent, ale te serwowane przez firmę cateringową są niepewne, bo skąd można wiedzieć, ile jest w nich mięsa? Mnie się wydawało, że parówki to parówki, nie miałem pojęcia o świecie, który tego wieczoru się przede mną otworzył, a przede wszystkim o tym, że istnieją ludzie tak bardzo przejmujący się podobnymi sprawami. Czy dzieciom nie jest przyjemniej, jeżeli mają kucharkę, która przygotowuje dla nich posiłki w kuchni, pomyślałem, ale głośno tego nie powiedziałem i miałem coraz większą nadzieję, że dyskusja zakończy się bez konieczności zabrania przez nas głosu — tak było aż do chwili, kiedy Linus wbił w nas mądre, a zarazem naiwne spojrzenie.

Z salonu dobiegł płacz Heidi. Znów pomyślałem o Vanji. Zwykle rozwiązywała trudne sytuacje, naśladując inne dzieci. Jeśli wysuwały krzesła, to i ona wysuwała krzesło. Jeżeli siadały, to i ona siadała. Śmiały się, więc ona też się śmiała, nawet jeśli nie rozumiała, z czego się śmieją. Jeśli biegały w kółko, wykrzykując jakieś imię, to i ona biegała z krzykiem. Taką miała metodę. Ale Stella ją przejrzała. Raz przypadkiem usłyszałem, jak mówi: „Ty tylko naśladujesz! Jesteś papuga! Papuga!". Nie powstrzymało to Vanji od kontynuacji takiego zachowania, metoda okazała się zbyt skuteczna, ale tutaj, gdzie Stella rządziła swoim dworem, najwyraźniej stanowiło to dla Vanji przeszkodę. Wiedziałem, że dobrze rozumie, o co chodzi, wielokrotnie to samo powtarzała swojej siostrze, zarzucała Heidi naśladownictwo i nazywała ją papugą.

Stella była o półtora roku starsza od Vanji, która podziwiała ją bardziej niż kogokolwiek. Jeśli Stella się z nią bawiła, to jakby robiła jej łaskę, zresztą Stella panowała w ten sposób nad wszystkimi dziećmi w przedszkolu. Była ślicznym dzieckiem, miała jasne włosy i wielkie oczy, zawsze ładnie i w przemyślany sposób ubrana, a zauważalne u niej elementy okrucieństwa nie różniły się od tych, które przejawiały inne dzieci zajmujące najwyższe miejsca w hierarchii. Nie dlatego miałem z nią problem. Po prostu nie podobały mi się jej pełna świadomość wrażenia, jakie wywiera na dorosłych, i sposób, w jaki wykorzystuje swój urok i czystą niewinność. Podczas dyżuru w przedszkolu nigdy nie dałem się na to złapać. Bez względu na to, jak mocno wbijała we mnie błyszczące oczy, prosząc o coś, reagowałem obojętnością, co oczywiście ją dziwiło i kazało jej podejmować kolejne próby rzucenia na mnie czaru. Raz po przedszkolu wybrała się z nami do parku; siedziała obok Vanji w podwójnym wózku, który prowadziłem jedną ręką, na drugiej niosąc Heidi. Nagle kilkaset metrów przed parkiem wyskoczyła z wózka, żeby ostatni odcinek pokonać biegiem, na co ostro zareagowałem, przywołałem ją i oświadczyłem surowo, że ma grzecznie siedzieć w wózku, dopóki nie dotrzemy na miejsce, tu przecież jeżdżą samochody, czy ona tego nie widzi? Popatrzyła na mnie zdziwiona, bo do takiego tonu najwyraźniej nie przywykła, więc chociaż nie byłem zadowolony z siebie i ze sposobu, w jaki rozwiązałem tę sytuację, pomyślałem sobie również, że „nie" wcale nie jest najgorszą rzeczą, jaka owo stworzonko może spotkać. Ale zapamiętała to sobie, bo kiedy pół godziny później, trzymając je za nogi, wywijałem nimi w powietrzu, wzbudzając niekończące się okrzyki radości, a potem uklęknąłem, żeby z nimi powalczyć, co Vanja uwielbiała, a szczególnie lubiła się rozpędzać, wpadać na mnie i przewracać mnie w trawę — Stella kopnęła mnie w łydkę, i to dwukrotnie, a gdy zrobiła to po raz trzeci, powiedziałem, że sprawia mi ból i żeby przestała, ale oczywiście nie usłuchała, bo zabawa stała się jeszcze bardziej ekscytująca, kopnęła mnie znów, głośno się śmiejąc, co Vanja od razu podchwyciła i również głośno się roześmiała. Wstałem i złapałem Stellę w pasie. Miałem ochotę powiedzieć: „Posłuchaj, gówniaro", i z pewnością bym tak powiedział, gdyby nie to, że za pół godziny miała po nią przyjść matka. Posłuchaj, Stello, powiedziałem zamiast tego, twardo i z irytacją, patrząc jej w oczy. Kiedy mówię nie, to znaczy nie, rozumiesz? Spuściła wzrok, nie chciała odpowiedzieć. Ująłem ją pod brodę. Rozumiesz? — spytałem jeszcze raz. Kiwnęła głową, więc ją puściłem. Wobec tego idę usiąść na tamtej ławce. Bawcie się same, dopóki nie przyjdzie twoja mama. Vanja spojrzała na mnie ze zdziwieniem, ale zaraz się roześmiała i pociągnęła Stellę za sobą. Dla niej sceny takie jak ta były chlebem powszednim. Na szczęście Stella odpuściła od razu, bo naprawdę stąpałem po kruchym lodzie — co bym, na miłość boską, zrobił, gdyby zaczęła płakać albo krzyczeć? Poszła jednak za Vanją do dużego „pociągu", w którym roiło się od dzieci. Jej matka zjawiła się z dwoma tekturowymi kubkami z latte. Najchętniej poszedłbym sobie zaraz po jej przyjściu, ale ponieważ wręczyła mi kawę, musiałem usiąść i słuchać, jak opowiada o pracy, mrużąc oczy w niskim listopadowym słońcu, podczas gdy ja usiłowałem mieć kontrolę nad dziećmi, rzucając na nie jednym okiem.

Tydzień, kiedy miałem obowiązkowy dyżur w przedszkolu i w zasadzie byłem zwykłym członkiem personelu, przebiegł mniej więcej tak, jak się spodziewałem; wcześniej sporo pracowałem w rozmaitych placówkach, więc ze wszystkimi procedurami poradziłem sobie w sposób wyróżniający mnie spośród rodziców, jak zrozumiałem z reakcji personelu, a jednocześnie nie było mi obce rozbieranie i ubieranie dzieci, zmienianie pieluch, a nawet zabawa, jeśli wymagała tego sytuacja. Dzieci, oczywiście, na moją obecność reagowały różnie. Na przykład pewien chłopiec, który cały czas trzymał się z dala od kolegów, białowłosy, trochę kościsty, chciał bez przerwy siedzieć u mnie na kolanach — czy po to, żeby mu czytać, czy też, po prostu, aby być blisko mnie. Z innym bawiłem się pół godziny

po wyjściu wszystkich dzieci. Jego matka się spóźniała, ale całkiem o tym zapomniał, kiedy zajęliśmy się statkiem pirackim, a ja, ku jego radości, wprowadzałem coraz to nowe elementy, takie jak rekiny atakujące łodzie czy pożary. Trzeci, najstarszy z przedszkolaków, odkrył z kolei jedną z moich słabych stron. Kiedy usiedliśmy przy stole do posiłku, wyjął mi z kieszeni pęk kluczy, i już samo to, że go nie powstrzymałem, chociaż się wkurzyłem, sprawiło, że wyniuchał mój czuły punkt. Najpierw spytał, czy w tym pęku jest kluczyk do samochodu. Kiedy przecząco pokręciłem głową, chciał wiedzieć dlaczego. Bo nie mam samochodu, odpowiedziałem. Dlaczego? Bo nie mam prawa jazdy. Nie umiesz prowadzić samochodu? Nie jesteś dorosły? Przecież wszyscy dorośli jeżdżą samochodami, stwierdził i potrząsnął mi kluczami przed nosem. Pozwoliłem mu na to, sądząc, że wkrótce się odczepi, ale się nie odczepił, przeciwnie. Mam twoje klucze, powiedział, a ty ich nie
dostaniesz. Nie przestawał mi dzwonić przed nosem. Inne dzieci nas obserwowały, troje dorosłych z personelu także. Wtedy popełniłem błąd — próbowałem szybkim ruchem chwycić klucze. Zdążył zrobić unik, zaśmiał się głośno i drwiąco. Cha, cha, nie możesz złapać! Znowu udałem, że nic się nie dzieje. Wtedy zaczął uderzać kluczami o stół. Nie rób tego, powiedziałem. Uśmiechnął się do mnie bezczelnie i dalej walił. Ktoś z personelu kazał mu przestać. Przestał walić. Ale nie przestał machać. Nigdy ich nie dostaniesz, powiedział. Wtedy nagle zainterweniowała Vanja:

— Oddaj tacie klucze!

Cóż to za sytuacja?

Dalej udawałem, że nic się nie stało, nachyliłem się nad talerzem, wracając do jedzenia. Ale ten mały drań ciągle się ze mną drażnił, nie przestawał dzwonić kluczami. Postanowiłem mu na to pozwolić do końca posiłku. Wypiłem trochę wody, czując dziwne gorąco na twarzy z powodu takiego drobiazgu. Czy to Olaf, kierownik przedszkola, w końcu się odezwał? W każdym razie nagle kazał Jockemu oddać klucze. I Jocke je oddał, bez najmniejszego sprzeciwu.

Przez całe swoje dorosłe życie utrzymuję dystans do ludzi, w ten sposób sobie radzę, oczywiście dlatego, że tak niesamowicie zbliżam się do nich myślami i uczuciami; wystarczy trwające nie dłużej niż sekundę nieprzyjazne spojrzenie, a w moim wnętrzu już wybucha burza. Taką samą bliskość osiągam również z dziećmi, to dzięki niej potrafię się z nimi bawić, ale ponieważ dzieci są kompletnie pozbawione werniksu ogłady i kultury, jaki mają dorośli, oznacza to również, że mogą swobodnie dotrzeć do głębi mojej osobowości i grasować w niej, ile tylko chcą. W takiej sytuacji mogłem się przeciwstawić dziecku, wykorzystując czystą siłę fizyczną, czego przecież nie wolno robić, albo po prostu udając, że mnie to nie obchodzi, co może jest najlepszym sposobem, ale nie opanowałem go zbyt dobrze, skoro dzieci, w każdym razie te najbardziej bezpośrednie, natychmiast odkrywają, jak niekomfortowo się czuję z ich bliskością.

Gdzie w tej sytuacji moja godność!

Nagle wszystko stanęło na głowie. Ja, którego nic a nic nie obchodziło przedszkole Vanji, chciałem tylko, aby ją przechowywało i zapewniało mi w ten sposób codziennie kilka godzin spokoju, żebym mógł pracować, nie myśląc o tym, co jej się przydarza i jak się czuje, ja, który nie pragnąłem w życiu bliskości, dla którego żaden dystans nie był wystarczająco duży i któremu nigdy nie dłużyła się samotność, musiałem nagle spędzić w przedszkolu tydzień jako pracownik, głęboko angażując się we wszystko, co się tam działo, i nie koniec na tym, bo kiedy rodzice przyprowadzali dzieci albo je odbierali, zwykle przysiadali na kilka minut w pokoju zabaw, w jadalni czy w innym miejscu, gdzie przebywały przedszkolaki, i rozmawiali z innymi rodzicami, może trochę bawili się z dziećmi, i to codziennie, w każdy dzień tygodnia... Sam zwykle skracałem ten proces, wołałem Vanję, ubierałem ją, zanim ktoś zdążył się zorientować, co się dzieje, ale czasami przyłapywano mnie w korytarzu i rozpoczynano konwersację — pstryk, i już siedziałem na niskiej, miękkiej kanapie i wtórowałem czemuś, co mnie absolutnie, kompletnie nie interesowało, a w tym czasie najśmielsze dzieci szturchały mnie i szarpały, domagając się, żebym je podrzucał, nosił albo huśtał, a jeśli był to Jocke, zresztą syn uwielbiającego książki i bardzo miłego bankowca Gustava, po prostu kłuł mnie ostrymi przedmiotami.

Spędzenie sobotniego popołudnia i wieczoru na jedzeniu warzyw, z siedzeniem wciśniętym w stołek i z wymuszonym, ale uprzejmym uśmiechem na ustach, stanowiło element tych samych zobowiązań.

Erik wyjmował z szafki stos talerzy, a Frida liczyła noże i widelce. Wypiłem łyk wina i poczułem, jaki jestem głodny. W drzwiach stanęła Stella, czerwona i trochę spocona na twarzy.

— Czy teraz będzie tort? — zawołała.

Frida się odwróciła.

— Już niedługo, kochanie. Najpierw zjemy coś konkretnego.

Przeniosła spojrzenie z dziecka na dorosłych siedzących wokół stołu.

— Zapraszam — powiedziała. — Częstujcie się. Tu są talerze i sztućce. Możecie też wziąć dla dzieci.

— O, dobrze będzie coś zjeść! — Linus się podniósł. — Co proponujecie?

Zamierzałem siedzieć, dopóki kolejka nie zniknie, ale kiedy zobaczyłem to, z czym wrócił Linus, fasolę, sałatę, nieuchronny kuskus i ciepłe danie, jak przypuszczałem, z ciecierzycy, poszedłem do pokoju.

— Tam jest jedzenie — powiedziałem Lindzie, która rozmawiała z Mią na stojąco, z Heidi na rękach i Vanją kręcącą się przy jej nogach. — Zamieniamy się?

— Możemy. Jestem głodna jak wilk.

— Pójdziemy już do domu, tatusiu? — spytała Vanja.

— Teraz jest jedzenie, a później będzie tort. Przynieść ci coś?

— Nie chcę.

— Przyniosę ci troszeczkę na wszelki wypadek. — Wziąłem Heidi na ręce. — A ciebie wezmę ze sobą.

— Heidi zjadła banana — uprzedziła Linda. — Ale na pewno coś by jeszcze przekąsiła.

— Chodź, Thereso, i dla ciebie coś weźmiemy — powiedziała Mia.

Poszedłem za nimi i stanąłem w kolejce. Heidi położyła mi głowę na ramieniu, co robiła wyłącznie wtedy, gdy była śpiąca. Koszula lepiła mi się do piersi. Każda twarz, którą widziałem, każde napotkane spojrzenie, każdy głos wieszały się na mnie jak obciążniki. Miałem wrażenie, że każdą odpowiedź, czy też pytanie, które sam zadawałem, muszę z siebie wyrywać. Heidi trochę mi wszystko ułatwiała, jej bliskość stanowiła coś w rodzaju osłony, ponieważ miałem się czym zająć, a ponadto jej obecność odwracała uwagę ode mnie. Ludzie się do niej uśmiechali, pytali, czy jest śpiąca, głaskali ją po policzku. Duża część moich stosunków z Heidi opierała się na noszeniu jej na rękach. Było to podstawą naszych relacji. Zawsze sobie życzyła, żebym ją nosił, nie chciała chodzić, wyciągała ręce w górę, gdy tylko mnie zobaczyła, i uśmiechała się za każdym razem, gdy ją podnosiłem. A ja lubiłem mieć ją blisko siebie, to małe, pulchne stworzenie o wielkich oczach i zachłannej buzi.

Nałożyłem na talerz trochę fasoli, dwie łyżki dania z ciecierzycy oraz trochę kuskusu i zaniosłem to do salonu, gdzie wszystkie dzieci siedziały przy niskim stoliku na środku, a kilkoro rodziców asystowało im z tyłu.

— Nie chcę — oświadczyła Vanja, gdy tylko postawiłem przed nią talerz.

— W porządku. Nie musisz jeść, jeśli nie masz ochoty. Ale może Heidi by zjadła? — Nabiłem na widelec kilka ziarenek fasoli i podsunąłem jej do ust. Zacisnęła wargi i odwróciła głowę.

— Przestań — powiedziałem. — Wiem, że jesteście głodne.

— Możemy się pobawić pociągiem? — spytała Vanja.

Spojrzałem na nią. Zwykle, zadając takie pytanie, patrzyłaby albo na zestaw do budowy kolejki, albo na mnie, często prosząco, wręcz błagalnie, ale teraz wpatrywała się przed siebie.

— Oczywiście, że możemy. — Postawiłem Heidi i poszliśmy w kąt pokoju; aby się zmieścić między malutkimi mebelkami dla dzieci i skrzynkami z zabawkami, musiałem tak przycisnąć kolana do ciała, że niemal kłuły mnie w klatkę piersiową. Rozebrałem tory i zacząłem po klocku podawać Vanji, która usiłowała je składać. Kiedy jej się to nie udawało, z całej siły przyciskała jeden kawałek do drugiego. Zaczekałem z interwencją do chwili, gdy wyglądało na to, że zaraz odrzuci je z wściekłością. Heidi przez cały czas chciała wszystko burzyć, więc szukałem wzrokiem czegoś, co mogłoby ją od tego odciągnąć. Puzzle? Pluszowa zabawka? Mały plastikowy kucyk z długimi rzęsami i długą różową syntetyczną grzywą? Wszystko odrzucała.

— Tatusiu, możesz mi pomóc?

— Mogę, mogę, zobacz. Tutaj zbudujemy most, żeby pociąg mógł przejeżdżać i górą, i dołem. Tak chyba będzie dobrze?

Heidi złapała klocek, który miał nam posłużyć do budowy mostu.

— Heidi! — oburzyła się Vanja.

Zabrałem Heidi klocek; zaczęła krzyczeć. Wziąłem ją na ręce i wstałem.

— Mnie to nie wychodzi! — poskarżyła się Vanja.

— Zaraz przyjdę. Zaniosę tylko Heidi do mamy. — Ruszyłem do kuchni z Heidi na biodrze, jak wytrawna gospodyni domowa. Linda rozmawiała z Gustavem, jedynym rodzicem z Rysia, który miał dobry, staroświecki zawód i z którym z jakiegoś powodu znalazła wspólny język. Gustav był jowialny i pogodny, niewysoki, krępy i zawsze stosownie ubrany, kark miał gruby, podbródek szeroki, twarz kwadratową, ale otwartą i serdeczną. Chętnie rozmawiał o książkach, które mu się podobały, ostatnio o tych autorstwa Richarda Forda.

— Są naprawdę fantastyczne! — mówił na przykład. — Czytałeś? O agencie nieruchomości, zwykłym człowieku, i o jego życiu, takim rozpoznawalnym i zwyczajnym. A jednocześnie Ford potrafi pokazać całą Amerykę! Oddać amerykańską atmosferę! Puls tego kraju!

Ja także lubiłem Gustava, zwłaszcza jego przyzwoitość, która nie wynikała z niczego bardziej skomplikowanego niż zwyczajna, uczciwa praca, jakiej nie miał jednak nikt z moich znajomych, a już w najmniejszym stopniu ja sam. Byliśmy równolatkami, lecz zawsze, kiedy go widziałem, odnosiłem wrażenie, że jest o dziesięć lat starszy ode mnie. Wydawał mi się dorosły w taki sposób jak nasi rodzice, kiedy byłem dzieckiem.

— Heidi chyba powinna niedługo iść spać — stwierdziłem. — Wygląda na zmęczoną. I na pewno jest głodna. Pójdziesz z nią do domu?

— Tak. Tylko najpierw coś zjem, dobrze?

— Oczywiście.

— Trzymałem w ręku twoją książkę — oznajmił David. — Zajrzałem do księgarni i zobaczyłem, że tam stoi. Wyglądała ciekawie. To Norstedts ją wydało?

— Tak. — Uśmiechnąłem się z wysiłkiem.

— I co, nie kupiłeś? — spytała Linda nie bez ironii w głosie.

— Nie, tym razem nie. — Wytarł wargi serwetką. — Tematem są anioły?

Kiwnąłem głową. Heidi obsunęła się w moich objęciach. Kiedy ją podnosiłem, zauważyłem, że ma ciężką pieluchę.

— Pójdę ją przewinąć, zanim wyjdziecie. Wzięłaś torbę z wózka?

— Tak, leży w przedpokoju.

— Okej. — Poszedłem po pieluchę. W pokoju Vanja i Achilles biegali w kółko, skakali z kanapy na podłogę, śmiali się, wstawali i znów skakali. Poczułem ciepło w sercu. Nachyliłem się nad torbą, wyjąłem pieluchę i paczkę wilgotnych chusteczek, a Heidi wczepiła się we mnie jak miś koala. W łazience nie było przewijaka, więc położyłem ją na wykafelkowanej podłodze, ściągnąłem jej rajstopy, rozpiąłem pieluchę i wrzuciłem do kosza na śmieci pod umywalką. Heidi obserwowała mnie z powagą.

— Tylko siku! — oznajmiła. Odwróciła głowę i zapatrzyła się w ścianę, obojętna na moje ruchy, gdy zakładałem jej świeżą pieluchę, tak jak to robiła od najwcześniejszego niemowlęctwa.

— Już — oświadczyłem. — Gotowe.

Złapałem ją za ręce i podciągnąłem do góry. Rajstopy, nieco wilgotne, ścisnąłem w ręku i wyniosłem do torby od wózka, tam ubrałem Heidi w spodnie od dresu i brązową sztruksową kurtkę podbitą puchem, którą dostała na pierwsze urodziny od Yngvego. Linda przyszła, kiedy wkładałem małej buty.

— Ja też niedługo wrócę — zapowiedziałem. Pocałowaliśmy się. Linda chwyciła jedną ręką torebkę, drugą Heidi i wyszły.

Vanja z Achillesem depczącym jej po piętach pędem przebiegła przez korytarz i wpadła do pokoju, który musiał być sypialnią, skąd za moment dał się słyszeć jej podniecony głos. Myśl o tym, by znów usiąść przy kuchennym stole, była raczej mało zachęcająca, wszedłem więc do łazienki, zamknąłem za sobą drzwi na klucz i stałem tam nieruchomo przez kilka minut. Opłukałem twarz zimną wodą, starannie wytarłem białym ręcznikiem i napotkałem własne spojrzenie w lustrze — mroczne, a w dodatku w twarzy zastygłej w grymasie takiej frustracji, że na jej widok niemal się wystraszyłem.

W kuchni nikt nie zwrócił uwagi na mój powrót. Chociaż nie — drobna, surowo wyglądająca kobieta z krótkimi włosami i zwyczajnymi, dość kanciastymi rysami przez chwilę wpatrywała się we mnie zza szkieł okularów. O co jej mogło chodzić?

Gustav i Linus rozmawiali o rozmaitych systemach emerytalnych. Milczący mężczyzna w koszuli z lat pięćdziesiątych trzymał na kolanach swoje dziecko, niesfornego chłopca o jasnych, niemal białych włosach, i rozmawiał z nim o klubie sportowym Malmö FK, Frida gawędziła z Mią o kółku wieczornych spotkań, które zamierzała założyć z kilkoma przyjaciółkami, Erik i Mathias zaś prowadzili dyskusję na temat ekranów telewizorów, do której Linus również chciał się przyłączyć, jak się zorientowałem po jego długich spojrzeniach słanych w ich stronę i krótszych przeznaczonych dla Gustava, ponieważ nie chciał być niegrzeczny. Jedyną osobą niezaangażowaną w żadną rozmowę była owa krótko ostrzyżona kobieta i chociaż patrzyłem we wszystkie strony, tylko nie na nią, i tak wkrótce nachyliła się do mnie nad stołem i spytała, czy jestem zadowolony z przedszkola. Odparłem, że tak. Może trochę za dużo tam roboty, dodałem, ale absolutnie warto poświęcić ten czas, bo można lepiej poznać towarzyszy zabaw własnego dziecka, a to według mnie bardzo dobrze.

Uśmiechnęła się bez przekonania. Miała w sobie jakąś kruchość, wydawała się nieszczęśliwa.

— Co jest, do cholery? — Linus gwałtownie drgnął. — Co oni tam wyprawiają?

Wstał i poszedł do łazienki. Moment później wyprowadził z niej przed sobą Vanję i Achillesa. Vanja uśmiechała się najszerszym ze swoich uśmiechów, Achilles miał minę świadczącą o nieco większym poczuciu winy. Przemoczył całe rękawy swojej małej marynarki od garnituru. Na gołych przedramionach Vanji lśniły krople wody.

— Starali się jak najgłębiej wcisnąć ręce do sedesu — wyjaśnił Linus.

Spojrzałem w oczy Vanji i nie mogłem się powstrzymać od uśmiechu.

— No i musimy cię z tego rozebrać, młody człowieku. — Linus wyprowadził Achillesa na korytarz. — A potem musisz porządnie umyć ręce.

— Ciebie to również dotyczy, Vanju — powiedziałem, wstając. — Marsz do łazienki.

Kiedy się tam znaleźliśmy, wyciągnęła ręce nad umywalką i popatrzyła na mnie.

— Bawię się z Achillesem — oznajmiła.

— Widzę. Ale z tego powodu nie musisz chyba wtykać rąk do ubikacji.

— Nie — roześmiała się.

Zwilżyłem dłonie pod kranem, namydliłem i umyłem jej ręce od koniuszków palców aż po ramiona. Potem ją wytarłem, pocałowałem w czoło i wyprawiłem z łazienki. Przepraszający uśmiech, z jakim siadałem w kuchni, okazał się zbędny, bo nikogo nie interesowało to drobne intermezzo, nawet Linusa, który też wkrótce wrócił i kontynuował opowieść o mężczyźnie napadniętym w jego obecności przez małpy w Tajlandii. Nawet nie uniósł brwi, kiedy inni się śmiali, tylko jakby wdychał ich śmiech, po to by mając go w piersi, nadać opowieści nową siłę, której zresztą nabrała, i dopiero gdy gruchnęła kolejna fala śmiechu, uśmiechnął się niezbyt wyraźnie i wcale nie rozbawiony, jak sobie uświadomiłem. Ten uśmiech był raczej wyrazem satysfakcji, jaką odczuwał, gdy mógł pławić się w śmiechu wywołanym przez własne słowa. „Tak, tak, tak", powtarzał, machając ręką. Surowa kobieta, która do tej pory wyglądała przez okno, przesunęła krzesło i znów nachyliła się nad stołem.

— Nie za ciężko z dwójką dzieci przy tak małej różnicy wieku?

— W pewnym sensie — odparłem — to trochę męczące. Ale i tak lepiej mieć dwoje niż jedno. Wychowywanie jednego dziecka jest moim zdaniem trochę smutne… Zawsze wyobrażałem sobie, że będę miał trójkę, bo wtedy dzieci mają do wyboru kilka różnych konstelacji, no i mogą stanowić większość w stosunku do rodziców…

Uśmiechnąłem się, ale kobieta zamilkła. Nagle sobie uświadomiłem, że jest matką jedynaka.

— Ale posiadanie jednego dziecka też może być wspaniałe — dodałem prędko.

Oparła głowę na ręce.

— Chciałabym, żeby Gustav miał rodzeństwo — przyznała. — Stale jesteśmy tylko we dwoje.

— Przecież ma mnóstwo kolegów w przedszkolu — zaprotestowałem. — To wystarczy.

— Problem w tym, że nie mam męża, więc nie mogę mieć drugiego dziecka.

Co ja, do jasnej cholery, miałem z tym wspólnego? Popatrzyłem na nią ze współczuciem i skoncentrowałem się na tym, żeby nie uciekać wzrokiem, co często mi się zdarzało w podobnych sytuacjach.

— A żadnego z tych mężczyzn, z którymi się spotykam, nie wyobrażam sobie w roli ojca.

— Hm — mruknąłem. — Jakoś się w końcu ułoży.

— Nie sądzę — powiedziała. — Ale i tak dziękuję.

Kątem oka dostrzegłem jakiś ruch, odwróciłem się i spojrzałem na drzwi. To Vanja przyszła. Stanęła przy mnie.

— Chcę do domu. Możemy już iść?

— Pobędziemy tu jeszcze trochę. Niedługo dostaniemy tort. Na tort chyba masz ochotę?

Nie odpowiedziała.

— Chcesz posiedzieć u mnie na kolanach?

Kiwnęła głową, więc przesunąłem kieliszek i podniosłem ją.

— Trochę ze mną posiedzisz i znów pójdziemy do pokoju. Mogę iść z tobą. Okej?

— Okej.

Przyglądała się osobom siedzącym przy stole. Co mogła o tym myśleć? Jak to wyglądało w jej oczach?

Spojrzałem na nią. Długie jasne włosy sięgały jej już poniżej ramion. Malutki nosek, malutkie usta, para malutkich uszu, u obu ostry czubek jak u elfów. Niebieskie oczy, zawsze zdradzające jej nastrój, leciutko zezowały, stąd okulary. Na początku była z nich dumna, teraz kiedy się złościła, natychmiast je zdejmowała. Może dlatego że wiedziała, jak bardzo nam zależy, aby je nosiła?

Przy nas jej oczy były żywe i wesołe, chyba że nieruchomiały i stawały się niedostępne, kiedy dostawała jednego z tych swoich spektakularnych ataków wściekłości. Lubiła dramatyzować i dzięki temperamentowi potrafiła rządzić całą rodziną, z udziałem zabawek inscenizowała wielkie, pełne napięcia przedstawienia o skomplikowanych relacjach, uwielbiała, kiedy się jej czytało, ale chyba jeszcze bardziej lubiła oglądać filmy, najchętniej z aktorami i dramatycznymi wydarzeniami — później się nad nimi zastanawiała i rozmawiała z nami, pełna pytań, lecz również czerpiąc wyraźną przyjemność z opowiadania o nich. Przez pewien czas wszystko kręciło się wokół Madiki[1]. Vanja zeskakiwała z krzesła, kładła się na podłodze z zamkniętymi oczami, a my musieliśmy ją podnosić i najpierw udawać, iż sądzimy, że nie żyje, potem domyślać się, że zemdlała, ponieważ miała wstrząs mózgu, a następnie zanosić ją, ciągle z zamkniętymi oczami i bezwładnie zwisającymi rękami, do łóżka, gdzie miała leżeć trzy dni, a to wszystko przy wtórze nuconej przez nas smutnej melodii, która w filmie towarzyszyła tej scenie. W końcu się podrywała, biegła do krzesła i zaczynała przedstawienie od nowa. Podczas występów

[1] Madika — główna bohaterka m.in. sfilmowanej powieści Astrid Lindgren *Madika z Czerwcowego Wzgórza*.

gwiazdkowych w przedszkolu jako jedyna kłaniała się, słysząc oklaski, i najwyraźniej sprawiała jej przyjemność uwaga poświęcana występującym dzieciom. Często idea jakiejś rzeczy miała dla niej większe znaczenie niż sama rzecz, tak było na przykład z cukierkami; przez cały dzień potrafiła o nich mówić, cieszyć się na nie, ale gdy w końcu leżały przed nią w miseczce, ledwie ich spróbowała i zaraz wypluwała. Niczego jej to jednak nie uczyło; tydzień później oczekiwania wobec fantastycznych sobotnich cukierków były równie wielkie. Bardzo chciała pójść na lodowisko, lecz kiedy już stanęła na nim na łyżwach — które kupiła jej babcia, matka Lindy — i w małym hokejowym kasku na głowie, aż krzyczała ze złości, gdy sobie uświadomiła, że nie potrafi utrzymać równowagi i prawdopodobnie nie nauczy się tego jeszcze długo. Tym większa była jej radość, gdy na niewielkiej plamce śniegu w ogrodzie mojej matki wypróbowaliśmy zdobyte przez nią narty
i zorientowała się, że naprawdę umie na nich biegać. Jednak również wtedy idea jazdy na nartach i radość, że to potrafi, przewyższała przyjemność z samej jazdy, bez tego spokojnie mogłaby się obyć. Uwielbiała wyjeżdżać z nami, przybywać do nowych miejsc i jeszcze przez wiele miesięcy mówiła o wszystkim, co się wydarzyło. Ale najbardziej, oczywiście, lubiła zabawy z innymi dziećmi. Wizyta kolegi z przedszkola u nas w domu stawała się zawsze wielkim świętem. Przed pierwszymi odwiedzinami Benjamina cały poprzedni wieczór oglądała swoje zabawki i rozpaczała, że mu się nie spodobają. Skończyła wtedy zaledwie trzy lata. Ale gdy Benjamin przyszedł, od razu rzucili się w wir zabawy i wszelkie wcześniejsze lęki przepadły wśród podniecenia i radości. Swoim rodzicom Benjamin oświadczył, że Vanja jest najfajniejsza ze wszystkich

dzieci w przedszkolu, a kiedy jej to powtórzyłem, gdy siedziała akurat w łóżku, bawiąc się figurkami Barbapapy, zareagowała takim wybuchem uczuć, jakiego nigdy wcześniej przy mnie nie demonstrowała.

— Wiesz, co powiedział Benjamin? — spytałem, stojąc w drzwiach.

— Nie. — Spojrzała na mnie, nagle spięta.

— Powiedział, że jesteś najfajniejsza ze wszystkich dzieci w przedszkolu.

Światło, jakie ją wtedy wypełniło, ujrzałem po raz pierwszy. Dosłownie jaśniała z radości. Wiedziałem, że ani moje słowa, ani Lindy nigdy nie wywołają u niej takiej reakcji, i nagle w olśnieniu zrozumiałem, że ona nie jest nasza. Że jej życie całkowicie i w pełni należy do niej.

— Co powiedział? — Chciała to usłyszeć jeszcze raz.

— Że jesteś najfajniejsza ze wszystkich dzieci w przedszkolu.

Jej uśmiech był zażenowany, ale pełen radości. Mnie również to ucieszyło, choć jednocześnie w tej radości krył się cień, bo czyż nie było niepokojąco wcześnie na to, by myśli i opinie innych miały dla niej tak wielkie znaczenie? Czy nie lepiej, by taka radość pochodziła od niej samej i w niej była zakorzeniona? Do innej zaskakującej sytuacji związanej z tą kwestią doszło w przedszkolu. Wszedłem do holu, żeby ją zabrać do domu, a ona przybiegła do mnie z pytaniem, czy Stella nie mogłaby pójść razem z nią do stajni. Odparłem, że takie rzeczy trzeba planować z góry i najpierw należy porozmawiać z rodzicami Stelli, a Vanja stała i patrzyła na mnie wyraźnie rozczarowana, ale kiedy poszła przekazać wiadomość Stelli, nie użyła moich argumentów, słyszałem to, stojąc w holu i szykując jej kurtkę przeciwdeszczową.

— W stajni za bardzo byś się nudziła — powiedziała. — Kiedy się tylko stoi i patrzy, wcale nie jest fajnie.

Ten sposób myślenia, przykładanie większej wagi do reakcji innych niż do swoich własnych, rozpoznawałem u siebie, więc kiedy w deszczu szliśmy w stronę Folkets Park, zastanawiałem się, w jaki sposób to wychwyciła. Czy takie nastawienie po prostu ją otaczało, niewidzialne, ale wyraźne, mniej więcej tak jak powietrze, którym oddychała, czy może było uwarunkowane genetycznie?

Żadnym ze swoich przemyśleń o dzieciach nigdy nie podzieliłem się z nikim, z wyjątkiem Lindy, bo ta złożoność istniała tylko we mnie i między nami. W rzeczywistości, czyli w świecie, w którym żyła Vanja, wszystko było proste i w sposób prosty wyrażane, złożoność zaś powstawała jedynie jako suma wszystkich cząstek, o których ona, rzecz jasna, nie wiedziała. A fakt, że dużo o tym rozmawialiśmy, nie pomagał ani trochę na co dzień, gdy wszystko było nieprzewidywalne i stale na krawędzi chaosu. Pierwsza z tak zwanych rozmów na temat rozwoju dziecka, jaką odbyliśmy z kierownictwem przedszkola, dotyczyła w dużej mierze tego, że Vanja nie nawiązuje kontaktu z personelem, nie chce siadać u przedszkolanek na kolanach, nie pozwala się głaskać i że się wstydzi. Polecono nam ją hartować, uczyć przewodzenia podczas zabawy i podejmowania inicjatywy oraz zachęcać do tego, by więcej mówiła. Linda odparła, że w domu Vanja jest twarda, przewodzi wszystkim zabawom, podejmuje inicjatywę i gada jak najęta. Nasi rozmówcy stwierdzili, że w przedszkolu mówi mało i niewyraźnie, a zasób słów ma nie największy, po czym spytali, czy nie zastanawialiśmy się nad kontaktem z logopedą. W tym momencie wręczyli nam broszurę informacyjną jednego z miejskich specjalistów. Ludzie w tym kraju poszaleli, pomyślałem. Logopeda? Czy wszystko trzeba instytucjonalizować? Przecież ona ma dopiero trzy lata!

— Nie, o żadnym logopedzie nie ma mowy — oświadczyłem, chociaż do tej chwili to Linda prowadziła rozmowę. — To minie. Sam miałem trzy lata, kiedy w ogóle zacząłem mówić. Wcześniej wypowiadałem tylko pojedyncze słowa, niezrozumiałe dla wszystkich oprócz mojego brata.

Uśmiechnęli się.

— A kiedy wreszcie zacząłem mówić, to od razu płynnie, pełnymi zdaniami. To sprawa indywidualna. Nie będziemy jej posyłać do żadnego logopedy.

— Decyzja należy do was — powiedział Olaf, kierownik przedszkola. — Ale broszury chyba możecie zatrzymać i trochę się nad tym zastanowić?

— Oczywiście — odparłem.

Jedną ręką zebrałem włosy Vanji i pogładziłem palcem jej kark i górną część pleców. Zwykle to uwielbiała, szczególnie przed snem, całkowicie się wtedy wyciszała, ale tym razem się odsunęła.

Po drugiej stronie stołu tamta surowa kobieta nawiązała rozmowę z Mią, która poświęciła jej całą uwagę, natomiast Frida i Erik zaczęli zbierać talerze i sztućce. Na blacie obok stosu prostokątnych kartonów z bezcukrowym napojem jabłkowym Bravo stanął następny punkt programu, biały tort udekorowany malinami, z pięcioma małymi świeczkami.

Gustav, który do tej pory siedział bokiem do mnie, odwrócił się w naszą stronę.

— Cześć, Vanju — powiedział. — Fajnie jest?

Ponieważ nie otrzymał odpowiedzi ani nie udało mu się nawiązać kontaktu wzrokowego z Vanją, spojrzał na mnie.

— Musisz kiedyś przyjść do Jockego do domu. — Puścił do mnie oko. — Miałabyś na to ochotę?

— Tak. — Vanja popatrzyła na niego, a jej oczy gwałtownie się rozszerzyły. Jocke był największym chłopcem w przedszkolu; na odwiedziny u niego w domu pewnie nawet nie odważyła się mieć nadziei.

— Wobec tego jakoś to załatwimy. — Gustav uniósł kieliszek i wypił łyk czerwonego wina, usta wytarł grzbietem dłoni. — Piszesz coś nowego? — spytał.

Wzruszyłem ramionami.

— Tak, pracuję — odparłem.

— W domu?

— Tak.

— Jak to wygląda? Siedzisz i czekasz na natchnienie?

— Nie, tak się nie da. Muszę pracować codziennie, tak jak ty.

— Ciekawe, ciekawe. A w domu nie za wiele rzeczy cię rozprasza?

— Jakoś daję radę.

— Aha. No tak, no tak…

— Możecie przejść do pokoju — obwieściła Frida. — Zaśpiewamy Stelli.

Wyjęła z kieszeni zapalniczkę i zapaliła pięć świeczek.

— Jaki śliczny tort — powiedziała Mia.

— Prawda? — odparła Frida. — I w dodatku zdrowy. W kremie prawie nie ma cukru.

Podniosła ciasto.

— Pójdziesz zgasić światło, Erik? — spytała, kiedy wszyscy zaczęli wstawać ze swoich miejsc i wychodzić z kuchni. Poszedłem za nimi, trzymając Vanję za rękę.

Akurat zdążyłem stanąć przy ścianie w głębi pokoju, gdy ciemnym korytarzem nadeszła Frida z jaśniejącym tortem w rękach. Kiedy stała się widoczna dla dzieci przy stole, zaczęła śpiewać *Sto lat*. Piosenkę podchwycili pozostali dorośli, więc naprawdę grzmiała w niewielkim pokoju, gdy Frida stawiała tort na stole przed Stellą, wpatrzoną w niego błyszczącymi oczami.

— Mam dmuchać? — spytała.

Frida, nie przerywając śpiewu, pokiwała głową.

Po zdmuchnięciu świeczek wszyscy klaskali, również ja. Znów zapalono światła i kilka minut zeszło na rozdzielaniu kawałków tortu między dzieci. Vanja nie chciała usiąść przy stole, tylko na podłodze pod ścianą, więc tam się rozlokowaliśmy — ona z talerzykiem na kolanach. Dopiero wtedy odkryłem, że nie ma na nogach butów.

— Gdzie twoje złote buciki?

— One są głupie.

— Nie, są prześliczne. Prawdziwe pantofelki księżniczki.

— Głupie — powtórzyła.

— Ale gdzie są?

Nie odpowiedziała.

— Vanja!

Spojrzała na mnie. Wargi miała białe od kremu.

— Tam. — Głową wskazała na drugi pokój.

Poszedłem, rozejrzałem się, ale butów nie znalazłem. Wróciłem.

— Gdzie je położyłaś? Nigdzie ich nie widzę.

— Koło kwiatka.

Koło kwiatka? Znów poszedłem do tamtego pokoju, zajrzałem między doniczki na parapecie, ale butów nie było.

Czyżby miała na myśli jukę?

Oczywiście, leżały w doniczce. Otrzepałem je z ziemi, a potem zaniosłem do łazienki, żeby wytrzeć do czysta, po czym ustawiłem pod krzesłem, na którym leżała kurtka Vanji.

Pomyślałem, że przerwa na tort, angażująca wszystkie dzieci, może jej dać szansę na nowy początek. Może teraz łatwiej nawiąże kontakt?

— Ja też zjem trochę tortu — oznajmiłem. — Będę siedział w kuchni. W razie czego przyjdź tam, okej?

— Okej, tatusiu.

Zegar nad kuchennymi drzwiami wskazywał dopiero wpół do siódmej. Nikt nie wychodził, więc i my musieliśmy zostać jeszcze jakiś czas. Ukroiłem sobie cienki kawałek tortu, stojącego na blacie, położyłem na talerzyku i usiadłem po drugiej stronie stołu, ponieważ na miejscu, które do tej pory zajmowałem, już ktoś siedział.

— Jest też kawa, masz ochotę? — Erik patrzył na mnie z czymś w rodzaju zawieszonego uśmiechu, jakby zarówno w tym pytaniu, jak i w tym, co we mnie dostrzegał, kryło się coś nieoczywistego. Mogła to być po prostu technika, której się wyuczył, aby przydawać sobie większego znaczenia, trochę przypominająca sztuczki, do jakich ucieka się przeciętny pisarz, aby sens jego powieści wydawał się głęboki jak otchłań.

A może naprawdę coś dostrzegł?

— Owszem, chętnie — odparłem, wstając. Wziąłem filiżankę z piramidy i napełniłem ją kawą z szarego termosu marki Stelton, który stał obok. Kiedy z powrotem siadałem, Erik właśnie wychodził z kuchni. Frida opowiadała o ekspresie do kawy, który kosztował majątek i zdaje się, dopiero go kupiła, ale nie żałowała, był absolutnie wart swojej ceny, kawa wychodziła fantastyczna, a ważne jest, aby sobie pozwalać na takie rzeczy, może nawet ważniejsze, niż się zwykle sądzi. Linus streścił skecz duetu Smith and Jones, który kiedyś oglądał: dwie osoby przy stole z zaparzaczem do kawy przed sobą, jedna naciska filtr, ale przyciskane są nie tylko fusy, lecz cała zawartość dzbanka, w którym w końcu nic już nie zostaje. Nikt się nie zaśmiał, a Linus rozłożył ręce.

— To taka prosta historia o kawie — powiedział. — Ktoś zna lepszą?

W drzwiach stanęła Vanja. Jej spojrzenie przesuwało się ponad stołem, a kiedy mnie odnalazło, podeszła.

— Chcesz wracać do domu? — spytałem.

Kiwnęła głową.

— Wiesz co, to tak jak ja. Zjem tylko tort i wypiję kawę. Chcesz w tym czasie posiedzieć u mnie na kolanach?

Znów kiwnęła głową. Podniosłem ją.

— Miło, że mogłaś przyjść, Vanju. — Frida uśmiechnęła się do niej zza stołu. — Za chwilę będziemy się bawić w łowienie rybek. Chyba chcesz wziąć w tym udział?

Vanja kiwnęła głową, a Frida znów zwróciła się do Linusa. Tym razem chodziło o serial telewizyjny na HBO, nie mogła się go nachwalić, a on w ogóle nie zwrócił na niego uwagi.

— Naprawdę chcesz zostać? — spytałem Vanję. — Zaczekamy na łowienie rybek?

Pokręciła głową.

Łowienie rybek polegało na tym, że dzieci dostawały patyk ze sznurkiem i taką wędkę zarzucały za zasłonę, za którą siedział ktoś dorosły i przymocowywał do sznurka torebkę z obiektem godnym pożądania, paczuszką słodyczy albo jakąś malutką zabawką. Tutaj będzie to pewnie groch albo karczoch, pomyślałem i ostrożnie, żeby nie zawadzić o Vanję, opuściłem widelczyk na talerz, ukroiłem nim kawałek ciasta, brązowego na wierzchu pod białym kremem i żółtego w środku, z czerwonymi paskami dżemu, obróciłem nadgarstek, tak aby ten kawałek został na widelczyku, uniosłem go, znów omijając Vanję, i włożyłem do ust. Biszkopt był za suchy, a w kremie stanowczo brakowało cukru, ale popity kawą, tort nawet dawał się zjeść.

— Chcesz trochę? — spytałem.

Vanja kiwnęła głową. Wsunąłem jej kawałek tortu na widelczyku prosto w otwarte usta. Spojrzała na mnie i uśmiechnęła się.

— Mogę iść z tobą do pokoju — zaproponowałem. — Zobaczymy, co robią inne dzieci. Może jednak zostaniemy na łowienie rybek?

— Powiedziałeś, że pójdziemy do domu.

— Rzeczywiście, tak mówiłem. No to chodźmy.

Odłożyłem widelczyk na talerz, dopiłem kawę, postawiłem Vanję na ziemi i wstałem. Rozejrzałem się. Nie napotkałem żadnego spojrzenia.

— My już pójdziemy — powiedziałem.

Akurat w tej chwili wszedł Erik z bambusowym kijkiem w jednej ręce i reklamówką supermarketu Hemköp w drugiej.

— Teraz będzie łowienie rybek — oznajmił.

Niektórzy wstali, żeby z nim iść, inni dalej siedzieli. Nikt nie zwrócił uwagi na moją pożegnalną kwestię, a ponieważ siedzący wokół stołu nagle zajęli się czymś innym, nie widziałem sensu w tym, by ją powtarzać, więc tylko położyłem rękę na ramieniu Vanji i wyprowadziłem ją z kuchni. W salonie Erik zawołał: „Łowimy rybki!", i wszystkie dzieci wybiegły, wyminęły nas i pospieszyły na koniec korytarza, gdzie od ściany do ściany zawieszono białe prześcieradło. Erik, który szedł za dziećmi niczym pasterz za owcami, poprosił, żeby usiadły. Ubierałem Vanję w korytarzu i widzieliśmy wszystko jak na dłoni.

Podciągnąłem zamek błyskawiczny jej czerwonej, już trochę za ciasnej puchówki, włożyłem jej na głowę czerwoną czapkę Polarn O. Pyret i zapiąłem pasek pod brodą, postawiłem przed nią buty, żeby sama mogła wsunąć w nie stopy, i zaciągnąłem suwaki z tyłu, kiedy już je włożyła.

— Gotowe — oznajmiłem. — Teraz musimy tylko jeszcze się pożegnać i idziemy. Chodź!

Wyciągnęła ręce w górę.

— Nie możesz iść sama?

Pokręciła głową, rąk nie opuszczała.

— No dobrze — ustąpiłem. — Ale najpierw się ubiorę.

Benjamin miał „łowić" pierwszy. Zarzucił sznurek, a ktoś, prawdopodobnie Erik, pociągnął za niego po drugiej stronie prześcieradła.

— Ryba bierze! — krzyknął Benjamin.

Rodzice stojący pod ścianą uśmiechnęli się, dzieci na podłodze zaczęły pokrzykiwać ze śmiechem. Sekundę później Benjamin szarpnął wędką i ponad zasłoną przeleciała biało-czerwona torebka cukierków z Hemköp, przymocowana klamerką do bielizny. Benjamin odpiął ją i odszedł kilka kroków, by w spokoju ją otworzyć, a wędkę przejęło kolejne dziecko, Theresa, w asyście matki.

Owinąłem szyję szalikiem i zapiąłem niebieską bosmankę, którą kupiłem zeszłej wiosny na wyprzedaży w sklepie Paula Smitha w Sztokholmie. Na głowę włożyłem czapkę kupioną w tym samym miejscu, nachyliłem się nad stosem butów przy ścianie i odnalazłem czarne wranglery z żółtymi sznurówkami, kupione w Kopenhadze, dokąd pojechałem na targi książki; te buty nigdy mi się nie podobały, nawet w sklepie, a teraz dodatkowo przybrały brudny kolor niepowodzenia, katastrofalnego niepowodzenia, jakiego tam doznałem, bo nie potrafiłem rozsądnie odpowiedzieć na żadne pytanie zadane mi przez rozentuzjazmowanego i oczytanego prowadzącego na scenie. To, że już dawno ich nie wyrzuciłem, wynikało wyłącznie z naszej marnej sytuacji finansowej. I jeszcze te żółte sznurowadła!

Zawiązałem je i wyprostowałem się.

— No, to jestem gotowy — oświadczyłem.

Vanja znów wyciągnęła ręce do góry, podniosłem ją, przeszedłem przez korytarz i wsunąłem głowę do kuchni, gdzie wciąż rozmawiało czworo czy pięcioro rodziców.

— Idziemy już — powiedziałem. — Trzymajcie się i dziękuję za miły wieczór.

— To my dziękujemy — odezwał się Linus. Gustav lekko uniósł rękę do czoła.

Znów byliśmy na korytarzu. Uśmiechnięta Frida stała pod ścianą, pochłaniała ją scena rozgrywająca się na podłodze. Dotknąłem jej ramienia, żeby zwrócić na siebie uwagę.

— Idziemy już. Dziękujemy za zaproszenie. To była bardzo sympatyczna impreza, naprawdę bardzo miła.

— Vanja nie chce łowić? — spytała.

Zrobiłem znaczącą minę, która miała wyrażać coś w rodzaju: przecież wiesz, jak nielogiczne potrafią być dzieci.

— No tak, no tak. Ale dziękuję, że przyszliście. Do widzenia, Vanju.

Zatrzymała nas Mia, która stała obok, za Theresą.

— Zaczekajcie chwilę.

Nachyliła się nad zasłoną i poprosiła kucającego za nią Erika o torebkę cukierków. Podał jej, a Mia wręczyła ją Vanji.

— Proszę, Vanju. Możesz je zabrać do domu. I podzielić się nimi z Heidi, jeśli zechcesz.

— Nie chcę się dzielić. — Vanja przycisnęła torebkę do piersi.

— Bardzo dziękuję — powiedziałem. — Cześć wszystkim!

Stella odwróciła się i spojrzała na nas.

— Już idziesz, Vanju? Dlaczego?

— Cześć, Stella — odparłem. — Bardzo dziękujemy za zaproszenie na urodziny.

Odwróciłem się i wyszedłem.

W dół po ciemnych schodach, przez hol na ulicę. Głosy, okrzyki, kroki i szum silników na przemian narastały i cichły w przestrzeni między ścianami. Vanja mnie objęła i oparła głowę na moim ramieniu. Nigdy tak nie robiła. To Heidi zachowywała się w ten sposób.

Przejechała taksówka z włączonym kogutem. Minęła nas para z wózkiem dziecięcym, kobieta miała chustę na głowie i była młoda, mogła mieć najwyżej dwadzieścia lat. Kiedy przechodzili obok, zauważyłem, że ma tłustą cerę, którą mocno przypudrowała. On był starszy, w moim wieku, i rozglądał się niespokojnie. Wózek trącił absurdem — z kółek sterczał cienki jak kwiatowa łodyga drążek, na którym opierał się kosz z dzieckiem. Z naprzeciwka nadchodziła w naszą stronę grupka piętnasto-, szesnastoletnich chłopców. Czarne włosy zaczesane do tyłu, czarne skórzane kurtki, czarne spodnie, a przynajmniej dwaj mieli logo Pumy na czubkach butów, co w mojej opinii wyglądało idiotycznie. Złote łańcuchy na szyjach, trochę niezdarne, jakby niedokończone ruchy rąk.

Buty.

Cholera, zostały na górze!

Zatrzymałem się.

Miałem je tam zostawić?

Nie, to by było czyste lenistwo, przecież byliśmy tuż za drzwiami.

— Musimy wrócić — oznajmiłem. — Zapomnieliśmy o twoich złotych pantofelkach.

Vanja lekko uniosła głowę.

— Ja ich nie chcę — oświadczyła.

— Wiem. Ale nie mogą tam zostać. Zabierzemy je do domu i po prostu już nie będą twoje.

Szybko wróciłem na górę, postawiłem Vanję na ziemi, otworzyłem drzwi, dałem krok do środka i złapałem buciki, nie patrząc w głąb mieszkania. Ale prostując się, nie zdołałem uniknąć wzroku Benjamina, który w białej koszuli siedział na podłodze z samochodzikiem w ręku.

— Cześć! — Pomachał mi drugą ręką.

Uśmiechnąłem się.

— Cześć, Benjamin. — Zamknąłem drzwi za sobą, wziąłem Vanję na ręce i znów zszedłem na dół. Na dworze było zimno i pogodnie, ale całe światło miasta, pochodzące z latarni ulicznych, wystaw sklepowych i samochodowych reflektorów, unosiło się w górę i ponad dachami domów zawisało niczym połyskliwa kopuła, przez którą nie zdołał się przedrzeć blask żadnej gwiazdy. Spośród ciał niebieskich widoczny był jedynie prawie idealnie okrągły księżyc, wiszący nad hotelem Hilton.

Kiedy szybkim krokiem ruszyłem ulicą, a nasze oddechy otoczyły nam głowy niczym biały dym, Vanja znów się do mnie przytuliła.

— Może Heidi zechce moje buty? — powiedziała nagle.

— Kiedy będzie taka duża jak ty, to je dostanie.

— Heidi bardzo lubi buty.

— To prawda.

Kawałek szliśmy w milczeniu. Przed Subwayem, dużą bagieterią obok supermarketu, zauważyłem siwowłosą wariatkę, zaglądającą do środka przez szybę. Agresywna i nieprzewidywalna, krążyła po naszej dzielnicy, najczęściej gadając do siebie, z siwymi włosami zawsze upiętymi w ciasny kok, w tym samym beżowym płaszczu, wszystko jedno, latem czy zimą.

— Tato, czy ja też będę miała przyjęcie urodzinowe w swoje urodziny? — spytała Vanja.

— Jeśli będziesz chciała.

— Będę. Chcę, żebyście przyszli Heidi i ty, i mama.

— To rzeczywiście będzie bardzo miłe, skromne przyjęcie. — Przełożyłem ją z prawej ręki na lewą.

— A wiesz, co chcę dostać?

— Nie.

— Złotą rybkę. Mogę?

— No… — zawahałem się. — Żeby mieć złotą rybkę, trzeba umieć się nią odpowiednio zajmować. Karmić, zmieniać wodę, takie rzeczy. A do tego trzeba mieć chyba więcej niż cztery lata.

— Przecież ja ją mogę karmić! Jiro ma rybkę, a jest mniejszy ode mnie.

— To prawda. Zobaczymy. Prezenty urodzinowe muszą być tajemnicze. Na tym polega ich sens.

— Tajemnicze? Jak tajemnica?

Pokiwałem głową.

— O, wy, cholery, o, wy, cholery — powtarzała wariatka, od której dzieliło nas już teraz zaledwie parę metrów. Uchwyciwszy ruch, odwróciła się i spojrzała na mnie. Miała złe oczy.

— Co to za buty niesiesz? — usłyszałem za swoimi plecami. — Tatusiu, co to za buty niesiesz? Porozmawiaj ze mną chwilę! — A potem głośniej: — O, wy, cholery, cholery!

— Co ta ciocia powiedziała? — dopytywała się Vanja.

— Nic. — Przycisnąłem ją mocniej do siebie. — Jesteś najwspanialsza ze wszystkiego, co mam, Vanju. Wiesz o tym? Absolutnie najwspanialsza!

— Wspanialsza niż Heidi?

Uśmiechnąłem się.

— Jesteście tak samo wspaniałe, obie. I ty, i Heidi. Identycznie wspaniałe.

— Heidi jest wspanialsza — oświadczyła zupełnie obojętnym tonem, jakby stwierdziła niepodważalny fakt.

— Co za głupstwa! — zaprotestowałem. — Mój głuptasek.

Uśmiechnęła się.

Ponad jej ramieniem zajrzałem do wielkiego, prawie zupełnie pustego supermarketu, w którym lśniące towary wabiły z obu stron wąskich uliczek zbudowanych z półek i lad. Dwie kasjerki siedziały przy kasach, wpatrzone przed siebie w oczekiwaniu na klientów. Na skrzyżowaniu po drugiej stronie ktoś gazował silnik, a kiedy odwróciłem głowę, zobaczyłem jeden z tych ogromnych samochodów przypominających jeepy, które w ostatnich latach zaczęły zapełniać ulice. Miałem w sobie tak wielką czułość dla Vanji, że omal mnie nie rozsadziła. Aby stawić jej czoło, zacząłem truchtać. Minąłem Ankarę, turecką restaurację, oferującą taniec brzucha i karaoke; wieczorami przed wejściem często wystawali wypielęgnowani mężczyźni ze Wschodu, pachnący wodą po goleniu i dymem z cygar, ale teraz było pusto. Minąłem Burger Kinga, przed którym niewiarygodnie gruba dziewczyna w czapce i mitenkach siedziała na ławce i pochłaniała hamburgera, przebiegłem przez skrzyżowanie obok Systembolaget i Handelsbanken, gdzie zatrzymałem się na czerwonym świetle, chociaż w żadną stronę nic nie jechało. Cały czas tuliłem Vanję do siebie.

— Widziałaś księżyc? — spytałem, pokazując go jej.

— Mhm — mruknęła, a po krótkiej przerwie spytała: — Tam byli ludzie?

Dobrze wiedziała, że tak, ale wiedziała również, że lubię jej opowiadać o takich rzeczach.

— Tak, byli. Wkrótce po moim urodzeniu pofrunęli tam trzej panowie. To bardzo daleko, więc lot trwał kilka dni. No i chodzili po Księżycu.

— Nie frunęli, tylko polecieli pojazdem kosmicznym — poprawiła mnie.

— Masz rację. Polecieli rakietą.

Światło zmieniło się na zielone, więc przeszliśmy na drugą stronę ulicy, tam gdzie zaczynał się plac i gdzie było nasze mieszkanie. Przed bankomatem stał drobny mężczyzna w skórzanej kurtce, długie włosy opadały mu na plecy. Jedną ręką wziął kartę, która się wysunęła, drugą odgarnął włosy z twarzy. Ten gest, bardzo kobiecy, był też komiczny, ponieważ wszystko inne, całe heavymetalowe przebranie, miało być mroczne, twarde i bardzo męskie.

Powiew wiatru poderwał do góry wydruki z bankomatu, leżące na ziemi u jego stóp.

Wsunąłem rękę do kieszeni i wyjąłem klucze.

— Co to jest? — Vanja wskazała dwa automaty do slushu, soku z kruszonym lodem, stojące przed tajską knajpką z jedzeniem na wynos obok drzwi do naszego domu.

— Slush — odparłem. — Przecież wiesz.

— Ja to chcę — oświadczyła.

Spojrzałem na nią.

— Nie, nie dostaniesz. Jesteś głodna?

— Tak.

— Możemy kupić szaszłyki z kurczaka, jeśli masz ochotę. Masz?

— Tak.

— Okej. — Zestawiłem ją na ziemię i otworzyłem drzwi do baru, będącego właściwie jedynie dziurą w ścianie, z której codziennie na nasz balkon, siedem pięter wyżej, przedostawał się zapach nudli i kurczaka smażonego w głębokim tłuszczu. Sprzedawali dwa dania w jednym pudełku za czterdzieści pięć koron, więc nie pierwszy raz stanąłem przed szklanym kontuarem i złożyłem zamówienie u chudej jak szczapa, zaharowanej młodej Azjatki o kamiennej twarzy. Stale miała rozchylone usta, dziąsła widoczne nad zębami, spojrzenie zawsze bez wyrazu, jakby wszystko było jej obojętne. W kuchni pracowali dwaj równie młodzi mężczyźni, ale tylko migali mi z daleka, a między nimi krążył pięćdziesięciokilkulatek; również jego twarz niczego nie wyrażała, chociaż była odrobinę bardziej życzliwa, przynajmniej wtedy kiedy natykaliśmy się na siebie w długich korytarzach pod budynkiem, przypominających labirynt; on przychodził tam do magazynu, ja — wyrzucić śmieci, nastawić pranie lub wprowadzić albo wyprowadzić rower.

— Zaniesiesz sama? — spytałem Vanję, podając jej gorące pudełko, które dwadzieścia sekund po złożeniu zamówienia stanęło przede mną na ladzie. Vanja kiwnęła głową, zapłaciłem i weszliśmy na klatkę drzwiami tuż obok baru; tam Vanja odstawiła pudełko na podłogę, żeby wcisnąć guzik windy.

W drodze na górę liczyła głośno piętra. Kiedy stanęliśmy przed naszym mieszkaniem, oddała mi pudełko, otworzyła drzwi i jeszcze przed progiem zaczęła wołać matkę.

— Najpierw buty. — Przytrzymałem ją. Linda wyszła z salonu. Usłyszałem, że telewizor jest włączony.

Słaby odór zgnilizny i jeszcze czegoś gorszego wydobywał się z wielkiego worka ze śmieciami i dwóch małych torebek z pieluchami, stojących w rogu przy złożonym podwójnym wózku. Obok na podłodze walały się buty i kurtka Heidi.

Dlaczego, do jasnej cholery, nie schowała ich do szafy?!

W przedpokoju kłębiły się ubrania, zabawki, stare reklamy, wózki dziecięce, torebki i butelki z wodą. Przecież była w domu całe popołudnie!

Ale mogła leżeć i oglądać telewizję.

— Dostałam cukierki, chociaż nie łowiłam rybek — oznajmiła Vanja.

A więc jednak to było dla niej ważne, pomyślałem, nachylając się, żeby zdjąć jej buty. Cała aż drżała z niecierpliwości.

— I bawiłam się z Achillesem!

— Świetnie. — Linda kucnęła przed nią. — Pokaż, co masz w tej torebce ze słodyczami?

Vanja ją otworzyła.

Było tak, jak myślałem. Ekologiczne słodycze. Musiały pochodzić ze sklepu, który całkiem niedawno otwarto w pobliskim centrum handlowym — różne orzechy, oblane czekoladą w rozmaitych kolorach. Kandyzowany cukier. Coś przypominającego rodzynki.

— Mogę teraz zjeść?

— Najpierw szaszłyk — odpowiedziałem. — W kuchni.

Powiesiłem jej kurtkę na wieszaku, buty wstawiłem do szafy i poszedłem do kuchni. Tam przełożyłem na talerz szaszłyk, sajgonki i trochę nudli. Wyjąłem nóż i widelec, nalałem wody do szklanki i wszystko to ustawiłem przed nią na stole, na którym ciągle było pełno flamastrów, pudełek z akwarelami, pędzli i arkuszy papieru, stała też szklanka z wodą po malowaniu.

— Wszystko dobrze? — spytała Linda, siadając obok Vanji.

Kiwnąłem głową. Stanąłem oparty plecami o blat, z rękami założonymi na piersi.

— Heidi zasnęła bez kłopotu?

— Nie. Ma gorączkę. Pewnie dlatego tak grymasiła.

— Znów?

— Tak, ale niewysoką.

Westchnąłem. Odwróciłem się i spojrzałem na brudne naczynia stojące na blacie i w zlewie.

— Okropny tu bałagan — powiedziałem.

— Chcę obejrzeć film — oznajmiła Vanja.

— Nie teraz — zaprotestowałem. — Już dawno powinnaś spać.

— Ale ja chcę!

— A co ty oglądałaś w telewizji? — popatrzyłem na Lindę.

— O co ci chodzi?

— O nic. Oglądałaś telewizję, kiedy wróciliśmy. Spytałem tylko, co oglądałaś.

Teraz ona westchnęła.

— Nie chcę iść spać! — Vanja uniosła szaszłyk, jakby chciała nim rzucić. Złapałem ją za rękę.

— Odłóż to! — powstrzymałem ją.

— Możesz pooglądać dziesięć minut i wziąć sobie słodycze do miseczki — powiedziała Linda.

— Przecież przed chwilą jej zabroniłem.

— Tylko dziesięć minut — odparła, wstając. — Potem ją położę.

— Tak? A ja niby mam pozmywać?

— Co w ciebie wstąpiło? Rób sobie, co chcesz. Przez cały czas miałam tu Heidi, jeśli chodzi o ścisłość. Chorą, płaczliwą i...

— Idę zapalić.

— ...zupełnie niemożliwą.

Włożyłem kurtkę i buty, wyszedłem na loggię, zwróconą na wschód, gdzie zwykle paliłem, ponieważ miała daszek, a poza tym rzadko musiałem stamtąd patrzeć na ludzi. Balkon po drugiej stronie, biegnący wzdłuż całego mieszkania, o długości ponad dwudziestu metrów, nie miał żadnego zadaszenia; roztaczał się z niego widok na plac w dole, na którym z kolei zawsze roiło się od ludzi, na hotel i centrum handlowe po drugiej stronie ulicy i na fasady aż po Magistratparken. Chciałem mieć spokój, nie miałem ochoty na nikogo patrzeć, więc zamknąłem za sobą drzwi loggii i usiadłem na krześle w rogu. Zapaliłem papierosa, nogi oparłem na balustradzie i patrzyłem na podwórza i dachy, na ostre kształty, nad którymi zawisła wysoko potężna kopuła nieba. Widok stąd zmieniał się nieustannie. Przez chwilę najważniejsze w nim mogły być ogromne skupiska chmur, przypominające góry z przepaściami, pionowymi zboczami, dolinami i jaskiniami, tajemniczo unoszące się na błękitnym niebie, chwilę później z daleka potrafił nadciągnąć deszczowy front, widoczny w postaci ogromnej szaroczarnej kołdry na horyzoncie, a jeśli to było latem, kilka godzin później niewiarygodnie spektakularne błyskawice rozjaśniały ciemność w kilkusekundowych odstępach i echo grzmotów odbijało się od dachów. Lubiłem jednak również najzwyczajniejszy wygląd nieba, nawet gdy było zupełnie jednostajne, szare i deszczowe; na jego ciemnym tle kolory domów w dole nabierały wyrazistości i zdawały się niemal świecić. Ta jaskrawa zieleń patyny dachów! Czerwonawy pomarańcz cegieł!

I żółtość metalu dźwigów, wyraźnie jaśniejących na tle całej tej szarawej bieli. A w zwykłe letnie słoneczne dni niebo było jasne i błękitne, przesuwały się po nim nieliczne chmury, lekkie i niemal pozbawione konturów; wtedy masa budynków rozciągająca się w dole lśniła i migotała. Z nadejściem wieczoru na horyzoncie zapalały się czerwone płomienie, jakby ziemia tam płonęła, a potem nadciągał jasny, łagodny zmrok, pod którego życzliwą dłonią miasto się uspokajało, jakby szczęśliwie wycieńczone po całym dniu w słońcu. Na tym niebie świeciły gwiazdy, krążyły satelity, błyskając, latały samoloty z lotnisk Kastrup i Sturup.

Jeśli miałem ochotę popatrzeć na ludzi, musiałem się wychylić i spojrzeć w dół, na kamienicę po drugiej stronie, w której oknach czasami pojawiały się postacie bez twarzy, zajęte nieustanną wędrówką między pokojami i drzwiami: gdzieś otwiera się lodówka, mężczyzna w samych bokserkach coś z niej wyjmuje, zamyka ją i siada przy kuchennym stole, gdzie indziej z kolei trzaskają drzwi wejściowe, kobieta w płaszczu, z torebką przerzuconą przez ramię, pospiesznie zbiega po schodach, zataczając kręgi; w trzecim oknie, sądząc po zarysie postaci i spowolnieniu ruchów, jest starszy mężczyzna, prasuje; kiedy kończy, gasi światło i pokój zamiera. Gdzie teraz patrzeć? W górę? Tam gdzie jakiś mężczyzna czasami podskakuje, wymachując rękami przed czymś, czego nie widać, prawdopodobnie zabawia niemowlę? Czy na tę pięćdziesięciolatkę, która tak często wygląda przez okno?

Nie, ich życie powinno mieć spokój od mojego spojrzenia. Skierowałem więc oczy dalej i wyżej, nie aby oglądać to, co tam było, lub by powaliła mnie uroda tego czegoś, tylko po to, by pozwolić odpocząć oczom. Żeby być zupełnie sam.

Sięgnąłem po napoczętą dwulitrową butelkę coli light, stojącą na podłodze obok krzesła, i nalałem trochę do jednej ze szklanek zostawionych na stole. Korek był niedokręcony, więc cola zwietrzała, dlatego wyraźnie dało się wyczuć smak gorzkawego środka słodzącego, który zwykle rozmywa się w napoju wraz z odpowiednią ilością gazu. Ale w niczym mi to nie przeszkadzało. Smak — czegokolwiek — nigdy za bardzo mnie nie obchodził.

Odstawiłem szklankę na stolik i zgasiłem papierosa. Z moich uczuć do osób, z którymi tak niedawno spędziłem kilka godzin, nie pozostało nic. Mogliby spłonąć całą gromadą, a ja nic bym nie poczuł. Taka zasada obowiązywała w moim życiu. Przebywając z innymi, byłem z nimi związany, czułem z nimi niesłychaną bliskość, ogromnie się przejmowałem, do tego stopnia, że ich dobre samopoczucie zawsze było ważniejsze od mojego. Podporządkowywałem się, niemal do granicy samounicestwienia. Ich myśli i opinie, zgodnie z jakąś niesterowalną wewnętrzną mechaniką, stawiałem ponad własnymi myślami i uczuciami. Ale w chwili gdy zostawałem sam, inni przestawali cokolwiek dla mnie znaczyć. Nie chodziło wcale o brak sympatii czy o wstręt, przeciwnie, większość owych ludzi lubiłem, a u tych, za którymi nie przepadałem, zawsze umiałem znaleźć coś cennego, jakąś cechę, którą mogłem pochwalić, a przynajmniej uznać za interesującą na tyle, by w danej chwili zajęła moje myśli. Ale to, że ich lubiłem, nie oznaczało wcale, że się nimi przejmowałem. To sytuacja towarzyska mnie wiązała, nie uczestniczący w niej ludzie. Między tymi dwiema perspektywami nie było nic. Było jedynie to małe coś, co mnie niszczyło, i to coś wielkie, co stwarzało dystans. A między jednym i drugim trwała codzienność. Może dlatego tak trudno mi się w niej żyło? Codzienność z jej obowiązkami i rutynowymi czynnościami wytrzymywałem, lecz nie czerpałem z niej radości, nie przydawała ona sensu mojemu życiu ani mnie nie uszczęśliwiała. Nie chodziło o brak ochoty do umycia podłogi czy zmienienia dziecku pieluchy, tylko o coś bardziej zasadniczego, o to, że nie przeżywałem wartości codziennego życia, lecz chciałem się od niego oderwać; tak było zawsze. Życie, które wiodłem, nie było więc moim życiem. Starałem się uczynić je swoim, toczyłem o to ze sobą walkę, bo przecież chciałem tego, ale mi się nie udawało, tęsknota za czymś innym dziurawiła na wylot wszystko, co robiłem.

W czym tkwił problem?

Czy nie mogłem znieść tego przenikliwego, chorego tonu rozbrzmiewającego dookoła w społeczeństwie, dobiegającego od pseudoludzi i pseudomiejsc, pseudozdarzeń i pseudokonfliktów, za których pośrednictwem żyliśmy, ze wszystkiego, co oglądaliśmy, wcale w tym nie uczestnicząc, z tego stworzonego przez nowoczesność dystansu do naszego własnego, w zasadzie nieodżałowanego tu i teraz? W takim razie, jeśli tęskniłem za większą dawką rzeczywistości, większą dawką bliskości, to chyba powinienem głosić pochwałę tego, co mnie otaczało, a nie pragnąć się od tego oderwać? A może reagowałem na prefabrykowane dni w tym świecie, na tory rutyny, którymi podążaliśmy, przez które wszystko stawało się tak przewidywalne, że musieliśmy inwestować w rozrywki, aby poczuć bodaj cień intensywności? Za każdym razem, gdy wychodziłem z mieszkania, wiedziałem, co się zdarzy, co zrobię. Zarówno w małej skali — wchodzę do supermarketu, robię zakupy, siadam w kawiarni z gazetą, odbieram dzieci z przedszkola, jak i w dużej — od pokonania pierwszej śluzy do społeczeństwa, przedszkola, aż po ostatnią śluzę, dom starców. A może to moje obrzydzenie wynikało z pleniącego się na świecie podobieństwa, przez które wartość wszystkiego malała? Kiedy się przemierza Norwegię, wszędzie widać to samo. Takie same domy, takie same drogi, takie same stacje benzynowe, takie same sklepy. Jeszcze w latach sześćdziesiątych dostrzegało się różnice w kulturze, kiedy jechało się, dajmy na to, przez dolinę Gudbrandsdalen; teraz te niezwykłe czarne budynki z drewna, takie czyste i ponure, zamknięto w kapsułach małych muzeów, otoczonych produktami kultury nieróżniącej się od tej, z której człowiek przybył lub ku której zmierza. Europa także coraz bardziej zlewa się w jeden wielki, pozbawiony różnic kraj. To samo, to samo, wszędzie to samo. A może to przez światło rozjaśniające świat i wszystko w nim czyniące zrozumiałym, lecz jednocześnie pozbawiające go sensu? Może to przez lasy, które zniknęły, wymarłe gatunki zwierząt, dawne sposoby życia, które nigdy nie wrócą?

No tak, myślałem o tym wszystkim, wszystko to wypełniało mnie żalem i bezsilnością, a jeśli był jakiś świat, do którego zwracałem się w myślach, to ten z szesnastego, siedemnastego wieku, z jego przepastnymi lasami, żaglowcami i wozami konnymi, wiatrakami i zamkami, klasztorami i małymi miasteczkami, z jego malarzami i myślicielami, z odkrywcami i wynalazcami, księżmi i alchemikami. Ależby to było — żyć w świecie, w którym wszystko robiono siłą rąk, wiatru albo wody! Ależby to było — żyć w świecie, w którym Indianie amerykańscy mieszkali w spokoju na swojej ziemi! W świecie, w którym takie życie naprawdę było możliwe, w którym Afryka jeszcze nie została podbita, w którym ciemność nastawała wraz z zachodem słońca, a światło ze wschodem, w którym ludzi było zbyt mało i dysponowali zbyt prostymi narzędziami, by wpływać na liczebność gatunków zwierząt, a co dopiero mówić o ich wytrzebieniu! W świecie, w którym z jednego miejsca w drugie nie dało się przemieścić bez wysiłku, a wygoda stanowiła luksus wyłącznie dla najbogatszych, w którym morze było pełne wielorybów, w lasach roiło się od niedźwiedzi i wilków i wciąż istniały kraje tak obce, że żadna baśń nie mogła oddać im sprawiedliwości, takie jak Chiny, do których podróż trwała kilka miesięcy, możliwość jej odbycia była dana zaledwie garstce żeglarzy i kupców, a ponadto wiązała się ze śmiertelnym niebezpieczeństwem! Owszem, tamten świat był szorstki i ubogi, brudny, nękany chorobami, pijaństwem i niewiedzą, pełen bólu, z niską średnią długością życia i wysokim poziomem przesądów, ale to tamten świat wydał największego pisarza, Szekspira, największego malarza, Rembrandta, największego uczonego, Newtona. Wszyscy oni wciąż pozostają niepokonani w swoich dziedzinach, więc jak to możliwe, że właśnie owe czasy osiągnęły taką pełnię? Czy to przez bliskość śmierci życie było silniejsze?

Kto wie?

Tak czy owak, w przeszłość nie możemy się cofnąć. Wszystko, co robimy, jest nienaprawialne, a jeśli obejrzymy się za siebie, to widać nie życie, tylko śmierć. Ten zaś, kto uważa, że to charakter współczesności powoduje jego niedostosowanie, jest albo opętany manią wielkości, albo po prostu głupi, a w obu wypadkach brakuje mu samoświadomości. Wielu rzeczy we współczesności nie znosiłem, ale nie stąd brało się moje poczucie utraty sensu, bo przecież nie czułem się tak stale… Na przykład tamtej wiosny, kiedy przeprowadziłem się do Sztokholmu i spotkałem Lindę, świat nagle się otworzył, a jednocześnie jego intensywność szalenie wzrosła. Byłem nieprzytomnie zakochany i wszystko stało się możliwe, radość przez cały czas osiągała punkt bliski wrzenia i obejmowała cały świat. Gdyby wtedy ktoś próbował ze mną rozmawiać o bezsensie, roześmiałbym mu się w twarz, ponieważ byłem wolny, a świat, naszpikowany sensem, stał przede mną otworem — od mrugających futurystycznie pociągów, sunących przez węzeł drogowy Slussen poniżej mojego mieszkania, aż po słońce, barwiące na czerwono kościelne iglice na Riddarholmen podczas złowieszczo pięknych zachodów słońca, kojarzących się z dziewiętnastym wiekiem, które co wieczór podziwiałem w tamtych miesiącach; od zapachu świeżej bazylii i smaku dojrzałych pomidorów po odgłos obcasów stukających po bruku na zboczu schodzącym ku hotelowi Hilton późną nocą, kiedy siedzieliśmy na ławce, trzymając się za ręce, i wiedzieliśmy, że jesteśmy razem teraz i na zawsze. Ten stan trwał pół roku. Przez pół roku byłem absolutnie szczęśliwy, absolutnie obecny w świecie i w sobie samym, zanim ów świat powoli zaczął matowieć i kolejny raz wymknął mi się z ręki. Rok później znów przeżyłem wzlot, chociaż w zupełnie inny sposób.

Było to wtedy, kiedy urodziła się Vanja. Wówczas to nie świat się otworzył — bo od świata się odgrodziliśmy w swego rodzaju całkowitej koncentracji nad cudem, który dokonywał się w środku nas — lecz coś we mnie. Stan zakochania był szalony i nieostrożny, był zachłyśnięciem się i upojeniem życiem, tym razem zaś wypełniały mnie delikatność i przytłumienie, maksymalnie skoncentrowana uwaga skierowana ku temu, co się działo. Trwało to cztery tygodnie, może pięć. Kiedy wychodziłem załatwić jakąś sprawę na mieście, *biegłem* ulicami, zgarniając to, co mi było potrzebne, trzęsąc się z niecierpliwości przed ladą, i z torbami majtającymi się w rękach biegłem z powrotem. Nie chciałem, by umknęła mi bodaj minuta! Dni i noce zlewały się ze sobą, wszystko było samą czułością, samą łagodnością i gdy tylko Vanja otwierała oczy, od razu do niej pędziliśmy. Jesteś! Lecz również to minęło, również do tego się przyzwyczailiśmy, a ja zacząłem pracować — zamykałem się w nowej pracowni na Dalagatan i pisałem codziennie, podczas gdy Linda siedziała w domu z Vanją i odwiedzała mnie w porze lunchu, często czymś zaniepokojona, lecz również zadowolona, bliżej dziecka i tego, co się działo, niż ja, bo ja pisałem, a to, co początkowo było jedynie długim esejem, zaczęło z wolna, ale pewnie rozrastać się w powieść i wkrótce osiągnęło punkt, w którym stało się dla mnie wszystkim, nie mogłem zajmować się niczym innym, więc przeniosłem się do pracowni, gdzie pisałem dniami i nocami, śpiąc tylko godzinę od czasu do czasu. Wypełniło mnie bez reszty fantastyczne uczucie, zapłonęło we mnie jakieś światło; nie było gorące i niszczące, tylko chłodne, przejrzyste i lśniące. W nocy brałem filiżankę kawy i siadałem na ławce przed szpitalem, żeby zapalić; otaczały mnie pogrążone w ciszy ulice, a ja prawie nie mogłem usiedzieć spokojnie, tak wielką czułem radość. Wszystko było możliwe, wszystko miało sens. W dwóch fragmentach tej powieści dotarłem dalej, niż sądziłem, że to możliwe, i już tylko owe dwa fragmenty — chociaż nie rozumiem, jak mogłem je napisać, zresztą nikt ich nie zauważył i w żaden sposób nie skomentował — sprawiły, że warto było przeżyć pięć lat nieudanego i nieudolnego pisania, które je poprzedzały. To dwie z kilku najlepszych chwil mojego życia. Mam na myśli całe swoje życie. Szczęścia, które mnie wtedy wypełniło, i tego poczucia niezwyciężoności szukam od tamtej pory, ale wciąż nie znalazłem.

Kilka tygodni po ukończeniu powieści zaczęło się życie w roli ojca przebywającego w domu. Planowaliśmy, że potrwa ono do następnej wiosny, a Linda w tym czasie dokończy ostatni rok studiów w Instytucie Dramatu. Praca nad powieścią nadwerężyła nasz związek, przez sześć tygodni nocowałem w pracowni, prawie nie widywałem Lindy i naszej pięciomiesięcznej córki, a kiedy to się wreszcie skończyło, Linda poczuła ulgę i radość, ja zaś winien jej byłem swoją obecność, nie tylko fizyczną w tym samym pokoju, lecz również poświęcenie jej całej uwagi. Nie potrafiłem się z tego wywiązać. Przez wiele miesięcy czułem żal, że nie jestem już tam, gdzie byłem, w tamtym lśniącym chłodzie i przejrzystości, tęsknota za tym przewyższała radość z życia, które wiedliśmy. Sukces powieści nie miał żadnego znaczenia. Po każdej dobrej recenzji stawiałem krzyżyk w książce i czekałem na następną, po każdej rozmowie telefonicznej z agentem, który informował mnie, że jakieś zagraniczne wydawnictwo wyraziło zainteresowanie albo złożyło ofertę, stawiałem krzyżyk w książce i czekałem na następny telefon, a to, że moja powieść uzyskała w końcu nominację do Nagrody Literackiej Rady Nordyckiej, było mi obojętne, bo jeśli w ogóle coś zrozumiałem w ciągu ostatniego półrocza, to właśnie to, że jedyną rzeczą, o jaką chodzi w pisaniu, jest pisanie. W tym tkwi cała wartość. A jednak pragnąłem więcej zainteresowania, które się z tym łączyło, bo uwaga publiczna to narkotyk, zaspokajana przez nią potrzeba jest sztuczna, lecz kiedy się już raz pozna jej smak — chce się więcej. Chodziłem więc na niekończące się spacery z wózkiem po sztokholmskiej wyspie Djurgården i czekałem, aż zadzwoni telefon i jakiś dziennikarz będzie chciał mnie o coś spytać, organizator jakiejś imprezy gdzieś mnie zaprosi, czasopismo zwróci się z prośbą o tekst, a wydawnictwo przedstawi ofertę, aż w konsekwencji absmaku, jakim mnie to napełniało, zacząłem odmawiać wszystkiego i wszystkim, jednocześnie zainteresowanie powoli wygasało i znów została tylko codzienność. Jednak bez względu na to, jak bardzo się starałem, nie mogłem się jej w pełni oddać, zawsze coś innego było ważniejsze. Kiedy krążyłem po mieście, Vanja siedziała w wózku i rozglądała się albo kopała łopatką w piaskownicy na placu zabaw w parku Humlegården, w otoczeniu wysokich i chudych sztokholmskich matek, które przez cały czas rozmawiały przez komórki i wyglądały tak, jakby uczestniczyły w jakimś pieprzonym pokazie mody, albo siedziała na krzesełku w kuchni i przełykała jedzenie, którym ją karmiłem. Wszystko to nudziło mnie do szaleństwa. Czułem się głupio, rozmawiając z nią, bo przecież nie mówiła. Były tylko mój idiotyczny głos i jej milczenie, wesołe gaworzenie albo niezadowolenie i płacz, a potem trzeba było ją ubrać i znów iść przed siebie, na przykład do Muzeum Sztuki Współczesnej na wyspie Skeppsholmen, gdzie pilnując jej, mogłem przynajmniej pooglądać dobre obrazy, albo do którejś z dużych księgarni w centrum, na Djurgården czy nad zatoką Brunnsviken, do miejsc najbliższych naturze w tym mieście, chyba że wyprawiałem się w długą drogę do Geira, który w tym okresie miał gabinet na uniwersytecie. Z czasem opanowałem całą instrukcję obsługi małego dziecka, nie było takiej rzeczy, której nie umiałbym zrobić razem z Vanją, bywaliśmy wszędzie, ale bez względu na to, jak dobrze nam szło, i bez względu na ogromną czułość, jaką dla niej miałem, nuda i poczucie niemocy narastały.

Dużo sił poświęcałem na usypianie jej, żebym mógł poczytać i żeby dni mijały, tak aby dało się je skreślać w kalendarzu. Poznałem położone nawet najbardziej na uboczu miejskie kawiarnie i nie było takiej ławki w parku, na której prędzej czy później bym nie usiadł z książką w jednej ręce, a uchwytem wózka w drugiej. Nosiłem ze sobą Dostojewskiego. Najpierw *Biesy*, później *Braci Karamazow*. Tam znów odnalazłem światło. Ale nie było to wysokie, przejrzyste i czyste światło jak u Hölderlina — u Dostojewskiego nie widziałem żadnych wyżyn, żadnych gór, żadnej boskiej perspektywy, wszystko znajdowało się nisko, w tym co ludzkie, spowite charakterystyczną dla Dostojewskiego ubogą, brudną, chorą, niemal zakażoną atmosferą, zawsze bliską histerii. Właśnie tam znajdowała się jasność. Właśnie w tym wyczuwało się boskość. Ale czy to tam człowiek zmierzał? Musiał paść na kolana? Jak zwykle, czytając, nie myślałem, tylko starałem się wczuć i po kilkuset stronach, których przebrnięcie zajęło mi dobrych kilka dni, nagle coś się wydarzyło — wszystko, co z takim mozołem zostało zbudowane, zaczęło powoli na siebie oddziaływać i nabrało takiej intensywności, że zupełnie w niej zniknąłem, wciągnęła mnie całkiem, aż do chwili gdy Vanja w wózku otworzyła oczy i spojrzała na mnie niemal podejrzliwie: dokąd ty mnie zabrałeś?

W takich chwilach trzeba było zamknąć książkę i wziąć Vanję na ręce, wyjąć łyżeczkę, słoiczek z jedzeniem i śliniak, jeśli byliśmy gdzieś pod dachem, a jeśli byliśmy na dworze — wziąć kurs na najbliższą kawiarnię, przynieść krzesełko dla dziecka, posadzić je w nim, podejść do kontuaru i poprosić personel o podgrzanie jedzenia, co zawsze robiono niechętnie, bo miasto w tym czasie zalała fala niemowląt, trwał *baby boom*, a ponieważ wśród matek było tak wiele trzydziestokilkuletnich kobiet, które do tej pory pracowały i pielęgnowały własne życie, pojawiły się eleganckie pisma dla matek, w których dzieci były swoistymi akcesoriami, i jedna celebrytka za drugą godziła się na publikację zdjęć oraz udzielenie wywiadu na temat swojej rodziny. To co dawniej działo się w sferze prywatnej, wyciągano na widok publiczny. Wszędzie można było przeczytać o bólach porodowych, cesarskim cięciu i karmieniu piersią, o ubrankach dla dzieci i wózkach, znaleźć porady na temat urlopu z maleńkim dzieckiem, ukazywały się książki napisane przez ojców zajmujących się dziećmi i przez rozgoryczone matki, które czuły się oszukane, ponieważ wykańczała je praca połączona z wychowywaniem dziecka. Zjawisko dawniej normalne, o którym się zbyt wiele nie mówiło, a mianowicie posiadanie dzieci, przesunięto na plan pierwszy i kultywowano z frenezją, która powinna zmusić każdego do uniesienia brwi w zdumieniu — no bo co to miało oznaczać? Wśród całego tego szaleństwa ja też prowadziłem wózek z dzieckiem, jako jeden z wielu ojców, którzy pozornie stawiali ojcostwo ponad wszystkim. Kiedy siedziałem w kawiarni, karmiąc Vanję, zawsze znalazł się tam co najmniej jeszcze jeden ojciec, zwykle w moim wieku, to znaczy trzydziestokilkuletni — niemal wszyscy byli ogoleni na łyso, aby ukryć utratę włosów, w zasadzie nie widywało się już łysiny na czubku głowy ani bardzo wysokiego czoła — a widok tych ojców zawsze wywoływał we mnie lekko nieprzyjemne wrażenie, z trudem akceptowałem sfeminizowanie ich zachowania, chociaż robiłem dokładnie to samo i byłem równie sfeminizowany jak oni. Lekka pogarda, z jaką obserwowałem mężczyzn prowadzących wózki, była, łagodnie mówiąc, obosieczna, skoro gdy na nich patrzyłem, najczęściej sam prowadziłem wózek. Wątpiłem w to, abym był w swoich odczuciach osamotniony, wydawało mi się, że u niektórych mężczyzn na placu zabaw rozpoznaję charakterystyczne nerwowe spojrzenia i niepokój w ciałach tych, którzy chętnie sami kilka razy podciągnęliby się na drabinkach wśród bawiących się dzieci. Jednak codzienne spędzanie kilku godzin na placu zabaw ze swoim dzieckiem to jeszcze nic takiego. Istniały rzeczy o wiele gorsze. Linda zaczęła chodzić z Vanją na rytmikę dla niemowląt, organizowaną przez Bibliotekę Miejską, a kiedy przejąłem jej obowiązki, chciała, aby Vanja dalej uczestniczyła w tych zajęciach. Domyślałem się, że czeka mnie tam coś strasznego, więc odmówiłem, powiedziałem, że absolutnie się nie zgadzam, teraz Vanja jest pod moją opieką i nie będzie żadnej rytmiki dla niemowląt. Linda jednak nadal od czasu do czasu o tym wspominała, więc po kilku miesiącach mój opór przed tym, z czym wiązała się moja miękka rola, został na tyle złamany — a jednocześnie Vanja urosła i potrzebowała pewnego urozmaicenia — że pewnego dnia powiedziałem: tak, dzisiaj wybierzemy się na rytmikę dla niemowląt w Bibliotece Miejskiej. „Tylko pamiętaj — pouczyła mnie Linda — żebyś przyszedł odpowiednio wcześnie, bo tam się szybko robi tłoczno". Właśnie w ten sposób doszło do tego, że pewnego wczesnego popołudnia popychałem wózek z Vanją w górę Sveavägen, kierując się ku Odenplan, i po przejściu na drugą stronę ulicy wstąpiłem w progi Biblioteki Miejskiej, w której z jakiegoś powodu nigdy wcześniej nie byłem, chociaż to jeden z najpiękniejszych budynków w mieście, zaprojektowany przez Asplunda w latach dwudziestych, czyli w okresie, który z ubiegłego stulecia lubiłem najbardziej. Vanja była najedzona i wypoczęta, miała na sobie czyste ubranko, starannie wybrane na tę okazję. Wjechałem wózkiem do wielkiej, idealnie okrągłej głównej sali, spytałem pracownicę za kontuarem o dział dziecięcy, idąc za jej wskazówkami, dotarłem do bocznego skrzydła, pełnego półek z książeczkami dla dzieci, i na samym końcu znalazłem drzwi z plakatem informującym, że właśnie tutaj o godzinie czternastej zaczynają się zajęcia z rytmiki dla niemowląt. Stały tam już trzy wózki. Na krzesłach nieopodal siedziały ich właścicielki, trzy kobiety w ciężkich kurtkach, ze zmęczonymi twarzami, wszystkie mniej więcej trzydziestopięcioletnie, a to co najprawdopodobniej było ich dziećmi, raczkowało zasmarkane po podłodze między nimi.

Zaparkowałem wózek przy tamtych, wyjąłem Vanję, przysiadłem na niedużym występie ściennym z małą na kolanach, zdjąłem jej kurtkę, buty i ostrożnie posadziłem ją na podłodze. Pomyślałem, że może też sobie poraczkuje. Ale nie chciała, nie przypominała sobie, żeby wcześniej była w tym miejscu, wolała być blisko mnie i wyciągnęła rączki do góry. Znów wziąłem ją na kolana. Stamtąd z zainteresowaniem obserwowała inne dzieci.

Korytarzem nadeszła piękna młoda kobieta z gitarą w ręku. Miała około dwudziestu pięciu lat, długie jasne włosy, płaszcz sięgający jej mniej więcej do kolan i długie czarne kozaki. Zatrzymała się przy mnie.

— Cześć — powiedziała. — Ciebie jeszcze tu nie widziałam. Wybierasz się na rytmikę dla niemowląt?

— Tak — odparłem, patrząc na nią z dołu. Była naprawdę piękna.

— A zapisałeś się?

— Nie. A trzeba?

— Owszem. Poza tym dzisiaj, niestety, mamy komplet.

Dobra wiadomość.

— Szkoda — powiedziałem, wstając.

— Ale ponieważ nie wiedziałeś, to jakoś cię wciśniemy. Ten jeden raz. Na następny już musisz się zapisać.

— Bardzo dziękuję.

Uśmiechnęła się pięknie. Potem otworzyła drzwi i weszła do sali. Wychyliłem się lekko i zobaczyłem, że futerał z gitarą położyła na podłodze, a płaszcz i szalik powiesiła na krześle w głębi pomieszczenia. Biła od niej wiosenna świeżość i lekkość.

Przeczuwałem, w jaką stronę to zmierza, i powinienem po prostu wstać i stamtąd wyjść. Ale nie przyszedłem tam ze względu na siebie, tylko dla Vanji i Lindy. Dalej więc siedziałem. Vanja miała osiem miesięcy i oczarowywało ją wszystko, co przypominało przedstawienie. Musiałem jej pozwolić na takie przeżycie.

Nadciągały kolejne kobiety z wózkami i wkrótce korytarz wypełniły gawędzenie, kaszel, śmiech, szelest ubrań i odgłosy grzebania w torebkach. Wydawało mi się, że większość przychodzi w parach albo trójkami, przez długi czas miałem wrażenie, że tylko ja jestem tu sam. Ale po kilku minutach zjawiło się jeszcze dwóch mężczyzn. Z ich mowy ciała wywnioskowałem, że się nie znają. Jeden z nich, niewysoki, w okularach, skinął mi wielką głową. Miałem ochotę go kopnąć. Co mu się wydawało? Że jesteśmy członkami tego samego stowarzyszenia? Potem było ściąganie kombinezonu, czapeczki i butów, wyjmowanie butelki ze smoczkiem i sadzanie dziecka na podłodze.

Matki już dawno zaczęły wchodzić do sali, w której miały się odbyć zajęcia. Zwlekałem z tym jak najdłużej, ale za minutę druga też wstałem i wszedłem z Vanją na rękach. Na podłodze rozłożono poduszki, mieliśmy na nich siedzieć, natomiast dziewczyna prowadząca zajęcia usiadła na krześle przed nami. Z gitarą na kolanach, uśmiechnięta, rozglądała się po zebranych. Ubrana była w beżowy kaszmirowy sweter. Miała kształtne piersi, wąską talię, nogi — jedną założyła na drugą i lekko nią machała — długie i wciąż w czarnych kozakach.

Usiadłem na poduszce. Vanję posadziłem sobie na kolanach. Wielkimi oczami wpatrywała się w kobietę z gitarą, która teraz się z nami witała.

— Są dzisiaj wśród nas nowe osoby — powiedziała. — Może zechcecie się przedstawić?

— Monica — powiedziała jedna.

— Kristina — powiedziała druga.

— Lul — powiedziała trzecia.

Lul? Co to, do cholery, za imię?

Zapadła cisza. Piękna dziewczyna spojrzała na mnie, uśmiechając się zachęcająco.

— Karl Ove — przedstawiłem się mrocznym głosem.

— No, to zaczynamy od naszej powitalnej piosenki. — Zagrała pierwszy akord, który jeszcze brzmiał, kiedy tłumaczyła, że gdy skinie głową na rodzica, ów ma podać imię swojego dziecka, a potem wszyscy mają to imię zaśpiewać.

Znów zagrała akord i wszyscy zaczęli śpiewać. Piosenka traktowała o tym, że trzeba powiedzieć „cześć" koledze i pomachać mu ręką, przy czym rodzice dzieci, które były jeszcze za małe na to, by cokolwiek zrozumieć, złapali je za nadgarstki i pomachali ich rączkami, co zrobiłem również ja; kiedy zaczęła się druga zwrotka, nie miałem już żadnej wymówki, żeby milczeć, i musiałem zacząć śpiewać. W chórze jasnych kobiecych głosów mój bas zabrzmiał jak głos chorego. Dwanaście razy zaśpiewaliśmy „cześć" koledze, zanim wszystkie dzieci zostały wymienione z imienia i mogliśmy przejść do kolejnego punktu. Następna była piosenka o częściach ciała, których dzieci oczywiście musiały dotykać, gdy padała ich nazwa. Czoło, oczy, uszy, nos, usta, brzuch, kolano, stopa. Czoło, oczy, uszy, nos, usta, brzuch, kolano, stopa. Potem rozdano nam rozmaite grzechotkowate instrumenty, którymi mieliśmy grzechotać przy odśpiewywaniu kolejnej piosenki. Nie czułem się nieswojo, siedząc tam, nie czułem się głupio, to było po prostu upokarzające i poniżające. Wszystko było takie miękkie, przyjazne i dobre, ruchy były spokojne, a ja siedziałem skulony na poduszce i szczebiotałem w chórze razem z matkami i dziećmi, na domiar złego pod przewodnictwem kobiety, z którą chętnie bym się przespał. Ale przez takie siedzenie zostałem całkowicie unieszkodliwiony, wyzuty z męskości, pozbawiony godności i potencji, zatarły się wszelkie różnice między nią a mną, oprócz tej, że była od mnie ładniejsza, i to zrównanie, w którym zrezygnowałem z siebie, nawet ze swojego wzrostu, w dodatku dobrowolnie, doprowadziło mnie do wściekłości.

— A teraz dzieciaczki trochę potańczą! — Prowadząca odłożyła gitarę na podłogę, wstała i podeszła do odtwarzacza CD, stojącego na krześle obok. — Wszyscy ustawiają się w kręgu i najpierw idziemy w jedną stronę, tupiąc nóżkami — tupnęła piękną nóżką — obracamy się w kółko jeden raz i idziemy w drugą stronę.

Wstałem, podniosłem Vanję i stanąłem w kręgu, który się utworzył. Wzrokiem odszukałem dwóch pozostałych mężczyzn. Obaj byli całkowicie skupieni na swoich dzieciach.

— Tak, tak, Vanju — powiedziałem cicho. — Ludzie bywają różni, jak mawiał twój pradziadek.

Spojrzała na mnie. Do tej pory nie podjęła żadnej aktywności przeznaczonej dla dzieci, nie chciała nawet potrząsać marakasami.

— No, to zaczynamy — oznajmiła piękna kobieta i nacisnęła klawisz odtwarzacza.

Popłynęła jakaś ludowa melodia i ruszyłem za innymi, stawiając kroki w rytm muzyki. Vanję trzymałem pod pachami w taki sposób, że wisiała na wysokości mojej piersi. Potem trzeba było tupnąć nogą, obrócić się i pójść z powrotem. Wielu osobom sprawiało to przyjemność, słychać było śmiechy, a nawet zachwycone piski. Kiedy zabawa się skończyła, mieliśmy tańczyć z dziećmi. Kołysałem się z Vanją na rękach, myśląc, że właśnie tak musi wyglądać piekło, miękkie, dobre, pełne nieznajomych matek z niemowlętami. Po skończonym tańcu zaczął się seans z wielkim niebieskim żaglem, który najpierw udawał morze, przy czym odśpiewaliśmy piosenkę o falach, jednocześnie szarpiąc żaglem, tak żeby przebiegały po nim fale, a potem dzieci się pod niego wczołgiwały, my zaś gwałtownie go podnosiliśmy, nadal śpiewając.

Kiedy wreszcie prowadząca podziękowała za udział w zajęciach, czym prędzej wyszedłem z sali, na nikogo nie patrząc, ubrałem Vanję ze wzrokiem wbitym w ziemię, słuchając głosów weselszych niż przed zajęciami, wsadziłem małą do wózka, przypiąłem ją i wyjechałem stamtąd jak najprędzej, ale tak, by nie wydawało się to dziwne. Na ulicy miałem ochotę krzyczeć z całych sił i coś stłuc. Ale poprzestałem na jak najszybszym pokonaniu jak największej liczby metrów od tego miejsca hańby.

— Oj, Vanju, Vanju — powiedziałem, gnając przez Sveavägen. — A ty się dobrze bawiłaś? Raczej na to nie wyglądało.

— Tu, tu, tuu — odparła Vanja.

Nie uśmiechała się, ale oczy miała zadowolone.

Pokazała.

— Aha, motocykl. Co cię właściwie tak fascynuje w motocyklach?

Kiedy dotarliśmy do sklepu Konsum na skrzyżowaniu z Tegnérgatan, wszedłem kupić coś na obiad. Poczucie osaczenia wciąż mnie nie opuszczało, ale agresja nieco ustąpiła. Gdy popychałem wózek wzdłuż rzędu regałów, nie byłem już zły. Sklep budził wspomnienia, to tutaj robiłem zakupy, kiedy trzy lata wcześniej przeniosłem się do Sztokholmu i przez kilka tygodni zajmowałem mieszkanie wydawnictwa Norstedts, znajdujące się o rzut kamieniem na tej samej ulicy. Ważyłem wtedy ponad sto kilogramów i poruszałem się w czymś w rodzaju na poły katatonicznej ciemności, uciekając od swojego poprzedniego życia. Nie było za wesoło. Ale zdecydowałem, że się z tego wyrwę, więc co wieczór chodziłem pobiegać do lasku Lill-Jansskogen. Nie mogłem przebiec nawet stu metrów, bo serce od razu zaczynało mi walić jak młotem, a płucom tak brakowało powietrza, że musiałem się zatrzymywać. Jeszcze sto metrów i nogi mi drżały. Potem był powrót do mieszkania przypominającego hotel i posiłek składający się z chrupkiego chleba i zupy. Któregoś dnia zauważyłem w tym sklepie kobietę, nagle pojawiła się obok mnie przy ladzie z mięsem — akurat w tym miejscu! — i miała w sobie coś, jakąś fizyczność, która sprawiła, że w jednej chwili poczułem gwałtowny przypływ pożądania. Wózek na zakupy popychała przed sobą obiema rękami, włosy miała rudawe, a bladą skórę twarzy piegowatą. Wdychałem jej zapach, lekką woń potu i mydła, patrząc przed siebie, z walącym sercem i zasznurowanym gardłem, mniej więcej przez piętnaście sekund, bo tyle trwało, odkąd pojawiła się obok mnie, do chwili gdy wzięła z lady opakowanie salami i odeszła. Ujrzałem ją jeszcze raz, kiedy miałem płacić, stała przy drugiej kasie, a pożądanie, które i tak nie minęło, znów się wzmogło. Włożyła zakupy do torby, odwróciła się i wyszła. Nigdy więcej jej nie widziałem.

Vanja ze swojej niskiej pozycji w wózku dostrzegła psa i wskazała go ręką. Nigdy nie przestałem się zastanawiać, co też ona takiego widzi, kiedy patrzy na otaczający ją świat. Co dla niej oznacza ten niekończący się strumień ludzi, twarzy, samochodów, sklepów i znaków? Nie patrzyła obojętnie, to w każdym razie było pewne, bo nie tylko regularnie wychwytywała motocykle, koty, psy i inne niemowlęta, lecz również ustaliła bardzo wyraźną hierarchię ludzi wokół siebie: najpierw Linda, potem ja, później babcia, a następnie wszyscy inni, w zależności od tego, jak długo przebywali przy niej w ostatnich dniach.

— No właśnie, widzisz, pies — powiedziałem. Wrzuciłem do koszyka karton mleka i paczkę świeżego makaronu z sąsiedniej lady. Do tego dołożyłem dwa opakowania szynki serrano, słoik oliwek i mozzarellę, doniczkę bazylii i kilka pomidorów. W poprzednim życiu kupowanie takiego jedzenia nawet by mi się nie śniło, bo nie miałem pojęcia, że w ogóle istnieje. Ale teraz znajdowałem się tutaj, wśród sztokholmskiej kulturalnej klasy średniej, i chociaż zachwyt nad wszystkim, co włoskie, hiszpańskie i francuskie, oraz dystansowanie się do wszystkiego, co szwedzkie, wydawały mi się idiotyczne, z czasem zaś, gdy zacząłem mieć tego szerszy obraz, wręcz ohydne, to nie było sensu marnować sił na bunt. Jeśli tęskniłem za wieprzowymi kotletami z grilla z kapustą, za lapskausem[1], zupą jarzynową, klopsikami, mielonymi, musem z płucek, plackami

[1] *Lapskaus* — danie jednogarnkowe, mięso w sosie z ziemniakami i warzywami.

rybnymi, wołowiną w kapuście, serdelkami, befsztykiem z wieloryba, zupą z sago, kaszą manną, leguminą z ryżu czy z kwaśnej śmietany, to w równej mierze tęskniłem za latami siedemdziesiątymi, co za prawdziwym smakiem tych potraw. A ponieważ jedzenie nie było dla mnie ważne, równie dobrze mogłem przygotować coś, co lubiła Linda.

Na kilka sekund zatrzymałem się przy stojaku z gazetami, zastanawiając się, czy mam kupić dwie gazety wieczorne, jak się tutaj nazywało popołudniówki, czyli dwie największe gazety w kioskowej sprzedaży. Czytanie ich przypominało wysypywanie sobie worka śmieci na głowę. Czasami to robiłem, kiedy czułem, że trochę śmieci mniej czy więcej nie zrobi żadnej różnicy. Ale nie dzisiaj.

Zapłaciłem i wyszedłem na ulicę; w asfalcie odbijało się słabo światło łagodnego zimowego nieba i samochodów stojących w korku na wszystkich ulicach dochodzących do skrzyżowania — przypominało to gigantyczne bierki. Aby uniknąć kontaktu ze wzmożonym ruchem ulicznym, ruszyłem w głąb Tegnérgatan. Na wystawie mieszczącego się tam antykwariatu, jednego z tych, które miałem pod stałą obserwacją, dostrzegłem książkę Malapartego — Geir ciepło się o niej wyrażał — a także Galileusza, wydaną w serii Atlantis. Obróciłem wózek, pchnąłem drzwi piętą i wszedłem do środka tyłem, ciągnąc wózek za sobą.

— Poproszę o dwie książki z wystawy — powiedziałem po norwesku. — Galileusza i Malapartego.

— Słucham? — Pięćdziesięciolatek w koszuli, który prowadził antykwariat, spojrzał na mnie sponad prostokątnych okularów, tkwiących na samym czubku nosa.

— Na wystawie — powtórzyłem po szwedzku. — Dwie książki. Galileusz, Malaparte.

— Niebo i wojna, co? — Odwrócił się, żeby mi je podać.

Vanja zasnęła.

Czyżby rytmika dla dzieci była aż tak wyczerpująca? Pociągnąłem uchwyt pod zagłówkiem w swoją stronę, żeby delikatnie położyć małą. Pomachała rączką przez sen i zacisnęła ją w piąstkę, tak jak robiła zaraz po urodzeniu. To był jeden z tych gestów, które miała w sobie gotowe i które powoli przezwyciężała własnymi. Ale kiedy spała, znów ożywał.

Przesunąłem wózek nieco na bok, by umożliwić innym ludziom przejście, i podczas gdy antykwariusz wybijał ceny książek na swojej staroświeckiej kasie, zwróciłem się ku półce z albumami o sztuce. Ponieważ Vanja spała, miałem dla siebie kilka minut i mogłem je tu spędzić. Pierwszym, na który padło moje spojrzenie, był album ze zdjęciami Pera Maninga. Co za szczęśliwy traf! Zawsze lubiłem jego fotografie, szczególnie serie ze zwierzętami. Krowy, świnie, psy, foki. W jakiś sposób udawało mu się wydobyć ich dusze. Spojrzeń tych zwierząt, jakie uchwycił na zdjęciach, nie można było zrozumieć inaczej. Absolutna obecność, czasami udręczona, czasami pusta, czasami natarczywa, ale również tajemnicza, podobnie jak tajemnicze były portrety siedemnastowiecznych malarzy.

Położyłem go na ladzie.

— Właśnie go dostałem — powiedział antykwariusz. — Świetny album. Pan jest Norwegiem?

— Tak. Jeszcze się chwilę porozglądam.

Zauważyłem wydanie dzienników Delacroix, wziąłem je, a także album Turnera, chociaż żadne obrazy przy fotografowaniu nie tracą tak wiele, jak właśnie jego dzieła, dorzuciłem książkę Poula Vada o Vilhelmie Hammershøi[1] i jeszcze wspaniałą pozycję o orientalizmie w sztuce.

Kiedy kładłem książki na ladzie, zadzwoniła komórka. Prawie nikt nie znał mojego numeru, więc lekko przytłumiony dzwonek, który rozległ się z głębi bocznej kieszeni mojej parki, nie wzbudził we mnie niepokoju. Przeciwnie. Oprócz krótkiej wymiany zdań z prowadzącą rytmikę dla niemowląt, nie rozmawiałem z nikim od czasu, gdy Linda rano pojechała rowerem na uczelnię.

— Halo — usłyszałem głos Geira. — Co porabiasz?

— Pracuję nad poczuciem własnej wartości — odpowiedziałem, odwracając się do ściany. — A ty?

— Na pewno nie nad tym. Siedzę w gabinecie i przyglądam się ludziom, którzy przechodzą. Co nowego się wydarzyło?

— Właśnie poznałem piękną kobietę.

— Aha.

— Chwilę z nią rozmawiałem.

— Tak?

— Zaprosiła mnie do siebie.

— Przyjąłeś zaproszenie?

— Oczywiście. Spytała nawet, jak mam na imię.

— Ale?

— Prowadziła zajęcia z tak zwanej rytmiki dla niemowląt. Musiałem na jej oczach siedzieć na niedużej poduszce z Vanją na kolanach, klaskać w ręce i śpiewać dziecięce piosenki. Razem z całą gromadą matek i dzieci.

---

1 Vilhelm Hammershøi (1864–1916) — malarz duński, malował portrety, pejzaże, budynki, a przede wszystkim wnętrza.

Geir głośno się roześmiał.

— Dostałem też grzechotkę, którą mogłem potrząsać.

— Cha, cha, cha!

— Kiedy stamtąd wyszedłem, byłem taki wściekły, że nie wiedziałem, co ze sobą zrobić. A jednocześnie przydały mi się moje nowe szerokie biodra. I nikt się nie przejmował moimi wałkami na brzuchu.

— Rzeczywiście są takie mięciutkie i przyjemne. — Geir znów się roześmiał. — Posłuchaj, może byśmy wieczorem gdzieś wyszli?

— Drażnisz się ze mną?

— Nie, mówię poważnie. Zamierzam tu siedzieć i pracować mniej więcej do siódmej. Później możemy się spotkać na mieście.

— To niemożliwe.

— Jaki, do cholery, sens ma dla ciebie mieszkanie w Sztokholmie, jak nigdy nie możemy się spotkać?

— Jeśli — powiedziałem. — Poprawnie mówi się: jeśli.

— Pamiętasz, jak przyjechałeś do Sztokholmu? — spytał Geir. — Jak w taksówce zrobiłeś mi wykład o wyrażeniu „pod pantoflem", kiedy nie chciałem iść z tobą do klubu nocnego?

— Nie mówi się: jak przyjechałeś, tylko: kiedy przyjechałeś — odparłem.

— Do diabła, człowieku! Chodzi o to twoje wyrażenie. Pod pantoflem. Pamiętasz?

— Niestety tak.

— I? Jaki wniosek wyciągasz?

— Że istnieją pewne różnice. Ja nie jestem pod pantoflem, ja jestem pantoflem. A ty jesteś ciżemką.

— Cha, cha, cha. No a jutro?

— Jutro jesteśmy umówieni na kolację z Fredrikiem i Karin.

— Z Fredrikiem? To ten dureń reżyser?

— Ja bym się tak nie wyraził, ale rzeczywiście o niego chodzi.

— O mój Boże. No tak. Może niedziela? Nie, to przecież wasz dzień odpoczynku. Poniedziałek?

— Okej.

— Świetnie, bo w poniedziałki niewiarygodnie dużo ludzi wychodzi na miasto.

— Poniedziałek w Pelikanie. A poza tym akurat trzymam w ręku książkę Malapartego.

— Tak? To znaczy, że jesteś w antykwariacie? Jest świetna.

— I dzienniki Delacroix.

— Też podobno dobre. Wiem, że Thomas o nich mówił. A co poza tym?

— Wczoraj dzwonili z „Aftenposten". Chcieli wywiad portret.

— Chyba się nie zgodziłeś?

— Owszem.

— Idiota. Mówiłeś, że z tym kończysz.

— Wiem. Ale w wydawnictwie powiedzieli, że ten dziennikarz jest wyjątkowo dobry. Pomyślałem, że dam im ostatnią szansę. Przecież może się zdarzyć, że to będzie niezły wywiad.

— Nie, nie może — stwierdził Geir.

— Wiem. Wszystko jedno. W każdym razie się zgodziłem. A co u ciebie?

— Nic. Jadłem drożdżówki z antropologami społecznymi. Potem zajrzał do mnie dawny kierownik instytutu, miał okruchy w brodzie i rozpięty rozporek, chciał porozmawiać. Jestem jedyną osobą, która go nie wyrzuca, więc przychodzi do mnie.

— Ten, który był taki ostry?

— Tak, a teraz panicznie się boi, że straci pokój. To ostatnia rzecz, jaka mu została. Stara się więc być miły od rana do wieczora. Najwyraźniej łatwo się przestawić. Trzeba być ostrym, kiedy można, a miłym, kiedy się musi.

— Może wpadnę jutro. Masz czas?

— Pewnie, że mam, do cholery. Bylebyś tylko nie brał ze sobą Vanji.

— Cha, cha. Wiesz co, muszę zapłacić, widzimy się jutro.

— Dobrze, dobrze. Pozdrów Lindę i Vanję.

— A ty Christinę.

— Na razie.

— Na razie.

Rozłączyłem się i schowałem komórkę z powrotem do kieszeni. Vanja ciągle spała. Antykwariusz oglądał jakiś katalog. Podniósł głowę, gdy stanąłem przy ladzie.

— Tysiąc pięćset trzydzieści koron — powiedział.

Podałem mu kartę. Paragon schowałem do tylnej kieszeni, bo takie zakupy dało się wytłumaczyć jedynie możliwością odliczenia od podatku, dwie torby z książkami położyłem na półeczce pod wózkiem i wyszedłem, pchając wózek, przy wtórze dźwięczącego w uszach dzwonka.

Zrobiło się późno — za dwadzieścia czwarta. Byłem na nogach od wpół do piątej rano, do wpół do siódmej przeglądałem dla wydawnictwa Damm tłumaczenie, z którym wyniknęły jakieś problemy, i chociaż była to nudna praca — nie robiłem przecież nic oprócz porównywania z oryginałem zdania po zdaniu — to i tak sto razy bardziej interesująca i twórcza niż to, co działo się rano i przed południem, pielęgnacja dziecka i zajęcia dziecka, których sens dla mnie polegał jedynie na zabijaniu czasu. Nie wycieńczało mnie takie życie, nie wymagało pracy ponad siły, lecz nie zawierało najmniejszej iskierki inspiracji, więc mimo wszystko czułem się wypompowany, mniej więcej tak, jakbym złapał gumę.

Przy skrzyżowaniu z Döbelnsgatan skręciłem w prawo i ruszyłem pod górę w stronę kościoła Świętego Jana, który ze względu na ściany z czerwonej cegły i zielone blaszane dachy był bardzo podobny do kościoła Świętego Jana w Bergen i kościoła Świętej Trójcy w Arendal, przeszedłem kawałek Malmskillnadsgatan, po czym skręciłem w David Bagares gata i dotarłem do bramy na nasze podwórze. Na chodniku przed knajpą po drugiej stronie ulicy płonęły dwie pochodnie. Cuchnęło moczem — bo zatrzymywali się tu ludzie wracający nocą z placu Stureplan, zagłębia knajp, którzy sikali przez szczeble bramy — i śmieciami z pojemników ustawionych w rzędzie pod murem. W kącie przycupnął gołąb, który trzymał się tego miejsca, odkąd się tu wprowadziliśmy dwa lata temu. Wtedy mieszkał w dziurze wysoko w ścianie. Kiedy ją zamurowano, a na wszystkich parapetach i gzymsach zamontowano ostre kolce, przeniósł się na poziom ziemi. Były tu też szczury, widywałem je od czasu do czasu, kiedy wychodziłem w nocy zapalić, czarne cienie przesuwające się w krzakach i nagle przemykające przez oświetlone podwórze ku bezpiecznemu miejscu na rabatach po drugiej stronie. Stała tam teraz fryzjerka z sąsiedztwa i paląc papierosa, rozmawiała przez komórkę. Mogła mieć około czterdziestki, domyślałem się, że dorastała jako małomiasteczkowa piękność, w każdym razie przypominała mi ten typ kobiet, który można spotkać latem w knajpach w Arendal — czterdziestolatki z włosami ufarbowanymi na zbyt mocny blond lub zbyt mocną czerń, ze zbyt mocno opaloną skórą, zbyt zalotnie patrzącymi oczami, zbyt głośno się śmiejące. Ta miała ochrypły głos, mówiła wyraźnym dialektem ze

Skanii, a dziś była ubrana całkiem na biało. Gdy mnie dostrzegła, skinęła głową. Odpowiedziałem jej tym samym. Chociaż z nią nie rozmawiałem, lubiłem ją. Tak bardzo się różniła od innych ludzi, których poznałem w Sztokholmie — wszyscy albo pięli się w górę, albo już na niej byli, albo wydawało im się, że są. Ich czystość stylu — odnosząca się nie tylko do ubrań i rzeczy, lecz również do myśli i poglądów — tej kobiety, łagodnie mówiąc, nie dotyczyła.

Zatrzymałem się przy drzwiach i wyjąłem klucz. Z wywietrznika nad oknem pralni płynął zapach środków do prania i czystej bielizny. Przekręciłem klucz i jak najostrożniej wszedłem na klatkę schodową. Vanja tak dobrze znała te dźwięki i ich kolejność, że prawie zawsze się budziła, gdy docieraliśmy tutaj. Teraz było tak samo. Tym razem obudziła się z krzykiem. Nie uciszałem jej, otworzyłem drzwi do windy, wcisnąłem guzik i gdy wznosiliśmy się dwa piętra w górę, przejrzałem się w lustrze. Linda, która musiała usłyszeć płacz Vanji, czekała na nas w drzwiach mieszkania.

— Cześć — powiedziała. — Jak wam minął dzień? Dopiero się obudziłaś, skarbie? Chodź do mnie, już, zaraz…

Rozpięła szelki i wyjęła Vanję z wózka.

— Było okej — odparłem, wprowadzając do mieszkania pusty wózek. Linda w tym czasie rozpinała sweter i szła do salonu, żeby nakarmić Vanję piersią. — Ale na rytmice dla niemowląt moja noga więcej nie postanie, dopóki żyję.

— Było aż tak źle? — Uśmiechnęła się do mnie przelotnie, po czym natychmiast przeniosła wzrok na Vanję, którą przyłożyła do odsłoniętej piersi.

— Źle? Nic gorszego w życiu nie przeżyłem. Wyszedłem stamtąd wściekły.

— Rozumiem — mruknęła i straciła zainteresowanie tematem.

Jej opieka nad Vanją miała zupełnie inny charakter. Była wszechogarniająca. I taka szczera.

Zaniosłem zakupy do kuchni, powkładałem je do lodówki, doniczkę z bazylią postawiłem na parapecie na spodku, do którego nalałem trochę wody, wyjąłem z wózka książki i położyłem na półce, po czym stanąłem przy komputerze i otworzyłem skrzynkę pocztową. Nie sprawdzałem jej od rana. Przyszedł mail od Carla-Johana Vallgrena[1]; gratulował mi nominacji, napisał, że, niestety, jeszcze nie przeczytał książki, ale żebym zadzwonił, gdybym któregoś dnia chciał się napić piwa. Carla-Johana naprawdę lubiłem. Jego ekstrawagancję, którą nierzadko uznawano za nieprzyjemną, snobistyczną, czy wręcz głupią, ceniłem, zwłaszcza po dwóch latach spędzonych w Szwecji. Oczywiście pójście z nim na piwo w ogóle nie wchodziło w grę. Wiedziałem, że tylko bym siedział i milczał. Próbowałem tego już dwukrotnie. Był też mail od Marty Norheim[2], dotyczący wywiadu w związku z nagrodą za powieść otrzymaną przeze mnie od stacji P2. I jeszcze wiadomość od mojego stryja Gunnara, który dziękował za książkę, pisał, że zbiera siły na jej przeczytanie, życzył mi powodzenia w zdobyciu mistrzostwa krajów skandynawskich w literaturze, a kończył peesem, że szkoda, iż Yngve i Kari Anne się rozwodzą. Zamknąłem pocztę, nie odpowiadając na żaden mail.

— Przyszło coś ciekawego? — spytała Linda.

---

1 Carl-Johan Vallgren (ur. 1964) — szwedzki pisarz i muzyk.

2 Marta Norheim (ur. 1954) — norweska dziennikarka i krytyczka literacka, najbardziej znana z programów na kanale radiowym NRK P2.

— Hm. Gratulacje od Carla-Johana. NRK chciałoby wywiadu za dwa tygodnie. No i jeszcze napisał Gunnar, tylko podziękował za książkę, ale to i tak nieźle, biorąc pod uwagę, jak się złościł na *Ute av verden*[1].

— To prawda — przyznała Linda. — Nie zadzwonisz do Carla-Johana i nie wyciągniesz go gdzieś?

— Masz taki dobry humor?

Wykrzywiła się do mnie.

— Po prostu staram się być miła.

— Rozumiem. Przepraszam. Nie chciałem, okej?

— Jasne.

Przeszedłem obok niej i wziąłem z kanapy drugi tom *Braci Karamazow*.

— No, to spadam — oświadczyłem. — Cześć.

— Cześć.

Miałem godzinę dla siebie. Był to jedyny warunek, jaki postawiłem, przejmując opiekę nad Vanją w ciągu dnia: po południu będę miał godzinę dla siebie, i chociaż Linda uważała to za niesprawiedliwe, ponieważ ona nie miała takiej godziny, zgodziła się. Przypuszczałem, że tej godziny nie miała, ponieważ nie pomyślała o tym, a nie pomyślała, ponieważ — dalej snułem przypuszczenia — wolała być z nami niż sama. Ale ja nie wolałem. Tak więc każdego popołudnia spędzałem godzinę w pobliskiej kawiarni, czytając i paląc. Nigdy nie chodziłem do tej samej kawiarni więcej niż pięć, sześć razy z rzędu, bo wtedy zaczynano mnie traktować jak stałego bywalca, to znaczy witano się ze mną, kiedy przychodziłem, i usiłowano mi zaimponować wiedzą o moich preferencjach, często dorzucając życzliwy komentarz na temat jakiegoś zjawiska, o którym wszy-

[1] *Ute av verden* — debiut powieściowy Karla Ovego Knausgårda (1998).

scy danego dnia mówili. Dla mnie jednak sens mieszkania w dużym mieście polegał na tym, że mogłem w nim być całkowicie sam, a jednocześnie z każdej strony otoczony ludźmi. Twarzy tych wszystkich ludzi n i g d y wcześniej nie widziałem! Niekończący się strumień nowych twarzy, pławienie się w nim — właśnie to było dla mnie największą przyjemnością w wielkim mieście. Metro z rojem typów i charakterów. Place. Deptaki. Kawiarnie. Wielkie centra handlowe. Dystans, dystans, nigdy nie miałem go dość. Kiedy więc „barista" zaczynał mnie witać z uśmiechem i nie tylko podawać mi filiżankę kawy, zanim zdążyłem o nią poprosić, lecz również proponować gratisowego croissanta, wiedziałem, że już najwyższa pora, by się z takim miejscem pożegnać. Znalezienie innych możliwości nie sprawiało najmniejszego kłopotu. Mieszkaliśmy przecież w śródmieściu i w promieniu kilkuset metrów mogłem wybierać spośród setek kawiarni.

Tego dnia poszedłem Regeringsgatan w stronę centrum. Było na niej pełno ludzi. Idąc, myślałem o tamtej pięknej kobiecie na rytmice dla niemowląt. O co w tym wszystkim chodziło? Miałem ochotę się z nią przespać, ale nie wierzyłem, żeby trafiła mi się taka okazja, a nawet gdyby się trafiła, i tak bym z niej nie skorzystał. Dlaczego więc miało jakiekolwiek znaczenie to, że na jej oczach zachowywałem się jak baba?

Wiele można powiedzieć o obrazie samego siebie, lecz na pewno nie to, że kształtuje się on w chłodnych salach rozsądku. Umysł może go zrozumieć, ale władzy, by nim sterować, nie ma. Obraz samego siebie to nie tylko to, kim się jest, lecz również to, kim chce się być, mogłoby się być lub kiedyś się było. Dla obrazu samego siebie nie ma różnicy między tym, co realne, a tym, co hipotetyczne. Mieszczą się w nim wszystkie okresy rozwojowe, wszystkie uczucia, wszystkie popędy. Kiedy chodziłem po mieście z wózkiem dziecięcym i spędzałem dni na pielęgnacji swojego dziecka, wcale nie przydawałem niczego swojemu życiu, nie stawało się ono przez to bogatsze, przeciwnie — coś było z niego ujmowane, zabierana była część mnie, ta, która miała związek z męskością. Nie uświadomiłem sobie tego rozumem, bo mój umysł wiedział, że postępuję tak z uzasadnionych powodów, mianowicie po to, abyśmy z Lindą mieli równe prawa w relacjach z naszym dzieckiem; powiedziały mi to uczucia, desperacja, która mnie ogarniała, kiedy wciskałem się w formę tak małą i ciasną, że nie miałem żadnej swobody ruchów. Pozostawało pytanie, jaki parametr ma obowiązywać. Jeśli za parametry przyjąć równość i sprawiedliwość, to nie można mieć pretensji, że mężczyźni dookoła zapadają się w miękkość i czułość. Nie można też mieć żalu, że wita się ich oklaskami, bo skoro parametrami są równość i sprawiedliwość, ta zmiana niewątpliwie była zmianą na lepsze, oznaczała postęp. Ale istniały także inne parametry. Jednym z nich było szczęście, innym — intensywność życia. Możliwe, że kobiety angażujące się w pracę zawodową aż do czterdziestki i w ostatniej chwili rodzące dziecko, nad którym po kilku miesiącach przejmował opiekę mężczyzna, po czym umieszczano je w przedszkolu, aby oboje mogli wrócić do pracy, były szczęśliwsze od kobiet z poprzednich pokoleń. Możliwe, że życie mężczyzn rezygnujących na pół roku z pracy i opiekujących się niemowlętami stawało się dzięki temu bardziej intensywne. Możliwe też, że te kobiety naprawdę pożądały owych mężczyzn z chudymi ramionami, szerokimi biodrami, ogolonymi głowami, w czarnych designerskich okularach, którzy z takim samym zaangażowaniem rozprawiali o wadach i zaletach szelek do noszenia dziecka w porównaniu z chustą oraz o jedzeniu dla dziecka, co najlepiej przyrządzać samemu, a co ekologicznego można kupić w puszce. Możliwe, że pragnęły ich z całego serca i z całej duszy. Ale jeśli ich nie pragnęły, i tak nie było to decydujące, bo przyjęte parametry — równość i sprawiedliwość — przewyższały wszystkie inne elementy składające się na życie i związek. To była kwestia wyboru i wybór został dokonany. Również w moim wypadku. Gdybym chciał, aby się to ułożyło inaczej, musiałbym uprzedzić Lindę, zanim zaszła w ciążę: „Posłuchaj, chcę mieć dziecko, ale nie mam ochoty siedzieć w domu i się nim opiekować, zgadzasz się? To oznacza, że sama musisz się nim zająć". Wtedy ona mogłaby powiedzieć: „nie, nie zgadzam się" albo „tak, zgadzam się", i naszą przyszłość moglibyśmy zaplanować, wychodząc od tego ustalenia. Ale tego nie zrobiłem, aż tak przewidujący nie byłem, więc musiałem stosować się do istniejących reguł gry. W klasie i kulturze, do której należeliśmy, oznaczało to, że oboje podejmiemy się roli, którą dawniej określano jako kobiecą. Byłem do niej przywiązany jak Odyseusz do masztu: jeśli chciałbym się uwolnić, mógłbym to zrobić, lecz jednocześnie wszystko bym stracił. Właśnie tak doszło do tego, że nowoczesny i sfeminizowany chodziłem ulicami Sztokholmu, nosząc w sobie wściekłego mężczyznę z dziewiętnastego wieku. W chwili gdy kładłem dłonie na rączce wózka, sposób, w jaki na mnie patrzono, zmieniał się jak za dotknięciem czarodziejskiej różdżki. Zawsze przyglądałem się mijanym kobietom, tak jak przyglądają się im wszyscy mężczyźni, co właściwie jest dość zagadkowym postępowaniem, bo przecież nie może prowadzić do niczego innego, jak tylko do odwzajemnionego przelotnego spojrzenia, a gdy widziałem naprawdę piękną kobietę, zdarzało mi się również za nią odwrócić, oczywiście dyskretnie, ale mimo wszystko: po co, na miłość boską? Jaką funkcję pełniły te wszystkie oczy, te wszystkie usta, te wszystkie piersi i talie, nogi i pośladki? Dlaczego przyglądanie się im było takie ważne, skoro zaledwie po kilku sekundach, a tylko czasami minutach całkiem o nich zapominałem? Niekiedy nasze spojrzenia się krzyżowały i wtedy czułem ssanie, szczególnie jeśli trwało to ułamek sekundy dłużej, bo to było spojrzenie człowieka w tłumie, nic nie wiedziałem o tej kobiecie, o tym, skąd pochodzi, jak żyje, nic, a mimo to zobaczyliśmy się, właśnie o to chodziło, ale za chwilę się kończyło, mijaliśmy się, a za moment ona zostawała wykreślona na zawsze z mojej pamięci. Kiedy pojawiałem się z wózkiem, żadna kobieta na mnie nie patrzyła, jakbym w ogóle nie istniał. Można by pomyśleć, że wiązało się to z bardzo wyraźnie wysyłanym przeze mnie sygnałem, że jestem zajęty, ale przecież taki sam sygnał wysyłałem, kiedy szliśmy z Lindą, trzymając się za ręce, a to nigdy nikogo nie powstrzymywało od patrzenia w moją stronę. Czyżbym dostawał to, na co zasłużyłem? Usadzano mnie w miejscu? Jak możesz chodzić i patrzeć na kobiety, skoro masz już jedną w domu, i to taką, która urodziła twoje dziecko?

Nie, to nie było dobre.

Naprawdę nie było.

Tonje opowiadała mi kiedyś o mężczyźnie, którego spotkała w knajpie; była z koleżanką, zrobiło się późno, ten człowiek podszedł do ich stolika, pijany, ale niegroźny, tak uznały, kiedy oświadczył, że przyszedł wprost z izby porodowej, bo jego dziewczyna tego dnia urodziła ich pierwsze dziecko, a on postanowił to uczcić. Ale potem zaczął przystawiać się do Tonje coraz bardziej natrętnie, aż w końcu zaproponował, żeby poszła z nim do domu... Tonje była wstrząśnięta do głębi, pełna obrzydzenia, lecz również chyba zafascynowana, bo jak to możliwe, o czym on myślał?

Nie wyobrażałem sobie większej zdrady. Ale czy nie na to samo zakrawało moje poszukiwanie spojrzeń tych wszystkich kobiet?

Moje myśli nieuchronnie powędrowały do Lindy, która siedziała w domu, zajmując się Vanją, do ich oczu, Vanji — zaciekawionych, wesołych albo sennych, Lindy — pięknych. Nigdy nikogo bardziej nie pragnąłem niż jej, a teraz miałem nie tylko ją, lecz również jej dziecko. Dlaczego nie umiałem na tym poprzestać? Dlaczego nie mogłem odłożyć pisania na rok i być ojcem dla Vanji, żeby Linda mogła skończyć studia? Kochałem je, a one kochały mnie. Dlaczego więc to wszystko nie przestawało mnie szarpać i dręczyć?

Postanowiłem zaangażować się jeszcze bardziej. Zapomnieć o tym, co istniało dookoła, skupić się wyłącznie na Vanji. Dawać Lindzie wszystko, czego potrzebowała. Być dobrym człowiekiem. Do diabła, być dobrym człowiekiem — czyżby to pozostawało poza moim zasięgiem?

Dotarłem do nowego sklepu Sony i zastanawiałem się, czy nie wejść do Księgarni Akademickiej na rogu, nie kupić kilku książek i nie usiąść w tamtejszej kawiarni, kiedy po drugiej stronie ulicy dostrzegłem Larsa Noréna[1]. Z reklamówką sklepu Nike sunął w górę ulicy, którą przyszedłem. Pierwszy raz widziałem go kilka tygodni po sprowadzeniu się do tej dzielnicy. To było w parku Humlegården, nad drzewami wisiała mgła, a w naszą stronę podążał nieduży człowieczek przypo-

[1] Lars Norén (ur. 1944) — szwedzki poeta i dramaturg.

minający hobbita, ubrany na czarno. Napotkałem jego spojrzenie, było czarne jak noc, i ciarki przebiegły mi po plecach — co to za człowiek? Czarnoksiężnik?

— Widziałaś go? — spytałem Lindę.

— To był Lars Norén — odparła.

— To był Lars Norén? — powtórzyłem z niedowierzaniem.

Matka Lindy, która była aktorką, pracowała z nim przy pewnej sztuce w Teatrze Dramatycznym dawno temu, podobnie jak najlepsza przyjaciółka Lindy, Helena, także aktorka. Linda opowiadała, jak z nią rozmawiał, zupełnie obojętnie, a potem jej sformułowania pojawiały się w sztuce, użyte dosłownie, włożone w usta postaci, którą grała. Linda wbijała mi do głowy, że muszę przeczytać *Chaos jest sąsiadem Boga* i *Noc jest matką dnia* — twierdziła, że są absolutnie fantastyczne — ale nigdy tego nie zrobiłem. Lista rzeczy, które musiałem przeczytać, była długa jak rok nieurodzaju i na razie musiałem poprzestać na widywaniu Noréna od czasu do czasu. Pojawiał się w obrazie ulicy ot tak, zwyczajnie, a kiedy szliśmy do Saturnusa, naszej ulubionej kawiarni, nierzadko się zdarzało, że siedział tam i udzielał wywiadu lub po prostu z kimś rozmawiał. Nie był jedynym pisarzem, na jakiego się natknąłem; w pobliskiej piekarni zobaczyłem raz Kristiana Petriego[1], z którym już miałem się przywitać, nieprzyzwyczajony do widoku znajomych twarzy, raz też widziałem w tym samym miejscu Petera Englunda[2]; Lars Jakobson[3], który napisał fantastyczną książkę *I den*

---

1 Kristian Petri (ur. 1956) — szwedzki reżyser, scenarzysta, pisarz.

2 Peter Englund (ur. 1957) — szwedzki historyk, autor książek popularnonaukowych.

3 Lars Jakobson (ur. 1959) — pisarz szwedzki.

röda damens slott, przyszedł kiedyś do Café Dello Sport, w czasie gdy tam siedzieliśmy, Stiga Larssona[1] zaś, którym byłem opętany jako dwudziestokilkulatek — jego poezje z tomu *Natta de mina* uderzyły mnie jak cios pięścią — widziałem raz w ogródku kawiarnianym przy restauracji Sturehof, czytał książkę, a mnie serce zabiło tak mocno, jakbym zobaczył umarłego. Kiedy indziej spotkałem go w Pelikanie, byłem wtedy z kimś, kto znał jego towarzystwo, więc mogłem uścisnąć mu rękę, zwiędłą jak pęk przegniłej trawy, a on uśmiechnął się do mnie apatycznie. Arisa Fioretosa[2] widziałem pewnego wieczoru w Forum, była tam również Katarina Frostenson[3], Ann Jäderlund[4] zaś spotkałem na imprezie w dzielnicy Söder. Wszystkich tych pisarzy czytałem, kiedy jeszcze mieszkałem w Bergen, wówczas były to jedynie obce nazwiska z obcego kraju; gdy teraz zobaczyłem tych ludzi na żywo, wciąż otaczała ich aura z tamtych czasów, co wywoływało we mnie silne poczucie, że żyjąc współcześnie, żyję także w pewnej epoce historycznej — oni pisali w naszych czasach, wypełniali je nastrojami, na których podstawie rozumieć nas miały przyszłe pokolenia. Sztokholm na początku naszego tysiąclecia — takie skojarzenie nasunęło mi się na ich widok i wzbudziło wielką przyjemność. Faktem, że wielu z tych pisarzy przeżyło okres świetności w latach osiemdziesiątych i dziewięćdziesiątych i od

---

1 Stig Håkan Larsson (ur. 1955) — pisarz szwedzki, autor powieści, dramatów i poezji.

2 Aris Fioretos (ur. 1960) — szwedzki pisarz, tłumacz i literaturoznawca.

3 Katarina Frostenson (ur. 1953) — szwedzka poetka i tłumaczka.

4 Ann Jäderlund (ur. 1955) — szwedzka poetka i dramatopisarka.

dawna żyło w zapomnieniu, ani trochę się nie przejmowałem. Nie chodziło mi o rzeczywistość, tylko o zauroczenie. Z młodych pisarzy, których czytałem, lubiłem wyłącznie Jerkera Virdborga[1]; w jego powieści *Czarny krab* coś wznosi się ponad mgłę polityki i moralności spowijającą inne książki. Nie żeby to była fantastyczna powieść, ale Virdborg szuka czegoś innego, nowego, a to przecież jedyne zobowiązanie literatury, pod każdym innym względem autor ma swobodę, ale nie w tej materii, więc kiedy pisarze to zaniedbują, nie zasługują na nic innego jak tylko na pogardę.

Jak ja nienawidziłem tych ich czasopism literackich. Ich artykułów. Gassilewski[2], Raattamaa[3], Halberg[4]. Jacyż to okropni pisarze!

Nie, Księgarnia Akademicka nie.

Zatrzymałem się przy przejściu dla pieszych. Po drugiej stronie, w pasażu prowadzącym do NK, starego domu towarowego z tradycjami, znajdowała się niewielka kawiarnia i na nią się zdecydowałem. Chociaż bywałem tam często, to przepływ ludzi był na tyle duży, a środowisko tak anonimowe, że mimo wszystko dawało się w niej zniknąć.

Znalazłem wolny stolik przy balustradzie koło schodów prowadzących do sklepu z artykułami budowlanymi na poziomie minus jeden. Powiesiłem kurtkę na krześle, książkę położyłem na blacie, pierwszą stroną okładki do spodu, z odwróconym grzbietem, żeby nikt nie mógł zobaczyć, co czytam, i ustawiłem się w kolejce przy ladzie. Trzy osoby, które tam pracowały,

---

[1] Jerker Virdborg (ur. 1971) — pisarz szwedzki.

[2] Jörgen Gassilewski (ur. 1961) — szwedzki poeta i pisarz.

[3] Lars Mikael Raattamaa (ur. 1964) — pisarz szwedzki.

[4] Prawdopodobnie Jonny Halberg (ur. 1962) — norweski pisarz i dramaturg.

dwie kobiety i mężczyzna, były do siebie podobne jak rodzeństwo. Najstarsza z nich, stojąca przed syczącym ekspresem do kawy, wyglądała tak, jak wyglądają niemal wyłącznie modelki na zdjęciach w czasopismach — ta jej sztuczność stłumiła we mnie pożądanie, które poczułem, gdy zobaczyłem, jak porusza się za kontuarem, tak jakby świat, w którym przebywałem, był niewspółmierny z jej światem, i pewnie się nie myliłem, oprócz spojrzeń nie istniał między nami żaden punkt styczny.

Cholera, znów to samo.

Czy nigdy z tym nie skończę?

Wyciągnąłem z kieszeni pogniecioną setkę i rozprostowałem ją w dłoni. Powiodłem wzrokiem po innych gościach — prawie każdy zajmował dwa krzesła, na jednym siedział, na drugim stawiał błyszczące torby z zakupami. Lśniące kozaki i półbuty, dobrze skrojone garnitury i płaszcze, tu i ówdzie futrzany kołnierz, czasami złoty łańcuszek, stara skóra i stare oczy w wymalowanych starych oczodołach. Pito kawę, jedzono drożdżówki. Dałbym nieskończenie wiele za to, by się dowiedzieć, co ci ludzie myśleli, jak świat wyglądał w ich oczach. A jeśli radykalnie różnił się od świata, który ja widziałem? Jeśli wypełniała go radość, wzbudzona ciemną skórą kanapy, czarną powierzchnią i gorzkim smakiem kawy, nie mówiąc już o żółtej wysepce kremu waniliowego na pofalowanym, spękanym terenie francuskiego ciasta? A jeśli świat w nich śpiewał? Jeśli do granic możliwości wypełniały ich dary, jakie przyniósł ten dzień? Na przykład owe torby z zakupami — jakże wyrafinowane i ekstrawaganckie były sznurki, przy niektórych zastępujące tanie papierowe rączki toreb z supermarketu. I te znaki firmowe, nad którymi jakiś ekspert pracował dniami, albo nawet tygodniami, wykorzystując całą swoją wiedzę zawodową, wysłuchiwał opinii na zebraniach z pracownikami innych działów, opracowywał je dalej, może pokazywał próbki przyjaciołom i członkom rodziny, nie spał przez nie w nocy, bo oczywiście zawsze znalazła się osoba, której się nie podobały, mimo że przy pracy wykazał się dużą starannością i pomysłowością, aż nastał dzień, kiedy w końcu projekt zrealizowano, a teraz na przykład spoczywał na kolanach tej pięćdziesięciolatki o sztywnych włosach, ufarbowanych niemal na złoto.

Nie wyglądała jednak na bardzo egzaltowaną. Wydawała się raczej pogrążona w łagodnej kontemplacji. Wypełniona wielkim wewnętrznym spokojem po długim i szczęśliwym życiu, w którym idealny kontrast między bielą zimnego, twardego fajansu filiżanki a gorącą, czarną płynnością kawy był tymczasowo stacją końcową w wędrówce przez świat rzeczy i zjawisk? Bo czy ona kiedyś nie widziała naparstnicy kwitnącej wśród usypiska głazów? Czy nie widziała psa obsikującego latarnię w parku w jeden z tych mglistych listopadowych wieczorów, które przydają miastu mistycznego piękna? Ach, powietrze jest wtedy pełne malusieńkich kropelek deszczu, które nie tylko pokrywają cieniutką błoną skórę, wełnę, metal i drewno, lecz również odbijają światło z otoczenia, dlatego wśród tej szarości wszystko migoce i lśni. Czy nie widziała mężczyzny, który najpierw wybił szybę w piwnicznym okienku po drugiej stronie podwórza, po to by następnie otworzyć je od środka, wczołgać się i ukraść to, co mogło się tam znajdować? Ścieżki ludzi są doprawdy niezwykłe! Czy nie miała w posiadaniu metalowego stojaka z solniczką i pieprzniczką z rżniętego szkła, z nakrętkami z tego samego metalu co stojak i z mnóstwem dziurek, przez które sól i pieprz mogły się w y s y p y w a ć? Na ileż różności się sypały! Na pieczenie wieprzowe, udźce baranie, cudownie żółte omlety z zielonymi kawałeczkami szczypiorku, na talerze grochówki i plastry wołowiny. Zapewne wypełniona była po brzegi tymi wszystkimi wrażeniami, z których każde — wraz ze smakiem, zapachem, kolorem i kształtem — samo w sobie było przeżyciem, więc może nic dziwnego, że szukała tutaj spokoju i raczej nie wyglądało na to, by miała ochotę wchłonąć jeszcze cokolwiek ze świata.

Przed mężczyzną, który czekał przede mną w kolejce, nareszcie postawiono jego zamówienie, trzy latte, najwyraźniej nieskończenie skomplikowane w przyrządzaniu, i kelnerka z czarnymi włosami sięgającymi ramion, z delikatnymi wargami i czarnymi oczami, które łatwo się ożywiały, gdy widziały kogoś znajomego, teraz jednak neutralnymi, spojrzała na mnie.

— Czarna? — spytała, zanim zdążyłem o cokolwiek poprosić.

Kiwnąłem głową i westchnąłem, kiedy się odwróciła po kawę. A więc ona też zwróciła uwagę na smutnego wysokiego mężczyznę z tłustymi włosami, w swetrze poplamionym jedzeniem dla dzieci.

Przyglądałem się jej przez kilka sekund, które zajęło jej sięgnięcie po filiżankę i nalanie kawy. Ona też miała czarne kozaki do kolan. To była obowiązująca moda tej zimy. Chciałem, żeby utrzymała się na zawsze.

— Proszę — powiedziała.

Podałem jej setkę, chwyciła ją palcami z wymanikiurowanymi paznokciami. Zauważyłem, że lakier jest przezroczysty. Odliczyła resztę w kasie i włożyła mi pieniądze do ręki, a uśmiech, który mi posłała, przesunął się natychmiast na trzy przyjaciółki stojące w kolejce za mną.

Widok Dostojewskiego na stoliku nie wydał mi się kuszący. Im mniej czytałem, z tym większym trudem przychodziła mi lektura, typowe błędne koło. Poza tym nie lubiłem znajdować się w świecie opisywanym przez Dostojewskiego. Bez względu na to, jak bardzo dawałem się mu porwać, jak wielki podziw wzbudzało we mnie to, co robił, nie potrafiłem otrząsnąć się z nieprzyjemnego uczucia, jakie wywoływała we mnie lektura jego książek. Chociaż trudno tu mówić o nieprzyjemności. Właściwe określenie to „niekomfortowo". W świecie Dostojewskiego czułem się niekomfortowo. Otworzyłem jednak książkę i usiadłem wygodnie na kanapie, żeby poczytać, uprzednio szybko rozejrzawszy się po lokalu — chciałem się upewnić, iż nikt nie widzi, że to robię.

Przed Dostojewskim ideał — ideał w rozumieniu chrześcijaństwa — był zawsze czysty i silny, powiązany z niebem, i niemal dla wszystkich pozostawał nieosiągalny. Ciało było kruche, umysł był słaby, ale ideał — niezłomny. Wiązał się z osiąganiem celu, z wytrwałością, z ciągłą walką. W książkach Dostojewskiego wszystko, co ludzkie — a ludzkie jest wszystko, również ideały — zostaje postawione na głowie: osiąga się je wtedy, gdy człowiek się poddaje, odpuszcza, napełnia się raczej bezwolnością niż wolą. W najważniejszych powieściach Dostojewskiego ideałami są upokorzenie i samozniszczenie, a jego wielkość tkwi w tym, że nie zostają one nigdy zrealizowane w ramach akcji, ponieważ w ten sposób przejawia się jego pokora i autodestrukcja jako pisarza. W przeciwieństwie do większości innych wielkich pisarzy, Dostojewski nie jest widoczny w swoich powieściach. Nie ma w nich brylowania na poziomie zdań, które by go zdradziło, nie ma definitywnej moralności, którą dałoby się wyczytać, Dostojewski poświęca swoją mądrość i pracowitość uczynieniu z ludzi indywidualistów, a ponieważ w człowieku tak wiele nie pozwala się upokorzyć ani unicestwić, to walka i działanie zawsze będą silniejsze niż litość i wybaczenie, niż bierność. Od tego można przejść dalej i przyjrzeć się na przykład pojęciu nihilizmu u Dostojewskiego, który nigdy nie wydaje się realny, zawsze pozostaje raczej *idée fixe*, stanowi cząstkę ówczesnego nieba w ujęciu historii idei, właśnie dlatego że to, co ludzkie, wyziera zewsząd, we wszystkich formach, od najbardziej wynaturzonych i zwierzęcych, przez arystokratycznie wydelikacone, aż po zbrukany, ubogi, odwrócony od wspaniałości świata ideał Jezusa, i po prostu wypełnia sensem aż po brzegi wszystko, nawet dyskusje o nihilizmie. U takiego pisarza jak Tołstoj, który również żył i tworzył w czasie wielkich przemian, jakim była druga połowa dziewiętnastego stulecia, i którego także nie ominęły najprzeróżniejsze wątpliwości religijne i moralne, wszystko wygląda inaczej. U niego są długie opisy krajobrazów i pomieszczeń, obyczajów i strojów, po oddaniu strzału z lufy strzelby unosi się dym i huk niesie się echem, trafione kulą zwierzę wyskakuje w powietrze, zanim runie w dół, a krew, kiedy spływa na ziemię, paruje. W jego książkach dyskutuje się o polowaniu w rozwlekłych zdaniach, które nigdy nie będą niczym innym, jak dokonanym ze znawstwem opisem obiektywnego zjawiska, wplecionym w obfitującą w wydarzenia opowieść. Tego ciężaru własnego czynów i przedmiotów nie ma u Dostojewskiego, u którego zawsze skrywa się za nimi coś jeszcze — dramat duszy, co oznacza, że pewien aspekt tego, co ludzkie, zawsze pozostaje przez niego nieujęty — chodzi o nasz związek z tym, co jest poza nami. W człowieku wieje wiele różnych wiatrów, oprócz głębi duszy istnieją w nim również inne formacje. Autorzy ksiąg Starego Testamentu wiedzieli o tym znacznie lepiej niż ktokolwiek inny. W owych księgach znajdziemy najbogatszy opis różnych form tego, co ludzkie, reprezentowane są wszelkie możliwe formy życia, z wyjątkiem jednej, dla nas najważniejszej, a mianowicie życia wewnętrznego. Podział tego, co ludzkie, na podświadomość i świadomość, irracjonalność i racjonalność, gdzie jedno zawsze wyjaśnia lub pogłębia drugie, a także rozumienie Boga jako czegoś, w czym można zanurzyć duszę, by zaprzestać walki i odnaleźć spokój, to nowe wyobrażenia, nierozerwalnie związane z nami i z naszymi czasami, które nie bez powodu oddaliły nas od przedmiotów, utożsamiły je z naszą wiedzą o nich lub z naszym ich obrazem, a jednocześnie odwróciliśmy relację między człowiekiem a światem: dawniej to człowiek wędrował przez świat, teraz zaś świat wędruje przez człowieka. A kiedy przemieszcza się sens, w jego ślady zaraz idzie bezsens. To już nie ściągnięcie Boga na ziemię otwiera w nas mroczną noc, jak było w dziewiętnastym wieku, kiedy pozostałości tego, co ludzkie, przejmowały wszystko, co można dostrzec u Dostojewskiego, Muncha i Freuda, kiedy człowiek może z konieczności, a może z chęci stawał się swoim własnym niebem. Wystarczało jednak cofnąć się zaledwie o krok i sens przepadał. Widać było wtedy, że poza ludzkim niebem istnieje też inne niebo i że nie jest ono jedynie puste, czarne i zimne, lecz również nieskończone. Ile to, co ludzkie, było warte we wszechświecie? Czymże był człowiek na ziemi, jeśli nie robakiem wśród innych robaków, istnieniem wśród wielu istnień, życiem przejawiającym się równie dobrze jako algi w morzu, grzyby w lesie, ikra w rybim brzuchu, szczury w norze czy kolonia małży na szkierze? Dlaczego mieliśmy coś robić, a czegoś innego nie robić, skoro i tak istniał tylko jeden kierunek, tylko jedna miara — łączyliśmy się, żyliśmy, a potem umieraliśmy? Kto pytał o wartość tego życia wtedy, gdy znikało na zawsze, przemienione w garść wilgotnej ziemi i kilka pożółkłych, kruchych kości? Trupia czaszka — czy nie uśmiechała się drwiąco w grobie? Jaką rolę z takiej perspektywy odgrywało kilku umarłych więcej czy mniej? O, istniały inne perspektywy, bo czyż tego samego świata nie można było postrzegać jako cudu chłodnych rzek i rozległych lasów, spiralnie uformowanych muszli ślimaków, głębokich na wysokość człowieka kotłów wirowych, naczyń krwionośnych i zwojów mózgowych, bezludnych planet i powiększających się galaktyk? Owszem, można było, bo sensu nie otrzymujemy, sens nadajemy. Śmierć czyni życie bezsensownym, bo wszystko, o co kiedykolwiek zabiegaliśmy, przestaje istnieć wraz z nią, a zarazem nadaje życiu sens, ponieważ jej bliskość sprawia, że ta niewielka ilość życia, jaką mamy, jest bezcenna, droga jest każda chwila. Ale w moich czasach śmierć została ukryta, przestała istnieć inaczej niż jako stały element we wszystkich gazetach, wiadomościach telewizyjnych i filmach, gdzie nie oznacza już zakończenia jakiegoś procesu, dyskontynuacji, przeciwnie — przez codzienne powtarzanie zaczęła kojarzyć się z przedłużeniem procesu, kontynuacją, w ten sposób stając się dla nas, o dziwo, źródłem poczucia bezpieczeństwa i punktem zaczepienia. Katastrofa lotnicza jest rytuałem powtarzającym się w regularnych odstępach czasu, zawierającym tę samą treść, a my nigdy nie stajemy się jej częścią. Daje nam poczucie bezpieczeństwa, lecz również ekscytację i intensywność, no bo wyobraźmy sobie, jak strasznie ci ludzie musieli się czuć w ostatnich sekundach… Niemal wszystko, co widzimy i co robimy, zawiera tę intensywność, która się w nas uwalnia, ale nie ma z nami nic wspólnego. Co to znaczy? Czy żyjemy cudzym życiem? Tak, to, czego nie mamy i nie przeżywamy, mamy i przeżywamy mimo wszystko, bo przecież to oglądamy i uczestniczymy w tym, chociaż nie ma nas na miejscu. Nie od czasu do czasu, lecz na co dzień... I nie dotyczy to wyłącznie mnie i moich znajomych, lecz całych ogromnych kultur, tak, prawie wszystkich, którzy istnieją, całej piekielnej ludzkości. Ludzkość wszystko już zbadała i wchłonęła, tak jak morze wchłania deszcz i śnieg, nie istnieją już rzeczy ani miejsca, których byśmy w siebie nie wessali, a przez to nie naszpikowali tym, co ludzkie: nasz rozum już tam był i ich dotykał. Dla boskości to, co ludzkie, zawsze było małe i nieznaczące, i chyba właśnie ze względu na ogromną wartość tej perspektywy, którą pewnie można porównać jedynie z wartością świadomości, że wiedza zawsze oznacza również upadek, wyobrażenie boskości w ogóle powstało, a teraz przestało istnieć. No bo kto jeszcze zastanawia się nad bezsensownością życia? Nastolatki. Jedynie ich zajmują egzystencjalne pytania, które przez to nabrały aspektu dziecięcości i niedojrzałości, a w związku z tym zajmowanie się nimi stało się po dwakroć niemożliwe dla dorosłego człowieka z nienaruszonym poczuciem przyzwoitości. Ale nie ma się czemu dziwić, bo nigdy nie przeżywa się istnienia mocniej i dogłębniej niż w wieku nastu lat, kiedy w pewnym sensie wchodzi się w świat po raz pierwszy, a wszystkie uczucia są nowe. Nastolatki stają z małymi torami swoich wielkich myśli i patrzą to tu, to tam, szukając otworu, którym będą mogły te myśli wypuścić, bo ciśnienie wewnątrz narasta. I do kogo prędzej czy później docierają, jeśli nie do wujka Dostojewskiego? Dostojewski stał się pisarzem nastolatków, pytanie o nihilizm stało się ich pytaniem. Trudno stwierdzić, jak do tego doszło, lecz w efekcie ów ogromny problem przestał być dozwolony po ukończeniu osiemnastu lat, a jednocześnie cała siła krytyczna kieruje się na lewo, gdzie rozprasza się w wyobrażeniach o sprawiedliwości i równości, które przecież uzasadniają rozwój naszego społeczeństwa i sterują nim, podobnie jak tym pozbawionym otchłani życiem, które jest naszym udziałem. Różnica między nihilizmem dziewiętnastowiecznym a naszym to różnica między pustką a równością. W 1949 roku niemiecki pisarz Ernst Jünger napisał, że w przyszłości zbliżymy się do państwa globalnego. Teraz gdy demokracja liberalna wkrótce zdominuje wszelkie formy życia społecznego, wygląda na to, że miał rację. Wszyscy jesteśmy demokratami, wszyscy jesteśmy liberałami, a różnice między państwami, kulturami i ludźmi wszędzie się zacierają.

Czymże jest w zasadzie to zjawisko, jeśli nie nihilizmem? Jünger stwierdził: „Świat nihilistyczny jest ze swej istoty zredukowany i ulegający dalszej redukcji, co w sposób konieczny odpowiada ruchowi do punktu zerowego"[1]. Przykład takiej redukcji istnieje, dajmy na to, tam, gdzie Bóg postrzegany jest jako „dobro", albo w skłonności do sprowadzania do wspólnego mianownika wszystkich zawiłych tendencji istniejących w świecie, albo w skłonności do specjalizacji, będącej inną formą redukcji, albo w przerabianiu wszystkiego na liczby, zarówno piękna, jak i lasu, zarówno sztuki, jak i ciała. Czymże bowiem są pieniądze, jeśli nie pewną wielkością zrównującą najbardziej nieporównywalne rzeczy, tak aby dało się je sprzedać? Albo jak

---

1 Ernst Jünger, *Przez linię*, przeł. Wojciech Kunicki, w: *Węzeł gordyjski. Eseistyka lat pięćdziesiątych*, Kraków 2013, s. 78.

pisze Jünger: „Stopniowo wszystkie obszary dają się sprowadzać do tego mianownika, a nawet rezydencje, tak dalekie od przyczynowości, jak sen"[1]. W naszym stuleciu nawet sny są takie same, nawet sny są czymś, co wprowadzamy do obiegu handlowego. Mówienie, że coś jest tyle samo warte, to tylko użycie innych słów na określenie obojętności.

To w tym kryje się nasza noc.

Wyczułem, że wokół mnie robi się luźniej, a na ulicach zapanowała ciemność, ale dopiero kiedy odłożyłem książkę, żeby iść po dolewkę kawy, uświadomiłem sobie, że to znaki świadczące o upływie czasu.

Była za dziesięć minut szósta.

Niech to szlag trafi.

Miałem wrócić do domu o piątej. Poza tym dzisiaj był piątek, w piątki zawsze szykowaliśmy coś wyjątkowego na kolację, przynajmniej taki mieliśmy zamysł.

Kurwa mać. Ja pierdolę.

Włożyłem kurtkę, książkę schowałem do kieszeni i prędko wyszedłem.

— Do widzenia! — zawołała za mną kelnerka.

— Do widzenia — odpowiedziałem, nie odwracając się.

Przed powrotem do domu musiałem jeszcze zrobić zakupy. Najpierw zajrzałem do monopolowego Systembolaget naprzeciwko, na chybił trafił wziąłem z najdroższej półki butelkę czerwonego wina — zauważyłem jedynie na etykiecie głowę byka — potem pasażem przedostałem się do centrum handlowego, które było takie wielkie i tak luksusowe, że zawsze czułem się w nim nędzny i obdarty jak bezdomny, skierowałem się

---

1 Tamże, s. 81.

do schodów i zszedłem do mieszczącego się w podziemiach supermarketu z najbardziej ekskluzywną w całym Sztokholmie ofertą towarów. Zostawialiśmy tu znaczną część naszych środków, chociaż nie dlatego, że byliśmy takimi smakoszami — po prostu lenistwo nie pozwalało nam chodzić do taniego supermarketu w przejściu na stację metra przy Birger Jarlsgatan, a poza tym miałem kompletnie obojętny stosunek do pieniędzy, nie wahałem się przy ich wydawaniu, kiedy czułem w portfelu, ani nie tęskniłem za nimi, gdy ich brakowało. Oczywiście było to głupie, bo jeszcze bardziej utrudniało życie. Mogliśmy z łatwością osiągnąć skromną, ale stabilną sytuację finansową, zamiast wyrzucać w błoto pieniądze, gdy tylko wpadły nam w ręce, a przez następne trzy lata żyć na granicy minimum egzystencji. Ale kto ma siłę o tym myśleć? W każdym razie nie ja. Skierowałem się więc do lady z mięsem, gdzie można było znaleźć fantastycznie dojrzały, długo kruszejący, lecz przez to ceną przyprawiający o zawrót głowy antrykot z pewnej farmy na Gotlandii, którego wyjątkowy smak nawet ja potrafiłem wyczuć; stały przy nim plastikowe pojemniczki z sosami domowej roboty, które też wziąłem, po czym sięgnąłem po torbę ziemniaków, kilka pomidorów, brokuł i trochę pieczarek. Zobaczyłem, że są świeże maliny, więc chwyciłem koszyczek, pospieszyłem do zamrażarek i znalazłem lody waniliowe, produkowane przez niewielką firmę, które pojawiły się niedawno, do nich zaś tak świetnie pasowały francuskie twarde ciasteczka, wystawione na drugim końcu sklepu, gdzie na szczęście była również kasa.

Ojej, już piętnaście po.

Byłem poza domem o półtorej godziny dłużej, niż powinienem, a Linda siedziała i czekała, ale nie to było największym problemem: przede wszystkim wieczór miał się przez to bardzo skrócić, ponieważ wcześnie chodziliśmy spać. Mnie to nie robiło żadnej różnicy, równie dobrze mogłem zjeść kilka kanapek przed telewizorem i położyć się o wpół do ósmej, ale chodziło mi o nią.

Poza tym właśnie wróciłem z trzydniowego minitournée, podczas którego wygłaszałem odczyty, a w przyszły weekend miałem jechać do Oslo z wykładem, więc struna była napięta bardziej niż zwykle.

Wykładałem produkty na metalowe koło, obracało się powoli, przesuwając je w stronę ekspedientki, która brała po jednej rzeczy i w powietrzu ustawiała je tak, by kod kreskowy był widoczny dla czytnika, a kiedy rozlegało się piśnięcie, odkładała towar na krótką ruchomą taśmę; wszystkie czynności wykonywała sennie i powoli, wręcz lunatycznie, jakby znajdowała się w środku snu. Nad naszymi głowami świeciło ostre światło, nie pozostawiające w ukryciu ani jednego pora w skórze. Usta tej kobiety miały obwisłe kąciki, chociaż nie była stara, ale rzucały się w oczy jej duże, nabite policzki, właściwie cała głowa była jakby nabrzmiała. Zapewne wiele czasu poświęciła na ułożenie fryzury, lecz to nie łagodziło ogólnego wrażenia, trochę jakby ktoś próbował ufryzować zieloną nać marchewki.

— Pięćset dwadzieścia koron — oznajmiła, patrząc na swoje paznokcie, które na krótki moment ułożyła w półkole. Przeciągnąłem kartę przez czytnik i wstukałem PIN. Kiedy wpatrywałem się w wyświetlacz, czekając na zaakceptowanie transakcji, uświadomiłem sobie, że zapomniałem o torbie na zakupy. Jeśli dochodziło do takiej sytuacji, zawsze pilnowałem, żeby za nią zapłacić, nie chciałem, by ktoś sobie pomyślał, że zrobiłem to celowo, z nadzieją, że kasjerka pozwoli mi wziąć jedną bezpłatnie, co często się zdarzało. Ale tym razem w ogóle nie miałem przy sobie gotówki, a to przecież idiotyzm używać karty dla tak drobnej sumy. Ale z drugiej strony, czy to, co owa kobieta o mnie pomyśli, miało jakieś znaczenie? Przecież była taka gruba.

— Zapomniałem o torbie — powiedziałem.

— Dwie korony.

Wyjąłem torbę z pudła pod frontową częścią kasy i znów wyciągnąłem kartę.

— Nie ma pan gotówki? — spytała.

— Nie, niestety.

Machnęła ręką.

— Ale ja chętnie zapłacę.

Uśmiechnęła się zmęczonym uśmiechem.

— Proszę wziąć torbę.

— Bardzo dziękuję. — Spakowałem zakupy i skierowałem się w stronę schodów, które od tej strony prowadziły do czegoś w rodzaju hali z witrynami firmy aukcyjnej na ścianach. Kiedy wyszedłem, NK lśniło w ciemności po drugiej stronie ulicy. Pod samym środkiem centrum biegła sieć korytarzy, z pasażu można było zejść w podziemia NK, na podziemną ulicę handlową, z lewej strony połączoną z innym centrum handlowym, Gallerian, a nieco dalej po tej samej stronie — z Domem Kultury, prosto zaś tunel prowadził na część placu Sergelstorg nazywaną Plattan, a tym samym na T-Centralen, główną stację metra, na której krzyżowały się wszystkie linie, skąd tunele wiodły aż do dworca kolejowego. W deszczowe dni zawsze tędy chodziłem, ale nie tylko wtedy, bo pociągało mnie wszystko, co podziemne, tkwiła w tym pewna baśniowość; zamiłowanie do niej z całą pewnością wywodziło się z dzieciństwa, kiedy to groty fascynowały nas najbardziej ze wszystkiego na świecie. Pewnej zimy, pamiętam, spadło ponad dwa metry śniegu, to mogło być w 1976 albo 1977 roku, i w którąś niedzielę wygrzebaliśmy w nim malutkie jaskinie, połączone tunelami ciągnącymi się przez cały ogród, aż do sąsiada. Byliśmy jak opętani, kompletnie oczarowani rezultatem, gdy nadciągnął zmierzch, a my mogliśmy siedzieć głęboko pod śniegiem i rozmawiać.

Minąłem amerykański bar pełen gości, był piątek, ludzie przyszli tu po pracy na piwo albo posiedzieć, zanim wieczór w mieście rozpocznie się na dobre. Grube kurtki powiesili na oparciach krzeseł, mieli czerwone, błyszczące twarze, uśmiechali się i pili, większość z nich po czterdziestce, natomiast młodzi, szczupli mężczyźni i kobiety w czarnych fartuchach krążyli po sali i przyjmowali zamówienia, stawiali tace z piwem na stolikach i zbierali puste szklanki. Wesoły gwar, przyjemny, miły dla ucha szum, przerywany od czasu do czasu wybuchem śmiechu, uderzył we mnie, kiedy drzwi się otworzyły i pięcioosobowe towarzystwo przystanęło na zewnątrz; każde z nich akurat czymś się zajmowało — szukało w torebce papierosów bądź szminki czy wybierało numer na komórce i podnosiło ją do ucha, jednocześnie wodząc wzrokiem po ulicy albo spoglądając na którąś z pozostałych osób wyłącznie po to, by się do niej uśmiechnąć, nic ponadto, jedynie uśmiechnąć się serdecznie.

— Taksówkę na Regeringsgatan... — usłyszałem za sobą. Ulicą sunęło kilka samochodów, powoli i smętnie. Twarze w nich oświetlało światło ulicznych latarni, które przydawało im mistycznego cienia, a w wypadku kierowców było to niebieskawe światło zegarów na desce rozdzielczej. Z kilku aut dobiegało dudnienie basów i perkusji. Po drugiej stronie ulicy ludzie wychodzili z NK, gdzie głośnikowy głos wkrótce miał oznajmić, że za piętnaście minut centrum handlowe zostanie zamknięte. Grube futra, malutkie pieski drobiące kroczki, ciemne wełniane płaszcze, skórzane rękawiczki, grona toreb z zakupami. Tu i ówdzie młodzieżowa puchówka, szerokie spodnie, pojedyncze czapki robione na drutach. Jakaś kobieta biegła, ręką przytrzymując czapkę na głowie, poły rozpiętego płaszcza powiewały wokół nóg. Do czego się spieszyła? Wyglądało to poważnie, aż się za nią obejrzałem. Nic się jednak nie wydarzyło, po prostu zniknęła za rogiem od strony parku Kungsträdgården. Na metalowych kratkach pod ścianą siedzieli trzej bezdomni. Jeden trzymał przed sobą tekturową tabliczkę, na której był napis flamastrem, że potrzebuje pieniędzy, aby mieć gdzie przenocować. Obok leżała czapka z kilkoma monetami. Dwaj pozostali siedzieli i pili. Mijając ich, odwróciłem głowę, przeszedłem na drugą stronę ulicy przy Księgarni Akademickiej i szybkim krokiem ruszyłem dalej wzdłuż surowych fasad, jakby pozbawionych twarzy, myśląc o Lindzie, prawdopodobnie rozzłoszczonej, bo pewnie uznała, że wieczór jest już stracony, i o tym, jak bardzo nie miałem ochoty stawiać temu czoła. Jeszcze jedno skrzyżowanie, przejście obok drogiej włoskiej restauracji, krótkie spojrzenie w stronę Glenn Miller Café, przed którą dwie osoby akurat wysiadały z taksówki, spoglądając w stronę Nalen. Stał tam ogromny autokar jakiegoś zespołu muzycznego, z przyczepą, a za nim biały bus Szwedzkiego Radia. Biegły od niego po chodniku grube wiązki kabli; na próżno usiłowałem sobie przypomnieć, kto tego wieczoru ma tu wystąpić. W końcu pokonałem trzy stopnie przed drzwiami, wstukałem kod i wszedłem na klatkę. Kiedy ruszyłem na górę po schodach, usłyszałem, że piętro wyżej otwierają się i zamykają drzwi. Po głośnym trzaśnięciu poznałem, że to musiała być Rosjanka. Ale za późno już było na jazdę windą, więc szedłem dalej na górę, i rzeczywiście, sekundę później zobaczyłem ją idącą w dół. Udała, że mnie nie widzi. I tak się przywitałem.

— Dzień dobry — powiedziałem.

Mruknęła coś, ale dopiero kiedy mnie minęła.

Rosjanka była sąsiadką rodem z piekła. Przez pierwszych siedem miesięcy po tym, jak się wprowadziliśmy, jej mieszkanie stało puste, lecz pewnej nocy o wpół do drugiej obudził nas hałas na klatce, huk trzaskających drzwi, a wkrótce potem na dole włączono tak głośną muzykę, że nie słyszeliśmy się nawzajem. Eurodisco, od basów i bębna wibrowała podłoga, a szyby w oknach dzwoniły. Czuliśmy się tak, jakby sprzęt grający, rozkręcony na cały regulator, stał w naszym pokoju. Linda, w ósmym miesiącu ciąży, już wcześniej miała kłopoty ze snem, lecz nawet ja, któremu zwykle w głębokim śnie nie przeszkadzały żadne hałasy, mogłem zapomnieć o spaniu. Między piosenkami słyszeliśmy jej okrzyki i klaskanie. Wstaliśmy i przeszliśmy do salonu. Czy mieliśmy zadzwonić na telefon dyżurny, założony specjalnie po to, by można było interweniować w takich sytuacjach? Nie chciałem tego robić, wydawało mi się to zbyt szwedzkie, czy nie powinniśmy raczej po prostu zejść na dół, zapukać do drzwi i powiedzieć, że nam to przeszkadza? No, dobrze, ale w takim razie sam musiałem to zrobić. I zrobiłem. Zadzwoniłem do drzwi, a ponieważ nie było żadnej reakcji, zacząłem pukać, lecz nikt do mnie nie wyszedł. Kolejne pół godziny w salonie. Może samo ucichnie? W końcu jednak Linda tak się wkurzyła, że zeszła na dół i wtedy ta kobieta nagle otworzyła drzwi. Och, świetnie nas rozumiała! Zrobiła krok do przodu, dotknęła brzucha Lindy. „W dodatku pani spodziewa się dziecka — powiedziała po szwedzku z mocnym rosyjskim akcentem — tak mi przykro, przepraszam, ale mąż mnie porzucił i nie wiem, co mam robić, rozumie pani? Muzyka i trochę wina, to mi pomaga tutaj, w tej zimnej Szwecji. Ale pani spodziewa się dziecka i musi się pani wyspać, moja droga".

Linda, zadowolona, że udało jej się załatwić sprawę, wróciła na górę, powtórzyła mi całą rozmowę i położyliśmy się z powrotem. Dziesięć minut później, ledwie zdążyłem zasnąć, ów chory spektakl zaczął się od nowa. Ta sama muzyka, na tym samym szalonym poziomie głośności, te same wrzaski między piosenkami.

Znów wstaliśmy i przeszliśmy do salonu. Dochodziło wpół do czwartej. Co robić? Linda chciała zadzwonić na telefon dyżurny, ale ponownie zaprotestowałem, bo chociaż z założenia miał być anonimowy, w tym sensie, że patrol reagujący na zakłócenie spokoju domowego nie miał prawa podać, kto zadzwonił ze skargą, oczywiste było, że sąsiadka i tak się tego domyśli, a ponieważ jest najwyraźniej osobą niezrównoważoną, ten telefon będzie proszeniem się o dalsze kłopoty. Wtedy Linda zaproponowała, żebyśmy zaczekali, aż muzyka ucichnie, a jutro napisali do niej sympatyczny list, w którym przedstawimy się jako wyrozumiali i tolerancyjni, podkreślimy jednak, że taki poziom hałasu w środku nocy jest po prostu nie do zaakceptowania. Linda, ciężko oddychając, ułożyła się ze sterczącym wielkim brzuchem na kanapie, a ja wróciłem do sypialni. Godzinę później, przed piątą, muzyka wreszcie ucichła. Następnego dnia Linda napisała list i przed południem, gdy wychodziliśmy, wrzuciła go przez listownik do mieszkania sąsiadki. Cisza panowała aż do szóstej wieczorem, gdy nagle ktoś zaczął walić w nasze drzwi. Poszedłem otworzyć. To była Rosjanka. Ściągnięta, przepita twarz, pobielała z wściekłości. Kobieta trzymała w ręku list Lindy.

— Co to ma znaczyć, do cholery? — krzyknęła. — Jak śmiecie! W moim własnym domu! Nie będziecie mi, cholera, mówić, co mam robić we własnym domu!

— To uprzejmy list... — zacząłem.

— Nie będę z tobą rozmawiać! Chcę rozmawiać z tą, co u was rządzi!

— O co pani chodzi?

— Ty nie jesteś panem we własnym domu! Wypędza cię, kiedy chcesz zapalić papierosa! Sterczysz na podwórku, wystawiasz się na pośmiewisko, myślisz, że nie widziałam? Z nią będę rozmawiać!

Zrobiła kilka kroków, chcąc wyminąć mnie w drzwiach. Cuchnęła wódką.

Serce waliło mi w piersi. Wściekłość jest jedyną rzeczą, jakiej naprawdę się boję. Nigdy nie potrafiłem się osłonić przed poczuciem słabości, które w takich chwilach mnie opanowuje. Nogi mi miękną, ręce także, głos zaczyna drżeć. Ale ona wcale nie musiała tego zauważyć.

— Może pani porozmawiać ze mną — oświadczyłem, robiąc krok w jej stronę.

— Nie! To ona napisała ten list, więc z nią będę rozmawiać.

— Proszę posłuchać! W środku nocy puszczała pani muzykę niewiarygodnie głośno. Nie dało się spać. Nie może pani tak się zachowywać, chyba pani to rozumie?

— Pan mi nie będzie mówił, co mam robić!

— Może i nie. Ale istnieje coś takiego jak mir domowy, i wszyscy mieszkańcy tej kamienicy muszą przestrzegać zasad.

— Wiecie, jaki płacę czynsz? Piętnaście tysięcy koron! Mieszkam w tym domu od ośmiu lat i do tej pory nikt nigdy się nie skarżył. A potem wy się wprowadziliście. Świętoszki! Jestem w ciąąąży. — Przy tych słowach wykonała pantomimę, która zapewne miała przedstawiać świętoszków; zacisnęła usta, kiwając głową. Włosy miała rozczochrane, skórę bladą, policzki napuchnięte, oczy szeroko otwarte. Wpatrywała się we mnie rozpłomienionym wzrokiem. Spuściłem oczy. Odwróciła się na pięcie i zeszła na dół.

Zamknąłem drzwi. Linda stała przy ścianie w przedpokoju.

— Świetnie wyszło — stwierdziłem.

— Masz na myśli ten list? — spytała.

— Owszem. Teraz dopiero się zacznie.

— Chcesz powiedzieć, że to moja wina? Przecież to ona zwariowała. Nic na to nie poradzę.

— Daj spokój! To nie my jesteśmy wrogami.

W mieszkaniu na dole znów zadudniła muzyka, tak samo głośno jak poprzedniej nocy. Linda spojrzała na mnie.

— Pójdziemy gdzieś? — spytała.

— Nie podoba mi się, że dajemy się przepędzić — odparłem.

— Ale tu się nie da wytrzymać.

— No nie.

W czasie gdy się ubieraliśmy, muzyka ucichła. Może była za głośna nawet dla niej. Ale mimo wszystko wyszliśmy; dotarliśmy do portu przy Nybroplan, gdzie światła migotały w czarnej wodzie, a przed dziobem promu na Djurgården zebrała się gruba warstwa lodowego błota. Po drugiej stronie ulicy Teatr Dramatyczny wznosił się jak twierdza. Należał do budynków, które w tym mieście lubiłem najbardziej. Nie dlatego że był piękny, bo nie był, ale ponieważ i od niego, i od jego otoczenia biła wyjątkowa aura. Może wynikało to po prostu stąd, że kamień był taki jasny, niemal biały, a powierzchnie takie duże; budynek zdawał się jaśnieć nawet w najciemniejsze deszczowe dni. Przy nieustającym wietrze od strony morza i łopoczących flagach przed wejściem przestrzeń, w której stał, miała w sobie jakąś otwartość i dzięki temu teatr nie wywoływał uczucia przytłoczenia, co często się zdarza w wypadku monumentalnych budynków. Czy nie przypominał raczej niewielkiego pagórka nad morzem?

Trzymając się za ręce, ruszyliśmy Strandgatan. Powierzchnię wody aż po Skeppsholmen spowijał mrok, a ponieważ i tam światło paliło się jedynie w kilku budynkach, w mieście powstał niezwykły rytm, jakby się kończyło, rozpływało na krańcach w naturze, aby nabrać pędu dalej, po drugiej stronie, tam gdzie Gamla Stan, Slussen i całe wzgórze w stronę Söder lśniło, migotało i szumiało.

Linda opowiedziała mi kilka anegdot z Dramatycznego, w którym właściwie dorastała. Jej matka, kiedy tam pracowała jako aktorka, sama wychowywała Lindę i jej brata, więc często chodzili z nią na próby i przedstawienia. Dla mnie to była rzecz niemal mityczna, dla Lindy zaś trywialna, o której wolała nie rozmawiać, i z całą pewnością teraz też by o tym nie mówiła, gdybym jej nie wypytywał. Wiedziała wszystko o aktorach, o ich próżności i samozatraceniu, o lękach i snuciu intryg, ze śmiechem opowiadała, że często najlepsi z nich są jednocześnie najgłupsi i rozumieją najmniej. Twierdziła, że aktor intelektualista to *contradiction in terms*, lecz chociaż gardziła udawaniem, wystudiowanymi gestami, pompatycznością, tanimi i pustymi uczuciami, które tak łatwo wzbudzić, to jednak mało co ceniła wyżej niż ich osiągnięcia na scenie, gdy dawali z siebie wszystko, co najlepsze. Z zaangażowaniem mówiła na przykład o inscenizacji *Peera Gynta* w reżyserii Bergmana, którą oglądała nie wiadomo ile razy, bo w tym czasie pracowała w szatni Dramatycznego, o tym, co było w niej fantastyczne i baśniowe, lecz również barokowe i rodem z burleski, a także o *Grze snów* Strindberga, wystawionej przez Wilsona w Stockholms Stadsteater, gdzie wtedy pracowała w dziale literackim; to przedstawienie oczywiście było czystsze i bardziej stylizowane, lecz równie magiczne. Sama chciała być kiedyś aktorką, przez dwa kolejne lata dochodziła do ostatniego etapu egzaminu do szkoły teatralnej, ale gdy nie przyjęli jej za drugim razem, doszła do wniosku, że nie przyjmą jej nigdy; zwróciła się wtedy w innym kierunku, postarała się o przyjęcie do szkoły pisarskiej na Biskops-Arnö, a rok później zadebiutowała tomikiem napisanych tam wierszy.

Zaczęła mi opowiadać o pewnym tournée, w którym uczestniczyła. Aktorów Dramatycznego świat uznawał za trupę Bergmana. Wszędzie, gdzie się pojawili, byli gwiazdami, a tym razem pojechali do Tokio. Wielcy, głośni i pijani, wtoczyli się do jednej z eleganckszych restauracji w mieście; nie było mowy o zdjęciu butów czy wczuwaniu się w jakikolwiek sposób w atmosferę otoczenia, było za to wymachiwanie rękami, gaszenie papierosów w czarkach do sake i głośne przywoływanie kelnerów. Linda, w krótkiej sukience, z ustami umalowanymi czerwoną szminką, z czarnymi włosami obciętymi na pazia i papierosem w ręku, troszeczkę zakochana w aktorze Peterze Stormarem, który był razem z nimi, miała zaledwie piętnaście lat, i w oczach Japończyków, jak sama twierdziła, musiała wyglądać groteskowo. Ale oczywiście żaden nawet nie uniósł brwi, po cichutku krążyli między nimi, nie zareagowali nawet wtedy, gdy jeden ze Szwedów przeleciał przez papierową ściankę i zwalił się na ziemię.

Opowiadała o tym ze śmiechem.

— Tuż przed wyjściem — wyjawiła mi, patrząc na Djurgårdsbrunn — podszedł do mnie kelner z jakąś torbą. Powiedział, że to upominek od kucharza. Zajrzałam do środka. Wiesz, co w niej było?

— Nie.

— Pełno malutkich żywych krabów.

— Krabów? Co to miało oznaczać?

Wzruszyła ramionami.

— Nie wiem.

— I co z nimi zrobiłaś?

— Zabrałam je do hotelu. Mama tak się upiła, że nie była w stanie ze mną wrócić. Pojechałam taksówką, torbę z krabami położyłam przy nogach, a w hotelu nalałam zimnej wody do wanny i wrzuciłam je do środka. Łaziły całą noc, a ja spałam obok w pokoju, w samym środku Tokio.

— I co dalej? Co z nimi zrobiłaś?

— Historia kończy się w tym miejscu — oświadczyła i ścisnęła mnie za rękę, patrząc na mnie z uśmiechem.

Między Lindą a Japonią coś było. Za zbiór wierszy dostała, o dziwo, japońską nagrodę, obraz z japońskimi znakami, który do niedawna wisiał u niej nad biurkiem. A czy jej śliczne drobne rysy nie miały w sobie czegoś japońskiego?

Ruszyliśmy w stronę Karlaplan. Basen fontanny, z którego środka latem wysoko tryskała woda, teraz był pusty, a jego dno pokrywały zwiędłe liście, spadłe z rosnących naokoło wielkich drzew.

— Pamiętasz, jak byliśmy na *Upiorach*? — spytałem.

— Oczywiście! Nigdy tego nie zapomnę.

Wiedziałem o tym, przecież bilet na to przedstawienie wkleiła do albumu ze zdjęciami, który zaczęła prowadzić, gdy zaszła w ciążę. *Upiory* były ostatnią teatralną inscenizacją Bergmana i poszliśmy na nie, zanim jeszcze zostaliśmy parą. To jedna z pierwszych rzeczy, jakie zrobiliśmy razem, jedno z pierwszych wspólnych przeżyć. Było to zaledwie półtora roku temu, a miałem wrażenie, że od tamtej pory minęło całe życie.

Linda spojrzała na mnie z tym ciepłem w oczach, które potrafiło wypełnić mnie całego. Było zimno, wiał wilgotny, nieprzyjemny wiatr. Przypominał mi o tym, jak daleko na wschodzie położony jest Sztokholm, poczułem powiew czegoś obcego, nieobecnego tam, skąd pochodziłem, chociaż nie potrafiłem dokładnie określić, co to jest. Znajdowaliśmy się w najbogatszej dzielnicy miasta, a było tu kompletnie martwo. Nikt nie spacerował, nikt nie przychodził się tu zabawić, ulice nigdy się nie zapełniały, chociaż były szersze niż w jakimkolwiek innym miejscu w centrum.

Z naprzeciwka nadeszli kobieta i mężczyzna z psem. On trzymał obie ręce za plecami, na głowie miał futrzaną czapkę, ona była w futrze, a przed nimi dreptał mały terier, obwąchujący ziemię.

— Wstąpimy gdzieś na piwo? — spytałem.

— Dobrze. Poza tym zgłodniałam. Może do baru w Zita?

— Świetny pomysł.

Przeszył mnie dreszcz. Podniosłem kołnierz płaszcza, osłoniłem nim szczelniej szyję.

— Cholera, ale dzisiaj zimno — powiedziałem. — Nie zmarzłaś?

Pokręciła głową. Miała na sobie ogromną puchówkę, pożyczoną od swojej najlepszej przyjaciółki Heleny, która ubiegłej zimy była w równie zaawansowanej ciąży jak Linda teraz, i futrzaną czapkę z dwoma sznureczkami zakończonymi malutkimi futrzanymi kulkami — kupiłem ją podczas naszego pobytu w Paryżu.

— Kopie?

Linda położyła dłonie na brzuchu.

— Nie, dziecko śpi — odparła. — Prawie zawsze śpi, kiedy chodzę.

— Dziecko — powtórzyłem. — Ciarki mnie przechodzą, kiedy tak mówisz. Bo normalnie trochę do mnie nie dociera, że tam, w środku, jest już konkretny człowiek.

— Ale tak jest. Czuję to, takie mam wrażenie. Pamiętasz, jak się rozzłościło, kiedy robili mi test na glukozę?

Kiwnąłem głową. Lindzie groziła cukrzyca, ponieważ jej ojciec na to chorował, więc musiała przełknąć jakąś mieszaninę cukru, z tego, co mówiła, najbardziej mdłą i najohydniejszą rzecz, jaką w życiu miała w ustach, po czym dziecko ponad godzinę kopało jak opętane.

— Ona albo on miała albo miał niespodziankę — uśmiechnąłem się, patrząc na park Humlegården, zaczynający się po drugiej stronie ulicy. Jasne kopuły latarni podświetlały drzewa o ciężkich pniach i rozczapierzonych gałęziach, gdzie indziej mokrą, pożółkłą trawę, inne miejsca zaś spowijał całkowity mrok; nocą panował tu czarodziejski nastrój, ale nie taki jak w lesie, raczej jak w teatrze. Ruszyliśmy jedną z alejek. Tu i ówdzie wciąż leżały niewielkie kopczyki liści, lecz poza tym trawniki i przecinające je alejki były nagie, trochę jak podłoga w pokoju. Wokół pomnika Linneusza, szurając nogami, krążył powoli jakiś amator joggingu, drugi zbiegał z łagodnego zbocza. Wiedziałem, że w dole znajdują się ogromne zbiory Biblioteki Królewskiej, która wznosiła się przed nami, jasno oświetlona. Za kolejnym kwartałem był plac Stureplan, gdzie rozlokowały się najbardziej ekskluzywne kluby nocne w mieście. Mieszkaliśmy o rzut kamieniem stamtąd, lecz prawie jak w innej części świata. Na ulicach w tej okolicy strzelano do ludzi, a my dowiadywaliśmy się o tym dopiero z gazet następnego dnia. Na Stureplan zaglądały światowe gwiazdy bawiące w mieście, tam też lansowała się elita Szwecji, celebryci i najbogatsi przedsiębiorcy, o czym cały kraj czytał w popołudniówkach. Na Stureplan nie czekało się w kolejce do wejścia — tam należało się ustawić w rządku, a ochroniarze chodzili wzdłuż i wybierali tych, którym pozwalali wejść. Takiej twardości i chłodu, jakie istniały w tym mieście, nigdy wcześniej nie zaznałem, a dystansu społecznego nigdy wcześniej nie przeżyłem tak wyraźnie. W Norwegii wszelki dystans jest niemal wyłącznie geograficzny, a ponieważ mieszka tam tak mało ludzi, droga na szczyt albo tam, gdzie coś się dzieje, wszędzie jest krótka. W klasie, albo przynajmniej w szkole, zawsze jest ktoś, kto osiągnie szczyt w takiej czy innej dziedzinie. Wszyscy znają kogoś, kto kogoś zna. W Szwecji dystans społeczny jest o wiele większy, a ponieważ Szwedzi wyludnili wieś i niemal wszyscy przenieśli się do miast, ci wszyscy zaś, którzy pragną coś osiągnąć, jadą do Sztokholmu, gdzie dzieje się wszystko, co ma jakieś znaczenie, ów dystans staje się ekstremalnie wyraźny: tak blisko, a mimo to tak daleko.

— Myślisz czasami o tym, skąd pochodzę? — spytałem, patrząc na Lindę.

Pokręciła głową.

— Nie, w zasadzie nie. Ty jesteś Karl Ove. Mój piękny mąż. Tym jesteś dla mnie.

— Jestem z osiedla na wyspie Tromøya, wiesz. Nie znajdziesz niczego bardziej oderwanego od twojego świata. Przecież nic o nim nie wiem. Wszystko jest mi g ł ę b o k o obce. Pamiętasz, co moja mama powiedziała, kiedy pierwszy raz weszła do naszego mieszkania? Nie? „Szkoda, że dziadek nie może tego zobaczyć".

— To przecież miłe.

— No tak, ale czy ty to rozumiesz? Dla ciebie to mieszkanie jest czymś normalnym, dla mamy było czymś w rodzaju niewielkiej sali balowej.

— Dla ciebie też?

— Tak, dla mnie też, ale nie chodzi mi o to, czy to dobrze, czy źle. Chcę ci wytłumaczyć, że pochodzę z czegoś zupełnie innego, z czegoś niewiarygodnie niewyrafinowanego, rozumiesz? Pieprzę i jedno, i drugie, tylko po prostu to nie jest moje. I nigdy nie będzie moje, bez względu na to, jak długo będę tu mieszkał.

Przeszliśmy na drugą stronę i ruszyliśmy wąską uliczką dzielnicy mieszkaniowej, w pobliżu miejsca, gdzie Linda się wychowywała. Minęliśmy kawiarnię Saturnus i dotarliśmy do Birger Jarlsgatan, przy której znajdowała się Zita. Twarz mi zdrętwiała z zimna. Uda miałem lodowate.

— No to masz szczęście, skoro tak jest — orzekła Linda. — Jak myślisz, ile dało ci to, że miałeś miejsce, do którego się wybierałeś? Że poza miejscem, z którego pochodzisz, w ogóle istniało coś takiego, dokąd chciałeś dotrzeć?

— Rozumiem, do czego zmierzasz — powiedziałem.

— Ja wszystko miałam tutaj. Tutaj się wychowałam. Chyba nie potrafię się od tego oddzielić. No i jest jeszcze kwestia oczekiwań. Nikt niczego od ciebie nie oczekiwał? Wiem, wiem. Ale oprócz tego, że masz studiować i znaleźć pracę.

Wzruszyłem ramionami.

— Nigdy o tym nie myślałem w ten sposób.

— No właśnie.

Zapadła chwila ciszy.

— Zawsze byłam w centrum wszystkiego. Mama pewnie pragnęła, żeby mi było jak najlepiej… — Spojrzała na mnie. — Dlatego tak się cieszy z ciebie.

— Naprawdę?

— Nie zauważyłeś? Musiałeś zauważyć.

— Pewnie tak.

Przypomniałem sobie pierwsze spotkanie z jej matką. Malutka chata w lesie, w starej komorniczej zagrodzie. Na dworze jesień. Zaraz po przyjeździe usiedliśmy do stołu — gorąca zupa na mięsie, świeżo upieczony chleb, zapalone świece. Momentami czułem na sobie jej spojrzenie. Było zaciekawione i ciepłe.

— Ale tam gdzie dorastałam, oprócz mamy byli też inni ludzie — ciągnęła Linda. — Myślisz, że Johan Nordenfalk dwunasty zostałby nauczycielem w podstawówce? Z takimi pieniędzmi i takim rodowodem? Wszystkim musiało się powieść. Trzech moich kumpli odebrało sobie życie, a ile osób cierpi lub cierpiało na anoreksję, boję się nawet pomyśleć.

— Co za cholerne bagno — powiedziałem. — Że też ludzie nie mogą wziąć na wstrzymanie.

— Nie chcę, żeby nasze dzieci się tutaj wychowywały — oświadczyła Linda.

— Teraz już mówisz: dzieci?

Uśmiechnęła się.

— No i co?

— Wobec tego pozostaje Tromøya — odparłem. — Tylko jeden z moich tamtejszych znajomych popełnił samobójstwo.

— Nie żartuj sobie z tego.

— Nie żartuję.

Stukając wysokimi obcasami, minęła nas kobieta w długiej czerwonej sukni. W jednej ręce trzymała czarną torebkę, drugą ściskała na piersi ażurowy szal. Za nią przeszli dwaj młodzi brodaci mężczyźni w parkach i butach odpowiednich na górskie wyprawy. Jeden trzymał w palcach papierosa. Za nimi trzy przyjaciółki, odświętnie ubrane, z małymi, zgrabnymi torebeczkami w dłoniach, ale przynajmniej w kurtkach włożonych na suknie. W porównaniu z ulicami na Östermalm tu się odbywał prawdziwy cyrk. Obie strony ulicy rozjaśniały światła restauracji, wszędzie było pełno ludzi. Przed Zitą, jednym z dwóch studyjnych kin w dzielnicy, stała, trzęsąc się z zimna, nieduża gromadka.

— Tak szczerze mówiąc — podjęła Linda — to może nie Tromøya. Ale zdecydowanie Norwegia. Tam jest przyjemniej.

— To prawda.

Pociągnąłem ciężkie drzwi i przytrzymałem przed nią. Zdjąłem rękawiczki i czapkę, rozpiąłem płaszcz, poluzowałem szalik.

— Tylko że ja nie chcę wracać do Norwegii — powiedziałem. — No i tyle.

Nie odezwała się. Szła już w stronę gabloty z plakatami filmowymi. Odwróciła się do mnie.

— Wyświetlają *Dzisiejsze czasy*! — ucieszyła się.

— Idziemy?

— Jasne! Ale muszę najpierw coś zjeść. Która godzina?

Rozejrzałem się za zegarem. Znalazłem nieduży, brzuchaty, na ścianie za kasą.

— Za dwadzieścia dziewiąta.

— Film zaczyna się o dziewiątej. Zdążymy. Kupisz bilety, dobrze? A ja sprawdzę, czy dostaniemy w barze coś do przegryzienia.

— Dobrze. — Wyciągnąłem z kieszeni wymiętą setkę i podszedłem do kasy.

— Są jeszcze bilety na *Dzisiejsze czasy*? — spytałem po norwesku.

Dziewczyna, nie więcej niż dwudziestoletnia, z mysimi ogonkami, w okularach, spojrzała na mnie z wyższością.

— Słucham?

— Są — jeszcze — bilety — na — *Dzisiejsze — czasy*? — powtórzyłem to samo po szwedzku.

— Są.

— Poproszę dwa. Daleko z tyłu, pośrodku. Dwa. — Na wszelki wypadek podniosłem w górę dwa palce.

Wydrukowała bilety, w milczeniu położyła je na kontuarze przede mną, trochę wygładziła setkę, zanim schowała ją do kasy. Poszedłem do baru, w którym było pełno ludzi. Zobaczyłem Lindę przy ladzie i przecisnąłem się do niej.

— Kocham cię — powiedziałem.

Prawie nigdy jej tego nie mówiłem, więc oczy jej rozbłysły, gdy na mnie spojrzała.

— Naprawdę? — spytała.

Pocałowaliśmy się przelotnie. Kelner postawił przed nami koszyczek z chipsami taco i miseczkę z czymś, co wyglądało jak guacamole.

— Chcesz piwo? — spytała Linda.

Pokręciłem głową.

— Może później. Ale ty pewnie będziesz później zbyt śpiąca.

— Przypuszczalnie. Masz bilety?

— Tak.

Dzisiejsze czasy po raz pierwszy oglądałem w klubie filmowym w Bergen, kiedy miałem dwadzieścia lat. W pewnym momencie dostałem ataku śmiechu. Nie tak wiele osób pamięta, kiedy się śmiały ostatnio, ja natomiast pamiętam, jak się śmiałem dwadzieścia lat temu, oczywiście dlatego, że to się nie zdarza tak często. Pamiętam zarówno swoje zawstydzenie utratą kontroli, jak i radość z tego, że jej ulegam. Scena, która to spowodowała, wciąż zachowała się w mojej pamięci, przejrzysta jak kryształ. Chaplin ma wystąpić w variété. To ważny występ, wiele od niego zależy, więc się denerwuje i na wszelki wypadek przed wyjściem do publiczności zapisuje tekst piosenki na mankiecie. Ale w chwili gdy wychodzi na parkiet, gubi ściągawkę, ponieważ wita publiczność zbyt zamaszystym gestem. Zostaje bez tekstu, a zespół za jego plecami już gra. Co ma zrobić? Zaczyna szukać zapisków, improwizując taniec, tak aby publiczność nie zorientowała się, że coś jest nie tak, a orkiestra raz po raz powtarza przygrywkę. Popłakałem się ze śmiechu. W końcu jednak Chaplin nie może już dłużej tańczyć, musi zaśpiewać. Zaczyna piosenkę, która składa się z nieistniejących, wymyślonych słów. Jej sens przepadł, ale pozostała melodia. Pamiętam, że poczułem wtedy ogromną radość, i to w imieniu nie tylko własnym, lecz także całej ludzkości, ponieważ w tej scenie było tyle ciepła, a stworzył ją jeden z nas.

Gdy tego wieczoru siadałem w sali kinowej obok Lindy, nie byłem pewien, co nas czeka. Chaplin, doprawdy. Coś, o czym Fosnes Hansen[1] pisze esej, kiedy tematem ma być humor. Czy to, z czego śmiałem się piętnaście lat temu, wciąż będzie mnie śmieszyło?

A jednak. Dokładnie w tym samym miejscu. Chaplin wchodzi, wita publiczność, mankiet spada mu z ręki, on dalej tańczy na scenie, ciągnąc nogi za sobą,

---

[1] Erik Fosnes Hansen (ur. 1965) — pisarz i publicysta norweski.

i nawet przez chwilę nie traci kontaktu z publicznością; tańcząc, przez cały czas szuka ściągawki, uprzejmie kiwa widzom głową. Podczas następującej potem pantomimy po policzku spłynęła mi łza, tak piękne wydawało mi się wszystko tego wieczoru. Wychodząc z sali, chichotaliśmy. Lindę cieszyła moja radość, domyślałem się tego, ale sama też była rozbawiona. Trzymając się za ręce, weszliśmy na górę po kamiennych schodach obok ośrodka kultury fińskiej, cały czas ze śmiechem opowiadając sobie sceny z filmu. Ruszyliśmy dalej przez Regeringsgatan, minęliśmy piekarnię, sklep meblowy, US Video i w końcu mogliśmy otworzyć kluczem bramę i po schodach wejść na górę do naszego mieszkania. Było kilka minut po wpół do jedenastej, Lindzie oczy same się zamykały, więc od razu się położyliśmy.

Dziesięć minut później gruchnęła muzyka na dole. Zdążyłem całkiem zapomnieć o Rosjance, więc wystraszony poderwałem się na łóżku.

— Do jasnej cholery! — zaklęła Linda. — To nie może być prawda!

Ledwie słyszałem, co mówi.

— Nie ma jeszcze jedenastej — powiedziałem. — W dodatku jest piątek wieczorem. Nic z tym nie zrobimy.

— Pieprzę to! I tak zadzwonię. Tak się nie da, do cholery.

Ale ledwie wstała i wyszła z pokoju, muzyka ucichła. Znów się położyliśmy. Tym razem zdążyłem zasnąć, gdy wszystko zaczęło się od nowa. Tak samo niewiarygodnie głośno. Spojrzałem na zegarek. Wpół do dwunastej.

— Zadzwonisz? — spytała Linda. — W ogóle nie spałam.

Ale powtórzyło się to samo. Po kilku minutach Rosjanka wyłączyła muzykę i na dole zapanowała cisza.

— Położę się w salonie — oświadczyła Linda.

Jeszcze dwa razy tej nocy muzyka dudniła na cały regulator. Za drugim razem Rosjanka ściszyła dopiero po półgodzinie. To było śmieszne, ale bardzo nieprzyjemne. Kobieta ewidentnie miała nie po kolei w głowie i w dodatku nas nienawidziła. Przeczuwaliśmy, że może się zdarzyć wszystko. Minął jednak ponad tydzień, zanim doszło do kolejnego incydentu. Na parapecie okna na klatce schodowej koło naszych drzwi ustawiliśmy kilka roślin w doniczkach. W zasadzie był to obszar wspólny i mogliśmy się nie wychylać, ale piętro wyżej sąsiedzi postąpili tak samo i chyba nikt nie miał nic przeciwko skromnemu udekorowaniu zimnej klatki schodowej. Dwa dni później rośliny zniknęły. Nie była to wielka strata, ale doniczki należały do mojej prababci i znalazły się wśród niewielu rzeczy, które zabrałem z domu w Kristiansand po śmierci babci, matki ojca. Pochodziły z poprzedniego przełomu wieków, dlatego trochę mnie zirytowało, że przepadły. Albo ktoś je ukradł — ale kto teraz kradnie doniczki? — albo ktoś je usunął, bo nie spodobała mu się nasza inicjatywa. Postanowiliśmy na tablicy na klatce wywiesić kartkę z pytaniem, czy ktoś ich nie widział. Jeszcze tego samego wieczoru na kartce pojawiły się wyzwiska i oskarżenia, wypisane po szwedzku — z błędami — niebieskim atramentem. Czyżbyśmy oskarżali mieszkańców domu o kradzież? W takim razie powinniśmy się natychmiast wyprowadzić. Za kogo my się, do cholery, uważamy? Kilka dni później chciałem zmontować przewijak, kupiony w Ikei, z czym łączyło się trochę stukania młotkiem, ale ponieważ była dopiero siódma wieczorem, nie sądziłem, że to może być jakiś problem. Okazało się jednak, że jest. Zaraz po pierwszych stuknięciach rozległo się dzikie walenie w rury na dole. To nasza rosyjska sąsiadka postanowiła zaprotestować przeciwko temu, co najwyraźniej uznała za atak. Nie mogłem jednak z tego powodu zrezygnować z dokończenia montażu, więc dalej stukałem. Minutę później trzasnęły drzwi na dole i zaraz pojawiła się u nas. Otworzyłem. Jak mogliśmy skarżyć się na nią, skoro sami się tak zachowujemy? Próbowałem wyjaśnić jej różnicę między puszczaniem głośnej muzyki w środku nocy a montowaniem przewijaka o siódmej, ale nic do niej nie trafiało, jak do głuchej. Z szaleństwem w oczach, pełnymi oburzenia gestami podtrzymywała oskarżenia. Spała, a my ją obudziliśmy. Uważamy się za lepszych od niej, a wcale tak nie jest...

Od tej pory miała na nas sposób. Za każdym razem, gdy jakiś dźwięk przedostawał się od nas do niej, nawet wtedy gdy ciężej stąpnąłem po podłodze, zaczynała walić w rury. Ten dźwięk przenikał wszystko, a ponieważ jego źródło było niewidoczne, rozlegał się w naszym mieszkaniu jak wyrzut sumienia. Nienawidziłem tego. Czułem się tak, jakbym nigdzie nie mógł zaznać spokoju, nawet we własnym domu.

Później, w dniach przed Bożym Narodzeniem, na dole zapanowała cisza. Kupiliśmy choinkę na straganie na samej górze Humlegården; było ciemno, powietrze pełne śniegu, a na ulicach typowy przedgwiazdkowy chaos, przez który ludzie po prostu suną, ślepi na siebie nawzajem i na świat. Wybraliśmy drzewko, sprzedawca, ubrany w kombinezon, obciągnął je siatkowym workiem, żeby łatwiej było nieść, zapłaciłem i zarzuciłem je sobie na ramię. Dopiero wtedy uświadomiłem sobie, że choinka jest chyba trochę za duża. Pół godziny później, po niezliczonych przerwach po drodze, wciągnąłem ją do mieszkania. Wybuchnęliśmy śmiechem, kiedy ustawiliśmy ją w salonie. Była ogromna. Sprawiliśmy sobie gigantyczną choinkę. Ale może wcale nie było to takie głupie, przecież miały to być pierwsze i ostatnie święta, które spędzimy tylko we dwoje. W Wigilię zjedliśmy szwedzkie wigilijne dania, które przyniosła nam matka Lindy, rozpakowaliśmy prezenty, a potem włączyliśmy *Cyrk* Chaplina, bo pod choinkę kupiliśmy sobie kolekcję wszystkich jego filmów. W święta oglądaliśmy je, chodziliśmy na długie spacery po wyciszonych świątecznie ulicach, czekaliśmy i czekaliśmy. Rosjanka odeszła w zapomnienie, przez całe Boże Narodzenie świat na zewnątrz nie istniał. Potem na kilka dni pojechaliśmy do matki Lindy, a kiedy wróciliśmy, zaczęliśmy przygotowania do sylwestra, bo zaprosiliśmy na kolację Geira i Christinę, a także Andersa z Heleną.

Przed południem wysprzątałem całe mieszkanie, zrobiłem zakupy na przyjęcie, wyprasowałem biały obrus, powiększyłem stół o dodatkowy kawałek blatu, nakryłem, wyczyściłem srebrne sztućce i świeczniki, poskładałem serwetki i wystawiłem miseczki z owocami, tak by mieszczańskość aż biła po oczach, kiedy o siódmej przyjdą goście. Pierwsi zjawili się Anders z Heleną i córeczką. Helena i Linda poznały się, kiedy Helena brała lekcje u matki Lindy, i chociaż była o siedem lat starsza, naprawdę się zaprzyjaźniły. Trzy lata temu związała się z Andersem. Ona była aktorką, a on… no cóż, kimś w rodzaju kryminalisty.

Z twarzami czerwonymi z zimna stali na klatce i uśmiechali się, kiedy otworzyłem.

— Cześć, stary — powiedział Anders. Był w brązowej skórzanej czapce z nausznikami, wielkiej niebieskiej puchówce i czarnych wizytowych butach.

Elegancko nie wyglądał, lecz mimo to w dziwny sposób pasował do Heleny, która w białym płaszczu, czarnych kozakach i białej futrzanej czapce prezentowała się bardzo szykownie.

Obok w wózku siedziało ich dziecko i patrzyło na mnie poważnie.

— Cześć! — Spojrzałem dziewczynce w oczy.

Na jej buzi nie drgnął ani jeden mięsień.

— Wejdźcie. — Cofnąłem się kilka kroków w głąb mieszkania.

— Możemy wprowadzić wózek do środka? — spytała Helena.

— Oczywiście — odparłem. — Myślisz, że się zmieści, czy mam otworzyć drugą połowę drzwi?

Helena podjechała wózkiem, próbując ustawić go tak, aby przejechał; Anders już rozbierał się w przedpokoju.

— A gdzie señorita? — spytał.

— Odpoczywa.

— Wszystko w porządku?

— Tak, tak.

— Świetnie. Cholera, ale zimno na dworze!

Dziewczynka wjechała do środka, rączkami mocno trzymała się poręczy wózka. Helena zaciągnęła hamulec, wyjęła małą, rozebrała ją z czapki i rozpięła suwak czerwonego kombinezonu. Dziewczynka nieruchomo stała na podłodze. Pod spodem miała granatową sukienkę, białe rajstopy i białe buciki.

Z sypialni wyszła Linda. Twarz jej promieniała. Najpierw uściskała Helenę — długo stały objęte, patrząc sobie w oczy.

— Tak pięknie wyglądasz — skomplementowała ją Helena. — Jak ci się to udaje? Pamiętam, że kiedy byłam w dziewiątym miesiącu…

— To tylko stara ciążowa sukienka — powiedziała Linda.

— Ale ty cała wyglądasz pięknie!

Linda uśmiechnęła się z zadowoleniem, wychyliła się i uściskała Andersa.

— Jaki śliczny stół! — zawołała Helena, wchodząc do salonu. — Ojej!

Nie bardzo wiedziałem, co mam ze sobą zrobić, więc poszedłem do kuchni, niby coś sprawdzić, chociaż tak naprawdę czekałem, aż w salonie zapanuje spokój. Chwilę później znów rozległ się dzwonek do drzwi.

— No i co? — spytał Geir, gdy tylko otworzyłem. — Uporałeś się ze sprzątaniem?

— To wy? — odparłem. — Chyba umawialiśmy się na poniedziałek? Urządzamy u siebie sylwestra, więc nie wiem, czy wasza wizyta akurat dzisiaj jest nam na rękę. No, ale może jakoś się ściśniemy…

— Cześć, Karl Ove. — Christina mnie objęła. —
Wszystko u was w porządku?

— Jak najbardziej. — Cofnąłem się, żeby ich wpuścić, a jednocześnie Linda wyszła, by się z nimi przywitać. Kolejne uściski, kolejne zdejmowanie kurtek i butów, a potem razem do salonu, gdzie córeczka Andersa i Heleny, raczkująca po podłodze, była wdzięcznym obiektem, na którym spojrzenia mogły zatrzymać się przez pierwsze minuty, dopóki sytuacja się nie ustabilizowała.

— Widzę, że nie możecie zapomnieć o świętach. — Anders skinieniem głowy wskazał naszą ogromną choinkę, stojącą w kącie.

— Kosztowała osiemset koron — odparowałem. — Będzie stała, dopóki nie uschnie. W tym domu nie wyrzuca się pieniędzy w błoto.

Anders się roześmiał.

— Dyrektor zaczyna sobie żartować!

— Żartuję nieustannie. Tylko wy, Szwedzi, mnie nie rozumiecie.

— No nie. W każdym razie na początku nie rozumiałem ani słowa z tego, co mówiłeś.

— Więc w tym roku sprawiliście sobie choinkę dla nuworyszy? — spytał Geir, a Anders zaczął się wygłupiać i udawać, że mówi po norwesku. Robił to w sposób, z jakim bardzo często można się zetknąć w Szwecji, polegający na powtarzaniu z dużą częstotliwością słów *kjempe* i *gutt*[1], które w uszach Szwedów brzmią komicznie, zwłaszcza wypowiadane entuzjastycznym, wznoszącym się tonem na końcu każdego zdania. Mój dialekt brzmiał jednak zupełnie inaczej i z tego powodu uznawano go za nynorsk.

— Nie taki był zamiar — uśmiechnąłem się do Geira. — Przyznaję, że trochę głupio wygląda takie wielkie drzewko, ale kiedy je kupowaliśmy, wydawało się małe. Dopiero gdy wniosłem je do mieszkania, okazało się, że jest ogromne. Ale ja zawsze miałem problemy z proporcjami.

— Wiesz, co znaczy *kjempe*, Anders? — spytała Linda.

Pokręcił głową.

— Dokładnie to samo, co po szwedzku *jätte*[2]. *Jättestor* — *kjempestor*[3].

Czyżby Linda uznała, że mnie to uraziło?

— Musiało minąć pół roku, zanim pojęłam, że tych słów używa się dokładnie w taki sam sposób. Musi też istnieć mnóstwo wyrazów, które wydają mi się zrozumiałe, a jednak wcale takie nie są. Aż boję się

---

1 *Gutt* (norw.) — chłopiec, chłopcze.

2 Oba te słowa znaczą „ogromny, ogromnie, bardzo".

3 *Jättestor* (szw.), *kjempestor* (norw.) — bardzo duży.

myśleć, że dwa lata temu przetłumaczyłam książkę Sæterbakkena[1]. Przecież wtedy w ogóle nie znałam norweskiego.

— A Gilda znała? — spytała Helena.

— Gilda? Jeszcze mniej niż ja. Ale nie tak dawno oglądałam pierwsze strony i wyglądało to nawet nieźle. Oprócz jednego słowa. Aż się czerwienię na tę myśl. Przetłumaczyłam *stue*, czyli pokój dzienny, salon, na *stuga*[2]. Wyszło, że siedział w *stuga*, chociaż w tekście było, że siedział w pokoju.

— A jak się nazywa *stuga* po norwesku? — zainteresował się Anders.

— *Hytte* — odparłem.

— Aha, *hytte*. No, to rzeczywiście różnica — przyznał.

— Ale nikt tego nie zauważył — roześmiała się Linda.

— Ktoś ma ochotę na szampana? — spytałem.

— Przyniosę — zadeklarowała się Linda.

Kiedy wróciła, ustawiła pięć kieliszków blisko siebie i zaczęła rozplatać metalowy drut przytrzymujący korek, lekko odwracając przy tym twarz i mrużąc oczy, jakby oczekiwała poważnej eksplozji. Korek w końcu wskoczył jej do ręki z wilgotnym cmoknięciem; przesunęła szyjkę butelki, z której wylewał się szampan, nad kieliszki.

— Znasz się na tym — pochwalił ją Anders.

— Dawno temu pracowałam w restauracji — wyjaśniła Linda. — Ale akurat tego nie umiałam. W ogóle nie mam zdolności widzenia głębi, więc kiedy nalewałam gościom do kieliszków, robiłam to na wyczucie.

---

[1] Stig Sæterbakken (1966–2012) — pisarz norweski.

[2] *Stuga* (szw.) — chata, domek letniskowy.

Wyprostowała się i rozdała nam kieliszki z pieniącym się szampanem. Sobie nalała bezalkoholowego.

— No, to na zdrowie i witajcie!

Wznieśliśmy toast. Gdy wypiłem szampana, poszedłem do kuchni przygotować homary. Geir się do mnie przyłączył i usiadł przy kuchennym stole.

— Homary — mruknął. — Niewiarygodnie szybko zintegrowałeś się ze szwedzkim społeczeństwem. Przychodzę do ciebie w sylwestra dwa lata po tym, jak się tu przeprowadziłeś, a ty serwujesz tradycyjne szwedzkie danie sylwestrowe.

— Nie tylko ja o tym decydowałem.

— Wiem — uśmiechnął się. — Kiedyś urządziliśmy z Christiną meksykańskie Boże Narodzenie. Opowiadałem ci o tym?

— Tak. — Podzieliłem pierwszego homara na połowę, ułożyłem go na półmisku i wziąłem się do kolejnego. Geir zaczął opowiadać o maszynopisie swojej książki, słuchałem go jednym uchem. Ach tak, powtarzałem od czasu do czasu, sygnalizując, że coś do mnie dociera, chociaż uwagę skupiłem zupełnie na czym innym. O książce nie mógł mówić przy wszystkich, dlatego wykorzystywał okazję w kuchni lub kiedy wychodziłem zapalić. Na napisanie szkicu poświęcił z grubsza półtora roku; czytałem go i komentowałem. Komentarzy napisałem dużo, bardzo szczegółowych, zajęły dziewięćdziesiąt stron, a ton krytyki był, niestety, często ironiczny. Sądziłem, że Geir wytrzyma wszystko, ale powinienem przewidzieć, że nie do końca. Nikt nie potrafi znieść wszystkiego, a jedną z najtrudniejszych rzeczy jest przełknięcie sarkazmu dotyczącego własnej pracy. Nigdy jednak nie potrafiłem się od tego powstrzymać; również wtedy gdy pisałem opinię jako konsultant, często posługiwałem się ironią. Problem z książką Geira, o którym wiedział i do którego się przyznawał, polegał na zbyt dużym dystansie do wydarzeń i pozostawianiu zbyt wielu rzeczy w sferze domysłów. Mogło to naprawić jedynie spojrzenie z zewnątrz. Zapewniłem mu je. Ale było to spojrzenie ironiczne, zbyt ironiczne... Czy wynikało stąd, że podświadomie chciałem nad nim górować, bo przecież zawsze był taki wyjątkowy?

Nie.

Nie?

— Bardzo cię za to przepraszam — powiedziałem, kładąc trzeciego homara na grzbiecie i wbijając nóż w pancerz na jego brzuchu. Był bardziej miękki niż pancerze krabów, a jego konsystencja kojarzyła mi się z czymś sztucznym, jakby był z plastiku. I ten czerwony kolor — czy on również nie miał w sobie sztuczności? A wszystkie te drobne, piękne szczegóły — rowki na szczypcach, pancerz na ogonie, przypominający zbroję — czy nie wyglądały na wytworzone w warsztacie renesansowego artysty?

— Masz do tego pełne prawo — oświadczył Geir. — Dziesięć zdrowasiek za twoją złą i grzeszną duszę. Wyobrażasz sobie, co człowiek czuje, kiedy siedzi nad tymi twoimi komentarzami i zgadza się na to, żeby z niego drwiono, dzień w dzień? „Jesteś idiotą?" No tak, chyba jestem...

— To tylko pytanie techniczne — wyjaśniłem, patrząc na Geira i jednocześnie tnąc nożem pancerz homara.

— Techniczne? T e c h n i c z n e? Łatwo ci mówić. Ty potrafisz zająć dwadzieścia stron opisem pójścia do kibla i doprowadzić do tego, że ludziom, którzy go czytają, oczy wilgotnieją ze wzruszenia. Jak myślisz, ile osób to potrafi? Ilu pisarzy by to robiło, gdyby tylko umieli? Jak sądzisz, dlaczego ludzie biedzą się, klecąc modernistyczne wiersze, po trzy słowa na każdej stronie? Dlatego że nic innego nie potrafią. Musisz to, do cholery, wreszcie zrozumieć po tylu latach. Gdyby umieli, toby pisali. Ty umiesz, a tego nie doceniasz. Oceniasz się nisko, wolałbyś raczej pisać szybko i eseistycznie. Ale eseje może pisać każdy! To najłatwiejsza rzecz na świecie.

Spojrzałem na białe mięso z czerwonymi włókienkami, które ukazało się po przecięciu pancerza. Poczułem lekki zapach słonej wody.

— Twierdzisz, że kiedy piszesz, nie widzisz liter, prawda? — ciągnął. — A ja, do cholery, nie widzę nic innego, tylko litery. Tańczą mi przed oczami i splatają się w jakąś pajęczynę. Nic z niej nie wychodzi na zewnątrz. Wszystko zawija się do środka jak wrastający paznokieć.

— Ile nad tym pracujesz? — spytałem. — Rok? To przecież nic. Ja piszę już od sześciu lat i wszystko, co mam, to idiotyczny stutrzydziestostronicowy esej o aniołach. Przyjdź do mnie w dwa tysiące dziewiątym, wtedy się nad tobą użalę. Poza tym to, co czytałem, jest dobre. Fantastyczna historia, świetne wywiady. Trzeba to tylko przepracować.

— Ha!

Przełożyłem dwie połówki homara w pancerzu na półmisek.

— Czy wiesz, że to jedyny hak, jaki na ciebie mam? — spytałem, sięgając po ostatniego homara.

— No... Wiesz o mnie co najmniej dwie rzeczy, o których nikt inny nie powinien wiedzieć.

— A, o to ci chodzi. To zupełnie coś innego.

Roześmiał się głośno i serdecznie.

Kilka sekund upłynęło w milczeniu.

Czy był na mnie obrażony?

Zacząłem dzielić homara nożem.

Nie dało się tego stwierdzić. Powiedział mi kiedyś, że gdybym go zranił, nigdy bym się o tym nie dowiedział. Był równie dumny, jak zuchwały, równie arogancki, jak lojalny. Nieustająco tracił przyjaciół, całymi zastępami, może dlatego, że tak rzadko się uginał i nigdy nie bał się mówić, co naprawdę myśli, a to, co naprawdę myślał, nie podobało się nikomu albo prawie nikomu. Zimą rok wcześniej panowało między nami dość duże napięcie; kiedy wychodziliśmy gdzieś razem, siedzieliśmy właściwie w milczeniu na barowych stołkach, a gdy wreszcie zdecydowaliśmy się odezwać, to na ogół Geir mówił coś zjadliwego o mnie albo o tym, co robię, a ja starałem się odgryzać najlepiej, jak umiałem. Nagle w ogóle przestał się ze mną kontaktować. Dwa tygodnie później zadzwoniła Christina z informacją, że wyjechał do Turcji na badania terenowe i nie będzie go kilka miesięcy. Byłem zaskoczony, bo dokonał w swoim życiu nieoczekiwanego zwrotu, i trochę urażony, że w ogóle mi o tym nie wspomniał. Kilka tygodni później od pewnego kumpla w Norwegii dowiedziałem się, że w wiadomościach pokazano wywiad z Geirem, który przyłączył się do żywych tarcz w Bagdadzie. Uśmiechnąłem się wtedy do siebie — cały on! — chociaż jednocześnie nie mogłem pojąć, dlaczego utrzymywał to przede mną w tajemnicy. Później wyszło na jaw, że musiałem go w jakiś sposób urazić, ale przyczyny nigdy nie poznałem. Gdy jednak cztery miesiące później wrócił do Szwecji, obładowany mnóstwem mikrokaset z wywiadami, po wielu tygodniach spędzonych w ogniu bomb, był jakby odnowiony, zniknęło jego jesienne i zimowe przygnębienie, mające charakter niemal kryzysu, i kiedy odnowiliśmy przyjaźń, wróciliśmy do punktu wyjścia.

Geir i ja byliśmy z tego samego rocznika, dorastaliśmy w odległości kilku kilometrów od siebie, na różnych wyspach w okolicy Arendal — Hisøi i Tromøi, ale nie znaliśmy się, ponieważ naturalny punkt styczny pojawił się dopiero w liceum, a wtedy już od dawna mieszkałem w Kristiansand. Pierwszy raz spotkałem go na pewnej imprezie w Bergen, gdzie obaj studiowaliśmy. Geir trzymał się na obrzeżach środowiska arendalskiego, z którym również byłem luźno związany poprzez Yngvego, a kiedy z nim rozmawiałem, pomyślałem sobie, że mógłby stać się przyjacielem, którego mi brakowało, bo w tym czasie, podczas pierwszego roku w Bergen, nie miałem nikogo takiego i czepiałem się kumpli Yngvego. Kilkakrotnie wyszliśmy wieczorem razem na miasto, Geir cały czas się śmiał i miał w sobie luzackość, która mi się podobała, a jednocześnie był szczerze zainteresowany otaczającymi go ludźmi i potrafił o nich coś powiedzieć. Zawsze się do wszystkiego wcinał, zmuszał do myślenia. Miałem nowego przyjaciela, z przyjemnością o tym myślałem przez kilka tygodni tamtej wiosny 1989 roku. Okazało się jednak, że Geir rusza dalej, Bergen nie odpowiadało mu na stałe, spakował się zaraz po egzaminach i przeniósł do Uppsali w Szwecji. Latem tamtego roku napisałem do niego list, ale nigdy go nie wysłałem, i tak Geir zniknął z mojego życia i z moich myśli.

Jedenaście lat później przysłał mi pocztą książkę. Opowiadała o boksie i nosiła tytuł *Den brukne neses estetikk*[1]. Już po kilku stronach skonstatowałem, że zarówno luzackość, jak i skłonność do wcinania się pozostały jego cechą rozpoznawczą, a z czasem dotarło do mnie, że dołączyły do nich nowe elementy. Aby

---

1 *Estetyka złamanego nosa.*

zbliżyć się do opisywanego środowiska, trzy lata trenował boks w pewnym sztokholmskim klubie. Tam wciąż podtrzymywano wartości, które społeczeństwo dobrobytu zniwelowało, takie jak męskość, honor, przemoc i ból, a mnie zainteresował jakże inny obraz społeczeństwa widzianego od tamtej strony, przy tamtym zestawie kultywowanych wartości. Wejście w ten świat i porzucenie wszystkiego, co miało się we własnym świecie, próba zobaczenia go takim, jaki był naprawdę, to znaczy na jego własnych warunkach, a następnie, po przyjęciu go za bazę, ponowne skierowanie wzroku na zewnątrz — to była sztuka. Wtedy wszystko wyglądało inaczej. W książce Geir powiązał to, co zobaczył i opisał, z klasyczną antyliberalną kulturą wysoką, linią biegnącą od Nietzschego i Jüngera do Mishimy i Ciorana. W tym świecie nic nie było na sprzedaż, niczego nie mierzyło się wartością pieniądza, i dopiero patrząc z tego punktu widzenia, odkryłem, do jakiego stopnia pewne rzeczy, które zawsze uważałem za dane z natury, stanowiące niemal część mnie, są właściwie czymś zupełnie odwrotnym, a więc względnym i przypadkowym. W tym rozumieniu książka Geira stała się dla mnie równie ważna jak *Statues* Michela Serresa, z której z niepokojącą wyrazistością wyłania się archaiczność, w jakiej jesteśmy i zawsze byliśmy zanurzeni; podobnie istotne były dla mnie kiedyś *Słowa i rzeczy* Michela Foucaulta — ukazany jest tam jasno wpływ współczesności i współczesnego języka na nasze wyobrażenia i nasze pojmowanie rzeczywistości, wyraźnie widać, jak jeden świat pojęciowy, w którym wszyscy żyją w pełni, zostaje zastąpiony przez drugi. Wspólne dla wszystkich tych książek było ustawienie się w pewnym miejscu odległym w czasie, poza współczesnością albo na jej marginesie, tak jak w przypadku klubu bokserskiego, stanowiącego coś w rodzaju enklawy, gdzie pewne wartości, które jeszcze niedawno były najważniejsze, wciąż pozostawały żywe; z takiego punktu widzenia to, czym byliśmy lub za co się uważaliśmy, ulegało całkowitej zmianie. Prawdopodobnie w duchu poruszałem się ku temu punktowi już wcześniej, po omacku, w zasadzie w sposób niewidzialny dla myśli, a potem w moim życiu znalazły się te książki, podsunięte mi niemal pod nos, i objawiło się przede mną coś nowego. Tak jak zawsze w wypadku książek, które stanowią punkt zwrotny — nazwały słowami to, co wcześniej pozostawało dla mnie w sferze domysłów, przeczuć i wrażeń. Czułem jedynie stłumiony dyskomfort, stłumione niezadowolenie, stłumiony, nieuzasadniony gniew, ale brakowało mi kierunku, jasności, konsekwencji. Zapewne książka Geira stała się dla mnie taka ważna również dlatego, że łączyła nas podobna przeszłość — byliśmy dokładnie w tym samym wieku, znaliśmy tych samych ludzi z tych samych miejsc, obaj poświęciliśmy dorosłe życie na czytanie, pisanie i studiowanie — więc jak to możliwe, że Geir trafił w tak diametralnie inne miejsce? Od podstawówki zachęcano mnie, podobnie jak wszystkich, do samodzielnego krytycznego myślenia. To, że owo krytyczne myślenie jest dobrem tylko do pewnego momentu, a dalej się odwraca, staje swoim przeciwieństwem i zmienia w zło, uświadomiłem sobie dopiero dobrze po trzydziestce. Można zadać pytanie: dlaczego tak późno? Częściowo przyczyną była nieodstępująca mnie na krok towarzyszka, naiwność, która w swojej wieśniackiej prostocie potrafiła wprawdzie zasiać wątpliwości co do sensu różnych rzeczy, lecz nigdy co do uwarunkowań tego sensu, dlatego nigdy nie pytała, czy to, co „krytyczne", naprawdę jest krytyczne, to, co

„radykalne” — naprawdę radykalne, a to, co „dobre” — naprawdę dobre, tak jak postępują wszyscy rozsądni ludzie, gdy tylko wydobędą się spod jarzma wchłoniętych i nabrzmiałych emocjami młodzieńczych poglądów. Po części wynikało to również z faktu, że podobnie jak wiele osób z mojego pokolenia, nauczono mnie myślenia abstrakcyjnego, to znaczy przyswajania sobie wiedzy o rozmaitych kierunkach myślenia w różnych dziedzinach i przedstawiania ich mniej lub bardziej krytycznie, często w porównaniu z innymi kierunkami myślenia, a następnie byłem za to oceniany; niekiedy oceniano również moją własną znajomość rzeczy, żądzę wiedzy, ale myśli wcale nie porzucały przez to abstrakcji, i w końcu myślenie stawało się aktywnością rozgrywającą się całkowicie wśród zjawisk wtórnych, świat był taki, jakim przedstawiały go filozofia, literatura, wiedza o społeczeństwie, polityka, natomiast świat, który zamieszkiwałem — ten, w którym spałem, jadłem, mówiłem, kochałem, biegałem, ten, który pachniał, smakował, brzmiał, w którym padał deszcz i wiał wiatr, świat, który można było poczuć na skórze — pozostawał na zewnątrz, nie stanowił przedmiotu myślenia. Oczywiście, w tym świecie również myślałem, ale w inny sposób, bardziej praktyczny, nakierowany na konkretne zjawiska i powodowany innymi motywami: w rzeczywistości abstrakcyjnej myślałem po to, by ją zrozumieć, w rzeczywistości konkretnej — żeby sobie z nią radzić. W rzeczywistości abstrakcyjnej mogłem stworzyć jakiegoś siebie z poglądów i opinii, w konkretnej — byłem tym, kim byłem, ciałem, spojrzeniem, głosem. To z niej wywodzi się wszelka samodzielność. Również samodzielna myśl. Książka Geira nie tylko o tym mówiła, ale również rozgrywała się w konkretnej rzeczywistości. Opisywał wyłącznie to, co widział na własne oczy i co słyszał na własne uszy, a próba zrozumienia tego, co zobaczył i usłyszał, polegała na staniu się tego częścią. Owa forma refleksji była również najbliższa życiu, które opisywał. Boksera oceniano nie na podstawie jego słów czy poglądów, ale na podstawie działania.

Mizologia, nieufność do słów, jaką wyznawał Pyrron, pyrromania — czy do tego powinien dążyć pisarz? Wszystkiemu, co da się wyrazić słowami, można również słowami zaprzeczyć, więc na co nam opracowania, powieści, literatura? Albo ujmując to w inny sposób: to, co się mówi jako prawdę, zawsze można uznać za nieprawdę. To punkt zerowy, miejsce, od którego wartość zerowa się rozszerza. Ale nie jest to martwy punkt, również dla literatury, bo literatura to nie tylko słowa, lecz także odczucia, jakie słowa budzą w czytelniku. O wartości literatury decyduje przekroczenie właśnie tej granicy, nie zaś, wbrew opinii wielu osób, przekraczanie granic formalnych samych w sobie. Kryptyczny, tajemniczy język Paula Celana nie ma nic wspólnego z niedostępnością czy hermetycznością, przeciwnie, otwiera to, do czego język zwykle nie ma dostępu, lecz co mimo wszystko gdzieś w głębi czujemy lub rozpoznajemy, a jeśli tak nie jest — odkrywamy. Słowom Paula Celana nie da się zaprzeczyć słowami. Tego, co niosą, nie da się również przełożyć i zamienić na nic innego, to coś istnieje tylko w owych słowach i w każdej z osób, które je w siebie przyjmują.

Dlatego właśnie malarstwo, a częściowo również fotografia stały się dla mnie takie ważne. W nich nie ma żadnych słów, żadnych pojęć, i gdy na nie patrzyłem, moje przeżycia, przez które obrazy nabierały takiego znaczenia, również nie zawierały pojęć. Było w tym coś głupiego, jakiś obszar kompletnie pozbawiony inteligencji; bardzo się męczyłem, starając się go uznać, zaaprobować, lecz mimo wszystko był on chyba najistotniejszym elementem tego, czym chciałem się zajmować.

Pół roku po przeczytaniu książki Geira wysłałem do niego e-mail z pytaniem, czy chciałby napisać esej dla „Vaganta", w którego redakcji wtedy pracowałem. Chciał, więc trochę ze sobą pokorespondowaliśmy, cały czas formalnie i rzeczowo. Rok później, kiedy z dnia na dzień opuściłem Tonje i życie w Bergen, wysłałem do niego wiadomość z pytaniem, czy zna w Sztokholmie jakieś miejsce, w którym mógłbym zamieszkać. Nie znał, ale na czas poszukiwań zaprosił mnie do siebie. Bardzo chętnie, napisałem. Świetnie, odpisał, kiedy przyjeżdżasz? Jutro, napisałem. Jutro? — odpisał.

Kilka godzin później, po podróży nocnym pociągiem z Bergen do Oslo i przedpołudniowym z Oslo do Sztokholmu, ciągnąc za sobą walizki, zszedłem z peronu w korytarze pod dworcem sztokholmskim w poszukiwaniu skrytki na bagaż dostatecznie dużej, żeby obie się w niej zmieściły. Przez całą podróż czytałem, aby uniknąć myślenia o wydarzeniach ostatnich dni, które spowodowały mój wyjazd, ale teraz, wśród rojowiska ludzi zmierzających do pociągów podmiejskich i wysypujących się z nich, nie byłem w stanie dłużej tłumić niepokoju. Zmrożony do głębi duszy, szedłem korytarzem. Umieściwszy walizki w osobnych skrytkach i schowawszy dwa kluczyki do kieszeni, w której zwykle nosiłem klucze od domu, poszedłem do toalety i opłukałem twarz zimną wodą, żeby trochę oprzytomnieć. Przez kilka sekund przyglądałem się sobie w lustrze. Twarz miałem bladą i lekko napuchniętą, włosy rozczochrane, a oczy… Tak, oczy… Gapiły się, ale nie były aktywne, nie kierowały się na zewnątrz, niczego nie szukały, raczej to, co widziały, wpadało w nie, jakby wszystko w siebie wchłaniały.

Od kiedy miałem takie spojrzenie?

Odkręciłem gorącą wodę i przez chwilę trzymałem dłonie pod strumieniem, aż zaczęło przenikać w nie ciepło, potem urwałem kawałek papieru z pojemnika, wytarłem ręce, a papier wrzuciłem do kosza przy umywalce. Ważyłem sto jeden kilogramów i nie miałem nadziei na nic. Ale znalazłem się tutaj, a to już coś, pomyślałem, wyszedłem po schodach do głównej hali i stanąłem na środku, ze wszystkich stron otoczony ludźmi, próbując ułożyć jakiś plan. Było parę minut po drugiej. O piątej miałem się tu spotkać z Geirem. Zostały mi więc do zabicia trzy godziny, musiałem coś zjeść, potrzebny mi był szalik. No i powinienem pozbyć się włosów.

Wyszedłem z dworca i znów się zatrzymałem, tym razem na placu koło taksówek. Niebo było szare i zimne, powietrze wilgotne. Na prawo znajdowała się plątanina dróg i betonowych wiaduktów, za nimi woda, a jeszcze dalej stał szereg monumentalnych budynków. Z lewej strony biegła szeroka jezdnia, na której panował duży ruch, przede mną była ulica, kawałek dalej skręcająca w lewo wzdłuż brudnego muru, dalej stał kościół.

Którą drogę miałem wybrać?

Postawiłem nogę na ławce, skręciłem papierosa, zapaliłem go i ruszyłem w lewo. Po jakichś stu metrach przystanąłem. Nie wyglądało to obiecująco, wszystko tu zbudowano z myślą o szybko przejeżdżających samochodach, więc zawróciłem i zacząłem iść na wprost, do szerokiej, wyglądającej jak aleja ulicy, z ogromnym centrum handlowym po drugiej stronie. Dalej znajdowało się coś w rodzaju rynku, nieco jakby zapadniętego w ziemię, a po jego prawej stronie wznosił się duży, przeszklony budynek. Dom Kultury, informowały czerwone litery, tam więc się skierowałem, ruchomymi schodami wjechałem na piętro, gdzie, jak się okazało, była kawiarnia. Kupiłem bagietkę z klopsikami i sałatką z czerwonej kapusty i usiadłem przy oknie, skąd miałem widok na plac oraz ulicę przy centrum handlowym.

To tu miałem zamieszkać? Tutaj się przeniosłem?

Wczoraj przed południem byłem w domu, w Bergen.

Wczoraj to było wczoraj.

Tonje odprowadziła mnie do pociągu. Sztuczne światło na peronie, pasażerowie koło wagonu już nastawieni na noc, rozmawiający przyciszonymi głosami, kółka walizek turkoczące po asfalcie. Tonje płakała. Ja nie, tylko ją objąłem, starłem jej łzy z policzka, uśmiechnęła się, wsiadłem do pociągu, myślałem, że nie będę patrzeć, jak odchodzi, nie będę patrzeć na jej plecy, ale nie mogłem się powstrzymać, wyjrzałem przez okno i zobaczyłem, jak idzie po peronie i znika w wyjściu.

Czy Tonje miała tam zostać?

W naszym domu?

Ugryzłem kawałek bagietki i spojrzałem na plac w czarno-białą szachownicę, żeby skupić myśli na czymś innym. Wzdłuż szeregu sklepów po drugiej stronie było aż czarno od ludzi. Kręcili się wokół wejścia na stację metra, do tunelu, do galerii, jeździli w górę i w dół ruchomymi schodami. Parasole, płaszcze, kurtki, torebki, torby z zakupami, plecaki, czapki, wózki dziecięce. Nad nimi samochody i autobusy.

Zegar na fasadzie centrum handlowego wskazywał za dziesięć minut trzecią. Uznałem, że najlepiej chyba byłoby ostrzyc się teraz, żebym nie musiał się później spieszyć. Zjeżdżając ruchomymi schodami, wyjąłem komórkę i przejrzałem wpisane w nią nazwiska, ale do nikogo nie miałem ochoty teraz dzwonić, za dużo trzeba by wyjaśniać, za dużo trzeba by mówić, za mało dostać w zamian, więc kiedy znów wyszedłem w przeraźliwie smutne marcowe popołudnie na powietrze, w którym wirowały rzadkie, ale ciężkie płatki śniegu, wyłączyłem telefon i schowałem go z powrotem do kieszeni; ruszyłem w górę Drottninggatan, wypatrując salonu fryzjerskiego. Obok centrum handlowego jakiś facet grał na organkach. A właściwie nie grał, tylko w nie dmuchał z całej siły, gwałtownie poruszając górną połową ciała w przód i w tył. Włosy miał długie, twarz udręczoną. Silna agresja, która od niego biła, spłynęła na mnie. Kiedy go mijałem, strach pulsował mi w żyłach. Kawałek dalej, przy wejściu do sklepu obuwniczego, młoda kobieta nachyliła się nad wózkiem i wyjęła z niego dziecko. Leżało w czymś w rodzaju podbitego futrem worka, na głowie miało czapkę na futrze i wpatrywało się przed siebie, jakby całkowicie obojętne na to, co się z nim działo. Kobieta przytuliła je jedną ręką, a drugą otworzyła drzwi sklepu. Płatki śniegu topniały w zetknięciu z ziemią. Na składanym krzesełku siedział jakiś mężczyzna, trzymając w rękach tablicę, na której było napisane, że pięćdziesiąt metrów dalej na lewo jest restauracja, gdzie za sto dziewięć koron serwują deskę befsztykową. Deska befsztykowa? A cóż to? — pomyślałem. Mijało mnie wiele podobnych do siebie kobiet — pięćdziesięciolatki w okularach, o zaokrąglonych ciałach, w płaszczach, w rękach miały torby z zakupami z logo sklepów Åhléns, Lindex, NK, Coop, Hemköp. Mężczyzn w tym wieku zauważyłem mniej, lecz również wielu z nich było do siebie podobnych, chociaż pod innym względem. Okulary, piaskowe włosy, wyblakłe oczy, zielonkawe albo szarawe kurtki o lekko sportowym kroju, częściej chudzi niż grubi. Zatęskniłem za tym, żeby zostać sam, ale nie miałem takiej możliwości, więc szedłem dalej. Chociaż wszystkie twarze, które widziałem, były obce i miały takie pozostać jeszcze przez tygodnie i miesiące, bo przecież nie znałem w tym mieście żywej duszy, i tak miałem poczucie, że jestem pod obserwacją. Nawet kiedy mieszkałem na maleńkiej wysepce daleko na morzu, gdzie oprócz mnie znajdowały się jeszcze tylko trzy osoby, czułem się obserwowany. Czyżby coś nie tak z płaszczem? Może kołnierz nie powinien być podniesiony? A buty? Wyglądają tak, jak powinny? A może jakoś dziwnie idę? Za bardzo się garbię? Ach, byłem idiotą, prawdziwym idiotą! Palił się we mnie płomień głupoty. Jakiż ze mnie idiota! Cholernie durny idiotyczny kretyn. Moje usta — bezkształtne, moje myśli — bezkształtne, moje uczucia — bezkształtne. Wszystko się rozmyło. Nie miałem w sobie nic stałego. Nic twardego, nic koniecznego. Sama miękkość, rozlazłość i głupota. Cholera. Niech to szlag. Niech to szlag trafi, jaki ze mnie głupiec. Nie mogłem znaleźć spokoju w kawiarni, w jednej chwili potrafiłem wchłonąć w siebie wszystkich obecnych tam ludzi i dalej ich wchłaniałem, każde cudze spojrzenie docierało do mojej najgłębszej głębi, grzebało w moim wnętrzu, a każdy mój ruch, nawet jeśli chodziło tylko o przerzucanie stron w książce, przenosił się na nich jako oznaka mojej głupoty, każde moje poruszenie mówiło: tu siedzi idiota. Lepiej więc było iść, bo w ten sposób pozbywałem się kolejnych spojrzeń; co prawda zaraz zastępowały je nowe, ale nie miały czasu, by zatrzymać się na dłużej, po prostu przelatywały. Tam idzie idiota, tam idzie idiota, tam idzie idiota. Taką piosenkę śpiewałem, maszerując. Wiedziałem, że owo przekonanie jest nierozsądne, że nie ma żadnego odzwierciedlenia, ale to w niczym nie pomagało, bo obcy docierali do mojego wnętrza i grzebali w nim, nawet ta najbardziej odstająca od nich wszystkich, ta najbrzydsza, najgrubsza, najbardziej zaniedbana, nawet ta z rozdziawioną gębą i pustymi głupimi oczami, nawet ona widziała, że nie jestem taki, jaki powinienem być. Nawet ona. Tak było. Szedłem przez tłum ludzi pod ciemniejącym niebem, wśród lecących z góry płatków śniegu, mijając rozświetlone wnętrza kolejnych sklepów, sam w nowym mieście, nie zastanawiając się, jak tu będzie, bo to nie miało znaczenia, naprawdę nie miało znaczenia, myślałem jedynie o tym, że muszę przez to przejść. „To" oznaczało życie. Właśnie tym się zajmowałem, przechodzeniem przez życie.

W pasażu tuż przy dużym centrum handlowym znalazłem salon fryzjerski, do którego można było wejść z ulicy, bez uprzedniej rezerwacji, nie zauważyłem go wcześniej, gdy przechodziłem obok po raz pierwszy. Mogłem od razu usiąść na fotelu. Żadnego mycia, włosy zostały zwilżone wodą z rozpylacza. Fryzjer, imigrant, zgadywałem, że Kurd, spytał, jak sobie życzę, powiedziałem, że na krótko, dwoma palcami pokazałem, na jak krótko, spytał, co robię, powiedziałem, że jestem studentem, spytał, skąd jestem, powiedziałem, że z Norwegii, spytał, czy przyjechałem na ferie, powiedziałem, że tak, i na tym był koniec rozmowy. Pasma włosów spadały na podłogę wokół fotela. Były prawie czarne. Dziwne, bo kiedy przeglądałem się w lustrze, miałem jasne włosy. Zawsze tak było. Chociaż *wiedziałem*, że moje włosy są ciemne, to tego *nie widziałem*. Dostrzegałem jasne włosy, takie jakie były w dzieciństwie i w młodości. Widziałem je takimi nawet na zdjęciach.

Tylko przy strzyżeniu, kiedy można je było uznać za oderwane ode mnie, na przykład na tle białych płytek na podłodze, tak jak tutaj, widziałem, że są ciemne, prawie czarne.

Kiedy pół godziny później wyszedłem na ulicę, zimne powietrze otoczyło moją świeżo ostrzyżoną głowę jak kask. Dochodziła czwarta, niebo było niemal czarne. Wszedłem do sklepu H&M, który wypatrzyłem wcześniej, żeby kupić szalik. Dział męski mieścił się w podziemiach. Przez chwilę rozglądałem się za szalikami, a ponieważ ich nie znalazłem, podszedłem do lady i spytałem o nie sprzedawczynię.

— Co pan mówi?

— Gdzie są szaliki? — powtórzyłem.

— Nie rozumiem, co pan mówi. *I'm sorry. What did you say*?

— Szaliki. — Złapałem się za szyję. — Gdzie są?

— *I don't understand. Do you speak English*?

— *Scarves* — powiedziałem. — *Do you have any scarves*?

— *Oh, scarves. That's what we call halsduk*[1]. *No, I'm sorry. It's not the season for them anymore.*

Gdy znalazłem się z powrotem na ulicy, przez chwilę rozważałem, czy nie zajrzeć jeszcze do Åhlensa, jak nazywało się pobliskie duże centrum handlowe, żeby tam poszukać szalika, ale zrezygnowałem, uznałem, że dość już idiotyzmów jak na jeden dzień, i ruszyłem ulicą z powrotem w stronę pensjonatu, w którym nocowałem dwa lata wcześniej; nie kierował mną żaden inny powód poza tym, że lepiej iść, mając jakiś cel, niż bez celu. Po drodze zajrzałem do antykwariatu. Regały w środku były wysokie i ustawione tak gęsto, że nie można się

---

[1] Szalik po szwedzku to *halsduk*, norwesku *skjerf*.

było między nimi obrócić. Omiótłszy obojętnym spojrzeniem grzbiety książek, już miałem wyjść, gdy nagle w stosie na rogu lady dostrzegłem Hölderlina.

— Czy to jest na sprzedaż? — spytałem ekspedienta, mężczyznę w moim wieku, który przyglądał mi się od dłuższej chwili.

— Oczywiście — odparł bez mrugnięcia okiem.

Książka nosiła tytuł *Sånger*[1]. Czy możliwe, że to tłumaczenie *Die vaterländische Gesänge*?

Zajrzałem na stronę ze stopką. Rok wydania 2002. A więc całkiem nowa. Ale nie było tam tytułu oryginału, więc przeleciałem wzrokiem posłowie, zatrzymując się przy każdym wyrazie wydrukowanym kursywą. I rzeczywiście, znalazłem: *Die vaterländische Gesänge*. Śpiewy ojczyźniane. Ale dlaczego, na miłość boską, przetłumaczyli tytuł jako *Sånger*?

Wszystko jedno.

— Wezmę ją — oświadczyłem. — Ile się należy?

— Słucham?

— Ile kosztuje?

— Proszę mi ją na chwilę dać, zaraz sobie przypomnę… Sto pięćdziesiąt koron.

Zapłaciłem, sprzedawca włożył książkę do torebki i podał mi ją razem z paragonem, który schowałem do tylnej kieszeni, a potem otworzyłem drzwi i wyszedłem z torebką dyndającą w ręku. Padał deszcz. Zatrzymałem się, zdjąłem plecak, schowałem do niego torebkę z książką, zarzuciłem plecak na ramię i ruszyłem dalej rozmigotaną ulicą handlową, na której padający od godziny śnieg nie pozostawił żadnych śladów oprócz szarej, błotnistej warstwy na wszystkich powierzchniach znajdujących się ponad poziomem

---

[1] *Sånger* (szw.) — pieśni.

ziemi — na daszkach, parapetach, głowach posągów, podłogach balkonów, na markizach, których płótno przy zewnętrznej ramie lekko się wybrzuszało, na krawędziach muru, pokrywach śmietników, studniach. Ale nie na ulicy. Czarna, mokra jezdnia lśniła w świetle padającym z okien i z ulicznych latarni.

Pod wpływem deszczu wosk, który fryzjer wtarł mi we włosy, zaczął spływać na czoło. Usunąłem go ręką, palce wytarłem w nogawkę spodni. Z prawej strony zauważyłem niedużą bramę — wszedłem do niej, żeby zapalić. Za bramą ciągnął się w głąb ogród ze stolikami co najmniej dwóch restauracji. Na środku znajdował się nieduży basen. Na ścianie przy drzwiach wejściowych — nazwa szwedzkiego związku pisarzy. To był dobry znak. Stowarzyszenie pisarzy było jednym z miejsc, do których zamierzałem zadzwonić, żeby spytać o jakieś mieszkanie.

Zapaliłem papierosa, wyciągnąłem kupioną przed chwilą książkę i oparty plecami o ścianę, zacząłem ją bez przekonania przeglądać.

Nazwisko Hölderlina było mi od dawna znajome. Nie żebym czytał go systematycznie, przeciwnie, parę przypadkowych wierszy w zbiorze poezji Olava Haugego w jego przekładzie, no i trochę się orientowałem, chociaż powierzchownie, jaki los przypadł mu w udziale — lata szaleństwa w wieży w Tybindze — lecz mimo to jego nazwisko towarzyszyło mi od dawna, mniej więcej od szesnastego roku życia, kiedy mój wuj Kjartan, brat mamy, młodszy od niej o dziesięć lat, zaczął o nim mówić. Jako jedyny z rodzeństwa mieszkał w rodzinnym domu, niewielkiej zagrodzie w Sørbøvåg w regionie Ytre Sogn, razem ze swoimi rodzicami: z moim dziadkiem, który w tym czasie dobiegał osiemdziesiątki, lecz wciąż był pełnym życia i w pełni sprawnym człowiekiem, i z babcią w późnym stadium choroby Parkinsona, której w związku z tym trzeba było pomagać niemal we wszystkim. Oprócz tego, że prowadził małe gospodarstwo, wprawdzie zaledwie dwuhektarowe, ale wymagające czasu i sił, a także praktycznie przez całą dobę opiekował się matką, pracował również jako hydraulik na statkach w stoczni odległej o kilkadziesiąt kilometrów. Był takim wrażliwym człowiekiem, jakich rzadko się spotyka, kruchym jak najdelikatniejsza roślina, kompletnie pozbawionym skłonności do zajmowania się praktycznymi stronami życia, w ogóle nimi nie zainteresowany, więc do wszystkiego, co robił, co stanowiło jego codzienność, po prostu się zmuszał. Dzień za dniem, miesiąc za miesiącem, rok za rokiem. Czysta, twarda wola. Działo się tak niekoniecznie dlatego, że nigdy nie zdołał zerwać z otoczeniem, w którym się urodził, chociaż pewnie można by pomyśleć, iż po prostu wolał zostać w środowisku, które znał, ale sądzę, że było to raczej konsekwencją jego wrażliwej natury. Ku czemu bowiem mógł się zwrócić młody człowiek ze skłonnością do szukania ideałów w połowie lat siedemdziesiątych dwudziestego wieku? Gdyby jego młodość przypadła na lata dwudzieste, tak jak jego ojca, być może odnalazłby się wśród witalistycznych, rozmiłowanych w naturze romantycznych prądów, przenikających wtedy kulturę, a przynajmniej jej przedstawicieli piszących w nynorsku, takich jak Olav Nygard, Olav Duun, Kristofer Uppdal i Olav Aukrust; później Olav Hauge miał owe prądy przenieść w nasze czasy. Gdyby Kjartan był młody w latach pięćdziesiątych, może przyswoiłby sobie poglądy i teorie radykalizmu kulturowego, chyba że jego przeciwieństwo, powoli zamierające siły kulturalno-konserwatywne, pochwyciłoby go jako pierwsze. Ale jego młodość nie przypadła ani na lata dwudzieste, ani na lata pięćdziesiąte, tylko na początek lat siedemdziesiątych, więc wstąpił do partii komunistycznej AKP (m-l)[1] i postanowił dobrowolnie się sproletaryzować, jak się to wtedy nazywało. Zajął się układaniem rur na statkach, ponieważ wierzył w lepszy świat. Wykonywał tę pracę nie przez kilka miesięcy czy kilka lat, jak większość wyznających podobne poglądy, lecz blisko dwa dziesięciolecia. Gdy czasy się zmieniły, jako jeden z bardzo niewielu nie porzucił ideałów, ale dalej się ich trzymał, chociaż ponosił coraz wyższe koszty, zarówno społeczne, jak i prywatne. Bycie komunistą na wsi to coś zupełnie innego niż bycie komunistą w mieście. W mieście człowiek nie był w tym aż tak osamotniony, istnieli inni podobnie myślący, była jakaś wspólnota, a jednocześnie poglądy nie przejawiały się we wszystkich kontekstach. Na wsi pozostawał „tym komunistą", to była jego tożsamość, jego życie. Bycie komunistą na początku lat siedemdziesiątych, kiedy komunistów unosiła fala, również było czymś innym niż bycie komunistą w latach osiemdziesiątych, kiedy wszystkie szczury już dawno zdążyły opuścić statek. Samotny komunista to swego rodzaju paradoks, ale właśnie tak było z Kjartanem. Pamiętam, jak podczas naszych letnich wizyt u dziadków mój ojciec z nim dyskutował, te podniesione głosy dobiegające z pokoju na dole, kiedy ja i mój brat byliśmy już w łóżkach, i chociaż nie potrafiłem tego wyartykułować, ani nawet ująć w myślach, wyczuwałem, że istnieje między nimi różnica i że jest ona zasadnicza.

---

1 Arbeidernes Kommunistparti (marxist-leninistene) — norweska partia komunistyczna o charakterze maoistowskim, założona w roku 1973, w roku 2007 weszła w skład nowo utworzonej partii Rødt (Czerwień).

Dla ojca dyskusja miała wyraźne granice, chodziło mu o oświecenie Kjartana, przekonanie go, że popełnia błąd, dla mojego wujka zaś stawała się kwestią życia i śmierci, wszystkim albo niczym. Stąd właśnie irytacja w głosie ojca i żarliwość w głosie Kjartana. Podczas tej dyskusji okazywało się również, przynajmniej tak to odbierałem, że mój ojciec trzyma się rzeczywistości, że to, co mówi i myśli, należy do tu i teraz, do nas, do naszych dni spędzanych w szkole i meczów piłki nożnej, naszych komiksów i wypraw na ryby, do naszego odgarniania śniegu i sobotniej leguminy, natomiast Kjartan należał do innego świata, mówił z jakiegoś innego miejsca. Naturalnie nie mógł przyznać, że to, w co wierzył i czemu tak naprawdę w pewnym sensie poświęcił życie, nie ma żadnego związku z rzeczywistością, jak twierdził za każdym razem mój ojciec i jak uważała większość ludzi, że rzeczywistość nie jest taka, jak mówił Kjartan, i nigdy taka nie będzie. To by robiło z niego marzyciela. A przecież właśnie nie był marzycielem! Przecież odnosił się właśnie do konkretnej, materialnej, fizycznej i bliskiej ziemi rzeczywistości! Sytuacja była paradoksalna. Co za ironia losu, że ten, kto bronił teorii wspólnoty i solidarności, stał się wyklęty i samotny. Ten, kto postrzegał świat idealistycznie i abstrakcyjnie, kto miał delikatniejszą duszę niż wszyscy, którzy go otaczali, to on nosił, dźwigał, walił i stukał, spawał i przykręcał, czołgał się i pełzał po kolejnych statkach, doił i karmił krowy, przerzucał gnój, a wiosną wynosił go na pole, kosił trawę i grabił siano, konserwował budynki i pielęgnował matkę, z każdym rokiem coraz bardziej potrzebującą pomocy. Stało się to jego życiem. To, że komunizm na początku lat osiemdziesiątych zaczął przebrzmiewać, a intensywne, toczące się dookoła dyskusje niezauważalnie przycichały i pewnego dnia umilkły zupełnie, zmieniało być może sens jego życia, ale nie treść. Działo się to co wcześniej, według tego samego, raz obranego kursu: wstać o świcie, wydoić i nakarmić krowy, pojechać autobusem do stoczni, pracować cały dzień, wrócić do domu i zająć się rodzicami, trochę pochodzić z matką po pokoju, jeśli mogła, albo pogimnastykować i pomasować jej nogi, pomóc skorzystać z toalety, może przyszykować jej ubranie na następny dzień, zrobić koło domu to co trzeba, na przykład zapędzić krowy pod dach i znów je wydoić, a potem iść do siebie, zjeść kolację i spać aż do następnego ranka, chyba że babcia poczuła się tak źle, że dziadek wzywał go w nocy. Takie było życie Kjartana, tak wyglądało z zewnątrz. Kiedy zaczął się jego komunistyczny okres, miałem zaledwie dwa lata, a kiedy minął, a przynajmniej minęła jego aktywna retorycznie część, właśnie skończyłem szkołę podstawową, więc wszystko to stanowiło jedynie mgliste tło obrazu Kjartana, jaki miałem, kiedy osiągnąłem wiek szesnastu lat i zaczęło mnie interesować, kim ludzie „są". Dla tego obrazu o wiele większe znaczenie miały pisane przez Kjartana wiersze. Nie dlatego, że interesowałem się poezją, ale dlatego, że to „mówiło" o nim dużo więcej. Przecież wierszy nie pisało się, jeśli się nie musiało, to znaczy jeśli nie było się poetą. Kjartan z nami o tym nie rozmawiał, ale też tego nie ukrywał, w każdym razie wiedzieliśmy o tym. Któregoś roku kilka jego wierszy ukazało się drukiem w „Dag og Tid", innym razem w „Klassekampen" — krótkie, proste obrazki z rzeczywistości robotnika przemysłowego, które mimo swojej skromności wzbudziły pewne uznanie w rodzinie z Hatløy, wysoko ceniącej słowo pisane. Kiedy następnie wiersz Kjartana zamieszczono na czwartej stronie okładki czasopisma literackiego „Vinduet", a obok malutkie zdjęcie autora, kilka lat później zaś jego wiersze zajęły dwie strony w środku numeru tego samego czasopisma, stał się w naszych oczach pełnokrwistym poetą. Właśnie w tym czasie zainteresował się filozofią. Siedział wieczorami w domu wysoko nad fiordem i starał się przebrnąć przez straszliwie zawiłą niemczyznę Heideggera w *Sein und Zeit*, prawdopodobnie słowo po słowie, bo z tego, co wiedziałem, nie czytał ani nie mówił po niemiecku od czasów szkolnych, oraz przez poetów, o których pisał Heidegger, zwłaszcza Hölderlina, przez przedsokratyków, do których się odnosił, i przez Nietzschego, Nietzschego! Lekturę Heideggera opisywał później jako powrót do domu. Nie jest przesadą stwierdzenie, że zajęło to wszystkie jego myśli. I było to doświadczenie o charakterze poniekąd religijnym. Przebudzenie, nawrócenie, stary świat wypełniły się nowym znaczeniem. W tym czasie mój ojciec opuścił rodzinę, więc Yngve, matka i ja zaczęliśmy spędzać święta u dziadków ze strony mamy, tam gdzie Kjartan, teraz trzydziestokilkuletni, wciąż mieszkał i pracował. Spędzone tam Wigilie, cztery czy pięć, są bez wątpienia najbardziej godne zapamiętania ze wszystkich, w których uczestniczyłem. Chora babcia siedziała skulona przy stole i cała się trzęsła. Drżały jej dłonie i ramiona, drżała głowa, drżały stopy. Czasami miała atak skurczów, trzeba ją było sadzać w fotelu, w którym niemal łamiąc jej nogi, siłą je prostowano, a potem rozmasowywano. Ale była przytomna, oczy miała bystre, widziała nas i cieszyła się z naszej obecności. Dziadek, mały, okrągły i szybki, opowiadał swoje historie, kiedy tylko mu pozwalano, a gdy się śmiał — a zawsze śmiał się ze swoich opowieści — to aż łzy płynęły mu z oczu. Ale na snucie opowieści pozwalano mu niezbyt często, bo był tam Kjartan, a Kjartan przez cały rok czytał Heideggera, wypełniał się Heideggerem, wśród męczącej, niekończącej się harówki studiował Heideggera, nie mając nikogo, z kim mógłby się tym podzielić, bo tam w promieniu dziesiątków kilometrów nikt nie słyszał o Heideggerze, nikt też nie chciał o nim słyszeć, chociaż wydawało mi się, że Kjartan próbował, musiał próbować, tak bardzo go to wypełniało, ale do niczego nie prowadziło, nikt nie rozumiał, nikt nie chciał rozumieć, był z tym zupełnie sam, i nagle zjawiliśmy się my: jego siostra Sissel, uczennica szkoły pielęgniarskiej, zainteresowana polityką i literaturą, zainteresowana filozofią, jej syn Yngve, który studiował na uniwersytecie, o czym Kjartan zawsze marzył, a w ostatnich latach coraz bardziej, i jej drugi syn, Karl Ove. Miałem siedemnaście lat, chodziłem do liceum i chociaż nie rozumiałem ani słowa z jego wierszy, wiedział, że czytam książki. To mu wystarczyło. Stanęliśmy w drzwiach, a w nim pękły tamy. Zaczęły wypływać z niego myśli, które uzbierały się przez ostatni rok. Nie miało znaczenia, że niewiele rozumieliśmy. Nie miało znaczenia, że była Wigilia, że na stole stały żeberka, ziemniaki, gotowana kalarepa, świąteczne piwo i akevitt, kminkówka; Kjartan mówił o Heideggerze z głębi duszy, bez żadnego połączenia ze światem zewnętrznym, liczyli się *Dasein* i *Das Mann*, Trakl i Hölderlin, wielki poeta Hölderlin, Heraklit i Sokrates, Nietzsche i Platon, liczyły się ptaki na drzewach i fale w fiordzie, byt człowieka i przejawy egzystencji, słońce na niebie i deszcz, ślepia kota i nurt wodospadu. Z rozczochranymi włosami, w przekrzywionej marynarce i poplamionym krawacie siedział i mówił, a oczy mu płonęły, naprawdę płonęły, zapamiętam to na zawsze, bo na dworze panowała całkowita ciemność, deszcz uderzał o szyby, była Wigilia w Norwegii w roku 1986, nasza Wigilia, pod choinką leżały prezenty, wszyscy siedzieli odświętnie ubrani, a mówiło się wyłącznie o Heideggerze. Babcia się trzęsła, dziadek ogryzał kość, mama słuchała z zainteresowaniem, Yngve przestał słuchać, ja siedziałem obojętny na wszystko, głównie ciesząc się, że są święta. Ale chociaż nie rozumiałem nic z tego, co mówił Kjartan, nic z tego, co pisał, i również nic z wierszy, które tak gorąco wychwalał, intuicyjnie wyczuwałem, że ma rację, że istnieją wyżyny filozofii, wyżyny twórczości, a jeśli człowiek ich nie rozumie, nie potrafi w nich uczestniczyć, to sam jest sobie winien. Gdy później myślałem o tym, co najwyższe, myślałem właśnie o Hölderlinie, a moje myśli o Hölderlinie zawsze były związane z górami i fiordem, z nocą i deszczem, z niebem, ziemią i z płonącymi oczami mojego wuja.

185 Chociaż od tamtej pory w moim życiu wiele się zmieniło, mój stosunek do wierszy pozostał zasadniczo taki sam. Mogłem je czytać, ale nigdy się przede mną nie otwierały, a to dlatego, że nie miałem do nich „prawa”: nie były dla mnie. Kiedy się do nich zbliżałem, czułem się jak swego rodzaju oszust i zawsze byłem przejrzany, te wiersze bowiem nieodmiennie mówiły również: za kogo ty się masz, skoro próbujesz tu wchodzić? Tak mówiły wiersze Osipa Mandelsztama, tak mówiły wiersze Ezry Pounda, tak mówiły wiersze Gottfrieda Benna, tak mówiły wiersze Johannesa Bobrowskiego. Trzeba zasłużyć na to, żeby je czytać.

Jak?

To było proste. Brało się książkę, czytało, i jeśli wiersze się otwierały, oznaczało to, że człowiek na nie zasługuje, a jeśli nie, to nie. Należałem do tych, przed którymi się nie otwierały, i dręczyło mnie to, zwłaszcza jako dwudziestolatka, kiedy wciąż jeszcze wypełniały mnie marzenia o tym, kim mogę być. Konsekwencje tego były bowiem poważne, o wiele poważniejsze niż wykluczenie mnie z jednego z gatunków literackich. To był na mnie wyrok. Wiersze zaglądały w inną rzeczywistość, czy może raczej postrzegały rzeczywistość w inny sposób, prawdziwiej, a tej zdolności postrzegania nie można się było nauczyć, miało się do niej dostęp lub się go nie miało; brak tej zdolności wiązał się dla mnie z zakazem wstępu na wyżyny, czynił ze mnie człowieka niskiego. Ta świadomość wywoływała wielki ból. Istnieją zaledwie trzy sposoby odnoszenia się do tej bolesnej prawdy. Pierwszy to przyznanie się do niej przed samym sobą i jej zaakceptowanie: jestem zupełnie zwyczajnym człowiekiem, który ma przeżyć zupełnie zwyczajne życie i znaleźć sens tam, gdzie jest, a nie gdzie indziej. W praktyce zresztą właśnie tak to wyglądało. Lubiłem oglądać mecze piłki nożnej, sam też kopałem, gdy miałem okazję, lubiłem muzykę pop i dwa razy w tygodniu grałem w zespole na perkusji, chodziłem na cykle wykładów na uniwersytecie, wieczorami trochę włóczyłem się po mieście albo leżałem w domu na kanapie i oglądałem z dziewczyną telewizję. Drugi sposób to całkowicie owej prawdzie zaprzeczyć, tłumaczyć sobie, że ta zdolność tkwi głęboko w człowieku, że po prostu jeszcze się nie ujawniła, i żyć w świecie literatury — może w roli krytyka, może wykładowcy uniwersyteckiego, może pisarza — bo unoszenie się na powierzchni tego świata jest całkiem możliwe, nawet jeśli literatura nigdy się przed człowiekiem nie otwiera. Da się, na przykład, napisać pracę naukową o Hölderlinie, z omówieniem jego wierszy, ich treści i sposobu, w jaki owa treść przejawia się w składni, w doborze słów, użyciu metafor. Da się pisać o stosunku między tradycją grecką a chrześcijańską, o roli krajobrazu i pogody w tych wierszach, o tym, jak odnoszą się one do realnej rzeczywistości polityczno-historycznej, w której powstały, z uwzględnieniem zwłaszcza elementów biograficznych, na przykład wychowania w niemieckim protestantyzmie, albo o ogromnym wpływie, jaki wywarła na poetę rewolucja francuska. Można pisać o stosunku do innych niemieckich idealistów, Goethego, Schillera, Hegla, Novalisa albo do Pindara w późnych wierszach. Można pisać o jego nieortodoksyjnych tłumaczeniach Sofoklesa bądź odczytywać wiersze i porównywać je z tym, co pisze o poezji w swoich listach. Można również czytać wiersze Hölderlina i analizować, jak odbierał je Heidegger, lub posunąć się jeszcze o krok dalej i pisać o ścieraniu się wartości Heideggera i Adorna na podstawie ich stosunku do Hölderlina. Można pisać także o historii recepcji jego twórczości lub o historii przekładów. Wszystko to da się zrobić, mimo że wiersze Hölderlina nigdy się przed autorem owych prac nie otwierają. Podobne rzeczy można robić w odniesieniu do wszystkich poetów i oczywiście się je robi. Można również, jeżeli ktoś jest gotów do ciężkiej pracy, samemu pisać wiersze, nawet jeśli należy się do osób, przed którymi wiersze nigdy się nie otwierają; różnicę między wierszem a wierszem podobnym do wiersza i tak dostrzeże tylko poeta. Z owych dwóch metod ta pierwsza — akceptacja — jest lepsza, lecz również trudniejsza. Druga metoda, czyli zaprzeczenie, jest łatwiejsza, lecz także bardziej nieprzyjemna, ponieważ człowiek cały czas znajduje się blisko świadomości, że to, co robi, właściwie jest całkowicie pozbawione jakiejkolwiek wartości. A jeśli ktoś żyje literaturą, to właśnie wartości poszukuje. Dlatego najlepsza jest trzecia metoda, polegająca na odrzuceniu problemu. Nie istnieje nic wyższego, nie ma żadnej uprzywilejowanej wiedzy. Nic nie jest lepsze ani bardziej prawdziwe od czegoś innego. To, że wiersze nie otwierają się przede mną, nie musi koniecznie oznaczać, że stoję niżej od nich albo że to, co piszę, koniecznie musi mieć mniejszą wartość. I jedno, i drugie, zarówno wiersze, które się nie otwierają, jak i to, co piszę, jest w gruncie rzeczy tym samym, a mianowicie tekstem. Jeśli moje pisanie faktycznie ma być gorsze, a takie oczywiście jest, to nie w wyniku nienaprawialnego stanu, braku czegoś we mnie, tylko jako coś, co można zmienić ciężką pracą i gromadzonym doświadczeniem. Do pewnej granicy, oczywiście, pojęcia takie jak talent i jakość wciąż pozostają w mocy, niemożliwe, aby wszyscy pisali tak samo dobrze. Najważniejsze, że nie istnieje niepokonywalna otchłań między tymi, którzy to coś mają, a tymi, którzy tego nie mają, tymi, którzy widzą, a tymi, którzy nie widzą. Istnieje tylko kwestia stopni w obrębie jednej i tej samej skali. To była wdzięczna myśl, dla której nietrudno znaleźć uzasadnienie, obowiązywała przecież we wszystkich środowiskach artystów, krytyków i akademików od połowy lat sześćdziesiątych aż do chwili obecnej. Te moje wyobrażenia stanowiły tak integralną część mnie, że nie zdawałem sobie nawet sprawy, iż są tylko wyobrażeniami, a zatem nigdy się o nich nie wypowiadałem, lecz jedynie je czułem, przez to jednak nie sterowały mną wcale z mniejszą siłą, to był przecież romantyzm w najczystszej formie, a więc coś przestarzałego. Nieliczni, którzy serio parali się romantyzmem, interesowali się tymi jego stronami, które pasują do świata wyobrażeń naszych czasów, czyli fragmentarycznością albo ironicznością. Dla mnie jednak liczył się nie romantyzm — jeśli czułem pociąg do jakiejś epoki, to był nią barok, z jego przestrzennością, ogromem, oszałamiającymi wyżynami i głębiami, z jego wyobrażeniami życia i udawania, lustra i ciała, światła i ciemności, sztuki i nauki — tylko towarzyszące mi uczucie pozostawania na zewnątrz tego, co istotne, co najważniejsze, tego czym w gruncie rzeczy jest istnienie. Czy to odczucie wywodziło się z romantyzmu, czy nie, nie miało żadnego znaczenia. By stłumić wywołany przez nie ból, usiłowałem się bronić na wszystkie trzy wymienione sposoby i przez długi czas w nie wierzyłem, szczególnie w ten ostatni. Przekonywałem się, że moje wyobrażenie sztuki jako miejsca, gdzie płonie ogień prawdy i piękna, ostatniego miejsca, w którym życie może ukazać swoją prawdziwą twarz, jest chore. Ale od czasu do czasu i tak się przedzierało. Nie jako myśl, bo myśl łatwo zbić argumentami, tylko jako uczucie. Całym sobą wiedziałem wówczas, że to kłamstwo, że sam siebie oszukuję.

Tak było również wtedy, gdy stałem w bramie przed wejściem do siedziby szwedzkiego stowarzyszenia pisarzy w Sztokholmie w tamto marcowe popołudnie 2002 roku i przeglądałem ostatnie wielkie hymny Hölderlina w przekładzie Fioretosa.

O, ja nędzny.

Za bramą przelewał się strumień ludzi. Światło latarni zawieszonych na drutach nad ulicą odbijało się w puchówkach i w plastikowych torbach, w asfalcie i w metalu. Lekki szmer kroków i głosów wypełniał przestrzeń między rzędami domów. Na parapecie na piętrze siedziały nieruchomo dwa gołębie. Na końcu szyny markizy wystającej ze ściany budynku, przy którym stałem, woda zbierała się w grube krople; w regularnych odstępach czasu odrywały się i spadały na ziemię. Książkę już wcześniej schowałem do plecaka, a teraz wyjąłem z kieszeni kurtki komórkę, żeby sprawdzić, która godzina. Wyświetlacz był ciemny, więc go włączyłem, ruszając ulicą. Przyszedł SMS. Od Tonje.

„Dotarłeś na miejsce? Myślę o Tobie".

Te dwa zdania sprawiły, że nagle stała się obecna. Jej obraz, to, kim była dla mnie, na moment wypełniły mnie całego. Nie tylko jej twarz i sposób poruszania się, elementy przypominające się, kiedy myśli się o kimś znajomym, ale wszystko, czym potrafiła być jej twarz, wszystko, co niedefiniowalne, a mimo to niesłychanie wyraźne, widoczne u człowieka dla tego, kto go kocha. Ale odpowiadać nie chciałem. W tym wyjeździe chodziło przecież o to, żeby od niej odejść, więc chociaż zalała mnie fala żalu za tym wszystkim, skasowałem SMS i kliknąłem kilka razy, by znów wyświetlić zegar.

Szesnasta dwadzieścia jeden.

Do spotkania z Geirem pozostawało nieco ponad pół godziny.

Chyba że umówiliśmy się o wpół do piątej?

Ale czy tak?

Cholera, tak! O wpół do piątej, nie o piątej.

Zawróciłem i ruszyłem biegiem. Minąwszy kilka kwartałów, zatrzymałem się, żeby złapać oddech. Mężczyzna na krzesełku, który trzymał szyld w kształcie strzały, spojrzał na mnie zamglonym wzrokiem. Uznałem to za znak i wszedłem w ulicę wskazaną przez strzałkę. Kiedy dotarłem do skrzyżowania na jej drugim końcu, rzeczywiście zobaczyłem przed sobą dworzec, bo na ścianie w głębi krótkiej uliczki po przeciwnej stronie dostrzegłem żółty napis „Arlanda Express". Była szesnasta dwadzieścia sześć. Żeby stawić się punktualnie, musiałem przebiec również ostatni kawałek przez ulicę do terminalu pociągów na lotnisko, wzdłuż peronu, minąć przedsionek, kioski i kawiarnie, ławki i skrytki na bagaż, do głównej hali, gdzie się zatrzymałem, tak zdyszany, że musiałem się nachylić i oprzeć rękami o kolana.

Umówiliśmy się, że się spotkamy na środku hali przy okrągłej balustradzie, przez którą można było zajrzeć piętro niżej. Kiedy się wyprostowałem, żeby zerknąć na zegar, było dokładnie wpół do piątej.

Tam.

Wybrałem mało oczywistą drogę do tego miejsca, wzdłuż szeregu kiosków, i ustawiłem się przy ścianie nieco dalej, aby zauważyć Geira, zanim on zobaczy mnie. Widziałem go ostatnio dwanaście lat wcześniej, a i wtedy spotkaliśmy się zaledwie cztery czy pięć razy w ciągu dwóch miesięcy, więc od chwili gdy odpowiedział na mój e-mail i napisał, że mogę się u nich zatrzymać, bałem się, że go nie rozpoznam. „Rozpoznanie" było zresztą nieodpowiednim pojęciem, bo w mojej głowie w ogóle nie pojawiał się jego obraz. Kiedy myślałem o Geirze, przed oczami miałem nie jego twarz, tylko litery imienia, czyli „Geir", pamiętałem też mgliście jego śmiech. Jedyny zachowany w mojej pamięci kadr z jego udziałem to ten z pubu Fekterloftet w Bergen. Geir się śmiał i mówił: „Ty przecież jesteś egzystencjalistą!". Dlaczego zapamiętałem akurat to, nie miałem pojęcia. Może dlatego, że nie wiedziałem, co to znaczy egzystencjalista, i pochlebiło mi, że moje poglądy pasują do znanego kierunku filozoficznego?

Wciąż nie wiedziałem, kim jest egzystencjalista. Znałem pojęcie, kilka nazwisk i czas, ale co dokładnie znaczy to słowo, nie potrafiłbym powiedzieć.

Król bylejakości to właśnie ja.

Zdjąłem plecak i postawiłem go na podłodze między stopami, lekko poruszyłem ramionami w przód i w tył, jednocześnie przyglądając się osobom stojącym przy balustradzie. Gdyby pojawił się ktoś, kogo wygląd odpowiadałby choćby niewielkiej ilości informacji, jaką posiadałem, zamierzałem do niego podejść z nadzieją, że mnie rozpozna. W najgorszym razie spytać: ty jesteś Geir?

Spojrzałem na zegar na końcu hali. Pięć po wpół.

Czyżby jednak piąta?

Z jakiegoś powodu byłem przekonany, że Geir jest punktualny, w takim razie musieliśmy umówić się o piątej. W przedniej części hali zauważyłem wcześniej kawiarenkę internetową i odczekawszy kilka minut, poszedłem tam, żeby to potwierdzić. Czułem również potrzebę powtórnego przeczytania e-maili od niego, wsłuchania się w ich ton, bo może dzięki temu podczas czekającego mnie spotkania czułbym się trochę mniej obco.

Problemy językowe, z jakimi się dotychczas zetknąłem, sprawiły, że dziewczynie stojącej za ladą rzuciłem tylko: „Internet?”. Kiwnęła głową i wskazała jeden z komputerów. Usiadłem przed nim i otworzyłem swoją skrzynkę pocztową, w której pojawiło się pięć nowych wiadomości, zerknąłem na nie. Wszystkie były z redakcji „Vaganta”. Mimo że od mojego wyjazdu z Bergen minęła zaledwie doba, już miałem wrażenie, że widoczna na ekranie dyskusja między Prebenem, Eirikiem, Finnem i Jørgenem toczy się w zupełnie innym świecie, do którego przestałem należeć. Jakbym przekroczył jakąś linię, jakbym naprawdę *nie mógł już wrócić*.

Powiedziałem sobie, że przecież byłem tam wczoraj. I że jeszcze nie zdecydowałem, jak długo tu zostanę. Jeśli zechcę, już za tydzień mogę wsiąść do powrotnego pociągu. Albo nawet jutro.

Nie czułem jednak, że tak się może stać. Miałem wrażenie, że już nigdy nie będę mógł wrócić.

Odwróciłem głowę i spojrzałem w stronę Burger Kinga. Na najbliższym stoliku leżał przewrócony kubek z colą. Czarny płyn rozlał się w kształt owalu, z krawędzi wciąż kapało na podłogę. Stolik dalej siedział mężczyzna ze ściśniętymi kolanami i jadł jakby za karę: przez chwilę jego dłoń poruszała się szybko między pudełkiem z frytkami, pojemniczkiem z ketchupem i żującymi ustami, po czym przełknął, obiema rękami chwycił hamburgera, podniósł go i ugryzł wielki kęs. Żując, trzymał hamburgera w pogotowiu, w odległości kilku centymetrów od ust, potem znów go ugryzł, otarł wargi ręką, a drugą sięgnął po kubek z napojem, jednocześnie zerkając na trzy czarnowłose nastolatki, zajęte rozmową przy sąsiednim stoliku. Spojrzenie jednej z nich zderzyło się z moim, przeniosłem wzrok najpierw na wejście do hali, w którym właśnie pojawiły się dwie stewardesy w mundurach — obie ciągnęły za sobą walizki na kółkach — a potem znów na monitor, wciąż mając w uszach ostre, ale szybko cichnące postukiwanie obcasów.

A gdybym tak nigdy nie wrócił? Przecież właśnie za tym tęskniłem. Żeby być tutaj, sam w obcym mieście. Żadnych zobowiązań, żadnych innych ludzi, tylko ja i pełna swoboda robienia tego, co chciałem.

Skąd więc to wrażenie ciężaru?

Kliknąłem w e-mail od Geira i zacząłem czytać:

Drogi Karl Ove!

Naprawdę znakomity pomysł. Uppsala jest, tak jak piszesz, miastem uniwersyteckim, i to do jakiego stopnia! Można je porównać do Sørlandet z przełomu wieków, to miejsce, do którego wysyła się dzieci, żeby nauczyły się charakterystycznej wymowy. Sztokholm to jedna z najpiękniejszych stolic na świecie, ale trudno go nazwać wyluzowanym. Szwecja w ogóle jest niesa-

mowitym paradoksem, z jednej strony szeroko znana ze swoich otwartych granic, z drugiej — to najbardziej przesegregowany kraj w Europie. Jeśli nie masz konkretnej potrzeby, żeby wyjechać do Uppsali, polecałbym Ci zamieszkanie w Sztokholmie (tak czy owak, do Uppsali dojedziesz pociągiem w ciągu zaledwie 40–50 minut, a pociągi jeżdżą co pół godziny).

Jeśli chodzi o mieszkanie czy pokój do wynajęcia, nie jest to najłatwiejsza sprawa, w Uppsali jest z tym właściwie jeszcze gorzej z powodu studentów. Sprawa trudna, ale nie niemożliwa. Tak na zawołanie nie wiem o żadnym pokoju do wynajęcia, ale spróbuję się dowiedzieć. Ponieważ, jeśli dobrze Cię rozumiem, nie przenosisz się na stałe, tylko, przynajmniej na razie, chcesz zostać do końca roku, powinno się znaleźć tak zwane mieszkanie z drugiej ręki. Są agencje, które zajmują się takim wynajmem. Kontaktowałeś się ze szwedzkim stowarzyszeniem pisarzy? Niewykluczone, że mają jakieś pokoje dla zagranicznych autorów, a przynajmniej wiedzą o kimś, kto czymś takim dysponuje. Jeśli chcesz, mogę podzwonić do agencji, stowarzyszeń itp.

Dzisiaj jest sobota, 16 marca. Chcesz przyjechać na weekend czy po prostu w środku tygodnia, kiedy wszystko jest otwarte, żeby zobaczyć, jak się będziesz czuł? A może już się zdecydowałeś? Jeśli tak, to zacznę się rozpytywać o odpowiednie mieszkanie na początku przyszłego tygodnia. W każdej sytuacji możesz się u mnie zatrzymać, wszystko jedno, czy przyjeżdżasz na wakacje, czy szukać dachu nad głową.

Nie mam numeru Twojego telefonu, a przez telefon łatwiej byłoby ułożyć plan bitwy. W Szwecji teraz dobrze się mieszka, jeśli ma się norweskie dochody. Ile możesz płacić miesięcznie? Jeden, dwa czy trzy pokoje?

Cieszę się, że się spotkamy.

Geir

Karl Ove,

Jeśli nie siedzisz już w pociągu, to zadzwoń od razu, kiedy tylko dotrzesz do Oslo albo do Sztokholmu! Nie trać pieniędzy na hotel, nie musisz się czuć skrępowany. Kierują mną pobudki egoistyczne, mówisz po norwesku bez akcentu, a mój zasób słów tak się zmniejsza. Uniwersytet w Uppsali pochodzi zresztą z roku 1477.

W Sztokholmie wykręć po prostu 708 96 93.

Geir

A więc nie lubisz telefonów? Wobec tego umówmy się na Dworcu Centralnym (tym, na który przyjeżdża Twój

pociąg) dzisiaj po południu o godz. 17.00. Na środku hali jest kolista balustrada (popularnie nazywana pedalskim kręgiem). Tam się z Tobą spotkam. Ale zadzwoń, gdyby coś Ci stanęło na przeszkodzie! (Aż takim wrogiem telefonu chyba nie jesteś).

Geir

Tyle korespondencja. Nie wątpiłem w szczerość jego zaproszenia, lecz mimo wszystko trudno mi było z niego skorzystać. Spotkanie na kawę o wiele bardziej pasowałoby do okoliczności. Z drugiej strony, nie miałem dużo do stracenia. No i Geir przecież był z sąsiedztwa, z wyspy Hisøya.

Zamknąłem pocztę, zerknąłem na stolik z trzema dziewczynami, a potem sięgnąłem po plecak i wstałem. Ta, która akurat zabrała głos, sprawiała wrażenie głęboko urażonej, mówiła z ogromną pewnością siebie i z taką samą intensywnością jej wtórowano. Gdyby się nie odezwały, uznałbym je za dziewiętnastolatki. Teraz wiedziałem, że mają około piętnastu lat.

Ta, która siedziała najbliżej, odwróciła głowę i znów na mnie spojrzała. Nie po to, żeby mi coś dać, to nie było zapraszające spojrzenie, lecz aby stwierdzić, że została przeze mnie zauważona. A jednak odebrałem to jako pewne otwarcie. Krótka błyskawica przypominająca radość. Ale kiedy podchodziłem do kontuaru, żeby zapłacić, po tej błyskawicy w mojej świadomości rozległ się grzmot. Przecież miałem trzydzieści trzy lata, byłem zatem dorosłym człowiekiem, więc dlaczego myślałem tak, jakbym wciąż miał dwadzieścia? Kiedy ta młodzieńczość wreszcie mnie opuści? Mój ojciec w wieku trzydziestu trzech lat miał dwóch synów, trzynastoletniego i dziewięcioletniego, miał też dom, samochód i pracę, a gdy się patrzyło na jego zdjęcia z tego czasu, wyglądał jak mężczyzna, i jak pamiętam, również tak się zachowywał. Stanąłem przy ladzie, położyłem ciepłą dłoń na chłodnym marmurowym blacie. Kelnerka podniosła się z krzesła i podeszła, żeby przyjąć pieniądze.

— Ile płacę? — spytałem.

— Słucham?

Westchnąłem.

— Ile to kosztuje?

Spojrzała na monitor.

— Dziesięć — powiedziała.

Podałem jej zmięty dwudziestokoronowy banknot.

— Dziękuję — mruknąłem i odszedłem stamtąd, zanim zdążyła wypowiedzieć kolejne „słucham", które w tym kraju słyszałem nieustannie.

Na zegarze w hali była za sześć minut piąta. Ustawiłem się na swoim poprzednim miejscu i popatrzyłem na ludzi wokół balustrady. Stwierdziwszy, że nikt nie pasuje do obrazu Geira, jaki zapamiętałem, przeniosłem wzrok na przechodzących przez halę. Z kiosku po drugiej stronie wyłonił się niski mężczyzna z wielką głową, o tak szczególnej urodzie, że śledziłem go wzrokiem. Był po pięćdziesiątce, włosy miał żółtawe, twarz szeroką, nos duży, usta odrobinę krzywe, a oczy małe. Wyglądał jak gnom. Był jednak ubrany w garnitur i płaszcz, w ręce niósł elegancką skórzaną aktówkę, pod pachą ściskał gazetę. Może właśnie ta inna natura wyzierająca spod wielkomiejskiej powierzchowności sprawiła, że nie oderwałem od niego oczu, dopóki nie zniknął na schodach prowadzących na perony, z których odjeżdżały pociągi podmiejskie. Nagle znów rzuciła mi się w oczy wszechobecna starość. Plecy, dłonie, stopy, głowy, uszy, włosy, paznokcie, wszystko, co składało się na ciała przemieszczające się przez halę dworcową, było stare. Stary był szum wznoszących się głosów. Nawet radość była stara, nawet nadzieja i oczekiwanie na to, co przyniesie przyszłość. A jednak było to nowe, dla nas było nowe, należało do naszego czasu, do kolejki taksówek przed dworcem, do ekspresów do kawy w kawiarniach, do półek z czasopismami w kioskach, do telefonów komórkowych i iPodów, kurtek z goreteksu i laptopów niesionych w torbach przez halę, do pociągów i automatycznych drzwi, do automatów biletowych i tablic świetlnych, na których zmieniały się końcowe stacje. Stare nie miało tu racji bytu. A mimo to wypełniało wszystko.

Jakaż to straszna myśl!

Wsunąłem rękę do kieszeni, żeby sprawdzić, czy mam kluczyki do skrytek w przechowalni bagażu. Miałem. Potem poklepałem się ręką po piersi, żeby sprawdzić, czy karta kredytowa jest na swoim miejscu. Była.

W tłumie tuż przede mną pojawiła się znajoma twarz. Serce zabiło mi mocniej. Ale to nie był Geir, tylko ktoś inny. Jakiś jeszcze dalszy znajomy. Kolega kolegi? Ktoś, z kim chodziłem do szkoły?

Uśmiechnąłem się, kiedy uświadomiłem sobie, kto to jest. To był mężczyzna z Burger Kinga. Zatrzymał się i spojrzał na tablicę z godzinami odjazdów. W dwóch palcach dłoni ściskającej neseser trzymał bilet. Kiedy chciał porównać wydrukowaną na nim godzinę z czasem podanym na tablicy, podniósł do twarzy całą walizeczkę.

Spojrzałem na zegar na końcu hali. Za dwie. Jeżeli Geir jest tak punktualny, jak założyłem, to powinien już gdzieś tu krążyć, zacząłem więc systematycznie przyglądać się wszystkim, którzy się zbliżali. Najpierw tym z lewej strony, potem tym z prawej.

Tam.

To chyba Geir?

Tak. To był on. Przypomniałem sobie tę twarz, kiedy ją zobaczyłem. Poza tym on nie tylko szedł w moją stronę, lecz również na mnie patrzył.

Uśmiechnąłem się, najdyskretniej jak umiałem, wytarłem dłoń o udo i wyciągnąłem ją do niego, kiedy się przede mną zatrzymał.

— Cześć, Geir — przywitałem się. — Kopę lat.

Też się uśmiechnął. Puścił moją rękę, niemal zanim ją ujął.

— Można tak powiedzieć. Ani trochę się nie zmieniłeś.

— Naprawdę?

— Wcale. Jakbym cię widział w Bergen. Wysoki i poważny, w płaszczu. — Roześmiał się. — Idziemy? Gdzie masz bagaż?

— W skrytce. Tu, na dole — wyjaśniłem. — Może najpierw pójdziemy gdzieś na kawę?

— Możemy. A dokąd chcesz iść?

— To bez znaczenia. Przy wejściu jest jakaś kawiarnia.

— No dobrze, wobec tego chodźmy tam.

Ruszył przodem, zatrzymał się przy stoliku, nie patrząc na mnie, spytał, czy chcę mleko albo cukier, po czym podszedł do lady, a ja w tym czasie zdjąłem plecak, usiadłem i wyciągnąłem tytoń. Patrzyłem, jak zamienia kilka słów z kelnerką i podaje jej banknot. Mimo że go poznałem, a więc jego obraz, który nosiłem w podświadomości, najwyraźniej był zgodny z rzeczywistością, to jednak biło od niego coś innego, niż się spodziewałem, coś o wiele mniej fizycznego, brakowało mu niemal tego cielesnego ciężaru, jaki mu przypisywałem; prawdopodobnie miało to związek z moją wiedzą o tym, że trenował boks.

Nagle poczułem ogromne zmęczenie, potrzebę położenia się w pustym pokoju, zgaszenia światła i po prostu zniknięcia ze świata. Mocno za tym zatęskniłem, a to, co mnie czekało, całe godziny towarzyskich zobowiązań i pogawędek, wydało mi się nie do wytrzymania.

Westchnąłem. Elektryczne światło z sufitu, które kładło się na wszystkim w hali, tu i ówdzie odbijające się w szybie, w kawałku metalu, w marmurowej płytce czy w filiżance, powinno być dla mnie wystarczającym powodem do radości, że jestem tutaj i że je widzę. Wystarczającym powodem do radości powinny być te setki ludzi, które jak cienie sunęły przez halę w jedną i drugą stronę. I Tonje, z którą byłem osiem lat, taką wspaniałą. Dzielenie z nią życia. Spotkania z Yngvem, moim bratem, i jego dziećmi. Cała muzyka, jaka istniała, cała literatura, jaka istniała, cała sztuka, jaka istniała, powinny mnie cieszyć, cieszyć, cieszyć. Całe piękno świata powinno być trudne do zniesienia — ale byłem na nie obojętny. Byłem obojętny na przyjaciół. Byłem obojętny na życie. Trwało to od tak dawna, że nie mogłem tego dłużej wytrzymać i postanowiłem coś z tym zrobić. Chciałem znów się cieszyć. Głupio to brzmiało, nie mogłem nikomu o tym powiedzieć, ale właśnie taka była prawda.

Podniosłem skręconego papierosa do warg, zwilżyłem językiem klej na bibułce, docisnąłem kciukami, tak aby brzegi się zlepiły, oderwałem wystający tytoń na obu końcach, skrawki wrzuciłem do lśniącego białego wnętrza paczki, wyprostowałem zakładkę, żeby te odskubane cząstki ześlizgnęły się na splątany jasnobrązowy kłąb tytoniu, zamknąłem paczkę, schowałem ją do kieszeni płaszcza, przewieszonego przez oparcie krzesła, włożyłem papierosa do ust i przypaliłem drżącym żółtym płomieniem, który buchnął z zapalniczki. Przy kontuarze Geir ustawił dwie filiżanki, do których nalewał kawę, a kelnerka kładła resztę tuż obok, jednocześnie zwracając się do kolejnego klienta, długowłosego pięćdziesięciolatka w kapeluszu, sztybletach i w okryciu przypominającym pelerynę albo poncho.

Rzeczywiście, żaden fizyczny ciężar od niego nie bił. Emanował z niego natomiast niepokój, co wyraźnie zauważyłem od momentu, kiedy przestał patrzeć mi w oczy i puścił moją rękę, a jego spojrzenie zaczęło krążyć. Geir cały czas sprawiał wrażenie, jakby był w ruchu.

Przyszedł z filiżankami. Nie mogłem powstrzymać się od uśmiechu.

— A więc tak — powiedział. Postawił filiżanki na stoliku i wysunął krzesło. — Przeprowadzasz się do Sztokholmu?

— Na to wygląda.

— W takim razie moje modlitwy zostały wysłuchane — stwierdził, nie patrząc na mnie. Patrzył w stół, na rękę, która chwyciła uszko filiżanki. — Nie wiem, ile razy mówiłem Christinie, jak bardzo bym chciał, żeby przeniósł się tu na stałe jakiś Norweg zainteresowany literaturą. No i zjawiasz się właśnie ty.

Podniósł filiżankę do ust; zanim się napił, dmuchnął na powierzchnię kawy.

— Tamtego lata, kiedy wyjechałeś do Uppsali, napisałem do ciebie list — powiedziałem. — Długi list. Ale nigdy go nie wysłałem. Ciągle leży zapieczętowany u mojej matki. Nie mam pojęcia, co w nim jest.

— Żartujesz. — Spojrzał na mnie.

— Chciałbyś go dostać?

— Oczywiście, że nie. I niech ci nie przyjdzie do głowy, żeby go otwierać. Niech leży u twojej matki. To przecież fragment zapieczętowanego czasu.

— Może i tak. W każdym razie nic z tamtego okresu nie pamiętam, a wszystkie dzienniki i rękopisy spaliłem.

— Spaliłeś? — powtórzył Geir. — Nie wyrzuciłeś, tylko spaliłeś?

Kiwnąłem głową.

— Dramatycznie — powiedział. — Ale w Bergen też byłeś taki.

— Naprawdę?

— O, tak.

— A ty nie?

— Ja? Nie. Skąd!

Roześmiał się. Obrócił głowę i spojrzał na przechodzących ludzi, zaraz znów się odwrócił i przesunął wzrokiem po innych gościach kawiarni. Strząsnąłem popiół, uderzając końcem papierosa o popielniczkę. Unoszący się dym falował lekko w przeciągu, bo drzwi stale się otwierały i zamykały. Nie patrzyłem na Geira, tylko przelotnie na niego zerkałem. Wrażenie, jakie wywierał, było w pewnym sensie niezależne od jego twarzy. Oczy miał mroczne i smutne, ale mroku i smutku wcale się w nim nie wyczuwało. Wydawał się wesoły i onieśmielony.

— Znasz Sztokholm? — spytał.

Pokręciłem głową.

— Nie za bardzo. Jestem tu dopiero od kilku godzin.

— To piękne miasto. Ale zimne jak lód. Możesz tu przeżyć całe życie, nie nawiązując z nikim bliskiego kontaktu. Wszystko jest tak urządzone, żeby się z nikim nie dotykać. Przyjrzyj się ruchomym schodom. — Wskazał głową halę, gdzie najprawdopodobniej się znajdowały. — Wszyscy, którzy stoją, stoją z prawej strony, a wszyscy, którzy idą, idą z lewej. Kiedy przyjeżdżam do Oslo, przeżywam wstrząs, bo ciągle się zderzam z ludźmi. Cały czas tylko na siebie wpadają. Chodzenie wężykiem, ustępowanie najpierw z lewej, potem z prawej, a potem znów z lewej, kiedy ktoś idzie z przeciwka, tutaj się po prostu nie zdarza. Wszyscy wiedzą, którędy mają iść, i wszyscy robią to, co powinni. Na lotnisku przy taśmie z bagażami jest żółta linia, której nie wolno przekraczać. I nikt przez nią nie przechodzi. Odbiór bagażu odbywa się gładko i porządnie. Tak samo uporządkowana jest w tym kraju rozmowa. Istnieje żółta linia, której nikt nie przekracza. Wszyscy są uprzejmi, dobrze wychowani, mówią to, co mają mówić. Chodzi o to, żeby się nie zderzać. U kogoś nieprzyzwyczajonego czytanie debat w norweskich gazetach wywołuje prawdziwy szok. Co za temperatura, przecież tam ludzie skaczą sobie do oczu! Tutaj to nie do pomyślenia. A kiedy widzi się jakiegoś norweskiego profesora wypowiadającego się w tutejszej telewizji, co zresztą prawie nigdy się nie zdarza, bo tu nikogo nie obchodzi Norwegia, tak, tak, w Szwecji Norwegia nie istnieje, ale od czasu do czasu ktoś taki się pojawia, wtedy wygląda jak dzikus z rozczochranymi kudłami, w zaniedbanym albo ekstrawaganckim ubraniu, i mówi rzeczy, jakich nie powinien mówić. A to przecież element norweskiej tradycji akademickiej, która nakazuje nieuzewnętrznianie wychowania i wykształcenia... Albo w której wygląd zewnętrzny ma stanowić wyraz indywidualności i wyjątkowości, a nie ogólności i zbiorowości, jak tutaj. Ale tego nikt tu nie rozumie. Widzą jedynie dzikusa. W Szwecji wszyscy uważają,

że szwedzkość to jedyna możliwość, każde odstępstwo od szwedzkości uznają za błąd i wadę. Można umrzeć z irytacji. Już wiem, to był Jon Bing[1]. Wyglądał na wariata. Miał długie włosy, wąsy i chyba rozpinany sweter robiony na drutach. Szwedzki naukowiec wygląda porządnie i zachowuje się porządnie, mówi to, czego wszyscy oczekują. W s z y s c y tutaj zachowują się porządnie. To znaczy osoby publiczne. Na ulicy wygląda to nieco inaczej. Kilka lat temu wypuścili przecież pacjentów psychiatrycznych, więc w zasadzie można ich od czasu do czasu spotkać, idą, mamroczą coś albo krzyczą. Poza tym urządzili to tak, że biedni mieszkają w określonych miejscach, zamożni w określonych

---

[1] Jon Bing (1944–2014) — znany norweski prawnik, wykładowca akademicki, autor literatury fachowej z dziedziny prawa, a także powieści science-fiction.

miejscach, ci, którzy zajmują się kulturą, też w określonych miejscach, imigranci w określonych miejscach. Z czasem to zrozumiesz.

Podniósł filiżankę do ust i wypił łyk kawy. Nie wiedziałem, co powiedzieć. Cała ta jego przemowa nie została niczym sprowokowana, jej powodem mógł być najwyżej mój przyjazd z Norwegii, i była tak skonstruowana, popłynęła tak spójnym strumieniem, że wydawała się przygotowana z góry. Zrozumiałem, że często o tym mówi, że to jeden z jego tematów. Moje doświadczenia z ludźmi mającymi swoje tematy wskazywały, że należy pozwolić im się wygadać, by trochę obniżyło się ciśnienie, które zdążyło narosnąć, bo najczęściej gdzieś głębiej krył się zupełnie inny rodzaj uwagi dla rozmówcy. Nie wiedziałem, czy ma rację, czy nie, domyślałem się jedynie, że te twierdzenia są wynikiem frustracji i że Geir właściwie opowiada, co tę frustrację wywołało. Możliwe, że właśnie Szwecja. Możliwe, że coś w nim samym. Dla mnie nie miało to znaczenia. Mógł mówić, o czym chciał. Nie dlatego tu siedziałem.

— W Norwegii możliwe są nauka i sport, nauka i picie piwa — dodał po chwili. — Pamiętam to z Bergen. Sport był wśród studentów ważną rzeczą. Ale tutaj są to wielkości nieprzystające. Nie mówię o przyrodnikach, tylko o intelektualistach. W Szwecji w środowiskach akademickich wartości intelektualne podkreśla się nadmiernie, tylko one mają prawo istnienia, wszystko jest podporządkowane intelektowi. Ciało jest zupełnie nieobecne. Natomiast w Norwegii wartość intelektu jest za mało podkreślana. Dlatego w Norwegii ludowość nie stanowi problemu dla akademika. Zapewne wynika to z przekonania, że w takim otoczeniu intelekt lśni jak diament. W Szwecji lśnić ma również otoczenie intelektu. Tak samo jest z wysoką kulturą. W Norwegii mówi się o niej za cicho, właściwie nie ma ona racji bytu, elitarystyczna kultura wręcz nie powinna istnieć, jeśli nie jest jednocześnie ludowa. W Szwecji podkreśla się ją nadmiernie, ludowość i elitaryzm to wielkości, które się ze sobą nie łączą. Miejsce jednego jest tam, a drugiego tam, i żadna wymiana między nimi nie powinna się zdarzać. Istnieją wyjątki, jak zawsze, ale taka jest główna zasada. Inna duża różnica między Norwegią a Szwecją dotyczy ról społecznych. Kiedy ostatnio byłem w domu, jechałem autobusem z Arendal do Kristiansand, a kierowca rozprawiał o tym, że właściwie wcale nie jest szoferem, tylko kimś zupełnie innym, autobus zaś prowadzi wyłącznie dlatego, że chce pomóc w okresie świątecznym. No i jeszcze dodał, że teraz, w święta, musimy się wzajemnie wspierać. Powiedział to przez mikrofon! W Szwecji to nie do pomyślenia. Tutaj człowiek identyfikuje się ze swoją pracą, to rola, z której nie wychodzi się ot, tak sobie. W tej roli nie ma żadnych drzwi, nawet szczeliny, przez którą można wystawić głowę i obwieścić: taki naprawdę jestem.

— No to dlaczego tu mieszkasz? — spytałem.

Patrzył na mnie przez chwilę.

— To idealny kraj dla kogoś, kto chce, żeby go zostawiono w spokoju — odparł i znów powędrował gdzieś wzrokiem. — Nie mam nic przeciwko chłodowi. Nie chcę go mieć w życiu, ale mogę w nim żyć, jeśli rozumiesz różnicę. Bardzo miło się go obserwuje. I jest taki praktyczny. Gardzę nim, ale również czerpię z niego korzyści. No to co, idziemy?

— Możemy. — Zgasiłem papierosa, dopiłem resztkę kawy, sięgnąłem po płaszcz wiszący na krześle, włożyłem go, zarzuciłem plecak na ramię i wyszedłem za Geirem do hali. Kiedy znalazłem się obok niego, odwrócił się do mnie.

— Mógłbyś iść z drugiej strony? Prawie nie słyszę na to ucho.

Przesunąłem się. Zauważyłem, że stawia stopy na zewnątrz, szeroko, jak kaczka. Zawsze zwracałem uwagę na taki chód. W ten sposób poruszają się tancerze baletowi. Chodziłem kiedyś z dziewczyną, która tańczyła w balecie. Niewiele rzeczy mi się w niej podobało, ale ten sposób stawiania stóp — owszem.

— Gdzie masz bagaż? — spytał Geir.

— Na dole. A potem na prawo.

— No to zejdziemy tamtędy. — Wskazał schody na końcu hali.

Według mnie ludzie nie zachowywali się tu inaczej niż na Dworcu Centralnym w Oslo. W każdym razie różnice nie rzucały się w oczy. Te, o których mówił Geir, wydawały się minimalne, prawdopodobnie w jego świadomości urosły do wielkich rozmiarów po latach wygnania.

— A ja uważam, że wszystko wygląda tutaj mniej więcej tak jak w Norwegii — stwierdziłem. — Tyle samo wpadania na siebie.

— Zaczekaj, a zobaczysz. — Spojrzał na mnie i się uśmiechnął. To był ironiczny uśmiech, uśmiech osoby, która wie lepiej. A ja naprawdę serdecznie nie znosiłem, gdy ktoś wiedział lepiej, bez względu na formę, w jakiej się to przejawiało. Przecież jednocześnie miało mi to uświadomić, że wiem mniej.

— Spójrz tam. — Zatrzymałem się i wskazałem na tablicę świetlną nad naszymi głowami.

— Gdzie? — spytał Geir.

— Na tablicę przyjazdów pociągów. Właśnie dlatego tutaj przyjechałem. Właśnie dlatego.

— O co ci chodzi?

— Spójrz tylko. Södertälje. Nynäshamn. Gävle. Arboga. Västerås. Örebro. Halmstad. Uppsala. Mora. Göteborg. Malmö. W tym jest jakaś niesłychana egzotyka. W Szwecji. Język jest niemal identyczny, miasta są niemal identyczne, na zdjęciach szwedzka wieś wygląda prawie jak norweska. Oprócz szczegółów. I właśnie te maleńkie odstępstwa, te malusieńkie różnice, to, co jest prawie znajome, to, co jest prawie identyczne, a mimo wszystko takie nie jest, tak niesamowicie mnie pociąga.

Spojrzał na mnie z niedowierzaniem.

— Zwariowałeś — podsumował i roześmiał się.

Ruszyliśmy. Mówienie takich rzeczy, ot, tak, z rękawa, było do mnie zupełnie niepodobne, ale czułem, że muszę się odgryźć, nie pozwolić, żeby dominował.

— Zawsze czułem pociąg do różnic w drobiazgach — podjąłem. — Nie do Indii, Birmy czy Afryki, do tych wielkich różnic, one mnie nigdy nie interesowały. Ale na przykład do Japonii. Chociaż też nie do Tokio ani innych wielkich miast, tylko do japońskiej wsi, do małych nadmorskich miasteczek. Widziałeś, jak tamtejsza przyroda przypomina naszą? Natomiast kultura, to znaczy domy i obyczaje, jest kompletnie obca, kompletnie niezrozumiała. Albo Maine w Stanach. Widziałeś tamto wybrzeże? Przyroda wygląda jak w norweskim Sørlandet, ale wszystko, co zostało stworzone przez człowieka, jest amerykańskie. Rozumiesz, o co mi chodzi?

— Nie. Ale słucham.

— Nic więcej nie mam do powiedzenia.

Zeszliśmy do przejścia podziemnego, również tu było tłoczno. Dotarliśmy do skrytek bagażowych, wyjąłem walizki, Geir wziął jedną i ruszyliśmy w głąb, ku oddalonym o kilkaset metrów peronom podziemnej kolejki.

Pół godziny później szliśmy przez centrum przedmieścia z lat pięćdziesiątych, które w rozświetlonym ulicznymi latarniami marcowym mroku wyglądało na nietknięte od tamtych czasów. Nazywało się Västertorp. Wszystkie budynki były murowanymi sześcianami, różniącymi się jedynie wielkością — dookoła osiedla wznosiły się wysokie bloki, wzdłuż ulic pośrodku budynki były niższe, z rozmaitymi sklepami na parterze. Wśród bloków stały nieruchome sosny. Między drzewami, w świetle licznych klatek schodowych i okien jakby wyrastających z ziemi, tu i ówdzie dostrzegałem niewielkie pagórki i oczka wodne. Geir mówił nieustannie, tak samo zresztą jak podczas jazdy metrem, głównie wyjaśniał, co widzimy. Regularnie rozbrzmiewały nazwy stacji, takie piękne i obce. Slussen, Mariatorget, Zinkensdamm, Hornstull, Liljeholmen, Midsommarkransen, Telefonplan…

— To tam. — Wskazał na jeden z domów przy drodze.

Weszliśmy na klatkę schodową, na górę po schodach i do mieszkania. Książki na regale przy ścianie, aż gęsto od kurtek na wieszaku, zapach życia obcych ludzi.

— Hej, Christino, nie przywitasz się z naszym norweskim przyjacielem? — spytał Geir, zaglądając do pokoju po lewej stronie. Zrobiłem krok do przodu. W głębi siedziała kobieta, podniosła głowę znad kartki rozłożonej przed nią na stole, w palcach trzymała ołówek.

— Cześć, Karl Ove, miło cię poznać. Tyle o tobie słyszałam! — powiedziała po szwedzku.

— Ja o tobie, niestety, nic — odpowiedziałem. — No, oprócz tych kilku słów, które są w książce Geira.

Uśmiechnęła się, podaliśmy sobie ręce, zaczęła sprzątać ze stołu, wstawiła kawę. Geir pokazał mi mieszkanie, szybko to poszło. Składało się z dwóch pokojów, w obu ściany były zastawione wysokimi aż do sufitu szafami z książkami. W pomieszczeniu pełniącym funkcję salonu urządzono kącik do pracy, wcześniej siedziała tam Christina, w drugim, będącym sypialnią, pracował Geir.

Otworzył kilka szafek i pokazał mi ustawione w nich książki. Stały tak prosto, iż można było pomyśleć, że używał poziomnicy; poukładał je seriami i autorami, nie alfabetycznie.

— Widzę, że masz tu porządek — powiedziałem.

— Mam porządek we wszystkim — odparł. — Absolutnie we wszystkim. W moim życiu nie ma takiej rzeczy, której bym nie zaplanował lub nie wyliczył.

— Brzmi przerażająco — stwierdziłem, patrząc na niego.

Uśmiechnął się.

— Dla mnie przerażające jest spotkanie człowieka, który przeprowadza się do Sztokholmu w ciągu jednego dnia.

— Musiałem.

— Chcieć to musieć chcieć. Tak jak mówi mistyk Maximos w *Cesarzu i Galilejczyku*, a dokładniej: „Czy warto żyć? Wszystko jest grą i igraszką. Chcieć to musieć chcieć". To ta sztuka, w której Ibsen próbuje pokazać, jaki jest mądry. A przynajmniej uczony. Próbuje dokonać cholernej wielkiej syntezy. „Sprzeciwiam się konieczności! Nie chcę jej służyć. Jestem wolny, wolny, wolny!" To ciekawe. *A hell of a good play*, jak mówi Beckett o *Czekając na Godota*. Całkowicie mnie pochłonęła, kiedy ją czytałem. Ibsen komunikuje się z minionym czasem. Całe to wychowanie, którego istnienie zakładał, przestało obowiązywać. Cholernie interesująca. Czytałeś?

Pokręciłem głową.

— Nie czytałem żadnej z jego sztuk historycznych.

— Napisał je w czasie, gdy wszystko przewartościowywano. I on właśnie to robi. Katylina, wiesz, był symbolem zdrady. Ale Ibsen pokazuje go od innej strony. To mniej więcej tak, jakbyśmy my pokazali od innej strony Quislinga. Potrzebował pieniędzy, kiedy to pisał. Ale wszystkie wartości, które odwraca, pochodzą z antyku, dlatego my właściwie nie jesteśmy w stanie tego zrozumieć. Przecież nie czytamy Cycerona... Taaak. Napisać sztukę, w której próbuje się zjednoczyć cesarzy z Galilejczykami! To mu się oczywiście nie udaje, ale przynajmniej fiasko jest w wielkim stylu. Ibsen w tym dramacie jest zbyt symboliczny. Ale również zuchwały. Widać, jak bardzo pragnie wielkości. Nie do końca mu wierzę, kiedy twierdzi, że czytał tylko Biblię. Czuć tu również wpływ Schillera. *Zbójców*. Tam też jest ktoś w rodzaju buntownika. Tak jak *Michał Kohlhaas*
Heinricha von Kleista. Istnieje zresztą także paralela z Bjørnsonem. Chyba z *Sigurdem Slembe*? Pamiętasz to?

— O Bjørnsonie w ogóle nie mam pojęcia.

— Wydaje mi się, że to *Sigurd Slembe*. Chodzi o moment podjęcia działania. Działać czy nie działać? To przecież klasyczny Hamlet. Być uczestnikiem czy obserwatorem własnego życia?

— A ty kim jesteś?

— Dobre pytanie.

Zapadła cisza. W końcu powiedział:

— Jestem raczej obserwatorem z elementami wychoreografowanych działań. Ale właściwie nie wiem. Wydaje mi się, że wielu rzeczy w sobie nie widzę. A zatem ich nie ma. A ty?

— Obserwatorem.

— No, ale jesteś tutaj. A wczoraj byłeś w Bergen.

— Owszem. Tylko że to nie jest skutek żadnego wyboru. To zostało wymuszone.

— Może to również sposób dokonywania wyboru? Niech się dzieje, co chce, i niech to zostanie załatwione za mnie.

— Możliwe.

— Bardzo dziwne — powiedział. — Im bardziej jesteś nieświadomy, tym bardziej stajesz się uczestnikiem. Wiesz, ci bokserzy, o których pisałem, byli niewiarygodnie obecni w tym, co robili. Ale to oznaczało, że nie obserwowali samych siebie, więc nic nie pamiętali. Nic! Pobądź ze mną przez chwilę tu i teraz, taką składali propozycję. I to było dla nich bardzo wygodne, przecież mieli wrócić na ring, a jeśli poprzednim razem dostali lanie, to ważne, żeby nie pamiętali tego za dobrze, bo wtedy by przepadli. Ale byli obecni w sposób naprawdę wyjątkowy. Wypełniali wszystko. *Vita contemplativa* czy *vita activa*, chyba taki jest podział, prawda? Odwieczny problem, z którym męczą się wszyscy obserwatorzy, w przeciwieństwie do uczestników. Typowy problem obserwatorów…

Do pokoju zajrzała Christina.

— Napijecie się kawy?

— Chętnie — odparłem.

Przeszliśmy do kuchni i usiedliśmy przy stole. Z okna był widok na ulicę, pustą w świetle latarni. Spytałem Christinę, co rysowała, kiedy przyszliśmy. Wyjaśniła, że projektuje modele butów dla niedużej fabryki obuwia, położonej daleko na północy kraju. Nagle uderzył mnie absurd tej sytuacji: oto siedzę w kuchni na szwedzkim przedmieściu wraz z dwojgiem ludzi, których nie znam. Co ja robię? Czego tu szukam? Christina zaczęła szykować kolację, a ja przeszedłem z Geirem do salonu i opowiadałem mu o Tonje, o tym, jak nam było, co się wydarzyło, jak wyglądało moje życie w Bergen. Geir w podobny sposób podsumował to, co zaszło w jego życiu od czasu, gdy trzynaście lat wcześniej wyjechał z Bergen. Najlepiej z tego zapamiętałem debatę, w którą zaangażował się w „Svenska Dagbladet"; pewien szwedzki profesor tak go rozwścieczył, że któregoś dnia rano Geir przybił ostatnie — ubliżające — argumenty do wrót zamku królewskiego w Uppsali, jak jakiś Luter. Próbował też te wrota obsikać, ale Christina go odciągnęła.

Jedliśmy kotleciki z jagnięciny, pieczone ziemniaki i sałatkę grecką. Byłem głodny jak wilk, półmiski błyskawicznie się opróżniły, Christina miała poczucie winy. Na jej przepraszające słowa odpowiedziałem przeprosinami. Najwyraźniej mieliśmy ze sobą dużo wspólnego. Wypiliśmy trochę wina, porozmawialiśmy o różnicach między Szwecją a Norwegią i chociaż po cichu myślałem: nie, Szwecja taka nie jest i Norwegia też nie, to jednak kiwałem głową i potakiwałem. Około jedenastej oczy same zaczęły mi się zamykać. Geir przyniósł pościel, miałem spać na kanapie w salonie. Kiedy rozkładaliśmy prześcieradło, jego twarz nagle się zmieniła. Miał zupełnie inną twarz. Potem, równie nagle, powróciła ta znajoma; musiałem bardzo się wysilić, żeby ją przytrzymać, wytłumaczyć sobie, że Geir przecież tak wygląda, taki jest.

Znów nastąpiła zmiana.

Wsunąłem ostatni róg prześcieradła pod materac i usiadłem na kanapie. Ręce mi się trzęsły. Co się stało?

Geir spojrzał na mnie. Znów wyglądał tak jak w chwili spotkania na Dworcu Centralnym.

— Nie powiedziałem jeszcze nic o twojej powieści — zaczął, siadając po drugiej stronie stołu. — Ale wywarła na mnie wielkie wrażenie. Byłem głęboko wstrząśnięty, kiedy ją czytałem.

— Dlaczego?

— Ponieważ posunąłeś się tak daleko. Niewiarygodnie daleko. Cieszyłem się, że to zrobiłeś. Siedziałem tu i uśmiechałem się do siebie, bo ci się udało. Kiedy się poznaliśmy, chciałeś zostać pisarzem. Nikt inny nie wpadł na taki pomysł. Tylko ty. I udało ci się. Ale wstrząsnęło mną przede wszystkim to, że posunąłeś się tak daleko. Zastanawiałem się, czy naprawdę trzeba aż tak daleko się posunąć. To było przerażające. Ja tak nie potrafię.

— O co ci chodzi? W jakim sensie daleko? To przecież zwykła powieść.

— Mówisz o sobie niesłychane rzeczy. Przede wszystkim ta historia o trzynastolatce. Nigdy bym nie przypuszczał, że się odważysz.

Poczułem się tak, jakby przeniknął mnie zimny wiatr.

— Nie bardzo rozumiem, o czym mówisz. Przecież to zmyśliłem. Wcale mnie to aż tak dużo nie kosztowało.

Uśmiechnął się i spojrzał mi prosto w oczy.

— Kiedy się spotkaliśmy w Bergen, opowiadałeś mi o tym romansie. Wróciłeś z północnej Norwegii poprzedniego lata, ale ciągle byłeś pod wrażeniem tego, co się tam wydarzyło. Mówiłeś o tym. O swoim ojcu, o tym, jak się zakochałeś, kiedy miałeś szesnaście lat, jak całkiem zidentyfikowałeś się z porucznikiem Glahnem[1] i o tym, że kiedy pracowałeś jako nauczyciel na północy, miałeś romans z trzynastolatką.

— Cha, cha! Jeśli ci się wydaje, że to zabawne, to się mylisz.

---

1 Porucznik Glahn — bohater powieści Knuta Hamsuna *Pan*.

Już się nie uśmiechał.

— Chcesz powiedzieć, że tego nie pamiętasz? Ta dziewczyna była w twojej klasie, zakochałeś się w niej płomiennie, jak zrozumiałem, ale wszystko nieźle się poplątało. Opowiadałeś między innymi, jak rozmawiałeś z jej matką na jakiejś imprezie — scena w powieści wyglądała dokładnie tak, jak mi ją opisywałeś. Ale to niekoniecznie musi być złe, jeśli się wie, że pożądanie jest wzajemne, zauważ. Tylko jak to stwierdzić? To już zupełnie co innego. Prawdziwy problem. Mój kolega z klasy zrobił dziecko trzynastolatce, sam miał co prawda siedemnaście lat, no a ty osiemnaście, ale *what the fuck*, to akurat nie jest istotne. Ale że o tym napisałeś... — Przyjrzał mi się. — Co się stało? Wyglądasz, jakbyś zobaczył ducha.

— Chyba nie mówisz serio? — spytałem. — Nie mogłem o tym opowiadać.

— Owszem, opowiadałeś. Mam to wbite w pamięć.

— Ale to się przecież nie zdarzyło.

— W każdym razie tak mówiłeś.

Miałem wrażenie, że jakaś dłoń ścisnęła mi serce. Dlaczego mi to wmawia? Czyżbym naprawdę wyparł tak ważne wydarzenie? Mogłem po prostu je wymazać, całkiem o nim zapomnieć, a potem je opisać, nawet przez chwilę nie zastanawiając się, czy to prawda?

Nie.

Nie, nie, nie.

To nie do pomyślenia.

Absolutnie, kompletnie nie do pomyślenia.

No ale skąd mu się to wzięło?

— Przykro mi, Karl Ove. Naprawdę tak wtedy powiedziałeś. — Wstał.

— Nie mogę tego pojąć. Ale ty też nie wyglądasz, jakbyś kłamał.

Z uśmiechem pokręcił głową.

— No, to dobranoc.

— Dobranoc.

Gdy Geir i Christina szykowali się do snu, leżałem z otwartymi oczami, słuchając ściszonych odgłosów dochodzących z sypialni, i wpatrywałem się w pokój. Wypełniało go słabe, niemal księżycowe światło ulicznych latarni. Myśli pędziły mi po głowie tam i z powrotem, usiłując znaleźć rozwiązanie tego, co powiedział Geir. Ale uczucia już mnie skazały: tak mocno zacisnęły się na moim wnętrzu, że rozbolało mnie całe ciało. Od czasu do czasu słychać było ściszony szum, który musiał dochodzić z torów metra, biegnących kilkaset metrów dalej; szukałem w nim pociechy. Przebijał się jeszcze dalszy szmer; gdybym nie wiedział, że to niemożliwe, uznałbym go za szum morza. Ale byłem przecież w Sztokholmie, gdzieś w pobliżu musiała przebiegać autostrada.

Odrzuciłem wszystko. Niemożliwe, abym mógł wyprzeć coś o takim znaczeniu. Miałem jednak w pamięci wielkie dziury; kiedy mieszkałem na północy, dużo piłem, tak jak młodzi rybacy, z którymi spędzałem czas w weekendy, w ciągu jednego posiedzenia schodziła co najmniej butelka wódki. Z mojej pamięci wyparowały całe wieczory i noce, pozostały po nich we mnie jakby tunele, wypełnione ciemnością, wiatrem i burzliwymi uczuciami. Co ja zrobiłem? Co zrobiłem? Po podjęciu studiów w Bergen nadal dużo piłem, wciąż znikały całe wieczory i noce, włóczyłem się po mieście jak spuszczony z uwięzi, tak czułem. Potrafiłem wrócić do domu w zakrwawionej kurtce — co się wydarzyło? Potrafiłem wrócić w nie swoim ubraniu. Potrafiłem obudzić się na dachu albo pod krzakiem w parku, a raz ocknąłem się w korytarzu jakiejś instytucji. Zabrała mnie stamtąd policja. Potem było przesłuchanie: w pobliżu doszło do włamania, ukradziono pieniądze, czy to ja? Nie wiedziałem, ale zaprzeczałem: nie, nie, nie! Wszystkie te dziury, cała nieprzytomna ciemność tylu lat, w której rozgrywały się tajemnicze zdarzenia, niemal jak ze świata duchów, gdzieś na samym skraju pamięci, wypełniały mnie ogromnym poczuciem winy, a teraz gdy Geir twierdził, że opowiadałem o swoim romansie z trzynastolatką w północnej Norwegii, nie mogłem z ręką na sercu zaprzeczyć, powiedzieć, że nie, to nieprawda, miałem bowiem wątpliwości; tyle się wydarzyło, więc niby dlaczego akurat to miałoby się nie wydarzyć?

W owym bagażu niepewności znalazło się również to, co zaszło między Tonje a mną, a przede wszystkim to, co miało się stać.

Czy od niej odszedłem? Czy nasze wspólne życie się skończyło? Czy raczej miała to być tylko przerwa, rozstanie na kilka miesięcy, podczas których przemyślimy sobie wszystko, każde z osobna?

Żyliśmy razem osiem lat, w tym sześć jako małżeństwo. Wciąż pozostawała najbliższą mi osobą. Minęła zaledwie doba od czasu, kiedy spaliśmy w jednym łóżku, i gdybym się nie odwrócił, gdybym nie spojrzał w innym kierunku, dalej bylibyśmy razem, bo czułem, że to zależy ode mnie.

Czego chcę?

Nie wiedziałem.

Leżałem na kanapie w mieszkaniu pod Sztokholmem, w którym nikogo nie znałem, i miałem w sobie jeden wielki chaos i niepokój. Niepewność dotarła do samego jądra, aż do pytania, kim naprawdę jestem.

W przeszklonych drzwiach na nieduży balkon ukazała się twarz. Zniknęła, gdy się w nią wpatrzyłem. Serce zabiło mi szybciej. Zamknąłem oczy i wtedy ta sama twarz ukazała mi się ponownie. Widziałem ją z boku, odwróciła się w moją stronę i patrzyła prosto na mnie. Zmieniła się. Znów się zmieniła. I znów. Nigdy wcześniej nie widziałem żadnej z tych twarzy, ale wszystkie były głęboko realistyczne i wyraziste. Co to za parada? Potem nos zmienił się w dziób, oczy w ślepia drapieżnego ptaka i nagle w moim wnętrzu siedział wpatrzony we mnie jastrząb.

Obróciłem się na bok.

Wszystko, czego chciałem, to być porządnym człowiekiem. Dobrym, uczciwym i przyzwoitym, który patrzy ludziom w oczy, a wszyscy mają pewność, że mogą mu zaufać.

Ale tak nie było. Okazałem się dezerterem i robiłem okropne rzeczy. A teraz znów zdezerterowałem.

Następnego dnia rano obudził mnie donośny głos Geira. Usiadł w nogach kanapy i podsunął mi pod nos filiżankę niemal wrzącej kawy.

— Dzień dobry! Już siódma. Chyba nie chcesz mi powiedzieć, że jesteś sową?

Usiadłem i spojrzałem na niego spode łba.

— Normalnie wstaję koło pierwszej — odparłem. — I nie rozmawiam z nikim przed upływem godziny.

— Żal mi ciebie. Ale wracając do rzeczy. Obserwatorem własnego życia nie jestem, to zwyczajnie nieprawda. Obserwuję innych, w tym jestem dobry, ale nie siebie. Nie ma na to szans. Poza tym obserwator to może niewłaściwe słowo w tym kontekście, pewien eufemizm. W istocie chodzi o kwestię zdolności do działania. Chcesz kawy czy nie?

— Rano zawsze piję herbatę. Ale ze względu na ciebie mogę się napić kawy.

Wziąłem od niego filiżankę i wypiłem łyk.

— *Cesarz i Galilejczyk*, żeby już zakończyć ten wątek — kontynuował — to w zasadzie rzecz o niepowodzeniu, dokładnie tak samo jak *Zaratustra*. Wczoraj to do mnie nie dotarło, ale najważniejsze, że takie słowa może wypowiedzieć tylko ktoś, kto doznał niepowodzenia. To naprawdę ważne.

Spojrzał na mnie tak, jakby oczekiwał odpowiedzi. Parę razy kiwnąłem głową, łyknąłem jeszcze trochę kawy.

— A jeśli chodzi o twoją powieść, wcale nie historia o trzynastolatce była najbardziej wstrząsająca, tylko to, że posunąłeś się tak niewiarygodnie daleko w obnażaniu siebie. To wymaga odwagi.

— Nie dla mnie. Olewam siebie pod tym względem.

— Właśnie to się wyczuwa! Jak myślisz, ile osób to potrafi?

Wzruszyłem ramionami. Chciałem się zapaść z powrotem w kanapę i dalej spać, ale Geir prawie podskakiwał na drugim końcu.

— Co powiesz na wypad do miasta? Mogę cię oprowadzić. Sztokholm nie ma duszy, ale jest fantastycznie piękny. Temu się nie da zaprzeczyć.

— Możemy — zgodziłem się. — Ale nie tak od razu, dobrze? Która jest naprawdę godzina?

— Dziesięć po ósmej. — Wstał. — Wciągaj łachy, zjemy śniadanie. Christina szykuje jajka na bekonie.

Nie, nie chciałem wstawać. A kiedy się do tego zmusiłem, nie chciałem wychodzić z mieszkania. Potrafiłem sobie wyobrazić, że cały dzień aż do wieczora przesiedzę na kanapie. Po śniadaniu usiłowałem przeciągać wyjście, ale energia i wola Geira były z rodzaju niezłomnych.

— Dobrze ci zrobi, jak się trochę przejdziesz — stwierdził. — Dla kogoś tak przygnębionego siedzenie w domu jest jak śmierć. Chyba to rozumiesz? Wobec tego wstawaj, dalej, idziemy!

W drodze na stację metra sadził długie kroki, a ja wlokłem się za nim. Nagle się odwrócił z grymasem na twarzy, który miał być zapewne uśmiechem.

— Wyciągnąłeś zdarzenia z północy Norwegii z podświadomości, czy dalej masz w głowie czarną dziurę?

— Pojąłem związek tuż przed zaśnięciem — odparłem. — Nie będę ukrywał, że poczułem ulgę. Przez chwilę wydawało mi się, że masz rację i rzeczywiście wyparłem to wszystko. To nie było zbyt przyjemne.

— No a jak brzmi wyjaśnienie?

— Pomieszałeś trzy historie i ułożyłeś z nich jedną. Albo wtedy kiedy ci o tym opowiadałem, albo kiedy czytałeś książkę. Rzeczywiście, na północy byłem z pewną dziewczyną, ale miała szesnaście lat, a ja osiemnaście. A może miała piętnaście. Nie, szesnaście. Nie jestem pewien. Na pewno nie trzynaście.

— Mówiłeś, że się zakochałeś w jednej ze swoich uczennic.

— Nie mogłem tak powiedzieć.

— Ależ tak, do cholery, Karl Ove! Mam pamięć jak słoń.

Zatrzymaliśmy się przed barierkami, kupiłem bilet i ruszyliśmy długim betonowym tunelem w stronę peronu.

— Przypomniałem sobie, że jedna dziewczyna zakochała się we mnie. Właśnie to musisz pamiętać. Pomieszałeś tę, z którą byłem, z tą, która się we mnie kochała.

— Możliwe. Ale nie to mi mówiłeś.

— Daj spokój, do diabła! Nie przyjechałem do Sztokholmu po kolejne problemy. Chodziło mi o to, żeby od wszystkich problemów uciec.

— No, to trafiłeś na właściwego człowieka — oświadczył. — Nigdy więcej nie wspomnę o tym ani słowem.

Pojechaliśmy metrem do miasta. Przez cały dzień wychodziliśmy to z jednej stacji podziemnej, to z drugiej. Za każdym razem otwierał się przed nami nowy krajobraz miejski i rzeczywiście, tak jak mówił Geir, wszystko tu było piękne. Ale nie potrafiłem tego powiązać. Przez cztery czy pięć dni, kiedy wędrowaliśmy po mieście od wczesnego do późnego popołudnia, Sztokholm wciąż składał się dla mnie wyłącznie z kawałków i fragmentów. Szliśmy obok siebie, Geir wskazywał w lewo i skręcaliśmy w lewo, wskazywał w prawo i skręcaliśmy w prawo, przy czym on cały czas głośno i entuzjastycznie opowiadał o tym, co widzimy, i wygłaszał refleksje z tym związane. Chwilami miałem dosyć tego nieproporcjonalnego układu sił, nie chciałem, żeby o wszystkim decydował, mówiłem wtedy: „nie, nie idźmy w prawo, tylko w lewo", a on się uśmiechał i mówił: „tak, oczywiście, jeśli to ci sprawi przyjemność" albo: „możemy, jeśli dzięki temu poczujesz się lepiej". Lunch jedliśmy codziennie w innym miejscu. W Norwegii byłem przyzwyczajony do kanapek, do restauracji chodziłem może raz na pół roku, natomiast Geir i Christina w zasadzie stołowali się na mieście, często jedli w knajpach zarówno lunch, jak i obiad. W porównaniu z Norwegią kosztowało to grosze, a wybór był ogromny. Odruch nakazywał mi wybór kawiarenek wyglądających na studenckie, czyli najbardziej przypominających te, które znałem z Bergen, ale Geir się nie zgadzał, twierdził, że nie ma już dwudziestu lat i nie chce mieć do czynienia z kulturą młodzieżową. Popołudniami i wieczorami zmuszał mnie do nawiązania kontaktu ze wszystkimi Szwedami, o jakich słyszałem, ze wszystkimi, z którymi miałem do czynienia za czasów pracy w redakcji „Vaganta", i ze wszystkimi znajomymi mojego redaktora, ponieważ, jak twierdził, znalezienie mieszkania w tym mieście ot tak, z ulicy, jest prawie niemożliwe, wszystko załatwia się po znajomości. Nie chciałem się tym zajmować, chciałem spać, siedzieć, obijać się, ale Geir mnie cały czas szturchał, powtarzał, że to trzeba zrobić, nie ma innego wyjścia. Poszliśmy na dużą imprezę poetycką, swoje utwory czytali tam duńscy, norwescy, szwedzcy i rosyjscy autorzy, wśród nich Steffen Sørum[1], który rozpoczął od powitania: „Hello, Stockholm!", jakby był jakąś pieprzoną gwiazdą rocka, aż się zaczerwieniłem w imieniu naszego kraju. Czytała też Inger Christensen[2]. Jakiś Rosjanin biegał pijany po scenie, wrzeszcząc, że nie ma tu nikogo, kto lubi poezję — *You all hate poetry!* — darł się, podczas gdy jego szwedzki tłumacz, niepozorny mężczyzna z małym plecaczkiem, próbował go uspokoić i w końcu udało mu się przeczytać kilka wierszy, chociaż Rosjanin w tym czasie wciąż krążył po scenie, na szczęście w milczeniu. Skończyło się to mocnym zbrataniem, Rosjanin najpierw walnął tłumacza w plecy, a następnie go wyściskał. Wśród publiczności był Ingmar Lemhagen, rektor szkoły na Biskops-Arnö, znał wszystkich i dzięki niemu udało mi się wejść za scenę i spytać szwedzkich pisarzy, czy nie wiedzą o jakimś wolnym mieszkaniu. Raattamaa powiedział,

1 Steffen Sørum (ur. 1956) — pisarz norweski.

2 Inger Christensen (1935–2009) — duńska poetka, pisarka i eseistka.

że owszem, ma mieszkanie, mogę się wprowadzić już w przyszłym tygodniu, bez żadnego problemu. Wyszliśmy z nimi na miasto, najpierw do hotelu Malmen, gdzie szwedzka poetka Marie Silkeberg[1] nachyliła się do mnie i spytała, dlaczego powinna przeczytać akurat moją książkę, a mnie nie przyszła do głowy żadna lepsza odpowiedź niż ta, że może to taka książka, od której nie można się oderwać; uśmiechnęła się wtedy, a następnie — nie na tyle szybko, żeby uznać to za obrazę, lecz również nie z takim opóźnieniem, żeby nie miało to żadnego znaczenia — zaczęła się rozglądać za innym partnerem do rozmowy. Była poetką, a ja autorem książek rozrywkowych. Potem wszyscy poszli z nią do domu na nocną imprezę. Geir, w przeciwieństwie do mnie, żywił pogardę dla poezji i poetów, patrzył na nich z nienawiścią w oczach i zadarł z Silkeberg już na samym początku — rzucił uwagę, że takie wielkie mieszkanie w takim punkcie musiało niemało kosztować. Kiedy nad ranem szliśmy w stronę Slussen, mówił o kulturalnej klasie średniej, o przywilejach, jakie mają ci ludzie, chociaż literatura jest dla nich tylko biletem do życia towarzyskiego, mówił też o reprodukowaniu przez nich ideologii, o ich tak zwanej solidarności z gorzej sytuowanymi, o kokietowaniu klasy robotniczej, o niszczeniu takich wartości jak jakość twórczości, a w konsekwencji o katastrofie, jaką podporządkowanie jakości polityce i ideologii stało się nie tylko dla literatury, lecz również dla uniwersytetów, ostatecznie zaś dla całego społeczeństwa. Nic z tego, o czym mówił, nie potrafiłem odnieść do rzeczywistości, którą znałem; chwilami oponowałem, mówiłem, że ma paranoję,

[1] Marie Silkeberg (ur. 1961) — szwedzka poetka, pisarka i tłumaczka.

że mierzy wszystkich jedną miarą, że za ideologią zawsze stoi człowiek, a chwilami po prostu pozwalałem mu się wygadać. Ale kiedy przeszliśmy przez bramki na stacji i stanęliśmy na ruchomych schodach, oświadczył, że Inger Christensen była niesamowita, zupełnie wyjątkowa. Jest klasą dla siebie.

— Mimo że wszyscy tak mówią, a ty wiesz, co myślę o pełnej zgodności poglądów, to jednak naprawdę jest świetna.

— Tak — potwierdziłem.

W dole podmuch od nadjeżdżającego pociągu poderwał z peronu foliową torebkę. Pociąg wyłonił się z mroku na drugim końcu niczym zwierzę z reflektorami zamiast oczu.

— To zupełnie inna kategoria — ciągnął Geir. — Format światowy.

Nie przeżyłem niczego szczególnego, kiedy czytała swoje wiersze. Ale wcześniej trochę się zastanawiałem nad tą drobną, okrągłą staruszką, która piła w barze, nie zdejmując torebki z ramienia.

— *Sommerfugldalen* to wieniec sonetów — zauważyłem, wychodząc na peron, kiedy pociąg się zatrzymał. — To musi być najbardziej wymagająca forma. Pierwsze wersy wszystkich sonetów w cyklu tworzą ostatni, kończący sonet.

— Tak, Hadle[1] wielokrotnie usiłował mi to wytłumaczyć — odparł Geir. — Ale ciągle nie mogę tego zapamiętać.

— Italo Calvino stosuje podobny zabieg w *Jeśli zimową nocą podróżny* — dodałem. — Ale oczywiście

---

1 Prawdopodobnie Hadle Oftedal Andersen (ur. 1969) — wykładowca języka norweskiego na Uniwersytecie Helsińskim, krytyk literacki.

nie przestrzega równie restrykcyjnie reguł gatunku. Wszystkie tytuły opowiadań układają się w końcu w jedno króciutkie opowiadanie. Czytałeś?

Drzwi się otworzyły, wsiedliśmy i zajęliśmy miejsca naprzeciwko siebie.

— Calvina, Borgesa i Cortazara możesz zachować dla siebie — oświadczył. — Nie lubię ani fantastyczności, ani sztuczności. Dla mnie liczą się tylko ludzie.

— No a Christensen? Drugiego twórcy tak wykorzystującego sztuczność musiałbyś ze świecą szukać. Przecież ona czasami uprawia wręcz matematykę.

— Nic mi o tym nie wiadomo — odparował Geir, a ja wyjrzałem przez okno, bo pociąg ruszył.

— Bo słyszałeś jej głos — nie ustępowałem. — A on wykracza poza wszelkie liczby i systemy. Tak samo jest z Borgesem, w każdym razie w jego najlepszych książkach.

— To w niczym nie pomoże — stwierdził Geir.

— Nie chcesz go docenić?

— Nie.

— No to nie.

Przez chwilę siedzieliśmy, nie odzywając się do siebie; w milczeniu pogrążeni byli również inni pasażerowie. Puste spojrzenia, nieruchome ciała, lekko wibrujące ściany i podłoga.

— Uczestniczenie w wieczorze poetyckim przypomina pobyt w szpitalu — odezwał się Geir, kiedy ruszyliśmy z następnej stacji. — Wszędzie dookoła nerwice.

— Ale nie w wypadku Christensen?

— No właśnie, przecież już mówiłem. Ona to co innego.

— Może zrównoważyła to surowa konstrukcja, której nie akceptujesz? Zobiektywizowała?

— Możliwe. Ale gdyby nie ona, ten wieczór byłby kompletnie zmarnowany.

— No, jest jeszcze ten facet, który ma mieszkanie do wynajęcia — przypomniałem. — Rataajaama, tak?

Następnego dnia rano zatelefonowałem pod numer, który podał mi Raattamaa. Nikt nie odebrał. Dzwoniłem tam przez cały dzień i następny — bez skutku. W ogóle nie odbierał telefonu, więc trzeciego dnia wybraliśmy się na kolejną imprezę, w której miał uczestniczyć; zanim się skończyła, usiedliśmy w barze po drugiej stronie ulicy i czekaliśmy, a kiedy wreszcie pokazał się w drzwiach, podszedłem do niego. Spuścił wzrok na mój widok: niestety, już za późno, oferta jest nieaktualna. Za pośrednictwem Geira Gulliksena[1] załatwiłem sobie spotkanie z dwoma redaktorami w Norstedts, zjadłem z nimi lunch, dali mi listę pisarzy, z którymi

powinienem się skontaktować — „może to nie ci najlepsi, ale najżyczliwsi" — i zaproponowali mi gościnne mieszkanie wydawnictwa na dwa tygodnie. Przyjąłem tę propozycję, a w czasie gdy tam mieszkałem, odezwał się do mnie Joar Tiberg[2], którego dłuższy wiersz wydrukowaliśmy kiedyś w „Vagancie". Znał dziewczynę z „Ordfront Magasin", wyjeżdżała na miesiąc i w jej mieszkaniu mogłem się zatrzymać.

Regularnie dzwoniłem do Tonje, mówiłem jej, jak się czuję i co robię, a ona opowiadała, co się dzieje

---

[1] Geir Gulliksen (ur. 1963) — pisarz norweski, do roku 2000 redaktor w wydawnictwie Tiden, które opublikowało pierwszą powieść Karla Ovego Knausgårda, później w wydawnictwie Oktober — jego nakładem ukazały się wszystkie pozostałe książki Knausgårda.

[2] Joar Tiberg (ur. 1967) — szwedzki pisarz, dziennikarz i tłumacz.

wokół niej. Pytania o to, co właściwie zamierzamy, żadne z nas nie zadawało.

Zacząłem biegać. I pisać. Od ukończenia pierwszej książki minęły już cztery lata, a ja nie miałem nic nowego. Leżąc na łóżku wodnym w wynajętym, wyraźnie kobiecym pokoju, doszedłem do wniosku, że mam dwie możliwości. Albo zacznę pisać o swoim życiu, tym teraźniejszym, trochę jakby dziennik, otwarty na przyszłość, z ujęciem wszystkich wydarzeń ostatnich lat jako czegoś w rodzaju mrocznego podwodnego prądu — w myślach nazywałem to dziennikiem sztokholmskim — albo będę kontynuował historię, ledwie zaczętą na trzy dni przed przyjazdem do Szwecji, o wyprawie łodzią wśród szkierów, kiedy miałem dwanaście lat, tata łowił wtedy kraby, a ja znalazłem martwą mewę. Atmosfera tamtej letniej nocy, z jej ciepłem i mrokiem, krabami, ogniskiem i krzykami mew broniących gniazd, kiedy Yngve, tata i ja szliśmy przez wyspę, miała w sobie coś, ale mogło tego nie wystarczyć na powieść.

W ciągu dnia czytałem w łóżku, nierzadko odwiedzał mnie Geir, szliśmy wtedy gdzieś na lunch, a wieczorami pisałem, biegałem albo jechałem metrem do Geira i Christiny, z którymi w ciągu tych dwóch tygodni bardzo się zbliżyłem. Oprócz dyskusji o literaturze i peror Geira o sytuacji politycznej i ideologicznej, cały czas toczyły się między nami rozmowy również o rzeczach bliższych nam samym. Miałem w sobie niewyczerpane źródło, wszystko ożywało, od zdarzeń w dzieciństwie po śmierć ojca, od letnich miesięcy w Sørbøvåg do owej zimy, kiedy poznałem Tonje. Geir był bystry, patrzył na wszystko z zewnątrz i wcinał się raz po raz. Jego opowieść, która zaczęła nabierać kształtów dużo później, jakby najpierw musiał się upewnić, czy można mi zaufać, stanowiła niemal przeciwieństwo mojej. Pochodził z robotniczej rodziny, całkiem pozbawionej ambicji, z domu bez jednej książki na półce, ja natomiast wywodziłem się z klasy średniej, oboje rodzice kształcili się także w dojrzałym wieku, aby zajść wyżej, z domu, w którym dostępna była cała literatura światowa. Geir zaliczał się do tych, którzy bili się na szkolnym podwórzu, wydalano go ze szkoły i wysyłano do psychologa, ja zaś należałem do uczniów starających się wkraść w łaski nauczycieli najlepszymi stopniami. Geir bawił się żołnierzykami i marzył o tym, żeby pewnego dnia dostać do ręki broń, ja grałem w piłkę, marząc, że pewnego dnia zostanę zawodowym piłkarzem. Podczas wyborów szkolnych brałem udział w panelach organizowanych przez SV, Socjalistyczną Partię Lewicy, a pracę semestralną pisałem o rewolucji w Nikaragui, Geir natomiast był członkiem Młodzieżowej Ligi Obrony Kraju i młodzieżówki skrajnie prawicowej Partii Postępu. Po obejrzeniu *Czasu apokalipsy* pisałem wiersze o rękach odcinanych dzieciom i o ludzkim okrucieństwie, on zaś sprawdzał możliwości uzyskania obywatelstwa amerykańskiego, żeby zaciągnąć się tam do armii.

Mimo tych przeciwieństw potrafiliśmy ze sobą rozmawiać. Ja rozumiałem jego, on rozumiał mnie, i po raz pierwszy w dorosłym życiu mogłem mówić komuś to, co myślę, bez żadnych zahamowań.

Zdecydowałem się zagłębić w historię o krabach i mewach, napisałem dwadzieścia stron, potem trzydzieści, krótkie przebieżki zaczęły się wydłużać, wkrótce okrążałem już całą dzielnicę Söder i jednocześnie gubiłem kilogramy, a rozmowy z Tonje stawały się coraz rzadsze.

Potem spotkałem Lindę i wzeszło słońce.

Inaczej nie potrafię tego nazwać. W moim życiu wzeszło słońce. Najpierw tylko pojaśniało nad horyzontem, niemal jakby coś chciało mi zasugerować: w tę stronę powinieneś patrzeć, potem ukazały się pierwsze promienie, wszystko stało się wyraźniejsze, łatwiejsze, jaskrawsze, a ja poweselałem, aż w końcu słońce wzeszło na nieboskłon mojego życia i świeciło, świeciło, świeciło.

Pierwszy raz moje spojrzenie padło na Lindę latem 1990 roku, podczas skandynawskiego seminarium dla debiutantów na Biskops-Arnö pod Sztokholmem. Stała przed budynkiem, słońce oświetlało jej twarz. Była w ciemnych okularach, białym T-shircie z czerwonym paskiem biegnącym przez pierś i w zielonych wojskowych spodniach. Szczupła i piękna. Otaczała ją aura mroku, dzikości, erotyzmu i destrukcji. Wypuściłem z rąk wszystko, co w nich trzymałem.

Minęło pół roku, zanim zobaczyłem ją po raz drugi. Siedziała przy stoliku w kawiarni w Oslo, w obszernej skórzanej kurtce, niebieskich dżinsach i czarnych sztybletach, i sprawiała wrażenie takiej kruchej, rozsypanej i zagubionej, że zapragnąłem ją objąć, tylko tyle. Nie zrobiłem tego.

Kiedy przyjechałem do Sztokholmu, była jedyną osobą oprócz Geira, jaką tu znałem. Miałem jej numer telefonu i drugiego dnia pobytu zadzwoniłem do niej z mieszkania Geira i Christiny. To, co wydarzyło się na Biskops-Arnö, uśmierciłem, nic a nic już do niej nie czułem, ale potrzebowałem kontaktów w tym mieście, Linda była pisarką, na pewno znała wiele osób, a któraś z nich mogła wiedzieć o jakimś mieszkaniu.

Nikt nie odebrał, więc odłożyłem słuchawkę i odwróciłem się do Geira, który udawał, że nie patrzy, co robię.

— Nikogo nie ma w domu — oznajmiłem.

— No to spróbuj później.

Próbowałem. Ale nigdy nikt nie odbierał.

Z pomocą Christiny dałem ogłoszenia do sztokholmskich gazet: „Norweski pisarz poszukuje pracowni/mieszkania". Do takiego sformułowania doszliśmy po długich dyskusjach; zdaniem Christiny i Geira istnieje mnóstwo ludzi zainteresowanych kulturą, którzy chwycą przynętę, jaką jest słowo „pisarz", „norweski" zaś sygnalizuje coś miłego i niegroźnego. Coś musiało w tym być, bo telefon się rozdzwonił. Większość proponowanych mi mieszkań znajdowała się jednak na przedmieściach, poza centrum, a tych nie chciałem, bo bezsensowne wydawało mi się siedzenie w jakimś bloku pod lasem, więc w oczekiwaniu na lepszą propozycję przeniosłem się najpierw do mieszkania wydawnictwa Norstedts, potem zaś do owego kobieco-dziewczyńskiego mieszkanka. Po tygodniu się doczekałem. Ktoś chciał wynająć swoje mieszkanie w dzielnicy Söder, pojechałem tam więc i stanąłem w umówionym miejscu. Zobaczyłem, że z samochodu wysiadają dwie kobiety, tak do siebie podobne, że musiały być bliźniaczkami; miały około pięćdziesięciu lat. Przywitałem się z nimi, powiedziały, że są z Polski i zamierzają wynająć mieszkanie co najmniej na rok; uznałem to za bardzo interesujące, na co one zaprosiły mnie na górę i dodały, że jeśli mi się spodoba, możemy od razu podpisać umowę.

Mieszkanie było całkiem okej, duży pokój z wnęką, około trzydziestu metrów kwadratowych, z kuchnią i łazienką, standard do zaakceptowania, lokalizacja idealna. Podpisałem. Ale coś mi się nie zgadzało, coś było nie tak, chociaż nie mogłem pojąć co. Powoli zszedłem po schodach i zatrzymałem się przed tablicą z listą lokatorów. Najpierw odczytałem adres, Brännkyrkagatan 92. Wydał mi się znajomy. Gdzieś go już wcześniej widziałem, tylko gdzie? Gdzie? — zastanawiałem się, wodząc wzrokiem po nazwiskach mieszkańców.

Niech to piekło pochłonie!

Linda Boström.

Ciarki mi przeszły po plecach.

To przecież jej adres. Pisałem do niej, prosiłem o tekst dla „Vaganta". Jasna cholera, wysłałem list właśnie na Brännkyrkagatan 92.

Jak duża jest szansa na taki zbieg okoliczności?

W tym mieście mieszka półtora miliona ludzi. Znam w nim jedną osobę. Zamieszczam ogłoszenie w gazecie, na które odpowiadają kompletnie mi obce bliźniaczki, Polki, i okazuje się, że to ten sam dom!

Wolno ruszyłem na stację metra i przez całą drogę do mojego panieńskiego mieszkanka niespokojnie wierciłem się na siedzeniu. Co Linda sobie pomyśli, kiedy nad nią zamieszkam? Że ją prześladuję?

To niemożliwe. Nie mogłem tego zrobić. Nie po tych strasznych wydarzeniach na Biskops-Arnö.

Natychmiast po powrocie do domu zadzwoniłem do Polek i oznajmiłem, że zmieniłem zdanie. Nie wezmę jednak tego mieszkania, dostałem o wiele lepszą propozycję, naprawdę mi przykro.

— W porządku — odparła Polka.

Znalazłem się w punkcie wyjścia.

— Zwariowałeś? — obruszył się Geir, kiedy mu o wszystkim opowiedziałem. — Zrezygnowałeś z mieszkania na Söder, w dodatku taniego, ponieważ *wydaje* ci się, że ktoś, kogo właściwie nie znasz, *może* się poczuć prześladowany? Czy masz świadomość, ile lat starałem się znaleźć mieszkanie w centrum? Wiesz, jakie to trudne? To niemożliwe! A ty, cholerny farciarzu, zjawiasz się, dostajesz najpierw jedno, potem drugie i rezygnujesz?

— W każdym razie tak teraz wygląda sytuacja — podsumowałem. — Mogę wpaść? Czuję się trochę tak, jakbyście byli moją rodziną. Jakbym przychodził do was na niedzielne obiadki.

— Pomijając to, że dzisiaj jest poniedziałek, twoje odczucia pokrywają się z moimi. Ale nie bardzo mi to pasuje do relacji ojciec–syn. Bardziej mi to wygląda na Cezara i Brutusa.

— A który z nas jest Cezarem?

— Nie zadawaj głupich pytań. Prędzej czy później zaatakujesz mnie z zasadzki, ale przyjeżdżaj. Pogadamy.

Zjedliśmy, potem wyszedłem na niewielki taras, żeby zapalić i wypić kawę. Geir do mnie dołączył, rozmawialiśmy o relatywizmie, z jakim obaj podchodzimy do świata, o tym, że świat się zmienia, kiedy zmienia się kultura, ale i tak zawsze jest wszystkim, więc nie da się zobaczyć, co jest poza nim, dlatego nic poza nim nie istnieje. Zastanawialiśmy się, czy owo podejście wynika z tego, że studiowaliśmy na uniwersytecie akurat wtedy, gdy poststrukturalizm i postmodernizm osiągnęły szczyt popularności i wszyscy zaczytywali się w Foucaulcie i Derridzie, czy też po prostu jest to prawda i w takim razie odrzucamy stały, niezmienny, bezwzględny punkt. Geir opowiedział o znajomym, który po dyskusji na temat relatywizmu, jaką odbyli, już nigdy więcej nie chciał z nim rozmawiać. Pomyślałem, że to trochę dziwny powód, żeby rzucać wszystko na szalę, ale nic nie powiedziałem. Dla mnie liczy się tylko to, co społeczne, oświadczył Geir, to, co ludzkie. Nic poza tym mnie nie interesuje. A mnie owszem, stwierdziłem. Tak? — zdziwił się Geir. Co na przykład?

Drzewa, odparłem. Roześmiał się. Wzory w roślinach. Wzory w kryształach. Wzory w kamieniach. W formacjach krajobrazu. W galaktykach. Mówisz o fraktalach? Tak, na przykład o fraktalach. O wszystkim, co wiąże świat martwy ze światem żywym, o wszelkich nadrzędnych formach, jakie istnieją. Chmury! Wydmy! To mnie interesuje. O Boże, ale nuda, westchnął Geir. Wcale nie, zaprotestowałem. Właśnie, że tak, powiedział. Wracamy do domu? Nalałem sobie jeszcze kawy i spytałem Geira, czy mogę skorzystać z telefonu.

— Oczywiście — odparł. — A do kogo chcesz zadzwonić?

— Do Lindy. Do tej, no wiesz...

— Tak, tak, tak. Do tej, dla której zrezygnowałeś z mieszkania.

Wybrałem numer, pewnie już po raz piętnasty. Ku mojemu zaskoczeniu odebrała.

— Słucham, tu Linda.

— Cześć, mówi Karl Ove Knausgård.

— Cześć! Skąd dzwonisz?

— Ze Sztokholmu.

— Naprawdę? Jesteś na wakacjach?

— No, nie wiem jeszcze. Zamierzam tu przez pewien czas pomieszkać.

— Naprawdę? Fajnie!

— Tak. Jestem tu już od kilku tygodni. Próbowałem wcześniej do ciebie dzwonić, ale nie odbierałaś.

— Byłam przez pewien czas w Visby.

— Tak?

— Siedziałam tam i pisałam.

— To chyba fajnie.

— Tak, było bardzo fajnie. Niewiele zrobiłam, ale...

— No tak.

Zapadła cisza.

— Wiesz, pomyślałem, że… może poszlibyśmy któregoś dnia na kawę?

— Chętnie. Już się nigdzie nie wybieram.

— No to może jutro? Masz czas?

— Tak, chyba tak. W każdym razie przed południem mam.

— Wobec tego idealnie się składa.

— A gdzie mieszkasz?

— Koło Nytorget.

— O, to świetnie! Możemy się gdzieś tam spotkać? Wiesz, gdzie jest taka pizzeria na rogu? Po drugiej stronie ulicy jest kawiarnia. Może tam?

— Dobrze. A o której najbardziej ci odpowiada? O jedenastej? O dwunastej?

— Dwunasta to świetna pora.

— Znakomicie. No to do zobaczenia!

— Cześć.

— Cześć.

Odłożyłem słuchawkę i podszedłem do Geira. Obserwował mnie z kanapy, z filiżanką w ręku.

— I co? — spytał. — Nareszcie masz branie?

— Tak. Umówiłem się z nią na jutro.

— Świetnie. Wobec tego zajrzę wieczorem i opowiesz mi, jak było.

Poszedłem tam godzinę przed umówionym spotkaniem. Miałem ze sobą maszynopis nowej powieści Kristine Næss[1], której byłem konsultantem, siedziałem i pracowałem. Drobne ukłucia niepokoju przeszywały mnie za każdym razem, gdy pomyślałem o Lindzie. Niczego już od niej nie chciałem, pochowałem te pragnienia raz na zawsze, chodziło raczej o to, że nie miałem pewności, co się wydarzy i jak będzie.

---

1 Kristine Næss (ur. 1964) — pisarka norweska.

Zauważyłem ją, kiedy zeskakiwała z roweru przed kawiarnią. Umieściła przednie koło w stojaku i przypięła rower. Zajrzała do środka przez szybę, a może się przejrzała, otworzyła drzwi i weszła. W środku było prawie pełno, ale dostrzegła mnie od razu i podeszła.

— Cześć — powiedziała.

— Cześć.

— Pójdę najpierw coś zamówić. Chcesz coś?

— Nie, dziękuję.

Trochę się zaokrągliła, to była pierwsza rzecz, na jaką zwróciłem uwagę, jej niemal chłopięca chudość zniknęła.

Położywszy rękę na kontuarze, zwróciła się do kelnerki, która stała za parskającym ekspresem do kawy. Poczułem gwałtowne ssanie.

Zapaliłem papierosa.

Wróciła, postawiła na stoliku filiżankę herbaty i usiadła.

— Cześć — powtórzyła.

— Cześć.

Pamiętałem, że jej oczy, szarozielone, potrafiły się nagle rozszerzyć, jakby całkiem bez powodu.

Wyjęła okrągłe sitko, podniosła filiżankę do ust i dmuchnęła na herbatę.

— Dawno się nie widzieliśmy — odezwałem się. — U ciebie wszystko w porządku?

Wypiła łyczek i odstawiła filiżankę na stolik.

— Tak — odparła. — W porządku. Niedawno byłam z przyjaciółką w Brazylii, a bezpośrednio po powrocie wyjechałam do Visby. Jeszcze nie do końca się ogarnęłam.

— Ale piszesz?

Skrzywiła się, spuściła wzrok.

— Próbuję. A ty?

— Tak samo. Też próbuję.

Uśmiechnęła się.

— Mówiłeś serio, że będziesz mieszkał w Sztokholmie?

Wzruszyłem ramionami.

— Przynajmniej przez jakiś czas.

— To świetnie, będziemy mogli się spotykać. To znaczy towarzysko.

— Tak.

— Znasz tu kogoś jeszcze?

— Tylko jedną osobę. Geira. To Norweg. Poza tym nikogo.

— Znasz też trochę Mirję. Pamiętasz ją chyba z Biskops-Arnö?

— No tak, ale mało. Co u niej słychać?

— Chyba wszystko w porządku.

Przez chwilę siedzieliśmy w milczeniu.

Tylu tematów nie mogliśmy poruszyć, tylu spraw nie wolno nam było tknąć, ale skoro już tu siedzieliśmy, musieliśmy o czymś rozmawiać.

— Cholernie dobra była ta nowela, którą dałaś do „Vaganta" — powiedziałem. — Naprawdę cholernie dobra.

Uśmiechnęła się i spuściła wzrok.

— Dziękuję.

— Niesamowicie ekspresyjny język. Po prostu cholernie piękna. Jak... Trudno mi mówić o takich rzeczach, ale... Coś hipnotyzującego, chyba tak bym to określił.

Wciąż nie podnosiła oczu.

— Teraz też piszesz nowele?

— Tak, chyba tak. W każdym razie prozę.

— Aha. To dobrze.

— A ty?

— Ja nic. Przez cztery lata usiłowałem pisać powieść, ale tuż przed wyjazdem wszystko zniszczyłem.

Znów zapadła cisza. Zapaliłem kolejnego papierosa.

— Cieszę się, że cię widzę.

— A ja ciebie.

— Przed twoim przyjściem czytałem maszynopis. — Głową wskazałem na stos kartek leżących obok mnie na kanapie. — Kristine Næss. Słyszałaś o niej?

— A wiesz, że tak. Nie czytałam jej, ale kiedy byłam na kursie na Biskops-Arnö, przyjechało do nas troje pisarzy.

— Naprawdę? To dziwne, bo ona pisze właśnie o Biskops-Arnö. O dziewczynie z Norwegii, która tam jedzie.

Co ja, u diabła, wyprawiałem? Co ja plotłem?

— Nie czytam zbyt dużo. — Uśmiechnęła się Linda. — Nie wiem nawet, czy jestem prawdziwą pisarką.

— Ty? Jasne, że tak.

— Ale pamiętam tę wizytę pisarzy z Norwegii. Pomyślałam, że są tacy niesłychanie ambitni, zwłaszcza ci dwaj faceci. I tak dobrze się znali na literaturze.

— A jak się nazywali?

Wzięła głęboki oddech.

— Jeden miał na imię Tore, tego jestem pewna. Byli z „Vaganta".

— Aha, o nich chodzi. Tore Renberg i Espen Stueland. Pamiętam ten ich wyjazd.

— Tak, to ci.

— To moi dwaj najlepsi koledzy.

— Naprawdę?

— Tak. Ale żyją ze sobą jak pies z kotem. Właściwie nie mogą przebywać w tym samym pokoju.

— To znaczy, że znasz ich tak jakby oddzielnie?

— No, chyba tak to trzeba określić.

— Ty też mi zaimponowałeś — powiedziała.

— Ja?

— Tak. Ingmar Lemhagen mówił o twojej książce na długo przed twoim przyjazdem. Później też ciągle do niej wracał.

Znów cisza.

Linda poszła do toalety.

Pomyślałem, że to wszystko jest beznadziejne. Wygaduję jakieś idiotyzmy. Ale innych tematów do rozmowy nie było, prawda?

Właściwie o czym, do diabła, rozmawiają ludzie?

Z ekspresu do kawy wydobywały się syki i parskanie. Przy kontuarze stał rządek osób, których ruchy świadczyły o zniecierpliwieniu. Na dworze zrobiło się szaro, trawa w parku była żółta i mokra.

Linda wróciła i usiadła.

— Jak spędzasz czas? Zacząłeś już poznawać miasto?

Pokręciłem głową.

— Odrobinę. Ale piszę. No i codziennie chodzę na pływalnię na Medborgarplatsen.

— Naprawdę? Ja też tam chodzę! Nie codziennie, ale prawie.

Uśmiechnęliśmy się do siebie.

Wyjąłem komórkę i spojrzałem na zegar na wyświetlaczu.

— Właściwie muszę już lecieć — oświadczyłem.

Kiwnęła głową.

— Ale możemy się jeszcze spotkać?

— Oczywiście. Kiedy?

Wzruszyła ramionami.

— Po prostu do mnie zadzwoń. Możesz?

— Pewnie. — Schowałem wydruk maszynopisu i komórkę do torby, po czym wstałem. — No, to się zdzwonimy. Cieszę się, że znów się spotkaliśmy.

— Trzymaj się — odpowiedziała.

Z torbą w ręku ruszyłem wzdłuż parku i wszedłem w szeroką ulicę, przy której mieszkałem. To spotkanie niczego nie zmieniło. Zostaliśmy w punkcie wyjścia, niczego nie posunęliśmy do przodu; kiedy się rozstawaliśmy, wszystko było dokładnie tak jak w chwili naszego spotkania.

Ale czego się spodziewałem?

Przecież nigdzie się razem nie wybieraliśmy.

Nie spytałem o mieszkanie. Ani o kontakty. O nic.

I taki byłem gruby.

Po wejściu do mieszkania położyłem się na plecach na łóżku wodnym i wpatrywałem się w sufit. Linda była zupełnie inna. Prawie jakbym miał do czynienia z innym człowiekiem.

Na Biskops-Arnö w jej aurze najbardziej pociągała mnie chyba wola posunięcia się tak daleko, jak tylko można, którą natychmiast wyczułem. Ten element gdzieś zniknął. Przepadła też twardość, niemal bezwzględność, która ją wtedy cechowała, choć zarazem Linda była krucha jak szkło. Kruchość wciąż w sobie miała, ale jakąś inną. Nie myślałem już o tym, że może się stłuc i rozpaść na kawałeczki, teraz owa kruchość wiązała się z czymś łagodniejszym, a to jej odpychanie, to, co mówiło: do mnie nigdy się nie zbliżysz, zmieniło charakter. Była onieśmielona, lecz w jakiś sposób również otwarta. Czy wcześniej nie było w niej otwartości?

Jesienią po naszym wspólnym pobycie na Biskops-Arnö związała się z Arvem i właśnie on wspomniał mi, co się z nią działo tamtej zimy i wiosny. Zapadła na depresję maniakalną, z czasem trafiła na oddział psychiatryczny, wiele więcej nie wiedziałem. Czasami w okresach manii dzwoniła do mnie do domu, dwukrotnie z prośbą o skontaktowanie się z Arvem, za każdym razem spełniałem tę prośbę, prosiłem jego przyjaciół, aby mu przekazali, żeby do mnie zadzwonił, a kiedy oddzwaniał, słyszałem rozczarowanie w jego głosie, że właściwie to Linda go poszukuje. Raz zadzwoniła, żeby ze mną porozmawiać. Było około szóstej rano. Mówiła, że zaczyna w Göteborgu studia na wydziale twórczości literackiej, za godzinę miała pociąg. Tonje w sypialni się obudziła, dopytywała się, kto telefonuje o takiej szalonej porze, odpowiedziałem, że Linda, no wiesz, ta Szwedka, która jest z Arvem. Dlaczego dzwoni do ciebie? — spytała Tonje. Nie bardzo wiem, odparłem, wydaje mi się, że jest w manii.

Ale o niczym, co się z tym wiązało, nie mogliśmy rozmawiać.

A skoro nie mogliśmy rozmawiać o tym, to nie mogliśmy rozmawiać o niczym.

Jaki sens miało siedzenie i mówienie: cześć, cześć, tak, tak, co u ciebie słychać?

Zamknąłem oczy i próbowałem ją sobie wyobrazić.

Czy coś do niej czułem?

Nie.

A właściwie tak, lubiłem ją i chyba była we mnie jakaś czułość dla niej po tym wszystkim, co się zdarzyło, ale nic więcej. To, co było wcześniej, już pochowałem, definitywnie.

I dobrze.

Wstałem, włożyłem do plastikowej torby kąpielówki, ręcznik i szampon i poszedłem na Medborgarplatsen na pływalnię, o tej porze prawie pustą. Przebrałem się, wyszedłem na basen, stanąłem na słupku, skoczyłem na główkę. Przepłynąłem tysiąc metrów w bladym marcowym słońcu wpadającym przez wielkie okno na końcu hali, tam i z powrotem, pod wodą, nad wodą, skupiając się wyłącznie na liczbie metrów i minut, przez cały czas starając się wykonywać ruchy jak najbardziej zbliżone do ideału.

Później usiadłem w saunie. Przypomniał mi się czas, kiedy próbowałem pisać opowiadania na podstawie małych pomysłów, jakie przychodziły mi do głowy, na przykład o mężczyźnie z protezą, który znalazł się w szatni na pływalni, ale nie wiedziałem, co dalej — ani co, ani dlaczego, ani jak.

A jaki był duży pomysł?

Mężczyzna zostaje przywiązany do krzesła w jakimś mieszkaniu w Bergen, strzelają mu w głowę, umiera, ale w tekście ciągle żyje, jego „ja" trwa jeszcze długo, przez cały pogrzeb i zakopywanie w grobie.

Sztuczność — tym się zajmowałem.

I to tak długo.

Ręcznikiem otarłem pot z czoła, spojrzałem na wałki na brzuchu. Blady, tłusty i głupi.

Ale w Sztokholmie!

Wstałem i poszedłem pod prysznic.

Nikogo tu nie znałem. Byłem zupełnie wolny.

Gdybym odszedł od Tonje, gdybym wybrał tę drogę, mógłbym pomieszkać tu miesiąc albo dwa, może całe lato, a potem wyjechać do... Cholera, właściwie dokądkolwiek. Buenos Aires. Tokio. Nowy Jork. Polecieć do Afryki Południowej i wsiąść w pociąg jadący nad Jezioro Wiktorii. A dlaczego nie Moskwa? To też by było fantastyczne.

Zamknąłem oczy, namydliłem włosy, spłukałem, poszedłem do szatni, otworzyłem szafkę i się ubrałem.

Byłem wolny.

Nie musiałem nic więcej pisać.

Schowałem ręcznik i mokre kąpielówki do torby, wyszedłem na szary, przenikliwie zimny dzień, w hali targowej przy ladzie zjadłem na stojąco ciabattę. Wróciłem do domu i próbowałem coś popisać, z nadzieją, że Geir przyjdzie trochę wcześniej, niż zapowiedział. Położyłem się na łóżku i oglądałem telewizję, amerykańską operę mydlaną, w końcu zasnąłem.

Kiedy się obudziłem, na dworze już się ściemniło. Ktoś pukał do drzwi.

Otworzyłem, to był Geir. Uścisnęliśmy sobie ręce.

— No i jak? — spytał. — Jak poszło?

— Dobrze. Dokąd pójdziemy?

Wzruszył ramionami. Chodził, oglądał bibeloty w mieszkaniu, w końcu zatrzymał się przy półce z książkami i odwrócił w moją stronę.

— Czy to nie dziwne, że wszędzie można znaleźć te same książki? Przecież ta dziewczyna ma około dwudziestu pięciu lat, prawda? Pracuje w wydawnictwie Ordfront, mieszka na Söder? No i ma właśnie te książki, żadnych innych.

— Owszem, bardzo dziwne — zgodziłem się. — Dokąd idziemy? Guldapan? Kvarnen? Pelikan?

— W każdym razie nie do Kvarnen. Może Guldapan? Głodny jesteś?

Kiwnąłem głową.

— No to tam. Mają nie najgorsze jedzenie. Dobrego kurczaka.

Na dworze było tak, jakby miał zacząć padać śnieg. Przenikliwie zimno i wilgotno.

— No, dalej! — zachęcił mnie Geir, kiedy ruszyliśmy przed siebie. — W jakim sensie dobrze poszło?

— Spotkaliśmy się, pogadaliśmy trochę, rozeszliśmy się. Mniej więcej tak się to odbyło.

— Była taka, jaką ją zapamiętałeś?

— No, może troszeczkę inna.

— Jak było?

— Ile razy jeszcze o to spytasz?

— Chodzi mi o to, jak było naprawdę. Co poczułeś, kiedy ją zobaczyłeś?

— Mniej, niż się spodziewałem.

— Dlaczego?

— Dlaczego? Co to, do cholery, za pytanie?! Skąd mogę wiedzieć? Czuję to, co czuję. Nie da się zidentyfikować każdego najmniejszego pragnienia duszy, nawet jeśli tak ci się wydaje.

— A czy ty nie z tego żyjesz?

— Nie. Żyję z pisania o każdej najdrobniejszej głupiej sytuacji, na jaką byłem narażony, to coś zupełnie innego.

— A więc było jakieś pragnienie duszy? — spytał.

— Jesteśmy na miejscu. Mówiłeś, że idziemy coś zjeść.

Otworzyłem drzwi i wszedłem. W pierwszym pomieszczeniu znajdował się bar, w drugim była sala restauracyjna.

— Owszem. — Geir przeszedł przez lokal. Ruszyłem za nim. Usiedliśmy, przejrzeliśmy kartę, a kiedy zjawiła się kelnerka, zamówiliśmy kurczaka i piwo.

— Mówiłem ci, że byłem tutaj z Arvem? — spytałem.

— Nie.

— Kiedy przyjechaliśmy do Sztokholmu, trafiliśmy właśnie tutaj. To znaczy najpierw byliśmy, jak rozumiem, na Stureplan. Arve wszedł do jakiejś knajpy i spytał, czy wiedzą, gdzie w Sztokholmie zwykle piją pisarze. Śmiali się z niego i odpowiadali po angielsku. Przez pewien czas snuliśmy się po mieście, ale właściwie czułem się okropnie, bo bardzo wysoko ceniłem

Arvego, był intelektualistą, pracował w „Vagancie" od samego początku, a od chwili kiedy spotkaliśmy się na lotnisku, nie byłem zdolny powiedzieć ani słowa. Prawie. Wylądowaliśmy na Arlandzie, nie mogłem mówić. Przyjechaliśmy do Sztokholmu, znaleźliśmy pensjonat, nie mówiłem nic. Wyszliśmy coś zjeść, *nada*. Ani słowa. Wiedziałem, że moją jedyną szansą jest przepić się przez barierę dźwięku, więc to zrobiłem. Piwo na Drottninggatan — tam spytaliśmy kogoś, dokąd warto iść, powiedzieli nam, że na Söder, do Guldapan, więc przyjechaliśmy tu taksówką. Piłem wódkę i powoli zacząłem mówić. Kilka słów od czasu do czasu. Arve nachylił się do mnie i powiedział: Ta dziewczyna patrzy na ciebie. Chcesz, żebym sobie poszedł, abyś mógł z nią zostać sam? Jaka dziewczyna? — spytałem. Tamta, tam, wyjaśnił Arve. Popatrzyłem na nią, cholera, była piękna. Najbardziej jednak zdumiała mnie propozycja
 Arvego. Nie była trochę dziwna?

— Owszem.

— Upiliśmy się w trupa. Wtedy nie trzeba już było rozmawiać. Powałęsaliśmy się po ulicach, zaczęło świtać, o niczym już nie myślałem, w końcu znaleźliśmy jakąś piwiarnię z niesamowitą atmosferą, byłem właściwie nieprzytomny, wlewałem w siebie piwo, a Arve opowiadał o swoim dziecku. Nagle się rozpłakał. A ja go nawet nie słuchałem. Siedział, zasłaniając rękami twarz, ramiona mu drgały. Wreszcie dotarło do mnie, że on naprawdę płacze! Piwiarnię zamknęli, pojechaliśmy gdzieś jeszcze taksówką, ale tam nas nie wpuścili, i wtedy znaleźliśmy duży otwarty teren z kioskiem na końcu. Może to był Kungsträdgården, teraz jestem prawie pewien, że właśnie tak. Stało tam kilka krzeseł, powiązanych łańcuchami. Unosiliśmy je nad głowę i ciskaliśmy w mur. Szaleliśmy, kompletnie nieprzytomni. Aż dziwne, że policja nie przyjechała. Ale nie przyjechała. Wróciliśmy taksówką do pensjonatu. Obudziliśmy się następnego dnia rano, dwie godziny po odjeździe pociągu. Ale olewaliśmy już wszystko do tego stopnia, że nie miało to żadnego znaczenia. Dotarliśmy na dworzec, wsiedliśmy do następnego pociągu, a ja przez całą drogę gadałem. Bez przerwy. Jakby wszystko, co nazbierało się we mnie przez ostatni rok, musiało znaleźć ujście. Coś w Arvem sprawiało, że to się stało możliwe. Nie bardzo wiem, co to było i czy wciąż to w sobie ma. Jakaś ogromna akceptacja. W każdym razie usłyszał całą moją historię. O śmierci taty, o tym piekle, o moim debiucie i o tym, co się wydarzyło jednocześnie, a kiedy już to wszystko opowiedziałem, mówiłem dalej. Pamiętam, że czekaliśmy na taksówkę na dworcu, nigdzie żywej duszy, tylko ja i Arve. Patrzy na mnie, a ja mówię i mówię. Dzieciństwo, okres dorastania, nie było rzeczy, o której bym mu nie powiedział. I tylko o sobie, o niczym innym. Ja, ja, ja. Wszystko na niego wylałem. Umożliwił mi to. Rozumiał wszystko, co mówiłem, wszystkie moje refleksje, kogoś takiego nigdy wcześniej nie spotkałem. Zawsze istniały jakieś ograniczenia, uprzedzenia, potrzeba pokazania się w dobrym świetle, która ograniczała słowa do konkretnego miejsca lub prowadziła je w konkretnym kierunku, przez co wypowiedź była przeinaczana, prawda nigdy nie dochodziła do głosu. Ale Arve, tak mi się tego dnia wydawało, był człowiekiem absolutnie otwartym, a jednocześnie zaciekawionym i naprawdę cały czas usiłował zrozumieć to, z czym się borykałem. Ta jego otwartość nie miała w sobie nic instrumentalnego, nie była otwartością jakiegoś pierdolonego psychologa, ciekawość też nie była instrumentalna. Patrzył na świat przez pryzmat doświadczenia, na pewno, i podobnie jak wszystkim, którzy tak patrzą, pozostawał mu głównie śmiech jako jedyny adekwatny sposób na stawianie czoła zachowaniom i wyobrażeniom ludzi.

Rozumiałem to i wykorzystałem, żeby oprzeć się wszystkiemu, co dawała mi jego otwartość, ale ponieważ nie byłem dostatecznie silny, więc mnie to również przerażało.

Arve wiedział coś, o czym ja nie wiedziałem, rozumiał coś, czego nie rozumiałem, widział coś, czego nie widziałem.

Powiedziałem mu o tym.

Uśmiechnął się.

— Mam czterdzieści lat, Karl Ove. Ty trzydzieści. To ogromna różnica. Na pewno właśnie ją wyczuwasz.

— Wcale tak nie uważam! Chodzi o coś innego. Masz pewien wgląd w rzeczy, którego mnie brakuje.

— Mów tak dalej!

Roześmiał się.

Jego silna aura emanowała głównie z ciemnych, uważnie patrzących oczu, nie był ponury, dużo się śmiał, uśmiech rzadko opuszczał jego odrobinę wykrzywione wargi. Był człowiekiem, którego obecność się wyczuwało, ale nie fizyczną, bo na jego ciało, szczupłe i delikatne, po prostu nie zwracało się uwagi, w każdym razie ja go nie zauważałem. Arve to były ciemne oczy, ogolona czaszka, ciągły uśmiech i głośny śmiech. Jego wywody zawsze prowadziły do konkluzji, jakich się nie spodziewałem. Nigdy nawet mi się nie śniło, że się tak na mnie otworzy. Naraz mogłem powiedzieć wszystko, co do tej pory dusiłem w sobie, a nawet więcej, bo nagle jakbym się czymś zaraził, nagle również moje wywody zaczęły kończyć się w sposób nieoczekiwany, a uczuciem, jakie to we mnie budziło, była nadzieja. Może mimo wszystko byłem pisarzem? Arve nim był. Ale ja? Przy mojej zwyczajności? Przy moim życiu wypełnionym piłką nożną i filmami rozrywkowymi?

Ależ gadałem!

Przyjechała taksówka, otworzyłem bagażnik i dalej plotłem, skacowany i podniecony. Wrzuciliśmy do bagażnika plecaki, wsiedliśmy, a ja dalej mówiłem, przez całą drogę wśród szwedzkich krajobrazów aż do Biskops-Arnö, gdzie już dawno zaczęło się seminarium. Kiedy wytoczyliśmy się z taksówki, akurat skończył się lunch.

— I później też tak było? — spytał Geir.

— Też.

Podszedł do nas jakiś mężczyzna i przedstawił się jako Ingmar Lemhagen. Był szefem saminarium. Powiedział, że ceni moją książkę i że skojarzyła mu się z twórczością innego norweskiego pisarza. Którego? — spytałem. Uśmiechnął się chytrze i oświadczył, że odpowiedź na to pytanie musi zaczekać do czasu, gdy moje teksty będą omawiane na panelu.

Pomyślałem, że na pewno chodzi mu o Finna Alnæsa lub Agnara Myklego[1].

Zostawiłem bagaż na zewnątrz, poszedłem coś zjeść, nałożyłem sobie trochę jedzenia na talerz i szybko przełknąłem. Wszystko się kołysało. Ciągle byłem pijany, ale nie tak bardzo, żeby nie czuć rozsadzających pierś emocji i radości, że tu jestem.

Wskazano mi pokój, rzuciłem w nim swoje rzeczy i poszedłem do budynku, w którym miał się odby-

1 Finn Alnæs (1872–1932), Agnar Mykle (1915–1994) — pisarze norwescy.

wać kurs. Właśnie wtedy ją zobaczyłem. Stała oparta o ścianę, nie odezwałem się do niej, otaczało ją wiele innych osób, ale patrzyłem tylko na nią. Było w niej coś, co chciałem mieć. Objawiło się to w sekundzie, w której ją ujrzałem.

Jak eksplozja.

Trafiliśmy do tej samej grupy. Kiedy wszyscy usiedli, prowadząca, Finka, wciąż się nie odzywała. To była jej nauczycielska sztuczka, ale nikt nie dał się na nią nabrać. Wszyscy milczeli przez pięć minut, aż zrobiło się nieprzyjemnie i ktoś wreszcie podjął inicjatywę.

Cały czas miałem świadomość obecności tej dziewczyny.

Zwracałem uwagę na wszystko, co mówiła, na to, jak mówiła, ale głównie liczyła się jej obecność, po prostu jej ciało w pomieszczeniu, w którym przebywałem.

Nie wiem dlaczego. Może stan, w jakim się znajdowałem, w szczególny sposób wyczulił mnie na wszystko, co dotyczyło jej osoby.

Przedstawiła się. Linda Boström. Debiutowała zbiorem wierszy zatytułowanym *Gör mig behaglig för såret*[1], mieszkała w Sztokholmie i miała dwadzieścia pięć lat.

Kurs trwał pięć dni. Cały czas krążyłem wokół niej. Wieczorami upijałem się na umór, prawie nie spałem. Którejś nocy poszedłem za Arvem do piwnicy, przypominającej kryptę, tańczył tam w koło, nie dało się z nim nawiązać kontaktu, a kiedy stamtąd wyszliśmy i zrozumiałem, że nie da się do niego dotrzeć, rozpłakałem się. Zobaczył to. Płaczesz, powiedział. Tak, przyznałem. Ale jutro o tym zapomnisz. Którejś nocy w ogóle nie spałem. Koło piątej, kiedy ostatnie

---

1 *Zrób mi przyjemność, zanim mnie zranisz.*

niedobitki wreszcie poszły się położyć, wybrałem się na długi spacer do lasu; słońce już wstało, widziałem sarny biegające wśród starych liściastych drzew i czułem się szczęśliwy w dziwny sposób, którego nie rozpoznawałem. To, co napisałem w trakcie tego kursu, było naprawdę dobre, jakbym nawiązał kontakt z jakimś źródłem, jakby spłynęło na mnie coś wyjątkowego i całkowicie mi obcego. Przejrzystego i świeżego. A może za sprawą euforii błędnie to oceniłem? Mieliśmy wspólny wykład, usiadłem obok Lindy, a ona spytała, czy pamiętam scenę z *Łowcy androidów*, gdy światło wpadające przez okna ciemnieje. Powiedziałem, że tak, i dodałem, że sowa, która się wtedy odwraca, to najpiękniejszy moment w całym filmie. Spojrzała na mnie. Pytająco, nie z uznaniem. Prowadzący seminarium omawiali napisane przez nas teksty. Doszli do mojego. Lemhagen zaczął o nim mówić i nagle odniosłem wrażenie, że jego słowa unoszą się coraz wyżej i wyżej, nigdy wcześniej nie słyszałem, żeby ktoś w taki sposób omawiał tekst, w zasadzie wydobywał dokładnie to, co było w nim istotne, i nie chodziło o postaci ani temat, o coś, co znajdowało się na wierzchu, chodziło o metafory i pracę, jaką wykonywały w ukryciu przy łączeniu wszystkich elementów, wiązaniu ich niemal w sposób organiczny. Nie zdawałem sobie sprawy, że to robię, ale kiedy powiedział o tym głośno — już wiedziałem, i drzewa, liście, trawa, chmury oraz palące słońce stały się czymś innym; teraz wszystko, również wywód Lemhagena, ujrzałem w nowym świetle.

Popatrzył na mnie.

— Najbardziej mi to przypomina prozę Tora Ulvena[1]. Znasz go, Karl Ove?

1 Tor Ulven (1953–1995) — pisarz norweski.

Kiwnąłem głową i spuściłem wzrok.

Nie chciałem, aby ktoś zobaczył, że krew buzuje mi w żyłach, że w moim wnętrzu ryczą trąby i pędzą konno rycerze. Tor Ulven to najwyższa z wyżyn.

Wiedziałem jednak, że Lemhagen się myli, że mnie przecenia, był przecież Szwedem i z całą pewnością nie potrafił dobrze uchwycić niuansów języka norweskiego. Ale już samo to, że wymienił nazwisko Ulvena... Czyżbym jednak nie był pisarzem rozrywkowym? Czy naprawdę w tym, co napisałem, istniało coś, co *przypominało* prace Tora Ulvena?

Krew buzowała, radość gwałtownie przeniknęła do systemu nerwowego.

Spuściłem głowę, gorąco pragnąc, żeby Lemhagen wreszcie skończył i przeszedł do następnej osoby w kolejce, a kiedy tak się stało, odetchnąłem z ulgą.

Tej nocy pijatyka przeniosła się do mojego pokoju. Linda stwierdziła, że możemy palić, jeśli zdemontujemy czujnik dymu, więc to zrobiłem. Piliśmy, puściłem *Summerteeth* grupy Wilco, nie wydawała się tym jednak zainteresowana, więc przyniosłem rzymską książkę kucharską, którą kupiłem poprzedniego dnia podczas wycieczki do Uppsali, bo uważałem, że to fantastyczne gotować to samo, co starożytni Rzymianie, ale Linda tak nie myślała, przeciwnie, gwałtownie odwróciła się ode mnie, wzrokiem szukając kogoś innego. Ludzie zaczęli się rozchodzić do swoich pokojów, miałem nadzieję, że Linda nie wyjdzie, ale i ona zniknęła, więc znów wyszedłem do lasu, wędrowałem po nim do siódmej rano, a kiedy wróciłem, przybiegł za mną jakiś wściekły facet. Knausgård, to ty jesteś Knausgård? — krzyczał. Potwierdziłem. Zatrzymał się przede mną i zaczął na mnie wrzeszczeć. Alarm przeciwpożarowy, to niebezpieczne, nieodpowiedzialne! Tak, powiedziałem, bardzo mi przykro, nie pomyślałem, przepraszam. Patrzył na mnie ze złością, a ja kołysałem się w tył i w przód, w ogóle mnie to nie obchodziło. Położyłem się i spałem dwie godziny. Kiedy zjawiłem się na śniadaniu, Ingmar Lemhagen od razu zaczął mnie przepraszać za to, co się stało — dozorca posunął się za daleko, to się już więcej nie powtórzy.

Nic z tego nie rozumiałem. To on mnie przeprasza?

To, co się wydarzyło, aż za dobrze pasowało do osoby, którą się stałem w tych dniach, a mianowicie do szesnastoletniego chłopca. Moje uczucia były uczuciami szesnastolatka, czyny — czynami szesnastolatka. Nagle ogarnęła mnie taka niepewność, jakiej nie czułem od tamtych czasów. Wszyscy zgromadzili się w jednym pomieszczeniu, mieliśmy czytać nasze teksty, zaczynać po kolei, chodziło o stworzenie chóru, w którym rozmywa się indywidualny głos. Lemhagen wskazał kogoś, ten ktoś zaczął czytać. Potem skinął na mnie. Popatrzyłem na niego z wahaniem.

— Mam teraz czytać? Równocześnie z nim? — spytałem.

Wszyscy się roześmiali. A ja się zaczerwieniłem. Ale kiedy zacząłem, czułem, jaki świetny jest mój tekst, nieporównywalnie lepszy od pozostałych, osadzony w czymś zupełnie innym, o wiele bardziej istotny.

Kiedy później rozmawialiśmy na dziedzińcu, powiedziałem o tym Arvemu.

Tylko się uśmiechnął.

Co wieczór dwie albo trzy osoby miały czytać innym. Nie mogłem się doczekać swojej kolejki, bo przecież była tam Linda, chciałem jej pokazać, kim jestem. Zwykle czytałem dobrze, zazwyczaj nagradzano mnie oklaskami. Ale tym razem tak dobrze nie poszło, już po pierwszym zdaniu zacząłem mieć wątpliwości co do tekstu, wydał mi się śmieszny, coraz bardziej się kurczyłem, aż w końcu usiadłem, czerwony ze wstydu. Wtedy przyszła kolej na Arvego.

Coś się stało, kiedy czytał. Oczarował wszystkich. Był magikiem.

— To było niesamowite. Świetne! — oświadczyła Linda, kiedy Arve skończył.

Z uśmiechem kiwnąłem głową.

— Tak, jest rzeczywiście znakomity.

Wyszedłem stamtąd wściekły i zrozpaczony, wziąłem z pokoju piwo i usiadłem na schodach przed budynkiem. W myślach zaklinałem ją: Lindo, wyjdź stamtąd i przyjdź tutaj. Słyszysz? Wyjdź stamtąd i przyjdź tutaj. Idź za mną. Jeśli to zrobisz, jeśli tu teraz przyjdziesz, będziemy razem. Tak się stanie.

Nie odrywałem wzroku od drzwi.

Otworzyły się.

To była Linda!

Serce mi waliło.

To była Linda! Linda!

Przeszła przez placyk, a ja zadrżałem ze szczęścia.

Potem skręciła w stronę drugiego budynku, pozdrawiając mnie gestem uniesionej ręki.

Następnego dnia wszyscy wybrali się na spacer do lasu. Szedłem obok Lindy, na samym przodzie gromady. Osoby za nami powoli odstawały, w końcu zostaliśmy w lesie sami. Linda bawiła się trawką, od czasu do czasu spoglądała na mnie z uśmiechem. Nie potrafiłem nic powiedzieć. Nic. Patrzyłem w dół, patrzyłem w las, patrzyłem na nią.

Jej oczy promieniały. Nie miały już w sobie tamtej pociągającej głębi i ciemności, Linda była lekka i zalotna, bawiła się źdźbłem trawy, uśmiechała się, zerkała na mnie, spuszczała wzrok.

O co chodziło?

Co to miało znaczyć?

Spytałem, czy wymienimy się książkami, odpowiedziała, że oczywiście. Po powrocie z lasu poszła do pokoju, a ja leżałem na trawniku i wpatrywałem się w chmury. Wróciła z książką. Na stronie tytułowej napisała: „Biskops-Arnö, 99.07.01. Dla Karla Ovego, Linda". Pobiegłem po egzemplarz swojej książki z wpisaną już wcześniej dedykacją i wręczyłem jej. Kiedy odeszła, popędziłem do siebie i zacząłem czytać. Pragnąłem jej aż do bólu; każde słowo napisane w tej książce było nią.

Wśród tego wszystkiego, wśród mojego dzikiego pożądania i upadku w wiek szesnastu lat, cały świat widziałem inaczej. Otaczająca mnie zieleń zachwycała dzikością i chaosem, a jednocześnie dostrzegałem jej proste i przejrzyste formy; stare dęby, wiatr w liściach, słońce i nieskończony błękit nieba budziły we mnie uczucie bliskie ekstazy.

Nie spałem, nie jadłem, piłem co wieczór, a mimo to nie czułem zmęczenia ani głodu, nie miałem też żadnych problemów z uczestniczeniem w kursie. Nieustannie prowadziłem też rozmowę z Arvem, to znaczy dalej opowiadałem mu o sobie, a z czasem coraz więcej o Lindzie. Arve mnie wyróżniał, ale dostrzegał też inne osoby na kursie. No i prowadziliśmy dyskusje o literaturze. Mój sposób mówienia się zmienił, im dłużej z nim przebywałem, tym swobodniejsze stawały się moje myśli, uznałem to za dar. Między zajęciami leżeliśmy na trawniku przed budynkiem i rozmawialiśmy, wówczas byli z nami również inni, a ja czułem zazdrość o Arvego. Widziałem, jakie wrażenie jego słowa wywierają na innych, i bardzo chciałem, żeby mnie też tak słuchano.

Któregoś wieczoru wszyscy siedzieli na trawie, pili i rozmawiali; Arve opowiedział o wywiadzie ze Sveinem Jarvollem[1], który przeprowadził dla „Vaganta", o tym, jak owego wieczoru podczas ich rozmowy słowa trafiały z taką precyzją, że w jakiś sposób otworzyło się to, co niemożliwe.

Zrewanżowałem się opowieścią o moim wywiadzie dla „Vaganta" z Runem Christiansenem[2], podczas którego stało się to samo, chociaż tak się bałem spotkania z nim — nic nie wiedziałem o poezji, ale nagle zniknęły wszelkie bariery i rozmawialiśmy o tym, o czym nie da się rozmawiać. Zakończyłem stwierdzeniem, że to był bardzo dobry wywiad.

Arve się roześmiał.

Jak mógł śmiechem zdyskwalifikować moją opowieść? Wszyscy, którzy tego słuchali, wiedzieli, że Arve jest górą. Wszelki autorytet skupił się w hipnotyzującym punkcie, jakim tego wieczoru stała się jego twarz. Linda tam była, Linda również to widziała.

Arve poruszył temat boksu. Mówił o Mike'u Tysonie i jego ostatniej walce, podczas której odgryzł ucho Holyfieldowi.

Stwierdziłem, że to wcale nie tak trudno zrozumieć, Tyson potrzebował jakiegoś rozwiązania, miał świadomość porażki, więc odgryzł przeciwnikowi ucho, bo to zakończyło walkę, a nie stracił przy tym twarzy. Arve znów się roześmiał i oświadczył, że w to wątpi. Oznaczałoby to racjonalne działanie, a w Tysonie nie było ani krztyny racjonalności. Mówił o tym w sposób

---

1 Svein Jarvoll (ur. 1946) — norweski pisarz i poeta.

2 Rune Christiansen (ur. 1963) — norweski prozaik i poeta.

kojarzący mi się ze sceną z *Czasu apokalipsy*, w której odcinają bykowi łeb. Ciemność, krew i trans. Być może moje myśli powędrowały akurat ku tej scenie, ponieważ Arve wcześniej tego dnia mówił o niezłomności, jaką wykazywali Wietnamczycy, kiedy odcinali ręce zaszczepionym dzieciom, o tym, że niemożliwe jest przeciwstawienie się tak ogromnej sile woli, chyba że ma się równie silną.

Następnego dnia zebrałem kilka osób, żeby pograć w nogę, Ingmar Lemhagen znalazł dla nas piłkę, pokopaliśmy z godzinę, a kiedy usiadłem koło Lindy na trawie z colą w ręku, stwierdziła, że poruszam się jak piłkarz. Miała brata, który grał i w piłkę nożną, i w hokeja, zauważyła, że stoimy i chodzimy w podobny sposób. A widziałeś, jak chodzi Arve? — spytała. Nie, odpowiedziałem. On chodzi jak baletmistrz. Lekko i zwiewnie. Nie zauważyłeś? Nie, uśmiechnąłem się do niej. Odpowiedziała przelotnym uśmiechem i wstała. Wyciągnąłem się na trawie i zapatrzyłem w białe chmury, które wolno przesuwały się w błękitnej głębi nieba.

Po obiedzie znów poszedłem na długi spacer do lasu. Zatrzymałem się przy dębie i długo wpatrywałem się w jego liście. Zerwałem żołędzia, po czym ruszyłem dalej, obracając go w dłoniach i oglądając ze wszystkich stron. Drobne, regularne wzory w maleńkiej, chropowatej, koszyczkowatej cząstce, w której spoczywał orzeszek. Pasma jaśniejszej zieleni na ciemnym tle gładkiej powierzchni. Idealna forma. To mógłby być statek powietrzny albo wieloryb, wal. O-wal-ny, pomyślałem z uśmiechem. Wszystkie liście były identyczne, wypluwane każdej wiosny w niesamowitych ilościach — drzewa to fabryki produkujące piękne, pokryte skomplikowanymi wzorami liście ze światła słonecznego i wody. Kiedy taka myśl już się pojawiła, monotonia była wręcz nie do zniesienia. Wszystko brało się z kilku tekstów Francisa Ponge'a, które przeczytałem tej wiosny z polecenia Runego Christiansena; jego spojrzenie na zawsze odmieniło dla mnie drzewa i liście. Wylewały się ze studni, ze studni życia, niewyczerpanej.

Ach, bezwolność!

Chodzenie w otoczeniu tej ogromnej, ślepej siły, tkwiącej we wszystkim, co rosło, w świetle słońca, które cały czas płonęło, a również było ślepe — przerażało.

Poruszyło to we mnie przenikliwie brzmiący ton. A jednocześnie odezwał się jeszcze inny ton, ton tęsknoty, która nie kierowała się już ku abstrakcji, jak w ostatnich latach, tylko ku czemuś namacalnemu i konkretnemu — przecież Linda akurat w tej chwili gdzieś tam była, zaledwie kilka kilometrów dalej.

Co to za szaleństwo? — zastanawiałem się, idąc. Przecież miałem żonę, było nam razem dobrze, wkrótce mieliśmy kupić mieszkanie. Ledwie przyjechałem i już chcę to wszystko zniszczyć?

Chciałem.

Szedłem wśród cieni liściastych drzew, nakrapianych plamami słońca, otoczony ciepłym zapachem lasu, i myślałem o tym, że znajduję się w środku życia. Nie w sensie wieku, nie w połowie ścieżki życia, tylko w s a m y m ś r o d k u i s t n i e n i a.

Serce mi zadrżało.

Nadszedł ostatni wieczór. Zebraliśmy się w największej sali, stało tam już wino i piwo, to miało być coś w rodzaju wieczorku pożegnalnego. Nagle znalazłem się obok Lindy, chciała otworzyć butelkę z winem; na moment nakryła dłonią moją rękę i lekko ją pogłaskała, patrząc mi przy tym w oczy. A więc było dla mnie oczywiste — chciała mnie. Przez resztę wieczoru nie wychodziło mi to z głowy i powoli upijałem się coraz bardziej. Będę z Lindą. Nie muszę wracać do Bergen, mogę wszystko porzucić i zostać tutaj razem z nią.

Koło trzeciej w nocy, kiedy byłem już tak pijany, jak rzadko mi się wcześniej zdarzało, poprosiłem, żeby wyszła ze mną na zewnątrz. Oświadczyłem, że muszę jej coś powiedzieć. I powiedziałem. Szczerze, co czuję i co zamierzam.

— Bardzo cię lubię — odparła. — Jesteś fajnym chłopakiem. Ale mnie nie interesujesz. Przykro mi. Za to twój kolega jest fantastyczny. On mnie interesuje, rozumiesz?

— Tak.

Odwróciłem się i przeszedłem przez plac; wiedziałem, że Linda wróci na imprezę. Przed drzwiami wejściowymi, pod drzewami, stała spora grupa ludzi. Arvego wśród nich nie było, ale znalazłem go gdzie indziej i powtórzyłem mu, że Linda się nim interesuje, więc może się zejdą. No tak, ale ona mnie nie interesuje, rozumiesz? — powiedział. Mam fantastyczną dziewczynę. Ale ciebie mi szkoda, dodał. Odparłem, że nie ma powodu, i znów przeszedłem przez plac jak przez tunel, w którym nie było niczego oprócz mnie. Minąłem grupę stojącą przed wejściem i ruszyłem korytarzem do swojego pokoju. Na biurku świecił komputer. Wyciągnąłem wtyczkę z gniazdka, wyłączyłem go, poszedłem do łazienki, wziąłem szklankę, która stała na umywalce, i z całej siły rzuciłem nią o ścianę. Odczekałem chwilę, aby sprawdzić, czy ktoś zareaguje. Potem złapałem największy odłamek i zacząłem ciąć sobie twarz. Starałem się to robić metodycznie, tak aby cięcia były jak najgłębsze i pokryły ją całą. Brodę, policzki, czoło, nos, podbródek. Regularnie ocierałem krew ręcznikiem. Dalej ciąłem. I wycierałem krew.

W końcu byłem zadowolony, nigdzie nie zmieściłoby się już ani jedno nacięcie. Wtedy poszedłem spać.

Jeszcze zanim się obudziłem, wiedziałem, że stało się coś strasznego. Twarz piekła i paliła. W momencie gdy się ocknąłem, przypomniałem sobie, co się stało.

Nie przeżyję tego, pomyślałem.

Miałem wracać do domu, spotkać się z Tonje na festiwalu Quart, pokój w hotelu zarezerwowaliśmy już pół roku wcześniej z Yngvem i Kari Anne. To miały być nasze wakacje. Tonje mnie kochała. A ja tak się zachowałem.

Zaciśniętą pięścią uderzyłem w materac.

No i ci ludzie tutaj.

Zobaczą tę hańbę.

Nie mogłem jej ukryć. Wszyscy to zauważą. Byłem naznaczony, sam się naznaczyłem.

Spojrzałem na poduszkę. Cała we krwi. Dotknąłem twarzy. Cała chropowata.

Wciąż byłem pijany, ledwie zdołałem się podnieść.

Odciągnąłem na bok ciężką zasłonę. Pokój zalało światło. Na trawniku przed budynkiem siedziała już cała banda, wokół leżały plecaki i walizki, niedługo mieliśmy się rozjechać.

Zaciśniętą pięścią uderzyłem w ramę łóżka.

Musiałem stawić temu czoło. Nie było innego wyjścia. Musiałem.

Spakowałem swoje rzeczy do walizki, twarz mnie piekła, paliło mnie też w środku — wstyd tak wielki, jakiego nigdy wcześniej nie czułem.

Byłem naznaczony.

Chwyciłem walizkę do ręki i wyszedłem. Początkowo nikt na mnie nie patrzył. Potem ktoś krzyknął. Wtedy wszyscy na mnie spojrzeli. Zatrzymałem się.

— Bardzo mi przykro — powiedziałem. — Przepraszam.

Linda też tam była. Wpatrywała się we mnie wielkimi oczami. Potem się rozpłakała. Ktoś jeszcze zaczął płakać. Ktoś inny do mnie podszedł i położył mi rękę na ramieniu.

— Wszystko w porządku — zapewniłem. — Po prostu wczoraj się zalałem. Przepraszam.

Panowała zupełna cisza. Po moim przyjściu zapadła cisza.

Jak miałem to przeżyć?

Usiadłem i zapaliłem papierosa.

Arve spojrzał na mnie. Próbowałem się uśmiechnąć.

Podszedł.

— Coś ty, do cholery, wymyślił?

— Strasznie się uwaliłem. Później ci o tym opowiem. Nie teraz.

Podjechał autobus, odwiózł nas na dworzec, wsiedliśmy do pociągu. Samolot mieliśmy dopiero następnego dnia. Nie wiedziałem, jak sobie do tego czasu poradzę. Na ulicy w Sztokholmie wszyscy się na mnie gapili i obchodzili mnie szerokim łukiem. Wstyd płonął we mnie, płonął i płonął, nie dało się przed nim uciec, musiałem go znieść, wytrzymać, przeczekać, aż pewnego dnia minie.

Poszliśmy w stronę Söder. Część osób umówiła się na spotkanie z Lindą, sądziliśmy, że to na placu, który — teraz to wiem — nazywa się Medborgarplatsen, ale wtedy był placem bez nazwy, stanęliśmy tam, przyjechała rowerem, zdziwiona, że tu jesteśmy, bo przecież mieliśmy się spotkać na Nytorget, to tam, pokazała, nie patrząc na mnie. W ogóle na mnie nie patrzyła. Może i dobrze, bo akurat jej wzroku bym nie wytrzymał.

Zjedliśmy pizzę, panowała dziwna atmosfera, później siedzieliśmy na trawniku, dookoła skakało mnóstwo ptaków; Arve powiedział, że nie wierzy w teorię ewolucji, to znaczy w przeżycie najsilniejszego, no bo spójrzcie tylko na ptaki, robią nie tylko to, co muszą, lecz również to, na co mają ochotę, co sprawia im przyjemność. Przyjemność jest niedowartościowana, stwierdził, a ja wiedziałem, że mówi do Lindy, bo powtórzyłem mu jej słowa, zrobiłem to, o co prosiła. Wiedziałem, że będą parą.

Wcześnie wróciłem do pensjonatu. Inni dalej pili. Oglądałem telewizję, to było nieznośne, ale przetrwałem ten wieczór i w końcu zasnąłem; łóżko obok pozostało puste, bo Arve nie wrócił tej nocy, rano znalazłem go śpiącego na klatce schodowej. Spytałem, czy był u Lindy, ale zaprzeczył, wyjaśnił, że wcześnie poszła do domu.

— Cały czas płakała i chciała rozmawiać tylko o tobie — dodał. — A ja piłem z Thøgerem.

— Nie wierzę ci — oświadczyłem. — Możesz mi to powiedzieć wprost. Nie przeszkadza mi, że jesteście razem.

— Mylisz się.

Kiedy przed południem następnego dnia wylądowaliśmy w Oslo, ludzie dalej się na mnie gapili, chociaż byłem w ciemnych okularach i jak najniżej spuszczałem głowę. Już dawno umówiłem się na rozmowę z Alfem van der Hagenem z NRK, miałem przyjść do niego do domu, planowaliśmy dłuższy wywiad, który wymagał nieco czasu. Musiałem się stawić. Po drodze uznałem, że gówno mnie to wszystko obchodzi i będę mówił dokładnie to, co myślę.

— O Boże! — jęknął, kiedy otworzył drzwi. — Co się stało?

— To nie takie poważne, na jakie wygląda. Po prostu okropnie się upiłem. Takie rzeczy się zdarzają.

— Ale jesteś w stanie udzielić wywiadu? — spytał.

— Jasne, wszystko w porządku. Po prostu nie najlepiej wyglądam.

— No tak, bogowie wiedzą, że to prawda.

Tonje na mój widok wybuchnęła płaczem. Powiedziałem jej, że po prostu się zalałem i nic poza tym. To zresztą była prawda. Na festiwalu ludzie też się za mną oglądali, a Tonje często płakała, ale zaczynało mi się polepszać — to co mnie złapało i nie chciało puścić, powoli mnie uwalniało. Byliśmy na koncercie Garbage, fantastycznym, Tonje mówiła, że mnie kocha, ja mówiłem, że kocham ją, i postanowiłem pogrzebać to wszystko, co się zdarzyło, więcej do tego nie wracać, nie myśleć o tym, wymazać to z życia.

Wczesną jesienią zadzwonił Arve i powiedział, że związał się z Lindą.

— Przecież mówiłem, że będziecie razem — odparłem.

— Ale to się nie stało tam, tylko później. Napisała do mnie list, a potem przyjechała. Mam nadzieję, że wciąż możemy być przyjaciółmi. Wiem, że to trudne, ale mam taką nadzieję.

— Oczywiście, że pozostaniemy przyjaciółmi — zapewniłem.

To była prawda, nie czułem do niego urazy. Dlaczego miałbym ją czuć?

Spotkałem go w Oslo miesiąc później; wróciłem wtedy do punktu wyjścia, znów nie potrafiłem z nim rozmawiać. Z moich ust nie wydobywało się żadne słowo, nawet po paru kieliszkach. Powiedział, że Linda dużo o mnie mówi i często powtarza, że jestem taki piękny. Pomyślałem sobie, że piękno nie jest parametrem, który nas dotyczy, to raczej ciekawostka, mniej więcej tak, jakbym był kulawy albo miał garb. Poza tym usłyszałem to od Arvego — po co mi to przekazał? Raz spotkałem go w Domu Artystów tak pijanego, że prawie nie dało się z nim rozmawiać. Wziął mnie za rękę, poprowadził do jakiegoś stolika i zawołał: „Spójrzcie, prawda, że jest piękny?". Uciekłem stamtąd, ale natknąłem się na niego ponownie godzinę później; usiedliśmy, powiedziałem, że tyle mu o sobie mówiłem, a on nigdy nie zdradził mi nic na swój temat, to znaczy na temat tego, co jest mu bliskie; Arve na to, że go rozczarowuję, bo mówię jak psycholog z sobotniego dodatku do „Dagbladet" czy czegoś podobnego. Przyznałem mu rację, zawsze miał rację albo zawsze wznosił się ponad argumenty dotyczące dobra i zła. Dał mi dużo, ale to również musiałem pogrzebać. Nie mogłem z tym żyć, jeśli decydowałem się na życie w Bergen. Tak się nie dało.

Zimą znów się spotkaliśmy, wtedy była z nim również Linda; Arve ją przyprowadził, ponieważ chciała się ze mną zobaczyć. Zostawił nas samych na pół godziny, a potem po nią wrócił.

Siedziała skulona w obszernej skórzanej kurtce, słaba i roztrzęsiona, prawie nic z niej nie zostało; pomyślałem — to już umarło, nie istnieje.

Geir wysłuchał tej historii, wpatrzony w stolik. Kiedy skończyłem, spojrzał mi w oczy.

— Interesujące — powiedział. — Ty *wszystko* zwracasz do wewnątrz. Cały ból, agresję, wszystkie uczucia, cały wstyd, wszystko. Do wewnątrz. Kaleczysz siebie, nigdy nikogo z zewnątrz.

— Tak się zachowuje każda nastolatka.

— Nie — zaprotestował. — Pociąłeś sobie twarz. Żadna dziewczyna nigdy by tego nie zrobiła. Prawdę mówiąc, nigdy nie słyszałem, żeby ktokolwiek to zrobił.

— To nie były głębokie nacięcia. Wyglądało fatalnie, ale nie było aż tak źle.

— Kto sobie robi coś takiego?

Wzruszyłem ramionami.

— Zbiegło się wtedy wiele różnych rzeczy. Śmierć taty, zainteresowanie moją książką, życie z Tonje. No i oczywiście Linda.

— Ale dzisiaj nic do niej nie czułeś?

— W każdym razie nic poważnego.

— Zobaczysz się z nią jeszcze?

— Możliwe. Prawdopodobnie tak. Ale jeśli w ogóle, to żeby mieć tu przyjaciela.

— J e s z c z e j e d n e g o przyjaciela.

— No właśnie. — Podniosłem do góry palec, żeby zwrócić na siebie uwagę kelnera.

Następnego dnia zadzwoniła dziewczyna, od której wynajmowałem mieszkanie. Jej przyjaciółka potrzebowała lokatora, żeby podzielić się czynszem.

— Co to znaczy: lokatora? — spytałem.

— Będziesz miał własny pokój, a z reszty mieszkania będziecie korzystali wspólnie.

— To raczej nie dla mnie.

— Ale to fantastyczne mieszkanie, naprawdę. Na Bastugatan. To jeden z najlepszych adresów w Sztokholmie.

— Wobec tego okej — powiedziałem. — Mogę przynajmniej z nią porozmawiać.

— Bardzo ją interesuje literatura norweska.

Podała mi nazwisko i numer telefonu, zadzwoniłem. Dziewczyna odebrała od razu — mogłem przyjść choćby natychmiast.

Mieszkanie rzeczywiście okazało się fantastyczne. Dziewczyna była młoda, młodsza ode mnie, ściany pokrywały zdjęcia mężczyzny. Wyjaśniła, że to jej mąż, który nie żyje.

— Przykro mi.

Odwróciła się i ruszyła w głąb mieszkania.

— To będzie twój pokój — pokazała. — To znaczy, jeśli zechcesz. Własna łazienka, własna kuchnia, no i pokój z łóżkiem, jak widzisz.

— Świetnie to wygląda.

— Masz też osobne wejście. A gdybyś chciał być sam, na przykład siedzieć i pisać, to wystarczy zamknąć te drzwi.

— Biorę — oświadczyłem. — Kiedy się mogę wprowadzić?

— Od razu, jeśli chcesz.

— Poważnie? Wobec tego przyjdę z rzeczami po południu.

Geir tylko się śmiał, kiedy mu o tym opowiadałem.

— To niemożliwe, żeby przyjechać do tego miasta, nikogo nie znając, i od razu znaleźć mieszkanie na Bastugatan! Niemożliwe! Rozumiesz? Bogowie cię lubią, Karl Ove, przynajmniej to jest pewne!

— Ale Cezar nie.

— Owszem, Cezar także. Najwyżej jest troszeczkę zazdrosny.

Trzy dni później zadzwoniłem do Lindy. Powiedziałem, że się przeprowadziłem, i zaproponowałem kawę na mieście. Zgodziła się i już po godzinie siedzieliśmy w kawiarni na tak zwanym garbie na Hornsgatan. Wydawała się weselsza. Od razu to zauważyłem, kiedy tylko usiadła. Spytała, czy dzisiaj pływałem. Uśmiechnąłem się i zaprzeczyłem. A ona, owszem, poszła na basen wcześnie rano i było fantastycznie.

Potem mieszaliśmy cappuccino w filiżankach. Zapaliłem papierosa, nie mogłem wymyślić nic, co by się nadawało do opowiedzenia, i postanowiłem, że ostatni raz się z nią spotykam.

— Interesuje cię teatr? — spytała.

Pokręciłem głową i odparłem, że widziałem jedynie kilka tradycyjnych inscenizacji w Teatrze Narodowym w Bergen, równie wciągających jak rybki w bergeńskim akwarium, oraz dwa przedstawienia na Międzynarodowym Festiwalu Teatralnym w Bergen, między innymi *Fausta*, który polegał na tym, że aktorzy chodzili po scenie, mamrocząc, wyposażeni w długie czarne nosy. Stwierdziła, że wobec tego musimy się wybrać na *Upiory* w reżyserii Bergmana, a ja się zgodziłem, mówiąc, że daję teatrowi jeszcze jedną szansę.

— To co, umawiamy się? — spytała.

— Tak. To może być interesujące.

— Weź ze sobą swojego norweskiego przyjaciela. Chętnie go poznam.

— Myślę, że nie odmówi.

Posiedzieliśmy jeszcze kwadrans, ale przerwy w rozmowie stawały się coraz dłuższe, więc Linda na pewno chciała już to zakończyć, tak samo jak ja. Wreszcie schowałem papierosy do kieszeni i wstałem.

— Pójdziemy razem kupić bilety? — spytała.

— Możemy.

— Jutro?

— Tak.

— O wpół do dwunastej tutaj?

— Dobrze, niech tak będzie.

Przez dwadzieścia minut, których potrzebowaliśmy na przejście z „garbu" na Hornsgatan do Dramatycznego, w ogóle się do siebie nie odzywaliśmy. Czułem się tak, jakbym mógł jej powiedzieć albo wszystko, albo nic. Akurat stanęło na niczym i tak miało prawdopodobnie pozostać na zawsze.

Pozwoliłem, żeby to ona zajęła się kupnem biletów, a kiedy sprawa już została załatwiona, wyruszyliśmy w drogę powrotną. Słońce zalało miasto, na drzewach pojawiły się pierwsze pączki, wszędzie roiło się od ludzi, w większości wesołych, jak zawsze w pierwsze prawdziwie wiosenne dni.

W drodze przez Kungsträdgården zmrużyła oczy w blasku ostro świecącego, niskiego słońca i spojrzała na mnie.

— Kilka tygodni temu widziałam coś dziwnego w telewizji — zaczęła mówić. — Pokazywali nagranie z kamery monitoringu w jakimś dużym kiosku. Nagle na jednej z półek pojawił się ogień, najpierw w postaci niskich płomieni. Ekspedient stał tak, że nie mógł
 ich widzieć. Ale klient przy ladzie mógł. Musiał wyczuć, że coś się dzieje, bo kiedy stał i czekał, aż sprzedawca wbije ceny, nagle odwrócił się w stronę tej półki. Na pewno zauważył płomienie. Ale wziął resztę i wyszedł. Chociaż za nim się paliło! — Uśmiechnęła się do mnie. — Wchodzi kolejny klient i staje przy ladzie. Teraz pali się już porządnie. On też się odwraca i patrzy wprost na płomienie. Ale załatwia swoje sprawy przy kasie i wychodzi. Patrząc wprost na ogień, rozumiesz?

— Tak. Myślisz, że nie chciał być w nic zamieszany?

— Nie, chyba nie o to chodziło. Raczej nie mógł uwierzyć w to, co widzi, w płomienie w sklepie. I bardziej zaufał rozumowi niż oczom.

— Co było dalej?

— Zaraz pojawił się trzeci klient. Krzyknął: *Fire!*, kiedy tylko zobaczył ogień, ale wtedy w płomieniach stała już cała półka. Nie można było udawać, że się niczego nie widzi. Dziwne, prawda?

— Owszem.

Dotarliśmy do mostu prowadzącego na wyspę, na której stał zamek. Lawirowaliśmy zygzakiem między turystami i imigrantami łowiącymi ryby. O tej historii, którą mi opowiedziała, myślałem od czasu do czasu w następnych dniach; po troszeczku odrywała się od Lindy i w końcu stała się zjawiskiem sama w sobie. Nie znałem Lindy, prawie nic o niej nie wiedziałem, a ponieważ była Szwedką, nie potrafiłem nic wyczytać z jej sposobu mówienia ani ze stroju. W głowie ciągle miałem tamto zdjęcie ze zbiorku wierszy, którego nie czytałem od pobytu na Biskops-Arnö, a z półki wyjąłem go tylko raz, żeby pokazać Yngvemu; zdjęcie autorki, która wczepia się mocno w mężczyznę, jak *szympansiątko*, i widzi to w lustrze. Dlaczego akurat to mi utkwiło w pamięci, nie wiem. Po powrocie do domu wyjąłem tomik. Wieloryby, ziemia i wielkie zwierzęta, które z dudnieniem okrążają równie bystry, jak wrażliwy podmiot liryczny.

Czy to ona?

Kilka dni później poszliśmy do teatru. Linda, Geir i ja. Pierwszy akt był zły, naprawdę nędzny, i podczas przerwy, kiedy usiedliśmy przy stoliku na tarasie z widokiem na port, Linda i Geir roztrząsali, dlaczego konkretnie był taki słaby. Ja miałem w sobie więcej wyrozumiałości, bo mimo miernoty tego aktu, rzutującej na przedstawione w nim wizje oraz na grę aktorów, wyczuwałem również pewną nadzieję na coś innego, co czeka w uśpieniu. Może nie w grze, może bardziej w kombinacji Bergman–Ibsen, z której w końcu *musiało* coś wyjść. A może po prostu wspaniałość sali teatralnej zwiodła mnie na tyle, że zacząłem liczyć na coś więcej.

Miałem rację. W drugim akcie wszystko uniosło się wyżej, intensywność emocji narastała, i w obrębie ciasnych ram, w których w końcu mieścili się tylko matka z synem, powstała swoista bezgraniczność, dzika i bezwzględna, i pochłonęła akcję oraz przestrzeń, pozostawiając uczucie, bardzo silne, że człowiek siedzi i zagląda w samo jądro istnienia, w samo sedno egzystencji, i dociera do punktu, w którym nie ma już większego znaczenia, co się właściwie dzieje. Wyeliminowane zostało wszystko, co dotyczy estetyki i gustu. Czy z tyłu sceny płonęło ogromne czerwone słońce? Czy Osvald tarzał się nagi po scenie? Nie jestem już pewien, co widziałem, szczegóły zniknęły w stanie, który wzbudziły, absolutnie porywającym, jednocześnie palącym i lodowatym. Jednak komuś, kto nie przeszedł całej drogi do tego punktu, wszystko, co się tam wydarzyło, mogłoby się wydać przesadzone, może wręcz banalne albo kiczowate. Mistrzostwo zawierało się w pierwszym akcie, tak wszystko zostało ujęte, i tylko ktoś, kto poświęcił życie na tworzenie, kto miał za sobą ogromne, ponadpięćdziesięcioletnie doświadczenie twórcze, mógł mieć dostateczną mądrość, chłód, odwagę, intuicję i wiedzę, by osiągnąć takie wyżyny. Tego nie dało się wymyślić, to było niemożliwe. Nic z tego, co widziałem lub czytałem, nie zbliżyło się w taki sposób do rzeczy najistotniejszych. Kiedy wraz ze strumieniem publiczności wyszliśmy do foyer i dalej na ulicę, nikt z nas nic nie mówił, ale po nieobecnych wyrazach twarzy poznałem, że oni również dali się porwać w głąb tego strasznego, lecz prawdziwego, a przez to pięknego miejsca, które Bergman dostrzegł u Ibsena i zdołał przekazać na scenie. Postanowiliśmy iść na piwo do KB, po drodze trans odpuścił, zastąpiła go entuzjastyczna radość. Zażenowanie, jakie normalnie bym odczuwał, przebywając w pobliżu dziewczyny tak pociągającej jak Linda, w dodatku po wydarzeniach sprzed trzech lat, w ogóle się nie pojawiło. Opowiadała, jak podczas jednej z prób z Bergmanem wpadła na statyw z reflektorem i odczuła gniew reżysera. Rozmawialiśmy o różnicy między *Upiorami* a *Peerem Gyntem*, sztukami, które sytuowały się na dwóch końcach skali — jedna zdawała się wyłącznie powierzchowna, druga wyłącznie głęboka, a obie były równie prawdziwe. Linda sparodiowała Maksa von Sydowa i omówiła z Geirem kilka filmów Bergmana — Geir przez wiele lat chodził na wszystkie seanse w Cinematece, naprawdę na wszystkie, i w związku z tym obejrzał niemal całą klasykę, która była warta zobaczenia, ja natomiast tylko słuchałem, uszczęśliwiony tym, co się dzieje. Uszczęśliwiony, że widziałem to przedstawienie, że się przeniosłem do Sztokholmu, że jestem tu z Lindą i Geirem.

Kiedy się rozstaliśmy i podreptałem przez wzgórza do mojego wynajętego mieszkania na Mariaberget, zdałem sobie sprawę z dwóch rzeczy.

Po pierwsze, że chcę ją znów jak najszybciej zobaczyć.

Po drugie, że właśnie tam, ku temu, co zobaczyłem owego wieczoru, muszę podążać. Na niczym innym nie mogę poprzestać, nic innego nie jest możliwe. Muszę się kierować wyłącznie ku temu, co najistotniejsze, ku najgłębszemu jądru ludzkiego istnienia. Nawet jeśli dotarcie tam potrwa czterdzieści lat, niech i tak będzie. Ale nie wolno mi stracić tego z oczu, nie wolno mi zapomnieć, ku czemu zmierzam.

Tam, właśnie tam.

Dwa dni później zadzwoniła Linda i zaprosiła mnie na imprezę z okazji nocy Walpurgi, którą urządzała razem z dwiema przyjaciółkami. Mogłem zabrać swojego kumpla Geira. I zabrałem. W majowy piątek w 2002 roku szliśmy więc przez Söder do mieszkania, w którym miała się odbyć impreza, i wkrótce siedzieliśmy obaj na głębokiej kanapie, każdy ze szklaneczką kruszonu w ręce, otoczeni młodymi sztokholmczykami, w taki czy inny sposób związanymi z kulturą. Byli tam muzycy jazzowi, ludzie teatru, krytycy literaccy, pisarze, aktorzy. Linda, Michaela i Öllegård, które urządzały imprezę, poznały się, kiedy pracowały w Sztokholmskim Teatrze Miejskim. Właśnie w tych dniach Teatr Dramatyczny wystawiał *Romea i Julię* we współpracy z trupą cyrkową Circus Cirkör, więc oprócz aktorów salon wypełniali również żonglerzy, połykacze ognia i akrobaci trapezowi. Nie było szans, żebym przetrwał ten wieczór bez rozmów, chociaż bardzo chciałem, więc ciężko przenosiłem ciało od jednej grupy do drugiej, wymieniając grzecznościowe formułki, a po wypiciu kilku ginów z tonikiem zdarzyło mi się dorzucić również kilka zdań ponad to, co konieczne. Najbardziej chciałem rozmawiać z ludźmi teatru. Nigdy bym się nie spodziewał, że spektakl zrobi na mnie takie wrażenie, dlatego tej nocy przepełniał mnie ogromny entuzjazm dla teatru. W rozmowie z dwoma aktorami zacząłem perorować o tym, jak fantastyczny jest Bergman. Prychnęli tylko: „Ten stary dziad? To przecież tak cholernie tradycyjne, że aż chce się rzygać".

Jak mogłem być taki głupi? To oczywiste, że brzydzili się Bergmanem. Po pierwsze, był wielką postacią przez całe ich życie, a także przez całe życie ich rodziców. Po drugie, sami zajmowali się tym, co nowe i odkrywcze, pokazaniem Szekspira w formie przedstawienia cyrkowego, sztuką dla wszystkich, inscenizacją, która ze swoimi pochodniami, trapezami, szczudłami i klaunami była powiewem świeżości. Oddalili się od Bergmana najbardziej jak można. Tymczasem staje przed nimi tłusty, wyraźnie depresyjny Norweg i wielbi go jako nowość!

Stwierdziwszy, że Linda i Geir ciągle siedzą na kanapie i rozmawiają, ożywieni i uśmiechnięci, powędrowałem dalej z ukłuciem w sercu, wywołanym tym widokiem, bo istniała możliwość, że Linda zakocha się w kolejnym moim koledze. Wpadłem na jakichś ludzi od jazzu, którzy spytali, czy znam norweski jazz, lekko kiwnąłem głową, co oczywiście sprawiło, że zaczęli domagać się nazwisk. Norwescy muzycy jazzowi? A są jacyś oprócz Jana Garbarka? Na szczęście zrozumiałem, że wcale nie o niego im chodziło, i przypomniał mi się Bugge Wesseltoft — Espen kiedyś o nim wspominał i zaprosił go na imprezę „Vaganta", podczas której czytałem swoje teksty. Pokiwali z uznaniem głowami, więc odetchnąłem z ulgą i odszedłem, żeby usiąść samotnie w fotelu. Wtedy pojawiła się koło mnie ciemnowłosa kobieta o szerokiej twarzy, dużych ustach i świdrujących piwnych oczach, ubrana w kwiecistą sukienkę. Spytała, czy to prawda, że jestem pisarzem z Norwegii. Owszem. Co wobec tego myślę o Janie Kjærstadzie, Johnie Eriku Rileyu i Olem Robercie Sundem[1]?

Powiedziałem, co o nich myślę.

— Naprawdę? — spytała.

— Tak.

— Posiedź tu jeszcze, pójdę tylko po męża. On pisze o literaturze. Bardzo się interesuje Rileyem. Zaczekaj chwilę. Zaraz wrócę.

---

[1] Jan Kjærstad (ur. 1953), John Erik Riley (ur. 1970), Ole Robert Sunde (ur. 1952) — pisarze norwescy.

Odprowadziłem ją wzrokiem, patrzyłem, jak przeciska się między ludźmi w stronę kuchni. Jak miała na imię? Hilda? Nie. Wilda? Nie, do jasnej cholery. Gilda! Powinienem to zapamiętać.

Znów wyłoniła się z tłumu, tym razem ciągnąc za sobą mężczyznę. Już na pierwszy rzut oka rozpoznałem ten typ. Na odległość zalatywało od niego uniwersytetem.

— Teraz możesz powtórzyć to, co powiedziałeś — oświadczyła Gilda.

Powtórzyłem. Ale jej uwaga rozdzieliła się na niego i na mnie, więc gdy temat się wyczerpał, co nie potrwało długo, przeprosiłem i poszedłem do kuchni wziąć sobie coś do jedzenia, bo kolejka do bufetu już się zmniejszyła. Geir rozmawiał z kimś pod oknem, Linda z kimś innym koło regału z książkami. Usiadłem na kanapie i zacząłem ogryzać nogę kurczaka, gdy nagle moje spojrzenie skrzyżowało się ze wzrokiem ciemnowłosej dziewczyny, która przyjęła to jako zaproszenie i sekundę później stała przede mną.

— Kim jesteś? — spytała.

Przełknąłem i odłożyłem udko kurczęcia na tekturowy talerzyk, patrząc na nią od dołu. Próbowałem usiąść trochę bardziej prosto na miękkiej kanapie, ale bez powodzenia. Zsunąłem się tylko na bok; policzki musiały mi lśnić od tłuszczu.

— Karl Ove — przedstawiłem się. — Jestem z Norwegii. Niedawno się tu przeprowadziłem, zaledwie kilka tygodni temu. A ty?

— Melinda.

— Czym się zajmujesz?

— Jestem aktorką.

— Aha! — powiedziałem z resztką bergmanowskiej euforii w głosie. — Grasz teraz w *Romeo i Julii*?

Kiwnęła głową.

— Kogo?

— Julię.

— Aha.

— A tam masz Romea — wskazała.

Piękny umięśniony mężczyzna szedł w jej stronę. Pocałował ją w oba policzki i spojrzał na mnie.

Cholerna kanapa. Czułem się na niej jak karzeł.

Uśmiechnąłem się i kiwnąłem głową. Odpowiedział mi skinieniem.

— Jadłaś coś? — spytał.

— Nie — odparła i zniknęli. Znów podniosłem do ust kurze udko. Nie pozostawało mi nic innego jak picie.

Moim ostatnim zajęciem tego wieczoru było oglądanie albumu ze zdjęciami wspólnie z homeopatką — tak, homeopatką! — zajmującą się końmi; miała taki głęboki dekolt. Alkohol nie pomógł mi osiągnąć nastroju, w którym wszystko pasuje i nic nie stanowi przeszkody, chociaż na ogół tak działał, tylko sprawił, że opadłem na dno studni swojego umysłu i w tym stanie nie potrafiłem się z niej wydostać. Wszystko stawało się coraz bardziej zamglone i niewyraźne. Nie wiadomo skąd wziąłem dość przytomności umysłu, by pójść do domu, a nie siedzieć tam i czekać, aż wszyscy sobie pójdą, z nadzieją, że wydarzy się jeszcze coś interesującego; następnego dnia mogłem sobie tylko za to dziękować. Lindę uznałem za straconą, nie zamieniliśmy ani słowa przez cały wieczór, który w głównej mierze spędziłem zapadnięty w fotel, z czasem zaanektowany jako „mój"; tych kilka wypowiedzianych przeze mnie zdań zmieściłoby się na pocztówce, a poza tym nie zainteresowałyby żadnej kobiety na świecie. Mimo to wieczorem następnego dnia zadzwoniłem do niej, musiałem jej przecież podziękować za zaproszenie. Właśnie wtedy gdy stałem z komórką przy uchu i patrzyłem na Sztokholm, rozpościerający się w dole pode mną, rozświetlony czerwonym tłustym światłem zachodzącego słońca, nastąpiła ta brzemienna w skutki chwila. Przywitałem się, podziękowałem za poprzedni wieczór, dodałem, że to była miła impreza, Linda mi również podziękowała, powiedziała, że według niej też było miło i że ma nadzieję, iż dobrze się bawiłem. Owszem, odparłem. Potem nastąpiła cisza. Ona nic nie mówiła, ja nic nie mówiłem. Czy powinienem zakończyć rozmowę? To był naturalny odruch, nauczyłem się w takich sytuacjach mówić jak najmniej, bo wtedy jest mniejsza szansa na powiedzenie czegoś głupiego. Ale może nie powinienem się rozłączać? Mijały sekundy. Gdybym powiedział: no, tak tylko zadzwoniłem, żeby ci podziękować, i odłożył słuchawkę, najprawdopodobniej właśnie na tym by się skończyło. Uważałem, że poprzedniego wieczoru i tak wszystko przepadło, ale, do jasnej cholery, co miałem do stracenia?

— Co robisz? — spytałem po tej zastanawiająco długiej przerwie.

— Oglądam hokej w telewizji.

— Hokej? — zdziwiłem się. Rozmawialiśmy przez kwadrans. I postanowiliśmy, że znów się spotkamy.

Spotkaliśmy się, ale nic się nie wydarzyło. Nie było żadnego napięcia, a raczej napięcie było tak duże, że nas unieruchomiło, jakby nas trzymało, jakby uwięziło w nas to wszystko, co chcieliśmy sobie powiedzieć, ale nie mogliśmy.

Grzecznościowe formułki. Małe otwarcia na coś innego, na jej codzienność — miała w tym mieście matkę, brata i przyjaciół. Z wyjątkiem pół roku spędzonego we

Florencji, całe życie mieszkała w Sztokholmie. A gdzie ja mieszkałem?

Arendal, Kristiansand, Bergen. Pół roku na Islandii, cztery miesiące w Norwich.

Czy mam rodzeństwo?

Brata i przyrodnią siostrę.

Byłeś żonaty, prawda?

Owszem. W pewnym sensie wciąż jestem.

O!

W pewien wczesny wieczór w połowie kwietnia zadzwoniła z pytaniem, czy mam ochotę się z nią spotkać. Oczywiście, powiedziałem. Jestem w mieście z Geirem i Christiną, siedzimy w Guldapan, może byś do nas dołączyła?

Pół godziny później przyszła.

Promieniała.

— Dostałam się dzisiaj na studia do Instytutu Dramatu — oznajmiła. — Tak się cieszę, to fantastyczne! No i nabrałam ochoty, żeby się z tobą zobaczyć. — Spojrzała na mnie.

Uśmiechnąłem się do niej.

Spędziliśmy razem cały wieczór, upiliśmy się. Linda odprowadziła mnie do mojego mieszkania, ale przed bramą uściskałem ją i poszedłem na górę sam.

Dzień później zadzwonił Geir.

— Przecież ona jest w tobie zakochana, człowieku! Widać to z daleka. Kiedy was zostawiliśmy, Christina natychmiast powiedziała: „Ona prawie świeci, zakochała się w Karlu Ovem po uszy!”.

— Wcale tak nie uważam — zaprotestowałem. — Cieszyła się z przyjęcia na studia.

— Gdyby tylko o to chodziło, dlaczego dzwoniłaby z tym właśnie do ciebie?

— Skąd mogę wiedzieć? Zadzwoń do niej i ją spytaj.

— A jak z twoimi uczuciami?

— W porządku.

Wybraliśmy się z Lindą do kina, z jakiegoś idiotycznego powodu na nowy film z cyklu *Gwiezdne wojny*, a stwierdziwszy, że to przecież film dla dzieci, poszliśmy do knajpy w Folkoperan[1], gdzie niewiele się do siebie odzywaliśmy.

Wróciłem przygnębiony. Miałem serdecznie dość tego, że wszystko w sobie tłumię, że nie potrafię powiedzieć najprostszej rzeczy.

Przeszło mi. Dobrze się czułem sam. Miasto wciąż było dla mnie nowe, nastała wiosna, co drugi dzień o dwunastej wkładałem adidasy i biegałem wokół Söder, czyli dziesięć kilometrów, a w pozostałe dni tygodnia przepływałem tysiąc metrów. Zrzuciłem dziesięć kilogramów i znów zacząłem pisać. Wstawałem o piątej, wychodziłem z papierosem i kawą na taras na dachu, skąd rozciągał się widok na cały Sztokholm, następnie pracowałem do dwunastej, po czym szedłem pobiegać lub popływać, a potem wychodziłem na miasto, siadałem w jakiejś kawiarni i czytałem albo po prostu się włóczyłem, chyba że spotykałem się z Geirem. Kładłem się o wpół do dziewiątej, akurat wtedy kiedy zachodzące słońce malowało ścianę nad łóżkiem na czerwono, jak krwią. Zacząłem *Jägarna på Karinhall* Carla-Henninga Wijkmarka, Geir mi polecił tę książkę, czytałem na leżąco, w blasku coraz bardziej zniżającego

1 Folkoperan — Opera Ludowa założona w 1976 roku w Sztokholmie; w przeciwieństwie do Opery Królewskiej kameralna opera, której celem jest bliski kontakt z publicznością i wystawianie dzieł operowych w taki sposób, aby były zrozumiałe dla wszystkich.

się słońca, i nagle, zupełnie bez przyczyny ogarnęło mnie dzikie, oszałamiające poczucie szczęścia. Byłem wolny, zupełnie wolny, a życie było fantastyczne. Takie doznanie potrafiło mną owładnąć może raz na pół roku, było silne, trwało kilka minut i mijało. Ale — o dziwo — tym razem nie minęło. Budziłem się radosny, cholera, nie zdarzyło mi się to od dzieciństwa. Siedziałem na tarasie i śpiewałem w bladym świetle słońca, a gdy pisałem, nie przejmowałem się wcale, że mi nie wychodzi, są przecież na świecie inne, lepsze rzeczy niż pisanie powieści. Kiedy szedłem pobiegać, ciało miałem lekkie jak piórko, natomiast świadomość, podczas robienia rundek zwykle nastawiona wyłącznie na to, żeby wytrzymać, zaczęła nagle dostrzegać otoczenie i cieszyć się zielenią gęstych liści, niebieską wodą w kanałach, mnóstwem ludzi dookoła, pięknymi i mniej pięknymi budynkami. Po powrocie do domu kąpałem się, jadłem zupę z chrupkim chlebem, wychodziłem do parku i dalej czytałem debiutancką powieść Wijkmarka o norweskim maratończyku, który podczas olimpiady w Berlinie w 1936 roku zabłąkał się do dworku myśliwskiego Göringa, dzwoniłem do Espena albo do Torego, do Eirika, mamy, Yngvego albo do Tonje — z którą przecież nie zerwałem, nic nie zostało ustalone — wcześnie kładłem się spać, wstawałem w środku nocy i jadłem śliwki albo jabłka, nie zdając sobie z tego sprawy, dopiero rano znajdowałem pestki na podłodze przy łóżku. Na początku maja pojechałem na Biskops-Arnö, bo pół roku wcześniej zgodziłem się wygłosić tam prelekcję. Po przyjeździe do Sztokholmu zadzwoniłem do Lemhagena, aby wszystko odwołać, ponieważ nie miałem nic do powiedzenia, lecz odparł, że mimo to mogę przyjechać, posłuchać innych wystąpień, ewentualnie wziąć udział w dyskusji i przeczytać jeden czy dwa teksty, jeśli mam coś nowego.

Powitał mnie przed głównym budynkiem i od razu oświadczył, że nigdy nie przeżył nic nawet w części podobnego do tamtego seminarium dla debiutantów. Rozumiałem, o co mu chodzi. Nie tylko mój nastrój był wtedy wyjątkowy.

Wykłady były nudne, wystąpienia nieciekawe, albo może po prostu miałem w sobie za dużo radości, żeby coś mnie zainteresowało. Jedynie dwaj starzy Islandczycy powiedzieli coś oryginalnego, ale też musieli odpierać najostrzejsze ataki. Wieczorem piliśmy. Henrik Hovland[1] zabawiał nas historyjkami z życia na polu walki; mówił między innymi, że zapach gówna po pewnym czasie nabiera cech indywidualnych do tego stopnia, że można się nawzajem wywęszyć po ciemku, jak zwierzęta, w co nikt nie uwierzył, ale wszyscy się śmiali. Ja natomiast opowiedziałem niesamowitą scenę z jednej z książek Arilda Reina[2], w której główny bohater robi tak wielką kupę, że nie daje się jej spłukać, dlatego chowa ją do kieszeni garnituru i w ten sposób wynosi.

Następnego dnia przyjechało dwóch Duńczyków, Jeppe i Lars; odczyt Jeppego był niezły, nieźle się też z nimi piło. Pojechali ze mną do Sztokholmu, poszliśmy w tango, wysłałem SMS-a do Lindy, spotkała się z nami w Kvarnen, objęła mnie na powitanie, śmialiśmy się i rozmawialiśmy, ale nagle straciłem humor, bo Jeppe miał charyzmę, był ponadprzeciętnie inteligentny i biła od niego męskość, na którą, jak mi się wydawało, Linda nie pozostała obojętna. Może dlatego wdałem się z nią w dyskusję. Ze wszystkich możliwych tematów wybrałem aborcję. Linda sprawiała wrażenie,

---

1 Henrik Hovland (ur. 1965) — norweski pisarz i dziennikarz, korespondent wojenny.

2 Arild Rein (ur. 1960) — pisarz norweski.

że wcale jej to nie przeszkadza, ale wkrótce poszła do domu, my natomiast kontynuowaliśmy imprezę; skończyliśmy pod jakimś nocnym klubem, który odmówił Jeppemu wstępu — chodziło, zdaje się, o jakąś plastikową torbę, jego wygląd oraz to, że był mocno wstawiony. Zamiast do klubu poszliśmy więc do mnie. Lars zasnął, a my z Jeppem siedzieliśmy aż do wschodu słońca; opowiadał o swoim ojcu, pod każdym względem dobrym człowieku, a kiedy wyznał, że ojciec nie żyje, po policzku spłynęła mu łza. To jedna z tych chwil, które zapamiętam na zawsze, może dlatego, że otworzył się przede mną bez zapowiedzi. Była tylko jego głowa oparta o ścianę, oświetlona pierwszym, bladym światłem poranka, i łza spływająca po policzku.

Rano zjedliśmy śniadanie w kawiarni, Duńczycy pojechali na Arlandę, ja zaś wróciłem do domu odespać zarwaną noc; zapomniałem zamknąć okno, padał deszcz, komputer zamókł, a nie zrobiłem żadnych zapasowych kopii.

Włączyłem go następnego dnia, działał normalnie. Nic już nie mogło się nie udać. Zadzwonił Geir, był siedemnasty maja, święto narodowe Norwegii, może wyszlibyśmy coś zjeść? On, Christina, ja i Linda. Opowiedziałem mu o dyskusji w Kvarnen; pouczył mnie, że jest kilka nielicznych tematów, na które nie wolno dyskutować z kobietami. Jednym z nich jest aborcja. Do cholery, Karl Ove, prawie każda miała kiedyś zabieg, jak możesz się wpieprzać w coś takiego? Ale zadzwoń do niej, nie masz pewności, czy to w ogóle miało jakieś znaczenie. Na pewno nawet o tym nie pomyślała.

— Nie mogę do niej zadzwonić.

— A co może się stać? Jeśli się na ciebie wkurzyła, to po prostu odmówi. Jeśli się nie wkurzyła, to się zgodzi. Musisz się dowiedzieć, jak jest. Nie możesz przestać się z nią spotykać tylko dlatego, że ci się wydaje, że nie chce cię znać.

Zadzwoniłem.

Zgodziła się przyjść.

Siedzieliśmy w Creperiet, rozmawialiśmy głównie o różnicach między Norwegią a Szwecją, popisowej działce Geira. Linda często na mnie patrzyła, nie wydawała się urażona, ale nie miałem pewności, dopóki nie znaleźliśmy się sam na sam i nie zacząłem jej przepraszać. Nie masz mnie za co przepraszać, oświadczyła, myślisz to, co myślisz. To nic strasznego. No a co z Jeppem? — spytałem w duchu, ale oczywiście na głos tego nie wypowiedziałem.

Siedzieliśmy w Folkoperan. To było ulubione miejsce Lindy. Co wieczór tuż przed zamknięciem puszczano tu rosyjski hymn narodowy, Linda zaś uwielbiała wszystko, co rosyjskie, zwłaszcza Czechowa.

— Czytałeś Czechowa? — spytała.

— Nie.

— Naprawdę? No to musisz przeczytać.

Kiedy była przejęta i chciała coś powiedzieć, jej wargi najpierw lekko się rozchylały, odsłaniając zęby, a ja się jej przyglądałem. Miała takie śliczne wargi. I te jej oczy, szarozielone i błyszczące, były takie piękne, że patrząc w nie, czuło się ból.

— Mój ulubiony film też jest rosyjski. *Spaleni słońcem*, widziałeś?

— Nie, niestety.

— No to musimy go kiedyś zobaczyć. Gra w nim fantastyczna dziewczynka. Należy do pionierów, fantastycznej politycznej organizacji dla dzieci. — Roześmiała się. — Wydaje mi się, że mam ci tyle do pokazania. À propos, będzie wieczór literacki w Kvarnen. Za... pięć dni. Ja też będę czytać. Masz ochotę przyjść?

— Oczywiście. Co będziesz czytać?

— Stiga Sæterbakkena.

— Dlaczego?

— Bo przetłumaczyłam go na szwedzki.

— Naprawdę? Dlaczego nic nie mówiłaś?

— Bo nie pytałeś. On też przyjdzie. Trochę się denerwuję, bo mój norweski nie okazał się tak dobry, jak sądziłam. Ale Sæterbakken czytał przekład i nie miał żadnych uwag co do języka. Lubisz go?

— *Siamesisk* nawet bardzo.

— Właśnie tę książkę tłumaczyłam. Razem z Gildą, pamiętasz ją?

Kiwnąłem głową.

— Ale spotkać możemy się wcześniej. Jesteś jutro zajęty?

— Nie, możemy się spotkać.

Z głośników popłynęły pierwsze dźwięki rosyjskiego hymnu. Linda wstała, włożyła kurtkę i spojrzała na mnie.

— To co, tutaj? O ósmej?

— Okej.

Zatrzymaliśmy się przed wejściem. Najkrótsza droga do jej mieszkania prowadziła dalej tą samą ulicą, Hornsgatan, natomiast do mnie — w przeciwną stronę.

— Odprowadzę cię do domu — zaproponowała. — Mogę?

— Oczywiście.

Przez chwilę szliśmy w milczeniu.

— To bardzo dziwne — odezwałem się, kiedy dotarliśmy do jednej z przecznic prowadzących na wzgórze Mariaberget. — Czuję taką radość, kiedy jestem z tobą, a mimo to nie potrafię nic powiedzieć. Jakbym przy tobie tracił mowę.

— Zauważyłam. — Zerknęła na mnie. — Nic nie szkodzi, przynajmniej jeśli chodzi o mnie.

Dlaczego? — zadałem sobie w myślach pytanie. Po co ci facet, który się nie odzywa?

Znów zapadło milczenie. Odgłos naszych kroków na bruku odbijał się od murów po obu stronach ulicy.

— To był miły wieczór — oceniła.

— Trochę dziwny. Jest siedemnasty maja, a ja najwyraźniej mam tę datę we krwi, bo przez cały czas nie mogłem pozbyć się wrażenia, że czegoś mi brakuje. Dlaczego nikt nie świętuje?

Leciutko pogładziła mnie po ramieniu.

Jakby chciała dać mi znać, że nie przeszkadzają jej głupstwa, które wygaduję.

Zatrzymaliśmy się na ulicy przed moim domem. Popatrzyliśmy na siebie. Zrobiłem krok do przodu i ją uściskałem.

— Wobec tego do jutra — powiedziałem.

— Tak, do jutra, dobranoc.

Stanąłem tuż za drzwiami na klatkę schodową, a moment później wyszedłem na zewnątrz. Chciałem ją zobaczyć ostatni raz.

Schodziła w dół ze wzgórza.

Kochałem ją.

Więc dlaczego, do jasnej cholery, tak strasznie bolało?

Następnego dnia pisałem jak zwykle, biegałem jak zwykle, czytałem jak zwykle, tym razem w knajpie Lasse i Parken, niedaleko Långholmen. Nie mogłem się jednak skupić, myślałem tylko o Lindzie. Cieszyłem się na spotkanie z nią, niczego bardziej nie pragnąłem, ale nad tymi myślami unosił się cień. W przeciwieństwie do innych myśli, które snułem w tych dniach.

Dlaczego?

Z powodu tamtych wydarzeń?

To też, oczywiście. W zasadzie jednak nie wiedziałem, o co chodzi, miałem tylko jakieś ulotne wrażenie, ale nie umiałem go uchwycić i przetworzyć w wyraźną myśl.

Tego wieczoru rozmowa toczyła się dość opornie, co tym razem przygnębiło również ją. Podniecenie i radość z wczorajszego dnia prawie zniknęły.

Po godzinie wstaliśmy i wyszliśmy. Na ulicy spytała mnie, czy nie zaszedłbym do niej napić się herbaty.

— Bardzo chętnie — odpowiedziałem.

Kiedy szliśmy po schodach na górę, przypomniała mi się nagle sytuacja z polskimi bliźniaczkami. To była niezła historia, ale nie mogłem jej opowiedzieć, bo ujawniała zbyt wiele różnych uczuć, jakie żywiłem dla Lindy.

— Mieszkam tutaj — oznajmiła. — Usiądź sobie, a ja zrobię herbatę.

To było jednopokojowe mieszkanie; w jednym końcu pokoju stało łóżko, w drugim stół. Zdjąłem buty, ale zostałem w kurtce. Przycupnąłem na brzeżku krzesła.

Linda nuciła w kuchni.

Wkrótce postawiła przede mną filiżankę, oświadczając:

— Chyba stajesz mi się bardzo drogi, Karl Ove.

Drogi? To wszystko? Właśnie to chce mi przekazać?

— Ja też cię bardzo lubię — powiedziałem.

— Naprawdę?

Zapadło milczenie.

— Myślisz, że możemy być kimś więcej niż przyjaciółmi? — spytała po chwili.

— Chciałbym, żebyśmy się przyjaźnili — odparłem.

Spojrzała na mnie. Potem spuściła wzrok i jakby zauważyła filiżankę. Podniosła ją do ust.

Wstałem.

— A masz jakieś przyjaciółki? — spytała. — To znaczy kobiety, z którymi się tylko przyjaźnisz?

Pokręciłem głową.

— Chociaż właściwie miałem przyjaciółkę, kiedy chodziłem do liceum, ale to było dawno.

Znów na mnie popatrzyła.

— Chyba już pójdę — powiedziałem. — Dziękuję za herbatę.

Wstała i odprowadziła mnie do drzwi. Zrobiłem kilka kroków za próg i dopiero wtedy się odwróciłem, żeby nie mogła mnie objąć i uściskać.

— Trzymaj się — rzuciłem tylko.

— I ty się trzymaj.

283 Przed południem następnego dnia poszedłem do Lasse i Parken. Rozłożyłem na stoliku notatnik i zacząłem pisać do niej list. Napisałem, kim dla mnie jest. Napisałem, kim dla mnie była, kiedy zobaczyłem ją po raz pierwszy, i kim jest teraz. Pisałem o jej wargach, które się rozchylają, odsłaniając zęby, gdy się ożywia, oraz o jej oczach, gdy sypią iskry i gdy ukazuje się w nich mrok, który zdaje się chłonąć światło. Pisałem o sposobie, w jaki się porusza, prawie jak modelka, o leciutkim kręceniu pupą. Pisałem o jej drobnych japońskich rysach. O śmiechu, którego czasami nie potrafiła opanować, i o tym, jak bardzo ją w takich chwilach kocham. Pisałem o słowach, których używa najczęściej, o tym, że kocham sposób, w jaki patrzy na gwiazdy i sypie wokół określeniem „fantastycznie". Napisałem, że tyle zdołałem zobaczyć, że w ogóle jej nie znam, nie mam pojęcia, co myśli ani jak patrzy na świat i ludzi,

ale to, co widziałem, wystarczy mi, bo wiem, że ją kocham i że będę ją kochał zawsze.

— Karl Ove? — usłyszałem za plecami.

Podniosłem głowę.

To była ona.

Jak to możliwe?

Odwróciłem notatnik do góry grzbietem.

— Cześć, Linda — powiedziałem. — Dziękuję za wczorajszy wieczór.

— To ja dziękuję. Jestem tu z przyjaciółką. Wolisz siedzieć sam?

— Tak, jeśli nie masz nic przeciwko temu. Pracuję, rozumiesz?

— Oczywiście, że tak. — Popatrzyliśmy na siebie, kiwnąłem głową.

W naszą stronę zmierzała dziewczyna w jej wieku, z dwiema filiżankami w ręku. Linda odwróciła się do niej, przeszły na drugi koniec sali i usiadły.

Napisałem, że właśnie w tej chwili siada po drugiej stronie sali.

Napisałem, że gdybym tylko mógł przezwyciężyć ten dystans, oddałbym wszystko na świecie. Ale to nierealne. Kocham cię. Tobie może się wydaje, że też mnie kochasz, lecz tak nie jest. Raczej mnie lubisz, tego jestem pewien, ale ja ci nie wystarczę i w głębi ducha o tym wiesz. Może akurat w tej chwili kogoś potrzebujesz i ja się właśnie zjawiłem, dlatego pomyślałaś sobie, że może coś z tego będzie. Ale ja nie chcę być facetem, z którego może coś będzie, mnie to nie wystarczy, musi być wszystko albo nic, musisz płonąć, tak jak ja płonę. Pragnąć, tak jak ja pragnę. Rozumiesz? Wiem, że tak. Widziałem cię silną, widziałem cię słabą i widziałem cię otwartą na świat. Kocham cię, ale to nie wystarczy. Przyjaźń nie ma sensu. Przecież nawet nie potrafię z tobą rozmawiać! Co to będzie za przyjaźń? Mam nadzieję, że nie przyjmiesz tego źle, po prostu próbuję ci wytłumaczyć, co czuję. Kocham cię i nic na to nie poradzę. Gdzieś w głębi zawsze będę cię kochał, bez względu na to, co się z nami stanie.

Podpisałem się, wstałem, spojrzałem na nie, ale tylko jej przyjaciółka siedziała tak, że mogła mnie zobaczyć, a ponieważ mnie nie znała, udało mi się wyjść niepostrzeżenie. Szybko wróciłem do domu, włożyłem list do koperty, przebrałem się w dres i poszedłem zrobić rundkę wokół Söder.

W kolejnych dniach działałem jakby na szybszych obrotach. Biegałem, pływałem, robiłem wszystko, aby utrzymać pod kontrolą niepokój, składający się w równych częściach ze szczęścia i ze smutku, ale bezskutecznie. Drżałem z podniecenia, które nie mijało, chodziłem na niekończące się spacery po mieście, biegałem, pływałem, nie spałem w nocy, nie miałem siły jeść, wmawiałem sobie, że już po wszystkim, że to w końcu musi minąć.

Wieczór literacki miał się odbyć w sobotę. Gdy ten dzień wreszcie nadszedł, zdecydowałem, że nie pójdę. Zadzwoniłem do Geira i zaproponowałem mu spotkanie na mieście, zgodził się, umówiliśmy się o czwartej w KB; pobiegłem na pływalnię na Eriksdal, pływałem ponad godzinę tam i z powrotem w basenie zewnętrznym, było cudownie, powietrze zimne, woda ciepła, niebo szare, pełne drobnego deszczu, i nikogo w pobliżu. Pływałem w jedną i drugą stronę jak oszalały. Kiedy wyszedłem z basenu, byłem wykończony. Przebrałem się, chwilę postałem przed wejściem do budynku, paląc papierosa, w końcu ruszyłem w stronę centrum z torbą na ramieniu.

Kiedy dotarłem na miejsce, Geira jeszcze nie było. Usiadłem przy stoliku pod oknem i zamówiłem piwo. Kilka minut później Geir stał przede mną i wyciągał rękę.

— Coś nowego? — spytał, siadając.

— I tak, i nie. — Opowiedziałem mu, co się zdarzyło w ostatnich dniach.

— Czy ty zawsze musisz być taki dramatyczny? — spytał. — Nie możesz podejść do tego trochę spokojniej? Naprawdę nie zawsze musi chodzić o wszystko albo nic.

— Wiem. Ale akurat w tym wypadku chodzi.

— Wysłałeś ten list?

— Nie, jeszcze nie.

W tej samej chwili dostałem SMS-a. Od Lindy.

„Nie widziałam cię na wieczorze literackim. Byłeś?"

Zacząłem wpisywać odpowiedź.

— Nie możesz tego zrobić później? — spytał Geir.

— Nie — odparłem.

„Nie mogłem przyjść. Jak było?"

Wysłałem wiadomość i uniosłem szklankę w stronę Geira.

— Zdrowie — powiedziałem.

— Zdrowie.

Kolejny SMS.

„Tęskniłam za Tobą. Gdzie jesteś?"

T ę s k n i ł a? Serce zadudniło mi w piersi. Zacząłem pisać kolejną odpowiedź.

— Daj spokój! — zezłościł się Geir. — Jeśli nie przestaniesz, to sobie pójdę.

— To nie potrwa długo, zaczekaj chwilę.

„Ja też za Tobą tęsknię. Jestem w KB".

— To Linda, prawda? — spytał Geir.

— Oczywiście.

— Wyglądasz na kompletnie zaburzonego. Masz tego świadomość? Kiedy cię zobaczyłem, miałem ochotę zawrócić w drzwiach.

Nowa wiadomość.

„Przyjdź do mnie, Karl Ove. Jestem w Folkoperan. Czekam".

Wstałem.

— Przepraszam, Geir, ale muszę iść.

— Teraz?!

— Tak.

— Zgłupiałeś, człowieku?! Czy ona nie może zaczekać pół godziny? Przecież specjalnie przyjechałem do centrum, nie po to żeby siedzieć i pić sam. Mogłem się napić w domu.

— Przykro mi. Zadzwonię!

Wybiegłem na ulicę, złapałem taksówkę, na skrzyżowaniach gotów byłem krzyczeć ze zniecierpliwienia. Ale w końcu podjechaliśmy pod Folkoperan. Zapłaciłem i wszedłem.

Siedziała na dole. Gdy tylko ją zobaczyłem, zorientowałem się, że niepotrzebny był taki pośpiech.

Uśmiechnęła się.

— Ale szybko się zjawiłeś!

— Wydawało mi się, że to pilna sprawa.

— Ależ nie, skąd, ani trochę.

Przywitałem się z nią i usiadłem.

— Chcesz coś do picia? — spytałem.

— A ty co będziesz pił?

— Nie wiem. Czerwone wino?

— Dobrze.

Wzięliśmy butelkę, rozmawialiśmy na różne tematy, o niczym ważnym. To, co ważne, cały czas wisiało między nami. Za każdym razem, gdy spotykały się nasze spojrzenia, przeszywał mnie dreszcz, po którym następowało ciężkie uderzenie — to serce waliło.

— Jest impreza w Vertigo — powiedziała. — Masz ochotę się tam wybrać?

— Owszem, może być fajnie.

— Będzie Stig Sæterbakken.

— No, to może nie być aż tak fajnie. Kiedyś go niesamowicie zjechałem. A potem w jakimś wywiadzie przeczytałem, że kolekcjonuje wszystkie złe recenzje. Ta moja musiała być jedną z najgorszych. Na całą kolumnę w „Morgenbladet". No i raz wystąpił przeciwko mnie i Toremu w pewnej debacie. Nazwał nas Faldbakken and Faldbakken. Ale to pewnie nic ci nie mówi.

Pokręciła głową.

— Możemy iść gdzie indziej.

— Nie, nie, Boże, nie. Chodźmy tam.

Kiedy opuszczaliśmy Folkoperan, ledwie zaczęło się ściemniać. Chmury, kłębiące się przez cały dzień, jeszcze zgęstniały.

Pojechaliśmy taksówką. Vertigo mieściło się w piwnicy, wszędzie było pełno ludzi, powietrze rozgrzane i gęste od dymu; spojrzałem na Lindę i powiedziałem, że chyba nie musimy siedzieć tu zbyt długo.

— Czy to nie Knausgård? — rozległ się jakiś głos.

Odwróciłem się. To był Sæterbakken. Uśmiechał się i ciągnął, zwracając się do innych:

— Knausgård i ja jesteśmy wrogami, prawda? — znów przeniósł spojrzenie na mnie.

— Nie jestem niczyim wrogiem — odparłem.

— Nie bądź tchórzem. Ale masz rację, zostawmy to. Piszę teraz nową powieść i staram się to robić w twoim stylu. Pisać trochę podobnie jak ty.

O rany, pomyślałem, to dopiero komplement!

— Naprawdę? Ciekawie się zapowiada.

— Tak, to rzeczywiście ciekawe. Sam się przekonasz.

— Pogadamy jeszcze — rzuciłem.

— Jasne, do zobaczenia.

Przeszliśmy do baru, zamówiliśmy gin z tonikiem, znaleźliśmy dwa wolne krzesła i usiedliśmy. Linda znała wiele osób, podchodziła do nich, rozmawiała, ale cały czas do mnie wracała. Byłem coraz bardziej pijany, wciąż jednak nie opuszczało mnie przyjemne uczucie rozluźnienia, które mnie ogarnęło, kiedy zobaczyłem Lindę w Folkoperan. Patrzyliśmy na siebie, byliśmy razem. Kładła mi rękę na ramieniu, byliśmy razem. Odpowiadała na moje spojrzenie z drugiego końca lokalu, zajęta rozmową z kimś innym, i uśmiechała się, byliśmy razem.

Po kilku godzinach usiedliśmy w fotelach w niewielkiej salce na końcu lokalu. Przyszedł do nas Sæterbakken i spytał, czy może nam wymasować stopy.

Twierdził, że to jego specjalność. Zaprotestowałem, powiedziałem, że się nie zgadzam, ale Linda zdjęła buty i położyła mu nogi na kolanach. Zaczął je ugniatać i gładzić, patrząc jej w oczy.

— Dobry w tym jestem, co?

— Tak, to cudowne — przyznała Linda.

— Teraz twoja kolej, Knausgård.

— Wykluczone.

— Tchórzysz? Dalej, ściągaj buty!

W końcu go posłuchałem. Zdjąłem buty i też położyłem mu nogi na kolanach. Masaż sam w sobie był nawet dość przyjemny, ale to, że Stig Sæterbakken obmacywał mi stopy z uśmiechem, który trudno było określić inaczej niż jako diaboliczny, przydało tej sytuacji, łagodnie mówiąc, dwuznaczności.

Kiedy skończył, zagadnąłem go o ostatni zbiór esejów, ten o złu, potem się trochę pokręciłem po knajpie, piłem drinka za drinkiem, a kiedy dostrzegłem Lindę, stała oparta o ścianę i rozmawiała z dziewczyną, którą widziałem podczas nocy Walpurgi — Hildą, Wildą? Nie, do diabła, Gildą.

Jakaż ta Linda piękna.

I ma w sobie niewiarygodnie dużo życia.

Czy naprawdę może być moja?

Ledwie to pomyślałem, jej spojrzenie zawadziło o moje.

Uśmiechnęła się, przywołała mnie gestem.

Podszedłem.

Nadszedł czas.

Teraz albo nigdy.

Przełknąłem ślinę, położyłem jej rękę na ramieniu.

— To jest Gilda — przedstawiła mi przyjaciółkę.

— Już się poznaliśmy — uśmiechnęła się Gilda.

— Chodź — powiedziałem.

Spojrzała na mnie pytająco.

Ten mrok w jej oczach.

— Teraz? — spytała.

Nie odpowiedziałem, tylko złapałem ją za rękę.

Bez słowa przeszliśmy przez lokal. Otworzyliśmy drzwi i stanęliśmy na zewnątrz.

Lało.

— Już raz kiedyś wziąłem cię na bok — zacząłem. — Wtedy niezbyt dobrze się to skończyło. Możliwe, że teraz też wszystko pójdzie w diabły. Niech idzie. Ale muszę ci coś powiedzieć. O tobie.

— O mnie? — Spojrzała mi w oczy, unosząc głowę. Miała mokre włosy, na jej twarzy błyszczały krople deszczu.

— Tak.

Zacząłem mówić, kim dla mnie jest. Mówiłem to wszystko, co napisałem w liście. Opisywałem jej wargi, oczy, sposób poruszania się, słowa, których używała. Mówiłem, że ją kocham, chociaż jej nie znam, że chcę z nią być. Że niczego innego nie pragnę.

Stanęła na palcach, przybliżyła do mnie twarz, a ja się nachyliłem i ją pocałowałem.

Pociemniało mi w oczach.

Ocknąłem się, gdy dwaj mężczyźni ciągnęli mnie za nogi po asfalcie w stronę bramy. Jeden rozmawiał przez komórkę. Powiedział: „Może narkotyki, nie wiem". Zatrzymali się i nachylili nade mną.

— Jest pan przytomny?

— Tak, gdzie jestem?

— Koło Vertigo. Zażywał pan narkotyki?

— Nie.

— Jak pan się nazywa?

— Karl Ove Knausgård. Chyba zemdlałem, ale nic się nie stało. Wszystko w porządku.

Zobaczyłem, że zbliża się Linda.

— Ocknął się? — spytała.

— Cześć, Linda — powiedziałem. — Co się stało?

— Nie musicie przyjeżdżać — rzucił mężczyzna do telefonu. — Wszystko w porządku. Facet oprzytomniał i chyba da sobie radę.

— Wydaje mi się, że zemdlałeś — odparła Linda. — Nagle po prostu osunąłeś się na ziemię.

— O, cholera. Przepraszam.

— Nie masz za co przepraszać. Jeszcze nigdy nikt nie powiedział mi czegoś tak pięknego.

— Poradzi pan sobie? — spytał jeden z mężczyzn. Pokiwałem głową, odeszli.

— To przez to, że mnie pocałowałaś. Nagle jakby nadleciało coś czarnego. Potem obudziłem się tutaj.

Podniosłem się i zrobiłem kilka chwiejnych kroków.

— Chyba najlepiej będzie, jeśli wrócę do domu — stwierdziłem. — Ale ty możesz zostać, jeśli chcesz.

Roześmiała się.

— Jedziemy do mnie. Zajmę się tobą.

— To się cudownie zapowiada.

Uśmiechnęła się i z kieszeni kurtki wyjęła komórkę. Włosy lepiły jej się do czoła. Spojrzałem na swoje ubranie. Spodnie pociemniały od wilgoci. Przeciągnąłem dłonią po włosach.

— Dziwne, ale w ogóle już nie jestem pijany — powiedziałem. — Za to piekielnie głodny.

— A kiedy ostatnio coś jadłeś?

— Chyba wczoraj, nie pamiętam, jakoś rano.

W tej samej chwili dodzwoniła się do centrali, dała mi znak oczami, podała adres i dziesięć minut później siedzieliśmy w taksówce, jadąc przez deszcz i noc.

Kiedy się obudziłem, w pierwszej chwili nie wiedziałem, gdzie jestem. Ale potem zobaczyłem Lindę i wszystko mi się przypomniało. Przysunąłem się do niej, otworzyła oczy, znów się kochaliśmy i było tak, jak miało być, tak dobrze, czułem to całym sobą. Byliśmy ona i ja, powiedziałem jej o tym.

— Musimy mieć dziecko — oświadczyłem. — Inaczej to będzie przestępstwo przeciwko naturze.

Roześmiała się.

— Właśnie o to chodzi — ciągnąłem. — Jestem tego absolutnie pewien. Nigdy dotąd czegoś takiego nie czułem.

Przestała się śmiać, spojrzała na mnie.

— Naprawdę tak myślisz?

— Tak. Chyba że ty czujesz inaczej. Wtedy to zupełnie co innego. Ale tak nie jest, prawda? To też wyczuwam.

— Czy to jest prawda? — spytała. — Czy ty leżysz tutaj, w moim łóżku, i mówisz, że chcesz mieć ze mną dziecko?

— Tak. Czujesz to samo, mam rację?

Potwierdziła.

— Ale ja bym tego nigdy głośno nie powiedziała.

Pierwszy raz w życiu czułem się w pełni szczęśliwy. W moim życiu pierwszy raz nie było nic, co mogłoby przesłonić odczuwaną przeze mnie radość. Cały czas byliśmy razem. Stale się dotykaliśmy — na skrzyżowaniach, przy stoliku w restauracji, w autobusach, w parkach — nie było żadnych wymagań i żadnych pragnień, oprócz pragnienia siebie nawzajem. Czułem się zupełnie wolny, ale tylko wówczas, kiedy byłem z nią, bo w momencie gdy się rozstawaliśmy, zaczynałem tęsknić. To było dziwne, zawładnęły nami potężne siły, dobre siły. Geir i Christina mówili, że jesteśmy niemożliwym towarzystwem, że widzimy tylko siebie. I to była prawda. Nie istniał inny świat oprócz tego stworzonego przez nas. Na *Midsommar*[1] pojechaliśmy na wyspę Runmarö, gdzie Mikaela wynajęła domek, i nagle zobaczyłem siebie — śmiejącego się i śpiewającego pośród szwedzkiej nocy, plotącego bzdury, wesołego wariata. Wszystko miało sens, wszystko miało znaczenie, jakby ktoś rzucił na świat nowe światło. W Sztokholmie chodziliśmy się kąpać, leżeliśmy w parkach i czytaliśmy, przesiadywaliśmy w restauracjach, nieważne, co robiliśmy, ważne, że robiliśmy to razem. Czytałem Hölderlina, jego wiersze wsiąkały we mnie jak w gąbkę, nie było w nich nic, czego bym nie rozumiał, ekstaza

1 *Midsommar* — święto lata, obchodzone w Szwecji w sobotę najbliższą nocy świętojańskiej.

w tych wierszach i ekstaza we mnie stanowiły jedność, a ponad tym wszystkim dzień w dzień, przez cały czerwiec, cały lipiec i cały sierpień, świeciło słońce. Opowiadaliśmy sobie rozmaite historie, tak jak zwykle robią to kochankowie, i chociaż mieliśmy świadomość, że taki stan nie może trwać wiecznie, a myśl, że mógłby trwać, nawet przerażała, ponieważ w całym tym upojeniu szczęściem było również coś nieznośnego, to żyliśmy tak, jakbyśmy o tym nie wiedzieli. Upadek musiał nastąpić, ale się nie martwiliśmy; jak mogliśmy się martwić, skoro wszystko układało się tak dobrze?

Któregoś dnia rano stałem pod prysznicem, gdy Linda zawołała mnie z pokoju. Poszedłem do niej, leżała naga na łóżku, które ustawiliśmy tuż przy oknie, żeby móc patrzeć w niebo.

— Spójrz — powiedziała. — Widzisz tę chmurę?

Położyłem się obok niej. Niebo było zupełnie błękitne, nie było na nim żadnych chmur oprócz jednej, sunącej powoli. Miała kształt serca.

— Widzę. — Uścisnąłem jej rękę.

— Wszystko jest idealne. — Roześmiała się. — Nigdy się tak nie czułam. Jestem z tobą taka szczęśliwa. Taka szczęśliwa!

— Ja też.

Popłynęliśmy promem na jedną z przybrzeżnych wysepek. Wynajęliśmy tam domek w lesie w pobliżu schroniska młodzieżowego. Godzinami chodziliśmy po wyspie, zapuściliśmy się w głąb lasu, dookoła pachniało sosnami i wrzosem, nagle znaleźliśmy się na samej górze stromego urwiska: w dole było morze. Ruszyliśmy dalej, dotarliśmy do łąki, stanęliśmy i obserwowaliśmy krowy, one też na nas patrzyły. Śmialiśmy się, robiliśmy sobie nawzajem zdjęcia, wdrapaliśmy się na drzewo, siedzieliśmy tam jak dwoje dzieci i gadaliśmy.

— Raz kiedyś — zacząłem opowiadać — miałem kupić dla ojca papierosy na stacji benzynowej. Znajdowała się w odległości dwóch kilometrów od domu. Miałem pewnie siedem czy osiem lat, droga prowadziła przez las, znałem ją na pamięć. Ciągle zresztą ją pamiętam. Nagle usłyszałem w krzakach jakiś szelest. Zatrzymałem się i spojrzałem w tamtą stronę. Zobaczyłem fantastycznego ptaka, wiesz, wielkiego i kolorowego. Wcześniej nigdy nic podobnego nie widziałem. Wyglądał, jakby pochodził z jakiegoś dalekiego, egzotycznego kraju, z Afryki albo z Azji. Odbiegł, a potem pofrunął w górę i zniknął. Już nigdy później nie zobaczyłem takiego ptaka i nigdy się nie dowiedziałem, co to mogło być.

— Naprawdę? — zdziwiła się Linda. — Przeżyłam kiedyś dokładnie to samo. W domku na wsi u jednej z moich przyjaciółek. Siedziałam na drzewie, tak jak teraz, i czekałam, aż wrócą moi koledzy, zaczęłam się

niecierpliwić i zeskoczyłam. Ruszyłam przed siebie zupełnie bez celu i nagle zobaczyłam fantastycznego, bardzo kolorowego ptaka. Nigdy więcej go nie widziałam.

— Naprawdę?

— Tak.

Właśnie tak to się toczyło. Wszystko miało sens, nasze życie splotło się ze sobą. Kiedy wracaliśmy z wyspy do domu, rozmawialiśmy o imieniu naszego pierwszego dziecka.

— Jeśli urodzi się chłopiec, to chciałbym, żeby miał proste imię. Ola. Zawsze mi się podobało. Co o tym myślisz?

— Bardzo ładne. I bardzo norweskie. Też mi się podoba.

— To dobrze — odparłem, wyglądając przez okno. Akurat przepływała niewielka motorówka, na tablicy rejestracyjnej z boku zobaczyłem „OLA".

— Spójrz — powiedziałem.

Linda się nachyliła.

— Wobec tego zdecydowane. Będzie Ola!

Któregoś późnego wieczoru szliśmy pod górę w stronę mojego domu, to było jeszcze w pierwszym, gorączkowym okresie naszego związku. Po chwili milczenia Linda się odezwała:

— Karl Ove, muszę ci o czymś powiedzieć.

— Słucham.

— Próbowałam kiedyś odebrać sobie życie.

— Co ty mówisz?

Nie odpowiedziała. Wbiła wzrok w ziemię.

— Dawno?

— Jakieś dwa lata temu. Podczas pobytu w szpitalu.

Patrzyłem na nią, ale nie chciała spojrzeć mi w oczy, więc przysunąłem się i ją objąłem. Długo tak staliśmy. Potem weszliśmy po schodkach, wsiedliśmy do windy, otworzyłem kluczem drzwi do mieszkania, Linda usiadła na łóżku, uchyliłem okno i dotarły do nas odgłosy późnej letniej nocy.

— Napijesz się herbaty?

— Chętnie.

Poszedłem do części kuchennej, nastawiłem czajnik, wyjąłem dwie filiżanki, do każdej włożyłem torebkę herbaty. Jedną filiżankę podałem jej, sam, stojąc przy oknie, popijałem z drugiej. Zaczęła opowiadać, co się wtedy wydarzyło. Matka przyjechała po nią do szpitala, miały zabrać coś z mieszkania. Kiedy były już blisko, Linda puściła się biegiem. Matka pobiegła za nią. Ale Linda pędziła ile sił w nogach, po schodach na górę, do mieszkania i dalej, do okna. Gdy matka wpadła kilka sekund później, Linda zdążyła otworzyć okno i wspiąć się na parapet. Już miała skoczyć, ale matka ją złapała i ściągnęła na podłogę.

— Wpadłam w kompletny amok — kontynuowała. — Chyba byłam gotowa ją zabić. Rzuciłam się na nią. Walczyłyśmy dobre dziesięć minut. Przewróciłam na nią lodówkę. Ale była silniejsza. Oczywiście, że była silniejsza. W końcu usiadła mi okrakiem na piersi i wtedy się poddałam. Zadzwoniła na policję, przyjechali i zabrali mnie z powrotem do szpitala.

Zapadła cisza. Wpatrywałem się w nią, zerknęła na mnie, przelotnie jak ptak.

— Tak się tego wstydzę — wyznała. — Ale doszłam do wniosku, że kiedyś musisz się o tym dowiedzieć.

Nie miałem pojęcia, jak zareagować. Miejsce, w którym znajdowała się wtedy, od tego, w którym byliśmy teraz, dzieliła przepaść. W każdym razie tak mi się wydawało. Ale może Linda myślała inaczej.

— Dlaczego to zrobiłaś?

— Nie wiem. Wydaje mi się, że wtedy też nie było to dla mnie całkiem jasne. Ale dobrze to pamiętam. Przez kilka tygodni pod koniec lata byłam w manii. Któregoś wieczoru przyszła do mnie koleżanka, też Linda, siedziałam wtedy w kucki na kuchennym stole i recytowałam liczby. Razem z Öllegård zawiozły mnie na pogotowie psychiatryczne. Tam dali mi jakieś tabletki na uspokojenie i spytali, czy Linda mogłaby mnie wziąć do siebie na kilka dni. Jesienią na przemian wpadałam to w manię, to w depresję, no i zatrzymałam się na depresji tak wielkiej, że nie widziałam z niej wyjścia. Unikałam znajomych, bo nie chciałam, żeby ktoś z nich był ostatnią osobą, która zobaczy mnie żywą. Terapeutka, do której chodziłam, spytała, czy mam myśli samobójcze, a wtedy po prostu się rozpłakałam. Stwierdziła, że nie może wziąć za mnie odpowiedzialności w czasie między godzinami terapii, no i zabrali mnie do szpitala. Oglądałam dokumenty z izby przyjęć. Napisane tam jest, że od momentu gdy padnie pytanie, do chwili udzielenia przeze mnie odpowiedzi mija kilka minut. To akurat pamiętam, mówienie stało się prawie niemożliwe, nie mogłam nic powiedzieć, słowa były tak daleko. Wszystko było tak daleko. Twarz miałam sztywną, kompletnie pozbawioną mimiki.

Podniosła głowę i spojrzała na mnie. Usiadłem na łóżku, Linda odstawiła filiżankę na stół i położyła się na plecach. Ułożyłem się przy niej. W ciemności za oknem wyczuwało się jakiś ciężar, coś w rodzaju pełni, tak obcej letnim nocom. Pociąg przetoczył się przez most nad Riddarfjärden.

— Ja już nie żyłam — podjęła. — Wcale nie chciałam rozstać się z życiem. Po prostu się z nim rozstałam. Kiedy terapeutka zdecydowała, że mam iść do szpitala, poczułam ulgę, że ktoś się mną zajmie. Ale kiedy się tam znalazłam, wszystko stało się niemożliwe. Nie mogłam tam być. Właśnie wtedy zaczęłam to planować. Moją jedyną nadzieją na wyjście było uzyskanie przepustki na jeden dzień, żebym mogła zabrać z mieszkania ciuchy i inne rzeczy. Ktoś musiał mi towarzyszyć, a jedyną osobą, o której w ogóle mogłam myśleć, była mama. — Umilkła. — Ale gdybym n a p r a w d ę chciała to zrobić, dałabym radę. Tak teraz myślę. Nie musiałam otwierać tego okna. Mogłam się rzucić przez szybę. Przecież to i tak nie miałoby żadnego znaczenia. A taka ostrożność... Tak, gdybym naprawdę tego chciała, nikt by mnie nie powstrzymał.

— Cieszę się, że tak się nie stało. — Pogładziłem ją po włosach. — Boisz się, że to się znów powtórzy?

— Tak.

Znów cisza.

Dziewczyna, od której wynajmowałem mieszkanie, kręciła się za drzwiami. Na tarasie nad nami ktoś kasłał.

— A ja się nie boję — powiedziałem.

Odwróciła głowę w moją stronę.

— Nie boisz się?

— Nie. Znam cię.

— Nie całą.

— Rozumiem. To też rozumiem. — Pocałowałem ją. — Ale to się już nigdy nie zdarzy, tego jestem pewien.

— No, w takim razie ja też jestem pewna. — Uśmiechnęła się i mocno mnie objęła.

Niekończące się letnie noce, takie jasne i otwarte, kiedy kręciliśmy się między rozmaitymi barami i kawiarniami w różnych dzielnicach miasta, jeżdżąc czarnymi taksówkami, sami albo z innymi, kiedy odurzenie alkoholowe nie było groźne, destrukcyjne, przypominało raczej falę wynoszącą nas coraz wyżej, zaczęły powoli, niemal niezauważalnie ciemnieć, niebo jakby przymocowano do ziemi, lekkość i ulotność miały coraz mniej przestrzeni, coś je wypełniało i przytrzymywało, aż wreszcie noce znieruchomiały, ściana ciemności opadała wieczorem i podnosiła się rano, i lekkiej letniej nocy, rzucającej nas raz tu, raz tam, nagle nie można już było sobie wyobrazić, była jak sen, który rano po przebudzeniu człowiek na próżno usiłuje sobie przypomnieć.

Linda zaczęła studia w Instytucie Dramatu. Wstępny kurs był ostry, stawiano im rozmaite realne i nierealne wymagania, zapewne uważano, że najlepiej będą się uczyć pod presją, w trakcie zmagań. Gdy rano Linda jechała rowerem na uczelnię, szedłem do siebie pisać. Historię o aniołach wplotłem w opowieść o kobiecie, która w 1944 roku leży na oddziale położniczym, właśnie urodziła dziecko, myślami wraca to tu, to tam — ale to nie zaskoczyło, tekst był za daleko, dystans za duży; kontynuowałem jednak, przedzierałem się przez kolejne strony. Nie miało to większego znaczenia. W moim życiu najważniejsza była Linda. Tylko ona się liczyła.

W pewną niedzielę poszliśmy na lunch do kawiarni na Östermalm. Nazywała się Oscar i znajdowała się w pobliżu Karlaplan. Usiedliśmy na zewnątrz, Linda okryła nogi kocem, jadłem club sandwich, a Linda zamówiła sałatkę z kurczaka. Ulica była po niedzielnemu cicha, w pobliskim kościele dzwony niedawno wzywały na nabożeństwo. Przy stoliku za nami siedziały trzy dziewczyny, za nimi z kolei dwaj mężczyźni. Po stolikach od ulicy skakało kilka wróbli. Wydawały się zupełnie oswojone, przyskakiwały do pozostawionych talerzy i nachylały łebki, żeby zanurzyć dzioby w jedzeniu.

Nagle jakiś cień przeciął powietrze. Podniosłem głowę i zobaczyłem, że ogromny ptak nadlatuje w naszą stronę, prześlizguje się nad stolikiem z małymi ptaszkami, łapie w szpony jednego i znów wzbija się w powietrze.

Odwróciłem się do Lindy. Siedziała wpatrzona przed siebie z półotwartymi ustami.

— Czy drapieżny ptak właśnie porwał wróbla, czy mi się to śniło? — spytałem.

— To było straszne — powiedziała Linda. — W środku miasta? Ale co to było? Orzeł? Jastrząb? Biedny wróbelek.

— To musiał być jastrząb. — Roześmiałem się. Scena, mimo wszystko, wprawiła mnie w dobry humor. Linda patrzyła na mnie uśmiechniętymi oczami.

— Mój dziadek, ojciec matki, był łysy — zacząłem opowiadać. — Został mu tylko wianuszek siwych włosów. Kiedy byłem mały, mówił, że to jastrząb gołębiarz porwał mu włosy. Pokazywał, jak ptak wbił w nie szpony i odleciał z nimi. Dowodem miał być ten wianuszek, który został. Przez pewien czas w to wierzyłem. Patrzyłem w niebo i wypatrywałem jastrzębia, ale nigdy się nie pokazał.

— Dopiero teraz — wtrąciła Linda.

— Nie wiadomo, czy to ten sam.

— No tak — uśmiechnęła się. — W dzieciństwie miałam chomika w klatce. Latem, kiedy wyjeżdżaliśmy do domu na wsi, wyprowadzałam go na spacery. Stawiałam klatkę na trawniku i pozwalałam chomikowi pochodzić po trawie. Któregoś dnia, kiedy obserwowałam go z tarasu, nagle z nieba spadł drapieżny ptak i mój chomik poszybował w powietrzu.

— Naprawdę?

— Tak.

— To okropne!

Ze śmiechem odsunąłem talerz, zapaliłem papierosa i odchyliłem się na krześle.

— Pamiętam, że dziadek miał strzelbę. Czasami strzelał do wron. Jedną zranił, to znaczy odstrzelił jej nogę. Przeżyła i ciągle jeszcze mieszka u nich w zagrodzie. W każdym razie Kjartan tak twierdzi. Jednonoga wrona z wyłupiastymi oczami.

— Fantastyczne — powiedziała Linda.

— Taki ptasi kapitan Ahab. A dziadek chodził po ziemi jak wielki biały wieloryb. — Popatrzyłem na nią. — Taka szkoda, że go nie poznałaś. Polubiłabyś go.

— A ty byś polubił mojego dziadka.

— Byłaś przy jego śmierci?

— Dostał wylewu. Od razu pojechałam wtedy do nich na północ, do Norrlandii. Ale kiedy tam dotarłam, już nie żył.

Sięgnęła po moje papierosy, spojrzała na mnie, a gdy zachęciłem ją gestem, wzięła jednego.

— Ale to z babcią czułam się blisko związana. Przyjeżdżała do nas do Sztokholmu i przejmowała dowodzenie. Natychmiast zabierała się do wielkich porządków. Piekła, gotowała i była razem z nami. Bardzo silna kobieta.

— Tak jak twoja matka.

— Owszem. Mama właściwie robi się coraz bardziej podobna do babci. Odkąd rzuciła Dramatyczny i przeniosła się na wieś, nagle jakby wróciła do życia z tamtych czasów. Hoduje warzywa, przyrządza posiłki od podstaw, ma cztery zamrażarki pełne jedzenia i produktów kupionych w promocji. No i w dodatku przestała się przejmować wyglądem, w każdym razie w porównaniu z tym, co było wcześniej. Opowiadałam ci, jak babcia zobaczyła czerwoną zorzę polarną?

Pokręciłem głową.

— Zobaczyła ją, kiedy była sama. Całe niebo poczerwieniało, światło przelewało się falami, to musiał być piękny widok, chociaż jednocześnie miał w sobie coś z Sądu Ostatecznego. Kiedy wróciła i zaczęła o tym opowiadać, nikt jej nie uwierzył. Sama właściwie w to nie wierzyła. Czerwona zorza polarna, kto słyszał o czymś takim? Może ty?

— Nie.

— Wiele, wiele lat później, pewnego wieczoru poszłam z mamą do parku Humlegården. I wtedy zobaczyłyśmy to samo! Tutaj od czasu do czasu też widać zorzę. Rzadko, ale się zdarza. Tamtego wieczoru była czerwona! Mama zaraz po powrocie do domu zadzwoniła do babci. Babcia się rozpłakała! Później o tym czytałam i dowiedziałam się, że to bardzo rzadkie zjawisko meteorologiczne.

Nachyliłem się nad stołem i pocałowałem ją.

— Napijesz się kawy?

Kiwnęła głową, więc wszedłem do środka i kupiłem dwie kawy. Kiedy postawiłem przed nią filiżankę, popatrzyła na mnie.

— Przypomniała mi się jeszcze inna dziwna historia — powiedziała. — A właściwie może wcale nie dziwna. Ale wtedy taka się wydawała. Byłam na jednej z przybrzeżnych wysepek. Szłam sama przez las. Nade mną, i to wcale nie wysoko, przeleciał sterowiec. To było zupełnie magiczne! Wyłonił się znikąd, przesunął nad lasem i zniknął. Sterowiec!

— Mnie też zawsze interesowały sterowce. Od dziecka. Nie potrafiłem sobie wyobrazić nic bardziej fantastycznego. Cały świat sterowców. Coś we mnie wzbudzały, ale nie wiem, cholera, co. Jak myślisz?

— Jeśli cię dobrze zrozumiałam, to w dzieciństwie interesowałeś się nurkami, żaglowcami, podróżami kosmicznymi i sterowcami. Wspominałeś kiedyś, że rysowałeś nurków, astronautów i żaglowce. Tylko?

— Mniej więcej.

— Czy ja wiem, co można o tym powiedzieć? Tęsknota za ucieczką gdzieś daleko? Nurkowie — tak głęboko, jak można. Astronauci — tak wysoko, jak można. Żaglowce to podróż w głąb historii, a sterowce to świat, który nie zaistniał.

— Chyba masz rację. Ale w sumie to nie było nic wielkiego ani dominującego, bardziej na skraju, jeśli rozumiesz, o co mi chodzi. Kiedy człowiek jest mały, świat go wypełnia. I właśnie w tym rzecz. Nie można się przed nim chronić. I nie trzeba. W każdym razie nie zawsze.

— A teraz? — spytała.

— Co: teraz?

— Teraz też tęsknisz za tym, żeby uciec gdzieś daleko?

— Oszalałaś! To chyba pierwsze lato, kiedy za tym nie tęsknię, odkąd skończyłem szesnaście lat!

Wstaliśmy i ruszyliśmy w stronę mostu na Djurgården.

— Wiedziałeś, że pierwszymi sterowcami nie dawało się sterować i żeby rozwiązać ten problem, tresowano drapieżne ptaki, prawdopodobnie sokoły, ale może również orły, żeby ciągnęły je za linki trzymane w dziobach?

— Nie — odparłem. — Nie wiedziałem. Wiem tylko, że cię kocham.

Również w tych nowych dniach, wypełnionych zupełnie innymi codziennymi czynnościami niż poprzednie, utrzymywało się we mnie silne poczucie wolności. Wstawaliśmy wcześnie, Linda jechała rowerem na uczelnię, a ja cały dzień pisałem, chyba że zaglądałem do Filmhuset[1] i jadłem z nią lunch, a potem spotykaliśmy się znów wczesnym wieczorem i byliśmy razem aż do chwili, gdy szliśmy spać. W weekendy jedliśmy kolacje na mieście, a nocą się upijaliśmy, w barze Folkoperan, który stał się naszą stałą knajpą, w Guldapan — innym ulubionym miejscu, w Folkhemmet albo w tym dużym barze przy Odenplan.

Wszystko było takie jak dawniej, a zarazem nie, bo niezauważalnie, tak niezauważalnie, jakby prawie nic się nie działo, coś w naszym życiu zaczynało matowieć.

---

1 Filmhuset [Dom Filmu] — w budynku mają siedzibę Szwedzka Akademia Filmowa, Archiwum Filmowe, Rada ds. Kultury oraz trzy kina.

Żar, który przyciągał nas do siebie i wypychał w świat, przestał płonąć z taką siłą. Pojawiały się chwile złego nastroju, a w pewną sobotę obudziłem się i pomyślałem, że dobrze by było pobyć trochę samemu, pochodzić po antykwariatach, usiąść w knajpie, poczytać gazety... Wstaliśmy, poszliśmy do najbliższej kawiarni, zamówiliśmy śniadanie, to znaczy owsiankę, jogurt, grzanki, jajka, sok i kawę, ja czytałem gazety, Linda patrzyła w stolik albo rozglądała się po sali, aż w końcu spytała: Musisz tak siedzieć i czytać? Nie moglibyśmy porozmawiać? Tak, oczywiście, odparłem, złożyłem gazetę, siedzieliśmy i rozmawialiśmy, wszystko było dobrze, maleńka czarna plamka na sercu ledwie dawała się zauważyć, a leciutkie pragnienie, żebym mógł zostać sam i poczytać w spokoju, żeby nikt się niczego ode mnie nie domagał, szybko minęło. Ale nastąpił moment, w którym przestało mijać, przeciwnie, zaczęło się wkradać w codzienne stany i czynności. Jeśli naprawdę mnie kochasz, nie możesz mi stawiać wymagań, myślałem, ale nie mówiłem tego na głos. Chciałem, żeby sama to zauważyła.

Któregoś wieczoru zadzwonił Yngve z pytaniem, czy nie pojechałbym razem z nim i Asbjørnem do Londynu. Odpowiedziałem: „jasne, idealnie się składa". Kiedy odłożyłem słuchawkę, Linda spojrzała na mnie z drugiego końca pokoju.

— Kto to był? — spytała.

— Yngve. Zaproponował mi wspólny wyjazd do Londynu.

— Chyba się nie zgodziłeś?

— Owszem. A miałem się nie zgodzić?

— Ale przecież mamy wyjechać gdzieś we dwoje. Nie możesz jechać z nim, dopóki nie wyjedziesz ze mną!

— O czym ty mówisz? To nie ma nic wspólnego z tobą.

Wbiła wzrok w książkę, którą przed chwilą czytała. Oczy jej pociemniały. Nie chciałem, żeby się gniewała. Pozostawienie tej sytuacji w zawieszeniu nie wchodziło w grę, należało ją wyjaśnić.

— Naprawdę dawno nie spędzałem czasu z Yngvem. Pamiętaj, że nie znam tu nikogo oprócz twoich przyjaciół. Moi mieszkają w Norwegii.

— Przecież Yngve niedawno tu był.

— Przestań.

— No to sobie jedź.

— Okej.

Później, już w łóżku, przeprosiła mnie, że jest tak małoduszna. Powiedziałem, że nic nie szkodzi, że to drobiazg.

— Przecież się nie rozstajemy, odkąd się ze sobą związaliśmy.

— No właśnie. Może już na to pora — stwierdziłem.

— O co ci chodzi?

— Nie możemy żyć tak blisko siebie do końca życia.

— Uważam, że jest nam dobrze.

— Oczywiście, że jest nam dobrze. A ty świetnie wiesz, co mam na myśli.

— Jasne, że wiem, ale nie wiem, czy się z tobą zgadzam.

Z Londynu dzwoniłem do niej dwa razy dziennie i wydałem prawie wszystkie pieniądze na prezent, bo kilka tygodni później kończyła trzydzieści lat. Jednocześnie uświadomiłem sobie — prawdopodobnie dlatego że po raz pierwszy odsunąłem się od sztokholmskiego życia na pewien dystans — że muszę się wziąć w garść, zacząć więcej pracować, bo w szczęściu, wewnętrznej i zewnętrznej rozpuście minęło nie tylko całe długie lato, lecz również przeszedł wrzesień, mnie zaś nie udało się niczego stworzyć. Zadebiutowałem przed czterema laty, a drugiej książki ani widu, ani słychu, oprócz tych ośmiuset stron rozmaitych początków, które od tamtej pory uzbierałem. Debiutancką powieść pisałem po nocach, wstawałem około ósmej wieczorem i pisałem aż do rana — wolność w przestrzeni, jaką otwierała noc, była być może nieodzowna, aby dotrzeć do czegoś nowego. W ostatnich tygodniach w Bergen oraz w pierwszych w Sztokholmie byłem już blisko, objawiła mi się ta historia o ojcu łowiącym kraby w letnią noc z dwoma synami, z których jednym ewidentnie byłem ja, to ja znalazłem martwą mewę i pokazałem ją ojcu, na co powiedział, że mewy były kiedyś aniołami, i odpłynęliśmy stamtąd łodzią z wiadrem pełnym żywych, pełzających krabów. Geir Gulliksen stwierdził, że mam już początek; miał rację, ale nie wiedziałem, do czego to powinno prowadzić, i walczyłem z tym w ostatnich miesiącach. Napisałem o kobiecie na oddziale położniczym w latach czterdziestych: jej nowo narodzonym dzieckiem był ojciec Henrika Vankela[1], a dom, do którego miała wrócić z niemowlęciem — starą ruderą pełną butelek, którą rozebrano, żeby postawić nowy budynek. Ale to nie było szczere, wszystko brzmiało fałszywie, zapuściłem się na manowce. Próbowałem przeciągnąć linię gdzie indziej, do tego samego domu — dwaj bracia leżą w nim nocą, ich ojciec nie żyje, jeden z braci przygląda się temu drugiemu, śpiącemu. Również to trąciło fałszem, moje zwątpienie narastało. Czy w ogóle będę umiał napisać drugą książkę?

---

1 Henrik Vankel — bohater debiutanckiej powieści Knausgårda *Ute av verden*.

W pierwszy poniedziałek po powrocie z Londynu zapowiedziałem Lindzie, że nie będziemy mogli się spotkać następnego dnia wieczorem, bo zamierzam w nocy pracować. Nie miała nic przeciwko temu. Koło dziewiątej przysłała mi SMS-a. Odpowiedziałem, przysłała kolejnego. Wyszła gdzieś z Corą, siedziały w pobliskiej knajpce na piwie. Napisałem, że ma się dobrze bawić i że ją kocham, wymieniliśmy jeszcze ze dwie wiadomości, zapanował spokój, więc pomyślałem, że wróciła do domu. Myliłem się jednak. Koło dwunastej zapukała do moich drzwi.

— Przyszłaś? — spytałem. — Mówiłem ci przecież, że zamierzam pisać.

— No tak, ale twoje SMS-y były takie ciepłe i czułe, pomyślałam, że chciałbyś mnie widzieć.

— Muszę pracować. Sytuacja jest poważna.

— Rozumiem. — Już zdjęła kurtkę i buty. — Ale czy nie mogę tu po prostu spać, w czasie kiedy będziesz pracował?

— Przecież wiesz, że tak nie umiem. Nie potrafię pracować w pokoju, w którym jest choćby kot.

— Ze mną nigdy nie próbowałeś. Może się okazać, że dobrze na ciebie działam.

Chociaż byłem wkurzony, nie potrafiłem odmówić. Nie miałem do tego prawa, bo wtedy dałbym jej do zrozumienia, że ten nędzny maszynopis jest ważniejszy od niej. I rzeczywiście w tej chwili był, ale tego powiedzieć nie mogłem.

— Okej — zgodziłem się.

Napiliśmy się herbaty i zapaliliśmy w otwartym oknie, a potem Linda się rozebrała i położyła do łóżka. Pokój był mały, biurko stało w odległości zaledwie metra. Nie mogłem się skoncentrować, kiedy przebywała w tym samym pomieszczeniu, a to, że przyszła, chociaż wiedziała, że sobie tego nie życzę, zaczęło mnie dławić. Ale nie chciałem się kłaść, nie chciałem, żeby wygrała, więc po półgodzinie wstałem i oświadczyłem, że wychodzę, to była demonstracja, mój sposób na przekazanie jej, że się na to nie godzę. Wyszedłem więc na mgliste ulice Söder, kupiłem hot doga na stacji benzynowej, usiadłem w pobliskim parku i szybko wypaliłem pięć papierosów, jednego po drugim, wpatrzony w miasto migocące w dole, zastanawiając się, co się, do jasnej cholery, dzieje. Jak ja się, u diabła, tu znalazłem?

Następnej nocy pracowałem do rana, spałem cały dzień, na dwie godziny zajrzałem do niej, wróciłem i znów pisałem całą noc. Poszedłem spać, a po południu obudziła mnie Linda, która chciała porozmawiać. Wybraliśmy się na spacer.

— Nie chcesz już ze mną być? — spytała.

— Oczywiście, że chcę.

— Ale przecież nie jesteśmy razem. Nie widujemy się.

— Muszę pracować. Chyba to rozumiesz?

— Nie, nie rozumiem tego, że musisz pracować w nocy. Kocham cię i dlatego chcę być z tobą.

— Ale ja muszę pracować — powtórzyłem.

— Okej. Ale jeśli tak będzie dalej, to koniec z nami.

— Chyba nie mówisz poważnie?

Spojrzała na mnie.

— Oczywiście, do cholery, że mówię poważnie. Chcesz, to sprawdź.

— Nie możesz tak mną rządzić.

— Nie rządzę tobą, to rozsądne wymagania. Jesteśmy razem, więc nie chcę być cały czas sama.

— Cały czas?

— Tak. Odejdę od ciebie, jeśli nie przestaniesz.

Westchnąłem.

— Aż takie piekielnie ważne to nie jest. Przestanę.

— To dobrze.

Wspomniałem o tym przez telefon Geirowi następnego dnia, a on na to: do diabła, czyś ty kompletnie oszalał? Przecież jesteś pisarzem, do jasnej cholery! Nie możesz pozwolić, żeby ktokolwiek mówił ci, co masz robić.

— Wiem, ale nie o to chodzi. To kosztuje.

— Co kosztuje? — spytał.

— Związek.

— Nie rozumiem — powiedział. — Akurat w tej sprawie powinieneś być twardy. Możesz iść na kompromis we wszystkim, ale nie wtedy, gdy idzie o pisanie.

— No, ale ja jestem miękki, przecież wiesz.

— Wielki i miękki — roześmiał się. — No cóż, to twoje życie.

Minął wrzesień, liście na drzewach pożółkły, poczerwieniały i spadły. Błękit nieba nabrał intensywności, słońce stało coraz niżej, powietrze było przejrzyste i zimne. W połowie października Linda zebrała wszystkich przyjaciół w restauracji na Söder; kończyła trzydzieści lat i wypełniało ją wewnętrzne światło, które aż od niej biło, a mnie rozpierała duma: to ja z nią jestem. Duma i wdzięczność, właśnie to czułem. Miasto wokół nas migotało, kiedy szliśmy do domu — Linda w białej kurtce, którą rano dałem jej w prezencie — i już samo to, że idziemy, trzymając się za ręce, w tym pięknym, wciąż jeszcze obcym dla mnie mieście, raziło mnie kolejnymi uderzeniami radości. Ciągle byliśmy pełni ochoty i zapału, bo nasze losy się odwróciły, nie lekko, jak na zmiennym wietrze, tylko fundamentalnie. Planowaliśmy dziecko, nie mieliśmy pojęcia, że czeka nas coś innego niż samo szczęście, przynajmniej ja sobie tego nie uświadamiałem. Nad kwestiami, które nie mają związku z filozofią, literaturą, sztuką czy polityką, lecz dotyczą życia, tego, co jest wokół mnie, nigdy się nie zastanawiam. Czuję, a uczucia decydują o działaniach. W takim samym stopniu odnosiło się to do Lindy, a może nawet w większym.

W tym czasie otrzymałem propozycję wykładów w szkole dla pisarzy w Bø. Coś takiego przydarzyło mi się po raz pierwszy; Thure Erik Lund[1] organizował dwutygodniowy kurs i miał sam wybrać pisarza, który poprowadzi go razem z nim. Linda uważała, że dwa tygodnie to długo, nie chciała, żebym zostawiał ją na tyle czasu; w duchu przyznałem jej rację — nie może siedzieć sama w Sztokholmie tygodniami, kiedy ja będę pracował w Norwegii. A jednocześnie chciałem tam jechać. Moja książka wciąż stała w miejscu, powinienem zająć się czymś innym, a Thure Erik był jednym z najwyżej cenionych przeze mnie pisarzy. Któregoś wieczoru wspomniałem o tym przez telefon matce — powiedziała, że przecież nie mamy dzieci, więc dlaczego Linda miałaby nie dać sobie rady sama przez parę tygodni? To twoja praca, stwierdziła. Miała trochę racji. Wystarczy malutki krok w bok i wszystko staje się jasne. Ale ja do tego kroku prawie nigdy nie byłem zdolny. Żyliśmy z Lindą bardzo blisko siebie, i to pod wieloma względami; jej mieszkanie na Zinkensdamm było ciemne i ciasne, mieliśmy do dyspozycji tylko jeden pokój, i życie jakby powoli nas wchłaniało. To, co dawniej było otwarte, zaczęło się zamykać. Moje życie i jej życie tak dawno stopiły się w jedno, że w końcu zaczęły sztywnieć i zawadzać o siebie. Dochodziło do drobnych spięć, samych w sobie bez znaczenia, ale razem powoli układających się w nowy wzór, nowy system.

---

1 Thure Erik Lund (ur. 1959) — pisarz norweski.

Raz późnym wieczorem poszedłem z nią, kiedy miała wykonać jakieś ćwiczenie na stacji benzynowej koło Slussen; nagle się odwróciła i nakrzyczała na mnie za jakiś drobiazg, kazała mi iść do diabła, a gdy spytałem, o co jej chodzi, co ona właściwie wyprawia, nie odpowiedziała, już była dziesięć metrów przede mną. Poszedłem za nią.

Pewnego dnia po południu poszliśmy do hali targowej na Hötorget po zakupy na obiad, który mieliśmy zjeść razem z parą jej przyjaciół, Gildą i Kettilem; zaproponowałem, żebyśmy usmażyli naleśniki. Spojrzała na mnie drwiąco. Naleśniki są dla dzieci, a my nie organizujemy kinderbalu, powiedziała. Okej, odparłem, no to nazwijmy je *crêpes*. Uważasz, że tak brzmi lepiej? Odwróciła się na pięcie.

W weekendy chodziliśmy po tym pięknym mieście, wszystko było dobrze, i nagle przestało być dobrze. W Lindzie otworzyła się jakaś ciemność, a ja nie wiedziałem, co robić. Po raz pierwszy od przyjazdu do Sztokholmu pojawiło się we mnie uczucie, że we wszystkim jestem sam.

Tej jesieni zapadła się głęboko. Ale wyciągała do mnie ręce. Nie rozumiałem, co się dzieje. Poczułem jednak taką klaustrofobię, że odwróciłem się od niej, starałem się utrzymywać dystans, który ona próbowała pokonać.

Wyjechałem do Wenecji, pisałem w mieszkaniu, którym dysponowało wydawnictwo, Linda miała mnie tam odwiedzić i spędzić ze mną prawie tydzień, powrót planowałem za kolejnych kilka dni. Była taka mroczna, taka przygnębiona, mówiła w kółko, że jej nie kocham, że właściwie nigdy jej nie kochałem, że jej nie chcę i nigdy nie chciałem, że tak się nie da żyć, nigdy nic z tego nie będzie, bo wcale tego nie chcę, wcale nie chcę jej.

— Ale przecież chcę! — powiedziałem, kiedy szliśmy w jesiennym chłodzie po Murano, chowając oczy za ciemnymi okularami. A jednocześnie za każdym razem, gdy powtarzała, że właściwie wcale jej nie kocham i nie chcę z nią być, że cały czas chcę być sam, coraz bardziej stawało się to prawdą.

Skąd brało się jej zwątpienie?

Czy to ja je ze sobą przyniosłem?

Jestem zimny?

Myślę tylko o sobie?

Nie wiedziałem już, co będzie, kiedy dzień pracy się skończy i wrócę do niej do domu. Powita mnie radosna? To będzie miły wieczór? A może będzie się o coś złościć, na przykład o to, że nie kochamy się co noc, więc na pewno moja miłość wygasła? Będziemy siedzieć w łóżku i oglądać telewizję? Pójdziemy na spacer na Långholmen? Czy zostanę niemal pożarty przez jej żądzę posiadania mnie całego, a sam w rewanżu będę trzymał ją na dystans, nie mogąc opędzić się od myśli, że to musi się skończyć, że tak się nie da, co z kolei uniemożliwi jakąkolwiek rozmowę czy próbę zbliżenia, a ona oczywiście to wyczuje i zyska kolejny argument na uzasadnienie swojej tezy, że już jej nie chcę?

A może po prostu będzie nam ze sobą dobrze?

Coraz bardziej zamykałem się w sobie, a im bardziej się zamykałem, tym mocniej Linda atakowała. Im mocniej zaś atakowała, tym większą uwagę zwracałem na jej huśtawkę nastrojów. Obserwowałem ją jak meteorolog duszy, nie tyle jej rozum, ile uczucia, które z niemal przerażającą intensywnością towarzyszyły różnym stanom psychicznym. Jej złość miała na mnie ogromny wpływ. Jakby mnie gryzł jakiś cholerny wielki pies, nad którym muszę zapanować. Niekiedy podczas rozmowy potrafiłem odczuć jej siłę, głębię jej doświadczeń, czułem się wtedy o wiele od niej mniejszy. Z kolei gdy się do mnie zbliżała i brałem ją lub gdy leżeliśmy objęci i rozmawialiśmy, a Linda była jedną wielką niepewnością i niepokojem, czułem się o tyle od niej silniejszy, że inne rzeczy przestawały się liczyć. Taka huśtawka — raz w jedną, raz w drugą stronę, raz w dół, raz w górę, brak stałości, cały czas w oczekiwaniu na wybuch, po którym zawsze się godziliśmy i atmosfera się uspokajała — trwała nieustannie. Pomiędzy tymi skokami nie było żadnej pauzy, a poczucie osamotnienia, nawet w chwilach, w których byliśmy ze sobą blisko, stawało się coraz silniejsze.

Podczas naszej krótkiej znajomości nigdy nic nie robiliśmy połowicznie, również teraz.

Któregoś wieczoru, kiedy się pokłóciliśmy, a potem pogodziliśmy, zaczęliśmy mówić o dziecku. Wcześniej postanowiliśmy, że będziemy je mieć w trakcie studiów Lindy w Instytucie Dramatu; mogłaby sobie zrobić półroczną przerwę, a potem ja przejąłbym opiekę nad dzieckiem, żeby dokończyła studia. Aby ten plan mógł zostać zrealizowany, musiałaby przestać zażywać leki. Zaczęła się do tego przygotowywać; lekarze byli niechętni, ale terapeutka ją wspierała. No a ostateczna decyzja i tak należała do niej.

Rozmawialiśmy o tym niemal codziennie.

Tego wieczoru zasugerowałem, że może należałoby się z tym wstrzymać.

Całkowitą ciemność w mieszkaniu rozpraszała jedynie poświata wyciszonego telewizora, stojącego w kącie pokoju. Jesienny mrok za oknami otaczał nas jak morze.

— Może powinniśmy to na jakiś czas odłożyć — powiedziałem.

— Co ty mówisz? — Linda wbiła we mnie spojrzenie.

— Możemy trochę poczekać, zobaczyć, co będzie. Dokończyłabyś studia...

Wstała i otwartą dłonią z całej siły uderzyła mnie w twarz.

— Nigdy! — krzyknęła.

— Co ty wyprawiasz? Zwariowałaś? Bijesz mnie?

Policzek mnie piekł, bo uderzyła naprawdę mocno.

— Wychodzę — oświadczyłem. — I już nigdy nie wrócę. Możesz o tym zapomnieć.

Wyszedłem do przedpokoju, zdjąłem płaszcz z wieszaka.

Linda rozpaczliwie szlochała.

— Nie odchodź, Karl Ove! Nie zostawiaj mnie teraz!

Odwróciłem się.

— Myślisz, że możesz robić, co ci się żywnie podoba? Tak ci się wydaje?

— Wybacz mi. Zostań. Tylko dzisiejszej nocy.

Stałem nieruchomo w ciemności przy drzwiach i patrzyłem na nią z wahaniem.

— Okej — powiedziałem. — Zostanę na noc. Ale potem odchodzę.

— Dziękuję.

Następnego dnia rano obudziłem się około siódmej i wyszedłem bez śniadania. Wróciłem do mojego poprzedniego mieszkania, które zachowałem. Usiadłem z kawą na tarasie na dachu, paliłem, patrząc na miasto, i zastanawiałem się, co mam teraz zrobić.

Z Lindą nie mogłem być. Po prostu się nie dało.

Z komórki zadzwoniłem do Geira i spytałem, czy pójdzie ze mną na Djurgården, to dość ważne, muszę z kimś porozmawiać. Owszem, mógł się ze mną spotkać, musiał tylko najpierw coś dokończyć; zaproponował, żebyśmy umówili się przy moście koło Muzeum Nordyckiego i przeszli na koniec wyspy, tam była restauracja dobra na lunch. Tak też się stało, poszliśmy tam pod niebem szarym jak mur, między bezlistnymi drzewami, ścieżką upstrzoną żółtymi, czerwonymi i brązowymi liśćmi. Nie opowiedziałem, co się stało, to było zbyt upokarzające. O tym, że mnie uderzyła, nie mogłem powiedzieć nikomu, bo jak bym wtedy wyglądał? Wyznałem tylko, że się pokłóciliśmy i że już nie wiem, co robić. Geir kazał mi słuchać swoich uczuć. Odparłem, że nie wiem, co czuję. Na pewno wiesz, zakończył.

Ale nie wiedziałem. Miałem w sobie dwa zestawy uczuć dla Lindy. Jeden nakazywał: musisz odejść, za dużo od ciebie wymaga, stracisz wolność, poświęcisz jej cały swój czas, a co się stanie z tym wszystkim, co tak wysoko cenisz, z twoją samodzielnością, z twoim pisaniem? Z drugiego zestawu wynikało: kochasz ją, Linda daje ci coś, czego ci nie da nikt inny, i wie, kim jesteś. Wie, kim naprawdę jesteś. Oba zestawy były prawdziwe, ale nie miały punktów stycznych, wzajemnie się wykluczały.

Tego dnia myśl o odejściu miała przewagę.

Kiedy staliśmy z Geirem w wagonie metra jadącego do Västertorp, zadzwoniła. Spytała, czy wpadnę do niej wieczorem coś zjeść. Kupiła kraby, mój ulubiony przysmak. Powiedziałem, że przyjdę, bo i tak musimy porozmawiać.

Zadzwoniłem do drzwi, chociaż miałem klucz. Otworzyła i spojrzała na mnie z ostrożnym uśmiechem.

— Cześć — powiedziała.

Była w białej bluzce, którą tak bardzo lubiłem.

— Cześć.

Wyciągnęła rękę, jakby zamierzała mnie objąć, ale się powstrzymała i zrobiła krok do tyłu.

— Wejdź.

— Dziękuję. — Powiesiłem kurtkę na wieszaku, a kiedy się odwróciłem, stanęła na palcach i uściskaliśmy się.

— Głodny jesteś? — spytała.

— Owszem, trochę.

— No, to zjemy od razu.

Poszedłem za nią do stołu — stał przy oknie, po przeciwnej stronie niż łóżko. Nakryła go białym obrusem, a między dwoma talerzami i kieliszkami oprócz dwóch butelek piwa ustawiła jeszcze lichtarz z trzema świecami, ich płomyki migotały w przeciągu. Półmisek z krabami, koszyk z bagietką, masło, cytryna i majonez.

— Okazało się, że nie za bardzo umiem sobie poradzić z krabami — powiedziała. — Nie mam pojęcia, jak się je otwiera. Ale ty chyba wiesz.

— O tyle, o ile.

Odłamałem nogi, otworzyłem pancerz i obluzowałem mięso, a Linda w tym czasie otwierała butelki.

— Co dziś robiłaś? — spytałem, podając jej prawie pełną skorupkę.

— Nie mogłam nawet myśleć o wyjściu na uczelnię, więc zadzwoniłam do Mikaeli i razem zjadłyśmy lunch.

— Powiedziałaś jej, co się stało?

Kiwnęła głową.

— Że mnie uderzyłaś?

— Tak.

— I co ona na to?

— Niewiele. Słuchała.

Spojrzała na mnie.

— Potrafisz mi to wybaczyć?

— Oczywiście. Nie rozumiem tylko, dlaczego to zrobiłaś. Jak mogłaś do tego stopnia stracić nad sobą kontrolę? Bo zakładam, że nie zrobiłaś tego specjalnie. To znaczy po namyśle.

— Karl Ove... — zaczęła.

— Tak?

— Bardzo mi z tego powodu przykro. Ogromnie. Ale to, co powiedziałeś, głęboko mnie dotknęło. Zanim cię poznałam, nie miałam odwagi nawet pomyśleć o tym, że kiedyś będę mogła mieć dziecko. Nie śmiałam. Nawet gdy się w tobie zakochałam. A ty to powiedziałeś. To ty powiedziałeś, pamiętasz? Pierwszego dnia rano. Że chcesz mieć ze mną dziecko. Tak bardzo się ucieszyłam. Sprawiłeś mi tym niewiarygodną, wręcz szaloną radość. Już samo to, że istniała taka możliwość... to ty mi ją dałeś. A potem... wczoraj... tak jakbyś się wycofał. Powiedziałeś, że powinniśmy to odłożyć. Tak mocno mnie to zraniło, dosłownie zmiażdżyło. I wtedy... no tak, kompletnie straciłam panowanie nad sobą.

Oczy jej zwilgotniały, kiedy trzymała skorupkę kraba nad kromką bułki, próbując odciąć nożem sprężyste mięso przy brzegu.

— Rozumiesz to?

— Oczywiście. Ale nie możesz pozwalać sobie na wszystko. Bez względu na siłę uczuć. Tak nie można. Nie można, do jasnej cholery! Nie potrafię żyć w taki sposób. Z poczuciem, że zwracasz się przeciwko mnie i rzucasz się na mnie, naprawdę nie umiem żyć. Przecież mamy być razem, prawda? Nie możemy być wrogami. Ja sobie z tym nie poradzę, nie mam na to siły. Tak być nie może, Lindo.

— Wiem — powiedziała. — Wezmę się w garść, obiecuję.

Dalej jedliśmy w milczeniu. W chwili gdy jedno z nas przesunęłoby rozmowę na jakiś zwyczajniejszy, bardziej codzienny temat, tamto zdarzenie przestałoby się liczyć.

Chciałem tego i jednocześnie nie chciałem.

Mięso kraba na pieczywie było zarazem gładkie i nierówne, rudobrązowe jak liście na ziemi, a słony, niemal gorzki smak morza, złagodzony słodyczą majonezu i jednocześnie podkreślony kwasem soku z cytryny, na kilka sekund przytłumił wszystkie inne zmysły.

— Dobre? — spytała, uśmiechając się do mnie.

— Tak, bardzo.

To, co powiedziałem jej wtedy, gdy pierwszy raz obudziliśmy się rano obok siebie, nie było pustymi słowami. Czułem tak całym sobą. Chciałem mieć z nią dziecko. Nigdy wcześniej nic takiego nie przyszło mi do głowy. I właśnie to uczucie dawało mi pewność, że postępuję słusznie, że właśnie tak powinno być.

Ale czy za wszelką cenę?

Do Sztokholmu przyjechała moja matka. Przedstawiłem ją Lindzie w restauracji, wyglądało na to, że wszystko będzie dobrze, Linda promieniała, jednocześnie zawstydzona i otwarta, a ja przez cały czas obserwowałem mamę i jej reakcje. Miała się zatrzymać w moim mieszkaniu; pożegnałem się z nią przy bramie, weszła na klatkę schodową, a ja pobiegłem do mieszkania Lindy, odległego o dziesięć minut piechotą. Następnego dnia, kiedy zabrałem mamę na śniadanie do kawiarni, poskarżyła się, że nie udało jej się zapalić światła na klatce schodowej, dlatego drzwi do mieszkania zdołała otworzyć dopiero po blisko godzinie.

— Światło zgasło, kiedy byłam w połowie schodów — powiedziała. — Samo z siebie. Nie widziałam nawet na metr.

— Szwedzi tak oszczędzają prąd — wyjaśniłem. — Zawsze, wychodząc z pokoju, gaszą światło. A we wszystkich wspólnych pomieszczeniach są automatyczne wyłączniki. Ale dlaczego nie zapaliłaś światła, jeśli wolno spytać?

— Przecież było za ciemno, żeby dostrzec wyłącznik.

— Przecież są podświetlone.

— Aha, to one świeciły? — zdziwiła się. — Myślałam, że to jakiś alarm przeciwpożarowy.

— No a zapalniczka?

— Też mi to w końcu przyszło do głowy. Byłam tak zrozpaczona, że po omacku ruszyłam na dół zapalić papierosa, i wtedy nagle sobie to uprzytomniłam. Wróciłam na górę, podświetliłam zamek zapalniczką i otworzyłam drzwi.

— Cała ty.

— Możliwe. Ale to przecież inny kraj i coś w tym jest. Różnice tkwią w szczegółach.

— No a co myślisz o Lindzie?

— Wspaniała dziewczyna.

— Prawda?

Nie było oczywiste, że tak powie. Owszem, nie wątpiłem, że polubi Lindę, moje obawy rodziło raczej to, że jeszcze tak niedawno byłem w stałym związku, a nawet żonaty, i Tonje stanowiła po prostu część rodziny. Chociaż nasze małżeństwo dobiegło końca, uczucia moich krewnych do Tonje nie wygasły. Yngvemu było przykro, że już jej nie ma, może mamie również. Pod koniec lata, kiedy dzieliliśmy z Tonje nasze rzeczy — bez żadnej traumy, byliśmy dla siebie dobrzy — tylko jeden jedyny raz poczułem coś na kształt żalu; poszedłem po jakiś drobiazg do piwnicy i nagle zacząłem szlochać, bo przecież kończyło się nasze wspólne życie; po tych dniach, które przebiegły całkiem bezkonfliktowo, pojechałem do Jølster z naszym kotem, bo mama zgodziła się wziąć go do siebie. Wtedy powiedziałem o Lindzie. Wyraźnie było widać, że jej się to nie podoba, ale nie skomentowała tego. Pół godziny później z jej ust padła kwestia, która kazała mi uważniej na nią spojrzeć. Te słowa były takie do mamy niepodobne. Powiedziała, że nie dostrzegam innych ludzi, że jestem zupełnie ślepy i wszędzie widzę tylko siebie. Twój ojciec, dodała jeszcze, patrzył wprost do wnętrza innych ludzi, od razu widział, kim są. Ty nigdy tego nie umiałeś. No tak, przyznałem, możliwe.

Z pewnością miała rację, ale nie to było najważniejsze. Bardziej ubodło mnie po pierwsze to, że postawiła tatę, tego strasznego człowieka, wyżej ode mnie, a po drugie, że zrobiła to ze złości na mnie. To było coś nowego, mama nigdy się na mnie nie złościła.

W tym czasie Lindę i mnie wciąż otaczała jasność; mama musiała zauważyć, że szczęście i radość życia wprost ode mnie biją.

W Sztokholmie, ponad pół roku później, wszystko wyglądało inaczej. Miałem rozdartą duszę, nasz związek był klaustrofobiczny, tak klaustrofobiczny i mroczny, że chciałem z niego uciec, ale nie mogłem, byłem za słaby. Myślałem o Lindzie, żal mi jej było, beze mnie wpadłaby w otchłań. Okazałem się za słaby, kochałem ją.

Potem przyszły lunche w Filmhuset, podczas których siedzieliśmy i rozmawialiśmy na przeróżne tematy, z zapałem gestykulując; dyskusje kontynuowaliśmy w domu czy w innych kawiarniach — tyle mieliśmy sobie do powiedzenia, tyle było do wyrównania, nie tylko moje dawne życie i jej dawne życie, lecz również nasze życie, wspólne tu i teraz, z nowymi osobami, które je zaludniały. Dawniej tkwiłem głęboko w swoim wnętrzu i stamtąd obserwowałem ludzi, jakby z głębi ogrodu. Linda wyciągnęła mnie na zewnątrz, na krawędź siebie, gdzie wszystko stało się bliższe i działało mocniej. Potem przyszły filmy w Cinematece, noce na mieście, weekendy u jej matki pod Sztokholmem, spokój tamtejszego lasu, w którym Linda czasami wydawała się małą dziewczynką i ukazywała swoją kruchość. Później wyjechaliśmy do Wenecji, tam krzyczała, że jej nie kocham, powtarzała to raz po raz. Wieczorami upijaliśmy się i kochaliśmy z dzikością, nową i obcą, a także przerażającą, chociaż to okazywało się dopiero następnego dnia, kiedy wracałem myślą do tych chwil — miałem wrażenie, jakbyśmy pragnęli sprawić sobie nawzajem ból. Po jej wyjeździe prawie nie wychodziłem z domu, siedziałem, usiłując pisać, w mieszkaniu na poddaszu, ledwie miałem siłę dowlec się sto metrów do sklepu spożywczego i z powrotem. Mury były zimne, zaułki puste, gondole w kanałach przypominały trumny. To, co widziałem, było martwe, a to, co pisałem, bezwartościowe.

Któregoś dnia, gdy tak siedziałem sam w zimnym włoskim mieszkaniu, przypomniało mi się, co powiedział Stig Sæterbakken tamtego wieczoru, kiedy zeszliśmy się z Lindą. Że swoją następną powieść postara się napisać bardziej w moim stylu.

Nagle zapłonąłem ze wstydu.

Sæterbakken mówił ironicznie, a do mnie to nie dotarło.

Wydawało mi się, że mówi serio.

O, jak próżnym trzeba być, żeby w coś takiego uwierzyć! Jakim trzeba być idiotą! Czy głupota nie ma granic?

Szybko wstałem, pospiesznie zbiegłem po schodach, ubrałem się i przez godzinę krążyłem przejściami wzdłuż kanałów, starając się, aby piękno brudnej, intensywnie zielonej wody i prastarych murów, wspaniałość całego tego przekrzywionego i upadającego świata bodaj trochę przytłumiły ogromne rozgoryczenie, jakie zalewało mnie raz po raz na myśl o ironii Sæterbakkena.

Na wielkim placu, którego się nie spodziewałem, gdy wychodziłem z zaułka, usiadłem i zamówiłem kawę, zapaliłem papierosa i wreszcie pomyślałem, że może to wcale nie było aż takie groźne.

Podniosłem do ust maleńką filiżankę, trzymając ją w dwóch palcach, które przy niej wydawały się niemal monstrualne, odchyliłem się na krześle i popatrzyłem w niebo; w przypominającej labirynt siatce murów i kanałów nigdy nie zwracałem na nie uwagi, mniej więcej tak, jakbym wędrował pod ziemią. Kiedy ciasne zaułki otwierały się na rynki i place, a nad dachami domów i iglicami kościołów nagle rozpościerało się niebo, zawsze robiło niespodziankę. Ale teraz to odkryłem: istnieje niebo, istnieje słońce! Stałem się jakby bardziej otwarty, jaśniejszy, lżejszy.

Pojąłem bowiem, że Sæterbakken mógł przecież uznać, iż moja pełna zapału odpowiedź również była ironiczna.

Później, jesienią, temperatura nagle spadła i woda we wszystkich kanałach Sztokholmu zamarzła; pewnej niedzieli szliśmy po lodzie z Söder na Gamla Stan, udawałem, że kuleję jak dzwonnik z Notre Dame, Linda się śmiała i pstrykała mi zdjęcia, ja pstrykałem jej, wszystko było ostre i przejrzyste, również moje uczucia dla niej. Wywołaliśmy odbitki i oglądaliśmy je w kawiarni, stamtąd pobiegliśmy do domu się kochać, wypożyczyliśmy dwa filmy, kupiliśmy pizzę i cały wieczór spędziliśmy w łóżku. To był jeden z tych dni, które zapamiętam na zawsze, właśnie dlatego, że zwyczajność i trywialność zostały pozłocone.

Przyszła zima, a wraz z nią płatki śniegu wirujące w powietrzu nad miastem. Białe ulice, białe dachy, wszystkie dźwięki przytłumione. Pewnego wieczoru chodziliśmy bez celu wśród tej bieli i może starym zwyczajem zbliżyliśmy się do wzgórza, którego szczytem biegła Bastugatan. Linda spytała, gdzie właściwie mam zamiar spędzić święta. Odparłem, że w domu, u swojej matki w Jølster. Chciała ze mną jechać. Powiedziałem, że to niemożliwe, że jest jeszcze za wcześnie. Dlaczego za wcześnie? Chyba rozumiesz? Nie, nie rozumiem. Aha.

Pokłóciliśmy się. Wściekli usiedliśmy przy piwie w Bishops Arms, nie odzywając się do siebie ani słowem.

Chciałem jej to jakoś zrekompensować — moim prezentem gwiazdkowym dla niej była wycieczka, którą zdołałem utrzymać w tajemnicy; wróciłem do Sztokholmu zaraz po świętach i od razu pojechaliśmy na Arlandę. Linda nie wiedziała, dokąd się wybieramy, dopóki nie wręczyłem jej biletu do Paryża. Zaplanowałem, że zostaniemy tam tydzień. Linda jednak miała napad lęku, wielkie miasto kompletnie ją rozłożyło, bez przerwy złościła się o wszystko, zupełnie niesprawiedliwie. Kiedy pierwszego wieczoru poszliśmy na kolację, a ja czułem się zażenowany w obecności kelnera, bo nie bardzo wiedziałem, jak się zachować w eleganckiej restauracji, spojrzała na mnie z pogardą. Poczułem, że to się staje beznadziejne. W co ja się wplątałem? Co się dzieje z moim życiem? Chciałem chodzić po sklepach, robić zakupy, ale zrozumiałem, że to niemożliwe, Linda nie lubiła tego już wcześniej, a teraz wręcz to znienawidziła. A ponieważ najgorsze ze wszystkiego było dla niej przebywanie w samotności, zrezygnowałem z zakupów.

Czasami dni zaczynały się dobrze — tak jak wtedy kiedy poszliśmy na wieżę Eiffla, budowlę, od której najwyraźniej, według mnie, bije atmosfera dziewiętnastego wieku — a potem zapadały się w coś czarnego, kompletnie pozbawionego sensu, albo też zaczynały się źle, a kończyły dobrze — tak jak wtedy gdy odwiedziliśmy przyjaciółkę Lindy, mieszkającą w Paryżu w pobliżu cmentarza, na którym pochowany jest Marcel Proust, gdzie później poszliśmy. W sylwestra, korzystając z podpowiedzi mojego kolegi frankofila z Bergen, trafiliśmy do przytulnej, eleganckiej restauracji, w której usługiwano nam na wszelkie możliwe sposoby. Siedzieliśmy tam i płonęliśmy jak za dawnych dni, czyli pół roku wcześniej, a godzinę po przyjściu Nowego Roku, trzymając się za ręce i spacerując wzdłuż Sekwany, zmierzaliśmy do hotelu. Cokolwiek jej tak ciążyło w Paryżu, zniknęło, gdy tylko wyruszyliśmy w drogę na lotnisko, skąd mieliśmy wrócić do domu.

Właścicielka mieszkania, które wynajmowałem, zamierzała je sprzedać, więc w pierwszych dniach stycznia przeniosłem wszystkie swoje rzeczy, to znaczy książki, do magazynu pod miastem, posprzątałem, oddałem klucze, a Linda rozpytała wśród swoich przyjaciół, czy ktoś nie wie o jakiejś pracowni; i owszem, Cora znała grupę wolnych strzelców, którzy wspólnie zajmowali górne piętro budynku przypominającego zamek, królującego na niewielkim wzgórzu z jednej strony Slussen, zaledwie sto metrów od mojego dawnego mieszkania; tam wynająłem pokój i pracowałem w ciągu dnia. To był nowy początek — dodałem ostatnie sto stron do już dużego pliku komputerowego z rozmaitymi otwarciami i zacząłem od nowa. Tym razem wziąłem się do tematu aniołów. Kupiłem jedną z tanich książek o sztuce, pełno w niej było zdjęć obrazów przedstawiających aniołów; jedna ilustracja wzbudziła moje zainteresowanie — trzej aniołowie ubrani w szesnastowieczne szaty, idący pośród włoskiego krajobrazu. Napisałem o chłopcu, który ich zobaczył. Pasł owce, jedna gdzieś mu przepadła, a szukając jej, dostrzegł wśród drzew aniołów. Był to rzadki widok, ale nie nadzwyczajny, aniołowie przebywali w lesie, na skraju obszarów ludzkiej działalności, odkąd ludzie sięgali pamięcią. Dalej nie dotarłem. Bo co to za historia?

To nie miało nic wspólnego ze mną. Nie zawarłem w tym nic ze swojego życia, ani świadomie, ani podświadomie, więc nie mogłem się do tego przywiązać, ani też tego rozwijać. Równie dobrze mogłem pisać o Fantomie i Grocie Trupiej Czaszki.

Gdzie była moja historia?

Mijał jeden bezsensowny dzień pracy za drugim. Nie miałem jednak wyboru, musiałem to kontynuować, nic innego nie przychodziło mi do głowy. Ludzie, z którymi dzieliłem pracownię, byli sympatyczni, ale tak pełni radykalnej lewicowej dobroci, że aż gębę otworzyłem ze zdziwienia, gdy nagle odkryłem, że człowiek, który sprząta ich pokoje, ściera brudy w kuchni i myje po nich kible, jest czarny. A przecież wcześniej podczas rozmowy z jednym z nich, kiedy czekaliśmy, aż kawa w ekspresie się zaparzy, użyłem słowa „Murzyn" i zostałem natychmiast skorygowany. Ci ludzie byli za solidarnością i równouprawnieniem i używali poprawnego języka, który jakby rozpinał siatkę nad rzeczywistością, toczącą się niesprawiedliwym i dyskryminującym torem. Różnych rzeczy nie mogłem mówić. Dwa razy się tam włamano. Raz, gdy przyszedłem rano, na miejscu policja prowadziła już przesłuchania; skradziono sprzęt komputerowy i fotograficzny. Ponieważ zewnętrznych drzwi nie wyłamano, tylko te do naszych pokoi, policja doszła do wniosku, że musiał to zrobić ktoś, kto miał klucz. Później omawialiśmy to zdarzenie. Powiedziałem, że zagadka nie jest chyba trudna, przecież piętro niżej rozlokowali się anonimowi narkomani, na pewno któryś z nich zdobył klucz. Wszyscy świdrowali mnie wzrokiem. Ktoś stwierdził: Tak nie możesz mówić. Jesteś uprzedzony. Przecież nie wiemy, kto to zrobił. To mógł być każdy. Że to narkomani i mają za sobą trudną przeszłość, nie oznacza, że się tu włamali! Musimy dać im szansę! Pokiwałem głową i przyznałem mu rację: oczywiście, że nie mamy pewności. Ale w głębi duszy byłem wstrząśnięty. Przecież widziałem tę bandę przesiadującą na schodach piętro niżej, ci ludzie dla pieniędzy gotowi byli na wszystko; to nie miało nic wspólnego z uprzedzeniami — po prostu, cholerna oczywistość.

To była Szwecja, o której opowiadał Geir. Zatęskniłem za nim. Spodobałaby mu się ta opowieść. Ale Geir wyjechał do Bagdadu.

W tym czasie często miałem gości z Norwegii; kolejne osoby przyjeżdżały do Sztokholmu, oprowadzałem je, przedstawiałem Lindzie, jedliśmy obiad na mieście, szliśmy do innej knajpy, upijaliśmy się. Późną zimą, w weekend, miał przyjechać Thure Erik swoim starym gratem, którym kiedyś pokonał Saharę, z zamiarem, jak mówił, by nigdy więcej nie wrócić do Norwegii. Wrócił jednak i napisał powieść *Zalep*, która wiele dla mnie znaczyła, podobała mi się bardzo, ponieważ zaprezentował w niej niezwykle radykalne myślenie, zupełnie inne niż w większości norweskich powieści, takie bezkompromisowe, i ponieważ napisał ją wyjątkowym językiem, całkowicie oryginalnym. Zaskakujące, jak dobrze ten język oddaje charakter autora, wręcz współgra z nim, czego nie odkryłem podczas naszego pierwszego spotkania, ponieważ doszło do niego na zbyt rozrywkowym wieczorze w Domu Artystów, ale dopiero za drugim, trzecim i czwartym razem, a szczególnie w ciągu tych tygodni, podczas których mieszkaliśmy w dwóch domkach na opuszczonym już po sezonie kempingu w Telemarku, wśród szumu rzeki płynącej tuż obok i pod rozpościerającym się nad nami nocnym niebem pełnym gwiazd. Thure Erik był ogromnym facetem z olbrzymimi dłońmi i twarzą pełną nierówności. Żywe oczy zawsze ujawniały jego nastrój. Ponieważ podziwiałem pisane przez niego powieści, trudno mi się z nim rozmawiało, czułem, że wszystko, co mówię, jest głupie, nie może się mierzyć z jego twórczością, ale tam, w Telemarku, gdzie jedliśmy razem śniadanie, pokonywaliśmy razem dwa kilometry do szkoły, razem prowadziliśmy zajęcia, potem razem jedliśmy obiad, a wieczorami piliśmy kawę albo piwo, nie dało się od tego uciec, musiałem z nim rozmawiać. Potrafiłem go nawet rozśmieszyć swoimi dowcipami językowymi, więc rozmowy z nim okazały się wcale nie takie trudne. Działał na wysokich obrotach, wszystko go interesowało, wchłaniał to, przetrawiał i podążał dalej, bo całym sobą pragnął, by myśli biegły naprzód; nieustannie szukał ekstremów, a przez to otaczający go świat stale objawiał się w nowym świetle, w jego własnym, Thureerikowym świetle, ponieważ wyjątkowość tego światła również się w nim przetwarzała w zetknięciu z tradycją i lekturami.

Niewielu ludzi odbiera świat z taką intensywnością.

Zajmował się mną, stałem się dla niego kimś w rodzaju młodszego brata, któremu chciał pokazywać różne rzeczy, a jednocześnie był ciekaw, co z tego wyniosę, jak mawiał. Któregoś wieczoru spytał, czy mam ochotę przeczytać coś, co napisał. Odpowiedziałem, że tak, oczywiście; podał mi dwie kartki, zacząłem czytać — to był absolutnie fantastyczny początek, dynamit eksplodował apokaliptycznie w starym wiejskim świecie, dziecko uciekało ze szkoły do lasu — magiczny tekst, ale gdy w pewnej chwili uniosłem wzrok znad kartki i spojrzałem na niego, siedział z głową zasłoniętą wielkimi rękami, jak dziecko, które się wstydzi.

— Ale mi głupio — powtarzał. — Cholernie głupio.

Co?

Czy on zwariował?

Właśnie ten człowiek, równie zamknięty, jak wielkoduszny, ruchliwy i niezłomny, miał odwiedzić Lindę i mnie w Sztokholmie.

Dwa dni wcześniej wybraliśmy się na przyjęcie urodzinowe. Mikaela kończyła trzydzieści lat. Do jej jednopokojowego mieszkania na Söder, niedaleko

Långholmen, ledwie dało się wejść, tyle było ludzi. Znaleźliśmy sobie miejsce w kącie; rozmawialiśmy z pewną kobietą, z tego, co zrozumiałem, przewodniczącą jakiejś organizacji pokojowej, i jej mężem, inżynierem informatykiem, który pracował w fabryce telefonów. Byli sympatyczni. Wypiłem dwa piwa, po czym nabrałem ochoty na coś mocniejszego. Znalazłem akevitt i pociągnąłem z butelki. Alkohol coraz bardziej uderzał mi do głowy, zapadła noc, ludzie zaczęli się rozchodzić, ale my dalej siedzieliśmy, został tylko krąg najbliższych przyjaciół Lindy. W końcu tak się uchlałem, że robiłem papierowe kule z serwetek i rzucałem nimi w głowy siedzących w pobliżu, a kiedy się w ten sposób nie zabawiałem, plotłem, co mi ślina na język przyniosła, i strasznie mnie to śmieszyło. Próbowałem każdemu powiedzieć miłe słowo, nie bardzo mi się to udawało, ale przynajmniej moje intencje były jasne.

W końcu Linda mnie stamtąd wyciągnęła; protestowałem, bo przecież właśnie zaczęło być tak miło i w ogóle, ale okazała stanowczość. Włożyłem płaszcz i nagle znaleźliśmy się na ulicy. Linda była na mnie wściekła. Nic nie pojmowałem. Co znów złego zrobiłem? Okropnie się zalałem. Nikt inny się nie upił, czy to zauważyłem? Tylko ja. Pozostałych dwadzieścioro pięcioro gości było trzeźwych, właśnie taka jest Szwecja — aby móc uznać wieczór za udany, wszyscy powinni opuścić imprezę w takim stanie, w jakim na nią przyszli. Byłem przyzwyczajony do picia na umór, przecież mieliśmy świętować trzydzieste urodziny. Ale nie, narobiłem jej wstydu. Jeszcze nigdy tak głupio się nie czuła. To byli jej najlepsi przyjaciele, a ja, mężczyzna, o którym opowiadała im tyle dobrego, siedziałem, bełkotałem i rzucałem papierowymi kulkami, obrażając wszystkich, kompletnie pozbawiony hamulców.

Wkurzyłem się. Moje granice zostały przekroczone. A może byłem tak pijany, że nie miałem już żadnych granic? Zacząłem na nią wrzeszczeć, krzyczałem, że jest okropna, że próbuje mnie ograniczać, powstrzymywać, trzymać najkrócej, jak się da. To chore, darłem się, jesteś chora! Do jasnej cholery, odchodzę od ciebie! Nigdy więcej mnie nie zobaczysz!

Ruszyłem najszybciej, jak mogłem. Pobiegła za mną.

Jesteś pijany, powiedziała. Uspokój się. Możemy o tym porozmawiać jutro. Nie możesz w takim stanie chodzić po mieście.

Kurwa, niby dlaczego nie mogę? Odtrąciłem jej rękę. Dotarliśmy do niewielkiego skweru położonego między jej ulicą a następną. Wrzasnąłem, że nie chcę jej więcej widzieć, przemaszerowałem na drugą stronę i ruszyłem w kierunku stacji Zinkensdamm. Linda stanęła przed wejściem do domu i zawołała mnie. Nie odwróciłem się. Przeszedłem przez całą Söder i przez

Gamla Stan aż do Dworca Centralnego, nadal tak samo wkurzony. Plan miałem prosty: wsiąść do pociągu do Oslo, zostawić to zasrane miasto i nigdy więcej tu nie wracać. Nigdy więcej. Nigdy więcej. Padał śnieg, było zimno, ale mnie rozgrzewała wściekłość. Na dworcu ledwie rozróżniałem poszczególne litery na rozkładzie jazdy, jednak po chwili intensywnego skupienia, które było mi niezbędne również do zachowania równowagi, zobaczyłem, że pociąg jest około dziewiątej rano. Na razie była czwarta.

Co miałem robić w tym czasie?

Znalazłem sobie ławkę w głębi hali i ułożyłem się do snu. Przed zaśnięciem zdążyłem jeszcze pomyśleć, że gdy się obudzę, nie wolno mi się zawahać. Muszę się trzymać powziętej decyzji, nigdy więcej Sztokholmu, bez względu na to, jak bardzo będę trzeźwy.

Ochroniarz szarpnął mnie za ramię. Otworzyłem

oczy.

— Tu nie można leżeć.

— Czekam na pociąg — wyjaśniłem, siadając powoli.

— W porządku, ale spać nie wolno.

— A siedzieć?

— Też raczej nie. Pan jest pijany, prawda? Najlepiej wrócić do domu.

— Okej. — Wstałem.

Oj, rzeczywiście, jeszcze nie wytrzeźwiałem.

Było trochę po ósmej, na dworcu pełno ludzi. Chciałem jedynie spać. Głowa cholernie mi ciążyła, a jednocześnie płonęła jak w gorączce, nie pozostawały w niej żadne wrażenia, wszystko, co widziałem, po prostu po mnie spływało; przeszedłem tunelami na stację metra, wsiadłem do pociągu, wysiadłem na Zinkensdamm i w końcu dotarłem do mieszkania, do którego nie miałem klucza, więc musiałem zastukać do drzwi.

Chciałem spać. Nic innego mnie nie obchodziło.

Przedpokojem za przeszklonymi drzwiami przybiegła Linda.

— Jesteś! — Objęła mnie. — Tak się bałam! Obdzwoniłam wszystkie szpitale w mieście. Pytałam, czy nie przywieźli wysokiego Norwega... Gdzie byłeś?

— Na Dworcu Centralnym. Zamierzałem wyjechać do Norwegii. Ale teraz muszę się położyć. Zostaw mnie w spokoju i mnie nie budź.

— Okej. Chcesz coś, kiedy się obudzisz? Colę, bekon?

— Wszystko mi jedno, do jasnej cholery. — Wtoczyłem się do mieszkania, zrzuciłem ubranie, zwaliłem się na łóżko i w następnej chwili już spałem.

Obudziłem się, gdy na dworze było ciemno. Linda siedziała w fotelu w kuchni i czytała w świetle lampy przypominającej brodzącego ptaka, wysokiego, chudego, na jednej nodze, z lekko przekrzywionym łbem świecącym nad jej głową.

— Cześć — powiedziała. — Jak się czujesz?

Nalałem sobie szklankę wody i opróżniłem ją jednym haustem.

— Wszystko w porządku. Z wyjątkiem lęku.

— Bardzo mi przykro za wczoraj. — Odłożyła książkę na podłokietnik fotela i wstała.

— Mnie też.

— Naprawdę chciałeś wyjechać?

Kiwnąłem głową.

— Chciałem. Miałem dość.

Objęła mnie.

— Rozumiem — powiedziała.

— Chodzi mi nie tylko o to, co się wydarzyło po imprezie. Chodzi o coś więcej.

— Wiem.

— Przejdźmy do pokoju. — Usiadłem przy stole z ponownie napełnioną szklanką. Linda przyszła za mną, zapaliła górne światło.

— Pamiętasz, jak byłem tu pierwszy raz? — spytałem. — To znaczy w tym pokoju.

Kiwnęła głową.

— Powiedziałaś, że wydaje ci się, że zaczynam być ci drogi.

— To było niedopowiedzenie.

— Teraz już wiem. Ale wtedy właściwie poczułem się urażony. „Drogi" po norwesku brzmi bardzo słabo. Mówi się o drogim przyjacielu. Nie wiedziałem, że po szwedzku to tyle, co po norwesku „zakochany". Myślałem, że mówisz, że zaczynasz mnie trochę lubić, że może kiedyś będzie z tego coś więcej. Tak to sobie tłumaczyłem.

Uśmiechnęła się leciutko, patrząc w stół.

— Postawiłam wtedy wszystko na jedną kartę. Ściągnęłam cię tutaj i wyznałam, co do ciebie czuję. A ty byłeś taki zimny. Stwierdziłeś, że możemy być przyjaciółmi. Pamiętasz? Postawiłam wszystko i straciłam wszystko. Po twoim wyjściu byłam zrozpaczona.

— Ale teraz tu siedzimy.

— Tak.

— Nie możesz mi nakazywać, co mam robić, Lindo. Tak być nie może. Jeśli będziesz się tak zachowywać, ucieknę. I nie chodzi tylko o alkohol. O wszystko. Nie powinnaś tego robić.

— Wiem.

Zapadło milczenie.

— Nie mamy w lodówce jakichś klopsików czy czegoś takiego? — spytałem. — Jestem cholernie głodny.

Kiwnęła głową.

Wszedłem do kuchni, wrzuciłem klopsiki na patelnię i nastawiłem wodę na spaghetti; wyczułem, że Linda stanęła za mną.

— Latem nie widziałaś w tym nic złego. Mam na myśli picie. Miałaś coś przeciwko temu?

— Nie. Było fantastycznie. Normalnie boję się przekraczania granic, ale wtedy tak nie było, z tobą czułam się całkowicie bezpieczna. W ogóle nie miałam wrażenia, że coś zawiruje, że wpadnę w manię czy po prostu będzie mi okropnie niedobrze. Naprawdę czułam się w pełni bezpieczna. Jak nigdy wcześniej. Ale teraz jest inaczej. Nie jesteśmy już w tym samym miejscu.

— Wiem. — Odwróciłem się, masło między klopsikami zaczęło się roztapiać. — A gdzie jesteśmy?

Wzruszyła ramionami.

— Nie wiem. Ale mam wrażenie, jakbyśmy coś stracili. Coś się skończyło. Boję się, że cała reszta też przepadnie.

— Nie możesz mnie do niczego zmuszać. To najprostsza droga do tego, żeby wszystko przepadło.

— Jasne. Wiem.

Posoliłem wodę na spaghetti.

— Będziesz jadła?

Kiwnęła głową, kciukami wytarła łzy.

Thure Erik przyjechał o drugiej następnego dnia i gdy tylko przekroczył próg, wypełnił sobą całe nasze nieduże mieszkanie. Przeszliśmy się po antykwariatach, pooglądał stare książki o historii naturalnej, a potem poszliśmy do Pelikana, gdzie zjedliśmy obiad i siedzieliśmy przy piwie aż do zamknięcia. Opowiedziałem mu o nocy na dworcu i swoim postanowieniu powrotu do Norwegii.

— Ale przecież ja miałem przyjechać — powiedział. — Miałbym pocałować klamkę?

— Właśnie o tym pomyślałem, kiedy się obudziłem. Thure Erik Lund przyjeżdża, więc za cholerę nie mogę wrócić do domu.

Roześmiał się i zaczął mi opowiadać o pewnym swoim związku, tak burzliwym, że mój i Lindy w porównaniu z nim wydawał się czystą komedią, snem nocy letniej. Tego wieczoru wypiłem dwadzieścia piw i z ostatnich godzin pamiętam jedynie starego pijaczynę, z którym Thure Erik nawiązał rozmowę. Facet przysiadł się do naszego stolika i cały czas powtarzał, że jestem taki piękny, taki piękny chłopak, mówił. Thure Erik ze śmiechem szturchał mnie w ramię i próbował wypytać tego człowieka o jego życie. No a potem, pamiętam, staliśmy pod domem, Thure Erik wcisnął się do swojego samochodu i położył się spać na tylnym siedzeniu, a pod szarym zimnym niebem wirowały lekkie płatki śniegu.

Pokój i kuchnia to była nasza arena. Tam gotowaliśmy, spaliśmy, kochaliśmy się, rozmawialiśmy, oglądaliśmy telewizję, czytaliśmy książki, kłóciliśmy się i przyjmowaliśmy gości. Mieszkanie było małe i ciasne, ale dawaliśmy radę, utrzymywaliśmy głowę nad powierzchnią wody. Jeśli jednak planowaliśmy mieć dziecko, o którym rozmawialiśmy nieustannie, to musieliśmy zdobyć jakieś większe lokum. Matka Lindy dysponowała odpowiednim, położonym w śródmieściu; składało się zaledwie z dwóch pokoi, ale miało ponad osiemdziesiąt metrów, w porównaniu z naszym obecnym jawiło się prawdziwym boiskiem piłkarskim. Nie korzystała już z niego, ale wciąż je wynajmowała, i zaproponowała, że możemy je przejąć. Nie bezpośrednio, taka transakcja nie była dozwolona, w Szwecji kontrakty najmu są imienne i dożywotnie, ale w grę wchodziła zamiana: matka przejęła mieszkanie Lindy, w zamian zaś dała nam swoje.

Któregoś dnia pojechaliśmy je obejrzeć.

To było najbardziej mieszczańskie mieszkanie, jakie w życiu widziałem. W jednym końcu salonu ogromny kominek w stylu rosyjskim z ubiegłego stulecia, z masywnym marmurowym frontem; drugi, równie wysoki, lecz nieco mniej masywny — w sypialni. Biała, pięknie rzeźbiona boazeria na wszystkich ścianach, a na sufitach, wznoszących się na wysokości ponad czterech metrów — gipsowe sztukaterie. Na podłogach fantastyczny parkiet, ułożony w jodełkę. Meble należące do matki były w podobnym stylu, ciężkie, z wypracowanymi detalami, z końca dziewiętnastego wieku.

— Będziemy umieli tu żyć? — spytałem, kiedy rozglądaliśmy się po mieszkaniu.

— Chyba nie — stwierdziła Linda. — Może raczej zamienimy się na jakieś mieszkanie na Skärholmen. Tutaj jest jak w grobie.

Skärholmen to jedno z przedmieść, na których jest aż gęsto od imigrantów. Wybraliśmy się tam na targ w pewną sobotę i wróciliśmy wstrząśnięci innością toczącego się w tym miejscu życia.

— I ja tak myślę. To mieszkanie naprawdę trudno będzie uczynić n a s z y m.

Jednocześnie pociągała mnie myśl o sprowadzeniu się tutaj. Duże, piękne, w środku miasta. Czy to ma jakieś znaczenie, że znikniemy w tych pokojach? A może uda nam się je spacyfikować, przymusić, podporządkować sobie tę mieszczańskość?

Zawsze przecież pragnąłem mieszczańskości. Zawsze chciałem być porządny. Uważałem, że sztywne formy i określone reguły istnieją po to, by utrzymać wnętrze człowieka na swoim miejscu, utemperować je, uczynić z niego coś, z czym da się żyć, nie pozwolić, by stale było szarpane i rozdzierane. Ale zawsze gdy znalazłem się w mieszczańskim otoczeniu, na przykład u dziadków ze strony ojca albo u ojca Tonje, działało to jakby wręcz przeciwnie — mieszczańskość uwidaczniała moje wewnętrzne nieprzystosowanie, to, co we mnie nie pasowało, nie mieściło się w formach i sztywnych ramach, a więc wszystko, czego w sobie nienawidziłem.

A tutaj? Linda, ja i dziecko? Nowe życie, nowe miasto, nowe mieszkanie, nowe szczęście?

Pokrzepiająca nadzieja przezwyciężyła pierwsze ponure wrażenie martwoty, jakie to mieszkanie na nas wywarło. Kochaliśmy się na stojącym tam łóżku; leżeliśmy później z poduszkami pod głową, paliliśmy i gadaliśmy rozemocjonowani, pełni zachwytu, nie mając już żadnych wątpliwości: tutaj zacznie się nasze nowe życie.

Pod koniec kwietnia Geir wrócił z Iraku. Zjedliśmy obiad w restauracji na Gamla Stan; był taki podekscytowany i pełen życia jak nigdy wcześniej, i musiało minąć kilka tygodni, zanim wyrzucił z siebie wszystko, co tam przeżył, wszystkich ludzi, których tam poznał, a którzy z czasem i mnie zaczęli wydawać się znajomi, i opróżnił się na tyle, że w nim i w jego słowach zaczęło się mieścić coś innego. Na początku maja Linda i ja przy pomocy Andersa przenieśliśmy swoje rzeczy, a kiedy się z tym uporaliśmy, wróciliśmy, by starannie wysprzątać nasze dawne mieszkanie. Poświęciliśmy na to popołudnie i cały wieczór, a gdy o jedenastej wieczorem jeszcze nie było widać końca, Linda nagle osunęła się po ścianie i usiadła na podłodze.

— Już nie mam siły! — krzyknęła. — To się nie uda!

— Jeszcze godzina — powiedziałem. — Najwyżej półtorej. Dasz radę.

Miała łzy w oczach.

— Zadzwonimy do mamy — oświadczyła. — Przecież nie musimy tego kończyć. Mama jutro przyjdzie i zrobi resztę. To żaden problem, jestem o tym przekonana.

— Chcesz, żeby ktoś sprzątał mieszkanie po tobie? — spytałem. — Żeby zmywał twoje brudy? Nie możesz wołać mamy za każdym razem, kiedy coś ci nie wychodzi. Przecież skończyłaś już trzydzieści lat, do cholery!

— Wiem — westchnęła. — Po prostu jestem wykończona. A ona może to zrobić. Dla niej to nie jest problem.

— Ale dla mnie jest. I powinien być również dla ciebie.

Sięgnęła po ścierkę i wstała. Wróciła do szorowania futryny przy drzwiach do łazienki.

— Mogę sam zająć się resztą — zaproponowałem. — A ty już idź. Przyjdę później.

— Na pewno?

— Oczywiście. Idź już.

— Okej.

Ubrała się i wyszła. Dokończyłem sprzątanie, bo rzeczywiście nie był to dla mnie żaden kłopot. Następnego dnia przywieźliśmy moje rzeczy, to znaczy wszystkie książki, których zbiór rozrósł się do dwóch i pół tysiąca — Anders i Geir, pomagający mi przy przeprowadzce, przeklinali ów fakt długo i soczyście, kiedy wyładowywaliśmy pudła z windy i przenosiliśmy je do mieszkania. Oczywiście Geir porównywał to z wyładowywaniem skrzynek z amunicją dla US Marines, dla niego zajęcie to było odległe w czasie zaledwie o kilka tygodni, ale mnie było równie obce jak dyliżanse pocztowe czy polowanie na bawoły. Kiedy przeniesione rzeczy stały już w obu pokojach w dwóch ogromnych stosach, wziąłem się do malowania ścian, a Linda w tym czasie wyjechała do Norwegii, żeby zrobić program radiowy o święcie narodowym 17 Maja. Miała się zatrzymać u mojej matki, którą widziała tylko raz, przez kilka godzin, wtedy w Sztokholmie. Kiedy wsiadła do pociągu, zadzwoniłem do mamy, bo pewne rzeczy nie dawały mi spokoju — ślady, które zostawiła po sobie Tonje, a zwłaszcza nasza ślubna fotografia, wciąż wisząca na ścianie, kiedy byłem u mamy w święta Bożego Narodzenia, no i album ze ślubnymi zdjęciami. Nie chciałem narażać na to Lindy, nie chciałem, aby nabrała przekonania, że znajduje się na skraju mojego życia, że kogoś zastępuje, więc po krótkim wstępie, podczas którego opowiedzieliśmy sobie, co się u nas ostatnio wydarzyło, zacząłem krążyć wokół tego tematu. Zdawałem sobie sprawę, że to głupie, w zasadzie upokarzające, zarówno dla mnie i Lindy, jak i dla mamy, ale nie mogłem się powstrzymać, za wszelką cenę pragnąłem oszczędzić Lindzie bólu, więc w końcu to z siebie wydusiłem. Spytałem mamę, czy mogłaby zdjąć ze ściany to ślubne zdjęcie, a przynajmniej przewiesić je w jakieś bardziej dyskretne miejsce. Owszem, mogła, prawdę mówiąc, już to zrobiła, bo przecież nie byliśmy już małżeństwem. A co z albumem ze zdjęciami? — dodałem. Tymi, wiesz, ze ślubu. Nie mogłabyś też go schować? Ależ, mój drogi, odpowiedziała mama, to przecież mój album, reprezentuje pewien okres mojego życia, nie będę go ukrywać. Linda musi to wytrzymać, przecież wie, że byłeś żonaty, jesteście dorosłymi ludźmi. Okej, przyznałem, masz rację, to twój album. Po prostu nie chciałbym jej zranić. Nie zranisz, zakończyła mama. Wszystko będzie dobrze.

Jadąc do mojej matki, Linda wykazała się odwagą, wyciągnęła do niej rękę, i rzeczywiście wszystko ułożyło się pomyślnie. Rozmawialiśmy przez telefon kilka razy dziennie, opowiadała, jak obezwładnił ją krajobraz zachodniej Norwegii, ta zieleń, biel i ten błękit, wysokie góry i głębokie, niemal bezludne fiordy, i słońce, które świeci prawie bez przerwy. Czuła się niemal jak we śnie. Zadzwoniła z niewielkiego pensjonatu w Balestrand i opisała widok z okna oraz plusk fal, który do niej dociera, kiedy się wychyla, a jej głos wypełniała nasza przyszłość — bez względu na to, co mówiła, mówiła o nas dwojgu, tak to odczytywałem. Nawet piękno tego świata miało związek z nami, bo byliśmy na nim razem, ba, niemal to my dwoje go stanowiliśmy. Opowiadałem jej, jak ładnie wyglądają teraz nasze dwa wielkie pokoje, już nie szare, lecz świecące bielą. Również byłem nastawiony na przyszłość. Cieszyłem się na powrót Lindy, chciałem, żeby zobaczyła efekt mojej pracy, i cieszyłem się, że będę tu mieszkał, w środku miasta, cieszyłem się też z dziecka, na które się zdecydowaliśmy. Rozłączyliśmy się, malowałem dalej, następnego dnia był 17 Maja, a po południu odwiedzili mnie Espen i Eirik. Byli na seminarium krytyków na Biskops-Arnö. Wyszliśmy coś zjeść; przedstawiłem ich Geirowi, między nim a Eirikiem zapanowało porozumienie — w takim sensie, że bez przymusu rozmawiali na różne tematy — ale między Geirem a Espenem już nie było tak dobrze, Geir wygadywał banały, Espen go podpuszczał, a kiedy Geir się zorientował, zlodowaciał i na tym się skończyło. Jak zwykle próbowałem łagodzić sytuację, to znaczy jedną ręką dawać coś Espenowi, a drugą Geirowi, ale było za późno, już nigdy ze sobą nie rozmawiali, nigdy się nie polubili ani nie szanowali. Lubiłem ich obu, to znaczy właściwie wszystkich trzech, ale w moim życiu nierzadko się tak układało — grube ściany oddzielały poszczególne części, a ja zachowywałem się różnie w każdej z nich, do tego stopnia, że czułem się przejrzany, kiedy dochodziło do połączenia owych części, bo nie mogłem zachowywać się konkretnie w taki czy inny sposób, lecz musiałem wszystko łączyć, a więc zachowywać się nieszczerze albo po prostu milczeć. Espena bardzo lubiłem właśnie za to, że był Espenem, a Geira za to, że był Geirem. Ta cecha mojego charakteru, chociaż w punkcie wyjścia sympatyczna — przynajmniej w moich oczach — jednocześnie zawsze niosła w sobie jakiś fałsz.

Nazajutrz Linda powiedziała mi, że spędziła z moją rodziną cały dzień; z mamą pojechała do Dale, gdzie siostra mamy, Kjellaug, i jej mąż, Magne, mieszkali w gospodarstwie wysoko ponad wioską i obchodzili święto 17 Maja w tradycyjny sposób. Linda przeprowadziła wywiady i z tego, co mówiła, wyczułem, że wszystko uważa za bardzo egzotyczne. Przemówienia, stroje ludowe, orkiestrę dętą, pochód dzieci. Rano widziały jelenie na skraju lasu, a w drodze do domu — morświny bawiące się w fiordzie. Mama powiedziała, że to dobry znak, bo morświny przynoszą szczęście.

Nieczęsto się tam pojawiały. Osobiście widziałem je tylko dwa razy, za pierwszym razem z bliska, z łodzi, którą pływałem po fiordzie razem z dziadkiem — przypłynęły we mgle i w zupełnej ciszy, najpierw rozległ się dźwięk przypominający odgłos dziobu żaglówki tnącego wodę, a potem pojawiły się lśniące, ciemnoszare, gładkie ciała. Wznosiły się i opadały, wznosiły i opadały. Dziadek powiedział to, co mama: morświny przynoszą szczęście.

Linda była w dobrym humorze, chociaż bardzo zmęczona. Czuła się zmęczona podczas całej podróży, a od jazdy samochodem po krętych drogach miała mdłości, dlatego wcześnie się położyła. Wieczorem poprzedniego dnia była z wizytą u najmłodszej siostry mojej babci, Alvdis, tylko o dziesięć lat starszej od mamy, i u jej męża, Anfinna, niedużego, ale mocno zbudowanego mężczyzny o wesołym usposobieniu i silnej aurze, którego Linda bardzo polubiła, najwyraźniej z wzajemnością, bo wyjął wszystkie swoje relikwie z czasów, gdy wypływał na połowy wielorybów, i podzielił się z nią mnóstwem swoich przeżyć, prawdopodobnie dodatkowo zmotywowany mikrofonem, który Linda ustawiła między nimi. Ze śmiechem opowiadała mi, że podobno smażyli naleśniki z pingwinich jaj, a jednocześnie trochę martwiła się nagraniem, bo Anfinn mówił mocnym dialektem z Jølster, który dla Szwedów mógł się okazać całkiem niezrozumiały.

Tego dnia przed południem wyjechał Espen, ale Eirik jeszcze został, poszedł rozejrzeć się po mieście, ja zaś ustawiałem ostatnie książki i wynosiłem ostatnie skrzynki, żeby wszystko było gotowe na powrót Lindy następnego dnia. Wieczorem znów wyszliśmy z domu, a po powrocie piliśmy wódkę ze strefy bezcłowej. Przez cały ten czas Linda i ja porozumiewaliśmy się SMS-ami, bo skoro była taka zmęczona i tak ją mdliło, chyba mogło to oznaczać tylko jedno? Im później się robiło, tym czulsze i coraz bardziej przepełnione miłością stawały się wiadomości, aż w końcu napisała: „Dobranoc, kochany książę. Może jutro będzie wielki dzień!".

Kiedy się kładłem koło siódmej rano, czysty płomień alkoholu wciąż gorzał we mnie z taką siłą, że nie widziałem otoczenia, miałem wrażenie, że istnieje tylko moje wnętrze; często się tak zdarzało, kiedy się upiłem w trupa. Mimo to miałem dość przytomności umysłu, żeby nastawić budzik na dziewiątą. Musiałem przecież wyjść po Lindę na dworzec.

O dziewiątej wciąż byłem pijany. Jedynie mobilizując całą siłę woli, zdołałem podnieść się na nogi.

Powlokłem się do łazienki, wziąłem prysznic, włożyłem jakieś czyste rzeczy i krzyknąłem do Eirika, że wychodzę. Leżał w ubraniu na kanapie, podciągnął się do góry i oświadczył, że pójdzie gdzieś na śniadanie. Zaproponowałem, że możemy się spotkać koło dwunastej w restauracji, w której byliśmy poprzedniego dnia. Kiwnął głową, zwlokłem się na dół po schodach i wyszedłem na ulicę, gdzie ostro świeciło słońce, a asfalt pachniał wiosną.

Po drodze zatrzymałem się, kupiłem colę, wypiłem ją do dna i kupiłem jeszcze jedną. Spojrzałem na swoją twarz odbitą w sklepowej witrynie. Nie wyglądała dobrze. Przekrwione oczy jak szparki, zmęczone rysy.

Oddałbym wszystko, żeby odsunąć to spotkanie o trzy godziny. Ale się nie dało. Pociąg przyjeżdżał za trzynaście minut. Tyle czasu miałem na drogę.

Gdy Linda wysiadła na peron, biła od niej radość i lekkość. Rozejrzała się z uśmiechem, szukając mnie, pomachałem jej, odmachała i ruszyła w moją stronę, ciągnąc za sobą walizkę na kółkach.

Przyjrzała mi się.

— Cześć — powiedziałem.

— O co chodzi? Pijany jesteś? — spytała.

Zrobiłem krok do przodu i ją objąłem.

— Cześć — powtórzyłem. — Jakoś nam się wczoraj przeciągnęło. Ale to nic strasznego. Siedziałem w domu z Eirikiem.

— Cuchniesz wódą. — Oswobodziła się z moich objęć. — Jak mogłeś zrobić mi coś takiego? Akurat dzisiaj?

— Przepraszam. Ale chyba nic strasznego się nie stało?

Nie odpowiedziała, ruszyła peronem. Całą drogę przez dworzec nie odezwała się ani słowem. Na schodach prowadzących na Klarabergsviadukten zaczęła na mnie krzyczeć. Szarpnęła drzwi apteki, mieszczącej się na górze, ale było zamknięte, niedziela. Poszliśmy dalej, do apteki po drugiej stronie NK. Lindy nie opuszczała wściekłość. Szedłem obok niej jak zbity pies. Druga apteka była otwarta.

— Cholera, mam cię serdecznie dość — oświadczyła. — Nie rozumiem, dlaczego z tobą jestem. Myślisz wyłącznie o sobie. Czy dla ciebie to, co się wczoraj zdarzyło, nic nie znaczy? — spytała, a kiedy przyszła jej kolejka, poprosiła o test ciążowy, dostała go, zapłaciła, wyszliśmy i ruszyliśmy w górę Regeringsgatan, a ona dalej obrzucała mnie oskarżeniami; płynęły równym strumieniem, ludzie, których mijaliśmy, patrzyli na nas, ale Linda się tym nie przejmowała, gniew, którego zawsze się bałem, całkowicie nią zawładnął. Chciałem prosić, żeby przestała, żeby się uspokoiła, przepraszałem, mówiłem, że przecież nic strasznego nie zrobiłem, tłumaczyłem, że nie było żadnego związku między naszymi SMS-ami a tym, że piłem z gościem z Norwegii, ani też między tym, że się uchlałem, a testem ciążowym, który trzymała w ręku, ale ona widziała to inaczej, dla niej to wszystko się łączyło, była romantyczką, miała marzenia o nas dwojgu, o miłości i o naszym dziecku, a moje zachowanie zniszczyło te marzenia albo przypomniało jej, że są tylko marzeniami. Byłem złym, nieodpowiedzialnym człowiekiem, jak w ogóle mogłem pomyśleć o tym, żeby być ojcem, jak mogłem ją na to narażać? Szedłem obok niej, palił mnie wstyd, bo ludzie się za nami oglądali, poczucie winy, ponieważ się upiłem, i strach, bo swoją gwałtowną złością atakowała mnie całego, to, kim byłem. Czułem się upokorzony, ale miała rację, tego dnia mogliśmy się dowiedzieć, że będziemy mieli dziecko, a ja wyszedłem po nią pijany, więc nie mogłem żądać, żeby przestała i poszła do diabła. Miała rację, miała do tego prawo, musiałem się z tym pogodzić ze spuszczoną głową.

Przyszło mi na myśl, że Eirik może krążyć gdzieś w pobliżu, i spuściłem głowę jeszcze niżej. Świadomość, że ktoś znajomy może mnie zobaczyć w takim stanie, była chyba najgorsza ze wszystkiego.

Weszliśmy do mieszkania. Świeżo odmalowane, wszystkie rzeczy na swoich miejscach: to nasz dom.

Nawet nie spojrzała.

Stanąłem na środku pokoju.

Uderzała mnie swoim gniewem, tak jak bokser wali w worek, jakbym był rzeczą. Jakbym nie miał żadnych uczuć, ba, jakbym nie miał żadnego wnętrza i był jedynie pustym ciałem, poruszającym się w jej życiu.

Wiedziałem, że jest w ciąży, byłem tego pewien, miałem tę pewność od chwili, kiedy ze sobą spaliśmy. To teraz, myślałem wtedy. Teraz będziemy mieć dziecko.

A doprowadziliśmy się do takiego stanu.

Nagle, kiedy tak stałem na środku pokoju, wszystko się we mnie otworzyło. Runęły wszelkie szańce. Nie miałem czym się bronić. Rozpłakałem się. Wybuchnąłem tym rodzajem płaczu, w którym tracę kontrolę nad wszystkim i wszystko wokół mnie zniekształca się i wykrzywia.

Linda zamarła, odwróciła i popatrzyła na mnie.

Nigdy wcześniej nie widziała mnie płaczącego. Nie płakałem od śmierci taty, a od tamtej pory minęło pięć lat.

Wyglądała na śmiertelnie przerażoną.

Stanąłem tyłem do niej, nie chciałem, żeby patrzyła, jak płaczę, bo to zdziesięciokrotniało upokorzenie. Przestawałem być nie tylko człowiekiem, ale również mężczyzną.

Ale to w niczym nie pomogło. Nie pomogło zakrycie twarzy rękami. Nie pomogło wyjście na korytarz. Ten płacz był taki gwałtowny, jakby otworzyły się we mnie wszystkie śluzy.

— Ależ, Karl Ove — odezwała się za moimi plecami. — Karl Ove, kochany. Nie chciałam nic złego. Po prostu byłam rozczarowana. Ale to przecież nic nie szkodzi. Naprawdę nic nie szkodzi. Kochany Karl Ove, nie płacz, nie płacz już.

Nie chciałem płakać. To była ostatnia rzecz, jaką chciałem, żeby widziała. Nie mogłem jednak nic na to poradzić.

Usiłowała mnie objąć, ale ją odepchnąłem. Próbowałem złapać powietrze. Wyszedł mi z tego żałosny, drżący szloch.

— Przepraszam — wymamrotałem. — Przepraszam, nie chciałem.

— Tak mi przykro.

— No i znów wróciliśmy w to samo miejsce. — Uśmiechnąłem się przez łzy.

Ona też miała oczy pełne łez i też się uśmiechała.

— Tak — powiedziała.

— Tak — powiedziałem.

Poszedłem do łazienki, wstrząsnął mną kolejny szloch, ponowne drżenie, kiedy wziąłem głęboki oddech. Ale po kilkukrotnym opłukaniu twarzy zimną wodą wreszcie mi przeszło.

Kiedy wyszedłem z łazienki, Linda ciągle stała w przedpokoju.

— Lepiej ci już? — spytała.

— Tak. To było idiotyczne. Wszystko przez to wczorajsze chlanie. Nagle okazało się, że nie potrafię się obronić. Wydało mi się, że z niczym sobie nie poradzę.

— Nic nie szkodzi, że się rozpłakałeś — powiedziała.

— Tobie nie, ale mnie szkodzi. Żałuję, że to widziałaś. No ale widziałaś. Teraz już wiesz. Taki jestem.

— Jesteś cudowny.

— Daj spokój. Przestań. Skończmy już z tym. Podoba ci się tutaj?

Uśmiechnęła się.

— Jest fantastycznie.

— To dobrze.

Objęliśmy się.

— Posłuchaj — powiedziałem. — Nie pójdziesz sprawdzić?

— Teraz?

— Tak.

— Dobrze. Tylko potrzymaj mnie tak jeszcze przez chwilę.

Potrzymałem.

— Już?

Roześmiała się.

— Okej.

Zamknęła się w łazience, za chwilę wyszła stamtąd z białą pałeczką w ręku.

— Trzeba jeszcze kilka minut poczekać.

— A jak ci się wydaje?

— Nie wiem.

Ruszyła do kuchni, ja za nią. Wpatrywała się w białą pałeczkę.

— Dzieje się coś?

— Nie. Nic. Może w ogóle nic się nie stanie. A byłam pewna, że coś będzie.

— Miałaś podstawy. Te mdłości i zmęczenie. Ilu jeszcze znaków potrzebujesz?

— Jednego.

— No, to spójrz tutaj. Niebieskie, prawda?

Nie odezwała się.

Potem spojrzała na mnie. Oczy miała ciemne i poważne jak u zwierzęcia.

— Tak — powiedziała.

Nie zdołaliśmy odczekać obowiązkowych trzech miesięcy z ogłoszeniem nowiny. Już trzy tygodnie później Linda zadzwoniła do swojej matki, która popłakała się na drugim końcu linii. Moja matka zareagowała z większą rezerwą, powiedziała, że to bardzo miłe i że się cieszy, ale po chwili spytała, czy jesteśmy gotowi na dziecko. Linda ze studiami, a ja z pisaniem. To się okaże, odparłem, w styczniu się dowiemy. Wiedziałem, że mama zawsze potrzebuje czasu na zaakceptowanie zmian. Musi najpierw nad wszystkim się zastanowić, dopiero potem przyjmuje to, co nowe. Yngve, do którego zadzwoniłem, gdy tylko mama odłożyła słuchawkę, skwitował moją wiadomość komentarzem: O, to dobra nowina. No, potwierdziłem. Stałem akurat na podwórzu i paliłem papierosa. Kiedy termin? — spytał Yngve. W styczniu. Wobec tego gratuluję, powiedział. Dziękuję, odparłem. Wiesz co, akurat nie bardzo mogę gadać, bo jestem z Ylvą na meczu piłki nożnej, zdzwonimy się później? Pewnie, powiedziałem i się rozłączyłem.

Zapaliłem kolejnego papierosa i poczułem, że nie jestem do końca zadowolony z ich reakcji. Do jasnej cholery, przecież miałem mieć dziecko! To przecież nadzwyczajne wydarzenie!

Ale po moim wyjeździe do Szwecji coś się zmieniło. Kontaktowaliśmy się równie często jak dawniej, więc nie o to chodziło, lecz mimo wszystko zaszła jakaś zmiana; zastanawiałem się tylko, czy we mnie, czy w nich. Oddaliłem się od nich, a mojego życia, tak fundamentalnie zmienionego w jednej chwili, pełnego nowych miejsc, nowych ludzi i nowych uczuć, nie potrafiłem im relacjonować z taką oczywistością jak dawniej, kiedy żyliśmy wśród tego samego, w ciągłości, która rozpoczęła się w Tybakken i trwała dalej najpierw w Tveit, a później w Bergen.

W końcu uznałem, że chyba jednak przywiązuję do tego zbyt dużą wagę, przecież reakcja Yngvego nie różniła się aż tak bardzo od jego reakcji siedem lat wcześniej, kiedy zadzwoniłem z wiadomością, że przyjęto moją powieść. Naprawdę? spytał lakonicznie. To świetnie. Dla mnie to było najważniejsze wydarzenie w życiu, prawie zemdlałem, gdy usłyszałem tę informację, i sądziłem, że wszyscy w moim otoczeniu zareagują podobnie.

Tak się oczywiście nie stało.

Niełatwo przyjmować rzeczy wielkie, zwłaszcza gdy jest się zanurzonym głęboko w trywialnej codzienności, a tak jest prawie zawsze. Człowiek skupia się wtedy głównie na sobie, wszystko staje się małe, oprócz nielicznych wydarzeń, które są tak wielkie, że nagle przesłaniają to, co trywialne i codzienne. Właśnie to jest wielkie. Ale na co dzień nie da się tak żyć.

Zgasiłem papierosa i wróciłem na górę do Lindy; spojrzała zaciekawiona, gdy stanąłem w drzwiach.

— Co powiedzieli? — spytała.

— Niesamowicie się ucieszyli. Mam cię pozdrowić i pogratulować.

— Dziękuję. Moja mama kompletnie oszalała. Ale z drugiej strony, ją wzrusza wszystko.

Yngve zadzwonił jeszcze tego samego dnia wieczorem. Zaproponował nam całą wyprawkę dla dziecka, jaką mają, ubranka dla niemowlęcia, wózek, przewijak, kombinezony, śpioszki, śliniaki, spodnie, bluzy i buty. Zatrzymali te rzeczy. Linda się wzruszyła, kiedy jej to przekazałem, a ja się z niej śmiałem, bo w ostatnich tygodniach zrobiła się nadwrażliwa, wzruszała się z najdziwniejszych powodów. Ona też się śmiała. Często zaglądała do nas jej matka z najwspanialszymi daniami, część z nich zamrażaliśmy, przyniosła też kilka wielkich worów pełnych ubranek, które dostała od dzieci swojego męża, i pudła zabawek. Kupiła nam pralkę, a jej mąż, Vidar, ją zamontował.

Linda dalej chodziła na uczelnię, a ja wciąż pracowałem wśród wolnych strzelców na wieży; zacząłem czytać Biblię, znalazłem księgarnię katolicką i kupiłem całą związaną z aniołami literaturę, jaką znalazłem, czytałem Tomasza z Akwinu i świętego Augustyna, Bazylego Wielkiego i Hieronima, Hobbesa i Burtona. Kupiłem Spenglera, a także biografię Isaaca Newtona i prace dotyczące oświecenia i baroku, które leżały wokół mnie w stosach, kiedy pisałem, usiłując powiązać ze sobą rozmaite poglądy i systemy albo rozwinąć coś w tym kierunku, chociaż sam nie wiedziałem co.

Linda była szczęśliwa, ale przez cały czas stała też jakby na skraju otchłani — zaczęła się wszystkiego bać. Czy będzie umiała zająć się dzieckiem, kiedy się urodzi? I czy się urodzi? Przecież mogła je stracić, takie rzeczy się zdarzają. Żadne moje słowa ani gesty nie potrafiły stłumić lęku, który grasował w niej poza jej kontrolą, lecz na szczęście przemijał.

Tego lata pod koniec czerwca zaplanowaliśmy wakacje w Norwegii. Najpierw mieliśmy jechać na Tromøyę, zostać tam parę dni, potem do domku letniskowego Espena i Anne w Larkollen, a później do mamy do Jølster. Żadne z nas nie miało prawa jazdy, więc taszczyłem walizki do samolotów, pociągów, autobusów i taksówek, bo Linda nie mogła podnosić nic cięższego od jabłka. W Arendal wyszedł po nas Arvid; o kilka lat ode mnie starszy, był w zasadzie jednym z kumpli Yngvego z Tromøi, ale często spotykaliśmy się w Bergen, gdzie również studiował, a kilka miesięcy temu odwiedził nas w Sztokholmie. Chciał nas zabrać do siebie do domu. Wiedziałem, że Linda jest zmęczona i wolałaby najpierw pojechać do zamówionego domku, więc aby przydać wagi temu życzeniu, od razu oznajmiłem Arvidowi, że spodziewamy się dziecka.

Wyznanie nastąpiło nagle i nieoczekiwanie na zalanej słońcem ulicy Arendal.

— Wobec tego serdecznie gratuluję! — zawołał Arvid.

— Dlatego najlepiej by było, gdybyśmy mogli najpierw pojechać do domku trochę odpocząć...

— To się da załatwić — stwierdził Arvid. — Zawiozę was tam, a potem przypłynę po was łodzią.

To był domek kempingowy o niskim standardzie, pożałowałem naszego wyboru od razu, gdy go zobaczyłem. Przecież chodziło o to, żeby pokazać Lindzie okolice, z których pochodzę, coś, co uważałem za piękne, a ten domek do pięknych nie należał.

Linda przespała się kilka godzin, a potem wyszliśmy na falochron; zaraz pojawiła się łódka Arvida, ślizgająca się po powierzchni wody. Popłynęliśmy na Hisøyę, wyspę, na której mieszkał. Oglądaliśmy malutkie białe domki na malutkich skalnych wysepkach, w popołudniowym słońcu niemal czerwonych, otoczone zielonymi drzewami, między niebieską kopułą nieba i błękitnym morzem, a ja pomyślałem: cholera, ależ tu pięknie! No i ten wiatr, który codziennie nadciągał wraz z zachodem słońca. Przydawał krajobrazowi obcości, widziałem to w owej chwili, podobnie jak zauważałem to, kiedy tam dorastałem. Nazywałem to obcością, ponieważ gdy nadlatywał wiatr, to coś, co łączyło wszystkie elementy krajobrazu w jedną całość, rozpadało się jak kamień uderzony młotem.

Zeszliśmy na ląd, dotarliśmy do domu i usiedliśmy przy stole w ogrodzie. Linda zamknęła się w sobie w sposób, który można pomylić z wrogością, a ja przez to cierpiałem. Siedzieliśmy razem z rodziną i przyjaciółmi Arvida, którzy widzieli ją pierwszy raz, chciałem im pokazać, jaką cudowną mam dziewczynę, a ona była taka niechętna. Pod stołem uścisnąłem jej rękę; popatrzyła na mnie bez uśmiechu. Miałem ochotę krzyknąć, żeby wzięła się w garść. Wiedziałem, jaka potrafi być czarująca, jak wielkie ma doświadczenie w sytuacjach towarzyskich, jak potrafi rozmawiać, opowiadać, śmiać się. Z drugiej strony, przypomniałem sobie, jak sam się zachowywałem wśród jej przyjaciół, których niezbyt dobrze znałem. Milczący, sztywny i onieśmielony, potrafiłem przesiedzieć całą kolację, nie wypowiadając ani słowa ponad to, co konieczne.

O czym mogła myśleć?

Co ją tak wyłączyło?

Arvid? Jego hałaśliwość, która czasami potrafiła być irytująca?

Anna?

Atle?

A może ja?

Powiedziałem coś nie tak tego popołudnia?

A może coś w niej samej? Coś, co w ogóle nie miało związku z tym, co się działo?

Po obiedzie wybraliśmy się na wycieczkę łodzią wokół wyspy Hisøya, aż na wyspę Mærdø, a kiedy wypłynęliśmy na bezpieczne wody, Arvid dodał gazu. Piękna, szybka motorówka skakała po falach, cięła je dziobem. Linda zbielała na twarzy, była w trzecim miesiącu, widziałem, że lęka się gwałtownych ruchów, obawia się, że straci dziecko.

— Poproś, żeby płynął wolniej! — syknęła. — Dla mnie to niebezpieczne!

Spojrzałem na Arvida, który uśmiechał się za sterem motorówki, mrużąc oczy, żeby się ochronić przed wpadającym w nie świeżym, pachnącym solą powietrzem. Nie widziałem żadnego niebezpieczeństwa. Nie potrafiłem się zmusić do interwencji, poprosić Arvida, żeby zwolnił, to było głupie. Z drugiej strony Linda trzęsła się ze strachu i ze złości. Dla niej powinienem chyba zainterweniować, nawet gdybym się ośmieszył.

— Wszystko będzie dobrze — zapewniłem Lindę. — Nie masz się czego bać.

— Karl Ove! — syknęła. — Poproś go, żeby zwolnił! To jest śmiertelnie niebezpieczne, nie rozumiesz?

Wyprostowałem się i przysunąłem do Arvida. Mærdø przybliżała się paskudnie szybko. Spojrzał na mnie z uśmiechem.

— Nieźle sunie, co?

Kiwnąłem głową i też się uśmiechnąłem. Już miałem go poprosić, żeby płynął wolniej, ale znów się wstrzymałem. Wróciłem do Lindy.

— W tym nie ma nic groźnego — stwierdziłem.

Nic nie powiedziała. Siedziała, kurczowo się przytrzymując, biała na twarzy.

Pochodziliśmy trochę po Mærdø, rozłożyliśmy na trawie koc, wypiliśmy kawę, zjedliśmy herbatniki i ruszyliśmy z powrotem do łodzi. Na pomoście szedłem obok Arvida.

— Linda trochę się wystraszyła, kiedy tak szybko płynęliśmy. Jest w ciąży, no wiesz, więc te ruchy... Sam rozumiesz. Możemy z powrotem płynąć trochę spokojniej?

— Jasne.

Całą drogę do Hove płynęliśmy w ślimaczym tempie. Nie wiedziałem, czy to demonstracja, czy po prostu Arvid stara się okazać wyjątkową troskę. Mimo wszystko było mi głupio. Zarówno dlatego, że mu o tym powiedziałem, jak i dlatego, że nie miałem odwagi powiedzieć mu wcześniej. Czy to nie powinna być najprostsza sprawa na świecie, poprosić kogoś, żeby zwolnił, bo moja dziewczyna jest w ciąży?

Szczególnie że lęk i niepokój Lindy wypływały z czego innego niż zazwyczaj u kobiet. Zaledwie trzy lata wcześniej wypisano ją ze szpitala psychiatrycznego po dwuletnim okresie depresji maniakalnej. Zajście w ciążę po takich przeżyciach nie było całkiem pozbawione ryzyka, w żaden sposób nie dawało się przewidzieć, jak jej organizm zareaguje. Może czeka ją nawrót choroby? Może o takim nasileniu, że znów trafi do szpitala? Co wtedy będzie z dzieckiem? A jednocześnie całkiem z tej choroby wyszła, była w zupełnie inny sposób powiązana ze światem niż przed załamaniem, widywałem ją przecież codziennie od prawie roku i wiedziałem, że wszystko będzie dobrze. Tamten stan uważałem za kryzys. Wielki i wszechogarniający, ale zakończony. Linda była zdrowa, a wahnięcia, do jakich wciąż dochodziło w jej życiu, mieściły się w granicach normy.

Pojechaliśmy dalej pociągiem do Moss, Espen odebrał nas z dworca i zawiózł do swojego domu w Larkollen. Linda miała lekką gorączkę, więc się położyła; Espen i ja poszliśmy na boisko w pobliżu, trochę pograliśmy w piłkę, a wieczorem grillowaliśmy. Siedziałem najpierw z Espenem i Anne, a potem już tylko z Espenem. Linda spała. Następnego dnia Espen zawiózł nas do domku na wyspie Jeløya, gdzie zostaliśmy tydzień, a oni w tym czasie pojechali do Sztokholmu i mieszkali u nas. Budziłem się koło piątej rano i pisałem powieść — bo mój maszynopis powoli zaczął nabierać takiego kształtu — dopóki Linda nie wstała koło dziesiątej. Jedliśmy śniadanie, czasem czytałem na głos to, co napisałem — zawsze twierdziła, że to świetne — potem szliśmy się kąpać na plażę, położoną parę kilometrów dalej, robiliśmy zakupy i szykowaliśmy obiad. Po południu, gdy Linda spała, szedłem na ryby, a wieczorem rozpalaliśmy w kominku i siedzieliśmy przy ogniu, rozmawialiśmy, czytaliśmy albo się kochaliśmy. Kiedy minął tydzień, pociągiem z Moss dotarliśmy do Oslo, dalej koleją bergeńską pojechaliśmy do Flåm, skąd promem popłynęliśmy do Balestrand, gdzie przenocowaliśmy w hotelu Kviknes, a następnego dnia, też promem, popłynęliśmy do Fjærland. Tam spotkaliśmy Tomasa Espedala[1], który wybrał się z kolegą na wędrówkę. Zamierzali dotrzeć do Sunnfjord, gdzie miał domek. Nie widziałem się z nim, odkąd wyniosłem się z Bergen, i jego widok wprawił mnie w dobry humor; to jeden z najlepszych ludzi, jakich znam. Na przystani w Fjærland czekała mama; przejechaliśmy obok lodowca, który jaśniał szarobiały na tle błękitnego nieba, pokonaliśmy długi tunel, długą, wąską i ciemną dolinę, w której często schodzą lawiny, i dotarliśmy do Skei, gdzie otworzył się łagodny, bujnie zielony krajobraz Jølster.

To było trzecie spotkanie Lindy z moją mamą; nad dystansem między nimi, który wychwyciłem od razu, do końca pobytu usiłowałem budować most, ale bez powodzenia. Stale coś stawiało opór, prawie nic nie szło tak, jak iść powinno. Niekiedy widziałem, że Linda się ożywia i opowiada coś, czemu mama przysłuchuje się z uwagą, reagowałem wówczas niewspółmierną

---

1 Tomas Espedal (ur. 1963) — pisarz norweski.

radością, a gdy wreszcie uświadomiłem sobie swoją reakcję, zapragnąłem stamtąd wyjechać.

Potem Linda zaczęła krwawić. Wystraszyła się śmiertelnie, naprawdę śmiertelnie. Chciała natychmiast wyjeżdżać, dzwoniła do Sztokholmu i rozmawiała z położną, która nie mogła nic stwierdzić bez zbadania jej, co Lindę jeszcze bardziej wystraszyło, a moje zapewnienia, że będzie dobrze, na pewno wszystko będzie dobrze, powtarzanie, że to nic takiego, nie na wiele się zdawały, bo skąd mogłem wiedzieć? Jakim autorytetem byłem w tej dziedzinie? Linda chciała wyjechać, ja mówiłem, że zostajemy, więc w końcu, kiedy już się na to zgodziła, cała odpowiedzialność spadła na mnie, bo gdyby się coś stało — albo może już się stało — to przecież ja naciskałem, żeby nic nie robić, mówiłem: poczekajmy, zobaczymy.

Linda skupiła na tym całą swoją energię, widziałem, że myśli wyłącznie o dziecku, lęk szarpał nią nieustannie, przestała się odzywać w trakcie posiłków czy wieczorami, które spędzaliśmy we dwoje, a kiedy schodziła na dół po drzemce na piętrze i zastawała mamę i mnie w trakcie pogawędki w ogrodzie, odwracała się i odchodziła z oczami pociemniałymi z wściekłości. Wiedziałem dlaczego: rozmawialiśmy, jakby nic się nie zdarzyło, jakby jej lęki i uczucia w ogóle się nie liczyły. Rzeczywiście, miała trochę racji, ale tylko trochę. Wierzyłem, że wszystko będzie dobrze, ale pewności mieć nie mogłem, a jednocześnie byliśmy tu gośćmi, z matką nie widziałem się od ponad pół roku, mieliśmy sobie wiele do powiedzenia, a poza tym w czym by pomogło milczenie, zatopienie się w wielkim, rozdzierającym i przesłaniającym wszystko lęku? Obejmowałem Lindę, pocieszałem, próbowałem zapewniać, że wszystko będzie dobrze, na pewno, ale nie przyjmowała tego, nie chciała z nami być, na pytania mamy odpowiadała półsłówkami. Podczas spacerów po dolinie skarżyła się na moją matkę, wszystko w niej krytykowała. Broniłem mamy, wrzeszczeliśmy na siebie, Linda potrafiła bez słowa zawrócić, biegłem za nią — to był koszmar, ale jak bywa z koszmarami, i z tego nastąpiło przebudzenie. Najpierw jednak ostatnia scena: mama odwiozła nas do Florø, skąd mieliśmy odpłynąć promem, dotarliśmy tam wcześnie, więc postanowiliśmy zjeść lunch, znaleźliśmy restaurację na czymś w rodzaju tratwy, usiedliśmy i zamówiliśmy zupę rybną. Kiedy ją przyniesiono, okazała się ohydna — to było prawie samo masło.

— Nie zjem tego — oświadczyła Linda.

— Rzeczywiście, niezbyt dobra — przyznałem.

— Trzeba powiedzieć kelnerce, żeby przyniosła coś innego — zdecydowała Linda.

Czegoś bardziej żenującego niż odsyłanie jedzenia do kuchni nie potrafiłem sobie wyobrazić. Zresztą to przecież było Florø, a nie Sztokholm czy Paryż, ale jednocześnie miałem dosyć nieprzyjemnej atmosfery, więc skinąłem na kelnerkę.

— Ta zupa nie jest, niestety, zbyt smaczna — powiedziałem. — Myśli pani, że możemy dostać jakieś inne danie?

Kelnerka, kobieta mocnej budowy, w średnim wieku, z włosami źle ufarbowanymi na blond, popatrzyła na mnie z dezaprobatą.

— Z tą zupą wszystko powinno być w porządku — stwierdziła. — Ale skoro państwo tak mówią, pójdę i porozmawiam z kucharzem, dowiem się.

W milczeniu siedzieliśmy przy stole, moja matka, Linda i ja, nad trzema miskami pełnymi zupy.

Kelnerka wróciła, kręcąc głową.

— Niestety. Kucharz twierdzi, że tej zupie nic nie dolega. Ma taki smak, jaki powinna mieć.

Co robić?

Jeden jedyny raz w życiu zdarza mi się odesłać jedzenie do kuchni, a tam odmawiają jego przyjęcia. W każdym innym miejscu na świecie podano by nam inne danie, ale nie we Florø. Poczerwieniałem ze wstydu i irytacji. Gdybym był sam, zjadłbym tę pieprzoną zupę bez względu na to, jak bardzo była paskudna. Poskarżyłem się, nie bacząc na to, jak głupie i zbędne mi się to wydawało, a oni nic sobie z tego nie robią?

Wstałem.

— Pójdę porozmawiać z kucharzem — oświadczyłem.

— Proszę — zgodziła się kelnerka.

Przeszedłem pomostem do kuchni, która mieściła się na lądzie. Zajrzałem ponad kontuarem i skinąłem na wcale nie małego grubasa, jak go sobie wyobrażałem, tylko wysokiego, potężnie zbudowanego mężczyznę w moim wieku.

— Zamówiliśmy zupę rybną — zacząłem. — Za bardzo czuć w niej masło. Niestety, raczej nie da się jej zjeść. Myśli pan, że możemy dostać inne danie?

— Zupa smakuje idealnie tak, jak ma smakować — odparował. — Zamówił pan zupę rybną i dostał pan zupę rybną. Nic na to nie poradzę.

Wróciłem. Linda i mama podniosły na mnie wzrok. Pokręciłem głową.

— Nie ma mowy — powiedziałem.

— Ja spróbuję — zaproponowała mama. — Jestem starszą panią, może to coś pomoże.

Skarżenie się na potrawy w restauracji było sprzeczne z jej naturą jeszcze bardziej niż z moją.

— Nie musisz — zaprotestowałem. — Chodźmy stąd.

— Spróbuję.

Kilka minut później wróciła. Też kręciła głową.

— No tak. — Westchnąłem. — Głodny jestem, ale teraz już nie możemy zjeść tej zupy.

Wstaliśmy, położyliśmy pieniądze na stoliku i wyszliśmy.

— Zjemy coś na promie — powiedziałem do Lindy, która w milczeniu, z pociemniałymi oczami, tylko skinęła głową.

Przypłynął prom, śruby się obracały, wtaszczyłem bagaże na pokład, pomachałem mamie i znaleźliśmy sobie siedzenia na samym przodzie.

Zjedliśmy po miękkiej, niemal mokrej pizzy, *lefse*[1] i jogurcie. Linda ułożyła się do snu. Kiedy się obudziła, cała złość, jaka w niej była, zniknęła jak zdmuchnięta. Siedziała obok mnie rozjaśniona, otwarta i zaczęła rozmawiać. Patrzyłem na nią, głęboko zdumiony. Czy w tym wszystkim chodziło o moją matkę? O przebywanie w obcym miejscu? O odwiedziny w moim życiu, zanim stała się jego częścią? Wcale nie o lęk przed utratą dziecka? Bo przecież w tej sprawie nic się nie zmieniło.

Z Bergen polecieliśmy do domu samolotem, następnego dnia Linda poszła na badania i okazało się, że wszystko jest w jak najlepszym porządku. Maleńkie serduszko biło, maleńkie ciałko rosło, wszelkie parametry, jakie dało się zmierzyć, okazały się idealne.

Po badaniu, które odbyło się w klinice na Gamla Stan, usiedliśmy w pobliskiej cukierni, żeby o tym porozmawiać. Rozmawialiśmy tak zawsze po każdej kontroli. Godzinę później pojechałem metrem daleko, aż na Åkeshov, gdzie wynająłem nową pracownię, w tej starej na wieży nie mogłem już wytrzymać; na

---

1 *Lefse* — tradycyjne norweskie naleśniki z gotowanych ziemniaków.

szczęście przyjaciółka Lindy, pisarka i reżyserka Maria Zennström, zaproponowała mi zniszczony lokal za psie pieniądze. Mieścił się w suterenie domu mieszkalnego, w ciągu dnia nie było tam żywej duszy, siedziałem zupełnie sam wśród betonowych ścian i pisałem, czytałem albo gapiłem się na las, przez który mniej więcej co pięć minut przejeżdżały między drzewami wagony metra. Przeczytałem *Zmierzch Zachodu* Spenglera; wiele można powiedzieć o jego teoriach cywilizacji, lecz to, co napisał o baroku, kulturze faustowskiej, oświeceniu i społeczeństwie organicznym, było oryginalne i wyjątkowe; niektóre elementy włączyłem, można powiedzieć, w powieść, która powinna w pewnym sensie koncentrować się wokół siedemnastego wieku. Wszystko się wtedy zaczęło, to wówczas świat się podzielił, po jednej stronie znajdowało się to, co stare i nieużyteczne, cała magiczna, irracjonalna, dogmatyczna i wierna autorytetom tradycja, z drugiej — to, co rozwinęło się w świat, w którym teraz żyjemy.

Jesień mijała, brzuch rósł, Linda zajmowała się wszelkimi możliwymi drobiazgami, jakby wszystko w siebie chłonęła, były zapalone świece i gorące kąpiele, stosy niemowlęcych ubranek w szafie, album z wklejanymi zdjęciami, książki o ciąży i pierwszym roku życia dziecka. Tak się cieszyłem, kiedy to widziałem, ale sam nie potrafiłem się temu oddać, ani nawet do tego zbliżyć, musiałem przecież pisać. Mogłem być z Lindą, kochać się z nią, rozmawiać i chodzić na spacery, ale nie potrafiłem czuć tak jak ona ani robić tego, co ona.

Od czasu do czasu następował wybuch. Któregoś dnia rano rozlałem wodę na dywanik w kuchni. Nic z tym nie zrobiłem, pojechałem do pracowni, a kiedy wróciłem do domu, zauważyłem w tym miejscu dużą żółtą plamę. Spytałem, co się stało. Popatrzyła na mnie z głupią miną, no tak, bo kiedy zobaczyła w kuchni plamę, którą zostawiłem, tak się rozzłościła, że wylała na dywanik cały sok. Dopiero kiedy woda wyschła, zrozumiała, co zrobiła.

Dywanik musieliśmy wyrzucić.

Pewnego wieczoru porysowała blat stołu jadalnianego, który dostała od matki — był od kompletu i swego czasu kosztował fortunę — ponieważ nie wykazałem dostatecznego zainteresowania listem do oddziału położniczego, który zaczęła pisać. Miała w nim wymienić wszystkie swoje życzenia i preferencje, kiwałem głową, kiedy czytała mi brudnopis, ale najwyraźniej z niedostatecznym przejęciem, bo nagle z całej siły zaczęła drapać długopisem po blacie. Co ty robisz? — spytałem. Bo ciebie to nie obchodzi. Jasna cholera, zakląłem. Oczywiście, że mnie to obchodzi, a ty zniszczyłaś stół.

Któregoś wieczoru tak się na nią wkurzyłem, że z całej siły rzuciłem szklanką o kominek. O dziwo, szklanka się nie stłukła. Cały ja, myślałem później. Nawet klasyczny występ z tłuczeniem szkła podczas kłótni mi nie wyszedł.

Chodziliśmy razem do szkoły rodzenia. Audytorium było tłumne i wyczulone na każde słowo padające z mównicy. W razie najdrobniejszych kontrowersji, odstępstw od podejścia biologicznego, przez tłum przechodził ściszony pomruk, bo odbywało się to w kraju, w którym płeć była wytworem społecznym, a ciało, w zgodnej opinii wszystkich, istniało wyłącznie w powiązaniu z rozumem. Instynkt, padało z katedry. Nie, nie, nie, szeptały podniecone ciężarne na sali, jak można coś takiego powiedzieć?! Jedna z kobiet siedziała sama w ławce, szlochała, bo jej mąż spóźniał się już dziesięć minut, a ja pomyślałem, że nie jestem tu jedyny. Kiedy wreszcie przyszedł, uderzyła go pięściami w brzuch, podczas gdy on jak najdelikatniej usiłował ją uspokoić, nakłonić do opanowania i przyzwoitszego zachowania.

Tak żyliśmy, na huśtawce między spokojem, optymizmem i ciepłem a nagłymi wybuchami gniewu. Codziennie rano jechałem metrem na Åkeshov; w chwili gdy docierałem na stację, wszystko, co działo się w domu, ulatywało z moich myśli. Obserwowałem ludzi kłębiących się na podziemnym dworcu, chłonąłem panującą tam atmosferę; w pociągu czytałem, przyglądałem się domom na przedmieściach, mijanym po wyjeździe z tunelu, czytałem, patrzyłem na miasto, gdy przejeżdżałem przez wielki most, czytałem; kochałem, naprawdę kochałem wszystkie przystanki na tych małych stacjach. Wysiadałem na Åkeshov, często jako jedyny, który jechał do pracy w tamtą stronę, szedłem niecały kilometr do pracowni i pracowałem cały dzień. Tekst dochodził już do stu stron i stawał się coraz dziwniejszy. Rozpoczynał się połowem krabów, a potem zmieniał się prawie w esej, rozwijał pewne teorie boskości, jakich nigdy wcześniej nie rozważałem, lecz w dziwny sposób w pewnym sensie potwierdzały one tezy, od których wychodziły. Dotarłem do prawosławnej księgarni, okazała się prawdziwym skarbem; sprzedawano tam najprzeróżniejsze dziwne pisma, kupowałem je, czytałem, robiłem notatki i ledwie udawało mi się pohamować radość, gdy kolejny element pseudoteorii wskakiwał na swoje miejsce. Zajmowałem się tym aż do popołudnia, po czym jechałem do domu, a życie, które tam na mnie czekało, nadciągało powoli, gdy pociąg zbliżał się do stacji Hötorget. Czasami wracałem do miasta wcześniej, na przykład wtedy, kiedy mieliśmy iść na kontrolę do Centrum Macierzyństwa, jak się to nazywało, gdzie siadałem w fotelu, a Linda szła na badania. Mierzono jej ciśnienie i pobierano krew, słuchano odgłosu serca i robiono pomiar brzucha, który zawsze rósł, tak jak powinien, wszystkie szczegóły były w porządku, wszystkie wartości znakomite, bo jeśli czegoś Lindzie nie brakowało, to siły fizycznej i zdrowia, co powtarzałem jej tak często, jak mogłem. W porównaniu ze stabilnością i poczuciem bezpieczeństwa, zapewnianymi przez ciało, niepokój był niczym, bzyczącą muchą, wirującym piórkiem, chmurą kurzu.

Pojechaliśmy do Ikei i kupiliśmy przewijak, zapełniliśmy go stosami ściereczek i ręczników, a na ścianie nad nim nakleiłem serię pocztówek ze zdjęciami fok, wielorybów, ryb, ropuch, lwów, małp i Beatlesów z ich kolorowego okresu, żeby dziecko od razu widziało, na jaki fantastyczny świat przyszło. Yngve i Kari Anne przysłali nam ubranka po swoich dzieciach, ale obiecany wózek kazał jednak na siebie czekać, ku rosnącej irytacji Lindy. Któregoś wieczoru eksplodowała — nie powinniśmy wierzyć temu mojemu bratu, wózek nigdy się nie pojawi, powinniśmy go kupić, przecież cały czas to powtarzała. Do terminu porodu zostały jeszcze dwa miesiące. Zadzwoniłem do Yngvego i w końcu wykrztusiłem coś o wózku i irracjonalności kobiet w ciąży. Odparł, że to się załatwi. Powiedziałem, że jestem pewien, ale po prostu musiałem spytać. Ależ tego nienawidziłem! Tak strasznie nienawidziłem postępowania wbrew swojej naturze, po to by zadowolić jej naturę. Tłumaczyłem sobie jednak, że istnieje przecież sens, istnieje cel, a dopóki on stoi ponad wszystkim, trzeba godzić się na całe to pełzanie i czołganie po ziemi. Wózek nie pojawił się od razu, więc nastąpił kolejny wybuch. Kupiliśmy za to jakieś urządzenie, które wstawia się do wanny, gdy dziecko zacznie się kąpać, kupiliśmy pajacyki i maleńkie buciki, śpioszki i śpiwór do wózka. Od

Heleny pożyczyliśmy kołyskę z maleńką kołderką i maleńką poduszką, na którą Linda patrzyła oczami mokrymi od łez. No i prowadziliśmy dyskusje o imieniu dla dziecka. Rozmawialiśmy o tym niemal co wieczór, przerzucaliśmy się najprzeróżniejszymi imionami, cały czas mieliśmy listę składającą się z czterech albo pięciu najbardziej aktualnych w danej chwili, ale lista ta nieustannie się zmieniała. Któregoś wieczoru Linda zaproponowała Vanję, jeśli urodzi się dziewczynka. Nagle zyskaliśmy pewność. Podobała nam się rosyjskość tego imienia, a także to, co nam się z nim kojarzyło: siła i dzikość. Poza tym Vanja była zdrobnieniem od Iwana, czyli po norwesku Johannesa, a tak miał na imię mój dziadek ze strony matki. Gdyby urodził się chłopiec, miał zostać Bjørnem.

Pewnego dnia rano, gdy zszedłem na peron metra pod Sveavägen, mój wzrok przyciągnęli dwaj walczący mężczyźni. Wśród zaspanych o poranku pasażerów ich agresja była wręcz niewiarygodna — krzyczeli, a właściwie wrzeszczeli na siebie; serce zabiło mi szybciej, kiedy gwałtownie zwarli się ze sobą akurat w chwili, gdy tuż obok nich na tor przy peronie wjechał pociąg. Jeden się uwolnił tylko po to, żeby mieć dość miejsca na kopnięcie drugiego. Podszedłem bliżej. Znów się zwarli. Zdecydowałem, że muszę zainterweniować. Tyle rozmyślałem o tamtym zdarzeniu z bokserem, kiedy nie miałem odwagi wyłamać drzwi, i o przejażdżce łodzią, gdy nie śmiałem poprosić Arvida, żeby zwolnił, a na dodatek o braku wiary Lindy w moją zdolność do działania, że teraz moja dusza nie miała najmniejszych wątpliwości. Nie mogłem stać i się przyglądać. Musiałem interweniować. Już na samą myśl nogi zrobiły mi się jak z waty, a ręce zaczęły się trząść. Mimo to odstawiłem torbę — to miała być próba, do cholery, powinienem się sprawdzić. Podszedłem do walczących i oplotłem ramionami tego, który stał bliżej. Ścisnąłem z całych sił, a dokładnie w chwili kiedy to zrobiłem, wmieszał się jakiś inny facet, wszedł między walczących, potem dołączył trzeci, i bójka się skończyła. Podniosłem torbę i wsiadłem do pociągu po drugiej stronie peronu. Aż do Åkeshov siedziałem kompletnie wyzuty z sił i tylko serce waliło mi w piersi. Nikt nie mógł mi zarzucić braku zdolności do działania, ale też nie można mnie było nazwać szczególnie przewidującym, przecież tamci mogli mieć noże albo coś innego, a ich bójka nie miała kompletnie żadnego związku ze mną.

W tych miesiącach najbardziej mnie dziwiło, że jednocześnie zbliżamy się do siebie i od siebie oddalamy. Linda nie gniewała się długo, a kiedy coś się zdarzało, to się zdarzało i już, za chwilę było po wszystkim. Ja reagowałem inaczej. Byłem pamiętliwy i każdy z incydentów,

do których doszło w ostatnim roku, jakby się we mnie osadzał. Rozumiałem przy tym, co się dzieje, przebłyski gniewu, które zaczęły się objawiać w naszym życiu pierwszej jesieni, łączyły się z tym, co zniknęło z naszego związku, Linda bała się, że straci resztę, usiłowała mnie wiązać, ja zaś tak bardzo nie znosiłem więzów, że dystans między nami jeszcze się pogłębiał, a właśnie tego najbardziej się obawiała. Kiedy zaszła w ciążę, wszystko się zmieniło, bo wtedy pojawił się horyzont istniejący poza światem tworzonym tylko przez nas dwoje — coś większego od nas, stale obecnego zarówno w moich, jak i w jej myślach. Nawet wśród tego wielkiego niepokoju Linda nie traciła poczucia bezpieczeństwa. Wiedziałem, że wszystko się ułoży, że będzie dobrze.

W połowie grudnia przyjechał w odwiedziny Yngve z dziećmi. Przywieźli wytęskniony wózek. Zostali kilka dni. Linda była przyjaźnie nastawiona pierwszego dnia i przez kilka godzin drugiego, ale potem się od nich odwróciła, zaczęła okazywać wrogość, która doprowadzała mnie do szaleństwa wtedy, gdy była wymierzona nie we mnie, bo do tego byłem przyzwyczajony i potrafiłem się odgryźć, ale w innych ludzi. Musiałem interweniować, próbowałem ułagodzić Lindę, próbowałem ułagodzić Yngvego, żeby jakoś się to toczyło. Do porodu zostało sześć tygodni, Linda chciała mieć spokój i uważała, że ma do tego prawo. Może i miała, co ja mogłem o tym wiedzieć, ale to chyba nie wykluczało uprzejmości w stosunku do osób, które były naszymi gośćmi? Gościnność, to, że ktoś może do nas przyjechać i zostać tak długo, jak zechce, była dla mnie ważna, i nie pojmowałem, jak można zachowywać się tak jak Linda. Chociaż w zasadzie rozumiałem, co się dzieje: po pierwsze, zbliżał się poród i Linda nie miała ochoty na dom pełen ludzi, a po drugie, byli sobie z Yngvem obcy. Yngve miał dobre relacje z Tonje, z Lindą nie, co oczywiście wyczuwała, ale dlaczego, u diabła, musiała to demonstrować? Dlaczego nie mogła ukryć swoich uczuć i po prostu grać w tę grę? Okazywać życzliwość mojej rodzinie? Czy ja nie byłem życzliwy dla jej bliskich? Czy kiedykolwiek skomentowałem, że może trochę za często przychodzą i wtrącają się w nie swoje sprawy? Rodzina i przyjaciele Lindy odwiedzali nas tysiąc razy częściej niż moi. Stosunek był naprawdę jak jeden do tysiąca, ale mimo tej szalonej różnicy Linda mówiła, że nie ma do nich siły, odwracała się i zamykała. Dlaczego? Dlatego że kierowała się uczuciami? Ale uczucia są po to, żeby nad nimi panować.

Nic nie mówiłem. Powstrzymywałem wyrzuty i złość, a po wyjeździe Yngvego i jego dzieci, kiedy Linda znów stała się wesoła, zadowolona i pełna nadziei, nie karałem jej dystansem i gniewem, chociaż tak nakazywał mi naturalny odruch, przeciwnie, odpuściłem, przeszedłem nad niesprawiedliwością do porządku dziennego i dzięki temu przeżyliśmy miły okres przed- i poświąteczny.

Tego ostatniego wieczoru 2003 roku, kiedy krzątałem się po kuchni, przygotowując poczęstunek, a Geir, siedząc na krześle i gadając, przyglądał się temu, co robię, tamto życie, które porzuciłem, gdy wyjechałem z Bergen, już nie istniało. Wszystko, co mnie teraz otaczało, było w taki czy inny sposób związane z dwojgiem ludzi, których wtedy w zasadzie w ogóle nie znałem. Głównie z Lindą, oczywiście, z którą dzieliłem życie, lecz również z Geirem. Pozwoliłem, by wywierał na mnie wpływ, i to wcale nie mały, co bywało nieprzyjemne, kiedy uświadamiałem sobie, że łatwo ulegam wpływom i moje spojrzenie szybko zabarwia się od cudzego. Czasami myślałem, że Geir jest jak jeden z kolegów z dzieciństwa, z którymi nie wolno mi się było bawić. „Od niego trzymaj się z daleka, Karl Ove, ma na ciebie zły wpływ".

Umieściłem ostatnią połówkę homara na półmisku i odłożyłem nóż. Wytarłem pot z czoła.

— Już — powiedziałem. — Trzeba to jeszcze tylko ozdobić.

— Ludzie powinni wiedzieć, czym się zajmujesz — stwierdził Geir.

— O co ci chodzi?

— W powszechnym przekonaniu zawód pisarza jest niezwykle emocjonujący i godny pozazdroszczenia, a ty większość czasu poświęcasz na sprzątanie i gotowanie.

— To prawda. Ale spójrz, jak ładnie to będzie wyglądało! — Przekroiłem cytrynę na cztery cząstki i ułożyłem je między częściami homara. Potem urwałem kilka listków pietruszki i ozdobiłem brzegi.

— Ludzie pragną pisarzy skandalistów, chyba masz tego świadomość. Powinieneś wchodzić do Kawiarni Teatralnej otoczony haremem młodych kobiet, takie są oczekiwania, a nie zadręczać się nad wiadrem z wodą do mycia podłogi... Największym rozczarowaniem w literaturze norweskiej musiał być pod tym względem Tor Ulven, który nawet nie wychodził z domu! Cha, cha, cha!

Jego śmiech był zaraźliwy. Też się roześmiałem.

— Na domiar złego odebrał sobie życie — ciągnął Geir. — Cha, cha, cha!

— Cha, cha, cha!

— Cha, cha, cha! Ibsen, można powiedzieć, też rozczarowywał. Ale nie lusterkiem w cylindrze. Za to należy mu się szacunek. I za tego żywego skorpiona, którego trzymał na biurku. Bjørnson nie rozczarowywał, no i Hamsun, zdecydowanie. Całą literaturę norweską można podzielić w ten sposób. No a ty, niestety, nie najlepiej wypadasz w tej kategorii.

— Wiem. Ale przynajmniej w domu jest czysto. Już. Trzeba jeszcze tylko pokroić chleb.

— A tak w ogóle, to powinieneś wreszcie napisać ten esej o Haugem[1], o którym wspominałeś.

— O złym człowieku z Hardanger? — spytałem, wyjmując bułkę z brązowej papierowej torebki.

— Tak, ten.

— Kiedyś to zrobię. — Opłukałem nóż pod gorącą wodą i wytarłem w ścierkę, zanim zacząłem kroić pieczywo. — Od czasu do czasu rzeczywiście o tym myślę. O tym, jak leżał nagi w piwnicy na węgiel, kiedy już porąbał wszystkie meble w pokoju. Albo jak dzieciaki na wsi rzucały w niego kamieniami. Cholera, w tamtych latach musiał kompletnie odjechać.

---

1 Olav H. Hauge (1908–1994) — poeta norweski.

— A przede wszystkim o tym, że ocenił Hitlera jako wielkiego człowieka, a potem usunął z dziennika wszystkie zapiski z czasu wojny.

— Nie, nie przede wszystkim — zaprotestowałem. — W jego dzienniku najbardziej rzucają się w oczy opisy nawrotów choroby. Można z nich wyczytać, jak wszystko zaczyna się toczyć coraz szybciej, a jednocześnie znikają hamulce. Nagle ujawnia swoje prawdziwe opinie o ludziach i o tym, co piszą, a przecież zawsze tak się starał, żeby nikogo nie urazić i każdemu zaserwować coś miłego. Taki był uprzejmy, troskliwy, życzliwy i dobry. I nagle schodzi lawina. Dziwne, że nikt o tym jeszcze nie napisał. Przecież jego ocena Volda[1] radykalnie się zmienia!

— Nikt nie ma śmiałości o tym pisać — orzekł Geir. — Oszalałeś? Ludzie ledwie mają odwagę grzebnąć w tych okresach, kiedy mu odbijało.

— Mają powód — stwierdziłem, układając kromki pieczywa w koszyku i biorąc się do następnej bułki.

— Mianowicie?

— Przyzwoitość. Dobre obyczaje. Wzgląd na innych.

— Oj, chyba zasnę. Strasznie powiało nudą.

— Mówię poważnie. Naprawdę tak uważam.

— Oczywiście, że tak uważasz. Ale posłuchaj. To *jest* w dzienniku, prawda?

— Owszem.

— I nie rozumiejąc tego, nie można zrozumieć Haugego?

— Nie można.

— A ty uważasz, że Hauge to wielki poeta?

— Tak.

---

1 Prawdopodobnie chodzi o Jana Erika Volda (ur. 1939), poetę norweskiego.

— Więc jaki wniosek wyciągasz? Że ze względu na przyzwoitość należy odłożyć na bok istotną część życia wielkiego poety i twórcy dzienników? Pominąć to, co nieprzyjemne?

— A jakie to ma znaczenie, czy Hauge wierzył, że napromieniowują go moce z kosmosu, czy nie? Jakie to ma znaczenie dla wierszy? Poza tym kto wie, czego w nim było więcej, brutalności i bezpośredniości czy uprzejmości stonowanych przemyśleń? Co było prawdziwsze?

— Co takiego? Co za diabeł w ciebie dzisiaj wstąpił? Przecież to ty mi opowiadałeś o ekscentrycznej stronie Haugego i wręcz się nią fascynowałeś! Twierdziłeś, że obraz mędrca z Hardanger nie może pozostać nieskazitelny, skoro wiadomo, że przez długie okresy w życiu miał zaburzenia i nie wykazywał nawet cienia mądrości? A raczej, że jego mądrości, bez względu na to, na czym miała polegać, nie da się zrozumieć bez znajomości jego nędznego życia?

— Nie ma dymu bez ognia, jak mawiali starożytni Chińczycy. Może chodzi o to, że tak się śmialiśmy z Tora Ulvena? Chyba odezwały się we mnie wyrzuty sumienia.

— Cha, cha, cha! Naprawdę? Niemożliwe, żebyś był aż tak wrażliwy i delikatny. Przecież on nie żyje. No i naprawdę nie był lwem salonowym. Skończył kurs obsługi dźwigów, prawda? Cha, cha, cha.

Pokroiłem ostatnie kromki, śmiejąc się, ale nie bez przykrości.

— No, wystarczy — zdecydowałem, układając je w koszyku. — Weź pieczywo, masło i majonez. Idziemy do towarzystwa.

— O, jakie cudowne! — zachwyciła się Helena, kiedy postawiłem półmisek na stole.

— Pięknie to przygotowałeś, Karl Ove — pochwaliła mnie Linda.

— Zapraszam. — Rozlałem do kieliszków resztkę szampana i otworzyłem butelkę białego wina, a potem usiadłem i położyłem sobie na talerzu połówkę homara. Szczypcami z zestawu sztućców do skorupiaków, który swego czasu dostałem w prezencie od Gunnara i Tove, zgniotłem najpierw wielkie kleszcze — wyłoniło się jędrne, delikatne mięso wokół małej płaskiej chrząstki, czy jak to nazwać. Przestrzeń między mięsem a zewnętrzną skorupą często wypełniała woda: jak mógł odczuwać ją homar, chodząc po dnie morza?

— Ale nam tu dobrze! — powiedziałem w norweskim dialekcie, unosząc kieliszek. — Na zdrowie!

Geir się uśmiechnął. Pozostali puścili mimo uszu to, czego nie zrozumieli, i też wznieśli kieliszki.

— Na zdrowie! Dziękujemy za zaproszenie — dodał Anders.

Najczęściej to ja szykowałem jedzenie dla gości. Nie dlatego że lubiłem, ale dzięki temu mogłem się schować. Stać w kuchni, kiedy przychodzili, zaglądać do salonu, witać się, wracać do kuchni, działać tam w ukryciu, aż do chwili wystawienia potraw na stół, kiedy w końcu musiałem się ujawnić. Ale również wtedy mogłem się czymś zasłonić; w kieliszkach musiało być wino, w szklankach — woda, więc się tym zajmowałem, a sekundę po zjedzeniu pierwszego dania zbierałem talerze i ustawiałem kolejne.

Również tego wieczoru tak się zachowywałem. Co prawda fascynował mnie Anders, ale nie umiałem z nim rozmawiać. Lubiłem Helenę, jednak z nią również nie umiałem rozmawiać. Rozmawiać umiałem z Lindą, lecz byliśmy odpowiedzialni za dobre samopoczucie gości, więc oczywiście nie mogliśmy zająć się sobą.

Umiałem rozmawiać również z Geirem, ale w nim, kiedy był w towarzystwie innych ludzi, górę brała druga strona osobowości; z Andersem gadał o jego znajomych przestępcach — często się przy tym śmiali, Helenę bawił szokującą szczerością — słuchała z zapartym tchem i reagowała śmiechem. Istniały jeszcze inne skrywane napięcia. Linda i Geir byli jak dwa magnesy, nawzajem się odpychali. Helena w większym towarzystwie nigdy nie była zadowolona z Andersa, nie zgadzała się z wygłaszanymi przez niego opiniami lub uważała je wręcz za głupie, a zła atmosfera między nimi oddziaływała na mnie. Christina potrafiła przez długi czas w ogóle się nie odzywać, czym również się przejmowałem, no bo dlaczego? Źle się czuła? Czy to przez nas, przez Geira, przez nią samą?

Między nami wszystkimi prawie nie było podobieństw, pod powierzchnią cały czas unosiły się skrywane sympatie i antypatie, lecz mimo to — albo może właśnie dlatego — ten wieczór zapadł mi w pamięć, ponieważ nagle osiągnęliśmy punkt, w którym odnosiliśmy wrażenie, że nie mamy już nic do stracenia i możemy opowiadać o swoim życiu wszystko, również to, co zwykle zatrzymujemy dla siebie.

Na początku się nie kleiło, jak niemal wszystkie rozmowy ludzi, którzy więcej o sobie wiedzą, niż naprawdę się znają.

Wyjąłem śliskie, jędrne mięso ze skorupy, podzieliłem je, nabiłem kawałek na widelec i zanim rozpoczęła się jego podróż do ust, jeszcze umoczyłem go w majonezie.

Zza okna dobiegł potężny huk, jakby wybuchu. Szyby w oknach zadrżały.

— To było nielegalne — stwierdził Anders.

— Z tego, co wiem, wypowiadasz się jako ekspert — powiedział Geir.

— Przynieśliśmy chiński lampion — wtrąciła Helena. — Trzeba w nim zapalić świeczkę, ciepłe powietrze go wypełni i lampion pofrunie wysoko, wysoko do nieba. Nie będzie przy tym żadnego huku, po prostu cicho się wzniesie. To naprawdę fantastyczne.

— Można go puścić w mieście? — zaniepokoiła się Linda. — A co będzie, jeśli wyląduje na jakimś dachu, jeszcze się paląc?

— W sylwestra wszystko jest dozwolone — zawyrokował Anders.

Zapadła cisza. Zastanawiałem się, czy nie opowiedzieć o tym, jak kiedyś z kolegą w Nowy Rok pozbieraliśmy zużyte fajerwerki, wytrząsnęliśmy z nich resztki prochu, wsypaliśmy je do łuski i podpaliliśmy. Wciąż mam ten obraz przed oczami: Geir Håkon odwraca do mnie twarz zupełnie czarną od sadzy. I pamiętam strach, który we mnie uderzył, gdy zrozumiałem, że tata mógł usłyszeć wybuch, a sadza pewnie całkiem nie zejdzie, więc od razu się zorientuje, co zrobiliśmy. Uznałem jednak, że ta historia nie ma puenty, dlatego wstałem i dolałem wina. Spojrzeliśmy na siebie z Heleną, która się do mnie uśmiechnęła, usiadłem i zerknąłem na Geira, znów rozprawiającego o różnicach między Szwecją a Norwegią — zwykle uciekał się do tego tematu, kiedy rozmowa przy stole toczyła się zbyt niemrawo, bo w tej kwestii każdy miał coś do powiedzenia.

— Ale dlaczego wybór ma być między Szwecją a Norwegią? — wtrącił Anders po chwili. — Przecież tu się nic nie dzieje. Poza tym jest zimno i paskudnie.

— Anders chciałby wrócić do Hiszpanii — wyjaśniła Helena.

— No właśnie — potwierdził Anders. — Po prostu powinniśmy się tam przeprowadzić. Wszyscy. Co nas tu właściwie trzyma? Nic.

— A co takiego jest w Hiszpanii? — spytała Linda.

Rozłożył szeroko ręce.

— Można robić, co się chce. Nikogo to nie obchodzi. No i jest ciepło i przyjemnie. Tam są takie fantastyczne miasta. Sewilla, Walencja, Barcelona, Madryt. — Spojrzał na mnie. — I zupełnie inny poziom piłki nożnej. Powinniśmy się tam kiedyś wybrać we dwóch, zobaczyć El Clásico. Jeden nocleg. Mogę załatwić bilety, to żaden problem. Co ty na to?

— Brzmi nieźle — odparłem.

— Brzmi nieźle! — prychnął. — Jedziemy!

Linda spojrzała na mnie z uśmiechem. To spojrzenie mówiło: jedź, zasłużyłeś na to. Ale wiedziałem, że prędzej czy później pojawią się również inne spojrzenia i nastroje. Jedź i baw się, a ja będę siedziała w domu sama. Myślisz tylko o sobie. Jeśli chcesz gdzieś jechać, to ze mną. W jej spojrzeniu zawierało się wszystko. Bezgraniczna miłość i bezgraniczny niepokój. Cały czas walczyły ze sobą o pierwszeństwo. W ostatnich miesiącach pojawiło się w nim jeszcze coś nowego, coś, co dotyczyło dziecka, które niedługo miało przyjść na świat, jakiś tłumiony wybuch. Niepokój był kruchy, eteryczny, przelatywał przez świadomość niczym zorza polarna po zimowym niebie albo zjawiał się jak błyskawica rozcinająca niebo w sierpniu; mrok, który mu towarzyszył, również był lekki, stanowił nieobecność światła, a przecież nieobecność nie ma żadnego ciężaru. Teraz wypełniało ją coś innego. Pomyślałem, że ma to jakiś związek z ziemią, z zakorzenieniem. Ta myśl jednak zaraz wydała mi się głupia, mitologizująca.

Ale mimo wszystko. Ziemia.

— A kiedy jest El Clásico? — spytałem, nachylając się przez stół, żeby napełnić winem kieliszek Andersa.

— Nie wiem. Ale nie musimy jechać akurat wtedy. Może być jakikolwiek mecz. Chciałbym po prostu zobaczyć Barcelonę.

Nalałem też sobie i wydłubałem kawałek mięsa, który tkwił najgłębiej w szczypcach.

— Fajnie by było. Ale musimy się z tym wstrzymać, aż minie co najmniej tydzień od porodu. Nie jesteśmy tacy jak faceci w latach pięćdziesiątych.

— Ja jestem — zaprotestował Geir.

— Ja też — oświadczył Anders. — A przynajmniej znajduję się na granicy. Gdybym mógł, to na czas porodu zostałbym na korytarzu.

— A dlaczego nie mogłeś? — odparował Geir.

Anders spojrzał na niego i obaj się roześmiali.

— Wszyscy już się najedli? — spytałem.

Pokiwali głowami, dziękując za jedzenie, więc zebrałem talerze i wyniosłem je do kuchni.

— Mogę ci w czymś pomóc? — Christina przyszła za mną z dwoma półmiskami.

Pokręciłem głową, zaledwie przez moment patrząc jej w oczy.

— Nie — odpowiedziałem. — Ale bardzo ci dziękuję za propozycję.

Wróciła do pokoju, a ja nalałem wody do rondla i postawiłem go na kuchence. Na zewnątrz strzelały rakiety. Skrawek nieba, widoczny za oknem, od czasu do czasu rozjaśniało ostre światło, iskry rozsypywały się i gasły. Z salonu dobiegał śmiech.

Postawiłem dwa żeliwne garnki na płytkach i ustawiłem temperaturę na maksimum. Otworzyłem okno. Głosy ludzi przechodzących ulicą natychmiast nabrały mocy. Wróciłem do pokoju i puściłem nową płytę The Cardigans, odpowiednią jako muzyka w tle.

— Nawet nie pytam, czy ci w czymś można pomóc — odezwał się Anders.

— A cóż to za sformułowanie! — obruszyła się Helena i zwracając się do mnie, spytała: — Potrzebujesz pomocy?

— Nie, nie, wszystko mam pod kontrolą.

Stanąłem za Lindą i położyłem jej ręce na ramionach.

— Ach, jak przyjemnie! — westchnęła.

Zapadła cisza. Pomyślałem, że muszę zaczekać z wyjściem do kuchni, dopóki znowu nie zaczną rozmawiać.

— Tuż przed świętami jadłam z kolegami lunch w Filmhuset — odezwała się Linda po chwili. — Ktoś z nich widział niedawno węża albinosa. To był chyba pyton albo boa, wszystko jedno. Zupełnie biały, z żółtym wzorem. A wtedy inna osoba powiedziała, że miała węża boa. W domu, w swoim mieszkaniu, jako domowe zwierzątko. Ogromnego węża. Któregoś dnia nagle się obudziła i zobaczyła, że wąż leży obok niej w łóżku rozciągnięty na całą długość. Wcześniej zawsze widywała go zwiniętego w kłębek, prawda? A teraz był wyprostowany jak linijka. Śmiertelnie się przeraziła i natychmiast zadzwoniła do Skansenu[1], żeby porozmawiać z kimś, kto się zajmuje wężami. Wiecie, co ten ktoś powiedział? Bardzo dobrze, że zadzwoniła, zrobiła to w ostatniej chwili. Wielkie węże wyprostowują się w ten sposób po to, by zmierzyć zwierzynę. Sprawdzają, czy będą w stanie ją połknąć.

— Jasny gwint! Cholera! — zakląłem.

Pozostali wybuchnęli śmiechem.

— Karl Ove boi się węży — wyjaśniła Linda.

— Ale historia, niech to szlag!

---

1 W sztokholmskim Skansenie jest również zoo.

Linda popatrzyła na mnie.

— Jemu śnią się węże. Potrafi zrzucić kołdrę i w środku nocy po niej deptać. Raz dosłownie wyskoczył z łóżka, znieruchomiał jak sparaliżowany i tylko się gapił. Spytałam: Co się stało, Karl Ove, coś ci się przyśniło? Tu jest wąż, zawołał.

Gruchnął śmiech, więc powiedziałem, że teraz na pewno nastąpi freudowskie wyjaśnianie, co to znaczy, gdy śnią się węże, a ponieważ nie chcę tego słuchać, wracam do kuchni. Woda już się gotowała, wrzuciłem do niej tagliatelle. Oliwa w żeliwnych garnkach skwierczała w wysokiej temperaturze. Pokroiłem kilka ząbków czosnku, wrzuciłem je do garnka, dołożyłem małże i przykryłem pokrywką. Wkrótce ze środka rozległy się trzaski i postukiwania. Polałem wszystko białym winem, posypałem pokrojoną pietruszką i po kilku minutach zdjąłem z płytki, tagliatelle przerzuciłem do durszlaka, przyniosłem pesto, i gotowe.

— Ach, jak to pysznie wygląda! — zawołała Helena, kiedy wniosłem talerze.

— To żadna czarodziejska sztuczka — odparłem. — Przepis znalazłem w książce Jamiego Olivera, ale to rzeczywiście smaczne.

— Pachnie fantastycznie — pochwaliła Christina.

— Czy jest coś, czego nie umiesz? — Anders wbił we mnie wzrok.

Spuściłem głowę. Widelcem wyjąłem miękką zawartość małża, była ciemnobrązowa, z pomarańczowym połyskiem na wierzchu. Gdy ją przegryzałem, w zębach zaskrzypiała jak piasek.

— Czy Linda opowiadała już o naszej kolacji z *pinnekjøtt*? — spytałem, patrząc na niego.

— *Pinnekjøtt*? A co to takiego?

— Tradycyjna norweska potrawa wigilijna — wyjaśnił Geir.

— Baranie żeberka — dodałem. — Solone i suszone przez kilka miesięcy. Matka przysłała mi je pocztą...

— Baraninę pocztą? — zdumiał się Anders. — To też jest norweska tradycja?

— A skąd miałem je wziąć? No ale wszystko jedno. Moja matka soli je i suszy w domu, na strychu. Takie mięso ma naprawdę fantastyczny smak. Obiecała mi je przysłać na święta, zaplanowaliśmy, że zjemy je w Wigilię. Linda nigdy wcześniej tego nie próbowała, a ja nie wyobrażam sobie Bożego Narodzenia bez *pinnekjøtt*. Ale paczka przyszła dopiero po świętach. No dobrze. Rozpakowałem żeberka i postanowiliśmy urządzić sobie kolejną Wigilię. Po południu zacząłem je gotować na parze. Nakryliśmy do stołu, biały obrus, świece, akevitt, no wiecie. Ale mięso w ogóle nie chciało dojść, nie mieliśmy dostatecznie szczelnego garnka, i udało nam się osiągnąć jedynie to, że w całym mieszkaniu śmierdziało baraniną. Linda w końcu poszła spać.

— No i obudził mnie o pierwszej! — przerwała mi Linda. — Siedzieliśmy tutaj sami w środku nocy i jedliśmy norweskie świąteczne przysmaki.

— Ale było fajnie, prawda? — spytałem.

— Prawda — potwierdziła z uśmiechem.

— I co, smaczne chociaż? — dopytywała się Helena.

— Tak. Może nie wyglądają najlepiej, ale w smaku są niezłe.

— Myślałem, że opowiesz historię o czymś, czego nie umiesz — powiedział Anders. — A to przecież najczystsza idylla.

— Daj mu trochę odsapnąć — włączył się Geir. — Przecież zrobił karierę na opowiadaniu, jakim jest nieudacznikiem. Jedno smutne i tragiczne zdarzenie za drugim. Gdzie się nie obrócisz, wszędzie wstyd i żal.

Przecież mamy się bawić! Niech dla odmiany mówi o tym, jaki jest świetny!

— Chciałabym usłyszeć, jak ty opowiadasz o swojej klęsce, Anders — powiedziała Helena.

— Pamiętaj, do kogo mówisz! — obruszył się Anders. — Zwracasz się do człowieka, który kiedyś był bogaty. Naprawdę bogaty. Miałem dwa samochody, mieszkanie na Östermalm i mnóstwo pieniędzy na koncie. Mogłem jeździć na wakacje, dokąd chciałem i kiedy chciałem. Trzymałem nawet dwa konie! A co robię teraz? Kręcę fabryką chipsów bekonowych w Dalarnie! Ale, cholera, nie siedzę i nie narzekam tak jak wy!

— Kto: wy? — spytała Helena.

— Na przykład ty i Linda. Wracam do domu, a wy siedzicie na kanapie przy herbacie i narzekacie na wszystko. Na możliwe i niemożliwe uczucia, z którymi cały czas się zmagacie. Przecież to nie jest aż takie skomplikowane. Albo jest dobrze, albo nie jest dobrze, a wtedy też jest dobrze, bo może być tylko lepiej.

— W tobie dziwne jest to, że nie pojmujesz, w jakim miejscu jesteś — stwierdziła Helena. — Chociaż nie brakuje ci samoświadomości. Raczej po prostu nie chcesz tego zrozumieć. Czasami ci zazdroszczę, naprawdę. Ja się tak męczę, żeby zrozumieć, kim jestem i dlaczego dzieje się ze mną tak, a nie inaczej.

— Twoja historia wcale się tak bardzo nie różni od historii Andersa, prawda? — spytał Geir.

— Co masz na myśli? — zdziwiła się Helena.

— Ty też miałaś wszystko. Byłaś zatrudniona w Dramatycznym, dostawałaś główne role w dużych przedstawieniach, atrakcyjne propozycje filmowe. I wszystko rzuciłaś. To było według mnie posunięcie dość optymistyczne. Wyjść za mąż za amerykańskiego guru New Age i przenieść się na Hawaje.

— Rzeczywiście, w karierze mi to nie pomogło — przyznała Helena. — Pod tym względem masz rację. Ale poszłam za głosem serca. I niczego nie żałuję. Naprawdę.

Rozejrzała się z uśmiechem.

— Z Christiną ta sama *story* — powiedział Geir.

— A jaka jest twoja historia? — spytał Anders, patrząc na Christinę.

Uśmiechnęła się, uniosła głowę i przełknęła jedzenie, które miała w ustach.

— Dotarłam na szczyt w bardzo krótkim czasie. Miałam własną markę odzieżową i uznano mnie za nową projektantkę roku, reprezentowałam Szwecję na targach mody w Londynie, byłam w Paryżu ze swoją kolekcją...

— Telewizja przyjechała do nas do domu — włączył się Geir. — Twarz Christiny wisiała na ogromnych proporcach, cholera, wręcz na żaglach, na fasadzie Domu Kultury. W „Dagens Nyheter" był na jej temat sześciostronicowy artykuł... Chodziliśmy na przyjęcia, na których kelnerki krążyły poprzebierane za elfy, a szampan lał się strumieniami. Byliśmy piekielnie szczęśliwi...

— I co się później stało? — spytała Linda.

— Zabrakło pieniędzy. Nie miałam żadnego zaplecza, a przynajmniej takiego, które by się naprawdę liczyło. Więc zbankrutowałam.

— Ale za to z hukiem — zauważył Geir.

— To prawda — przyznała Christina.

— Gwoździem do trumny był ostatni pokaz kolekcji. Christina wynajęła olbrzymi namiot eventowy i ustawiła go na błoniach na Gärdet. Namiot był kopią opery w Sydney. Modelki miały wjeżdżać konno z polany. Konie Christina wynajęła od gwardii i od policji konnej. Wszystko powalało wielkością, no i kosztami, na niczym nie oszczędzała. Wielkie wazy do ponczu z dymiącym lodem, wiecie, i tak dalej. Pojawili się tam wszyscy, którzy coś znaczyli. Wszystkie stacje telewizyjne, wszystkie duże gazety. Wyglądało to jak scenografia do jakiejś wielkiej produkcji filmowej. A potem zaczęło padać. Lało niewiarygodnie.

Christina roześmiała się i uniosła rękę do ust.

— Szkoda, że nie widzieliście tych modelek — ciągnął Geir. — Włosy przylepione do czoła, stroje przemoczone do suchej nitki, kompletne fiasko. Cholera, ale było też w tym coś pięknego. Nie każdy potrafi polec w tak spektakularny sposób!

Gruchnął śmiech.

— Właśnie dlatego, kiedy przyszedłeś do nas pierwszy raz, siedziała nad projektem kapci — powiedział Geir, patrząc na mnie.

— To nie były kapcie — zaprotestowała Christina.

— Wszystko jedno. Jeden ze starych modeli tej fabryki odniósł nagle sukces, ponieważ Christina wykorzystała go na pokazie w Londynie. Nic za to nie dostała, ale projektowanie butów stało się malutkim plasterkiem na ranę. Tylko tyle zostało z marzeń.

— Ja co prawda nie byłam na szczycie — włączyła się Linda — ale moje niewielkie postępy poruszają się dokładnie po tej samej krzywej.

— Równia pochyła? — spytał Anders.

— Owszem, równia pochyła. Zadebiutowałam, co samo w sobie było wspaniałe, chociaż mało kto zwrócił uwagę na moje wiersze, ale dla mnie to było wielkie i fantastyczne, dostałam nawet japońską nagrodę. Zawsze uwielbiałam Japonię. Chciałam tam pojechać, żeby ją odebrać. Kupiłam japońskie rozmówki. Potem zachorowałam. Nagle nie umiałam sobie poradzić z niczym, a już z pewnością nie z wyjazdem do Japonii...

Napisałam jeszcze jeden zbiór wierszy, który został przyjęty do druku, poszłam to uczcić i właśnie wtedy dowiedziałam się, że jednak się wycofują. Zaniosłam go do innego wydawnictwa i dokładnie to samo się wydarzyło. Najpierw redaktor zadzwonił, stwierdził, że tomik jest fantastyczny i że go wydadzą. Od razu się wszystkim pochwaliłam, a potem było mi okropnie głupio, bo zadzwonił jeszcze raz i oświadczył, że jednak rezygnują. No i tyle.

— Przykra sprawa — podsumował Anders.

— E, wszystko jedno — powiedziała Linda. — Teraz się cieszę, że się nie ukazał. Nic się nie stało.

— A co z tobą, Geir?

— Pytasz, czy ja też jestem *beautiful loser*?

— Właśnie.

— Chyba mogę tak powiedzieć. Byłem akademickim *wonderboy*.

— We własnej ocenie? — spytałem.

— Nikt inny mi tego nie mówił. Ale nim byłem. Pracę dyplomową napisałem po norwesku na podstawie badań terenowych przeprowadzonych w Szwecji. To nie była szachowa zagrywka, bo skutek był taki, że moją pracą nie zainteresowało się żadne wydawnictwo szwedzkie, a tym bardziej norweskie. W niczym też nie pomogło, że napisałem o bokserach, ale nie szukałem społecznych uwarunkowań, to znaczy nie tłumaczyłem ich wyboru biedą, wykluczeniem ani kryminalną przeszłością. Przeciwnie, uznałem ich kulturę za istotną i wartościową. O wiele bardziej istotną i wartościową niż sfeminizowana kultura akademicka klasy średniej. To również nie było posunięcie szachisty. Książkę odrzuciły wszystkie norweskie i szwedzkie wydawnictwa. W końcu się ukazała, bo sam za to zapłaciłem. Ale nikt jej nie czytał. Wiecie, jaka była reklama? Któregoś dnia rozmawiałem z dziewczyną z wydawnictwa;

powiedziała mi, że otwiera moją książkę codziennie rano i po południu na promie pływającym do Nesodden, bo może dzięki temu ktoś zauważy okładkę, która go zaciekawi. — Roześmiał się. — A teraz przestałem wykładać, nie piszę naukowych artykułów, nie biorę udziału w seminariach, siedzę i pracuję nad książką, której ukończenie zajmie mi co najmniej pięć lat, a i tak najprawdopodobniej nikt nie zechce jej wydać.

— Szkoda, że nie pogadałeś ze mną — powiedział Anders. — Wepchnąłbym cię przynajmniej do telewizji, żebyś mógł opowiedzieć o tej swojej książce.

— A jak by się to miało odbyć? — spytała Helena. — *An offer you can't refuse*?

— Nawet ty nie masz takich dobrych kontaktów, żeby to się udało — stwierdził Geir. — Ale dzięki za propozycję.

— No, to zostałeś już tylko ty. — Anders spojrzał na mnie.

— Karl Ove? — spytał Geir. — Wiecznie mu mało. Powtarzam mu to, odkąd przyjechał do Sztokholmu.

— Nie zgodzę się z tym — zaprotestowałem. — Debiutowałem prawie pięć lat temu. Rzeczywiście, jeszcze od czasu do czasu dzwonią jacyś dziennikarze, ale wiecie, o co pytają? „Słuchaj, Knausgård, przygotowuję artykuł o pisarzach cierpiących na niemoc twórczą i chciałbym z tobą porozmawiać". Albo jeszcze gorzej: „Posłuchaj, szykujemy materiał o pisarzach, którzy wydali tylko jedną książkę. Znalazłbyś chwilę, żeby pogadać? Powiedzieć, jakie to uczucie? Piszesz coś teraz? Zacięło się trochę, co?".

— Słyszycie? — roześmiał się Geir. — Wiecznie mu mało.

— Ale ja przecież nic nie mam. Piszę od czterech lat i nic z tego nie wychodzi. Nic.

— Wszyscy moi przyjaciele to nieudacznicy — stwierdził Geir. — I nie chodzi mi o zwyczajne mainstreamowe niepowodzenia. Oni naprawdę osiągnęli w tym szczyty. Jeden w ogłoszeniach na serwisie randkowym pisze, że lubi las, pola, pieczenie kiełbasek na ognisku itepe, po prostu dlatego, że nie stać go na zaproszenie dziewczyny do restauracji czy kawiarni. Goły jak mysz kościelna. Kompletnie spłukany. Pewnego kolegę z uniwersytetu opętała prostytutka, wydał na nią wszystkie pieniądze, ponad dwieście tysięcy. Zapłacił jej nawet za operację powiększenia piersi, żeby były takie, jak lubi. Jeszcze inny założył winnicę. W Uppsali! Kolejny od czternastu lat pisze pracę dyplomową i nigdy jej nie skończy, bo stale pojawia się jakaś nowa teoria albo coś, czego nie czytał, a co koniecznie musi ująć. Pisze i pisze, jest człowiekiem o normalnym poziomie inteligencji, ale kompletnie się zaciął. No a w Arendal miałem znajomego, który zrobił dziecko trzynastolatce. — Roześmiał się, przenosząc wzrok na mnie. — Dajcie spokój, to nie był Karl Ove. Przynajmniej z tego, co wiem. No i mam jeszcze przyjaciela malarza. Uzdolniony, wręcz utalentowany, ale maluje wyłącznie statki wikińskie i miecze. Zabłąkał się tak daleko na prawo, że nie ma już dla niego drogi odwrotu, a w każdym razie drogi wejścia, bo przecież statki wikińskie to nie jest bilet wstępu do życia kulturalnego.

— Nie wciągaj mnie do tej gromady! — zaoponował Anders.

— Nie, żadne z was jeszcze się do niej nie zalicza. Przynajmniej na razie. Ale mam wrażenie, że jesteśmy już niedaleko. Siedzimy na wraku. Owszem, jest bardzo pięknie, niebo czarne, pełne gwiazd, woda ciepła, ale powoli zaczynamy się do niej zsuwać.

— Bardzo pięknie i poetycko to ująłeś — stwierdziła Linda. — Ale ja wcale się tak nie czuję.

Siedziała, trzymając się obiema rękami za brzuch. Napotkałem jej spojrzenie. Mówiło: jestem szczęśliwa. Uśmiechnąłem się do niej.

O Boże. Za dwa tygodnie będziemy mieli dziecko.

Zostanę ojcem.

Wokół stołu zapadła całkowita cisza. Wszyscy skończyli jeść, siedzieli odchyleni na krzesłach, Anders z kieliszkiem w ręku. Sięgnąłem po butelkę, wstałem, ponalewałem.

— Byliśmy dzisiaj tacy otwarci — powiedziała Helena. — Pomyślałam sobie, że to się prawie nie zdarza.

— Urządziliśmy zawody. — Odstawiłem butelkę, kciukiem starłem kroplę spływającą po szyjce. — Komu się układa najgorzej? Mnie!

— Nie, mnie! — zaprotestował Geir.

— Trudno mi sobie wyobrazić, że moi rodzice mogliby rozmawiać na takie tematy ze swoimi przyjaciółmi. Ale im było naprawdę trudno. Nam nie jest — stwierdziła Helena.

— W jakim sensie? — spytała Christina.

— Mój ojciec jest królem peruk z Örebro. Robi tupeciki. Jego pierwsza żona, to znaczy moja matka, wpadła w alkoholizm. Jest taka okropna, że zmuszam się, żeby ją odwiedzać. A jeśli już się do niej wybiorę, niszczy mnie na kilka tygodni. Ale kiedy tata żenił się drugi raz, znów wziął sobie alkoholiczkę. — Wykrzywiła się i pokazała kilka tików, idealnie naśladując drugą żonę ojca. Miałem okazję ją spotkać na chrzcinach dziecka Heleny; była jednocześnie maksymalnie spięta i zarazem maksymalnie rozpadnięta. Helena często się z niej śmiała.

— Kiedy byłam mała, nakłuwali strzykawkami takie małe kartoniki z sokiem, no wiecie, i wstrzykiwali do nich alkohol, żeby wyglądały zupełnie niewinnie. Cha, cha, cha! A raz, kiedy byłam sama z mamą na wakacjach, dała mi tabletkę nasenną, zamknęła drzwi od zewnątrz i poszła w miasto.

Wszyscy wybuchnęli śmiechem.

— Ale teraz jest o wiele gorsza, właściwie to istny potwór. Pożera nas, kiedy do niej przychodzimy. Myśli wyłącznie o sobie, nic innego nie istnieje. Pije i cały czas jest okropna. — Spojrzała na mnie. — Twój ojciec też pił, prawda?

— Owszem. Ale nie wtedy, kiedy byłem mały. Zaczął, gdy miałem szesnaście lat. A umarł, kiedy miałem trzydzieści. Czyli trwało to czternaście lat. Po prostu się zapił. Wydaje mi się, że właśnie o to mu chodziło.

— Nie masz jakiejś zabawnej historii na jego temat? — spytał Anders.

— Nie jest wcale pewne, że Karl Ove czerpie taką samą przyjemność z własnego nieszczęścia jak ty z cudzego — zauważyła cierpko Helena.

— Nie, nie, wszystko w porządku — powiedziałem. — Już mi to obojętne, właściwie nic nie czuję. Nie wiem tylko, czy to zabawne, ale posłuchajcie. Pod koniec ojciec mieszkał u swojej matki, oczywiście cały czas pił. Któregoś dnia spadł ze schodów do salonu, chyba złamał nogę, ale możliwe, że tylko mocno ją skręcił. W każdym razie nie mógł się stamtąd ruszyć i leżał na podłodze. Babcia chciała zadzwonić po karetkę, ale ojciec się nie zgadzał. I leżał tak na podłodze w salonie, a ona go obsługiwała. Przynosiła mu jedzenie i piwo. Nie wiem, jak długo to trwało, pewnie kilka dni. W końcu przyszedł mój stryj i zastał go leżącego...

Wszyscy się roześmiali, ja także.

— A jaki był, kiedy nie pił? — spytał Anders. — Przez tych pierwszych szesnaście lat?

— Był prawdziwym diabłem. Śmiertelnie się go bałem, tak że potrafiłem posikać się ze strachu. Pamiętam, kiedyś... Jako dziecko lubiłem pływać i wyjście zimą na basen było dla mnie najważniejszym wydarzeniem tygodnia. Raz zgubiłem na pływalni skarpetkę, nie mogłem jej znaleźć. Szukałem i szukałem, ale przepadła. Okropnie się wtedy wystraszyłem, to był absolutny koszmar.

— Dlaczego? — spytała Helena.

— Bo wiedziałem, że jeśli się dowie, to urządzi mi piekło.

— Za zgubioną skarpetkę?

— Owszem. Szansa na to, że zauważy, była niewielka, mogłem się jakoś przemknąć i zaraz po przyjściu do domu włożyć świeże skarpetki, ale mimo to całą drogę

się bałem. Otwieram drzwi. Nikogo nie ma. Zaczynam zdejmować buty. No i kto przychodzi, jak nie tata? I co robi? Oczywiście obserwuje, jak się rozbieram.

— I co było dalej? — zainteresowała się Helena.

— Uderzył mnie w twarz i oświadczył, że już nigdy nie pójdę na pływalnię. — Uśmiechnąłem się.

— Cha, cha! — zaśmiał się Geir. — Mężczyzna, jakich lubię. Konsekwentny aż do najdrobniejszego szczegółu.

— A ciebie ojciec bił? — spytała Helena.

Geir zwlekał z odpowiedzią.

— Było sporo elementów tradycyjnego norweskiego wychowania. No, wiecie, przez kolano i ściągnąć spodnie. Ale nigdy nie uderzył mnie w twarz i nigdy nieoczekiwanie, tak jak robił ojciec Karla Ovego. To miała być zwyczajna kara, po prostu. Uważałem, że to sprawiedliwe. On zresztą tego nie lubił. Wydaje mi się, że rozumiał bicie jako swój obowiązek. Mój ojciec jest bardzo dobry. To po prostu dobry człowiek. Nigdy nie miałem dla niego złych uczuć. Nawet za lanie. To było w zupełnie innej kulturze niż obecna.

— Nie mogę tego powiedzieć o swoim ojcu — stwierdził Anders. — Nie chcę się zagłębiać w dzieciństwo i wszystkie te psychologiczne brednie, ale kiedy dorastałem, byliśmy bogaci, tak jak mówiłem, a gdy skończyłem szkołę, dołączyłem do jego firmy, poniekąd w charakterze wspólnika. Wiodłem fantastyczne życie człowieka z wyższych sfer. I nagle ojciec się potknął. Okazało się, że robił malwersacje i oszukiwał, a ja się podpisywałem pod wszystkim, co mi podsuwał. Uniknąłem więzienia, ale mam tak ogromne długi podatkowe, że wszystko, co zarobię do końca życia, pójdzie na spłatę. Dlatego nie mam żadnej normalnej roboty, to niemożliwe, bo wtedy zabiorą mi wszystko.

— A co się stało z ojcem?

— Uciekł. Nie widziałem go od tamtej pory, nie wiem, gdzie jest. Gdzieś za granicą. Nie chcę go więcej widzieć.

— Ale twoja matka została — zauważyła Linda.

— Owszem, można tak powiedzieć. Rozgoryczona, porzucona i spłukana. — Uśmiechnął się.

— Spotkałem ją raz — powiedziałem. — Nie, nawet dwa razy. Bardzo zabawna osoba. Z kąta rzuca sarkastyczne uwagi do wszystkich, którzy chcą jej słuchać. Ma niesamowite poczucie humoru.

— Humoru? — Anders zaczął naśladować matkę. Szorstki głos starej kobiety, która woła go po imieniu i krytykuje za wszystko, co robi.

— Moja matka cierpi na lęki — powiedział Geir. — Sabotują one inne rzeczy w jej życiu albo nad nimi triumfują. Chce nieustannie mieć wszystkich blisko siebie. W okresie dorastania to było piekło. Wiele mnie kosztowało, żeby się od tego uwolnić. Jej technika na zatrzymanie mnie przy sobie polegała na wzbudzaniu poczucia winy. Próbowałem się nie dawać. W końcu się wyzwoliłem. Zapłaciłem za to taką cenę, że w zasadzie ze sobą nie rozmawiamy. To wysoka cena, ale było warto.

— Co to za lęki? — spytał Anders.

— Chcesz wiedzieć, jak się przejawiały?

Anders skinął głową.

— Ludzi się nie boi. Przed nimi nie czuje lęku. Boi się natomiast przestrzeni. Na przykład kiedy wyjeżdżaliśmy na wycieczkę samochodem, zabierała ze sobą poduszkę. Trzymała ją na kolanach. Za każdym razem, gdy wjeżdżaliśmy do tunelu, nachylała się i nakrywała głowę poduszką.

— Naprawdę? — zdumiała się Helena.

— Owszem, za każdym razem. Trzeba jej było powiedzieć, że tunel już się skończył. To się stale pogłębiało. Nagle przestała wchodzić w grę jazda drogami szerszymi niż jednopasmowe, bo nie mogła patrzeć, jak samochody mijają ją w tak niedużej odległości. No i panicznie bała się jeździć wzdłuż wody. Wyjazdy na wakacje stały się w zasadzie niemożliwe. Pamiętam ojca pochylonego nad mapą jak generał przed bitwą, usiłującego znaleźć trasę bez autostrad, wody i tuneli.

— No, to moja matka jest absolutnym przeciwieństwem twojej — oświadczyła Linda. — Nie boi się niczego. Wydaje mi się, że to najmniej bojaźliwa osoba, jaką znam. Pamiętam, jak jeździłyśmy rowerem przez miasto do teatru. Matka jeździ bardzo szybko, po chodnikach, między ludźmi, zjeżdża na jezdnię. Raz zatrzymała ją policja; wcale nie spuściła głowy i nie przepraszała, nie obiecywała, że to się więcej nie powtórzy.

Poczuła się obrażona. To ona przecież decyduje, którędy będzie jeździć. Tak wyglądało całe moje dzieciństwo. Jeśli jakiś nauczyciel się na mnie poskarżył, mówiła, że mu pokaże. Według niej nigdy nie zrobiłam nic złego. Zawsze racja była po mojej stronie. Kiedy miałam sześć lat, puściła mnie samą na wakacje do Grecji.

— Samą? — zdumiała się Christina. — Zupełnie?

— No nie, z koleżanką i jej rodziną. Ale miałam zaledwie sześć lat i dwa tygodnie z obcymi ludźmi w obcym kraju to była chyba lekka przesada.

— Lata siedemdziesiąte — zauważył Geir. — Wtedy wszystko było wolno.

— W wielu sytuacjach było mi okropnie głupio za matkę. W ogóle nie zna wstydu. Potrafi wyprawiać niesłychane rzeczy, a gdy się tak zachowywała, żeby mnie chronić, chciałam zapaść się pod ziemię.

— A twój ojciec? — spytał Geir.

— To zupełnie inna historia. Był kompletnie nieprzewidywalny. Kiedy chorował, mogło się zdarzyć wszystko. A jednocześnie trzeba było czekać, aż zrobi coś strasznego, żeby go zabrała policja. Często musieliśmy wychodzić z domu, mama, mój brat i ja. Zwyczajnie przed nim uciekać.

— A co on takiego robił? — Spojrzałem na Lindę. Wcześniej opowiadała mi o ojcu, ale zawsze ogólnie, prawie bez szczegółów.

— O, różne rzeczy. Potrafił się wspiąć po rynnie albo wyskoczyć przez okno. Bywał gwałtowny. Krew, potłuczone szkło, przemoc. No ale wtedy przyjeżdżała policja i sytuacja się uspokajała. Kiedy był w domu, cały czas czekałam na katastrofę. Ale gdy już do niej dochodziło, zawsze byłam spokojna. Czuję ulgę, kiedy najgorsze już się stanie. Wiem, że sobie poradzę. Znacznie gorsze jest oczekiwanie.

Zapadła cisza.

— Przypomniała mi się pewna historia — podjęła Linda. — Wydarzyła się, kiedy musieliśmy uciekać przed tatą i pojechaliśmy do babci do Norrlandii. Miałam pewnie z pięć lat, a mój brat siedem. Po powrocie do Sztokholmu zastaliśmy mieszkanie pełne gazu. Tata odkręcił kurek i zostawił go tak na kilka dni. Kiedy mama otworzyła drzwi, ciśnienie prawie ją wypchnęło. Kazała Mathiasowi zabrać mnie na ulicę i tam zostać. Zaczekała, aż wyjdziemy, i dopiero wtedy weszła do mieszkania i zakręciła gaz. Mathias na dole spytał, świetnie to pamiętam: „Wiesz, że mama może umrzeć?". Odpowiedziałam, że tak, bo wiedziałam. Tego samego dnia podsłuchałam, jak mama rozmawia z ojcem przez telefon. Spytała: „Próbowałeś nas zabić?". Nie było w tym żadnej przesady, tylko trzeźwe stwierdzenie faktu. „Naprawdę chcesz nas zabić?"

Linda się uśmiechnęła.

— To trudno będzie przebić — orzekł Anders i odwrócił się do Christiny. — No, zostałaś tylko ty. Jacy są twoi rodzice? Żyją, prawda?

— Tak — odparła Christina. — Ale są już starzy. Mieszkają w Uppsali. Należą do Kościoła zielonoświątkowców. Dorastałam w tym środowisku i żyłam w strasznym poczuciu winy z powodu każdej najmniejszej rzeczy. Ale moi rodzice to dobrzy ludzie, taki jest ich sposób na życie. Wiecie, co robią, kiedy śnieg topnieje i na asfalcie zostaje piasek po zimowym posypywaniu jezdni?

— Nie — odpowiedziałem, ponieważ na mnie spojrzała.

— Zamiatają go i oddają zarządowi dróg.

— Naprawdę? — zdumiał się Anders. — Cha, cha, cha!

— Oczywiście nie biorą do ust alkoholu. Mój ojciec nie pije też kawy ani herbaty, a kiedy chce sobie rano zrobić przyjemność, pije gorącą wodę.

— W to już nie uwierzę — oświadczył Anders.

— Ale to prawda — potwierdził Geir. — Pije gorącą wodę, a piasek sprzed bramy oddaje zarządowi dróg. Są tacy dobrzy, że nie daje się tam wytrzymać. To, że mają mnie za zięcia, z całą pewnością uznali za próbę, na jaką wystawił ich diabeł.

— Jak się dorasta przy takich rodzicach? — spytała Helena.

— Długo sądziłam, że cały świat tak wygląda. Wszyscy moi przyjaciele i przyjaciele rodziców byli członkami zboru. Życie poza zborem nie istniało. Zrywając z Kościołem, zerwałam jednocześnie ze wszystkimi przyjaciółmi.

— Ile miałaś wtedy lat?

— Dwanaście.

— Dwanaście lat? — zdziwiła się Helena. — Skąd wzięłaś na to siłę? Skąd miałaś wiedzę?

— Nie wiem. Po prostu to zrobiłam. Nie było mi łatwo. Straciłam przecież przyjaciół.

— W wieku dwunastu lat? — upewniła się Linda.

Christina z uśmiechem kiwnęła głową.

— Więc teraz już pijesz rano kawę? — spytał Anders.

— Tak, ale nie u nich w domu.

Roześmialiśmy się. Wstałem i zacząłem zbierać talerze. Geir też się podniósł. Wziął do ręki swój talerz i wyszedł za mną do kuchni.

— Zmieniłeś stronę, Geir? — zawołał za nim Anders.

Wyrzuciłem skorupy małży do śmieci, opłukałem talerze i wstawiłem je do zmywarki. Geir podał mi swój, cofnął się o kilka kroków i oparł o lodówkę.

— Fascynujące — powiedział.

— Co?

— To, o czym rozmawialiśmy. A raczej, że w ogóle o tym rozmawialiśmy. Peter Handke ma na to określenie. Wydaje mi się, że nazywa to nocą opowiadaczy. Kiedy coś się otwiera i każdy snuje swoją opowieść.

— Tak. — Odwróciłem się. — Wyjdziesz ze mną na chwilę? Muszę zapalić.

— Jasne.

Kiedy się ubieraliśmy, dołączył do nas Anders.

— Schodzicie na dół na papierosa? Idę z wami.

Dwie minuty później staliśmy na środku podwórza, ja z żarzącym się papierosem w palcach, oni z rękami w kieszeniach płaszczy. Było zimno i wiał wiatr. Dookoła rozlegał się huk fajerwerków.

— Miałem na końcu języka jeszcze inną historię. — Anders przeczesał palcami włosy. — O traceniu wszystkiego, co się ma. Ale uznałem, że lepiej będzie opowiedzieć ją w męskim gronie. To było w Hiszpanii. Razem z kumplem prowadziliśmy restaurację. Fantastyczne życie. Balowaliśmy całe noce, na haju od kokainy i wódki. W ciągu dnia odpoczywaliśmy w słońcu i znowu szliśmy w tango od siódmej, ósmej wieczorem. Wydaje mi się, że to był najlepszy czas w moim życiu. Absolutna wolność. Robiłem dokładnie to, co chciałem.

— I? — zainteresował się Geir.

— Może za dużo chciałem. Mieliśmy biuro na piętrze nad barem. I tam pieprzyłem się z dziewczyną mojego kumpla. Nie mogłem się powstrzymać. Oczywiście przyłapał nas na gorącym uczynku, i to był koniec. Dalsza współpraca nie wchodziła w grę. Ale chciałbym tam kiedyś wrócić. Żebym tylko mógł zabrać Helenę.

— Może to nie jest życie, o jakim marzy? — wyraziłem wątpliwość.

Anders wzruszył ramionami.

— Ale musimy kiedyś wynająć tam letni dom. Na miesiąc albo pół roku. Na przykład w Granadzie. Co wy na to?

— Może być ciekawie — odparłem.

— Ja nie mam urlopu — oświadczył Geir.

— Co przez to rozumiesz? — spytał Anders. — W tym roku?

— Nie, w ogóle. Pracuję siedem dni w tygodniu, z sobotą i niedzielą włącznie, przez wszystkie dni w roku, no, może z wyjątkiem Bożego Narodzenia.

— Po co? — spytał Anders.

Geir się zaśmiał.

Rzuciłem niedopałek na ziemię i starannie go przydeptałem.

— Idziemy na górę? — spytałem.

Andersa poznałem, kiedy przyjechał po mnie i Lindę na dworzec w Saltsjöbaden, gdzie wynajmowali niewielkie mieszkanie, a po drodze dawał wyraz swojej pogardzie dla goniących za pieniędzmi i statusem ludzi, którzy tam mieszkali, bo przecież w życiu ważne są zupełnie inne wartości, lecz chociaż domyślałem się, że gra pod nas, mówi to, co my, ludzie kultury, chcielibyśmy usłyszeć, upłynęło wiele miesięcy, zanim zrozumiałem, że właściwie myśli całkowicie przeciwnie: j e d y n ą rzeczą, jaka go naprawdę interesowała, były pieniądze, no i oczywiście życie, jakie mogły zapewnić. Był opętany myślą o tym, żeby znów się wzbogacić. Właśnie z tym wiązały się wszelkie jego działania, a ponieważ nie mógł oficjalnie zarabiać na oczach władz podatkowych, poruszał się w świecie brudnych pieniędzy. Kiedy Helena go poznała, wszystkie jego interesy były ciemne. Helena długo starała się walczyć z miłością, ale w końcu uległa jej w wielkim stylu; gdy wkrótce potem urodziło im się dziecko, postawiła Andersowi pewne wymagania, a on najwyraźniej się do nich zastosował: pieniądze, które zarabiał, wciąż były brudne, lecz w pewnym sensie również „czyste". Czym dokładnie się zajmował, nie wiem, oprócz tego, że wykorzystywał swoje rozliczne kontakty z czasów, kiedy był na szczycie, do finansowania coraz to nowych projektów, ale jego udział w nich z jakiegoś powodu nigdy nie trwał dłużej niż kilka miesięcy. Nie było szans, żeby się do niego dodzwonić, nieustannie zmieniał komórki, to samo dotyczyło samochodów, tak zwanych służbowych, które regularnie zastępował nowymi. Kiedy ich odwiedzaliśmy, jednego wieczoru pod ścianą w salonie stał ogromny telewizor z płaskim ekranem albo nowy laptop na biurku, a następnego dnia tych rzeczy mogło już nie być. Granica między tym, co posiadał, a tym, czym dysponował, była najwyraźniej płynna. Nie istniał też wyraźny związek między jego pracą a pieniędzmi, jakie miał do dyspozycji. Wszystkie pieniądze, jakie zgarniał, często wcale nie małe, wydawał na hazard. Grał we wszystko, co tylko można sobie wyobrazić. Dzięki dużej umiejętności przekonywania nie miał problemów z zaciąganiem pożyczek, więc rzeczywiście tkwił po uszy w bagnie. Zwykle wszystko dusił w sobie, ale czasami pewne rzeczy wychodziły na jaw, tak jak wtedy kiedy ktoś zadzwonił do Heleny i powiedział, że Anders opróżnił kasę w firmie, do której został przyjęty na stanowisko renegocjatora umów, a ponieważ chodzi o siedemset tysięcy koron, sprawa zostanie zgłoszona na policję. Anders nie mrugnął nawet okiem, kiedy mu to przekazała; twierdził, że finanse spółki są nieprzejrzyste i wątpliwe, a tamci chcą teraz zrobić z niego kozła ofiarnego. Nawet gdyby rzeczywiście zabrał te pieniądze i je przepuścił, to i tak były brudne, dlatego policja jest ostatnią instancją, jaką chcieliby angażować, więc pod tym względem czuł się bezpieczny. Prawdopodobnie miał rację, ale przecież nie było to całkiem pozbawione ryzyka. Innym razem ktoś wszedł do ich mieszkania pod ich nieobecność, tak opowiadała Lindzie Helena, prawdopodobnie tylko po to, by dać do zrozumienia, że jest do tego zdolny. Potem Anders został współwłaścicielem luksusowej restauracji, ale i ten projekt skończył się dla niego po kilku miesiącach, później nagle zaangażował się w jakieś budowy, potem był salon fryzjerski, dla którego załatwiał ekskluzywne lokale, a następnie wytwórnia bekonu, którą miał ratować przed bankructwem. Problem, jeśli można to nazwać problemem, polegał na tym, że nie dało się go nie lubić. Potrafił porozumiewać się z każdym rodzajem ludzi, a to rzadki talent. No i był życzliwy, co wyczuwał każdy, kto go poznał. I zawsze wesoły. To on na przyjęciach wstawał i dziękował gospodarzom za pyszny poczęstunek albo składał życzenia odpowiednie do okazji. Umiał znaleźć dobre słowo dla każdego, bez względu na to, co go z nim łączyło, wiedział też, co zrobić, żeby wszyscy się dobrze czuli. Jednocześnie nie miał w sobie żadnej sztuczności czy wyrafinowania, i może właśnie to był powód, dla którego tak bardzo go lubiłem, mimo że na wskroś przenikała go skłonność do kłamstwa, a to jedna z nielicznych cech charakteru, których nie potrafię zaakceptować. Oczywiście kompletnie mnie olewał, ale kiedy się spotykaliśmy, nie udawał zainteresowania, jakie czasami wyczuwa się u rozmówcy, który słucha z obowiązku, a rozdźwięk między tym, co naprawdę myśli, a tym, co robi, ujawnia się na przykład w jakichś drobnych gestach, w krótkim spojrzeniu rzuconym na drugi koniec lokalu, samym w sobie bez znaczenia, lecz kiedy po nim następuje coś w rodzaju „szarpnięcia" uwagi, ponownie skierowanej na ciebie, widoczne się staje, że to tylko forma. Pojawia się wtedy poczucie uczestniczenia w przedstawieniu, co naturalnie może być brzemienne w skutki dla osoby, która żyje ze zdobywania zaufania ludzi. Anders nie grał, na tym polegała jego tajemnica. Nie był też szczery, to, co mówił, niekoniecznie pokrywało się z tym, co myślał, a to, co robił — z tym, co chciał robić. Ale kto jest aż tak szczery? Są ludzie, którzy na okrągło walą prosto z mostu, nie zważając na okoliczności, w jakich się znaleźli, ale to jest rzadkie, osobiście znam tylko dwie takie osoby, a ich obecność z reguły prowadzi do wielkich napięć w sytuacjach towarzyskich. Nie chodzi o to, że ludzie się z nimi nie zgadzają i dlatego zaczynają dyskutować, po prostu cel rozmowy tamtych wyklucza wszelkie pozostałe, a ów rodzaj totalitaryzmu automatycznie wraca do nich jak bumerang, tracą życzliwość i wielkoduszność, zyskują opinię ludzi o sztywnych poglądach, zupełnie niezależnie od swej prawdziwej natury. Nieprzyjemne wrażenie towarzyskie, jakie sam potrafiłem budzić, wynikało z krańcowo odmiennych powodów. Zawsze pozwalałem, żeby sytuacja za mnie decydowała — albo w ogóle nic nie mówiłem, albo dostosowywałem się do innych. Mówienie tego, co w moim mniemaniu inni chcą usłyszeć, to również pewien rodzaj kłamstwa. Dlatego praktyka towarzyska Andersa i moja niewiele się od siebie różniły. Chociaż jego nadwerężała zaufanie, a moja samodzielność, rezultat był w gruncie rzeczy taki sam: powolne zatracanie duszy.

To, że Helena, szukająca w życiu raczej duchowych wartości i nieustannie usiłująca zrozumieć samą siebie, związała się z mężczyzną, który z uśmiechem na ustach odrzucał wszelkie wartości oprócz pieniędzy, było oczywiście ironią losu, ale nawet łatwo dało się to zrozumieć, bo łączyła ich rzecz najważniejsza: lekkość i radość życia. No i stanowili piękną parę. Z ciemnymi włosami, ciepłymi oczami i wyraźnymi, regularnymi rysami twarzy Helena wyglądała powalająco. Jej obecność czuło się wręcz namacalnie. Była też utalentowaną aktorką. Widziałem ją w dwóch serialach telewizyjnych. W jednym, kryminalnym, grała wdowę; mroczność, która biła od niej w filmie, sprawiała, że wydawała mi się kompletnie obca, jakbym patrzył na zupełnie inną osobę z rysami Heleny. W drugim serialu, w komedii, grała żonę, prawdziwą sukę, ale znów miałem to samo wrażenie — obcej osoby o jej rysach.

Anders również dobrze się prezentował, chłopięco, nie wiem, czy za sprawą aury, błysku w oku, ciała delikatnej budowy, czy może włosów, które w latach pięćdziesiątych opisano by jako grzywę. Niełatwo było to określić. Raz natknąłem się na niego na Plattan w centrum; jakby zawisł wtedy pod ścianą, zapadnięty w sobie i bardzo, bardzo zmęczony, prawie go nie poznałem, ale kiedy mnie zauważył, wyprostował się, sprężył, jakby się podniósł i w jednej chwili zmienił się w energicznego, wesołego faceta, do jakiego byłem przyzwyczajony.

Kiedy wróciliśmy na górę, Helena, Christina i Linda zdążyły już posprzątać ze stołu, a teraz rozmawiały, siedząc na kanapie. Poszedłem do kuchni nastawić kawę. Czekając, aż się zaparzy, zajrzałem do sąsiedniego pokoju, cichego i pustego, słychać było jedynie oddech dziecka Heleny i Andersa, które spało w ubraniu w naszym łóżku, okryte kocykiem. W półmroku pusta kołyska, puste łóżeczko ze szczebelkami, przewijak i stojąca obok komoda z niemowlęcymi ubrankami wydawały się niemal przerażające. Wszystko było gotowe na narodziny naszego dziecka. Kupiliśmy nawet paczkę pieluch, leżała na półeczce pod przewijakiem razem ze stosem ręczników i ściereczek, a nad nimi wisiała karuzelka z małymi samolocikami, które leciutko drżały w przeciągu. Wydało mi się to przerażające, ponieważ nie było dziecka, a granica między tym, co mogło być, a tym, co być miało, była przecież taka płynna.

Z salonu dobiegł śmiech. Zamknąłem drzwi do sypialni, ustawiłem na tacy butelkę koniaku, odpowiednie kieliszki, filiżanki i talerzyki, przelałem kawę z dzbanka do termosu i zaniosłem wszystko do salonu. Christina siedziała na kanapie z miśkiem na kolanach, wydawała się szczęśliwa. Twarz miała bardziej otwartą i spokojniejszą niż zwykle, natomiast Lindzie, siedzącej obok niej, oczy same się zamykały. Ostatnio kładła się około dziewiątej, a teraz dochodziła dwunasta. Helena wśród płyt na półkach szukała odpowiedniej muzyki, a Anders i Geir kontynuowali przy stole rozmowę o wspólnych znajomych kryminalistach. Przez ów klub

bokserski w latach, gdy Geir się tam kręcił, przewinęła się najwyraźniej cała menażeria przestępców. Rozstawiłem filiżanki i kieliszki i usiadłem.

— Poznałeś Osmana, Karl Ove, prawda? — spytał Geir.

Kiwnąłem głową.

Geir zabrał mnie raz do Mosebacke, żebym poznał dwóch jego znajomych bokserów. Jeden z nich, Paolo Roberto, walczył kiedyś o tytuł mistrza świata i był teraz w Szwecji telewizyjnym celebrytą; obecnie przygotowywał się do nowej walki o tytuł, w ramach swoistego *come backu*. Ten drugi, Osman, chociaż na tym samym poziomie, nie był równie sławny. Towarzyszył im wtedy angielski trener, któremu Geir został przedstawiony jako *doctor in boxing. He's a doctor in boxing!* Uścisnąłem im ręce, niewiele się odzywałem, ale bacznie obserwowałem, co się dzieje, bo wszystko było dla mnie nowe. Mieli piekielny luz, w powietrzu nie wyczuwało się żadnego napięcia, które, jak sobie uświadomiłem, odczuwałem zawsze. Jedli naleśniki i pili kawę, patrzyli na tłum, mrużyli oczy przed promieniami niskiego, ale wciąż ciepłego jesiennego słońca, i rozmawiali z Geirem o dawnych czasach. Chociaż jego ciało wydawało się równie spokojne jak ich, to jednak wypełniało je coś innego, lżejsza i bardziej uzewnętrzniona w ruchach, niemal nerwowa energia; ujawniała się w jego oczach, wciąż czegoś poszukujących, i w sposobie mówienia, w zalewie i bogactwie słów, lecz również w pewnym wyrachowaniu, bo dostosowywał się do nich i do ich żargonu, a oni po prostu mówili od siebie. Osman siedział w koszulce bez rękawów i chociaż miał wielkie, umięśnione ramiona, pewnie pięć razy bardziej niż moje, to jednak nie przesadnie; górna połowa ciała była szczupła. Siedział sprężysty i rozluźniony, a mnie za każdym razem, gdy na niego patrzyłem, przychodziło do głowy, że mógłby mnie rozwalić na kawałki w ciągu kilku sekund, bo przecież w ogóle nie miałbym się jak bronić. Zachwiało to moim poczuciem męskości, było upokarzające, lecz owo cholerne upokorzenie czułem tylko ja, nie dało się go zobaczyć ani wychwycić, co nie sprawiało wcale, że było to mniej przykre.

— O tyle, o ile — odpowiedziałem. — W zeszłym roku w Mosebacke. Pokazałeś mi ich, jakby byli parą małp.

— To raczej my byliśmy małpami — stwierdził Geir. — Ale mniejsza z tym. Osman? Zaczaił się z kumplem na transport rzeczy wartościowych. Tyle że na zasadzkę wybrali miejsce w odległości pięćdziesięciu metrów od komendy policji, w dodatku na początku szło im trochę niezdarnie, strażnicy zdążyli włączyć alarm i policja pojawiła się już po kilku sekundach!

Wskoczyli więc do samochodu i odjechali bez pieniędzy, bez żadnego łupu. A za chwilę skończyła im się benzyna! Cha, cha, cha.

— To możliwe? Jakbym słuchał o gangu Olsena.

— No właśnie. Cha, cha, cha!

— No i jak to się skończyło dla Osmana? Przecież na napad z bronią raczej nikt nie patrzy przez palce.

— Z nim nie najgorzej, bo dostał tylko dwa lata, ale jego kumpel miał już wcześniej tyle na sumieniu, że jeszcze długo posiedzi.

— To było teraz, niedawno?

— Nie, nie, już kopę lat temu. Na długo przed tym, zanim zaczął boksować.

— Aha — powiedziałem. — Koniaku?

Zarówno Geir, jak i Anders pokiwali twierdząco głowami. Otworzyłem butelkę i nalałem do trzech kieliszków.

— Któraś z was ma ochotę? — spytałem, podchodząc do kanapy.

Christina i Linda podziękowały.

— A ja się odrobinę napiję — stwierdziła Helena. Kiedy podchodziła do nas, ze śmiesznie małych głośników popłynęła muzyka. To była płyta *Mali* Damona Albarna, której słuchaliśmy wcześniej. Helena zakochała się w niej na zabój.

— Proszę. — Podałem jej kieliszek, którego dno ledwie przykrywał złotobrązowy alkohol. W świetle lampy wiszącej nad stołem zdawał się żarzyć.

— Ale przynajmniej z jednej rzeczy się cieszę — usłyszałem głos Christiny dochodzący z kanapy. — Z tego, że jestem dorosła. O wiele lepiej mieć trzydzieści dwa lata niż dwadzieścia dwa.

— Masz świadomość, że trzymasz na kolanach miśka? — zapytałem. — To trochę osłabia twoje słowa.

Roześmiała się. Cudownie było patrzeć, jak się śmieje. Nie miała w sobie żadnej zgryźliwości, nic mrocznego. Sprawiała raczej wrażenie, że siłą woli stara się trzymać wszystko w garści, również samą siebie. Była wysoka i szczupła, oczywiście zawsze świetnie ubrana, w swoim stylu, i piękna z tą bladą skórą i piegami, ale kiedy pierwsze wrażenie mijało, dostrzegało się jej skrępowanie, i to zaczynało przeważać, w każdym razie jeśli chodzi o mnie. Jednocześnie miała w sobie coś dziecinnego, zwłaszcza kiedy się śmiała albo kiedy ogarniał ją zapał, i zamknięcie się w sobie zostawało przezwyciężone. Dziecinność w jej wypadku nie oznaczała niedojrzałości, lecz polegała na nieskrępowanym oddawaniu się zabawie i na spontaniczności. Podobną cechę zauważyłem kilkakrotnie u swojej matki, kiedy się rozluźniała i robiła coś bez zahamowań albo impulsywnie, bo również u niej braku skrępowania nie dało się oddzielić od wrażliwości. Kiedyś byliśmy na obiedzie u Geira i Christiny, która jak zwykle całkowicie skoncentrowała się na gotowaniu. Stałem w półmroku w salonie przy półkach z książkami, kiedy po coś tam weszła. Nie wiedziała, że tam stoję. Z kuchni dochodziły głosy i szum wentylatora, a Christina uśmiechała się do siebie, oczy jej błyszczały. Uradowałem się na ten widok, ale trochę też zasmuciłem, bo to, że tak wiele znaczy dla niej nasza obecność, miało pozostać w ukryciu. Któregoś dnia rano, kiedy jeszcze u nich mieszkałem, siedziałem w kuchni przy stole i piłem kawę, a Christina zmywała. Nagle wskazała stos talerzy i półmisków stojących w szafce.

— Kiedy zamieszkaliśmy razem z Geirem, kupiłam po osiemnaście sztuk wszystkiego — powiedziała. — Wyobrażałam sobie, że będziemy urządzać wielkie przyjęcia. Mnóstwo przyjaciół na wspaniałych obiadach. Ale nigdy nie użyliśmy tej zastawy. Ani razu!

Geir w sypialni głośno się roześmiał. Christina się uśmiechnęła.

Cali oni. Tacy byli.

— Ale zgadzam się z tobą — dodałem teraz. — Trzecia dekada życia to piekło. Gorszy jest jedynie okres nastoletni. Ale kiedy człowiek już przekroczy trzydziestkę, jest okej.

— A co takiego się zmienia? — spytała Helena.

— W wieku dwudziestu lat to, co miałem w sobie, co składało się na moją osobę, było takie małe. Wtedy o tym nie wiedziałem, bo wydawało mi się, że to już wszystko, ale teraz, po trzydziestce, mam w sobie więcej. Tamto ciągle we mnie jest, ale też mnóstwo mi przybyło. Mniej więcej o to chodzi.

— To niesłychanie optymistyczne podejście — stwierdziła Helena — że im człowiek starszy, tym jest mu lepiej.

— A jest? — spytał Geir. — Przecież im mniej człowiek ma w sobie, tym prostsze jest życie.

— Nie dla mnie — odparłem. — Teraz różne rzeczy nie mają takiego cholernego znaczenia jak wcześniej. Drobiazgi urastały do rangi spraw życia i śmierci! Decydowały o wszystkim!

— To prawda — przyznał Geir. — Ale optymistycznym podejściem ciągle bym tego nie nazwał. Fatalistycznym, owszem.

— Niech się dzieje, co chce — podsumowałem. — A teraz siedzimy tutaj. Wypijmy za to!

— Zdrowie!

— Już tylko siedem minut do dwunastej — zauważyła Linda. — Włączymy telewizor i obejrzymy odliczanie Jana Malmsjö[1]?

---

1 Jan Malmsjö (ur. 1932) — szwedzki aktor i śpiewak.

— A co to takiego? — spytałem, podchodząc do niej. Podałem jej rękę, chwyciła ją i dźwignęła się z kanapy.

— Malmsjö czyta wiersz. Dzwony biją. Taka szwedzka tradycja.

— No, to włącz.

Kiedy zajęła się telewizorem, otworzyłem okno. Huk fajerwerków z każdą minutą stawał się coraz głośniejszy. Wystrzały rozlegały się bez przerwy, ściana dźwięku ponad dachami domów. Na ulicach zaroiło się od ludzi. Butelki szampana i rakiety w rękach, grube płaszcze narzucone na eleganckie stroje. Żadnych dzieci, tylko pijani, rozweseleni dorośli.

Linda poszła po ostatniego szampana, otworzyła go i nalała, zapienił się w kieliszkach. Trzymając je w dłoniach, stanęliśmy przy oknach. Patrzyłem na ludzi. Byli weseli, podnieceni, rozmawiali, gestykulowali i wznosili toasty.

Rozległo się wycie syren.

— Albo wybuchła wojna, albo zaczął się rok 2004 — stwierdził Geir.

Objąłem Lindę i przytuliłem do siebie. Spojrzeliśmy sobie w oczy.

— Szczęśliwego Nowego Roku! — powiedziałem i pocałowałem ją.

— Szczęśliwego Nowego Roku, ukochany książę! — odpowiedziała. — To będzie nasz rok.

— Tak.

Kiedy zakończyły się już uściski i życzenia, a ludzie powoli zaczynali wycofywać się z ulic, Andersowi i Helenie przypomniał się chiński lampion. Ubraliśmy się i zeszliśmy na podwórze. Anders zapalił świeczkę, lampion powoli wypełnił się ciepłym powietrzem, a gdy wypuścili go z rąk, zaczął się wznosić wzdłuż ściany budynku, bezszelestny, świecący. Śledziliśmy go wzrokiem, aż zniknął nad dachami Östermalm. W domu znów usiedliśmy przy stole, rozmowa bardziej się teraz rozproszyła, ale momentami koncentrowała się wokół jednego punktu, na przykład kiedy Linda opowiadała o imprezie w wyższych sferach — bawiła się na niej w czasach licealnych, w willi z wielkim basenem, za którym bezpośrednio wznosiła się ogromna szklana ściana; w trakcie imprezy zaczęli się kąpać, Linda odbiła się od tej ściany i w chwili gdy wskoczyła do wody, szklana tafla z głośnym brzękiem rozpadła się na milion kawałeczków.

— Tego dźwięku nigdy nie zapomnę — stwierdziła.

Anders opowiedział o wyjeździe w Alpy. Jeździł poza wyznaczonymi trasami i nagle ziemia się pod nim otworzyła. Z przypiętymi nartami wpadł wprost w szczelinę lodowca, głęboką mniej więcej na sześć metrów, i zemdlał. Zabrał go stamtąd helikopter. Miał złamany kręgosłup i groził mu paraliż, natychmiast go zoperowano, tygodniami leżał w szpitalu, a ojciec, opowiadał, czasami pojawiał się na krześle przy jego łóżku, jakby mu się śnił, i cuchnął alkoholem.

W tym momencie Anders wstał, nachylił się i podciągnął koszulę na plecach, żebyśmy mogli zobaczyć długą bliznę po operacji.

Zacząłem opowiadać o tym, jak wtedy gdy miałem siedemnaście lat, gdzieś w zapadłym Telemarku wpadliśmy w poślizg przy prędkości stu kilometrów na godzinę. Ścięliśmy słup, przelecieliśmy przez drogę i wylądowaliśmy w rowie; jakimś cudem nic nam się nie stało, bo z samochodu został totalny wrak. Ale najgorszy okazał się wcale nie wypadek, tylko mróz — minus dwadzieścia, środek nocy, a my mieliśmy na sobie T-shirty, marynarki i adidasy, bo wracaliśmy z koncertu zespołu Imperiet, i w takich strojach godzinami próbowaliśmy złapać stopa.

Nalałem koniaku Andersowi, Geirowi i sobie, Linda ziewała, Helena zaczęła jakąś opowieść o Los Angeles, gdy nagle gdzieś w budynku zaczął wyć alarm.

— Co jest, do jasnej cholery? — zdziwił się Anders. — Alarm przeciwpożarowy?

— Przecież jest sylwester — powiedział Geir.

— Musimy wyjść? — Linda lekko wyprostowała się na kanapie.

— Pójdę sprawdzić — oświadczyłem.

— Idę z tobą — zdecydował Geir.

Wyszliśmy na korytarz. Nie było czuć dymu. Dźwięk dobiegał z parteru, więc prędko zbiegliśmy po schodach. Nad windą mrugała lampka. Nachyliłem się i zajrzałem do środka przez okienko w drzwiach. Wewnątrz ktoś leżał na podłodze. Otworzyłem drzwi. To była Rosjanka. Rozłożona na plecach, z jedną nogą opartą o ścianę. Miała na sobie wyjściowy strój, czarną sukienkę z pajetkami na piersi, cieliste pończochy i buty na wysokim obcasie. Na nasz widok wybuchnęła śmiechem. Odruchowo spojrzałem na jej uda i widoczne między nimi czarne majtki, dopiero potem przeniosłem spojrzenie na twarz.

— Nie mogę się podnieść — oznajmiła.

— Pomożemy — zaproponowałem. Ująłem ją pod ramię i posadziłem. Geir przeszedł na drugą stronę i wspólnymi siłami postawiliśmy ją na nogi. Cały czas się śmiała. W ciasnym pomieszczeniu windy unosił się ciężki zapach perfum i alkoholu.

— Bardzo dziękuję. Bardzo, bardzo dziękuję — powtarzała.

Ujęła mnie za ręce, nachyliła się i pocałowała najpierw jedną dłoń, później drugą. Potem spojrzała na mnie.

— O ty, piękny panie! — powiedziała.

— Pomożemy pani wejść na górę. — Wcisnąłem guzik piętra i zamknąłem drzwi. Geir uśmiechał się od ucha do ucha, patrząc to na mnie, to na nią. Kiedy winda zaczęła się wznosić, Rosjanka ciężko się na mnie oparła.

— Już — oznajmiłem. — Jesteśmy na miejscu. Ma pani klucz?

Zajrzała do niewielkiej torebki przewieszonej przez ramię, chwiała się w przód i w tył jak drzewo na wietrze, grzebiąc palcami w jej zawartości.

— Mam! — Triumfalnie wyciągnęła brzęczący pęk.

Geir podparł ją ramieniem, gdy się osunęła razem z kluczem wycelowanym w zamek.

— Proszę zrobić jeszcze krok — poradził jej. — Wtedy będzie dobrze.

Usłuchała. Po kilku sekundach udało jej się włożyć klucz do zamka.

— Bardzo dziękuję — powtórzyła. — Jesteście aniołami! Dziś w nocy nawiedziły mnie anioły!

— Nie ma za co — rzucił Geir. — Powodzenia.

W drodze na górę Geir spojrzał na mnie pytająco.

— To była ta wasza szalona sąsiadka? — spytał.

Kiwnąłem głową.

— Prostytutka, prawda?

Pokręciłem głową.

— Nic mi o tym nie wiadomo.

— Musi być prostytutką, to oczywiste. Inaczej nie byłoby jej stać na mieszkanie tutaj. I ta jej aura... Ale na głupią nie wygląda.

— Daj spokój! — Otworzyłem drzwi do mieszkania. — To zwyczajna kobieta, tyle że głęboko nieszczęśliwa, alkoholiczka z Rosji. Z zaburzoną kontrolą nad impulsami.

— To rzeczywiście trzeba przyznać — zaśmiał się Geir.

— Co tam się stało? — spytała Helena z salonu.

— To ta nasza sąsiadka, Rosjanka. — Wszedłem do środka. — Przewróciła się w windzie i była tak pijana, że nie mogła wstać. Pomogliśmy jej dotrzeć do mieszkania.

— Całowała Karla Ovego po rękach — dodał Geir. — Mówiła do niego: „o mój piękny panie".

Wszyscy wybuchnęli śmiechem.

— A tyle razy mnie zwyzywała. Doprowadzała nas do szaleństwa.

— To zupełny koszmar — powiedziała Linda. — W ogóle nie panuje nad sobą. Kiedy ją mijam na schodach, niemal się boję, że wyciągnie nóż. Patrzy na mnie z nienawiścią, prawda? Z głęboką nienawiścią.

— Czas jej ucieka — stwierdził Geir. — A wy się wprowadziliście z wielkim brzuchem i szczęściem, które aż bije po oczach.

— Myślisz, że o to chodzi? — nie dowierzałem.

— Oczywiście — potwierdziła Linda. — Szkoda tylko, że na początku nie zachowywaliśmy się bardziej neutralnie, zamiast się przed nią otwierać. Teraz jest nami opętana.

— No, no. Ktoś ma jeszcze siłę na deser? — spytałem. — Linda zrobiła swoje słynne tiramisu.

— O! — zawołała Helena.

— Jeśli jest słynne, to tylko dlatego, że to jedyna rzecz, jaką umiem zrobić — powiedziała Linda.

Przyniosłem deser z kawą. Ledwie zdążyliśmy usiąść do stołu, z mieszkania na dole ryknęła muzyka.

— Oto jak się tu mieszka — oświadczyłem.

— Nie możecie doprowadzić do tego, żeby ją wyrzucili z kamienicy? Jeśli chcecie, mogę to załatwić — zaproponował Anders.

— A jak by się to miało odbyć? — spytała Helena.

— Mam swoje metody.

— Tak?

— Złóżcie doniesienie na policję — zasugerował Geir. — Zrozumie, że sytuacja jest poważna.

— Naprawdę tak myślisz?

— Oczywiście. Jeśli nie podejmiecie drastycznych kroków, to będzie dalej trwało.

Muzyka urwała się równie nagle, jak zaczęła grać. Na schodach zastukały obcasy.

— Idzie tu? — zdziwiłem się.

Wszyscy zamarli, nasłuchując. Ale Rosjanka minęła nasze drzwi i ruszyła schodami wyżej. Zaraz jednak zawróciła i kroki ucichły na niższych piętrach. Podszedłem do okna i wyjrzałem na ulicę. Sąsiadka, w samej sukience i tylko jednym bucie, chwiejąc się na nogach, stanęła na białej jezdni. Machnęła ręką na taksówkę jadącą w górę ulicy. Samochód się zatrzymał, wsiadła.

— Wsiadła do taksówki — oznajmiłem. — W jednym bucie. Przynajmniej nie można jej zarzucić braku determinacji.

Usiadłem, rozmowa zeszła na inne tematy. Koło drugiej Anders i Helena się podnieśli, włożyli swoje grube zimowe okrycia, uściskali nas i wyruszyli w mroczną noc, Anders ze śpiącą córeczką na rękach. Geir i Christina zebrali się pół godziny później, ale Geir jeszcze wrócił; w ręku trzymał but na wysokim obcasie.

— Jak Kopciuszek — stwierdził. — Co mam z nim zrobić?

— Postaw pod jej drzwiami — podpowiedziałem. — Ale już sobie idź, bo kładziemy się spać.

Kiedy posprzątałem w salonie, uruchomiłem zmywarkę i wszedłem do sypialni, Linda zdążyła już zasnąć. Ale nie na tyle głęboko, żeby nie otworzyć oczu i nie uśmiechnąć się do mnie, gdy się rozbierałem.

— Miły wieczór? — spytałem.

— Tak, bardzo miły.

— Myślisz, że dobrze się u nas czuli? — Położyłem się przy niej.

— Tak, tak sądzę. Ty uważasz, że nie?

— Nie, naprawdę. Mnie w każdym razie było miło.

W świetle ulicznych latarni podłoga lekko błyszczała. Tutaj nigdy nie było całkiem ciemno. Ani całkiem cicho. Za oknem wciąż słychać było fajerwerki, głosy na ulicy podnosiły się i opadały, z szumem przejeżdżały samochody, teraz częściej, bo sylwestrowa noc zbliżała się do końca.

— Zaczynam się poważnie martwić tą naszą sąsiadką — powiedziała Linda. — Źle się czuję ze świadomością, że jest blisko nas.

— To prawda. Ale niewiele możemy z tym zrobić.

— No tak.

— Geir uważa, że to prostytutka.

— To oczywiste — stwierdziła Linda. — Pracuje w jednej z tych agencji, które oferują damy do towarzystwa.

— Skąd wiesz?

— To się rozumie samo przez się.

— A ja nie rozumiem. Nawet za tysiąc milionów lat taka myśl nie wpadłaby mi do głowy.

— Dlatego że jesteś naiwny.

— Możliwe.

— Na pewno. — Uśmiechnęła się i nachyliła, żeby mnie pocałować.

— Dobranoc.

— Dobranoc.

Z trudem obejmowałem myślą to, że właściwie leżymy w łóżku we troje. Ale tak właśnie było. Linda miała w brzuchu w pełni rozwinięte dziecko. Oddzielała nas od niego jedynie centymetrowa ściana mięśni i skóry. Mogło urodzić się w każdej chwili, a to miało wielki wpływ na Lindę. Nie zaczynała już nic nowego, prawie nie wychodziła z domu, zachowywała spokój, zajmowała się sobą i swoim ciałem, brała długie kąpiele, na leżąco oglądała filmy, drzemała i spała. Jej stan przypominał niemal śpiączkę, chociaż niepokój całkiem jej nie opuścił. Szczególną niepewność odczuwała na myśl o mojej roli w tym wszystkim. W szkole rodzenia wpojono nam, że bardzo ważna jest chemia między rodzącą a położną. Gdyby nie umiały się porozumieć, gdyby pod jakimkolwiek względem panowała zła atmosfera, należało to zgłosić jak najszybciej, tak aby położną mogła zastąpić inna, jeśli to możliwe, bardziej odpowiednia. Ponadto wtłaczano nam do głowy, że mężczyzna w trakcie porodu odgrywa przede wszystkim rolę komunikatora. Najlepiej zna swoją partnerkę, więc będzie też najlepiej rozumiał życzenia zajętej sobą kobiety, dlatego to on musi je przekazywać położnej. W tym momencie obudziły się wątpliwości Lindy. Przecież mówię po norwesku, czy położne i pielęgniarki w ogóle mnie zrozumieją? Co gorsza, zawsze staram się unikać konfliktów i w każdej sytuacji chcę zadowolić wszystkich, więc czy zdołam powiedzieć jakiejś ewentualnej strasznej położnej, nie zważając na to, że ranię jej uczucia, iż jej nie chcemy i żeby przyszła nowa?

— Spokojnie, spokojnie, wszystko będzie dobrze — powiedziałem wtedy. — Nie myśl o tym. Dam sobie radę.

Ale Lindy to wcale nie uspokoiło. Stałem się elementem budzącym niepokój. Czy w ogóle zdołam wezwać taksówkę, kiedy przyjdzie czas?

Sprawy nie polepszało wcale to, że miała rację. Każda forma jednoczesnej presji z różnych stron wyprowadziała mnie z równowagi. Chciałem zadowolić wszystkich, ale od czasu do czasu dochodziło do sytuacji, kiedy musiałem dokonać wyboru i działać. Cierpiałem wtedy katusze. Wyrzuty sumienia były jedną z najgorszych rzeczy, jakie mogły mnie spotkać. Ostatnio w krótkim czasie przeżyłem całą ich serię, a Linda była tego świadkiem. Incydent z zatrzaśniętymi drzwiami, epizod z łodzią i jeszcze ten z moją matką. Co prawda, aby wszystko sobie zrekompensować, włączyłem się w bójkę na peronie, ale to również nie przemawiało na moją korzyść, bo jaką właściwie wykazałem się zdolnością przewidywania? Co ważniejsze, dobrze wiedziałem, że trudniej będzie mi wyrzucić za drzwi położną, niż narazić się na cios nożem na stacji metra.

Wreszcie w pewne późne popołudnie wracałem do domu i w chwili gdy odstawiłem torbę z laptopem i dwie torby z zakupami, żeby wcisnąć guzik przywołujący windę zewnętrzną od strony Malmskillnadsgatan, odruchowo sprawdziłem komórkę i zobaczyłem, że Linda dzwoniła osiem razy. Ponieważ byłem już tak blisko domu, nie oddzwoniłem. Czekałem na windę, która zjeżdżała niewiarygodnie wolno. Odwróciłem się i napotkałem spojrzenie bezdomnego, drzemiącego w śpiworze pod ścianą. Był chudy, na twarzy miał czerwone plamy. W jego oczach nie dostrzegłem ani ciekawości, ani otępienia. Po prostu mnie zarejestrowały. Pełen nieprzyjemnych przeczuć, wywołanych telefonami Lindy, stałem w windzie nieruchomo, unoszony w górę szybu. Gdy tylko się zatrzymała, szarpnięciem otworzyłem drzwi i pobiegłem chodnikiem w dół David Bagares gata, wpadłem do bramy i ruszyłem na górę po schodach.

— Halo! Stało się coś? — zawołałem.

Odpowiedzi nie było.

Chyba nie pojechała sama do szpitala?

— Halo! — zawołałem jeszcze raz. — Linda?

Zdjąłem buty i wszedłem do kuchni. Uchyliłem drzwi do sypialni. Pusto. Zorientowałem się, że wciąż trzymam w rękach torby z zakupami, odstawiłem je na kuchenny stół, przeszedłem przez sypialnię i otworzyłem drzwi do salonu.

Stała na środku i patrzyła na mnie.

— O co chodzi? Coś się stało?

Nie odpowiedziała. Podszedłem do niej.

— Co się stało, Lindo?

Oczy miała prawie czarne.

— Przez cały dzień nic nie czułam — powiedziała. — Mam wrażenie, że stało się coś złego. Nic nie czuję.

Położyłem jej rękę na ramieniu. Odsunęła się.

— Wszystko jest w porządku — zapewniłem. — Jestem tego pewien.

— Nie jest w porządku, do cholery! — krzyknęła. — Nic nie rozumiesz? Nie pojmujesz, co się stało?

Próbowałem ją objąć, ale znów się wyrwała.

Zaczęła płakać.

— Linda, Linda — powtarzałem.

— Nie rozumiesz, co się stało?

— Wszystko w porządku. Jestem tego pewien.

Spodziewałem się kolejnego krzyku, ale opuściła ręce i spojrzała na mnie oczami pełnymi łez.

— Skąd możesz mieć pewność?

W pierwszej chwili nie odpowiedziałem. Z jej oczu, których ode mnie nie odrywała, bił wyrzut.

— Co chcesz, żebyśmy zrobili?

— Musimy jechać do szpitala.

— Do szpitala? Przecież wszystko jest tak, jak powinno być. Kiedy poród się zbliża, dzieci poruszają się mniej. Daj spokój, na pewno nic się nie stało. To tylko...

Dopiero kiedy zobaczyłem niedowierzanie w jej oczach, zrozumiałem, że sytuacja naprawdę może być poważna.

— Ubieraj się — zdecydowałem. — Zadzwonię po taksówkę.

— Najpierw uprzedź szpital, że przyjedziemy.

Kręcąc głową, podszedłem do parapetu, na którym stał telefon.

Czekając na połączenie, obserwowałem, jak powoli, jakby nieobecna, wkłada kurtkę, okręca szalikiem szyję i stawia na kufrze najpierw jedną, a potem drugą nogę, żeby zawiązać buty. Z ciemnego pokoju każdy detal oświetlonego przedpokoju było wyraźnie widać. Po policzkach cały czas płynęły jej łzy.

Kolejne sygnały i nic się nie działo.

Linda stała i wpatrywała się we mnie.

— Jeszcze się nie połączyłem — powiedziałem.

Wreszcie sygnał został przerwany.

— Taksówki sztokholmskie — odezwał się kobiecy głos.

— Poproszę o taksówkę na Regeringsgatan osiemdziesiąt jeden.

— Aha. Dokąd pan chce jechać?

— Do szpitala na Danderyd.

— Przyjęłam zamówienie.

— Kiedy będzie taksówka?

— Za piętnaście minut.

— To za długo — powiedziałem. — Chodzi o poród. Potrzebujemy transportu natychmiast.

— O co chodzi?

— O poród[1].

---

[1] Po norwesku poród to *fødsel*.

Uświadomiłem sobie, że nie rozumie tego słowa. Minęło kilka sekund, zanim znalazłem właściwe określenie po szwedzku.

— *Förlossning* — przypomniało mi się w końcu. — Taksówka jest potrzebna natychmiast.

— Zobaczę, co da się zrobić, ale niczego nie mogę obiecać.

— Dziękuję. — Odłożyłem słuchawkę i sprawdziłem, czy mam kartę w wewnętrznej kieszeni kurtki, zamknąłem drzwi na klucz i wyszedłem za Lindą na klatkę. Na schodach ani razu nie spojrzała mi w oczy.

Na dworze wciąż padał śnieg.

— Powiedzieli, że przyjedzie? — spytała, kiedy staliśmy na chodniku.

— Obiecali, że najszybciej jak się da.

Chociaż ruch był duży, widziałem już taksówkę, szybko jadącą ulicą. Pomachałem ręką, zatrzymała się tuż koło nas. Nachyliłem się i otworzyłem drzwiczki, Linda wsiadła pierwsza, ja za nią.

Kierowca się odwrócił.

— Bardzo musimy się spieszyć?

— Nie aż tak, jak się panu wydaje. Ale jedziemy do Danderyd.

Wjechał na jezdnię i ruszył w stronę Birger Jarlsgatan. Siedzieliśmy z tyłu w milczeniu. Wziąłem Lindę za rękę. Na szczęście mi na to pozwoliła. Światło latarni na autostradzie przesuwało się pasmami przez wnętrze samochodu. Radio grało *I Won't Let the Sun Go Down on Me*.

— Nie bój się — powiedziałem. — Wszystko jest w jak najlepszym porządku.

Nie odpowiedziała. Podjeżdżaliśmy pod łagodne wzgórze. Wśród drzew po obu stronach drogi stały wille. Dachy były białe od śniegu, ganki żółte od światła.

Gdzieś stały pomarańczowe sanki, tu i ówdzie jakiś luksusowy samochód. W końcu skręciliśmy w prawo i przejechaliśmy pod tą samą drogą, którą przed chwilą sunęliśmy, kierując się w stronę szpitala; z rozświetlonymi oknami wyglądał jak ogromne pudełko pełne otworów. Wokół budynku leżały zaspy śniegu.

— Wie pan, gdzie to jest? — spytałem. — To znaczy oddział położniczy.

Dał znak, że przed nami, zjechał na lewo i pokazał tabliczkę z napisem „BB Stockholm".

— Musicie wejść tamtędy — wskazał.

Przy wejściu stała inna taksówka z włączonym silnikiem. Nasz kierowca zatrzymał się za nią, wręczyłem mu kartę Visa, podałem Lindzie rękę i pomogłem jej wysiąść, akurat w chwili gdy jakaś para znikała w drzwiach. Mężczyzna niósł fotelik dla dziecka i wielką torbę.

Podpisałem się, pokwitowanie razem z kartą schowałem do wewnętrznej kieszonki i ruszyłem za Lindą do budynku.

Ta druga para czekała przy windzie. Stanęliśmy kilka metrów od nich. Pogłaskałem Lindę po plecach. Płakała.

— Nie tak to sobie wyobrażałam.

— Wszystko będzie dobrze — uspokajałem ją.

Przyjechała winda, wsiedliśmy za tamtymi ludźmi. Kobieta nagle zgięła się wpół, mocno zaciskając rękę na poręczy pod lustrem. Mężczyzna miał zajęte obie ręce, wzrok wbity w podłogę.

Kiedy dotarliśmy na górę, to oni zadzwonili do drzwi. Pojawiła się pielęgniarka, zamieniła z nimi kilka słów i poprowadziła ich w głąb korytarza, a do nas rzuciła, że zaraz kogoś przyśle.

Linda usiadła na krześle, ja stałem, wpatrzony w korytarz. Światło było przytłumione. Z sufitu przy każdym pokoju zwisało coś w rodzaju szyldu. Niektóre świeciły na czerwono. Za każdym razem, gdy zapalał się kolejny, rozlegał się też sygnał dźwiękowy, również przytłumiony, świadczący jednak bez najmniejszych wątpliwości o tym, że mamy do czynienia z placówką służby zdrowia. Od czasu do czasu ukazywała się pielęgniarka, przechodząca z jednego pokoju do drugiego. Gdzieś daleko w głębi krążył jakiś ojciec, kołysząc w ramionach tłumoczek. Wyglądał tak, jakby śpiewał.

— Dlaczego nie powiedziałeś, że to pilna sprawa? — odezwała się Linda. — Nie mogę tak tu siedzieć!

Nie odpowiedziałem.

Byłem zupełnie pusty w środku.

Wstała.

— Wchodzę.

— Zaczekaj jeszcze chwilę. Przecież wiedzą, że tu jesteśmy.

Ale powstrzymywanie jej nie miało sensu, więc kiedy ruszyła naprzód, po prostu poszedłem za nią.

Z części biurowej wyłoniła się pielęgniarka.

— Ktoś się państwem zajął? — spytała.

— Nie — odparła Linda. — Ktoś miał przyjść, ale jeszcze nie przyszedł.

Pielęgniarka spojrzała na Lindę sponad okularów.

— Przez cały dzień nie czułam ruchów — wyjaśniła Linda. — Nic.

— I jest pani niespokojna?

Linda pokiwała głową.

Pielęgniarka odwróciła się i popatrzyła na korytarz.

— Proszę wejść do tamtego pokoju, jest wolny. Zaraz ktoś się państwem zajmie.

Pokój był tak obcy, że dostrzegałem jedynie nas dwoje. Każdy ruch Lindy czyłem, jakby ktoś szarpał mną.

Zdjęła kurtkę, przewiesiła ją przez oparcie krzesła i usiadła na kanapie. Stanąłem przy oknie i zacząłem wyglądać na drogę, którą sunął strumień samochodów. Padający śnieg przypominał maleńkie niewyraźne cienie za szybą, objawiał się dopiero, gdy płatki znalazły się w kręgu światła latarni na parkingu.

Pod ścianą stał fotel ginekologiczny. Obok kilka aparatów ustawionych jeden na drugim. Na półce po drugiej stronie — odtwarzacz CD.

— Słyszysz? — spytała Linda.

Zza ściany dobiegało ciche, jakby przytłumione wycie.

Odwróciłem się i popatrzyłem na nią.

— Nie płacz, Karl Ove.

— Nie wiem, co innego mógłbym robić.

— Wszystko będzie dobrze.

— Teraz ty będziesz mnie pocieszać? Jak tak może być?

Uśmiechnęła się.

Znów zapadła cisza.

Po kilku minutach rozległo się pukanie do drzwi, weszła pielęgniarka, poprosiła, żeby Linda położyła się na leżance i odsłoniła brzuch, a potem przyłożyła do niego stetoskop, osłuchała i uśmiechnęła się.

— Wszystko w porządku — oświadczyła. — Ale na wszelki wypadek zrobimy USG.

Kiedy wychodziliśmy ze szpitala pół godziny później, Linda była uspokojona i wesoła. Czułem się kompletnie wykończony i trochę było mi głupio, że niepotrzebnie zawracaliśmy komuś głowę. Sądząc po bieganinie od drzwi do drzwi, w szpitalu i tak mieli dość roboty.

Dlaczego zawsze przewidujemy najgorsze?

Ale z drugiej strony, rozmyślałem, leżąc w łóżku obok Lindy z ręką na jej brzuchu, w którym dziecko urosło już tak bardzo, że nie było w stanie się ruszać, naprawdę mogło dojść do najgorszego, życie tam w środku mogło ustać, przecież takie rzeczy się zdarzają, i dopóki istniała taka ewentualność, nawet niewielka, to chyba należało traktować ją poważnie i nie oglądać się na to, że człowiekowi jest głupio? I że nie chce zawracać głowy innym ludziom?

Następnego dnia wróciłem do pracowni i dalej pisałem historię o Ezechielu, rozpoczętą, by w taki czy inny sposób zmienić eseistyczne omówienie zjawiska aniołów w opowieść, której Thure Erik słusznie poszukiwał. Wizje Ezechiela były rozległe i tajemnicze, a wydany mu przez Jahwe nakaz zjedzenia zwoju księgi, aby w ten sposób uczynił słowa tworami z ciała i krwi, jawił mi się jako absolutnie nieodparty. W Piśmie ukazuje się Ezechiel, szalony prorok, ze swoimi wizjami zagłady, otoczony nędzą i ubóstwem i w związku z tym targany wątpliwościami, rozdarty między wnętrzem wizji, w którym aniołowie płoną, a zabici ludzie leżą pokotem, a jej obramowaniem, przedstawiającym jego samego z glinianą tabliczką, na której ma narysować oblężoną Jerozolimę, szańce i wały ziemne, a wszystko to dzieje się przed jego domem, na oczach mieszkańców miasta, na rozkaz Jahwe. I jeszcze konkretność aktu wskrzeszenia zmarłych: „Wyschłe kości, słuchajcie słowa Jahwe! Tak mówi Jahwe Pan: Oto Ja wam daję ducha po to, abyście się stały żywe. Chcę was otoczyć ścięgnami i przyodziać ciałem, i przybrać was w skórę, i dać wam ducha po to, abyście ożyły, i poznały, że Ja jestem Jahwe"[1]. A dalej, kiedy już się to dokonało: „I stali się żywi, i stanęli na nogach — wojsko bardzo, bardzo wielkie"[2].

---

1 *Biblia Tysiąclecia*, Ez 37, 4–6.

2 Tamże, Ez 37, 10.

Armia umarłych.

Tym się zajmowałem — usiłowałem nadać temu kształt, ale mi nie wychodziło, tak niewiele miałem rekwizytów: sandały, wielbłądy i piasek, w zasadzie nic poza tym, może jeden czy drugi marny krzaczek, a moja znajomość tej kultury równała się mniej więcej zeru — podczas gdy Linda czekała w domu, w zupełnie inny sposób pochłonięta tym, co miało się wydarzyć. Wyznaczony termin minął, nic się nie działo, dzwoniłem do niej mniej więcej dziesięć razy na godzinę, ale nie, nic się nie zmieniało. Nie rozmawialiśmy już o niczym innym. Wreszcie, tydzień po ustalonej dacie, pod koniec stycznia, kiedy oglądaliśmy telewizję, Lindzie odeszły wody. Zawsze wyobrażałem to sobie jako coś bardzo gwałtownego, niczym pękającą tamę, ale nie tak to wyglądało, przeciwnie, wody było tak mało, że Linda nie miała pewności, czy w ogóle do tego doszło. Zadzwoniła do szpitala, tam potraktowali ją sceptycznie, na ogół nikt nigdy nie ma wątpliwości, gdy odchodzą wody, ale w końcu powiedzieli, żebyśmy się stawili, więc wzięliśmy torbę, wsiedliśmy do taksówki i pojechaliśmy do szpitala, równie rozświetlonego i otoczonego równie wielkimi zaspami śniegu jak ostatnio. Lindę zbadano na fotelu ginekologicznym, a ja wyglądałem przez okno na autostradę, pędzące nią samochody i pomarańczowe niebo nad nimi. Cichy okrzyk Lindy kazał mi odwrócić głowę. Wypłynęła z niej reszta wód.

Ponieważ nic więcej się nie wydarzyło i nie zaczęły się skurcze, odesłano nas do domu. Gdyby sytuacja się przeciągała, poród miał zostać przyspieszony kroplówką dwa dni później — przynajmniej wyznaczono nam jakiś punkt w czasie. Po powrocie do domu Linda była zbyt spięta, żeby spać, ale ja zasnąłem jak kamień. Następnego dnia obejrzeliśmy dwa filmy, poszliśmy na długi spacer po Humlegården, robiliśmy sobie zdjęcia — aparat na końcu mojej wyciągniętej ręki, nasze rozpalone twarze blisko siebie, w tle park, biały od śniegu. Podgrzaliśmy jedno z rozlicznych dań, które matka Lindy zostawiła w zamrażarce do wykorzystania w pierwszych tygodniach, a kiedy po jedzeniu nastawiałem kawę, nagle usłyszałem z salonu przeciągłe stęknięcie. Czym prędzej tam pobiegłem, zastałem Lindę nachyloną i obiema rękami obejmującą brzuch. Oooch, wzdychała. Ale twarz, którą do mnie podniosła, była uśmiechnięta.

Powoli się wyprostowała.

— Zaczęło się — stwierdziła. — Zapiszesz, która godzina, żebyśmy wiedzieli, jakie są odstępy między skurczami?

— Bolało? — spytałem.

— Trochę, ale nie tak bardzo.

Poszedłem po notatnik i długopis. Było kilka minut po piątej. Następne skurcze pojawiły się dokładnie dwadzieścia trzy minuty później. Do kolejnych minęło jeszcze pół godziny. I tak to trwało przez cały wieczór, odstępy między skurczami się zmieniały, natomiast ból, jak się okazało, narastał. Kiedy kładliśmy się około jedenastej, Lindzie zdarzało się nawet krzyczeć z bólu. Leżałem obok niej w łóżku i próbowałem pomóc, ale nie wiedziałem jak. Linda dostała od położnej elektrostymulator TENS, który miał uśmierzać ból — w odpowiednim miejscu należało przykładać do skóry płytki przewodzące prąd, połączone z urządzeniem, którego moc dawało się regulować — przez pewien czas usiłowaliśmy go używać, walczyłem z plątaniną kabli i guzików, jedynie z takim rezultatem, że Lindę kopnął prąd i z bólu i złości krzyknęła: Wyłącz to gówno! Nie, nie, protestowałem — spróbujmy jeszcze raz, teraz powinno być dobrze. O, cholera! — wrzasnęła. Znów mnie kopnęło, nie rozumiesz, zabierz to! Odłożyłem urządzenie i próbowałem z kolei ją masować — natarłem ręce olejkiem, który kupiłem specjalnie do tego celu — ale nigdy nie było dobrze, albo za wysoko, albo za nisko, za słabo albo za mocno. Jedną z rzeczy, których nie mogła się doczekać w związku z porodem, była wielka wanna na oddziale położniczym; wypełniona gorącą wodą, miała łagodzić ból, zanim poród na dobre się rozpocznie, lecz po odejściu wód nie mogła już z niej korzystać, nie mogła też użyć w tym celu domowej wanny, usiadła w niej tylko i polewała się gorącym prysznicem, stękając i jęcząc za każdym razem, gdy przechodziła przez nią kolejna fala bólu. Stałem przy Lindzie, w ostrym świetle poszarzały na twarzy ze zmęczenia, i patrzyłem na nią, bez szans na to, by dotrzeć tam, gdzie teraz była, a co dopiero żeby udzielić jej jakiejkolwiek pomocy. Zasnęliśmy, gdy na dworze zaczynało się robić szaro, a dwie godziny później zdecydowaliśmy się jechać do szpitala, chociaż do wyznaczonego terminu brakowało jeszcze sześciu godzin i chociaż zdecydowanie zapowiedziano nam, że gdybyśmy mieli przyjechać wcześniej, skurcze mają następować w odstępach trzy-, czterominutowych. Linda miała skurcze mniej więcej co piętnaście minut, ale tak ją bolało, że nie było mowy, by jej przypominać o tych warunkach.

Kolejna taksówka, tym razem w szarym świetle przedpołudnia, kolejna podróż autostradą do Danderyd. Po badaniu powiedziano nam, że rozwarcie jest zaledwie na trzy centymetry, czyli, zdaje się, nieduże, jak zrozumiałem ze zdumieniem, bo po tym, co Linda przeszła, sądziłem, że rozwiązanie będzie naprawdę niedługo. Okazało się jednak, że jestem w błędzie, właściwie powinniśmy wrócić do domu, lecz na szczęście w szpitalu mieli wolny pokój, a my przypuszczalnie wyglądaliśmy na tak zmęczonych i nieszczęśliwych, że pozwolili nam zostać. Prześpijcie się trochę, zasugerowali, zamykając za sobą drzwi.

— Przynajmniej w końcu tu dotarliśmy — powiedziałem, stawiając torbę na ziemi. — Może jesteś głodna?

Pokręciła głową.

— Ale chętnie bym wzięła prysznic. Pójdziesz ze mną?

Kiedy staliśmy objęci pod prysznicem, nadeszły kolejne bóle; Linda nachyliła się i przytrzymała uchwytu na ścianie, wydobył się z niej ten sam dźwięk, który po raz pierwszy usłyszałem wieczorem dzień wcześniej. Pogładziłem ją po plecach, ale wypadło to bardziej jak drwina niż jak pociecha. Wyprostowała się, skrzyżowaliśmy spojrzenia w lustrze. Nasze twarze były jakby

odarte ze wszystkiego, wyglądały na zupełnie puste, i pomyślałem, że zostajemy z tym zupełnie sami.

Przeszliśmy do pokoju. Linda przebrała się w strój, który jej przyniesiono, ja położyłem się na kanapie. Chwilę potem mocno spałem.

Kilka godzin później do naszego pokoju wkroczyła nieduża delegacja. Poród rozpoczął się na poważnie. Linda nie chciała żadnych chemicznych środków przeciwbólowych, więc zamiast nich dostała podskórne zastrzyki z wody destylowanej, zgodnie z zasadą zwalczania bólu bólem. Stała na środku pokoju, ściskając mnie za rękę, a dwie pielęgniarki wstrzykiwały jej tę wodę. Wrzeszczała: Potwory! — ile sił w płucach, instynktownie próbując się wyrwać, ale doświadczone pielęgniarki mocno ją trzymały. Łzy zakręciły mi się w oczach, kiedy patrzyłem, jak cierpi. Jednocześnie przeczuwałem, że to jeszcze nic, że najgorsze ciągle przed nią. Jak to zniesie przy ewidentnie niskim progu bólu?

Ubrana w białą szpitalną koszulę, siedziała w łóżku, gdy wbijali jej w ramię igłę kroplówki — od tej pory było połączone cienkim plastikowym wężykiem z przezroczystym woreczkiem zawieszonym na metalowym statywie. Z powodu kroplówki zamierzali bardzo starannie monitorować płód, dlatego przymocowali do główki dziecka coś w rodzaju malutkiej sondy, od której przewód wychodził z Lindy i biegł nad łóżkiem do stojącego z boku urządzenia; chwilę później zaczęły migać na nim jakieś cyfry. To było tętno płodu. Jakby tego było mało, Lindę owinięto pasem z kilkoma czujnikami, które kolejnym kablem łączyły się z innym monitorem. Na nim również błyskała jakaś liczba, a nad nią biegła falująca elektroniczna kreska, która gwałtownie podskoczyła, kiedy zaczęły się skurcze. Z maszyny wysuwał się papier z wykresem.

Linda wyglądała tak, jakby mieli ją wystrzelić na Księżyc.

Kiedy położna umieszczała elektrodę na główce płodu, Linda zaczęła krzyczeć, a wtedy kobieta pogłaskała ją po policzku. Dlaczego traktują ją jak dziecko, rozmyślałem z braku zajęcia, bo tylko stałem i gapiłem się na to, co nagle zaczęło się wokół mnie dziać. Czy to przez ten list, który do nich wysłała, a który przypuszczalnie leżał teraz w dyżurce? Napisała w nim, że potrzebuje wsparcia i otuchy, ale w rzeczywistości jest silna i cieszy się na to, co ją czeka.

Wśród plątaniny poruszających się rąk Linda odszukała mnie wzrokiem i się uśmiechnęła. Odpowiedziałem jej uśmiechem. Ciemnowłosa położna o surowym wyglądzie poinstruowała mnie, jak mam odczytywać wskazania monitorów; ważne było zwłaszcza tętno płodu — gdyby jego rytm dramatycznie przyspieszył lub zwolnił, miałem wezwać pomoc przyciśnięciem guzika. Ale gdyby spadł do zera, miałem nie wpadać w panikę, bo to najprawdopodobniej będzie oznaczać zerwanie połączenia. Chciałem spytać, czy naprawdę musimy zostać sami, ale tego nie zrobiłem, nie spytałem też, jak długo to może potrwać. Kiwnąłem tylko głową. Położna zapowiedziała, że będzie do nas regularnie zaglądać, i wszyscy opuścili pokój.

Wkrótce potem skurcze zaczęły następować z coraz większą częstotliwością. Sądząc po zachowaniu Lindy, były także o wiele silniejsze. Krzyczała, inaczej też się poruszała, jakby szukała czegoś. Raz po raz niespokojnie zmieniała pozycję, cały czas jęcząc; zrozumiałem, że szuka ucieczki od bólu. Było w tym coś zwierzęcego.

Skurcze minęły, Linda się położyła.

— Wydaje mi się, że tego nie wytrzymam, Karl Ove — powiedziała.

— Wytrzymasz, to nie jest groźne. Boli, ale groźne nie jest.

— Ale tak okropnie boli! Piekielnie boli, cholernie!

— Wiem.

— Możesz mnie pomasować?

— Jasne.

Usiadła, przytrzymując się podniesionej barierki łóżka.

— Tutaj?

— Trochę bardziej na dole.

Na ekranie linia wykresu zaczęła się wznosić.

— Wygląda na to, że nadchodzi…

— O nie.

Wykres podnosił się jak fala przypływu, Linda krzyknęła: „bardziej w dół!”, zmieniła pozycję, jęknęła, znów się obróciła i z całej siły zacisnęła palce na barierce przy łóżku. Kiedy wykres zaczął opadać, a fala przypływu znów się cofnęła, zobaczyłem, że puls płodu gwałtownie przyspieszył.

Linda osunęła się na łóżko.

— Pomógł ci ten masaż? — spytałem.

— Nie.

Postanowiłem wezwać pomoc, jeśli tętno dziecka nie zwolni po następnych skurczach.

— Nie dam rady — stwierdziła.

— Dasz, świetnie ci idzie.

— Trzymaj mnie za głowę.

Położyłem jej rękę na czole.

— Zbliża się kolejny — zapowiedziałem.

Wyprostowała się, jęknęła, stęknęła, krzyknęła i znów opadła na łóżko. Wcisnąłem guzik. Czerwona tabliczka nad drzwiami zaczęła mrugać.

— Puls bardzo przyspieszył — oznajmiłem, kiedy stanęła przede mną położna.

— Hm — mruknęła. — Zmniejszymy kroplówkę. Może było trochę za dużo.

Podeszła do Lindy.

— Jak się czujesz? — spytała.

— Okropnie mnie boli — odparła Linda. — Długo jeszcze?

Położna kiwnęła głową.

— Tak, jeszcze trochę.

— Muszę coś dostać, bo tego nie wytrzymam. Nie dam rady. Może gaz rozweselający?

— Jeszcze za wcześnie — stwierdziła położna. — Gaz z czasem przestaje działać. Lepiej zacząć później.

— Ale ja już nie wytrzymuję! Muszę dostać teraz. Nie dam rady!

— Zaczekamy jeszcze troszkę — zdecydowała położna. — Okej?

Linda kiwnęła głową i znów zostaliśmy sami.

Następna godzina upłynęła tak samo. Linda szukała sposobu, jak poradzić sobie z bólem, nie umiała mu się przeciwstawić, starała się od niego uciec, a on uderzał w nią i walił. To był straszny widok. Nie mogłem zrobić nic innego, jak tylko ocierać jej pot i trzymać rękę na czole, a od czasu do czasu podejmować bez przekonania próbę masażu pleców. W ciemności za oknem, której nadejścia nie zauważyłem, zaczął padać śnieg. Była czwarta. Od rozpoczęcia porodu minęło półtorej godziny. Wiedziałem, że to nic, przecież Kari Anne potrzebowała dwudziestu godzin na urodzenie Ylvy.

Rozległo się pukanie do drzwi, weszła ta zimna ciemnowłosa położna.

— Co tam u was słychać? — spytała.

Linda odwróciła się, skulona.

— Chcę gaz rozweselający! — zawołała.

Położna chwilę się zastanawiała, w końcu kiwnęła głową i wyszła. Wróciła ze stojakiem z dwiema butlami, który ustawiła przy łóżku. Po kilku minutach szamotania się z nim wszystko zostało przygotowane i Linda dostała do ręki maskę.

— Bardzo chciałbym jakoś pomóc — powiedziałem. — Pomasować albo... albo coś. Może mi pani pokazać, gdzie masaż najlepiej działa?

W tej chwili znów zaczęły się skurcze. Linda przycisnęła maskę do twarzy i chciwie wdychała gaz, poruszając dolną połową ciała. Położna przyłożyła moje ręce do dolnej części jej krzyża.

— Myślę, że tutaj, okej?

— Okej.

Nasmarowałem dłonie oliwką, położna zamknęła za sobą drzwi. Położyłem jedną dłoń na drugiej i przycisnąłem do krzyża Lindy.

— Tak! — zawołała głuchym głosem wydobywającym się spod maski. — Tutaj, tak!

Kiedy skurcze minęły, odwróciła się do mnie.

— Ten gaz jest fantastyczny — stwierdziła.

— To dobrze.

Przy następnych skurczach coś się w niej zmieniło. Nie starała się przed nimi uciekać, nie szukała drogi odwrotu przed bólem w tak rozpaczliwy sposób jak poprzednio. Owładnęło nią inne uczucie, jakby wchodziła w ból, przyjmowała jego obecność i stawała z nim twarzą w twarz, najpierw trochę zaciekawiona, później coraz mocniej mu się opierając, jak zwierzę — znów mi się nasunęło takie porównanie — ale nie przerażone i nerwowe, bo teraz gdy ból się pojawiał, unosiła się, obiema rękami przytrzymując się barierki, i poruszała dolną połową ciała w przód i w tył, wyjąc w maskę, identycznie za każdym razem. To się powtarzało, powtarzało i powtarzało. Pauza, maska w ręku, ciało na materacu. Potem nadchodziła fala, zawsze widziałem ją wcześniej na monitorze i zaczynałem masować z całych sił, Linda się podnosiła, kołysała, krzyczała, aż w końcu fala się cofała, a ona znów opadała na łóżko. Nie było już z nią kontaktu. Kompletnie zatopiła się w swoim wnętrzu, nie dostrzegała niczego wokół siebie, chodziło wyłącznie o stawienie czoła bólowi, odpoczynek, stawienie czoła, odpoczynek. Kiedy przyszła położna, zwracała się do mnie, jakby Lindy w ogóle z nami nie było — w pewnym sensie to się zgadzało, byliśmy daleko, bardzo daleko od niej. Chociaż nie całkiem, bo nagle potrafiła krzyknąć nieadekwatnie głośno: „wody!" albo: „ścierkę!", a kiedy to dostawała: „dziękuję!"

Ach, to był niezwykły wieczór. Ciemność za oknem zgęstniała od padających płatków śniegu. Pokój wypełniały dyszenie Lindy, gdy wdychała gaz, dziki ryk w szczytowych momentach bólu i elektroniczne piski monitorów. Nie myślałem o dziecku, prawie nie myślałem o Lindzie, całym sobą koncentrowałem się na masażu, lekkim, kiedy Linda leżała, i coraz mocniejszym, gdy elektroniczne fale wzbierały, co było dla Lindy sygnałem, że ma się podnieść, a potem masowałem z całych sił, dopóki fala znów nie opadła, jednocześnie cały czas kontrolując częstotliwość tętna. Liczby i wykresy, olejek i krzyż, syk i wycie, to było wszystko. Sekunda po sekundzie, minuta po minucie, godzina po godzinie, to było wszystko. Pochłaniała mnie chwila, czas zdawał się nie płynąć, ale płynął. Za każdym razem, gdy coś wykraczało poza rutynę, wypadałem z tego świata. Weszła pielęgniarka z pytaniem, czy wszystko w porządku, nagle zrobiło się dwadzieścia po piątej. Kiedy zjawiła się inna i spytała, czy chciałbym coś zjeść, okazało się, że jest za dwadzieścia pięć minut siódma.

— Zjeść? — zdumiałem się, jakbym nigdy wcześniej nie słyszał o jedzeniu.

— Tak. Ma pan do wyboru lasagne, wersja wegetariańska i zwykła.

— A rzeczywiście, może by się przydało. Poproszę zwykłą.

Linda jakby nie zauważyła, że w ogóle ktoś przyszedł. Kolejna fala wezbrała, pielęgniarka zamknęła za sobą drzwi, przycisnąłem z całej siły dłonie do krzyża Lindy, obserwując wykres, a kiedy opadł, wciąż nie wypuszczała maski z rąk, więc delikatnie ją jej odebrałem. Nie zareagowała. Dalej koncentrowała się wyłącznie na sobie, z czołem mokrym od potu. Krzyk, który z siebie wydała, gdy zaczął się kolejny skurcz, głucho rozległ się w masce, szczelnie przyciśniętej do twarzy. Drzwi się otworzyły, pielęgniarka postawiła talerz na stole. Była siódma. Spytałem Lindę, czy mogę coś zjeść, ale w momencie gdy cofnąłem rękę z jej krzyża, krzyknęła:

„nie, nie przestawaj!", więc dalej ją masowałem, ale wcisnąłem guzik i po chwili zjawiła się ta sama pielęgniarka. Poprosiłem, żeby na chwilę przejęła masaż. Oczywiście, zgodziła się i mnie zastąpiła, ale Linda zaczęła krzyczeć.

— Nie, Karl Ove musi! Karl Ove musi! Za lekko!

W tym czasie pochłaniałem jedzenie najszybciej jak mogłem i dwie minuty później wróciłem do masażu, a Linda znów wpadła w swój rytm.

Skurcze, gaz, masaż, pauza, skurcze, gaz, masaż, pauza. Nic innego. W końcu przyszła położna, władczym ruchem ułożyła Lindę na boku i sprawdziła rozwarcie. Linda cały czas krzyczała, ale to był inny rodzaj krzyku, jakby chciała coś od siebie odepchnąć, a nie wyjść temu czemuś na spotkanie.

Znów się podniosła, wpadła w rytm, zniknęła ze świata. Godziny mijały.

Nagle mnie zawołała.

— Jesteśmy sami? — spytała.

— Tak.

— Kocham cię, Karl Ove!

Miałem wrażenie, że ten krzyk wydobywa się z jej głębi, z jakiegoś miejsca, w którym normalnie nie przebywała, albo nawet w ogóle nigdy nie była. Do oczu napłynęły mi łzy.

— Ja też cię kocham — odpowiedziałem, ale ona już tego nie usłyszała, bo wzbierała w niej kolejna fala.

Minęła ósma, minęła dziewiąta, minęła dziesiąta. W głowie nie miałem żadnej myśli, masowałem ją i pilnowałem monitorów, gdy nagle obudziła się we mnie świadomość: dziecko się rodzi. Nasze dziecko. Zostało już tylko kilka godzin. I będziemy je mieli.

Świadomość minęła, znów były tylko wykresy i liczby, dłonie i krzyż, rytm i wycie.

Drzwi się otworzyły. Przyszła nowa położna, znacznie starsza. Za nią jakaś młoda dziewczyna. Starsza stanęła tuż przy Lindzie, z twarzą oddaloną od jej twarzy zaledwie o kilka centymetrów, przedstawiła się i powiedziała, że Linda jest bardzo dzielna. I że przyprowadziła ze sobą praktykantkę, czy może tak być? Linda rozejrzała się za praktykantką. Kiwnęła głową, kiedy ją zobaczyła. Położna oświadczyła, że to już niedługo. Teraz musi ją zbadać.

Linda znów kiwnęła głową i popatrzyła na nią, tak jak dziecko patrzy na matkę.

— No, proszę — powiedziała położna. — Jaka dzielna dziewczyna.

Tym razem Linda nie krzyczała. Leżała, wpatrując się przed siebie szeroko otwartymi, ciemnymi oczami. Pogłaskałem ją po czole, nie zwróciła na mnie uwagi. Kiedy położna cofnęła rękę, Linda krzyknęła:

— To już?!

— Jeszcze trochę — odparła położna.

Linda powoli się podniosła i znów przyjęła swoją pozycję.

— Godzina, może mniej — zwróciła się do mnie położna.

Spojrzałem na zegarek. Jedenasta. Linda męczyła się tak już osiem godzin.

— Możemy to z ciebie zdjąć. — Położna zaczęła uwalniać Lindę z pasów i kabli. Nagle leżała odłączona od wszystkiego — była tylko ciałem w łóżku — a ból, z którym walczyła, przestał być zielonymi falami i rosnącymi liczbami na ekranie, na który patrzyłem, tylko stał się czymś, co się odbywało w niej.

Wcześniej tego nie rozumiałem. To wszystko działo się w jej wnętrzu i walczyła z tym zupełnie sama.

Właśnie tak było.

Wszystko, co się działo, działo się w niej.

— Nadchodzi — szepnęła. To nadchodziło w niej, w środku, więc z całych sił przycisnąłem dłonie do jej krzyża. Była tylko ona i to, co w niej. Nie było szpitala, monitorów, książek, kursów, kaset, wszystkich tych korytarzy, którymi wędrowały nasze myśli, nie było nic, tylko ona i to, co się w niej działo.

Ciało miała lśniące od potu, włosy splątane, białą koszulę poskręcaną. Położna na chwilę wyszła, zapowiedziawszy, że niedługo wróci. Praktykantka została. Ocierała Lindzie czoło, podawała jej wodę, przyniosła czekoladę, jak w czasie maratonu, a Linda chciwie brała, musiała przeczuwać, że to już niedługo, niemal niecierpliwiła się w przerwach między bólami, chociaż przerwy trwały teraz zaledwie chwilę.

Wróciła położna. Przygasiła światło.

— Połóż się spokojnie i trochę odpocznij — poprosiła.

Linda się położyła. Położna pogładziła ją po policzku. Podszedłem do okna. Na drodze w dole nie było żadnego samochodu. Powietrze w kręgu świateł gęste od śniegu. W pokoju zupełna cisza. Odwróciłem się. Linda wyglądała tak, jakby spała.

Położna uśmiechnęła się do mnie.

Linda jęknęła. Położna złapała ją za ramię, Linda usiadła. Spojrzenie miała mroczne jak las nocą.

— Teraz mocno — poleciła położna.

Coś się zmieniło, coś wyglądało inaczej, nie rozumiałem co, ale przesunąłem się za nią i znów zacząłem masować jej krzyż. Skurcze trwały i trwały. Linda sięgnęła po maskę z gazem, chciwie się nim zaciągała, ale wyglądało na to, że gaz nie pomaga. Przeciągły krzyk, jakby został z niej wyszarpnięty, trwał i trwał.

Wreszcie ucichł. Linda się osunęła. Położna wytarła jej pot z czoła i pochwaliła, że świetnie sobie radzi.

— Chcesz dotknąć dziecka? — spytała.

Linda spojrzała na nią i powoli kiwnęła głową. Uklękła. Położna ujęła jej rękę i wsunęła ją między jej nogi.

— To główka — powiedziała. — Czujesz?

— Tak!

— Trzymaj tam rękę i przyj. Czujesz?

— Tak.

— Chodź tutaj! — Sprowadziła Lindę na podłogę. — Wstań!

Praktykantka przesunęła stołek, który stał pod ścianą.

Linda uklękła. Stanąłem za nią, chociaż domyślałem się, że masowanie nie ma już żadnego znaczenia.

Krzyknęła z całej siły, poruszyła ciałem, chociaż jednocześnie dotykała główki dziecka.

— Główka jest już na zewnątrz — obwieściła położna. — Jeszcze raz, przyj!

— Główka na zewnątrz? — spytała Linda. — Tak powiedziałaś?

— Tak, przyj!

Kolejny krzyk wydobywający się spoza świata.

— Przyjmie pan dziecko? — spytała położna, spoglądając na mnie.

— Tak.

— No, to proszę podejść i stanąć tutaj.

Obszedłem stołek i stanąłem przed Lindą, która patrzyła na mnie, w ogóle mnie nie widząc.

— Jeszcze raz! Przyj, kochana, przyj!

Miałem oczy pełne łez.

Dziecko wyślizgnęło się z niej jak mała foka, prosto w moje ręce.

— O! — zacząłem krzyczeć. — Ooo!

Maleńkie ciałko było gładkie i ciepłe, o mało nie wypadło mi z rąk, ale pomogła mi młoda praktykantka.

— Wyszło? Wyszło? — dopytywała się Linda.

Potwierdziłem. Podałem jej dziecko, przyłożyła je sobie do piersi. Zacząłem szlochać z radości, a Linda popatrzyła na mnie po raz pierwszy od kilku godzin i uśmiechnęła się.

— Co się urodziło? — spytałem.

— Dziewczynka, Karl Ove — odpowiedziała. — Dziewczynka.

Malutka miała długie czarne włosy przylepione do główki, skórę szarawą i woskowatą. Krzyczała. Nigdy wcześniej nie słyszałem takiego dźwięku — to był głos mojej córki, a ja znalazłem się w samym centrum świata. Nigdy wcześniej tam nie byłem, dopiero teraz. Byliśmy w nim wszyscy, w samym środku świata. Wokół nas panowała cisza, wokół nas panowała ciemność, ale tam gdzie się znajdowaliśmy — położna, praktykantka, Linda, ja i maleńkie dziecko — było jasno.

Pomogłem Lindzie przejść na łóżko. Ułożyła się na plecach; maleńka dziewczynka, już czerwieńsza na buzi, odwróciła główkę i spojrzała na nas.

Oczy miała jak dwie czarne latarenki.

— Cześć... — powiedziała Linda. — Witaj u nas!

Dziecko uniosło rączkę i zaraz ją opuściło. To był ruch gada, krokodyla, warana. Potem uniosło drugą rączkę. Do góry, lekko w bok, w dół.

Czarne oczy patrzyły wprost na Lindę.

— Tak. Jestem twoją mamą. A tam stoi twój tata, widzisz?

Położna i praktykantka zaczęły powoli sprzątać, a my wpatrywaliśmy się w stworzonko, które tak nagle się tu znalazło. Linda miała zakrwawiony brzuch i nogi, również malutka była pokryta krwią, od obydwu bił ostry, niemal metaliczny zapach, który dziwił mnie za każdym razem, gdy go wdychałem.

Linda przyłożyła dziewczynkę do piersi, ale malutkiej to nie interesowało. Wystarczało jej, że na nas patrzy. Położna przyniosła tacę z jedzeniem, szklanką cydru i szwedzką flagą. Zabrały dziecko i w czasie gdy się posilaliśmy, zmierzyły je i zważyły. Mała krzyczała, ale ucichła, gdy tylko znalazła się na piersi Lindy. Linda się na nią otworzyła; tak idealnej czułości, jaką dostrzegłem w jej ruchach, nie widziałem nigdy wcześniej.

— Czy to Vanja? — spytałem.

Linda spojrzała na mnie.

— Oczywiście. Nie widzisz?

— Cześć, mała Vanju — powiedziałem i patrząc na Lindę, dodałem: — Wygląda tak, jakbyśmy ją znaleźli w lesie.

Linda pokiwała głową.

— Nasz mały troll.

Położna zatrzymała się przy łóżku.

— Pora się przenieść do waszego pokoju — oznajmiła. — Może trochę ją ubrać?

Linda spojrzała na mnie.

— Zajmiesz się tym?

Kiwnąłem głową. Wziąłem maleńkie, kruche ciałko i ułożyłem je w nogach łóżka. Wyjąłem z torby piżamkę i najdelikatniej, jak umiałem, zacząłem ubierać maleńką dziewczynkę, a ona krzyczała dziwnym cichym głosikiem.

— Naprawdę potrafisz rodzić dzieci — pochwaliła Lindę położna. — Musisz to robić częściej.

— Dziękuję — odparła Linda. — To chyba najpiękniejszy komplement, jaki słyszałam.

— Pomyślcie tylko, jaki miała start! Będzie go w sobie nosić przez całe życie.

— Tak myślisz?

— O tak. To z całą pewnością ma znaczenie. No ale teraz już dobranoc i powodzenia. Może zajrzę do was jutro, chociaż nie obiecuję.

— Bardzo dziękuję — powiedziała Linda. — Byłyście fantastyczne.

Kilka minut później Linda, ciężko stąpając, przesuwała się korytarzem w stronę pokoju, a ja szedłem obok z Vanją przy piersi. Szeroko otwartymi oczami wpatrywała się w sufit. W pokoju zgasiliśmy światło i położyliśmy się; długo leżeliśmy i rozmawialiśmy o tym, co się wydarzyło. Linda od czasu do czasu przykładała malutką do piersi, ale Vanja wciąż nie była zainteresowana jedzeniem.

— Teraz już nigdy nie musisz się o nic bać — powiedziałem.

— I ja tak czuję — potwierdziła Linda.

Po jakimś czasie obie usnęły, ale ja nie mogłem spać, niespokojny i pełen chęci do działania. Przecież nic nie zrobiłem, może dlatego. W końcu zjechałem windą na dół i wyszedłem na dwór, na zimno. Zapaliłem papierosa i zadzwoniłem do mamy.

— Cześć, tu Karl Ove.

— No i jak? — spytała szybko. — Jesteście w szpitalu?

— Tak. Mamy dziewczynkę — powiedziałem i głos mi się załamał.

— Ach! No proszę, dziewczynka! Z Lindą wszystko w porządku?

— Tak, świetnie. Świetnie. Wszystko tak jak trzeba.

— Gratuluję, Karl Ove. To fantastycznie.

— No tak, chciałem ci tylko to przekazać. Porozmawiamy jutro. Jestem... Ja... Nie potrafię teraz nic powiedzieć.

— Rozumiem. Pozdrów Lindę i pogratuluj jej ode mnie.

— Dobrze. — Rozłączyłem się i zadzwoniłem do matki Lindy. Rozpłakała się, kiedy przekazałem jej nowinę. Zapaliłem kolejnego papierosa i powiedziałem jej to samo. Rozłączyłem się, zadzwoniłem do Yngvego. Znów zapaliłem, z nim łatwiej mi się rozmawiało, przez kilka minut chodziłem po oświetlonym latarniami parkingu z telefonem przy uchu, rozgrzany, chociaż musiało być minus dziesięć stopni, a ja byłem w samej koszuli; rozłączyłem się, rozglądając się jak dziki, chciałem, żeby całe otoczenie w jakiś sposób odpowiadało temu, co w sobie mieściłem, ale tak nie było, więc znów zacząłem chodzić, tam i z powrotem, zapaliłem kolejnego papierosa, wyrzuciłem go po paru machach i ruszyłem biegiem do wejścia — co mi chodzi po głowie, przecież one tam leżą *na górze*! Teraz! Są tam teraz!

Linda spała z maleńką na brzuchu. Przez chwilę je obserwowałem, w końcu wyjąłem notatnik, zapaliłem lampkę, usiadłem w fotelu i próbowałem zapisać jakieś wrażenia z tego, co się wydarzyło, ale to było głupie, nie szło mi, wyszedłem więc do sali telewizyjnej; nagle przypomniało mi się, że na plakacie z datami trzeba wbić szpilkę, gdy urodzi się dziecko, różową — jeśli dziewczynka, niebieską — jeśli chłopiec, więc to zrobiłem, wbiłem szpilkę dla Vanji, dla pięknej Vanji. Zrobiłem kilka rundek po korytarzu, znów zjechałem windą na papierosa, wypaliłem dwa, wróciłem na górę, położyłem się, ale nadal nie mogłem zasnąć, bo coś się we mnie otworzyło — nagle chłonąłem wszystko, a świat, w którego środku się znalazłem, był pełen sensu. Czy w takim stanie można zasnąć?

Owszem, w końcu można.

Wszystko było tak delikatne i kruche, że już samo ubieranie Vanji stanowiło wielkie wyzwanie. Helena przyjechała po nas samochodem i czekała na dole, a my pół godziny poświęciliśmy na przygotowanie małej, tylko po to, by usłyszeć śmiech Heleny, gdy wyszliśmy z windy. „Chyba nie zamierzacie wynieść jej na mróz w takim ubraniu?"

O tym nie pomyśleliśmy.

Helena owinęła małą w swoją puchówkę i pobiegliśmy przez parking z Vanją bujającą się w nosidełku dla dziecka, które trzymałem w jednej ręce. Kiedy zostaliśmy sami w mieszkaniu, Linda się rozpłakała. Siedziała z Vanją w objęciach i wypłakiwała całe dobro i zło, jakie było teraz w jej życiu. Mnie przepełniała nadal ogromna chęć działania, nie potrafiłem usiedzieć spokojnie, musiałem coś robić, gotować, zmywać, biec po zakupy, cokolwiek, byle tylko być w ruchu. Linda natomiast pragnęła wyciszenia, chciała tylko siedzieć nieruchomo z dzieckiem przy piersi. Światło nas nie opuszczało, ani cisza, jakby wokół nas powstała zona spokoju.

To było fantastyczne.

Przez następnych dziesięć dni krzątałem się, wypełniony tym spokojem, a jednocześnie pełen niezłomnej woli działania. Musiałem jednak w końcu wrócić do pracy. Odłożyć na bok wszystko, co wydarzyło się w moim życiu i co akurat działo się w naszym mieszkaniu, i pisać o Ezechielu, a po południu otwierać drzwi do mojej małej rodziny i cieszyć się, że to moja mała rodzina.

Szczęście.

Wróciła codzienność, zdominowana przez nowe wymagania, jakie stawiało dziecko. Linda bała się zostawać z małą sama, nie lubiła tego, ale musiałem przecież pracować. Książka miała ukazać się jesienią, potrzebowaliśmy pieniędzy.

Jednak powieści nie mogły wypełniać tylko sandały i wielbłądy.

Kiedyś zapisałem w notatniku: „Biblia rozgrywająca się w Norwegii" i „Abraham na wzgórzach Setesdal". To był głupi pomysł, zarazem za mały i za wielki na powieść, ale teraz, gdy nagle powrócił, potrzebowałem go w zupełnie innej formie, więc pomyślałem: niech to cholera, zacznę i zobaczymy, co wyjdzie. Kazałem Kainowi o zmierzchu walić młotem w kamień w skandynawskim pejzażu. Spytałem Lindę, czy mogę jej przeczytać, co napisałem. Oczywiście się zgodziła. Uprzedziłem ją, że to okropnie głupie, a ona przypomniała, że często tak mówię, kiedy napiszę coś dobrego. Odparłem, że owszem, ale nie tym razem. No, to czytaj, powiedziała z fotela. Przeczytałem. Prosiła: Czytaj dalej, czytaj dalej, to przecież fantastyczne, absolutnie fantastyczne, musisz dalej nad tym pracować, więc pracowałem, pisałem o tym aż do chrzcin Vanji, które odbyły się w maju u mamy w Jølster. Kiedy wróciliśmy stamtąd, pojechaliśmy na wyspę Idö w pobliżu Västervik, gdzie Vidar, mąż Ingrid, matki Lindy, miał letni dom. Linda i Ingrid zajmowały się Vanją, a ja pisałem. Był czerwiec, powieść musiałem oddać bezwzględnie za sześć tygodni, lecz wciąż była za krótka, chociaż historię Kaina i Abla doprowadziłem do końca. Pierwszy raz w życiu okłamałem mojego redaktora, powiedziałem, że muszę tylko trochę wygładzić tekst, chociaż tak naprawdę dopiero się zabierałem do pisania historii, która miała być właściwą powieścią. Pracowałem jak szaleniec, to się za nic w świecie nie mogło udać, jadłem ze wszystkimi lunch i obiad, wieczorami oglądałem z Lindą mecze piłkarskich mistrzostw Europy, ale poza tym siedziałem w maleńkim pokoiku i waliłem w klawiaturę. Po powrocie do domu zrozumiałem, że muszę postawić wszystko na jedną kartę. Oznajmiłem Lindzie, że przenoszę się do pracowni, bo będę pisał dzień i noc. Nie możesz tego zrobić, zaprotestowała, to niemożliwe, masz rodzinę! Zapomniałeś o tym? Jest lato, o tym też nie pamiętasz? Mam sama zajmować się twoją córką? Tak, odparłem. Właśnie tak ma być. Nie, powiedziała. Nie pozwalam ci. Okej, ale i tak to zrobię. I zrobiłem. Popadłem w absolutną manię. Pisałem bez przerwy. Sypiałem dwie albo trzy godziny na dobę, liczyła się wyłącznie powieść, nad którą pracowałem. Linda pojechała do matki i wydzwaniała do mnie kilka razy w ciągu dnia. Była taka wściekła, że krzyczała, naprawdę krzyczała do telefonu, a ja po prostu odsuwałem słuchawkę od ucha i pisałem dalej. Mówiła, że mnie zostawi. Odpowiadałem: Zostaw, nic mnie to nie obchodzi, muszę pisać. I taka była prawda. Mogła odejść, jeśli chciała. Mówiła: Zrobię to, nigdy więcej nas nie zobaczysz. Dobrze, odpowiadałem. Pisałem dwadzieścia stron dziennie, nie widziałem liter ani słów, żadnych zdań, żadnej formy, jedynie krajobraz i ludzi, a Linda dzwoniła i krzyczała, nazywała mnie *sugar daddy*, świnią, potworem, który nie wie, co to empatia, najgorszym człowiekiem na świecie, i przeklinała dzień, w którym mnie spotkała. Odpowiadałem: Dobrze, odejdź ode mnie, nic mnie to nie obchodzi. I taka była prawda. Nic mnie nie obchodziło. Nikt nie mógł mi teraz stanąć na drodze. Linda się rozłączała, dzwoniła dwie minuty później i dalej wyklinała, mówiła, że już mnie rzuciła i że będzie sama wychowywać Vanję. No i dobrze, odpowiadałem. Płakała, błagała i żebrała, twierdziła, że wyrządziłem jej największą krzywdę, jaką ktokolwiek mógł jej wyrządzić, zostawiłem ją samą. Ale mnie to nie obchodziło, pisałem dniami i nocami, a potem nagle Linda zadzwoniła i oświadczyła, że następnego dnia wraca do domu. Czy wyjdę po nią na dworzec?

Zgodziłem się.

Na dworcu podeszła do mnie z Vanją śpiącą w wózku. Przywitała się cicho i spytała, jak mi idzie praca. Odparłem, że dobrze. Powiedziała, że jej przykro z powodu tego wszystkiego. Dwa tygodnie później zadzwoniłem do niej z wiadomością, że powieść jest skończona, jakimś cudem dokładnie co do dnia w terminie wyznaczonym przez wydawnictwo. Pierwszego sierpnia, kiedy wróciłem do domu, Linda czekała w przedpokoju z kieliszkiem prosecco dla mnie, z salonu dochodziła moja ulubiona muzyka, a na stole czekało moje ulubione danie. Skończyłem. Napisałem powieść. Ale to, co przeżywałem, jeszcze się nie skończyło, wciąż miałem wrażenie, że przebywam w tym samym miejscu, co wcześniej. Pojechaliśmy do Oslo, poszedłem na konferencję prasową, a potem tak się upiłem podczas kolacji, że następnego dnia rzygałem w pokoju hotelowym przez całe przedpołudnie i ledwie zdołałem wygrzebać się na lotnisko, a kiedy na dodatek samolot się opóźniał, cierpliwość Lindy się wyczerpała. Nawymyślała personelowi przy stanowisku odprawy, a ja ukryłem twarz w dłoniach. Czyżbyśmy znów wracali do punktu wyjścia? Samolot leciał na lotnisko na Bringelandsåsen, tam już czekała na nas mama, cały następny tydzień chodziliśmy na długie spacery wśród pięknych gór i wszystko było dobrze, wszystko było takie, jakie powinno być, ale jednak gdzieś w głębi czułem niedosyt. Cały czas tęskniłem za tym, co przeżywałem wcześniej, aż do bólu. Za tą manią, za samotnością, za szczęściem.

Kiedy wróciliśmy z Norwegii, Linda zaczęła drugi rok studiów w Instytucie Dramatu, a ja miałem zostać w domu z Vanją. Rano napychaliśmy ją mlekiem, w czasie lunchu zaglądałem na uczelnię, gdzie znów się opychała, a po południu Linda jak najszybciej wracała rowerem do domu. Nie mogłem się na nic skarżyć, wszystko szło według planu, książka zebrała dobre recenzje, prawa do jej wydania kupiły zagraniczne wydawnictwa, a w tym czasie pchałem po pięknym Sztokholmie wózek dziecięcy z córką, którą ubóstwiałem ponad wszystko, moja ukochana natomiast siedziała na uczelni, tęskniąc za nami tak, że o mało się przez to nie rozchorowała.

Jesień zmieniła się w zimę, życie wypełnione kaszką dla dziecka i ubrankami dla dziecka, płaczem dziecka i wymiotami dziecka, ponurymi wietrznymi przedpołudniami i pustymi popołudniami zaczęło mnie męczyć, ale nie mogłem narzekać, nie mogłem wypowiedzieć słowa skargi, musiałem zamknąć gębę na kłódkę i robić swoje. W kamienicy drobne prześladowania ze strony sąsiadki nie ustawały. Zdarzenie w wieczór sylwestrowy nie zmieniło nastawienia Rosjanki do nas. Naiwnie sądziliśmy, że może już nie będzie na nas taka zawzięta, ale się myliliśmy, dokuczała nam jeszcze bardziej. Jeśli rano włączyliśmy radio w sypialni, jeśli książka upadła na podłogę albo próbowałem wbić gwóźdź w ścianę, zaraz rozlegało się walenie w rury. Kiedyś zapomniałem zabrać z pralni w piwnicy torbę z Ikei z czystymi ubraniami i ktoś postawił ją pod zlewem, a następnie poluzował rurę, więc cała woda ściekająca do odpływu, głównie ta brudna z prania, wlewała się wprost do naszej torby. Pewnego popołudnia późną zimą Linda odebrała telefon od firmy, do której należał dom. Wpłynęła na nas skarga zawierająca szereg bardzo poważnych zarzutów, czy będziemy łaskawi się z tego wytłumaczyć? Po pierwsze, puszczamy głośno muzykę o nieodpowiedniej porze. Po drugie, wystawiamy torby ze śmieciami na korytarz, pod drzwi. Po trzecie, zawsze stoi tam również nasz wózek. Po czwarte, palimy na podwórzu i wszędzie rzucamy pety. Po piąte, zapominamy zabrać pranie, zostawiamy pralnię niesprzątniętą, no i pierzemy w innych terminach, niż są dla nas wyznaczone. Co mieliśmy odpowiedzieć? Że sąsiadka się na nas uwzięła? Było słowo przeciwko słowu, w dodatku pod tą skargą podpisała się nie tylko ona, lecz również jej przyjaciółka z piętra wyżej. A poza tym w niektórych punktach nie mijała się z prawdą, na przykład rzeczywiście wystawialiśmy wieczorem worki ze śmieciami pod drzwi, żeby rano wynieść je do śmietnika, ale tak robili przecież wszyscy mieszkańcy domu. Zaprzeczyć temu się nie dało. Przedsiębiorcze sąsiadki zrobiły zdjęcia naszych drzwi ze stojącymi przy nich śmieciami. Wózek również zostawialiśmy pod drzwiami, ale czy mieliśmy kilka razy dziennie nosić dziecko z całym ekwipunkiem do piwnicy? O wyznaczonych godzinach w pralni też czasami zapominaliśmy, ale czy nie zdarzało się to wszystkim? Nam jednak przykazano zrobić z tym porządek. Tym razem łaskawie nam wybaczono, ale jeśli wpłyną kolejne skargi, firma będzie zmuszona zastanowić się nad kontraktem. W Szwecji kontrakt na wynajem mieszkania zawiera się dożywotnio i jest o niego bardzo trudno, a takie mieszkanie w samym centrum trzeba sobie wypracowywać przez całe życie albo kupić na czarnym rynku za prawie milion koron. Linda dostała je od matki. Utrata kontraktu oznaczałaby dla nas utratę jedynego majątku. Nie pozostawało nam nic innego, jak wyjątkowo uważać na to, co robimy. Szwedzi mają to we krwi, nie ma Szweda, który nie płaciłby rachunków w wyznaczonym terminie, bo jeśli tego nie zrobi, otrzyma upomnienie, a z takim upomnieniem, bez względu na wysokość kwoty, jakiej dotyczy, nie dostanie kredytu w banku, nie wykupi abonamentu na komórkę ani nie wynajmie samochodu. Dla mnie, który nigdy nie wykazywał się taką sumiennością i nawykłem do średnio dwóch drobnych windykacji w ciągu pół roku, takie restrykcyjne przestrzeganie terminów pozostawało oczywiście poza zasięgiem możliwości. Jakie są tego konsekwencje, przekonałem się dopiero po kilku latach, kiedy wystąpiłem o kredyt, ale zdecydowanie mi go odmówiono. Kredyt, panu?! Ale Szwedzi, ci pedanci, bardzo sumiennie podchodzą do życia i gardzą ludźmi, którzy postępują inaczej. Ach, jak nienawidziłem tego małego pieprzonego kraju! W dodatku tyle tu zadufania! Wszystko, co tutejsze, jest normalne, wszystko, co inne — nienormalne. A jednocześnie z otwartymi ramionami przyjmują wielokulturowość i mniejszości! Biedni ci Murzyni, którzy przyjeżdżają z Ghany czy z Etiopii i muszą się zmierzyć ze szwedzką pralnią! Rezerwować czas na pranie z dwutygodniowym wyprzedzeniem i wysłuchiwać reprymend, jeśli zostawią skarpetkę w suszarce, albo witać mężczyznę, który z podszytą ironią życzliwością staje w drzwiach z tą cholerną torbą z Ikei i pyta: „Czy to przypadkiem nie należy do pana?". Szwecja od siedemnastego wieku nie przeżyła wojny na swoim terytorium; jakże często przychodziło mi do głowy, że ktoś powinien dokonać tu inwazji, zbombardować budynki, zniszczyć ziemię, strzelać do mężczyzn, gwałcić kobiety, a potem pozwolić, by jakiś daleki kraj, na przykład Chile czy Boliwia, przyjął szwedzkich uchodźców, zaoferował im pomoc, ciągle powtarzając, że kocha wszystko, co skandynawskie, a następnie umieścił ich w getcie na obrzeżach jednego z wielkich miast. Tylko żeby zobaczyć, co by wtedy powiedzieli.

Najgorszy w tym wszystkim jest chyba ten nasz norweski podziw dla Szwecji. Mnie też nie był obcy, kiedy jeszcze mieszkałem w swoim kraju. Nic wtedy nie wiedziałem. Ale teraz kiedy już coś wiem i usiłuję przekazywać tę wiedzę w Norwegii, nikt nie rozumie, o co mi chodzi. Konformizmu Szwedów nie da się opisać. Również z tej przyczyny, że konformizm przejawia się w nieobecności; opinie inne niż rządzące w zasadzie n i e i s t n i e j ą publicznie. Zauważenie tego wymaga czasu.

Tak przedstawiała się sytuacja owego wieczoru w lutym 2005 roku, kiedy z książką Dostojewskiego w jednej ręce i plastikową torbą z NK w drugiej mijałem na schodach Rosjankę. W tym, że nie popatrzyła mi w oczy, nie było nic dziwnego; kiedy po południu zostawialiśmy wózek w pomieszczeniu na rowery, następnego dnia najczęściej był wepchnięty pod ścianę, z budką ściśniętą i przekrzywioną w jedną albo w drugą stronę, czasami z kołderką zrzuconą na podłogę, najwyraźniej w pośpiechu i ze złością. Małą spacerówkę, którą kupiliśmy używaną, ktoś przestawił pod tabliczkę z napisem „śmieci gabarytowe", więc śmieciarze któregoś dnia po prostu ją zabrali. Nie potrafiliśmy sobie wyobrazić, by stał za tym ktoś inny niż Rosjanka. Ale nie było to wykluczone. Pozostali sąsiedzi też nie patrzyli na nas ze zbytnią sympatią.

Otworzyłem drzwi, wszedłem do mieszkania, nachyliłem się i rozsznurowałem buty.

— Halo! — zawołałem.

— Halo! — odkrzyknęła Linda z salonu.

Nie usłyszałem gniewu w jej głosie.

— Przepraszam, że się spóźniłem — powiedziałem, prostując się. Zdjąłem szalik i kurtkę, odwiesiłem do szafy. — Zaczytałem się.

— Nic nie szkodzi. Wykąpałam Vanję i spokojnie ją położyłam. Było cudownie.

— To świetnie. — Wszedłem do salonu. Linda siedziała na kanapie i oglądała telewizję, ubrana w ciemnozielony sweter robiony na drutach. — Włożyłaś mój sweter?

Wyłączyła telewizor i wstała.

— Tak. Stęskniłam się za tobą, rozumiesz?

— Przecież tu mieszkam. Jestem cały czas.

— Dobrze wiesz, o czym mówię. — Stanęła na palcach, żeby mnie pocałować. Przez chwilę się obejmowaliśmy.

— Pamiętam, jak dziewczyna Espena skarżyła się, że jego matka nosi jego swetry, kiedy ich odwiedza — powiedziałem. — Dziewczyna uważała to chyba za wyrażenie stosunku własności do niego i odebrała jako wrogie działanie matki.

— Oczywiste jest, że o to chodziło — odparła Linda. — Ale tu jesteśmy tylko my dwoje. A my nie jesteśmy wrogami, prawda?

— No pewnie, że nie. Pójdę zrobić coś do jedzenia. Napijesz się czerwonego wina?

Spojrzała na mnie.

— Aha, prawda, przecież karmisz — przypomniałem sobie. — Ale kieliszek chyba nie zaszkodzi? Napij się!

— Przyjemnie by było, ale raczej jeszcze się wstrzymam. No ale ty się napij!

— Spojrzę najpierw na Vanję. Śpi, prawda?

Linda kiwnęła głową i razem weszliśmy do sypialni. Vanja leżała w łóżeczku obok naszego podwójnego łóżka w takiej pozycji, jakby klęczała, z wypiętą pupą, główką wciśniętą w poduszkę i rączkami rozrzuconymi na boki.

Uśmiechnąłem się. Linda okryła ją kocykiem, a ja wyszedłem do przedpokoju. Torbę z zakupami zaniosłem do kuchni, włączyłem piekarnik, umyłem ziemniaki, po kolei nakłułem je widelcem, ułożyłem na blasze, którą nasmarowałem odrobiną oliwy, wsunąłem do piekarnika i przygotowałem garnek z wodą na brokuły. Przyszła Linda i usiadła przy stole.

— Skończyłam dzisiaj montować pierwszą wersję — oznajmiła. — Mógłbyś jej później posłuchać? Bo możliwe, że już nic więcej nie muszę z tym robić.

— Oczywiście.

Przygotowywała dokument o swoim ojcu, który miała oddać w środę. W ostatnich tygodniach kilkakrotnie przeprowadzała z nim wywiady; w ten sposób znów wrócił do jej życia — nie było go w nim wiele lat, chociaż mieszkał pięćdziesiąt metrów od nas.

Położyłem antrykoty na szerokiej drewnianej desce, urwałem kawałek papierowego ręcznika i osuszyłem je.

— Wyglądają nieźle — stwierdziła Linda.

— Mam nadzieję. Aż się boję powiedzieć, ile kosztuje kilogram.

Ziemniaki były tak małe, że potrzebowały najwyżej dziesięciu minut w piekarniku, więc wyjąłem patelnię, postawiłem ją na płytce, a brokuły wrzuciłem do garnka, chociaż w wodzie ledwie zaczęły pojawiać się bąbelki.

— Mogę nakryć do stołu — zaofiarowała się Linda. — Bo zjemy w salonie, prawda?

— Możemy.

Wstała, wyjęła z szafki dwa zielone talerze i dwa kieliszki do wina, zaniosła je do salonu. Ruszyłem za nią z winem i wodą mineralną. Kiedy wszedłem, akurat stawiała na stole świecznik.

— Masz zapalniczkę?

Kiwnąłem głową, wygrzebałem ją z kieszeni.

— Prawda, że będzie milutko? — spytała z uśmiechem.

— Tak. — Otworzyłem wino i nalałem do jednego kieliszka. — Szkoda tylko, że nie możesz się napić.

— Łyk mogę, tak dla smaku. Ale zaczekam do jedzenia.

— Okej.

W drodze do kuchni znów zatrzymałem się przy łóżeczku Vanji. Leżała teraz na pleckach, z rękami rozłożonymi na boki, jakby spadła z dużej wysokości. Główkę miała zupełnie okrągłą, a na drobnym ciałku całkiem sporą warstewkę tłuszczu. Pielęgniarka środowiskowa, do której chodziliśmy na kontrolę, zasugerowała ostatnio, że powinniśmy ją odchudzić, nie dawać jej mleka za każdym razem, gdy będzie płakać.

Ludzie w tym kraju poszaleli.

Oparłem się o łóżko i nachyliłem nad małą. Spała z otwartą buzią i lekko posapywała. Czasami dostrzegałem w jej twarzyczce rysy Yngvego, ale pojawiały się i znikały. Poza tym nie była ani trochę podobna do mnie i mojej rodziny.

— Prawda, że jest śliczna? — Linda pogładziła mnie po ramieniu, przechodząc obok.

— Owszem. Ale nie bardzo wiem, do czego to się może przydać.

Kiedy lekarka badała Vanję zaledwie kilka godzin po porodzie, Linda usiłowała ją nakłonić, by powiedziała, że to w y j ą t k o w o ładne dziecko, a nie tylko ładne. Rutyną w głosie lekarki, gdy oczywiście to potwierdziła, Linda nie przejęła się ani trochę. Patrzyłem na nią wtedy z pewnym zdziwieniem. Czy miłość macierzyńska właśnie tak działa, że wszystkie względy muszą ustąpić temu jednemu?

Ach, co to był za czas! Tak bardzo nie znaliśmy się na małych dzieciach, że każdej, nawet najbłahszej czynności towarzyszyły zarówno lęk, jak i radość.

Teraz już się przyzwyczailiśmy.

Zbrązowiałe masło na patelni zaczęło dymić. Ze stojącego obok garnka unosiła się para, pokrywka dzwoniła o brzeg. Położyłem dwa plastry mięsa na patelni, zaskwierczały, wyjąłem ziemniaki z piekarnika, przełożyłem je do miski, odlałem wodę z garnka z brokułami, przez chwilę pozwoliłem im odparowywać na płytce i odwróciłem antrykoty; uświadomiłem sobie, że zapomniałem o pieczarkach, więc wyjąłem drugą patelnię, wrzuciłem na nią grzyby razem z dwiema połówkami pomidora i maksymalnie podkręciłem temperaturę. Potem otworzyłem okno, żeby wywietrzyć wszystkie opary, które od razu gwałtownie zostały wyssane z mieszkania, antrykoty ułożyłem na białym półmisku razem z brokułami i czekając, aż pieczarki się usmażą, wystawiłem głowę za okno. Zimne powietrze dosłownie przylgnęło do mojej twarzy. Biura naprzeciwko były puste i ciemne, ale chodnikiem w dole przemieszczali się ludzie, grubo ubrani, milczący. Kilka osób siedziało przy stoliku w głębi restauracji — wyglądało na to, że interes nie za dobrze się kręci — natomiast kucharze w przyległym pomieszczeniu, niewidoczni dla gości, za to widoczni dla mnie, krzątali się między blatami i kuchenkami, wykonując szybkie, zawsze pewne ruchy. Przed wejściem do sali koncertowej Nalen utworzyła się niewielka kolejka; z autokaru Szwedzkiego Radia wysiadł mężczyzna w czapce z daszkiem i wszedł do środka. Na sznurku na jego szyi wisiało coś, co musiało być identyfikatorem. Potrząsnąłem patelnią z pieczarkami, żeby się obróciły. W tej dzielnicy mieszkało mało ludzi, rozlokowały się tu niemal same biura i sklepy, więc po ich zamknięciu życie na ulicach zamierało. Ci, którzy przechodzili tędy wieczorami, zmierzali do jednej z licznych restauracji w okolicy. Nie do pomyślenia było, żeby w tej dzielnicy wychowywało się dziecko. Tutaj nie było nic dla dzieci.

Wyłączyłem kuchenkę i brązowiejące już grzyby przełożyłem na półmisek, biały z niebieskim rantem i złotą obwódką. Niezbyt ładny, ale wziąłem go, kiedy dzieliliśmy się z Yngvem nielicznymi rzeczami po tacie. Musiał go sobie sprawić za pieniądze, które dostał od mamy po rozwodzie w ramach spłaty domu w Tveit. Kupił wtedy naraz niezbędne artykuły gospodarstwa domowego, więc wszystko, co posiadał, pochodziło z jednego okresu, a to odbierało owym rzeczom znaczenie, nic w sobie nie miały oprócz nowomieszczaństwa i braku korzeni. Ale teraz czułem inaczej; rzeczy po tacie, do których oprócz serwisu należały lornetka i para kaloszy, pomagały mi o nim pamiętać. Nie w jakiś nachalny sposób, chodziło raczej o regularne przypominanie, że on również należał do mojego życia. W domu matki przedmioty odgrywały zupełnie inną rolę; było tam na przykład plastikowe wiadro, kupione przez rodziców w latach sześćdziesiątych, gdy jeszcze studiowali i mieszkali w Oslo, które kiedyś, w latach siedemdziesiątych, znalazło się zbyt blisko ogniska i stopiło się z boku, plastik ułożył się we wzór — w dzieciństwie uważałem go za ludzką twarz, z oczami, haczykowatym nosem i wykrzywionymi ustami. Pozostało wiadrem, mama używała go przy sprzątaniu, ale kiedy je wyjmowałem i napełniałem wodą, wciąż widziałem twarz, nie wiadro. Do głowy tego nieszczęśnika nalewało się najpierw gorącej wody, a potem płynu. Łyżki do mieszania owsianki mama używała, odkąd sięgałem pamięcią. Na brązowych talerzach, na których jedliśmy śniadanie, kiedy ją odwiedzałem, jadałem śniadania jeszcze jako dziecko, siedząc na stołku i machając nogami w kuchni na Tybakken w latach siedemdziesiątych. Nowe rzeczy, które kupowała, dopasowywały się do innych i należały do niej, nie tak jak rzeczy taty — te były wymienialne. Pastor podczas pogrzebu poruszył to w swojej przemowie, powiedział bowiem, że trzeba spojrzeć głębiej, uchwycić się świata, a w domyśle chodziło mu o to, że mój ojciec tego nie zrobił; w tej kwestii pastor miał absolutną i niepodważalną rację. Minęło jednak wiele lat, nim zrozumiałem, że istnieje również wiele dobrych powodów, by przestać się trzymać świata, by niczego się nie chwytać, po prostu spadać i spadać, a wreszcie rozbić się o dno.

Co takiego jest w nihilizmie, że wchłania wszystkie myśli?

Vanja zaczęła płakać. Zajrzałem do niej, zobaczyłem, że stoi, trzymając się rączkami szczebelków, i podskakuje ze złości. Linda już do niej biegła.

— Jedzenie gotowe — oznajmiłem.

— No tak, to typowe. — Wyjęła Vanję z łóżeczka, położyła się z nią na łóżku, podciągnęła sweter, odsłaniając pierś, i odwinęła miseczkę biustonosza. Vanja natychmiast ucichła. — Za kilka minut znów zaśnie — powiedziała Linda.

— Zaczekam. — Wróciłem do kuchni, zamknąłem okno, wyłączyłem wentylator i żeby im nie przeszkadzać, zaniosłem półmiski do salonu przez przedpokój. Nalałem do szklanki wody mineralnej i wypiłem ją na stojąco. Może przydałaby się jakaś muzyka? Podszedłem do półki z płytami, wyjąłem antologię Emmylou Harris, której w ostatnich tygodniach dużo słuchaliśmy, i włożyłem do odtwarzacza. Przed tą muzyką łatwo się było bronić, jeśli tylko człowiek odpowiednio się przygotował albo po prostu pozwalał, by dźwięczała w tle, była bowiem prosta, niewyrafinowana i sentymentalna, ale jeśli się na nią nie nastawiłem, tak jak teraz, albo gdy naprawdę się w nią wsłuchiwałem, trafiała mnie mocno. Następowało gwałtowne wezbranie uczuć i zanim się zorientowałem, łzy napływały mi do oczu. Dopiero w takich chwilach uświadamiałem sobie, jak niewiele w rzeczywistości czuję, jaki się zrobiłem otępiały. Kiedy miałem osiemnaście lat, podobne emocje wypełniały mnie nieustannie, świat wydawał się mocniejszy i dlatego chciałem pisać, to był jedyny powód. Chciałem dotknąć tego, czego dotykała muzyka. Skargi i żalu ludzkiego głosu, pociechy i radości, wszystkiego, czym wypełniał nas świat, właśnie to chciałem obudzić.

Jak mogłem o tym zapomnieć?

Odłożyłem okładkę i stanąłem przy oknie. Co napisał Rilke? Że muzyka silniej niż wszystko inne wydźwigała go z niego samego i kładła z powrotem nie tam, gdzie go znalazła, tylko głębiej, gdzieś w samym środku rzeczy niegotowych[1]?

Raczej nie miał wtedy na myśli muzyki country...

Uśmiechnąłem się. W drzwiach pojawiła się Linda.

— Zasnęła — oznajmiła szeptem, wysunęła krzesło i usiadła. — Ach, jak cudownie!

— Pewnie już trochę wystygło. — Usiadłem naprzeciwko niej.

— Nic nie szkodzi. Od razu zacznę, dobrze? Jestem głodna jak wilk.

— Oczywiście, jedz! — Nalałem wina do kieliszka i nałożyłem sobie na talerz kilka ziemniaków, w czasie gdy Linda brała mięso i warzywa.

---

1 Rainer Maria Rilke, *Malte*, przeł. Witold Hulewicz.

Poopowiadała trochę o projektach innych osób ze swojej grupy, których imion nie znałem, chociaż było ich zaledwie sześć. Zupełnie inaczej to wyglądało, kiedy zaczęła studiować, wtedy spotykałem się z nimi regularnie zarówno w Filmhuset, jak i w rozmaitych knajpach, w których się umawiali. To była stosunkowo wiekowa grupa, ludzie dobiegali już trzydziestki i mieli raczej ułożone życie. Jeden z nich, Anders, grał w serialu dla dzieci, *Doktorze Kosmosie*, inny, Özz, był znanym standupowym komikiem. Ale kiedy Linda zaszła w ciążę z Vanją, zrobiła sobie rok przerwy, a po powrocie dołączyła do nowej grupy, w którą już nie miałem siły się angażować.

Mięso było miękkie jak masło, wino miało smak ziemi i drewna, oczy Lindy błyszczały w płomieniach świec. Odłożyłem sztućce na talerz; dochodziła ósma.

— To co, mam teraz posłuchać tego dokumentu? — spytałem.

— Nie musisz, jeśli nie chcesz. Możesz to zrobić jutro.

— Ale jestem ciekaw. Chyba nie jest długi, prawda?

Pokręciła głową i wstała.

— Przyniosę odtwarzacz. Gdzie chcesz usiąść?

Wzruszyłem ramionami.

— Może tam — skinieniem głowy wskazałem fotel przy półce z książkami. Linda wyjęła odtwarzacz DAT; przyniosłem papier i długopis, usiadłem i włożyłem słuchawki. Spojrzała na mnie pytająco, kiwnąłem głową, wtedy wcisnęła *play*.

Zabrała się do sprzątania ze stołu, a ja siedziałem i słuchałem. Historię jej ojca znałem już wcześniej, ale zupełnie czym innym było wysłuchanie jej z jego własnych ust. Miał na imię Roland i urodził się w 1941 roku w jednym z miast na północy Norrlandii.

Wychowywał się bez ojca, z matką i dwójką młodszego rodzeństwa. Miał piętnaście lat, kiedy matka zmarła, i od tego czasu przejął odpowiedzialność za rodzeństwo. Mieszkali sami, bez opieki dorosłych, nie licząc pewnej kobiety, która przychodziła do nich sprzątać i gotować. Skończył czteroletnie technikum i został, jak to się nazywało, gimnazjalnym inżynierem; podjął pracę, w wolnym czasie grał w piłkę nożną jako bramkarz w miejscowej drużynie i dobrze się czuł tam, na północy. Na tańcach poznał Ingrid, rówieśnicę, która skończyła szkołę dla gospodyń domowych, pracowała jako sekretarka w biurze kopalni i była niezwykle piękna. Zaczęli ze sobą chodzić, w końcu się pobrali. Ingrid jednak marzyła o karierze aktorskiej, a kiedy dostała się do Wyższej Szkoły Teatralnej w Sztokholmie, Roland porzucił swoje wcześniejsze życie i przeniósł się razem z nią do stolicy. Niestety, w życiu aktorki Teatru Dramatycznego nie było dla niego miejsca; egzystencję bramkarza i gimnazjalnego inżyniera w małym miasteczku na północy od życia, które wiódł jako mąż pięknej aktorki najważniejszej sceny w kraju, dzieliła przepaść. Urodziło im się dwoje dzieci, jedno po drugim, ale to nie wystarczyło, by utrzymać ich związek, wkrótce się rozwiedli, a niedługo potem Roland zachorował. Zapadł na chorobę, w której nie istniały żadne granice, która kazała mu wędrować od wyżyn manii po otchłanie depresji, a kiedy już raz go pochwyciła, nie chciała odpuścić. Od tamtej pory ciągle trafiał do rozmaitych szpitali. Od połowy lat siedemdziesiątych nie pracował. Kiedy spotkałem go pierwszy raz, wiosną 2004 roku, Linda nie widziała się z nim od wielu lat. Chociaż oglądałem jego zdjęcia, mimo wszystko nie byłem przygotowany na to, co mnie czeka, kiedy otworzyłem drzwi, a on stanął w progu. Twarz miał zupełnie nagą, jakby nic nie oddzielało go od świata, nie miał przed nim żadnej ochrony, był całkowicie bezbronny; ten widok sprawił mi głęboki ból.

— To ty jesteś Karl Ove? — spytał.

Kiwnąłem głową i podałem mu rękę.

— Roland Boström — przedstawił się. — Tata Lindy.

— Dużo o tobie słyszałem. Proszę, wejdź.

Za mną stanęła Linda z Vanją na rękach.

— Cześć, tato. To jest Vanja.

Znieruchomiał, przyglądając się Vanji, która tak samo nieruchomo wpatrywała się w niego.

— O — powiedział. Oczy miał wilgotne.

— Wezmę od ciebie płaszcz — zaproponowałem. — Napijemy się kawy.

Twarz wciąż miał otwartą, ale ruchy sztywne, niemal mechaniczne.

— Malowaliście? — spytał, kiedy weszliśmy do salonu.

— Tak — odparłem.

Podszedł do najbliższej ściany i przyjrzał się jej.

— Sam malowałeś, Karl Ove?

— Tak.

— Świetna robota! Przy malowaniu trzeba być bardzo dokładnym, a tobie się udało. Ja też teraz maluję swoje mieszkanie. Turkusowy w sypialni, kremowy w salonie. Ale dotarłem dopiero do sypialni, do ściany w głębi.

— To świetnie — powiedziała Linda. — Na pewno będzie ładnie.

— Tak, na pewno.

U Lindy pojawiło się coś, czego wcześniej nie widziałem. Dostosowywała się do niego, w pewnym sensie ustawiła się w pozycji osoby podrzędnej, jak dziecko, poświęcała mu uwagę, a jednocześnie była ponad nim, co przejawiało się zażenowaniem, które przez cały czas usiłowała ukryć, chociaż nie bardzo jej się udawało. Ojciec usiadł na kanapie, nalałem kawę i przyniosłem z kuchni paterę z bułeczkami cynamonowymi, które kupiliśmy rano. Jadł w milczeniu. Linda siedziała obok niego z Vanją na kolanach. Pokazywała mu swoje dziecko, ale nie przeczuwałem wcześniej, że będzie to miało dla niej takie znaczenie.

— Smaczne bułeczki — pochwalił. — Kawa też dobra. To ty robiłeś, Karl Ove?

— Tak.

— Macie ekspres do kawy?

— Tak.

— To dobrze.

Pauza.

— Życzę wam wszystkiego najlepszego — podjął. — Linda to moja jedyna córka. Bardzo się cieszę i jestem wdzięczny, że mogłem przyjść do was z wizytą.

— Masz ochotę obejrzeć jakieś zdjęcia, tato? — spytała Linda. — Z narodzin Vanji?

Kiwnął głową.

— Weź Vanję na chwilę — zwróciła się do mnie.

Wziąłem na ręce malutki, ciepły tłumoczek, któremu oczy już się zamykały, a Linda przyniosła z półki album z fotografiami.

— Mhm — mruczał przy każdym zdjęciu.

Kiedy obejrzeli już cały album, wyciągnął rękę po stojącą na stole filiżankę z kawą, uniósł ją do ust powolnym, jakby starannie wyważonym ruchem i wypił dwa duże łyki.

— Byłem w Norwegii tylko raz, Karl Ove — zaczął. — W Narviku. Stałem na bramce w drużynie piłkarskiej, pojechaliśmy tam zagrać z Norwegami.

— Aha — powiedziałem.

— Tak. — Pokiwał głową.

— Karl Ove też grał w piłkę — wtrąciła Linda.

— Ale to już lata temu. I na niskim poziomie — wyjaśniłem.

— Stałeś na bramce?

— Nie.

— Aha, nie.

Pauza.

Wypił kolejny łyk kawy w ten swój staranny, wystudiowany sposób.

— Tak, tak, miło było — powiedział, kiedy filiżanka stanęła z powrotem na spodku. — Ale chyba powinienem się już zbierać do domu.

Wstał.

— Przecież dopiero przyszedłeś — zaprotestowała Linda.

— Tyle wystarczy. Ale chciałbym zaprosić was w rewanżu na obiad. Odpowiada wam wtorek?

Spojrzałem na Lindę. To ona decydowała.

— Jak najbardziej.

— Wobec tego tak się umawiamy — postanowił. — We wtorek o piątej.

W drodze do przedpokoju zerknął przez otwarte drzwi do sypialni, zatrzymał się.

— Tam też malowałeś?

— Tak — odparłem.

— Mogę zobaczyć?

— Oczywiście.

Weszliśmy za nim. Stanął i patrzył na ścianę za wielkim piecem.

— Tam malowanie na pewno nie było łatwe, tyle mogę powiedzieć. Ale wygląda dobrze.

Vanja wydała z siebie cichutki dźwięk. Wtulała się w moje ramię, więc nie widziałem jej buzi, dlatego położyłem ją na łóżku. Uśmiechała się. Roland przysiadł na brzegu łóżka i dotknął ręką jej stopy.

— Chcesz ją wziąć na ręce? — spytała Linda. — Możesz, jeśli masz ochotę.

— Nie — odparł. — Już ją widziałem.

Potem wstał, wyszedł do przedpokoju i zaczął się ubierać. Przed wyjściem mnie objął. Jego zarost ukłuł mnie w policzek.

— Miło było cię poznać, Karl Ove — powiedział, uściskał Lindę, jeszcze raz ujął Vanję za stopę i zniknął na schodach w swoim długim płaszczu.

Linda podała mi Vanję i poszła do pokoju, żeby sprzątnąć ze stołu; cały czas unikała mojego wzroku. Poszedłem za nią.

— Co o nim myślisz? — rzuciła, nie przerywając zbierania naczyń.

— To dobry człowiek — stwierdziłem. — Ale brakuje mu filtra chroniącego przed światem. Chyba nigdy nie widziałem nikogo aż tak bezbronnego.

— Jest jak dziecko, prawda?

— Rzeczywiście, można tak to określić.

Wyminęła mnie, niosąc w jednej ręce słupek z trzech filiżanek, a w drugiej paterę z bułeczkami.

— Niezłych Vanja ma dziadków — wyrwało mi się.

— No właśnie, co z tego będzie? — W jej głosie nie było nawet cienia ironii. Pytanie padło wprost z mrocznej głębi jej serca.

— Z całą pewnością wszystko będzie dobrze — powiedziałem.

— Ale ja go nie chcę w naszym życiu. — Wstawiła filiżanki do zmywarki.

— Jeśli może być tak jak teraz, to w porządku. Niech od czasu do czasu przyjdzie na kawę. A my, też od czasu do czasu, możemy pójść do niego na obiad. Przecież mimo wszystko jest jej dziadkiem.

Linda zamknęła zmywarkę, z dolnej szuflady szafki wyjęła przezroczystą foliową torebkę i schowała do niej trzy bułeczki, które zostały na stole. Zawiązała torebkę i wyminęła mnie, żeby ją włożyć do stojącej w korytarzu zamrażarki.

— Ale on na tym nie poprzestanie, ja to wiem. Jak już raz nawiązał kontakt, zacznie dzwonić. A dzwoni tylko wtedy, kiedy traci grunt pod nogami. Nie zna granic, musisz to zrozumieć.

Wróciła do salonu po ostatnie talerzyki.

— W każdym razie możemy spróbować. — Spojrzałem na nią. — Zobaczymy, co z tego wyniknie, okej?

— Okej.

W tej samej chwili rozległ się dzwonek do drzwi.

— Co znowu? Nasza szalona sąsiadka?

Ale to był Roland. Z jego oczu wyzierała rozpacz.

— Nie mogę wyjść. Nie mogę znaleźć przycisku do zamka. Wszędzie szukałem, ale go nie ma. Pomożesz mi?

— Oczywiście. Oddam tylko Vanję Lindzie.

Włożyłem buty, zszedłem na dół i pokazałem Rolandowi, gdzie jest przycisk zwalniający zamek — na ścianie z prawej strony, tuż przy pierwszych drzwiach.

— Zapamiętam to sobie — powiedział. — Na następny raz. Po prawej stronie pierwszych drzwi.

Trzy dni później poszliśmy do niego na obiad. Pokazał nam pomalowaną ścianę i aż pojaśniał z zadowolenia, kiedy pochwaliłem jego pracę. Jeszcze nie zaczął przygotowywać jedzenia, a Vanja spała w wózku w przedpokoju, więc kiedy poszedł do kuchni, Linda i ja mieliśmy okazję zostać sami w salonie i zamienić kilka słów. Na ścianach wisiały zdjęcia Lindy i jej brata sprzed lat, a obok nich — wycięte z gazet artykuły na ich temat oraz wywiady, jakich udzielili po debiucie. Brat Lindy bowiem również wydał książkę, w roku 1996, ale podobnie jak Linda, później już niczego nie opublikował.

— Ależ on jest z ciebie dumny! — powiedziałem.

Patrzyła w stół.

— Wyjdziemy na balkon, chcesz zapalić?

To nie był balkon, tylko taras na dachu, skąd przez prześwit między dwoma innymi dachami widać było Östermalm. Taras na dachu tuż przy Stureplan? Ile milionów mogło być warte takie mieszkanie? Wprawdzie ciemne, ze ścianami nasiąkniętymi dymem, ale z tym dałoby się coś zrobić.

— Twój ojciec jest właścicielem tego mieszkania? — spytałem i zapaliłem papierosa, osłaniając płomień zapalniczki drugą ręką.

Potwierdziła.

W żadnym mieście, w którym mieszkałem, właściwe adresy i eleganckie lokalizacje nie miały takiego znaczenia jak w Sztokholmie. Tam dobry adres był najważniejszy. Jeżeli człowiek mieszkał poza odpowiednią dzielnicą, to w zasadzie się nie liczył. Kwestia adresu wypływała cały czas, była nacechowana w zupełnie inny sposób niż na przykład w Bergen.

Podszedłem do krawędzi, żeby spojrzeć w dół. Na chodniku wciąż leżały resztki śniegu i zwały lodu, niemal zupełnie pokonane przez odwilż, szare od piasku i spalin. Niebo nad nami też było szare, pełne zimnego deszczu, który regularnie wylewał się na miasto, ale ta szarość miała inny odcień niż zimą, bo zaczął się marzec, a marcowe światło było przejrzyste i mocne, przedzierało się przez warstwę chmur nawet w tak ponury dzień jak ten i zdawało się otwierać wszystkie kryjówki zimowej ciemności. Ściany domów i asfalt w dole migotały, zaparkowane samochody jaśniały kolorami, czerwienią, błękitem, ciemną zielenią i bielą.

— Obejmij mnie — poprosiła Linda.

Zgasiłem papierosa w popielniczce stojącej na stole i otoczyłem ją ramionami.

Kiedy po chwili wróciliśmy do salonu, wciąż był pusty, więc poszliśmy do kuchni. Ojciec Lindy stał przy kuchence i wylewał na patelnię zawartość puszki pieczarek, zalewa z sykiem rozpłynęła się po rozgrzanej powierzchni, potem dorzucił do tego też gotowy, pokrojony squash; obok gotowało się spaghetti.

— Nieźle to wygląda — powiedziałem.

— Tak, to smaczne.

Na blacie stały puszka krewetek w zalewie i pojemnik śmietany.

— Zwykle chodzę na obiady do Vikingen. Ale

w piątki, soboty i niedziele jem w domu. Gotuję wtedy dla Berit.

Berit była jego partnerką.

— Pomóc w czymś? — spytała Linda.

— Nie. Usiądźcie, podam obiad, kiedy będzie gotowy.

Takie jedzenie mógłbym przyrządzić, kiedy byłem studentem i jadałem sam w wynajętym pokoju na Absalon Beyers gate w pierwszym roku mojego pobytu w Bergen. Przy obiedzie ojciec Lindy opowiedział nam więcej o swojej karierze bramkarza w Norrlandii. Potem zaczął mówić o dawnej pracy, a mianowicie o projektowaniu rozmaitych magazynów. Później o koniu, którego kiedyś miał i który doznał kontuzji akurat wtedy, gdy wyglądało na to, że zacznie wygrywać. Wszystko omawiał bardzo starannie i szczegółowo, jakby wszelkie detale były nadzwyczaj ważne. W pewnym momencie poszedł po długopis i papier, żeby nam pokazać, w jaki sposób wyliczył, ile dokładnie dni życia mu jeszcze zostało. Poszukałem wzrokiem oczu Lindy, ale nie odwzajemniła spojrzenia. Z góry ustaliliśmy, że wizyta będzie krótka, więc po deserze, którym okazał się dwulitrowy pojemnik lodów, postawiony bezpośrednio na stole, wstaliśmy i oznajmiliśmy, że już idziemy, bo Vanja musi wracać do domu, trzeba ją nakarmić i wykąpać, a Roland chyba się z tego ucieszył. Wizyta prawdopodobnie i tak znacznie się przeciągnęła. Wyszedłem do przedpokoju, żeby się ubrać, a Linda w tym czasie zamieniła z nim jeszcze kilka słów. Powiedział, że jest jego kochaną córeczką i że taka jest już duża. „Chodź, usiądź mi na kolanach". Zawiązałem drugą sznurówkę, wyprostowałem się, podszedłem do drzwi i zajrzałem do salonu. Linda siedziała mu na kolanach, a on obejmował ją w pasie, mówiąc coś, czego nie dosłyszałem. Ten widok miał w sobie coś groteskowego. Dziewczęca pozycja Lindy, która przekroczyła już trzydziestkę, była nie na miejscu, z czego ona również zdawała sobie sprawę, bo jej usta wyrażały niechęć, a postawa wskazywała na bardzo mieszane uczucia. Nie chciała tego, ale nie chciała go także odrzucić, odrzucenia by nie zrozumiał, poczułby się zraniony, musiała więc chwilę tak posiedzieć i pozwolić, by ją głaskał, zanim opuści jego kolana bez obawy, że ojciec odczyta to jako niechęć.

Cofnąłem się o kilka kroków, żeby jeszcze bardziej nie utrudniać sytuacji Lindzie, gdyby zauważyła, że byłem świadkiem tej sceny. Kiedy weszła do przedpokoju, oglądałem zdjęcia wiszące na ścianie. Ubrała się, jej ojciec przyszedł się z nami pożegnać, uściskał mnie tak jak poprzednio, po czym znieruchomiał, wpatrzony w Vanję śpiącą w wózku. Objął Lindę, a potem stał w drzwiach i patrzył, jak wsiadamy do windy. Uniósł rękę i zamknął drzwi, w momencie gdy winda ruszyła w dół.

Nigdy ani słowem nie wspomniałem o tamtej scenie. Widziałem, że Linda podporządkowała się ojcu w taki sposób, jakby znów była dziesięcioletnią dziewczynką, a jednocześnie opierała się przed tym jak dorosła kobieta. Ale już sama zgoda na toczenie owej walki w pewnym sensie dyskwalifikowała tę dorosłość, przecież dorosły człowiek nie dopuszcza do takich sytuacji, prawda? Roland o tym w ogóle nie myślał, nie znał granic. Dla niego Linda była po prostu córką, istotą bez wieku.

Rzeczywiście, tak jak Linda przewidziała, zaczął do nas wydzwaniać. Dzwonił o każdej porze, w najrozmaitszych stanach ducha, więc w końcu Linda uzgodniła z nim, że będzie telefonował o konkretnej godzinie w konkretny dzień tygodnia. Wydawało się, że się z tego ucieszył. Ale było to również zobowiązujące, bo jeśli w tym czasie nie odebraliśmy telefonu, czuł się głęboko zraniony i uznawał, że umowa przestaje obowiązywać, więc znów może dzwonić, kiedy mu przyjdzie ochota, albo nie dzwonić w ogóle. Osobiście rozmawiałem z nim tylko kilka razy. Raz spytał, czy mógłby mi zaśpiewać piosenkę. Sam ją napisał. Twierdził, że śpiewano ją na różnych scenach w Sztokholmie i puszczano w radiu. Nie wiedziałem, co o tym myśleć, ale się zgodziłem. Głos miał mocny, śpiewał z przejęciem i chociaż może nie we wszystkie dźwięki trafiał równie czysto, to jednak mi zaimponował. Piosenka miała cztery zwrotki i opowiadała o robotniku, który budował drogę na północy kraju. Kiedy skończył, potrafiłem powiedzieć tylko tyle, że to ładna piosenka. Prawdopodobnie spodziewał się czegoś więcej, bo umilkł na kilka sekund. W końcu zmienił temat:

— Wiem, że piszesz książki, Karl Ove. Jeszcze ich nie czytałem, ale słyszałem o nich dużo dobrego. Musisz wiedzieć, że jestem z ciebie niesłychanie dumny, Karl Ove. Naprawdę…

— Bardzo miło mi to słyszeć.

— Czy tobie i Lindzie dobrze się układa?

— Owszem.

— A jesteś dla niej dobry?

— Tak.

— To dobrze. Nigdy nie możesz od niej odejść. Nigdy. Rozumiesz?

— Tak.

— Musisz się nią zajmować. Musisz być dla niej dobry, Karl Ove.

Po czym się rozpłakał.

— Nam się świetnie układa — zapewniłem. — Nie masz się czym niepokoić.

— Jestem tylko starym człowiekiem. Ale wiele przeżyłem, zrozum. Doświadczyłem więcej niż większość ludzi. Moje życie nie jest zbyt przyjemne, ale policzyłem już swoje dni, wiesz o tym?

— Tak. Pokazywałeś, jak je wyliczyłeś, kiedy cię odwiedziliśmy.

— Aha, no tak. Ale Berit nie poznałeś?

— Nie.

— Jest dla mnie taka dobra.

— Tak zrozumiałem.

Nagle zrobił się czujny.

— Zrozumiałeś? Jak to?

— No, Linda trochę mi o niej opowiadała. I Ingrid, wiesz.

— Aha. Nie będę cię więcej dręczył, Karl Ove. Na pewno masz mnóstwo ważnych rzeczy do zrobienia.

— Nie, nie. Wcale mnie nie dręczysz.

— Przekaż Lindzie, że dzwoniłem. Trzymaj się.

Odłożył słuchawkę, zanim zdążyłem się z nim pożegnać. Na wyświetlaczu zobaczyłem, że rozmowa trwała nie dłużej niż osiem minut. Linda wzruszyła ramionami, kiedy jej o tym powiedziałem.

— Nie musisz w ogóle tego wysłuchiwać — stwierdziła. — Kiedy następnym razem zadzwoni, nie odbieraj telefonu.

— Mnie to wcale nie przeszkadza — powiedziałem.

— Ale mnie przeszkadza.

Dokument Lindy tego nie zawierał. Pozostawiła w nim tylko jego głos. Ale też w tym głosie mieściło się wszystko. Roland opowiadał o swoim życiu, a w jego tonie słychać było żal, kiedy mówił o śmierci matki, radość, gdy wspominał pierwsze lata dorosłości, rezygnację, gdy opisywał przeprowadzkę do Sztokholmu.

Zwierzał się ze swoich kłopotów z telefonem, mówił, jakim przekleństwem był dla niego ten wynalazek i że zdarzało mu się na długo zamykać go w szafie. Opowiadał o swojej codzienności, lecz również o marzeniach, z których największym było posiadanie własnej hodowli koni. Nareszcie pozwolono mu przemówić i ta opowieść miała w sobie coś hipnotycznego, już po pierwszych zdaniach słuchacza pochłaniał jego świat. Dla mnie jednak najważniejsza w tym była Linda. Kiedy słuchałem jej reportaży albo czytałem jej teksty, zbliżałem się do niej takiej, jaka była naprawdę, jakby jej wyjątkowość dopiero wtedy się uwidaczniała. Na co dzień znikała wśród powszednich zajęć, nie dostrzegałem w niej tego, w czym się zakochałem. Jeżeli w ogóle o tym nie zapomniałem, to na pewno tego rodzaju myśli nie pojawiały się w mojej głowie zbyt często.

Jak to możliwe?

Popatrzyłem na nią. Starała się ukryć wyczekiwanie. Trochę za szybko przesunęła wzrok na odtwarzacz i stos kabli.

— Nie musisz nic zmieniać — oświadczyłem. — Materiał jest gotowy.

— Uważasz, że jest dobry?

— Tak. Znakomity.

Odłożyłem słuchawki na odtwarzacz, przeciągnąłem się i kilka razy mrugnąłem.

— Wzruszyłem się.

— Czym?

— Jego życie to w zasadzie tragedia. Ale kiedy o nim opowiada, wszystko ożywa i do człowieka dociera, że to jest po prostu ż y c i e. Życie, które ma swoją wartość, bez względu na to, jak wyglądało. Niby oczywista rzecz, ale wiedzieć to jedno, a poczuć — zupełnie co innego. Słuchając go, właśnie to poczułem.

— Tak się cieszę. W takim razie chyba nie muszę już w tym grzebać, najwyżej trochę wyreguluję poziom głosu. Mogę to zrobić w poniedziałek. Ale pewny jesteś?

— Tak pewny, jak tylko można. — Wstałem. — Idę zapalić.

Wiał zimny wiatr. Dwoje jedynych dzieci w całym budynku, dziewięcio-, dziesięcioletni chłopiec i jego jedenasto-, dwunastoletnia siostra, kopało piłkę przed bramą na drugim końcu podwórza. Zza muru, z Glen Miller Café, dobiegała głośna, intensywna muzyka. Dzieci mieszkały na ostatnim piętrze tylko z matką, która sprawiała wrażenie wiecznie zmęczonej. Z otwartego okna ich mieszkania dochodziły charakterystyczne postukiwania i brzęki, zorientowałem się, że matka zmywa naczynia. Chłopiec był gruby i pewnie by sobie to jakoś zrekompensować i choć trochę wyglądać na twardziela, ostrzygł się na jeża. Zawsze miał sine cienie pod oczami. Kiedy siostra przyprowadzała do domu koleżanki, sam kopał piłkę albo demonstracyjnie wspinał się po drabinkach. W wieczory takie jak ten, kiedy nikt ich nie odwiedzał, a dziewczynka nie miała nic lepszego do roboty, niż bawić się z bratem, czuł się lepiej, wykazywał zapał, chciał coś zrobić. Czasami kłócili się, krzycząc na siebie, niekiedy wszyscy troje, ale najczęściej tylko chłopiec z matką. Kilka razy widziałem, jak przychodził po nich ojciec, niski, chudy i drobny facet z wąsem, który zdecydowanie za dużo pił.

Siostra usiadła na płocie. Wyjęła z kieszeni komórkę; w miejscu, w którym siedziała, było tak ciemno, że niebieska poświata z wyświetlacza rozjaśniła jej twarz. Brat zaczął rzucać piłką o mur. Bum, bum, bum.

Matka wyjrzała przez okno.

— Przestań! — zawołała.

Chłopiec schylił się bez słowa, wziął piłkę do ręki i usiadł obok siostry, która odwróciła się od niego, nawet na moment nie odrywając się od telefonu.

Spojrzałem na dwie oświetlone wieże. Przeszyła mnie bolesna czułość.

O, Lindo, Lindo.

Na podwórzu pojawiła się sąsiadka z mieszkania obok. Obserwowałem, jak z trudem zamyka za sobą bramę. Miała pięćdziesiąt kilka lat i wyglądała tak, jak wyglądają pięćdziesięciolatki, to znaczy sztucznie podtrzymywała w sobie młodzieńczość. Miała nastroszone włosy, ufarbowane na blond, nosiła futro, a swojego małego, ciekawskiego pieska trzymała na krótkiej smyczy. Raz wspomniała, że jest artystką, ale nie bardzo wiedziałem, czym dokładnie się zajmowała. Z całą pewnością nie była malarką w typie Muncha. Czasami bywała bardzo gadatliwa, a wtedy dowiadywałem się, że wyjeżdża latem do Prowansji albo na weekendowy wypad do Nowego Jorku czy Londynu. Czasami z kolei w ogóle się nie odzywała i potrafiła przejść obok, nawet się nie witając. Miała nastoletnią córkę, której urodziło się dziecko mniej więcej w tym samym czasie co nam, i wyraźnie nią dyrygowała.

— Pan chyba miał rzucić palenie? — spytała, nie zwalniając.

— Wszystko przede mną.

— Aha. Dziś w nocy spadnie śnieg. Wspomni pan moje słowa.

Weszła na klatkę. Odczekałem chwilę, wrzuciłem niedopałek do odwróconej do góry dnem doniczki, którą ktoś tu postawił właśnie w tym celu, i ruszyłem za nią. Kostki rąk poczerwieniały mi z zimna. Wbiegłem po schodach w lekkich podskokach, otworzyłem drzwi, zdjąłem kurtkę i poszedłem do Lindy, która oglądała telewizję. Nachyliłem się i ją pocałowałem.

— Co oglądasz? — spytałem.

— Nic. Obejrzymy jakiś film?

— Dobrze.

Podszedłem do półki z płytami DVD.

— A co byś chciała?

— Nie mam pojęcia. Znajdź coś.

Przesunąłem wzrokiem po tytułach. Kupowałem filmy z myślą, że mnie wzbogacą. Że poznam wyjątkowy język obrazów, który będę mógł wchłonąć, lub że film pomoże mi nawiązać relację z miejscem, z którym w ogóle jej sobie nie wyobrażałem, albo że będzie się rozgrywać w obcych dla mnie czasach bądź w obcej kulturze. Krótko mówiąc, wybierałem filmy z samych niewłaściwych powodów, bo kiedy przychodził wieczór i postanawialiśmy coś obejrzeć, nigdy nie mieliśmy siły patrzeć przez dwie godziny na czarno-białe japońskie przedstawienie z lat sześćdziesiątych ani na wielkie, otwarte płaszczyzny rzymskich przedmieść, gdzie jedyną akcją było spotkanie ludzi pięknych jak z obrazka i kompletnie oderwanych od świata. Kiedy przychodził wieczór i chcieliśmy obejrzeć film, szukaliśmy rozrywki. Tak lekkiej i bezproblemowej, jak to tylko możliwe. Zresztą dotyczyło to nie tylko filmów. Prawie już nie czytałem książek. Jeśli w zasięgu ręki znalazła się gazeta, wolałem sięgnąć po nią. Ten próg stawał się coraz niższy. To idiotyczne, bo takie życie nic w sobie nie niosło, po prostu płynął czas. Jeśli zdarzyło nam się obejrzeć dobry film, coś w nas się podrywało i wprawiało rzeczy w ruch, bo przecież tak właśnie jest, świat zawsze pozostaje ten sam, zmienia się tylko sposób, w jaki go postrzegamy. Codzienność, która potrafi nas zmiażdżyć, tak jak stopa potrafi zmiażdżyć głowę, może również wywołać radość; wszystko zależy od tego, jakimi oczami się patrzy. Kiedy oczy widzą na przykład wodę, wszechobecną w filmach Tarkowskiego, a za jej sprawą ukazywany w nich świat staje się czymś w rodzaju terrarium, wszystko w nim pluska, cieknie i płynie, postacie mogą opuścić obraz i zostaje tylko stół z filiżankami, wolno napełniającymi się padającym deszczem na tle intensywnej, wręcz groźnej wegetacji, tak, wtedy oczy mogą również dostrzec tę samą dziką egzystencjalną głębię otwierającą się w codzienności. Jesteśmy bowiem krwią i kośćmi, ścięgnami i mięśniami, dookoła nas rosną rośliny i drzewa, bzyczą owady, ptaki fruwają, chmury przemieszczają się po niebie i pada deszcz. To spojrzenie przydające światu sensu zawsze jest możliwe, jednak często się od niego ucieka, w każdym razie tak było u nas.

— Mamy siłę na *Stalkera*? — spytałem, odwracając się do Lindy.

— Nie mam nic przeciwko. Włącz, popatrzymy.

Włożyłem film do odtwarzacza, zgasiłem górne światło, nalałem kieliszek wina i usiadłem obok Lindy. Wziąłem do ręki pilota i wybrałem podpisy. Przytuliła się do mnie.

— Nie będzie ci przeszkadzało, jeśli za jakiś czas zasnę?

— Skąd, zwariowałaś? — Objąłem ją.

Na początku filmu mężczyzna budzi się w ciemnym, wilgotnym pokoju; widziałem to co najmniej trzy razy. Stół z drobnymi przedmiotami, które drżą, kiedy przejeżdża pociąg. Mężczyzna goli się przed lustrem, kobieta próbuje go zatrzymać, lecz jej się to nie udaje. Dużo dalej nigdy nie doszedłem.

Linda położyła mi rękę na piersi i podniosła na mnie wzrok. Pocałowałem ją, zamknęła oczy. Pogładziłem jej plecy, przylgnęła do mnie, odchyliłem ją, całowałem szyję, policzek, usta, przyłożyłem głowę do jej piersi, słuchałem serca, które biło coraz szybciej, ściągnąłem z niej miękki dres, całowałem brzuch, uda... Jej mroczne, piękne oczy zamknęły się, kiedy w nią wszedłem. Nie mamy żadnego zabezpieczenia, szepnęła. Nie przyniesiesz? Nie, odparłem. Nie. Doszedłem w niej. Tylko tego chciałem.

Później długo leżeliśmy na kanapie, przytuleni do siebie, nic nie mówiąc.

— Teraz będziemy mieli jeszcze jedno dziecko — powiedziałem po pewnym czasie. — Jesteś na to gotowa?

— Tak. O tak, jestem.

Następnego dnia rano Vanja jak zwykle obudziła się o piątej. Linda przeniosła ją do naszego łóżka, żeby pospać razem z nią jeszcze kilka godzin, a ja wstałem, wyjąłem komputer i zacząłem pracować nad tłumaczeniem, którego byłem konsultantem. Praca była nudna i nie miała końca. Napisałem już trzydzieści stron komentarzy, i to o zbiorze opowiadań, który tych stron miał zaledwie sto czterdzieści. Mimo to cieszyłem się z tego zajęcia, wykonywałem je z przyjemnością. Siedziałem w samotności i pracowałem nad tekstem, niczego więcej nie potrzebowałem. Potem były drobne czynności nieodłącznie towarzyszące porankom: nastawianie ekspresu, słuchanie przelewającej się wody, wdychanie zapachu świeżo zaparzonej kawy, stanie w ciemności podwórza wciąż uśpionej kamienicy i picie kawy połączone z paleniem pierwszego tego dnia papierosa. Powrót na górę i praca, podczas gdy przestrzeń między domami stopniowo się rozjaśniała, wzmagała się też aktywność na ulicach. Tego poranka światło było inne, a wraz z nim zmienił się nastrój w mieszkaniu, bo w nocy spadł śnieg i pokrył świat cienką warstewką. O ósmej wyłączyłem komputer, schowałem go do torby i poszedłem do niedużej piekarni, znajdującej się sto metrów od naszego domu. Brezent wzdłuż rzędu remontowanych kamienic furkotał mi nad głową na wietrze. Śnieg na jezdni już stopniał, lecz na chodniku wciąż leżał i widać było na nim ślady nocnych przechodniów. Teraz było pusto. Malusieńką piekarnię, której drzwi otworzyłem chwilę później, prowadziły dwie kobiety w moim wieku. Wejście tam było niczym przeniesienie się w jeden z filmów *noir* z lat czterdziestych, w których wszystkie kobiety, nawet sprzedawczynie w kioskach czy sprzątaczki w biurach, są zdumiewająco piękne. Jedna z pań z piekarni była rudowłosa, miała białą skórę i piegi, wyraziste rysy twarzy i zielone oczy. Druga — ciemne, długie włosy, nieco kwadratową twarz i ciemnoniebieskie, życzliwe oczy. Obie były wysokie i szczupłe i zawsze ubrudzone mąką, na czole, policzku, dłoniach, fartuchu. Na ścianie wisiały wycinki z gazet, z których wynikało, że kobiety zamieniły kreatywną pracę na to, co zawsze było ich marzeniem.

Kiedy dzwonek przy drzwiach zabrzęczał i rudowłosa pojawiła się za ladą, wymieniłem, co chcę kupić: wielki chleb na zakwasie, sześć razowych bułek i dwie bułeczki cynamonowe, jednocześnie pokazując wszystko palcem, bo w Sztokholmie odzewem nawet na najprostsze norweskie słowa było „słucham?". Sprzedawczyni spakowała pieczywo i wybiła sumę w kasie. Z białą torbą w ręku pospiesznie wróciłem do domu, wytarłem buty o wycieraczkę na korytarzu, a w chwili gdy otwierałem drzwi, usłyszałem, że obie już wstały i jedzą w kuchni śniadanie.

Kiedy wszedłem, Vanja wymachiwała łyżką w powietrzu; uśmiechnęła się do mnie. Buzię miała wymazaną kaszką. Już od dawna nie zgadzała się na to, żeby ją karmić. Odruchowo chciałem się pozbyć tego brudu z jej buzi, nie podobało mi się, że siedzi taka wymazana. Miałem to we krwi. Linda już na początku rozprawiła się z tą moją reakcją; twierdziła, że ważne jest, aby w związku z jedzeniem, tak wrażliwą sferą, nie było żadnych zasad ani restrykcji, mała powinna robić to, co chce. Oczywiście, miała rację, rozumiałem to i teoretycznie potrafiłem docenić apetyt, zdrowie i swobodę naszego dziecka, gdy lizało i brudziło, ale w rzeczywistości budziła się we mnie chęć strofowania. To mój ojciec się we mnie odzywał. Kiedy byłem mały, nie tolerował nawet okruszyny poza talerzykiem. Ale przecież o tym wiedziałem, osobiście tego doświadczyłem i nienawidziłem każdym włóknem ciała, więc dlaczego za cenę życia i śmierci chciałem zachowywać się tak samo?

Ukroiłem kilka kromek chleba, ułożyłem je w koszyczku razem z bułkami, nalałem wody do czajnika i też usiadłem do śniadania. Masło było trochę twarde, więc w kromce zrobiła się dziura, kiedy usiłowałem rozprowadzić je nożem. Vanja gapiła się na mnie; gwałtownie odwróciłem głowę i wbiłem w nią wzrok, aż drgnęła na krzesełku. Zaraz jednak wybuchnęła śmiechem. Powtórzyłem tę sekwencję. Długo wpatrywałem się w stół, aż zaczęła tracić nadzieję, że coś się stanie, i już kierowała uwagę na co innego, gdy znów błyskawicznie utkwiłem w niej spojrzenie. Otworzyła szeroko oczy, podskoczyła na krześle i znów zaczęła się śmiać. My z Lindą też się roześmialiśmy.

— Jakaż ona pocieszna, ta nasza Vanja — powiedziała Linda. — Pocieszna jesteś, moje małe kociątko.

Nachyliła się i potarła nosem o jej nos. Sięgnąłem po dodatek kulturalny do gazety, który leżał rozłożony na stole przed Lindą, ugryzłem kawałek chleba i żując, przeleciałem wzrokiem nagłówki. Za moimi plecami przeskoczył wyłącznik czajnika, woda się zagotowała. Wstałem, wrzuciłem do kubka torebkę herbaty i zalałem wrzątkiem. Zanim usiadłem, wziąłem jeszcze z lodówki karton mleka. Kilkakrotnie poruszyłem torebką z herbatą, aż brunatne smugi powoli zaczęły się od niej odrywać i nasyciły wodę kolorem; wtedy dolałem odrobinę mleka i zacząłem przerzucać stronice gazety.

— Widziałaś, co napisali o Arnem? — spytałem, patrząc na Lindę.

Kiwnęła głową, lekko się uśmiechając, ale do Vanji, nie do mnie.

— Wydawnictwo wycofuje książkę. Co za klęska!

— To prawda — przyznała. — Biedny Arne. Ale sam jest sobie winien.

— Sądzisz, że wiedział, że to kłamstwo?

— Nie, na pewno nie. Nie zrobił tego z wyrachowania, jestem pewna. Musiał wierzyć, że tak było.

— Biedak. — Sięgnąłem po kubek i wypiłem łyk płynu w kolorze błota.

Arne był sąsiadem matki Lindy. Napisał książkę o Astrid Lindgren — ukazała się tej jesieni — luźno opartą na rozmowach, które przeprowadził z nią przed jej śmiercią. Był człowiekiem ducha, wierzył w Boga, chociaż nie w konwencjonalnym rozumieniu, i z pewnością zaskoczył wiele osób informacją, że tę niekonwencjonalną wiarę podzielała również Astrid Lindgren. Prasa zaczęła badać sprawę. Nikt nie był obecny przy tych rozmowach, więc chociaż Astrid Lindgren nikomu innemu nie zwierzyła się ze swego światopoglądu, nie dało się udowodnić, że został on zmyślony na tę okazję. Ale w książce były też inne wpadki, między innymi związane z lekturą powieści Lindgren przez Arnego; pisał na przykład, że w danym momencie życia czytał *Mio, mój Mio*, chociaż ta pozycja jeszcze się wówczas nie ukazała. W całej książce było trochę za dużo takich niejasności. Krewni Astrid Lindgren zaprotestowali, twierdząc, że czegoś takiego nigdy by nie powiedziała. Gazety nie pozostawiły na Arnem suchej nitki, sugerowały, że jest kłamcą, niemal mitomanem, aż w końcu wydawnictwo wycofało książkę. A właśnie ta książka podtrzymywała Arnego na duchu w ostatnich latach, naznaczonych chorobą, był z niej taki dumny.

Ale jak powiedziała Linda, sam był sobie winien.

Przygotowałem dla siebie jeszcze jedną kanapkę. Vanja wyciągnęła rączki do góry. Linda podniosła ją z krzesełka i zaniosła do łazienki, z której wkrótce dobiegł odgłos płynącej wody i krzyki protestu Vanji.

W salonie zadzwonił telefon. Zastygłem. Chociaż natychmiast zrozumiałem, że to musi być Ingrid, matka

Lindy, bo nikt inny nie dzwonił do nas o tej porze, serce biło mi coraz szybciej.

Siedziałem nieruchomo, dopóki dzwonek nie umilkł równie nagle, jak się odezwał.

— Kto to był? — spytała Linda, wychodząc z łazienki i niosąc przed sobą Vanję.

— Nie mam pojęcia. Nie odebrałem. Ale na pewno twoja matka.

— Zadzwonię do niej. I tak miałam to zrobić. Weźmiesz Vanję?

Podsunęła mi ją, jakby moje kolana były jedynym miejscem w całym mieszkaniu, w którym Vanja mogła przebywać.

— Posadź ją na podłodze — powiedziałem.

— Zacznie płakać.

— To niech płacze, nic jej się nie stanie.

— Okeeej — odparła w sposób, który wyrażał coś zupełnie przeciwnego: nie jest okej, ale zrobię tak, ponieważ sam się o to prosisz. Przekonasz się, co będzie.

Oczywiście Vanja rozpłakała się dosłownie w momencie, w którym Linda posadziła ją na podłodze. Wyciągnęła do niej rączki, a potem rzuciła się na podłogę. Linda się nie odwróciła. Wysunąłem szufladę, do której mogłem dosięgnąć bez wstawania, i wyjąłem trzepaczkę do jajek. Wprawiłem ją w wibracje, ale Vanji to w ogóle nie zainteresowało. Podsunąłem jej banana. Pokręciła głową, a po policzkach dalej płynęły jej łzy. W końcu wziąłem ją na ręce, zaniosłem do okna w sypialni i tam postawiłem na parapecie. Zadziałało. Wymieniałem nazwy wszystkiego, co widzieliśmy, patrzyła z zainteresowaniem, pokazując palcem każdy przejeżdżający samochód.

Linda zajrzała do pokoju ze słuchawką przyciśniętą do piersi.

— Mama pyta, czy przyjedziemy do niej jutro na obiad. Przyjedziemy?

— Tak — powiedziałem. — Dobrze.

— Wobec tego się umawiam.

— Tak, umów się.

Delikatnie zestawiłem Vanję na podłogę. Umiała już stać, ale jeszcze nie chodziła, więc kucnęła i zaczęła raczkować w stronę Lindy.

To dziecko nawet przez sekundę nie mogło być niezadowolone, jego potrzeby były natychmiast zaspokajane. Niemal przez cały pierwszy rok życia budziła się w nocy co dwie godziny i ssała pierś. Linda ze zmęczenia była bliska obłędu, mimo to nie chciała przenieść Vanji do osobnego łóżka, ponieważ wtedy mała płakała. Wychodziłem na brutala, bo proponowałem, żebyśmy położyli ją w łóżeczku i przez całą noc pozwolili jej płakać, może dzięki temu następnej nocy zrozumie, że nikt nie przyjdzie bez względu na jej krzyki, i zrezygnowana, może trochę zła, w końcu zaśnie sama. Ale Lindzie równie dobrze mogłem grozić, że uderzę Vanję w głowę, by ją w końcu uciszyć. W ramach kompromisu zadzwoniliśmy do siostry mojej matki, Ingunn, psychologa dziecięcego, która miała doświadczenie w takich sprawach. Zaproponowała, żebyśmy stopniowo odzwyczajali małą od regularnego jedzenia w nocy. Podkreślała, że musimy Vanję głaskać i pieścić, kiedy będzie chciała jeść albo wstawać wbrew naszej woli, i że powinniśmy każdej nocy przesuwać trochę pory karmienia. Skończyło się na tym, że stałem przy jej łóżeczku z notatnikiem i zapisywałem dokładne godziny, a potem głaskałem ją i pieściłem, kiedy zanosiła się wściekłym krzykiem i patrzyła na mnie ze złością. Całą noc przespaliśmy dopiero po dziesięciu dniach. Z pewnością dałoby się to załatwić w ciągu jednej doby, bo chyba naprawdę nie zaszkodziłoby jej, gdyby trochę popłakała? Identycznie było na placu zabaw. Chciałem, żeby nauczyła się bawić sama, wtedy mógłbym posiedzieć na ławce i poczytać, ale to nie wchodziło w grę. Po kilku sekundach samotności szukała mnie wzrokiem i błagalnie wyciągała rączki.

Linda skończyła rozmawiać z matką i przyszła z Vanją na rękach.

— Pójdziemy się przejść? — spytała.

— Chyba nic ciekawszego nie mamy do roboty.

— O co ci chodzi? — spytała czujnie.

— O nic. Dokąd pójdziemy?

— Może na Skeppsholmen.

— Dobrze.

Ponieważ w tygodniu to ja opiekowałem się Vanją, teraz zajęła się nią Linda. Wzięła ją na kolana i ubrała w czerwony sweterek robiony na drutach, który odziedziczyliśmy po dzieciach Yngvego, brązowe sztruksy, czerwony kombinezon, prezent od matki Lindy, czerwoną czapeczkę z białym daszkiem, zapinaną pod brodą, i białe rękawiczki z jednym palcem. Jeszcze miesiąc temu Vanja siedziała spokojnie, kiedy ją przebieraliśmy, ale ostatnio zaczęła się wić i wyrywać. Szczególnie dawało się to we znaki podczas zmieniania pieluchy, bo gdy tak się wierciła, jej kupa mogła się znaleźć wszędzie, i nieraz zdarzało mi się w takich sytuacjach podnieść głos. Leż spokojnie! — syczałem. Albo nawet: leż spokojnie, do jasnej cholery! Ściskałem ją przy tym zbyt mocno. Vanję ogromnie bawiły te próby oswobodzenia się, zawsze się uśmiechała, albo wręcz śmiała, a mojego podniesionego z irytacji głosu zwyczajnie nie rozumiała. Potrafiła w ogóle nie zwracać na to uwagi albo patrzyła zdumiona: co to ma znaczyć? Ale czasami płakała. Najpierw unosiła się i zaczynała jej drżeć dolna warga, potem tryskały łzy. Myślałem wtedy: co ja, do diabła, wyprawiam, kompletnie oszalałem? Przecież ona ma dopiero rok, jest najbardziej niewinna z niewinnych, a ja na nią krzyczę?

Na szczęście łatwo dawała się pocieszyć i rozśmieszyć, szybko zapominała. Pod tym względem gorzej było ze mną.

Linda miała więcej cierpliwości i już po pięciu minutach Vanja, w pełni ubrana, siedziała u niej na rękach z pełnym nadziei uśmiechem. W windzie próbowała naciskać guziki, Linda wskazała jej ten właściwy i naprowadziła rączkę. Przycisk się zaświecił, winda zaczęła zjeżdżać. W czasie gdy Linda poszła z Vanją do rowerowni po wózek, wyszedłem na zewnątrz zapalić. Ciągle dość mocno wiało, niebo było ciężkie i szare, temperatura zero, może minus jeden.

Przeszliśmy Regeringsgatan do Kungsträdgården, minęliśmy Muzeum Narodowe i skręciliśmy w lewo na wyspę Skeppsholmen. Ruszyliśmy nabrzeżem, przy którym cumowały barki mieszkalne. Dwie pochodziły z przełomu wieków i kiedyś kursowały liniowo wśród niezwykłej mnogości wysp w tym mieście. Mieściła się tu też niewielka stocznia łodzi drewnianych, na to przynajmniej wyglądało, bo w przypominającym magazyn drewnianym budynku leżała stępka z wręgami w kształcie wielkiego szkieletu. Jakiś brodaty mężczyzna wyjrzał, kiedy przechodziliśmy, ale poza nim nikogo tu nie było. Na niewielkim wzgórzu znajdowało się Muzeum Sztuki Współczesnej, w którym Vanja spędziła nieproporcjonalnie dużą liczbę dni, zważywszy na jej króciutkie życie. Ale wstęp tutaj nic nie kosztował, restauracja była dobra i przyjazna dzieciom, znajdowało się tu nawet kilka placów zabaw, a niektóre dzieła sztuki zawsze warto zobaczyć.

Woda w basenie portowym była zupełnie czarna, gęste chmury wisiały nisko. Cienka warstwa śniegu na ziemi sprawiała, że wszystko wydawało się twardsze i bardziej nagie, może dlatego że biel przesłaniała resztki barw krajobrazu. Budynki muzealne należały kiedyś do wojska, co odcisnęło się na ich charakterze: niskie, jakby zamknięte w sobie, stały wzdłuż wąskich ulic, po których nie jeździły samochody, zamykały też to, co kiedyś musiało być placem manewrowym.

— Wczoraj było fajnie — powiedziała Linda, obejmując mnie.

— Bardzo. Ale naprawdę chcesz mieć teraz kolejne dziecko?

— Chcę. Chociaż szansa na to nie jest zbyt duża.

— A ja jestem pewien, że już jesteś w ciąży.

— Tak samo jak byłeś pewien, że Vanja będzie chłopcem?

— Cha, cha.

— Alebym się cieszyła! Tylko sobie wyobraź! Jeszcze jedno dziecko!

— A co ty na to, Vanju? Chciałabyś mieć siostrzyczkę albo braciszka?

Spojrzała na nas, a potem obróciła główkę w bok i uniosła rączkę, pokazując trzy mewy, które ze skrzydłami przyciśniętymi do boków kołysały się na falach.

— Dam — obwieściła.

— Tak, tam — powiedziałem. — Trzy mewy.

Posiadanie tylko jednego dziecka nigdy nie wchodziło dla mnie w rachubę, dwoje to za mało, bo wtedy są zbyt skupione na sobie, ale trójka byłaby idealna. Wtedy dzieci miałyby liczebną przewagę nad rodzicami, a między sobą — więcej możliwości kombinacji, tworzyłyby gromadkę. Dla planowania konkretnego momentu, który byłby najodpowiedniejszy na kolejną ciążę, z uwzględnieniem zarówno naszego życia, jak i optymalnej różnicy wieku między dziećmi, czułem pogardę. Przecież nie prowadziliśmy fabryki. Wolałem, żeby decydował los. Niech się dzieje, co ma się dziać, a my po prostu musimy ponieść konsekwencje. Czy nie na tym polega życie? Kiedy więc chodziłem ulicami z Vanją, kiedy ją karmiłem i kąpałem, z dławiącą w piersi dziką tęsknotą za innym życiem, było to konsekwencją wyboru, z którym *musiałem* żyć. Nie miałem innego wyjścia oprócz starego, dobrego: wytrzymać. To, że w tym czasie chodziłem ponury, cóż, było tylko kolejną konsekwencją, którą również należało przetrwać. Gdybyśmy mieli jeszcze jedno dziecko, a tak planowaliśmy, bez względu na to, czy Linda już zaszła w ciążę, czy nie, a potem kolejne, co również było nieuniknione, to dzieci chyba będą więcej dla mnie znaczyć niż obowiązek i tęsknota? Bo jeśli nie, to co ja wtedy zrobię?

Cóż, będę robił to, co muszę. To mój jedyny punkt zaczepienia w życiu, i został wyryty w kamieniu.

Ale czy na pewno?

Kilka tygodni temu zadzwonił Jeppe, przyjechał do Sztokholmu i zaproponował, żebyśmy poszli na piwo. Ceniłem go wysoko, ale nigdy nie umiałem z nim rozmawiać, zresztą tak jak z wieloma osobami, chociaż trochę się dotarliśmy, kiedy już w ekspresowym tempie wlałem w siebie parę piw. Opowiedziałem mu, jak wygląda teraz moje życie. Spojrzał mi w oczy i pouczył mnie tym swoim wrodzonym autorytarnym tonem, tak dla niego typowym: Ale ty przecież musisz *pisać*, Karl Ove!

Rzeczywiście, kiedy czułem nóż na gardle, pisanie miało pierwszeństwo.

Ale dlaczego?

Przecież dzieci to życie. Kto by się odwracał plecami do życia?

A pisanie — czym się różni od śmierci? Czym różnią się litery od kości na cmentarzu?

Zza cypla na końcu wyspy wyłonił się prom płynący z Djurgården. Mieliśmy widok na znajdujący się na drugiej wyspie Gröna Lund, duży park rozrywki; urządzenia były teraz puste i nieruchome, niektóre nakryte brezentem. Dwieście metrów dalej mieściło się muzeum, w którym stał statek „Vasa".

— Popłyniemy promem na drugą stronę? — spytała Linda. — Moglibyśmy zjeść lunch w Blå Porten.

— Przecież dopiero zjedliśmy śniadanie.

— No to na kawę.

— Na kawę możemy. Masz gotówkę?

Kiwnęła głową i ustawiliśmy się na przystani. Vanja już po kilku sekundach zaczęła protestować. Linda podała jej banana, którego wyjęła z torby. Zadowolona Vanja usiadła spokojnie w wózku i wpatrując się w morze, wpychała sobie owoc do buzi. Przypomniało mi się, jak pierwszy raz wyszedłem z nią sam, bo trafiliśmy właśnie tutaj. Miała wtedy tydzień. Niemal obiegłem wyspę, pchając wózek przed sobą, w strachu, że przestanie oddychać albo że się obudzi i zacznie płakać. W domu mieliśmy sytuację pod kontrolą, tam było karmienie, spanie, przewijanie, w usypiającym, chociaż ciągle przepełnionym radością rytmie. Na dworze nie mieliśmy się już czego trzymać. Pierwszy raz wyszliśmy z nią na spacer na trzeci dzień po urodzeniu, by stawić się na kontrolę lekarską; czuliśmy się tak, jakbyśmy transportowali bombę. Najpierw przeszkodą było ubranie, bo na dworze temperatura spadła do minus piętnastu. Drugą przeszkodą było nosidełko, no bo jak je przypiąć w taksówce? Trzecią — oczy, które lustrowały nas w recepcji. Ale wszystko jakoś poszło, udało się, chociaż po okropnej szarpaninie, warto jednak było się tak zmagać, ponieważ kilka minut później podczas badania leżała spokojnie, lekko przebierając nóżkami. Była zdrowa i w niesłychanie dobrym humorze, bo nagle uśmiechnęła się do nachylonej nad nią pielęgniarki. To był prawdziwy uśmiech, stwierdziła kobieta, nie żaden grymas. Dzieci rzadko tak wcześnie się uśmiechają! Pochlebiło nam to, mówiło przecież coś o nas jako rodzicach, i dopiero kilka miesięcy później uświadomiłem sobie, że owo zdanie o rzadko uśmiechających się dzieciach pielęgniarka powtarza z pewnością wszystkim rodzicom, by osiągnąć właśnie taki efekt. Och, ale tamto niskie, niemal skupione w jednym miejscu styczniowe światło, padające przez okno na ułożoną na stole naszą dziewczynkę, do której jeszcze ani trochę się nie przyzwyczailiśmy, lód skrzący się na mrozie na zewnątrz, otwarta, rozluźniona twarz Lindy — to wszystko uczyniło z owej wizyty jedno z niewielu moich wspomnień całkowicie wolnych od ambiwalentnych uczuć. Było tak aż do momentu, gdy wyszliśmy na korytarz, bo wtedy Vanja zaczęła przeraźliwie płakać. Co począć? Wziąć na ręce? No tak. Czy Linda ma ją tu nakarmić? A jeśli tak, to w jaki sposób? Vanja miała na sobie tyle ubrań, że wyglądała jak balon. Znów ją rozbierać, chociaż płacze? Tak trzeba? A jeśli w ogóle się nie uspokoi?

Ależ ryczała przez cały ten czas, kiedy Linda nerwowo szarpała się z ubraniem.

— Pozwól, że ja to zrobię — zaproponowałem.

Z oczu Lindy strzeliły błyskawice.

Vanja ucichła kilka sekund po zaciśnięciu warg na brodawce piersi, ale zaraz potem cofnęła główkę i znowu się rozpłakała.

— Nie o to chodzi — stwierdziła Linda. — W takim razie o co? Jest chora?

— Niemożliwe. Przecież przed chwilą badał ją lekarz.

Vanja nadal zanosiła się przeraźliwym krzykiem. Miała wykrzywioną buzię.

— Co robimy? — spytała Linda z rozpaczą.

— Przytul ją na chwilę, zobaczymy.

Para, która była w kolejce za nami, wyszła z gabinetu z dzieckiem w nosidełku i wyminęła nas. Starannie unikali patrzenia w naszą stronę.

— Nie możemy tutaj stać — oświadczyłem. — Idziemy. Trudno, niech płacze.

— Zadzwoniłeś po taksówkę?

— Nie.

— No to dzwoń.

Nie odrywała oczu od Vanji, tuliła ją do siebie, ale to nie pomagało. Kontakt między małą a Lindą, ze względu na gruby kombinezon jednej i puchówkę drugiej, był utrudniony i nie wpływał zbyt uspokajająco. Wyjąłem komórkę, zadzwoniłem po taksówkę, w drugą rękę wziąłem nosidełko i ruszyłem w stronę schodów na drugim końcu korytarza.

— Zaczekaj chwilę — powstrzymała mnie Linda. — Muszę jej włożyć czapkę.

Vanja nie przestawała płakać przez cały czas oczekiwania na taksówkę, która na szczęście przyjechała już po kilku minutach. Otworzyłem tylne drzwiczki, wstawiłem nosidełko i chciałem je przypiąć pasami, z czym godzinę wcześniej poradziłem sobie bez problemu, lecz teraz nagle okazało się to kompletnie niewykonalne. Próbowałem przekładać pas na rozmaite sposoby, pod i nad tym piekielnym nosidełkiem, ale bez efektu. Vanja nie przestawała wrzeszczeć, a Linda patrzyła na mnie wrogo. Wreszcie kierowca wysiadł, żeby mi pomóc. W pierwszej chwili nie chciałem się odsunąć, bo sam musiałem, do diabła, sobie z tym poradzić, ale po kolejnej minucie siłowania się z pasami ustąpiłem i pozwoliłem, żeby on, wąsaty mężczyzna o wyglądzie Irakijczyka, załatwił sprawę w ciągu dwóch sekund.

Całą drogę przez przykryty śniegiem i lśniący w słońcu Sztokholm Vanja ryczała. Dopiero po powrocie do domu, gdy ją rozebraliśmy i leżała na łóżku obok Lindy, przestała płakać.

Oboje byliśmy mokrzy od potu.

— To było niezłe piekło! — stwierdziła Linda, podnosząc się z łóżka i zostawiając śpiącą Vanję.

— To prawda. Ale przynajmniej żyje.

Później słuchałem, jak Linda opowiada o wizycie u lekarza swojej matce. Ani słowa o tym, że dziecko płakało, ani o panice, w jaką oboje wpadliśmy, o nie, mówiła natomiast, że Vanja uśmiechnęła się podczas badania. Linda była z tego taka zadowolona i dumna! Vanja się uśmiechnęła, była zdrowa, na zewnątrz niskie słońce zdawało się unosić pokryte śniegiem powierzchnie i wszystko w gabinecie wydawało się miękkie i lśniące, również Vanja, która leżała na kocyku i wierzgała nóżkami.

To, co się wydarzyło potem, zostało pominięte milczeniem.

Teraz kiedy staliśmy na wietrze i czekaliśmy na prom, niemal dokładnie rok później, tamta sytuacja wydawała się dziwaczna. Jak można być do tego stopnia bezradnym? Jednak tak właśnie było, wciąż pamiętam uczucia, które mnie wtedy wypełniały, i kruchość wszystkiego, również radości opromieniającej świat. Nie byłem przygotowany na dziecko, wcześniej w zasadzie żadnemu nawet się nie przyglądałem, Linda także w dorosłym życiu nie miała styczności z niemowlęciem. Wszystko było dla nas nowe, wszystkiego musieliśmy się uczyć po drodze, również na nieuchronnie popełnianych błędach. Dość szybko zacząłem traktować rozmaite sytuacje jako wyzwania, jakbym brał udział w zawodach polegających na zrobieniu możliwie wielu rzeczy jednocześnie, i kontynuowałem to, kiedy przejąłem opiekę nad Vanją w ciągu dnia, aż do czasu gdy nie zdarzało się już nic nowego, kolejny mały obszar był zaanektowany i zostawała jedynie rutyna.

Przed nami prom na wstecznym biegu powoli przemierzał ostatnie metry dzielące go od nabrzeża. Bileter otworzył furtkę i jako najwyraźniej jedyni pasażerowie wjechaliśmy wózkiem na pokład. Przy śrubach na powierzchni wody unosiły się szarozielone bąble. Linda wyjęła portfel z wewnętrznej kieszeni niebieskiej kurtki i zapłaciła. Trzymałem się balustrady i patrzyłem na miasto. Przypominający biały występ skalny Teatr Dramatyczny, niewielkie pasmo wzgórz rozdzielające Birger Jarlsgatan od Sveavägen, na którym stał nasz dom, ogromna masa budynków, niemal wypełniająca krajobraz. Wystarczyło przyjąć inną perspektywę, na przykład gołębi, które fruwają i opadają na miasto, nie wiedząc, do czego służą drogi oraz domy i widząc je jedynie jako formy, masy i kształty, a wszystko stawało się obce. Ogromny labirynt korytarzy i zagłębień w ziemi, jedne pod otwartym niebem, drugie zadaszone, jeszcze inne całkowicie skryte pod ziemią, wąskie tunele, przez które mkną pociągi, przypominające larwy.

Żyło tu ponad milion ludzi.

— Mama zaproponowała, że w poniedziałek zajmie się Vanją, jeśli chcesz. Mógłbyś mieć dzień tylko dla siebie.

— Oczywiście, że chcę.

— Aż tak oczywiste to chyba nie jest.

Przewróciłem oczami.

— W takim razie moglibyśmy tam przenocować — ciągnęła Linda. — I razem wrócić rano do miasta. Jeżeli chcesz. A mama przywiezie Vanję po południu.

— To chyba niezły plan.

Kiedy prom przybił do brzegu po drugiej stronie, ruszyliśmy ulicą wzdłuż wesołego miasteczka, latem zawsze pełnego ludzi, stojących w kolejkach do kas biletowych lub do budek z kiełbaskami, posilających się w fastfoodowych restauracjach albo po prostu spacerujących. Na asfalcie walały się wtedy bilety i broszury, papierki po lodach i po kiełbaskach, serwetki i słomki, kubki po coli, kartony po soku i inne rzeczy, którymi ludzie się bawią i które zwykle rozrzucają wokół siebie. Teraz ulica przed nami była cicha, pusta i czysta. Nigdzie żywej duszy, ani w restauracjach po jednej stronie, ani w lunaparku po drugiej. Na niewielkim wzniesieniu znajdował się budynek dawnego cyrku z salą koncertową Cirkus. Byłem tam kiedyś w restauracji z Andersem, szukaliśmy miejsca, gdzie moglibyśmy obejrzeć mecz Premier League. W telewizorze w głębi lokalu leciał ten mecz. W środku siedział tylko jeden człowiek; było mroczno, ściany ciemne, a mimo to miał na nosie okulary przeciwsłoneczne. To był Tommy Körberg[1]. Tego dnia jego twarz znalazła się na pierwszych stronach gazet, bo przyłapano go na jeździe po pijaku. W Sztokholmie nie dało się przejść nawet metra, żeby nie natknąć się na tę informację, a Körberg ukrył się tutaj. Równie nieprzyjemne jak nieskrywane spojrzenia na ulicach musiały być nasze unikające go oczy, bo wkrótce wyszedł, chociaż żaden z nas nawet nie zerknął w jego stronę.

1 Tommy Körberg — szwedzki piosenkarz i aktor.

W porównaniu z tym, czego najwyraźniej doświadczył Körberg, bladły nawet moje najgorsze napady kacowego lęku.

Zadzwoniła moja komórka. Wyjąłem ją i spojrzałem na wyświetlacz. Yngve.

— Halo — powiedziałem.

— Halo. Co słychać?

— W porządku. A u ciebie?

— Też w porządku.

— To dobrze. Wiesz, akurat jesteśmy na mieście. Mogę zadzwonić do ciebie później? Jakoś po południu? Czy masz coś ważnego?

— Nie, nic takiego. Zadzwoń, pogadamy.

— No to cześć.

— Cześć.

Schowałem komórkę z powrotem do kieszeni.

— To był Yngve — powiedziałem.

— Wszystko u niego w porządku? — spytała Linda.

Wzruszyłem ramionami.

— Nie wiem. Zadzwonię do niego później.

Dwa tygodnie po czterdziestych urodzinach Yngve wyprowadził się od Kari Anne i zamieszkał osobno. Szybko to poszło. Dopiero podczas ostatniej wizyty u nas powiedział, co planuje. Yngve rzadko mówił o takich sprawach, prawie wszystko dusił w sobie, chyba że pytałem go wprost. Ale nie zawsze wypadało. Poza tym nie potrzebowałem jego zwierzeń, by zrozumieć, że od dawna żył wbrew sobie. Gdy więc oświadczył, że to koniec, ucieszyłem się. Jednocześnie nie potrafiłem się oderwać od myśli o tacie, który odszedł od mamy zaledwie na kilka tygodni przed ukończeniem czterdziestu lat. Ta zbieżność wieku — różnica mierzona zaledwie w tygodniach — nie była ani rodzinna, ani genetyczna, po prostu okazało się, że kryzys wieku średniego nie jest żadnym mitem: zaczął dotykać ludzi w moim otoczeniu, i to mocno. Niektórzy wręcz wariowali z desperacji. O co im chodziło? O to, żeby mieć więcej z życia. Koło czterdziestki owo życie, dotąd tymczasowe, stawało się prawdziwym życiem, a to kładło kres marzeniom, wszelkim wyobrażeniom o tym, jak będzie wyglądało prawdziwe życie, do jakiego człowiek jest przeznaczony, jak będzie wyglądała ta wielkość, którą ma osiągnąć. W wieku czterdziestu lat człowiek zaczynał rozumieć, że prawdziwe życie jest tutaj, w tej małości i codzienności, gotowe i ukształtowane, i że na zawsze takie pozostanie, jeśli czegoś się nie zmieni. Jeśli nie zrobi się ostatniego zwrotu.

Yngve wykonał ten zwrot, ponieważ chciał, żeby było lepiej. Tata — ponieważ pragnął radykalnej zmiany. Dlatego nie bałem się o Yngvego, właściwie nigdy się o niego nie bałem, wiedziałem, że zawsze da sobie radę.

Vanja zasnęła w wózku. Linda obniżyła oparcie do pozycji leżącej. Spojrzała na tablicę z daniami dnia, stojącą na chodniku przed Blå Porten.

— Prawdę mówiąc, zgłodniałam — oświadczyła. — A ty?

— Możemy zjeść lunch. Mają dobre kotleciki jagnięce.

To było miłe miejsce, latem siedziało się w dużym atrium, pełnym roślin i płynącej wody. Zimą do dyspozycji gości pozostawał długi, przeszklony korytarz. Jedynym minusem tego lokalu była klientela, składająca się w głównej mierze z rozmiłowanych w kulturze pań po pięćdziesiątce.

Przytrzymałem Lindzie drzwi, wepchnęła wózek do środka, a następnie chwyciłem drążek między kołami i znieśliśmy go po trzech stopniach. W lokalu zajęta była ponad połowa miejsc. Zajęliśmy stolik najbardziej na osobności, na wypadek gdyby Vanja się obudziła. Na drugim końcu sali, przy oknie, siedziała Cora. Spostrzegłszy nas, wstała z uśmiechem.

— Cześć — powiedziała. — Tak się cieszę, że was widzę! — Uściskała najpierw Lindę, a potem mnie. — Co tam? — spytała. — Co słychać?

— Wszystko dobrze — odparła Linda. — A u ciebie?

— Też dobrze. Jestem tu z mamą, jak widzicie.

Skinąłem głową jej matce, którą poznałem kiedyś na przyjęciu u Cory. Odpowiedziała skinieniem głowy.

— Jesteście sami? — spytała Cora.

— Nie, tam śpi Vanja — Linda wskazała na wózek.

— Aha. Posiedzicie tu trochę?

— Taak, jakiś czas... — odpowiedziała Linda.

— Przyjdę do was później. Obejrzę waszą córeczkę, dobrze?

— Oczywiście. — Linda ruszyła do lady. Stanęliśmy w kolejce.

Corę poznałem jako pierwszą spośród przyjaciół Lindy. Kochała Norwegię i wszystko, co norweskie, mieszkała w Norwegii kilka lat i czasami, kiedy się upiła, zaczynała mówić po norwesku. Jako jedyna spośród znajomych Szwedów rozumiała, jak duże różnice dzielą te dwa kraje, i odbierała je w jedyny sposób, w jaki można je było odebrać: ciałem. Demonstrowała, jak ludzie w Norwegii nieustannie wpadają na siebie na ulicy, w sklepach i w środkach transportu publicznego. Jak gawędzą ze sobą w kioskach, kolejkach i taksówkach. Szeroko otwierała oczy ze zdziwienia, śledząc debaty publiczne w norweskich gazetach. Przecież oni się nawzajem obrażają, mówiła nie bez podziwu. Używają wszystkich argumentów! Niczego się nie boją! Nie tylko mają własne opinie o wszystkim, co jest na niebie i ziemi, ale jeszcze mówią rzeczy, jakich nie powiedziałby żaden Szwed, wręcz krzyczą i walą w stół. Ach, jaką to musi przynosić ulgę! Dzięki takiemu sposobowi myślenia łatwiej mi było zbliżyć się do niej niż do innych przyjaciół Lindy, którzy w sytuacjach towarzyskich zachowywali się inaczej, o wiele bardziej formalnie, nie mówiąc już o ludziach z tamtej wspólnoty wolnych strzelców, do której wprowadziła mnie Cora. Owszem, to byli mili i życzliwi ludzie, często zapraszali mnie na lunch, lecz ja równie często odmawiałem; kilka razy zrobiłem wyjątek, a wtedy w milczeniu przysłuchiwałem się prowadzonym przez nich rozmowom. Raz dyskutowali o zbliżającej się inwazji na Irak i toczącym się niedaleko nieustannym konflikcie między Izraelem a Palestyną. Chociaż czy była to dyskusja? Bardziej przypominała pogawędkę o jedzeniu czy pogodzie. Dzień później spotkałem się z Corą, która przekazała mi, że jej przyjaciółka z wściekłości zrezygnowała z wynajmowania pokoju w tej wspólnocie. Podobno doszło do gwałtownej wymiany zdań na temat stosunków między Palestyną a Izraelem, w której wyniku owa przyjaciółka, szalejąc ze złości, natychmiast wypowiedziała umowę. Rzeczywiście, dzień później jej miejsce pracy zastałem puste i wysprzątane. Ale przecież byłem świadkiem tej dyskusji! Niczego nie zauważyłem! Żadnej agresji, żadnego gniewu, nic! Jedynie konwersujące życzliwym tonem głosy i łokcie wystające jak skrzydełka kurczaka, kiedy obsługiwali swoje noże i widelce. Taka była Szwecja, tacy byli Szwedzi.

Ale Cora tego dnia również doznała gwałtownego wstrząsu. Powiedziałem jej, że Geir dwa tygodnie temu wyjechał do Iraku, pisać książkę o wojnie. Nazwała go egoistą, samolubnym idiotą. Nie interesowała się polityką, dlatego zdumiała mnie jej gwałtowna reakcja.

Miała dosłownie łzy w oczach, gdy go przeklinała. Czyżby jej zdolność empatii była aż tak silna?

Wyjaśniła mi jednak, że jej ojciec w latach sześćdziesiątych pojechał na wojnę do Konga. Pracował jako reporter wojenny. To go zniszczyło. Nie, nie został ranny, ani też przeżycia nie wstrząsnęły nim tak, by miało to wpływ na jego zdrowie psychiczne. Stało się odwrotnie — chciał tam wracać, aby znów zaznać życia w pobliżu śmierci, a tej potrzeby w Szwecji nic nie potrafiło zaspokoić. Cora opowiedziała dziwną historię, że później jej ojciec jeździł w cyrku na motocyklu śmierci, jak się wyraziła, no i oczywiście zaczął pić. Był autodestrukcyjny i popełnił samobójstwo, kiedy Cora była mała. Stąd te łzy w jej oczach, z żalu po nim.

Czy w takim razie to szczęście, że miała silną, władczą i surową matkę?

No, niekoniecznie... Odnosiłem wrażenie, że matka patrzy na życie Cory z pewną dezaprobatą, a Cora przejmuje się tym bardziej, niż powinna. Jej matka była księgową i, rzecz jasna, plątanie się Cory w mglistym kulturalnym pejzażu nie do końca odpowiadało jej oczekiwaniom związanym z karierą i życiem córki. Cora utrzymywała się z artykułów do rozmaitych pism kobiecych, ale nie miało to istotnego wpływu na jej sposób postrzegania siebie, pisała bowiem wiersze i była poetką. Ukończyła kurs pisania na Biskops-Arnö, tak jak Linda, a jej wiersze były dobre, jeśli potrafiłem ocenić; kiedyś słyszałem, jak je czyta, i przeżyłem szok, tak mnie zaskoczyła ta poezja. Nie pisała w duchu materializmu językowego, jak większość młodych szwedzkich poetów, ani też z delikatnością i wysublimowaniem, jak pozostali, tylko wybrała trzecią drogę, agresywną i wyzywającą, chociaż bez osobistych akcentów; pisała ekspansywnym językiem, który w ogóle się z nią nie kojarzył. Ale jej nie wydawano. Szwedzkie wydawnictwa o wiele bardziej kierowały się koniunkturą niż norweskie, wykazywały też znacznie większą ostrożność, więc jeśli ktoś wykraczał poza ustalone ramy, nie miał szans. Gdyby to wytrzymała i ciężko pracowała, w końcu mogło jej się powieść, bo miała talent, lecz cierpliwość nie była jej główną cechą. Łatwo zaczynała użalać się nad sobą, mówiła cicho, często o rzeczach deprymujących, jednak zdarzało jej się również nagle zmienić front, ożywić się i wykazać zainteresowanie innymi. Kiedy piła, domagała się, aby wszyscy skupiali na niej uwagę, i jako jedyna spośród przyjaciół Lindy potrafiła wywołać skandal. Może dlatego czułem dla niej tyle sympatii?

Długie włosy opadały po obu stronach jej twarzy. Oczy za małymi okularami miały w sobie jakiś psi smutek. Za każdym razem, kiedy więcej wypiła, a od czasu do czasu także w innych sytuacjach, wyrażała wielki podziw dla Lindy i identyfikowała się z nią. Linda nie zawsze wiedziała, jak ma na to reagować.

Pogładziłem Lindę po plecach. Na stole, obok którego staliśmy, wystawiono mnóstwo ciastek rozmaitych rozmiarów i kształtów. Ciemnobrązowa czekolada, jasnożółta wanilia, zielonkawy marcepan, białe i różowe bezy. Na każdej paterze malutka chorągiewka z nazwą gatunku.

— Co byś chciała? — spytałem.

— Nie bardzo wiem… Może sałatkę z kurczakiem. A ty?

— Kotleciki jagnięce. Przynajmniej wiem, co dostanę. Ale mogę ci zamówić, idź, usiądź.

Odeszła. Złożyłem zamówienie, zapłaciłem, nalałem wody do szklanek, ukroiłem kilka kromek chleba leżącego na końcu ogromnego stołu z ciastkami, wziąłem sztućce, dwa masełka i kilka serwetek, wszystko ułożyłem na tacy i stanąłem przy kontuarze, czekając na dania, które miały zostać przyniesione z kuchni — jej fragment widziałem ponad wahadłowymi drzwiami. Na placyku przypominającym atrium puste stoliki i krzesła stały w otoczeniu zielonych roślin, które na tle szarej betonowej podłogi i szarego nieba wyglądały naprawdę pięknie. Było coś niesamowitego w połączeniu tych kolorów, szarości i zieleni. Żaden malarz nie potrafił wykorzystać ich lepiej niż Braque. Pamiętam reprodukcje jego prac — oglądałem je kiedyś w Barcelonie podczas podróży z Tonje — przedstawiające kilka łodzi na plaży pod ogromnym niebem, ich niemal szokujące piękno. Kosztowały kilka tysięcy koron i uznałem, że to za dużo. Potem pożałowałem, ale było już za późno. Następnego dnia, a jednocześnie ostatniego dnia pobytu w tym mieście, w sobotę, na próżno szarpałem drzwi do galerii.

Szarość i zieleń.

Ale również szarość i żółtość, jak na fantastycznym obrazie Davida Hockneya przedstawiającym cytryny na talerzu. Oderwanie koloru od motywu to największe osiągnięcie modernizmu. Wcześniej takie obrazy jak prace Braque'a czy Hockneya nie mieściły się w głowie. Ale czy na pewno było warto, biorąc pod uwagę pozostałe rzeczy, jakie modernizm przyniósł w sztuce?

Znajdowaliśmy się w kawiarni należącej do Galerii Liljevalcha; plecy budynku, który zajmowała, z kolumnadą i schodami, zamykały kawiarniane atrium. Ostatnio oglądałem tam wystawę Andy'ego Warhola — wartości jego prac, bez względu na stosowane perspektywy, żadnym sposobem nie mogłem pojąć. Stawałem się przez to konserwatystą i reakcjonistą, którym absolutnie nie chciałem być, a przynajmniej nie chciałem go w sobie pielęgnować. Ale co mogłem na to poradzić?

Przeszłość to tylko jedna z wielu możliwych przyszłości, zwykł mawiać Thure Erik. Unikać należy nie tego, co minione, lecz tego, co skostniałe. To samo dotyczy współczesności. A kiedy w sztuce zamiera ruch, takiej sztuki należy unikać. Nie dlatego, że jest nowoczesna, trzyma stronę naszych czasów, lecz z uwagi na brak ruchu i martwotę.

— Kotleciki jagnięce i sałatka z kurczaka?

Odwróciłem się. Pryszczaty młody chłopak w czapce kucharskiej i fartuchu stał za ladą, w rękach trzymał talerze i rozglądał się po gościach.

— Tak, tutaj — powiedziałem.

Ustawiłem dania na tacy i zaniosłem do naszego stolika, gdzie Linda siedziała już z Vanją na kolanach.

— Obudziła się? — spytałem.

Linda kiwnęła głową.

— Wezmę ją — zaproponowałem. — Możesz jeść.

— Dziękuję.

Nie zaproponowałem tego ze szlachetnych pobudek, przeciwnie, kierował mną egoizm. Lindzie często obniżał się poziom cukru we krwi, a im dłużej taki stan trwał, w tym większą wpadała irytację. Przeżyłem z nią już prawie trzy lata i wychwytywałem sygnały na długo przed tym, zanim ona je wyczuwała; to były szczegóły: gwałtowniejszy ruch, mgnienie czerni w oczach, odrobinę krótsza odpowiedź. W takich sytuacjach należało postawić przed nią jedzenie i zaraz jej przechodziło. Przed przyjazdem do Szwecji nawet nie słyszałem o takim zjawisku, nie miałem pojęcia, że istnieje coś, co się określa jako spadek poziomu glukozy we krwi, i gdy pierwszy raz zauważyłem jego objawy u Lindy, nie mogłem zrozumieć, dlaczego z taką złością odpowiedziała kelnerce, dlaczego tylko lekko kiwnęła głową i odwróciła wzrok, gdy ją o to spytałem? Geir uważał, że owo rozpowszechnione i szeroko opisywane zjawisko wynika stąd, że wszyscy Szwedzi przez cały dzień dostawali w przedszkolach przekąski. Byłem przyzwyczajony do tego, że człowiek się złości, bo coś nie wyszło albo ktoś rzucił obraźliwą uwagę, a więc z mniej lub bardziej konkretnych powodów, oraz że głód wpływa na humor małych dzieci. Najwyraźniej musiałem się jeszcze dużo nauczyć o funkcjonowaniu ludzkiego ducha. A może chodziło o ducha szwedzkiego? Kobiecego? Ducha kulturalnej klasy średniej?

Wziąłem Vanję na ręce i poszedłem po krzesełko dla dzieci, stojące za drzwiami przy wyjściu. Wróciłem z małą w jednej ręce i krzesłem w drugiej, zdjąłem Vanji czapkę, kombinezon i buty, posadziłem ją. Włosy miała rozczochrane, buzię rozespaną, ale w oczach błysk, dający nadzieję na spokojne pół godziny.

Odkroiłem kilka kawałeczków kotleta i położyłem przed nią. Próbowała zmieść mięso jednym ruchem, ale zatrzymało się na rancie plastikowego stolika. Zanim zdążyła pozrzucać kawałki na ziemię, przełożyłem je na swój talerz, nachyliłem się i zacząłem grzebać w torbie przy wózku, szukając czegoś, co by ją zajęło przez kilka minut.

Blaszane pudełko na kanapki — czy to wystarczy?

Wyjęte ze środka herbatniki ułożyłem na brzegu stołu, a pudełko, do którego wrzuciłem wyciągnięte z kieszeni klucze, postawiłem przed Vanją.

Tego właśnie potrzebowała — czegoś, co dzwoniło i dawało się wyjmować i wkładać. Zadowolony z siebie, usiadłem przy stoliku i zacząłem jeść.

Lokal wypełniał gwar głosów i brzęk sztućców, niekiedy rozlegał się stłumiony śmiech. W krótkim czasie, który minął od naszego przyjścia, restauracja prawie całkiem się zapełniła. W weekendy w Djurgården zawsze było dużo ludzi, niezmiennie od ponad stu lat. Nie tylko dzięki dużym, wspaniałym parkom, czasami bardziej przypominającym lasy niż parki, ale też z uwagi na mnóstwo tutejszych muzeów: Galeria Thiela z pośmiertną maską Nietzschego, z obrazami Muncha, Strindberga i Hilla, galeria Waldemarsudde, czyli dom księcia artysty Eugena, Muzeum Nordyckie, Muzeum Biologiczne, no i oczywiście Skansen z zoo ze zwierzętami Skandynawii i budynkami z różnych epok. Wszystko to powstało w fantastycznym okresie na przełomie dziewiętnastego i dwudziestego wieku, kiedy w dziwny sposób mieszały się mieszczańskość, romantyzm, fanatyzm zdrowotny i dekadencja. Z tamtych czasów zachował się jedynie fanatyzm zdrowotny, od pozostałych, zwłaszcza od romantyzmu narodowego, zdecydowanie się odżegnano, ideałem stał się człowiek przeciętny, a nie wyjątkowy, stała się nim wielokulturowość, nie kultura wyjątkowa, tak więc wszystkie tutejsze muzea były teraz właściwie muzeami muzeów. W szczególności dotyczyło to, rzecz jasna, Muzeum Biologicznego, które zachowało się w niezmienionej formie, odkąd je zbudowano na początku ubiegłego stulecia, i prezentowało te same eksponaty, co wtedy — rozmaite wypchane zwierzęta w niby-naturalnym środowisku, na tle namalowanym przez Brunona Liljeforsa, wielkiego malarza zwierząt i ptaków. W tamtych czasach wciąż istniały ogromne obszary, w które człowiek nie ingerował, więc ich odwzorowanie nie było uzasadnione żadną koniecznością, po prostu poszerzało wiedzę, a wynikający z tego obraz naszej cywilizacji — dążącej do przeniesienia wszystkiego w świat człowieka, i to nie z konieczności, lecz z chęci, z pragnienia wiedzy, która miała poszerzać świat, lecz jednocześnie go zmniejszała, również pod względem fizycznym, bo to, co wtedy ledwie się zaczynało i dlatego rzucało się w oczy, teraz już było skończone — sprawiał, że za każdym razem, kiedy tu przychodziłem, byłem bliski łez. Strumień ludzi snujących się w weekendy nad kanałami, w alejkach, po trawnikach i w zagajnikach, który w zasadzie nie różnił się od tego z końca dziewiętnastego wieku, wzmacniał jeszcze to uczucie: jesteśmy tacy jak oni, tylko jeszcze bardziej skazani na zagładę.

Przede mną stanął mężczyzna w moim wieku. Było w nim coś znajomego, ale nie potrafiłem określić co. Miał mocny, wystający podbródek, głowę ogoloną, aby ukryć początki łysiny, grube płatki uszu, a skórę twarzy o lekko różowym odcieniu.

— Czy to krzesło jest wolne? — spytał.

— Tak, oczywiście — odparłem.

Uniósł je delikatnie i przystawił do sąsiedniego stolika, przy którym dwie kobiety i mężczyzna około sześćdziesiątki siedzieli razem z trzydziestolatką — tak na oko — i najprawdopodobniej jej dwojgiem małych dzieci. Rodzina, która wybrała się na niedzielny spacer z dziadkami.

Vanja zaniosła się okropnym krzykiem, który odkryła przed kilkoma tygodniami. Wrzeszczała z całych sił, ten dźwięk działał mi na nerwy i był nieznośny. Spojrzałem na nią. Pudełko i klucze spadły na podłogę przy krześle. Podniosłem je i położyłem przed nią. Wzięła je w rączki i znów zrzuciła. To mogła być zabawa, gdyby nie towarzyszący temu krzyk.

— Nie krzycz, Vanju — powiedziałem. — Bardzo cię proszę.

Wbiłem widelec w ostatnią połówkę ziemniaka, niemal żółtego na tle białego talerza, i włożyłem do ust.

Żując, pozbierałem ostatnie kawałeczki mięsa na talerzu i pomagając sobie nożem, wsunąłem je na widelec razem z kilkoma piórkami cebuli z sałatki; przełknąłem to, co miałem w ustach, i znów podniosłem widelec. Mężczyzna, który wziął krzesło od naszego stolika, szedł do lady razem ze starszym mężczyzną, prawdopodobnie teściem, bo między charakterystyczną twarzą pierwszego i bardziej zwyczajną twarzą starszego pana nie dostrzegałem podobieństwa.

Gdzie ja go widziałem?

Vanja znów zaczęła krzyczeć.

Jest po prostu niecierpliwa, tłumaczyłem sobie, nie ma się o co złościć. Ale gniew rozsadzał mi pierś.

Odłożyłem sztućce na talerz i wstałem. Spojrzałem na Lindę, która też już prawie skończyła jeść.

— Przejdę się z nią trochę po korytarzu. Chcesz tutaj wypić kawę czy pójdziemy gdzie indziej?

— Możemy iść gdzie indziej. Albo możemy zostać tutaj.

Przewróciłem oczami i nachyliłem się, żeby podnieść Vanję.

— Nie rób takich min — powiedziała Linda.

— Przecież zadałem ci proste pytanie. Można na nie odpowiedzieć tak albo nie. Chcesz to czy to? A ty nie umiesz się zdecydować.

Nie czekając na odpowiedź, postawiłem Vanję na podłodze, wziąłem ją za rączki i poprowadziłem przed sobą.

— A ty jak wolisz? — spytała Linda za moimi plecami.

Udałem, że jestem zajęty Vanją, i nie odpowiedziałem.

Bardziej z zapałem niż świadomie stawiała jedną nóżkę przed drugą i w ten sposób dotarliśmy do schodków, gdzie ostrożnie puściłem jej ręce. Przez chwilę stała wyprostowana, lekko się chwiejąc, ale zaraz opadła na kolana i wpełzła na górę po trzech stopniach. Na czworakach pomknęła do drzwi wejściowych, jak szczeniak. Kiedy się otworzyły, uklękła i z zadartą głową patrzyła wielkimi oczami na wchodzące osoby. Były to dwie starsze panie. Ta, która weszła jako druga, zatrzymała się i spojrzała na nią z uśmiechem. Vanja spuściła głowę.

— Troszeczkę nieśmiała, prawda? — zagaiła kobieta.

Uśmiechnąłem się uprzejmie, wziąłem Vanję na ręce i zabrałem na placyk przed wejściem. Dostrzegła gołębie dziobiące okruszki pod jednym ze stolików. Potem spojrzała w górę i pokazała mewę żeglującą na wietrze.

— Ptaki — potwierdziłem. — A tam, za szybą, widzisz? Tam siedzą ludzie.

Przeniosła wzrok najpierw na mnie, potem na nich. Jej spojrzenie było żywe, wyraziste, pociemniałe od wrażeń. Kiedy patrzyłem jej w oczy, zawsze miałem poczucie, że wiem, kim jest. Że to bardzo konkretny mały człowieczek.

— Ale tu zimno — powiedziałem. — Wchodzimy do środka, prawda?

Ze schodków zobaczyłem, że do naszego stolika podeszła Cora. Na szczęście nie usiadła. Stała uśmiechnięta za krzesłem, z rękami w kieszeniach.

— Ależ ona urosła! — zawołała.

— To prawda. Vanju, pokaż, jaka jesteś duża!

Na takie słowa Vanja reagowała, z dumą wyciągając rączki nad głowę, ale tym razem tylko przytuliła się do mojego ramienia.

— Chyba będziemy już szli do domu, prawda? — spytałem, patrząc na Lindę. — Na kawę trzeba by teraz czekać z pół godziny.

Kiwnęła głową.

— My też niedługo idziemy — oznajmiła Cora. — Ale właśnie umówiłam się z Lindą, że zajrzę do was któregoś dnia, więc niedługo się zobaczymy.

— Będzie nam miło — powiedziałem. Posadziłem sobie Vanję na kolanach i zacząłem jej wkładać kombinezon. Uśmiechnąłem się do Cory, nie chciałem się wydać niegrzeczny.

— Jak jest na urlopie tacierzyńskim? — spytała.

— Okropnie — odparłem. — Ale jakoś wytrzymuję.

Uśmiechnęła się.

— Nie żartuję.

— Zrozumiałam.

— Karl Ove wytrzyma wszystko — odezwała się Linda. — Taka jest jego metoda na życie.

— Chyba mogę mówić szczerze? Wolałabyś, żebym kłamał?

— Nie — odparła Linda. — Po prostu mi przykro, że tak bardzo tego nie znosisz.

— Wcale nie bardzo.

— Mama na mnie czeka — oświadczyła Cora. — Fajnie było was spotkać. Do zobaczenia.

— Nam też było miło — powiedziałem.

Kiedy odeszła, poczułem na sobie spojrzenie Lindy.

— Chyba nie powiedziałem nic złego? — spytałem, sadzając Vanję w wózku. Przypiąłem ją szelkami i nogą zwolniłem hamulec.

— Nie — odparła Linda takim tonem, że zrozumiałem, iż jej odpowiedź oznacza coś zupełnie przeciwnego. Kiedy dotarliśmy do schodków, nachyliła się, podniosła wózek, bez słowa wyszła na dziedziniec i skręciła na drogę do centrum. Miałem wrażenie, że zimny wiatr przewiewa mnie na wylot. Na ulicy był tłum. Na przystankach po obu stronach aż gęsto od ubranych na czarno, zmarzniętych ludzi o spojrzeniach przypominających wzrok ptaków, które przysiadają jeden koło drugiego i nieruchomo wpatrują się przed siebie, w skalny blok gdzieś na Antarktydzie.

— Wczoraj było tak pięknie i romantycznie — odezwała się wreszcie, kiedy mijaliśmy Muzeum Biologiczne; między gałęziami prześwitywał czarny kanał, lśniący w oddali. — A dzisiaj nic z tego nie zostało.

— Wiesz, że nie jestem romantykiem.

— Wiem. Ale jaki ty właściwie jesteś?

Nie patrzyła na mnie, gdy to mówiła.

— Daj spokój — powiedziałem. — Nie zaczynaj od nowa.

Napotkałem spojrzenie Vanji i uśmiechnąłem się do niej. Była w swoim świecie, powiązanym z naszym uczuciami i wrażeniami, dotykiem i barwą głosów. Gdy przechodziłem z jednego świata do drugiego, tak jak teraz, kiedy w jednej chwili złościłem się na Lindę, a w drugiej uśmiechałem do Vanji, czułem się bardzo dziwnie. Wręcz tak, jakbym równolegle wiódł dwa życia. Ale ona znała tylko jedno, chociaż wkrótce miała wrosnąć w to drugie, kiedy straci niewinność i zacznie kojarzyć, co się dzieje między Lindą a mną w chwilach takich jak ta.

Dotarliśmy do mostu nad kanałem. Spojrzenie Vanji krążyło między mijającymi nas ludźmi. Za każdym razem, gdy pojawiał się pies albo motocykl, pokazywała palcem.

— Myśl, że może będziemy mieć jeszcze jedno dziecko, napełniła mnie takim szczęściem — powiedziała Linda. — Czułam je wczoraj, czułam dzisiaj. Myślałam o tym prawie cały czas. Ze szczęścia aż ściskało mnie w brzuchu. Ale ty wcale tak nie czujesz. Bardzo mi z tego powodu przykro.

— Mylisz się. Ja też się ucieszyłem.

— Ale teraz już się nie cieszysz.

— To takie dziwne? Po prostu mam niezbyt dobry humor.

— Dlatego że siedzisz w domu z Vanją?

— Owszem, między innymi dlatego.

— Byłoby lepiej, gdybyś mógł pisać?

— Tak.

— Wobec tego poślemy Vanję do przedszkola.

— Tak myślisz? Przecież jest taka maleńka.

Trafiliśmy akurat na porę szczytu spacerowego, więc na moście, stanowiącym wąskie gardło trasy na Djurgården, byliśmy zmuszeni zwolnić. Linda jedną ręką trzymała się wózka. Chociaż tego nienawidziłem, nie zwróciłem jej uwagi, okazałbym się małostkowy, gdybym o tym wspomniał, zwłaszcza teraz, kiedy podjęliśmy taki temat.

— No tak, jest za mała — przyznała Linda. — Ale na przyjęcie do przedszkola czeka się trzy miesiące. Będzie wtedy miała szesnaście miesięcy, ciągle będzie mała, ale…

Za mostem skręciliśmy w lewo i ruszyliśmy wzdłuż nabrzeża.

— Co właściwie chcesz powiedzieć? — spytałem. — Raz mówisz, że pójdzie do przedszkola, a potem, że jest za mała.

— Bo uważam, że jest za mała. Ale skoro koniecznie musisz pracować, to nie ma innego wyjścia. Ja nie mogę zrezygnować ze studiów.

— To nigdy nie podlegało dyskusji. Powiedziałem, że zajmę się Vanją do lata. A do przedszkola pójdzie jesienią. Nic się nie zmieniło.

— Tylko że źle się z tym czujesz.

— Owszem, ale to nic groźnego. W każdym razie nie mam ochoty być złym facetem, który dla własnej przyjemności i wbrew woli kobiety za wcześnie posyła dziecko do przedszkola.

Spojrzała mi w oczy.

— A gdybyś mógł wybierać?

— Gdybym mógł wybierać, Vanja poszłaby do przedszkola od poniedziałku.

— Chociaż uważasz, że jest za mała?

— Tak. Tylko że ten wybór nie należy wyłącznie do mnie, prawda?

— Prawda. Ale zgadzam się. W poniedziałek zadzwonię i ją zapiszę.

Jeszcze przez chwilę szliśmy w milczeniu. Po prawej stronie znajdowały się najdroższe i najbardziej ekskluzywne mieszkania w Sztokholmie. Lepszego adresu w tym mieście nie było. Domy wyglądały tak, jak powinny wyglądać w tym miejscu. Po fasadach niełatwo było poznać, co się za nimi kryje, przypominały twierdze albo umocnienia. Wiedziałem jednak, że za nimi są ogromne mieszkania, dwunasto- albo czternastopokojowe. Żyrandole, arystokracja, ogromne pieniądze. Życie, o jakim nie miałem pojęcia.

Po drugiej stronie rozciągał się basen portowy, zupełnie czarny przy krawędzi nabrzeża, nieco dalej z białymi grzywami na szczytach fal. Niebo było ciemne i ciężkie, światła w budynkach na przeciwległym brzegu lśniły niczym iskierki w tej wielkiej szarości.

Vanja zaczęła popłakiwać i wiercić się w wózku, aż w końcu osunęła się na bok. Zaczęła marudzić jeszcze bardziej. Kiedy Linda nachyliła się, żeby ją poprawić, Vanja przez chwilę miała nadzieję, że zostanie wyjęta z wózka, a kiedy zrozumiała, że tak się nie stanie, sfrustrowana zaczęła płakać.

— Zatrzymaj się na chwilę — poprosiła Linda. — Zobaczę, czy w torbie nie ma przypadkiem jabłka.

Było. W następnej sekundzie frustracja Vanji zniknęła jak za dotknięciem czarodziejskiej różdżki. Z zadowoleniem zaczęła gryźć zielone jabłko, a my ruszyliśmy dalej.

Trzy miesiące — to znaczy maj. A więc zyskiwałem zaledwie dwa miesiące, ale to i tak więcej niż nic.

— Może mama mogłaby się zająć Vanją na stałe przez kilka dni w tygodniu — powiedziała Linda.

— Byłoby wspaniale.

— Spytamy ją jutro.

— Domyślam się, że się zgodzi — uśmiechnąłem się.

Matka Lindy natychmiast rzucała wszystko, gdy tylko któreś z jej dzieci potrzebowało pomocy. A jeśli nawet wcześniej coś mogło ją powstrzymać, to z całą pewnością nie teraz, kiedy na świat przyszła wnuczka. Ubóstwiała Vanję i gotowa była zrobić dla niej wszystko, po prostu wszystko.

— Cieszysz się? — spytała Linda, gładząc mnie po plecach.

— Tak.

— Będzie sporo starsza. Szesnaście miesięcy to wcale nie tak mało.

— Torje miał dziesięć, kiedy zaczął chodzić do przedszkola. I jakoś mu się nic nie stało.

— A jeśli rzeczywiście jestem w ciąży, to będę rodzić w październiku. Dobrze by było, gdybyśmy do tej pory znaleźli jakieś rozwiązanie dla Vanji.

— Wydaje mi się, że jesteś.

— Mnie też. A raczej wiem to na pewno. Od wczoraj.

Kiedy dotarliśmy do placu przed Teatrem Dramatycznym i zatrzymaliśmy się w oczekiwaniu na zielone światło, zaczął padać śnieg. Wiatr szalał przy węgłach i nad dachami domów. Bezlistne gałęzie kołysały się, furkotały flagi. Nieszczęsne ptaki unoszące się w powietrzu bezradnie ulegały podmuchom. Przeszliśmy na plac na końcu Biblioteksgatan, gdzie w niewinnych latach siedemdziesiątych rozegrał się dramat zakładników, który wstrząsnął całą Szwecją i dał początek tak zwanemu syndromowi sztokholmskiemu, a potem jedną z bocznych ulic przedostaliśmy się do NK, bo tam zamierzaliśmy zrobić zakupy na kolację dla gości.

— Jeśli chcesz, możesz iść z nią do domu. Sam kupię, co trzeba — zaproponowałem, wiedząc, jak bardzo Linda nie lubi sklepów i centrów handlowych.

— Nie, chcę być z tobą — zdecydowała.

Zjechaliśmy więc windą do spożywczego na poziom –1, kupiliśmy włoską kiełbasę salsiccia, pomidory, cebulę, pietruszkę, dwa opakowania rigatoni, lody i mrożone jeżyny, potem znów windą dostaliśmy się na piętro do sklepu monopolowego i wzięliśmy mały karton białego wina do sosu pomidorowego, duży karton wina czerwonego oraz niewielką butelkę koniaku. Po drodze chwyciłem norweskie gazety, które właśnie przyszły, „Aftenposten", „Dagbladet", „Dagens Næringsliv" i „VG", a na dodatek jeszcze „Guardian" i „The Times", na których przeczytanie być może, chociaż wcale nie było to pewne, uda mi się wykroić godzinę podczas weekendu.

Kiedy wróciliśmy do domu, dochodziła pierwsza. Ogarnięcie mieszkania, to znaczy ułożenie rzeczy i posprzątanie, zajęło dokładnie dwie godziny. Został jeszcze tylko niewiarygodnie wielki stos prania, ale czasu mieliśmy dość. Fredrik i Karin mieli przyjść dopiero o szóstej.

Linda posadziła Vanję na krześle i w mikrofalówce podgrzała słoiczek jedzenia dla dzieci, a ja chwyciłem worki i torby ze śmieciami — nazbierało się ich sporo, zwłaszcza w łazience, w której pieluchy wypełniały nie tylko wiadro na śmieci, tak że pokrywka uniosła się do pionu, lecz również leżały w stosach na podłodze — i zniosłem je do śmietnika na parterze. Jak zawsze pod koniec tygodnia, wszystkie pojemniki były przepełnione. Otwierałem po kolei pokrywy i wrzucałem rozmaite rodzaje śmieci, tak jak należało: papier tu, kolorowe szkło tam, białe szkło tu, plastik tam, metal tam, a reszta tu. Skonstatowałem to, co zazwyczaj, a mianowicie, że w tym domu całkiem sporo się pije, bo znaczną część odpadów w kontenerze na papier stanowiły kartony po winie, a niemal całe szkło pochodziło z butelek po winie i wódce. Poza tym w śmietniku leżały zawsze grube stosy magazynów, zarówno tych tanich, dołączanych do gazet, jak i grubszych, bardziej wymyślnych, o tematyce specjalnej. Kamienica czytała głównie o modzie, urządzaniu wnętrz i domkach letniskowych. W rogu przy krótszej ścianie była dziura, prowizorycznie zabita deskami, którą włamywacz wybił pewnej nocy, żeby dostać się do salonu fryzjerskiego po sąsiedzku. Prawie tych złodziei nakryłem. Któregoś dnia rano wstałem o piątej, wyszedłem z filiżanką kawy w ręku i gdy znalazłem się na klatce, usłyszałem przenikliwe wycie alarmu dobiegające od fryzjera. Na dole stała ochroniarka z telefonem przy uchu. Zakończyła rozmowę, gdy się pojawiłem, i spytała, czy tu mieszkam. Kiwnąłem głową. Powiedziała, że przed chwilą było włamanie do salonu fryzjerskiego i że policja już jedzie. Poszedłem z nią do schowka na rowery, którego drzwi wyłamano, i zobaczyłem półmetrową dziurę w gipsowej ściance. Miałem na końcu języka kilka dowcipów o próżnych złodziejach, ale z nich zrezygnowałem. Ochroniarka była Szwedką, więc nie zrozumiałaby albo moich słów, albo ich sensu. Kiedy pozamykałem pokrywy i otwierałem drzwi na zewnątrz, żeby jeszcze zapalić, uświadomiłem sobie, że jednym z następstw mieszkania w Szwecji było to, iż w ogóle mniej mówiłem. Prawie zrezygnowałem z pogawędek, to znaczy z wymiany uprzejmych zdań z obsługą w sklepach i kawiarniach, z konduktorami w pociągu, z przypadkowymi ludźmi, z którymi wspólnie przeżywa się jakąś sytuację. Kiedy przyjeżdżałem do Norwegii, najprzyjemniejsze było wrażenie powrotu do zażyłości z nieznajomymi ludźmi; przestawałem wciskać głowę w ramiona. I jeszcze wiedza, jaką miałem o swoich rodakach, która niemal mnie zalewała, kiedy wchodziłem do hali przylotów na Gardermoen: ta kobieta jest z Bergen, a tamta z Trondheim; ten facet z całą pewnością pochodzi z Arendal, a ta pani, czy nie przybyła z Birkeland? Podobnie rzecz się miała niemal z całym obrazem społeczeństwa, z tym, gdzie kto pracował, z jakich warstw się wywodził: wszystko stawało

się oczywiste w ciągu kilku sekund, natomiast w Szwecji pozostawało ukryte. W ten sposób znikał cały świat. Jak by to w takim razie wyglądało, gdybym zamieszkał w afrykańskim mieście? Albo w japońskim?

Na zewnątrz uderzył we mnie wiatr. Napadało śniegu, sunął falami po asfalcie, tu i ówdzie podrywany w górę niczym welon, jakby znalazł się na jakimś górskim płaskowyżu, a nie na podwórzu w mieście nad Bałtykiem. Stanąłem pod nadbudówką przy bramie, gdzie kłujące ziarenka docierały jedynie sporadycznie, przy wyjątkowo dzikich podmuchach. Gołąb przycupnął nieruchomo na swoim miejscu w rogu, kompletnie obojętny na mnie i na to, co robię. Zobaczyłem, że w kawiarni po drugiej stronie ulicy jest pełno ludzi, głównie młodzieży. Chodnikiem od czasu do czasu sunął jakiś przechodzień, garbiąc się dla ochrony przed wiatrem. Wszyscy odwracali głowy w moją stronę.

Tamto włamanie niemal na moich oczach nie było jedyne; ponieważ dom stał w samym centrum śródmieścia, od czasu do czasu chowali się w nim bezdomni. Któregoś dnia rano zastałem jednego w pralni. Spał w pomieszczeniu obok pralki, być może szukał jej ciepła, jak kot. Głośno trzasnąłem drzwiami, wróciłem na górę i odczekałem kilka minut. Kiedy znów zszedłem, zniknął. Również w piwnicy natknąłem się na bezdomnego. Koło dziesiątej wieczorem chciałem przynieść coś z naszego boksu — siedział tam, brodaty, wpatrując się we mnie intensywnie. Kiwnąłem mu głową, otworzyłem naszą piwnicę i po zabraniu tego, co miałem zabrać, wyszedłem. Oczywiście powinienem był zadzwonić na policję, chociażby z powodu zagrożenia pożarowego, ale mnie bezdomni nie dokuczali, więc zostawiałem ich w spokoju.

Zgasiłem papierosa o ścianę i grzecznie zaniosłem go do dużej popielniczki, myśląc o tym, że wkrótce powinienem rzucić palenie, bo ostatnio jakby mnie piekło w płucach. Ile to już lat budziłem się rano z gardłem pełnym gęstego śluzu? Ale jeszcze nie dzisiaj, nie dzisiaj, powiedziałem do siebie półgłosem — mówienie do siebie niedawno weszło mi w nawyk — i zamknąłem za sobą drzwi.

W trakcie sprzątania przez cały czas słuchałem, co robią Linda z Vanją. Linda czytała głośno, podsuwała małej kolejne zabawki, które ta na ogół ciskała o podłogę, na co wielokrotnie chciałem zareagować, ale sąsiadki najwyraźniej nie było w domu, więc za każdym razem się powstrzymywałem; Linda śpiewała Vanji, coś z nią przekąsiła. Od czasu do czasu zaglądały popatrzeć, co robię, Vanja uwieszona ręki Lindy; kiedy mała zaczynała się sama bawić, Linda przez chwilę usiłowała poczytać gazetę, ale za każdym razem Vanja już po kilku minutach domagała się pełnej uwagi. A Linda nigdy jej nie odmawiała! Musiałem bardzo się pilnować, żeby nie wkroczyć i nie powiedzieć, co o tym myślę, bo tak niewiele było trzeba, żeby moje słowa zostały uznane za krytykę. Może pojawienie się jeszcze jednego dziecka pomogłoby zmienić ten układ. A kolejne dziecko dokonałoby tego z całą pewnością.

Uporawszy się ze sprzątaniem, usiadłem na kanapie z plikiem gazet. Jeszcze tylko uprasować obrus, nakryć stół i przygotować jedzenie. Ale to miało być proste danie, wymagające nie więcej niż pół godziny, więc miałam dużo czasu. Na dworze już się ściemniło. Z mieszkania na górze dochodziły dźwięki gitary, to brodaty czterdziestolatek ćwiczył bluesy.

Linda stanęła w drzwiach.

— Weźmiesz Vanję? — spytała. — Też chcę mieć przerwę.

— Dopiero usiadłem. Sprzątnąłem całe to cholerne mieszkanie, chyba zauważyłaś?

— A ja zajmowałam się Vanją. Uważasz, że to mniej męczące?

Tak, tak uważałem. Potrafiłem opiekować się Vanją i jednocześnie sprzątać mieszkanie. Trochę było przy tym płaczu, ale jakoś się udawało. Tą drogą jednak nie mogłem pójść, jeśli chciałem uniknąć otwartej konfrontacji.

— Nie, nie uważam — odparłem. — Ale ja zajmuję się Vanją przez cały tydzień.

— Ja też. Rano i po południu.

— Daj spokój, przecież to ja siedzę z nią w domu.

— A kiedy ja z nią siedziałam, to co robiłeś? Zajmowałeś się nią rano i po południu? A czy ja wychodziłam do kawiarni codziennie po twoim powrocie do domu, tak jak ty teraz?

— Okej. Zajmę się nią. Siadaj.

— Nie z takim nastawieniem. Sama się nią zajmę.

— Chyba nie ma znaczenia, jakie mam nastawienie. Zajmę się nią, a ty sobie zrobisz przerwę. Proste rozwiązanie.

— Poza tym cały czas robisz sobie przerwy, kiedy wychodzisz zapalić. A ja nie. Myślałeś o tym?

— No to zacznij palić.

— Może zacznę.

Wyminąłem Lindę, nie patrząc na nią, i poszedłem do Vanji; siedziała na podłodze i dmuchała we flet, który trzymała jedną ręką, a drugą wywijała w powietrzu. Stanąłem przy parapecie z rękami założonymi na piersiach. W żadnym razie nie zamierzałem spełniać jej każdego najdrobniejszego życzenia. Kilka minut bez pełnej uwagi mogła wytrzymać, jak inne dzieci.

Usłyszałem, że w salonie Linda szeleści gazetą.

Czy powinienem już teraz jej powiedzieć, że ma uprasować obrus, nakryć do stołu i przygotować jedzenie? Czy niby z zaskoczeniem oznajmić, że to jej zadanie, dopiero kiedy przyjdzie zająć się Vanją? Bo przecież się zamieniliśmy, prawda?

W tej chwili po pokoju rozniósł się ostry, zgniły zapach. Vanja przestała dmuchać we flet, siedziała nieruchomo i wpatrywała się w jeden punkt. Odwróciłem się i wyjrzałem przez okno. Spoglądałem na śnieg przesuwający się po ulicy, na której światło kołyszących się latarni wychwytywało jego drobinki, niewidoczne powyżej oświetlanej strefy. Drzwi do US Video nieustannie otwierały się i zamykały. Samochody przejeżdżały z częstotliwością regulowaną przez niewidoczną dla mnie sygnalizację świetlną. Okna w mieszkaniach po drugiej stronie były tak daleko, że ich lokatorzy ukazywali się jedynie w postaci mglistych zakłóceń jasności szyb.

Odwróciłem się.

— Skończyłaś już? — spytałem Vanję i spojrzałem jej w oczy. Uśmiechała się. Wziąłem ją pod pachy i rzuciłem na łóżko; zaczęła się śmiać.

— Teraz cię przewinę — powiedziałem. — I dlatego ważne jest, żebyś leżała spokojnie. Rozumiesz?

Podniosłem ją i rzuciłem jeszcze raz.

— Rozumiesz, mały trollu?

Śmiała się tak, że aż brakowało jej tchu. Ściągnąłem jej spodnie, a ona błyskawicznie się odwróciła i popełzła po łóżku. Złapałem ją za kostkę u nogi i przyciągnąłem z powrotem.

— Masz leżeć spokojnie, rozumiesz? — powtórzyłem i rzeczywiście jakby pojęła, bo zupełnie znieruchomiała i wpatrywała się we mnie okrągłymi oczkami. Jedną ręką uniosłem jej nogi do góry, drugą rozpiąłem rzepy i zdjąłem pieluchę. Teraz próbowała się uwolnić, obrócić, a ponieważ mocno ją trzymałem, nagle wygięła się w łuk jak epileptyk.

— Nie, nie, nie. — Puściłem ją. Znów zaczęła się śmiać, więc jak najszybciej wyjąłem z paczki kilka wilgotnych chusteczek i wytarłem ją, próbując nie oddychać przez nos i ignorować irytację, która cały czas we mnie rosła, jak mur. Zapomniałem odłożyć zafajdaną pieluchę na bok, więc Vanja zaraz wsadziła w nią stopę; odsunąłem pieluchę i zacząłem wycierać jej nogę, ale raczej bez przekonania, bo wiedziałem, że wilgotne chusteczki nie wystarczą. W końcu wziąłem ją na ręce i wierzgającą zaniosłem pod pachą do łazienki, zdjąłem prysznic z uchwytu, odkręciłem wodę, ustawiłem odpowiednią temperaturę, sprawdzając ją wierzchem dłoni, i zacząłem opłukiwać ostrożnie dolną połowę ciała Vanji, a ona w tym czasie usiłowała chwycić żółte końce zasłony prysznicowej. Kiedy wreszcie ją umyłem, wytarłem ręcznikiem i udaremniwszy kilka prób ucieczki, założyłem jej w końcu czystą pieluchę, pozostało jeszcze tylko spakowanie brudnej, włożenie do plastikowej torby, zawiązanie tejże i rzucenie jej koło drzwi wejściowych.

Linda dalej przeglądała gazetę. Vanja stukała w podłogę klockiem z zestawu, który dostała na pierwsze urodziny od Öllegård. Położyłem się na łóżku z rękami pod głową. Moment później rozległo się walenie w rury.

— Nie przejmuj się nią — powiedziała Linda. — Niech Vanja się bawi, jak chce.

Nie mogłem jednak tego wytrzymać. Wstałem, podszedłem do Vanji i odebrałem jej klocek. W zamian podałem jej pluszową lamę. Odrzuciła ją. Chociaż zacząłem przemawiać dziecinnym głosem, poruszając lamą tam i z powrotem, nadal nie była nią zainteresowana. Chciała klocek. Pożądała dźwięku, który powstawał, gdy uderzała nim o parkiet. A więc dobrze, niech ma. Wyjęła dwa klocki ze skrzynki i zaczęła nimi stukać o podłogę. Sekundę później znów zagrzmiały rury. Co, u diabła, czy ona tam na dole stoi i tylko na to czeka? Wziąłem klocek ze skrzynki i z całej siły zacząłem nim walić o grzejnik. Vanja się zaśmiewała. Za chwilę usłyszałem trzaśnięcie drzwi na dole, przeszedłem przez salon do przedpokoju i kiedy rozległ się dzwonek, gwałtownie otworzyłem drzwi. Rosjanka patrzyła na mnie z wściekłością; zrobiłem krok do przodu i zatrzymałem się w odległości kilku centymetrów od niej.

— Czego pani chce, do cholery?! — krzyknąłem. — Po co, do wszystkich diabłów, pani tu przychodzi?! Nie chcę pani tu widzieć. Rozumie pani?!

Tego się nie spodziewała. Cofnęła się o krok, próbowała coś powiedzieć, ale gdy tylko wydobyła z siebie pierwsze słowo, znów zacząłem:

— Niech się pani stąd wynosi, do jasnej cholery! — krzyczałem. — Jeśli przyjdzie pani jeszcze raz, zadzwonię na policję!

W tej chwili na schodach pojawiła się pięćdziesięcioletnia kobieta, jedna z tych, które mieszkały piętro wyżej. Mijając nas, patrzyła w podłogę, ale mimo wszystko mogła być świadkiem. Może to dodało Rosjance odwagi, bo nie odchodziła.

— Nie rozumie pani, co mówię?! Jest pani tępą idiotką?! Niech się pani stąd wynosi, i to już!

Przy ostatnich słowach znów zrobiłem krok w jej stronę. Zaczęła schodzić po schodach. Po paru krokach odwróciła się do mnie.

— To będzie miało konsekwencje — oświadczyła.

— Olewam to — warknąłem. — Jak pani myśli, komu uwierzą? Samotnej alkoholiczce, Rosjance, czy młodemu, szczęśliwemu małżeństwu z maleńkim dzieckiem?

Wszedłem do mieszkania i zamknąłem drzwi. Linda stała w progu salonu i wpatrywała się we mnie. Wyminąłem ją, nie zatrzymując na niej wzroku.

— Może to nie było zbyt mądre — przyznałem. — Ale przynajmniej lepiej się poczułem.

— Rozumiem.

Wszedłem do sypialni, zabrałem Vanji klocki i wrzuciłem je do skrzynki, którą postawiłem na komodzie, żeby ich nie dosięgnęła. Wpadła w rozpacz, musiałem jakoś odwrócić jej uwagę, więc ją podniosłem i postawiłem na parapecie. Przez chwilę obserwowaliśmy samochody. Nie wytrzymałem jednak długo, byłem wyprowadzony z równowagi, więc znów posadziłem ją na podłodze, a sam poszedłem do łazienki, opłukałem dłonie w gorącej wodzie, bo zimą zawsze mi marzły, wytarłem je i chwilę stałem, przyglądając się swojemu odbiciu, które nie zdradzało kłębiących się we mnie myśli ani uczuć. Chyba z najwcześniejszego dzieciństwa pozostał mi lęk przed podniesionymi głosami i agresją. Kłótnie i awantury były dla mnie najgorszą rzeczą. W dorosłym życiu długo udawało mi się ich unikać. W żadnym z moich związków nie dochodziło do głośnych scysji, konflikty rozgrywały się według mojej metody, z wykorzystaniem ironii, sarkazmu, nieżyczliwości, dąsów i milczenia. Wszystko się zmieniło dopiero wtedy, gdy w moje życie wkroczyła Linda. I to jak się zmieniło! Owszem, bałem się. Ten lęk nie był racjonalny, w oczywisty sposób górowałem nad nią siłą fizyczną, a w kwestii równowagi w związku to ona bardziej potrzebowała mnie niż ja jej, bo potrafiłem być sam, samotność zawsze była dla mnie do zaakceptowania, w zasadzie stanowiła wręcz pokusę, natomiast Linda bardziej niż czegokolwiek lękała się, że zostanie sama, ale mimo wszystko, mimo takiego rozkładu sił bałem się, kiedy mnie atakowała. Odczuwałem lęk jak w dzieciństwie. Dumny z tego nie byłem, ale w czym to mogło pomóc? Nie potrafiłem zapanować nad lękiem rozumem ani wolą, coś uwalniało się w moim wnętrzu, coś tkwiącego głębiej, być może stanowiącego fundament mojego charakteru. Ale Linda o tym nie wiedziała. Nie było po mnie nic widać. Kiedy się odgryzałem, czasami łamał mi się głos, bo płacz ściskał mi gardło, ale według niej równie dobrze mogło to być spowodowane wściekłością. A zresztą nie, chyba musiała się domyślać. Ale sądzę, że nie wiedziała, jak strasznie się wtedy czułem.

No i czegoś mnie nauczyły te nasze kłótnie. Rok wcześniej było niemożliwością, żebym zwymyślał kogoś tak, jak przed chwilą zwymyślałem Rosjankę. Ale w tym wypadku nie mogło dojść do pojednania. Po tym, co się stało, możliwa była tylko eskalacja.

I co z tego?

Zabrałem cztery niebieskie torby z Ikei pełne brudnych rzeczy, o których całkiem zapomniałem, i wyniosłem do przedpokoju. Włożyłem buty i głośno powiedziałem, że schodzę do piwnicy wstawić pranie. Linda stanęła w drzwiach.

— Musisz to robić teraz? — spytała. — Przecież oni niedługo przyjdą. A jeszcze nawet nie zaczęliśmy szykować jedzenia...

— Jest ledwie wpół do piątej — odparłem. — A następny wolny termin w pralni będzie dopiero w czwartek.

— Okej. Pogodzimy się?

— Jasne, oczywiście.

Podeszła do mnie i pocałowaliśmy się.

— Kocham cię, zrozum — powiedziała Linda.

Z salonu przyszła na czworakach Vanja. Chwyciła się nogawki Lindy i dźwignęła na nogi.

— Cześć, też chcesz być z nami? — Wziąłem ją na ręce. Wsunęła główkę między nasze głowy. Linda się roześmiała.

— Świetnie. Wobec tego idę wstawić pranie.

Chwyciłem po dwie torby w każdą rękę i kołyszącym krokiem zszedłem po schodach. Niepokój wywołany myślą o sąsiadce, o tym, że jest kompletnie nieprzewidywalna, a teraz jeszcze głęboko urażona, odsunąłem od siebie. Co mogło się stać? Przecież nie wypadnie na mnie z nożem w ręku? Zemsta z ukrycia, taką przyjęła metodę.

Schody były puste, korytarz pusty, pralnia pusta. Zapaliłem światło, posortowałem ubrania na cztery stosy — kolory na czterdzieści, kolory na sześćdziesiąt, białe na czterdzieści, białe na sześćdziesiąt — dwa z nich upchnąłem w dwóch ogromnych pralkach, wsypałem proszek do szufladki na panelu i włączyłem.

Kiedy wróciłem na górę, Linda nastawiła muzykę, jedną z płyt Toma Waitsa wydanych po tym, jak straciłem dla niego zainteresowanie, więc z niczym mi się nie kojarzyły oprócz tego, że były w jego stylu. Linda tłumaczyła kiedyś teksty Waitsa do przedstawienia w Sztokholmie i było to, jak mówiła, jedno z najzabawniejszych i najbardziej satysfakcjonujących zajęć w jej życiu; wciąż miała emocjonalny, żeby nie powiedzieć: intymny, stosunek do jego muzyki.

Zdążyła już przynieść z kuchni szklanki, sztućce i talerze i ustawić je na stole. Leżał tam również nieuprasowany obrus, a także stosik wygniecionych płóciennych serwetek.

— Chyba trzeba to uprasować? — spytała.

— Jeżeli chcesz położyć obrus, to tak. Mogłabyś się tym zająć, a ja zacznę szykować jedzenie?

— Dobrze.

Wyciągnęła ze schowka deskę do prasowania, a ja w kuchni wyjąłem potrzebne produkty. Postawiłem żeliwny garnek na kuchence, włączyłem płytkę, wlałem trochę oliwy, obrałem i pokroiłem czosnek. Linda przyszła po butelkę z rozpylaczem, która stała w szafce pod blatem. Potrząsnęła nią lekko, żeby sprawdzić, czy jest w niej woda.

— Robisz to bez przepisu? — spytała.

— Już się nauczyłem. Ile razy serwowaliśmy to danie? Dwadzieścia?

— Ale oni jeszcze go nie jedli.

— No nie. — Przechyliłem deskę nad garnkiem i zsunąłem z niej plasterki czosnku. Linda wróciła do salonu.

Na dworze ciągle padał śnieg, już trochę słabiej. Pomyślałem, że za dwa dni znów będę siedział w swojej pracowni, i ogarnęła mnie radość. Może Ingrid zajęłaby się Vanją nie dwa, ale trzy dni w tygodniu? Niczego więcej od życia nie chciałem. Tylko żebym mógł w spokoju pisać.

Fredrik był jednym z przyjaciół Lindy, których znała najdłużej. Poznali się, kiedy jako szesnastolatkowie pracowali w szatni w Teatrze Dramatycznym, i od tamtej pory utrzymywali kontakt. Fredrik był reżyserem filmowym, ale ostatnio zajmował się głównie reklamami i przymierzał się do nakręcenia pierwszego filmu fabularnego. Miał wielkich klientów, jego filmiki cały czas leciały w telewizji, więc zakładałem, że jest dobry i że zarabia więcej niż przeciętnie. Zrobił też trzy filmy krótkometrażowe, do których Linda napisała scenariusze, i jedną nowelę filmową. Miał blisko osadzone niebieskie oczy i jasne włosy, głowę dużą, ciało szczupłe, a w charakterze coś nieokreślonego, może nawet niewyraźnego, więc trudno było go rozgryźć. Bardziej chichotał, niż się śmiał, i sprawiał wrażenie lekkoducha, co mogło być błędnie oceniane. Ta lekkość ducha niekoniecznie ukrywała wielką głębię myśli, ale zaciemniała jego obraz. Coś w nim było, chociaż nie miałem pojęcia co, wiedziałem jedynie, że to coś istnieje i pewnego dnia może, chociaż nie musi, przerodzić się w znakomite dzieło, w związku z czym Fredrik jeszcze bardziej mnie intrygował. Był sprytny i niestrachliwy, najwyraźniej już wiele lat temu stwierdził, że nie ma zbyt wiele do stracenia. W każdym razie tak go odbierałem. Linda mówiła, że jego największą siłą jako reżysera jest świetne podejście do aktorów, potrafił im zapewnić dokładnie to, czego potrzebowali, żeby dali z siebie maksymalnie dużo. Kiedy go zobaczyłem, zrozumiałem, na czym to polega. Był życzliwą duszą, umiejącą schlebić każdemu, wydawał się całkiem niegroźny, umożliwiał innym poczucie własnej siły, a jednocześnie spryt pozwalał mu wyciągnąć z tego korzyści. Aktorzy mogli prowadzić z nim dyskusje o swoich rolach, usiłować przeniknąć je do dna, ale całość, czyli właściwy sens, mieli ujrzeć dopiero w trakcie pracy, bo tylko on miał wizję całości.

Lubiłem go, ale nie umiałem z nim rozmawiać i starałem się unikać sytuacji sam na sam. O ile mogłem się zorientować, postępował podobnie.

Jego partnerkę, Karin, znałem jeszcze mniej. Studiowała na tej samej uczelni co Linda, w Instytucie Dramatu, ale na wydziale scenariuszy filmowych, a ponieważ ja również pisałem, powinienem umieć się odnieść do jej pracy, lecz w pisaniu scenariuszy do filmów wyraźny jest element rzemiosła — istnieje konieczność konstruowania napięcia, rozwijania postaci, wątku głównego i pobocznego, punktów kulminacyjnych i punktów zwrotnych — więc domyślałem się, że mam niewiele do powiedzenia na ten temat, i zawsze mobilizowałem się tylko na tyle, by wykazać życzliwe zainteresowanie. Karin miała czarne włosy, bladą cerę, wąskie piwne oczy i pociągłą twarz. Biła od niej swego rodzaju rzeczowość, która dobrze pasowała do bardziej żartobliwego, dziecinnego charakteru Fredrika. Mieli dziecko, a teraz spodziewali się drugiego. Wszystko im wychodziło, zupełnie inaczej niż nam. Utrzymywali ład w domu, radzili sobie z dzieckiem i w ogóle zachowywali się jak należy. Po naszej wizycie u nich albo ich odwiedzinach u nas często zastanawialiśmy się z Lindą, dlaczego to, co dla nich jest takie proste, pozostaje kompletnie poza naszym zasięgiem.

Wiele elementów przemawiało za tym, byśmy zaprzyjaźnili się jako pary: byliśmy w tym samym wieku, zajmowaliśmy się podobnymi rzeczami, należeliśmy do tej samej klasy społecznej i mieliśmy dzieci. Czegoś jednak brakowało, zawsze miałem wrażenie, że stoimy po dwóch stronach niewielkiej przepaści. Rozmowa zazwyczaj toczyła się jakby na próbę, prawie nigdy się do końca nie rozwijała. Ale kiedy tak się stało, wszyscy czuliśmy radość i ulgę. To głównie przeze mnie trudno nam się było zaprzyjaźnić, zarówno przez moją skłonność do milczenia, jak i przez widoczny dyskomfort, który odczuwałem, gdy już otworzyłem usta. Ten wieczór przebiegł w dużej mierze tak samo. Przyszli kilka minut po szóstej, wymieniliśmy uprzejmości, Fredrik i ja piliśmy gin z tonikiem, usiedliśmy do jedzenia, wypytywaliśmy się nawzajem o różne sprawy, co słychać z tym czy z tym, i jak zawsze wyraźnie było widać, że są sprawniejsi w towarzyskiej konwersacji od nas, a w każdym razie ode mnie, któremu nie śniło się nawet, żeby zrobić coś z niczego, nagle zacząć opowiadać o swoich przeżyciach albo skierować na ten temat rozmowę. Linda również nie robiła tego często. Jej strategia polegała raczej na koncentrowaniu się na nich, zadawaniu pytań i ciągnięciu wątku. Chyba że czuła się na tyle bezpiecznie i dobrze, że brała na siebie prowadzenie rozmowy z taką samą oczywistością, z jaką ja takiej roli nie przyjmowałem. Jeśli tak się działo, wieczór był udany, bo wtedy troje graczy nie musiało myśleć o grze.

Pochwalili jedzenie, sprzątnąłem ze stołu, nastawiłem kawę i nakryłem do deseru, a Karin i Fredrik w tym czasie położyli dziecko w sypialni, obok łóżeczka, w którym spała Vanja.

— A tak w ogóle, twoje mieszkanie było tuż przed świętami w norweskiej telewizji — powiedziałem, kiedy ich syn już zasnął, a oni oboje znów siedzieli przy stole i nakładali sobie lody i gorące jeżyny.

Jego mieszkanie, czyli moja pracownia. Był to właściwie pokój z łazienką i kącikiem kuchennym, który wynajmowałem od Fredrika.

— Tak?

— Wiadomości „Dagsrevyen", norweski wariant „Aktuelt", przeprowadzały ze mną wywiad. Najpierw chcieli to zrobić tutaj, u nas, ale oczywiście się nie zgodziłem. Potem powiedzieli, że doszły ich słuchy, iż jestem w domu z dzieckiem, i spytali, czy mogliby mnie sfilmować razem z Vanją, oczywiście znów odmówiłem, ale nie przestawali marudzić. Zapewniali, że nie muszą jej filmować, wystarczy wózek. Czy mógłbym na przykład przejechać z wózkiem przez miasto, żeby przekazać Vanję Lindzie przed rozpoczęciem wywiadu? No to co miałem powiedzieć?

— Na przykład: nie? — podsunął Fredrik.

— Ale przecież musiałem im coś dać. Za cholerę nie chcieli kręcić wywiadu w żadnej kawiarni. To musiało być o czymś. Dlatego stanęło na wywiadzie u ciebie w pracowni. Dodatkowo jeszcze chodziłem po Gamla Stan i szukałem w sklepach aniołka dla Vanji. To było takie głupie, że aż mi się chce płakać. Ale tak już jest, zawsze trzeba trochę ustąpić.

— Przecież wyszło dobrze — zauważyła Linda.

— Wcale nie. Ale nie wiem, jak mogłoby wyjść lepiej w takich warunkach.

— A więc jesteś teraz znany w Norwegii? — spytał Fredrik, patrząc na mnie przebiegle.

— Nie, nie. To wszystko z powodu nominacji do tej nagrody.

— Aha. — Roześmiał się. — Tak cię tylko podpuszczam. Ale czytałem niedawno fragment twojej powieści w jakimś szwedzkim czasopiśmie. Ogromnie sugestywna.

Uśmiechnąłem się.

Żeby odwrócić uwagę od elementu samochwalstwa, który jednak był obecny w poruszonym przeze mnie temacie, wstałem, mówiąc:

— Aha, prawda. Kupiliśmy przecież butelkę koniaku na dzisiejszą kolację. Napijesz się? — Zanim zdążył odpowiedzieć, ruszyłem do kuchni. Kiedy wróciłem, rozmowa zeszła na alkohol i karmienie piersią. Lekarz powiedział Lindzie, że picie jest absolutnie niegroźne, oczywiście w umiarkowanych ilościach, ale mimo wszystko nie chciała ryzykować, ponieważ szwedzka Rada do Spraw Zdrowia zalecała całkowitą abstynencję. Podobno alkohol i ciąża to jedno, bo wtedy płód ma bezpośredni kontakt z krwią matki, karmienie piersią zaś to zupełnie inna sprawa. Od tego tematu była już krótka droga do ciąż w ogóle, a od ciąż — do porodów. Potwierdzałem to i owo, wtrącałem coś od czasu do czasu, ale głównie siedziałem w milczeniu i słuchałem. Porody to dla kobiet tak drażliwy i delikatny temat — bywa, że w podtekście chodzi o prestiż — że dla mężczyzny w zasadzie jedyną możliwością jest trzymać się od niego z daleka i nie wypowiadać żadnych opinii. I rzeczywiście, zamknęliśmy się obaj, i Fredrik, i ja. Aż do chwili gdy pojawiła się kwestia cesarskiego cięcia. Wówczas nie potrafiłem się powstrzymać.

— To absurd, że cesarskie cięcie stanowi alternatywę dla naturalnego porodu — powiedziałem. — Jeżeli przemawiają za tym względy medyczne, to oczywiście nie mam najmniejszych problemów z akceptacją tego zabiegu, ale jeśli medycznych powodów nie ma, a matka jest silna i zdrowa, to po co rozcinać brzuch, żeby wyjąć dziecko? Widziałem to kiedyś w telewizji i, cholera, to było naprawdę brutalne. W jednej chwili dziecko leżało w brzuchu matki, a w drugiej zostawało wyciągnięte na światło. To musi być szok zarówno dla dziecka, jak i dla matki. Poród to przecież proces, dzięki temu, że postępuje tak powoli, i matka, i dziecko mogą się przygotować. Nie mam najmniejszych wątpliwości, że jest w tym sens. Tymczasem rezygnuje się z tego procesu i wszystkiego, co przez ten czas dzieje się z dzieckiem całkowicie poza naszą kontrolą, tylko dlatego że prościej jest rozciąć brzuch i wyjąć noworodka. Moim zdaniem to chore.

Zapadła cisza. Atmosfera zgęstniała. Czułem zakłopotanie obecnych. Lindzie było głupio. Zrozumiałem, że nieświadomie przekroczyłem jakąś granicę. Musiałem ratować sytuację, ale ponieważ nie wiedziałem, gdzie popełniłem błąd, sam nie mogłem tego zrobić. Podjął się tego Fredrik.

— Prawdziwy Norweg reakcjonista! — uśmiechnął się. — W dodatku pisarz. Witaj, Hamsun!

Spojrzałem na niego ze zdziwieniem. Puścił do mnie oko i znów się uśmiechnął. Już do końca wieczoru nazywał mnie Hamsunem. Potrafił na przykład powiedzieć: „Hej, Hamsun, masz może trochę kawy?" albo: „Co o tym myślisz, Hamsun? Mamy się przeprowadzić, żeby mieć kontakt z przyrodą, czy dalej mieszkać w mieście?".

Tę ostatnią kwestię często poruszaliśmy w dyskusjach, bo Linda i ja myśleliśmy o tym, żeby przeprowadzić się ze Sztokholmu na jedną z wysp położonych u południowych albo wschodnich wybrzeży Norwegii; Fredrik i Karin również to rozważali, zwłaszcza Fredrik, który pielęgnował w sobie romantyczne marzenie o życiu w niewielkim gospodarstwie gdzieś w lesie, a czasami nawet pokazywał nam zdjęcia działek na sprzedaż, znalezione w Internecie. Ale to przejście na Hamsuna pod koniec wizyty rzuciło na naszą motywację zupełnie nowe światło. A wszystko przez to, że wygłosiłem swoją opinię na temat cesarskiego cięcia. Jak to możliwe?

Kiedy wyszli, oczywiście dziękując za miły wieczór i zapewniając, że musimy go szybko powtórzyć, i kiedy posprzątałem w salonie, zebrałem naczynia ze stołu i włączyłem zmywarkę, posiedziałem jeszcze chwilę, chociaż Linda i Vanja już spały w pokoju obok. Odzwyczaiłem się od alkoholu, więc czułem w sobie koniak, ciepły płomyk, który palił się gdzieś z tyłu za myślami i rzucał na nie poświatę obojętności. Ale pijany nie byłem. Przesiedziawszy nieruchomo na kanapie pół godziny, bez zastanawiania się nad czymś szczególnym, poszedłem do kuchni, wypiłem kilka szklanek wody, wziąłem jabłko i skierowałem się do komputera. Kiedy się włączył, kliknąłem Google Earth. Powoli obróciłem kulę ziemską, znalazłem czubek Ameryki Południowej i wolno posuwałem się do góry, najpierw z dużego oddalenia, lecz kiedy wyłonił się fiord wcinający się w ląd, przybliżyłem go. Zobaczyłem rzekę płynącą doliną, z jednej strony stromo wznosiły się postrzępione góry, z drugiej — rzeka rozgałęziała się i tworzyła coś, co musiało być mokradłami. Dalej, na skraju fiordu, usytuowane było miasto, Rio Gallegos. Ulice, które dzieliły je na kwartały, biegły prosto jak pod sznurek. Po rozmiarach samochodów na jezdniach zorientowałem się, że domy są niskie. Większość z nich miała płaskie dachy. Szerokie ulice, niskie domy, płaskie dachy: prowincja. Im bliżej wody, tym zabudowań było mniej. Plaże wyglądały na zupełnie opuszczone, z wyjątkiem kilku portów. Znów się trochę oddaliłem i zobaczyłem zielony odcień płycizn wcinających się tu i ówdzie w ląd oraz ciemny błękit tam, gdzie zaczynała się głębia. Chmury wiszące nad powierzchnią morza. Sunąłem w górę wzdłuż wybrzeża na pustkowiu, które musiało być Patagonią, i zatrzymałem się przy kolejnym mieście, Puerto Deseado. Było niewielkie i miało w sobie coś z jałowości pustyni. Na środku wznosiło się wzgórze, prawie bez budynków, były też dwa jeziora, które wyglądały na martwe. Nad morzem rozpoznałem rafinerie i pirsy z cumującymi wielkimi tankowcami. Okolica wokół miasteczka była niezabudowana; wysokie, pozbawione roślinności góry, jedna i druga wąska droga, wijąca się w głąb, jedno i drugie jezioro, jedna i druga dolina z rzekami, drzewami i domami. Znów się trochę oddaliłem i po chwili zrobiłem zbliżenie na Buenos Aires, położone nad zatoką, z Montevideo po jej drugiej stronie, wybrałem jakieś miejsce tuż przy linii brzegowej i znalazłem się na lotnisku. Samoloty, niczym stado białych ptaków, stały obok terminalu, o rzut kamieniem od wody, wzdłuż której biegła okolona drzewami droga. Ruszyłem nią i dotarłem do czegoś, co przypominało trzy ogromne baseny w środku parku. Co to mogło być? Przybliżyłem. Aha! Aquapark. Wiedziałem, że dalej, po drugiej stronie drogi, na tym dość dużym otwartym terenie, przez który biegła, znajduje się Estadion River Plate. Zaskakiwał rozmiarami; boisko opasywała bieżnia lekkoatletyczna, za nią był wolny obszar i dopiero dalej wznosiły się trybuny. Mecz finałowy mistrzostw świata między Holandią a Argentyną, który rozegrał się tutaj w roku 1978, to jedna z pierwszych obejrzanych przeze mnie w telewizji i zapamiętanych rzeczy. Deszcz białego konfetti, tłumy kibiców, niebiesko-białe stroje Argentyńczyków i pomarańczowe Holendrów na tle zielonej trawy. Holandia przegrała wówczas drugi finał z rzędu. Znów się oddaliłem. Odnalazłem rzekę nieco powyżej i sunąłem wzdłuż niej. Na obu brzegach przemysł ciężki, urządzenia portowe z dźwigami i wielkimi statkami, teren poprzecinany wiaduktami kolejowymi i samochodowymi. I tu boiska piłkarskie. W miejscu, gdzie rzeka wpływa do centrum, przy brzegu cumowało prawdopodobnie więcej łodzi rekreacyjnych. Wiedziałem, że w głębi jest dzielnica kolorowych drewnianych baraków. La Boca. Niżej rzekę przecinała ośmiopasmowa autostrada i zacząłem sunąć właśnie nią. Kawałek biegła wzdłuż portu — wielkie barki po obu stronach. Jakieś dziesięć kwartałów dalej centrum z parkami, pomnikami i okazałymi budynkami. Usiłowałem namierzyć Teatro Cervantes, ale słaba jakość zdjęć na zbliżeniu na to nie pozwalała, wszystko zlewało się w pozbawioną konturów zieleń i szarość, więc wyłączyłem komputer, wypiłem w kuchni szklankę wody i położyłem się w sypialni obok Lindy.

Następnego dnia wcześnie rano poszliśmy na Dworzec Centralny, żeby pociągiem podmiejskim dojechać do Gnesty, gdzie mieszkała matka Lindy. Ulice i dachy pokrywała prawie pięciocentymetrowa warstwa śniegu. Niebo nad nami było stalowoszare, w niektórych miejscach wręcz metaliczne. Niewiele ludzi na ulicach, jak zazwyczaj w niedzielę rano. Ktoś wracał do domu z imprezy, jakiś starszy pan wyprowadzał psa, a kiedy zbliżyliśmy się do dworca, pojawiło się też kilkoro podróżnych, ciągnących za sobą walizki na kółkach. Na peronie spał na siedząco młody człowiek z głową opuszczoną na pierś. Nieco dalej wrona waliła dziobem w śmietnik. Przejechał pociąg, ale się nie zatrzymał. Elektroniczna tablica nad nami była martwa. Linda przechadzała się wzdłuż krawędzi peronu, ubrana w półdługą białą kurtkę, którą przywiozłem jej z Londynu na trzydzieste urodziny, w białą czapkę robioną na drutach i biały wełniany szal, z haftem w formie róż, prezent ode mnie na Gwiazdkę; domyślałem się, że niezbyt go lubi, chociaż było jej w nim do twarzy — i w tym kolorze, bo dobrze wyglądała w białym, i w tym wzorze, równie romantycznym jak ona sama. Na mrozie zaczerwieniły jej się policzki, oczy błyszczały. Kilka razy klasnęła w ręce, przez chwilę maszerowała w miejscu. Ruchomymi schodami wjechała gruba pięćdziesięciokilkuletnia kobieta z dwiema torbami na kółkach. Za nią stała ubrana na ciemno dziewczyna, może szesnastoletnia, z długimi jasnymi włosami, umalowanymi na czarno oczami, w czarnych mitenkach i czarnej czapce. Stanęły obok siebie tuż przy krawędzi peronu. To musiała być matka z córką, chociaż podobieństwo między nimi nie rzucało się w oczy.

— Hu, hu! — Vanja pokazała palcem dwa przechadzające się gołębie. Niedawno nauczyła się naśladować sowę z książeczki, którą jej czytaliśmy, i ten dźwięk stał się odgłosem wszystkich ptaków.

Miała taką drobniutką buzię. Małe oczy, mały nos, małe usta. Nie dlatego że była mała, po prostu zapowiadało się, że będzie miała drobne rysy, zwłaszcza gdy patrzyło się na nią i na Lindę. Nie były do siebie uderzająco podobne, a mimo to pokrewieństwo zauważało się od razu, szczególnie w proporcjach twarzy. Linda również miała małe oczy, usta i nos. Moje rysy były w Vanji zupełnie nieobecne, z wyjątkiem koloru oczu i być może migdałowego kształtu górnej części oka. Ale czasami odkrywałem w jej buzi znajomy rys, jakby wspomnienie twarzy Yngvego. Właśnie tak wyglądał w dzieciństwie.

— Tak, dwa gołębie. — Kucnąłem przy Vanji. Spojrzała na mnie z nadzieją. Uniosłem klapkę futrzanej czapki i połaskotałem ją w ucho. Zaśmiała się. W tej chwili włączono tablicę nad naszymi głowami. Gnesta, peron drugi, za trzy minuty.

— Nie wygląda na to, żeby miała zasnąć — powiedziałem.

— No nie — odparła Linda. — Trochę za wcześnie.

Vanja zdecydowanie nie lubiła siedzieć nieruchomo w zapięciu, z wyjątkiem wózka, ale pod warunkiem, że się poruszał, więc podczas godzinnej podróży do Gnesty musieliśmy utrzymywać ją w ciągłej aktywności: tam i z powrotem środkowym przejściem, na ręce, do okna i do szyby w drzwiach, chyba że udało nam się zająć jej uwagę książką, zabawką czy opakowaniem rodzynek, co czasami trwało nawet pół godziny. Jeśli w pociągu było mało ludzi, nie stanowiło to problemu — chyba że ktoś planował poczytać gazety, tak jak ja, w torbie miałem cały gruby plik z poprzedniego dnia — ale w godzinach szczytu, kiedy w pociągach panował tłok, podróż z marudnym dzieckiem, które płakało nieustannie przez godzinę, bo z braku miejsca nie można się było ruszyć, okazywała się męcząca i nieprzyjemna. Często jeździliśmy tą trasą, nie tylko dlatego, że matka Lindy mogła zająć się Vanją, dzięki czemu zyskiwaliśmy kilka wolnych godzin, lecz również dlatego, że lubiliśmy, a przynajmniej ja bardzo lubiłem tam przebywać. Gospodarstwa, zwierzęta na pastwiskach, wielkie lasy, wąskie szutrowe drogi, jeziora, przejrzyste, świeże powietrze. Gęsta ciemność w nocy, gwiaździste niebo, idealna cisza.

Pociąg powoli wjechał na peron; usiedliśmy przy drzwiach, bo tam było miejsce na wózek, wyjąłem z niego Vanję i pozwoliłem jej stać na siedzeniu z rączkami przy szybie i wyglądać, podczas gdy pociąg sunął przez tunel i wjeżdżał na most nad Slussen.

Zamarznięta woda, pokryta śniegiem, jaśniała bielą na tle żółtych i rudobrązowych domów, a także czarnego zbocza Mariaberget, na którym śnieg nie zdołał się utrzymać. Chmury na wschodnim niebie lekko się złociły, jakby podświetlone od środka przez słońce. Wjechaliśmy w tunel pod Söder, a kiedy z niego wyjechaliśmy, znajdowaliśmy się wysoko na moście, który prowadził na ląd po drugiej stronie, początkowo wypełniony blokami kolejnych przedmieść, dalej osiedlami domków jednorodzinnych i willi, aż w końcu stosunek między zabudowaniami a przyrodą się odwrócił, i teraz osiedla pojawiały się tylko gdzieniegdzie wśród dużych połaci lasów i jezior.

Biel, szarość, czerń. Tu i ówdzie smuga ciemnej zieleni. Takie były kolory krajobrazu, przez który jechaliśmy. Zeszłego lata pokonywałem tę trasę codziennie. Ostatnie dwa tygodnie czerwca spędziliśmy u Ingrid i Vidara; dojeżdżałem stamtąd do pracowni w Sztokholmie. To było idealne życie. Pobudka o szóstej, kanapka na śniadanie, papieros i filiżanka kawy na nagrzanym już przez słońce progu domu, skąd roztaczał się widok na łąkę i skraj lasu. Potem jazda rowerem na stację z przygotowanym przez Ingrid prowiantem w plecaku, czytanie w pociągu, dojście do pracowni, pisanie, powrót około szóstej, przez las, który dzięki słońcu wydawał się jakby pełniejszy i bardziej ożywiony kolorami, i znów rowerem przez pola do niewielkiego domku, w którym czekano na mnie z obiadem, może jakaś wieczorna kąpiel w jeziorze z Lindą, jeszcze chwila lektury na dworze i wczesne pójście do łóżka.

Któregoś dnia palił się las wzdłuż torów. To również był fascynujący widok. Całe zbocze w odległości zaledwie kilku metrów od pociągu stało w ogniu. Niektóre pnie drzew płomienie tylko lizały, inne paliły się jak pochodnie. Pomarańczowe jęzory snuły się po ziemi, wzbijały w górę z zarośli i krzewów, a całość oświetlało letnie słońce, które wraz z cieniutką warstewką błękitu nieba sprawiało, że wszystko wydawało się przezroczyste.

Wypełniło mnie wysublimowane piękno, świat się przede mną otworzył.

Gdy nasz pociąg wjeżdżał na peron, z samochodu na parkingu przy stacji wysiadł Vidar i czekał na nas, uśmiechnięty, kiedy chwilę później do niego podeszliśmy. Miał siedemdziesiąt kilka lat, siwą brodę i włosy, odrobinę się garbił, ale nie stracił wigoru, o czym świadczyły zarówno lekko brązowy odcień skóry, efekt spędzania czasu na świeżym powietrzu, jak i bystre, inteligentne, choć zarazem nieco uciekające spojrzenie niebieskich oczu. O tym, co wcześniej robił w życiu,

nie wiedziałem prawie nic poza tym, co przekazała mi Linda, no i tym, co sam zdołałem wywnioskować. W weekend potrafił poruszyć wiele tematów, rzadko jednak dotyczyły jego osoby. Wychował się w Finlandii, wciąż miał tam rodzinę, ale po szwedzku mówił całkiem bez akcentu. Był stanowczym, lecz w żaden sposób nie dominującym człowiekiem i lubił rozmawiać z ludźmi. Dużo czytał, zarówno gazety, które codziennie starannie przeglądał od pierwszej do ostatniej strony, jak i literaturę piękną, orientował się w niej lepiej niż przeciętnie. Jego starość objawiała się głównie w nieco skostniałych poglądach na pewne kwestie, nieliczne, ale jak zrozumiałem, potrafiły one niekiedy przeważać i irytować. Mnie to nie dotyczyło, czasami jednak dostawało się Ingrid i Lindzie, które mierzył jedną miarą, a także bratu Lindy. Przyczyną było prawdopodobnie to, że jako nowy członek rodziny lubiłem słuchać jego opowieści. Byłem naprawdę zainteresowany tym, co miał do powiedzenia. Nie przeszkadzało mi, że rozmowa, którą prowadziliśmy, miała zachwiane proporcje, ponieważ mój udział w niej polegał głównie na stawianiu pytań i wypowiadaniu niekończącego się szeregu „tak", „aha", „naprawdę", „mhm", „rozumiem", „to ciekawe" i tak dalej, bo przecież nie byliśmy sobie równi, on był dwa razy starszy ode mnie i miał za sobą długie życie. Linda nie bardzo rozumiała mój stosunek do niego. Wiele razy mnie przywoływała albo przychodziła, przekonana, że potrzebuję ratunku od nudnej rozmowy, ponieważ jestem zbyt uprzejmy, aby samo ją zakończyć. Czasami pewnie miała rację, ale większość tych rozmów naprawdę szczerze mnie interesowała.

— Cześć, Vidar — powitała go Linda i podjechała wózkiem z tyłu samochodu.

— Cześć. Cieszę się, że cię widzę.

Linda wzięła Vanję na ręce; złożyłem wózek i schowałem go do bagażnika, który Vidar mi otworzył.

— Jeszcze fotelik.

Wstawiłem go na tylne siedzenie, posadziłem Vanję i przypiąłem ją pasami.

Vidar prowadził jak wielu starszych mężczyzn — lekko pochylony nad kierownicą, jakby tych kilka centymetrów bliżej szyby decydowało o lepszej widoczności. Przy dziennym świetle był dobrym kierowcą — wiosną tamtego roku jechaliśmy z nim na przykład cztery godziny bez przerwy na wyspę Idö, do jego domu na wsi — ale gdy zapadał zmrok, nie czułem się już tak bezpiecznie. Zaledwie kilka tygodni wcześniej o mało nie rozjechaliśmy sąsiada, idącego wzdłuż szutrowej drogi. Dostrzegłem go z daleka, sądziłem, że Vidar też go widzi i zamierza zjechać na bok, gdy się zbliży, ale się myliłem. Vidar po prostu go nie zauważył, i jedynie połączenie mojego krzyku z refleksem sąsiada, który skoczył w krzaki, zapobiegło tragedii.

Z terenu dworca wjechaliśmy w główną ulicę, zresztą jedyną w tej miejscowości.

— Wszystko u was w porządku? — spytał Vidar.

— Tak — odparłem. — Nie możemy narzekać.

— U nas w nocy była straszna pogoda. Sporo drzew powaliło. Nie mamy prądu. Ale powinni go przywrócić jeszcze przed południem. A jak było w mieście?

— Też trochę wiało.

Skręciliśmy w lewo, przejechaliśmy przez mostek i ukazało się ogromne pole, na którym wciąż leżały wielkie białe bele z sianem, ustawione przy drodze jedne na drugich. Za mniej więcej kilometr znów skręciliśmy, tym razem w szutrową drogę przez las, głównie liściasty. Między pniami z jednej strony prześwitywała łąka, przypominająca jezioro, w naturalny sposób odgraniczona przez nagą skałę i pas drzew iglastych. Przez cały rok pasły się tu krowy jakiejś długorogiej rasy, odpornej na chłody. Sto metrów dalej odchodziła w bok porośnięta trawą ścieżka, prowadząca do domu Vidara i Ingrid, główna droga natomiast biegła dalej prosto ze dwa kilometry i kończyła się na polanie w środku lasu.

Ingrid czekała na nas przed domem. Kiedy samochód się zatrzymał, podbiegła i otworzyła drzwiczki z tyłu, za którymi siedziała Vanja.

— Ach, moje serce! — zawołała, przykładając dłoń do piersi. — Jak ja się za tobą stęskniłam!

— Możesz ją wziąć, jeśli chcesz. — Linda wysiadła z drugiej strony.

W czasie gdy Ingrid wyjmowała Vanję, a potem na zmianę to odsuwała ją od siebie, żeby na nią popatrzeć, to znów do siebie tuliła, wyciągnąłem wózek, rozłożyłem go i podjechałem do drzwi wejściowych.

— Mam nadzieję, że jesteście głodni — powiedziała Ingrid. — Bo lunch już gotowy.

Dom był malutki i stary. Las otaczał działkę ze wszystkich stron, z wyjątkiem frontowej, otwartej na łąkę. O zmierzchu i o świcie często przebiegały przez nią jelenie, widziałem też skradające się lisy i kicające zające. Pierwotnie była tam zagroda komornicza i charakter domu się zachował: wprawdzie dwie izby, z których kiedyś się składał, uzupełniono o niewielką przybudówkę z kuchnią i łazienką, ale powierzchnia życiowa nie imponowała wielkością. Mroczny salon wypełniały najprzeróżniejsze przedmioty, a w sypialni mieściły się jedynie dwa łóżka, wbudowane w ścianę, i kilka półek z książkami. Na zboczu za domem znajdowały się jeszcze ziemianka i nowo wybudowany domek działkowy z dwoma miejscami do spania i telewizorem, a na samej górze była szopa na narzędzia, połączona z drewutnią. Kiedy przyjeżdżaliśmy w odwiedziny, Vidar i Ingrid przenosili się do domku, więc wieczorami mieliśmy starą chatę tylko dla siebie. Jak mało co lubiłem tam przebywać, leżeć na łóżku wciśnięty w grube belki i patrzeć na rozgwieżdżone niebo przez znajdujące się nad łóżkiem okno, otoczony ciemnością i ciszą. Podczas poprzedniego pobytu tutaj czytałem *Barona drzewołaza* Calvina, a wcześniej *Dressinen* Wijkmarka, na fantastyczne przeżycie zaś, którym były te lektury, składały się w równym stopniu otoczenie i nastrój, w jaki wprawiała mnie treść. A może raczej przestrzeń stwarzana przez te książki w szczególny sposób odbijała się echem w otoczeniu, w którym się znajdowałem? Bo przed Wijkmarkiem czytałem tam powieść Bernharda i tak na mnie nie podziałała. U Bernharda nie odkryłem żadnej otwartej przestrzeni, wszystko było zamknięte w małych schowkach refleksji, i chociaż napisał jedną z najbardziej przerażających i wstrząsających powieści, jakie czytałem, *Wymazywanie. Rozpad*, to nie w tę stronę mnie ciągnęło, nie tą drogą chciałem podążać. Nie, do jasnej cholery, pragnąłem znaleźć się jak najdalej od zamknięcia i przymusu; „Więc chodźmy! Ku otwartej przestrzeni!"[1], jak napisał gdzieś Hölderlin. Ale jak, jak?

Usiadłem na krześle przy oknie. Na środku stołu parowała w garnku mięsno-jarzynowa zupa. Obok stały koszyk ze świeżymi domowymi bułeczkami, a także butelka wody mineralnej i trzy puszki piwa. Linda posadziła Vanję na dziecięcym krzesełku przy końcu stołu, przekroiła bułkę i wetknęła ją małej do ręki, a potem poszła podgrzać w mikrofalówce słoiczek jedzenia dla dzieci. Matka zaraz go od niej przejęła, więc Linda usiadła obok mnie. Po drugiej stronie stołu Vidar pocierał palcami brodę, patrząc na nas z uśmiechem.

— Bardzo proszę! — zawołała Ingrid z kuchni. — Zaczynajcie!

Linda pogładziła mnie po ramieniu. Vidar skinął jej głową. Zaczęła nalewać zupę do talerza. Bladozielone krążki pora, pomarańczowe plasterki marchewki, żółtawobiałe kawałki kalarepki i duże szarawe kawały mięsa, gdzieniegdzie przetykane czerwonawymi włóknami, a czasami wręcz niebieskawe na lśniących płaskich białych kościach, do których przylegały, gładkich jak oszlifowane kamienie lub szorstkich i porowatych. Wszystko skąpane w gorącym wywarze, z tłuszczem, który zacząłby krzepnąć, gdyby tylko opuściło go ciepło, lecz teraz unosił się w mętnej cieczy w postaci małych, niemal przezroczystych perełek i banieczek.

---

1 Friedrich Hölderlin, *Chleb i Wino*, przeł. Antoni Libera, w: *Co się ostaje, ustanawiają poeci*, Kraków 2003, s. 151.

— Jak zwykle pyszna — powiedziałem, patrząc na Ingrid, kiedy usiadła przy Vanji i zaczęła dmuchać na jedzenie małej.

— To dobrze — odparła, ledwie muskając mnie wzrokiem, po czym zanurzyła plastikową łyżeczkę w plastikowej misce i podsunęła ją do ust Vanji, która rozdziawiła buzię jak pisklę. Gdy tu przyjeżdżaliśmy, Ingrid instynktownie chciała przejąć całą opiekę nad Vanją. Karmienie, pieluchy, sen, świeże powietrze — pragnęła zajmować się wszystkim. Kupiła krzesełko dla dziecka, talerzyki dla dziecka i sztućce dla dziecka, butelki ze smoczkiem i zabawki, a nawet dodatkowy wózek, który czekał zawsze w pełnej gotowości, podobnie jak słoiczki jedzenia, kaszka i płatki stojące w szafce. Jeżeli czegoś brakowało, kiedy Linda na przykład pytała o jabłko albo niepokoiła się, że Vanja może mieć gorączkę, Ingrid wskakiwała na rower, jechała trzy kilometry do sklepu albo do apteki i wracała z jabłkami, termometrem czy lekami przeciwgorączkowymi w koszyku przy kierownicy. Na nasz przyjazd zawsze była starannie przygotowana, miała zrobione zakupy na każdy posiłek, przy czym lunch zwykle składał się z dwóch dań, a obiad z trzech. Wstawała, kiedy budziła się Vanja, czyli koło szóstej, piekła bułeczki, szła z małą na spacer i pomału zaczynała przygotowywać lunch. Kiedy wstawaliśmy około dziewiątej, czekały już na nas bogato nakryty do śniadania stół, świeże bułeczki, gotowane jajka, często omlet, jeśli na przykład wbiła sobie do głowy, że go lubię, kawa i sok. A kiedy siadałem do stołu, zawsze kładła przy mnie gazetę, którą też zdążyła już przynieść. Była niezwykle pozytywną, wyrozumiałą osobą, jej usta nie znały słowa „nie" i nie było rzeczy, w której nie mogłaby nam pomóc. Nasza zamrażarka w domu pękała w szwach od niezliczonej ilości pudełek po lodach i wiaderek po śledziach z rozmaitymi daniami, które przyrządziła i starannie opisała: „sos mięsny", „pokusa Janssona", „befsztyk marynarski", „klopsiki", „papryka faszerowana", „naleśniki z nadzieniem", „grochówka", „pieczeń jagnięca z grillowanymi ziemniakami", „wołowina po burgundzku", „pudding z łososia", „tarta z porami i serem"... Jeśli w powietrzu wyczuwało się chłód, gdy wychodziła z Vanją na spacer, gotowa była iść do sklepu obuwniczego, żeby kupić jej cieplejsze buty.

— Jak się miewa twoja mama? — spytała Ingrid. — Wszystko u niej w porządku?

— Myślę, że tak. Z tego co zrozumiałem, już niedługo skończy pisać pracę magisterską. — Serwetką starłem z brody resztki zupy. — Nie pozwala mi jej przeczytać — dodałem z uśmiechem.

— To trzeba uszanować — stwierdził Vidar. — Mało jest kobiet po sześćdziesiątce, które mają jeszcze taką ciekawość świata, żeby studiować na uniwersytecie.

— Jeśli o to chodzi, pewnie ma trochę mieszane uczucia — powiedziałem. — Zawsze chciała studiować, ale udało jej się to dopiero na koniec kariery zawodowej.

— Mimo wszystko jest bardzo dzielna — włączyła się Ingrid. — Twoja mama to twarda kobieta.

Znów się uśmiechnąłem. Nie mieli pojęcia, jaki dystans dzieli norweskość od szwedzkości, a ja mogłem przez moment spojrzeć na mamę oczami Szwedów.

— Może i tak — przyznałem.

— Koniecznie ją od nas pozdrów — podjął Vidar. — Resztę rodziny zresztą też. Bardzo ich wszystkich polubiłem.

— Vidar od chrzcin Vanji nie przestaje ich wspominać — uśmiechnęła się Ingrid.

— Przecież tam były niezwykłe postacie! — powiedział Vidar. — Kjartan, ten poeta, bardzo ciekawy i niezwykły człowiek. I ci z Ålesund, psychologowie dziecięcy, jak oni się nazywali?

— Ingunn i Mård?

— No właśnie, bardzo mili ludzie! I Magne, chyba tak miał na imię? Ojciec twojego kuzyna, Jona Olava. Dyrektor do spraw rozwoju?

— Tak — potwierdziłem.

— Człowiek z autorytetem.

— Owszem.

— I brat twojego ojca, ten nauczyciel z Trondheim, również bardzo sympatyczny człowiek. Podobny do twojego ojca?

— Nie. Chyba najbardziej się różnił od braci. Zawsze trzymał się z dala od rodziny. Wydaje mi się, że to było mądre posunięcie.

Zapadło milczenie. Słychać było tylko ciche siorbanie zupy, walenie przez Vanję kubkiem o stół i jej gulgoczący śmiech.

— Oni też ciągle was wspominają. A zwłaszcza przygotowane przez ciebie jedzenie! — dodałem, patrząc na Ingrid.

— W Norwegii jest zupełnie inaczej — odezwała się Linda. — Naprawdę zupełnie inaczej. Szczególnie Siedemnastego Maja. Ludzie chodzą ubrani w stroje ludowe, z medalami na piersiach. — Roześmiała się. — Najpierw sądziłam, że to ironiczne, ale nie, wcale nie, to najzupełniej szczere, a medale noszą z godnością. Żaden Szwed nigdy by czegoś takiego nie zrobił, na pewno.

— Chyba naprawdę są z nich dumni — zauważyłem.

— No właśnie — przyświadczyła Linda. — A żaden Szwed nidgy w życiu by się do takiej dumy nie przyznał, nawet przed sobą.

Przechyliłem talerz, żeby wydobyć z niego resztki zupy, jednocześnie wyglądając przez okno na podłużne, pokryte śniegiem pole pod szarym niebem, na rząd czarnych drzew liściastych na skraju lasu, gdzieniegdzie przerywany zieloną kępą świerków, na pokrytą suchymi gałązkami ciemną ziemię, z której wyrastały.

— Henrik Ibsen miał fioła na punkcie odznaczeń — powiedziałem. — Nie było orderu, dla którego by się nie upokorzył, byle tylko go dostać. Pisał listy do wszystkich możliwych królów i regentów, żeby mu je nadali. No i przypinał je sobie w domu. Krążył po salonie z tą swoją małą piersią całą pokrytą medalami. Cha, cha, cha. Miał też lusterko ukryte w cylindrze. Przesiadywał w ulubionej kawiarni i ukradkiem się przeglądał.

— Naprawdę tak robił? — zdziwiła się Ingrid.

— Oczywiście — potwierdziłem. — Ibsen był ekstremalnie próżny. Czy to nie jest o wiele bardziej fantastyczna forma przekraczania granic niż w przypadku Strindberga? U niego były alchemia, szaleństwo, absynt i nienawiść do kobiet; to przecież mit artysty. A u Ibsena mieszczańska próżność, doprowadzona do absurdu. On był bardziej szalony niż Strindberg.

— À propos — przerwał mi Vidar. — Słyszeliście ostatnie nowiny o książce Arnego? Wydawnictwo ją wycofało.

— Najpewniej słusznie — stwierdziłem. — Skoro tyle w niej było wpadek.

— Może i tak. Ale to wydawnictwo powinno było Arnemu pomóc, przecież jest chory, nie bardzo potrafi odróżnić własne fantazje i pragnienia od rzeczywistości.

— Uważasz więc, że naprawdę myślał tak, jak napisał?

— Bez wątpienia! Arne to dobry człowiek. Ale ma w sobie coś z mitomana. W końcu zaczyna wierzyć w swoje opowieści.

— Jak to przyjął?

— Nie wiem. To nie jest pierwsza rzecz, o jakiej rozmawia się z Arnem.

— Rozumiem — uśmiechnąłem się. Dopiłem ostatni łyk *folköl*, słabego piwa, pitego przez Szwedów na co dzień, dojadłem bułkę i odchyliłem się na krześle. Wiedziałem, że nie ma mowy o pomocy przy zmywaniu czy sprzątaniu, więc nie chciało mi się tego nawet proponować.

— Pójdziemy się przejść? — spytała Linda. — Może Vanja zaśnie.

— Chętnie.

— Może też zostać ze mną — zapewniła Ingrid. — Jeśli macie ochotę pobyć sami.

— Nie, weźmiemy ją ze sobą. Chodź, mały trollu, idziemy — zdecydowała Linda i poszła umyć Vanji ręce i buzię, a ja w tym czasie się ubrałem i przygotowałem wózek.

Ruszyliśmy drogą prowadzącą nad jezioro. Po polach hulał zimny wiatr. Po drugiej stronie drogi skakały wrony albo sroki. Dalej między drzewami stały wielkie krowy i nieruchomym wzrokiem patrzyły przed siebie. Rosło tam trochę starych dębów, może z osiemnastego wieku albo jeszcze starszych, skąd mogłem wiedzieć? Za nimi biegła linia kolejowa. Za każdym razem, gdy przejeżdżał pociąg, dobiegał stamtąd szum, który rozchodził się po okolicy. Prowadząca w tamtą stronę droga kończyła się przy ślicznym malutkim murowanym domku. Mieszkał w nim stary pastor, ojciec przywódcy lewicy, Larsa Ohly, mówiono, że był nazistą. Nie miałem pojęcia, czy to prawda, takie plotki łatwo się mnożą wokół znanych ludzi, w każdym razie staruszek od czasu do czasu kręcił się wokół domu, przygarbiony, zgięty wpół.

Raz w Wenecji widziałem starego człowieka, który nosił głowę poziomo. Kark miał zgięty pod kątem dziewięćdziesięciu stopni. Nie widział nic oprócz ziemi tuż przed swoimi stopami. Kuśtykał nieskończenie powoli przez plac, to było w Arsenale, tuż przy kościele, w którym ćwiczył chór; siedziałem w kawiarni, paląc papierosa, i nie mogłem oderwać od niego oczu. Działo się to pewnego wieczoru na początku grudnia, oprócz nas dwóch i jeszcze trzech kelnerów, stojących przy wejściu z założonymi rękami, w pobliżu nie było widać innych ludzi. Nad dachami wisiała mgła. Kamienie bruku i stare mury pokryte wilgocią lśniły w świetle lamp. Ów człowiek zatrzymał się przed jakimiś drzwiami, wyjął klucz i trzymając go w dłoni, dosłownie odchylił całe ciało do tyłu, żeby zobaczyć zamek. Dziurkę od klucza wymacał palcami. Deformacja sprawiała, że ruchy zdawały się nie należeć do niego, a może raczej cała uwaga patrzącego skupiała się na jego nieruchomej, skierowanej w dół głowie, która przez to wydawała się swego rodzaju centralą, niby częścią ciała, lecz zarazem od niego niezależną, podejmującą wszystkie decyzje i determinującą wszystkie ruchy.

Otworzył drzwi i wszedł do środka. Od tyłu wyglądał tak, jakby w ogóle nie miał głowy. A potem nieoczekiwanie gwałtownym ruchem, jaki w jego wypadku wydawał mi się dotąd niemożliwy, zatrzasnął za sobą drzwi.

To było straszne, naprawdę straszne.

Kilkaset metrów przed nami podjeżdżało pod górę czerwone kombi. Poderwany z ziemi śnieg wirował za samochodem. Kiedy auto się zbliżyło, zeszliśmy na bok. Tylne siedzenia były wyjęte, a po wielkim bagażniku, zajadle szczekając, biegały dwa białe psy.

— Widziałaś? — spytałem. — Wyglądały jak husky. Ale to chyba niemożliwe?

— Nie wiem. — Linda wzruszyła ramionami. — Myślę, że to te, które mieszkają za zakrętem. Zawsze tak szczekają.

— Kiedy tamtędy przechodziłem, nigdy nie widziałem żadnych psów. Ale już kiedyś o nich mówiłaś. Bałaś się ich, tak?

— Nie wiem, może trochę. W każdym razie to nic przyjemnego. Są uwiązane do takiej linki do biegania i nagle się pojawiają...

Linda spędziła u Ingrid i Vidara dużo czasu, kiedy wpadła w głęboką depresję i nie mogła sama mieszkać. Całymi dniami leżała w domku dla gości i oglądała telewizję. Prawie nie rozmawiała z Vidarem ani z matką, niczego nie chciała, nic nie mogła robić, wszystko się w niej zacięło. Nie wiedziałem, jak długo to trwało, prawie o tym nie mówiła, ale musiało ciągnąć się dość długo, wywnioskowałem to z zatroskanych spojrzeń i głosów sąsiadów, których spotykaliśmy.

Minęliśmy dwór w dolinie, nieduży, z budynkami gospodarczymi w niezbyt dobrym stanie, mieszkał tam prastary, zasuszony patriarcha. W oknach się świeciło, ale w środku nikogo nie było widać. Na dziedzińcu między stodołą a domem stały trzy stare samochody, jeden na cegłach. Przysypał je śnieg.

Prawie nie mogłem uwierzyć, że w pewien ciepły sierpniowy wieczór siedzieliśmy tam przy nakrytym stole obok basenu i obżeraliśmy się rakami. Ale właśnie tak było. Ciemności rozświetlały papierowe lampiony ustawione po obu stronach długiego stołu, na którym leżały stosy lśniących czerwonych raków. Puszki z piwem, akevitt, śmiech, wesołe głosy i piosenki. Cykanie koników polnych, daleki szum samochodów. Przypomniałem sobie, jak Linda zaskoczyła mnie tamtego wieczoru — nagle zadzwoniła w kieliszek, wstała i zaśpiewała biesiadną piosenkę. Zrobiła to dwa razy. Później mi wyjaśniła, że tego się od niej tam wymaga, że zawsze to robiła. Była typem dziecka, które występuje przed dorosłymi. Kiedy chodziła do podstawówki, przez ponad rok grała w *The Sound of Music* w sztokholmskim teatrze. Ale przypuszczam, że podczas domowych imprez wykazywała się takim samym ekshibicjonizmem jak ja, to znaczy tak samo pragnęła się schować.

Ingrid także wtedy wystąpiła. Kiedy weszła między sąsiadów, ściągnęła na siebie uwagę wszystkich, uściskała ich, pokazała, co przyniosła do jedzenia, rozmawiała i śmiała się, a każdy chciał z nią zamienić bodaj słowo. Zawsze pomagała przy organizacji wszelkich imprez w wiosce, piekła ciasta albo gotowała, a kiedy ktoś zachorował lub z innych powodów znalazł się w potrzebie, wsiadała na rower i starała się pomóc na wszystkie możliwe sposoby.

Impreza się zaczęła, wszyscy pochylili się nad rakami z pobliskiego jeziora, od czasu do czasu odchylając głowę do tyłu i wlewając w siebie to, co Szwedzi nazywają *nubbe*, czyli sznapsa. Zabawa się rozkręcała. Nagle od strony stodoły dobiegły głosy, jakiś mężczyzna krzyczał na kobietę; dobry nastrój wyparował, jedni patrzyli w tamtą stronę, drudzy raczej odwracali oczy, ale wszyscy wiedzieli, że to syn staruszka, właściciela dworu, znany z gwałtownego usposobienia, który tym razem przyłapał nastoletnią córkę na paleniu.

Ingrid zdecydowanie wstała i ruszyła w tamtą stronę szybkim, stanowczym krokiem, trzęsąc się z hamowanej wściekłości. Zatrzymała się przed mężczyzną, może trzydziestopięcioletnim, wielkim, potężnym, o twardym spojrzeniu, i zaczęła mu prawić kazanie z taką mocą, że aż się skulił. Kiedy skończyła, a on odjechał samochodem, położyła rękę na ramieniu dziewczyny, która wciąż płakała, i przyprowadziła ją do stołu. Gdy tylko Ingrid usiadła, natychmiast wróciła do poprzedniego nastroju, zaczęła rozmawiać i śmiać się wesoło, a ludzie dali się temu porwać.

Teraz wszystko było białe i ciche.

Poniżej dworu biegła droga w stronę kolonii domków letniskowych. Nieodśnieżona, o tej porze roku nikogo tam nie było.

W trakcie pracy nad książką *Wszystko ma swój czas* to właśnie Ingrid miałem przed oczami, pisząc o Annie, siostrze Noego. Kobiecie silniejszej od pozostałych, która gdy nadszedł potop, poprowadziła całą rodzinę w góry, a kiedy woda dotarła i tam, zabrała ich jeszcze wyżej, aż nie było już gdzie uciekać i umarła wszelka nadzieja. Kobiecie, która nigdy się nie poddawała i potrafiła poświęcić wszystko dla swoich dzieci i wnuków.

Ingrid była niezwykłym człowiekiem. Gdziekolwiek się znalazła, była w centrum zainteresowania, a jednocześnie nie brakowało jej pokory. Sprawiała czasem wrażenie osoby powierzchownej, ale zarazem w jej oczach widać było głębię, która temu przeczyła. Starała się utrzymywać dystans, wycofywała się, nie chciała stawać nam na drodze, a zarazem była najbliższą nam osobą.

— Myślisz, że Fredrik i Karin dobrze się wczoraj bawili? — spytała Linda, zadzierając głowę, żeby na mnie spojrzeć.

— Taak, tak myślę. Chyba było miło.

Gdzieś w oddali zaczął narastać szum.

— Chociaż nazwał mnie Hamsunem o parę razy za dużo.

— Przecież żartował!

— Tyle zrozumiałem.

— Oboje bardzo cię lubią.

— Tego natomiast nie rozumiem. Przecież w ich towarzystwie prawie się nie odzywam.

— Ależ odzywasz się! Poza tym słuchasz ich z taką uwagą, że wcale nie wydajesz się mrukiem.

— Aha.

Czasami miałem wyrzuty sumienia, że jestem zbyt milczący i nie wykazuję inicjatywy w towarzystwie przyjaciół Lindy, może powinni bardziej mnie obchodzić, może nie powinienem tylko być obecny, jak z obowiązku. Dla mnie to rzeczywiście był obowiązek, ale dla Lindy — życie, w którym nie uczestniczyłem. Nigdy się na to nie skarżyła, czułem jednak, że chciałaby, abym zachowywał się inaczej.

Szum narastał. Od przejazdu kolejowego dobiegł sygnał, dyń, dyń, dyń, dyń. Potem dostrzegłem ruch między drzewami i moment później z lasu wystrzelił pociąg, otoczony chmurą śniegu. Skład przejechał kilkaset metrów wzdłuż jeziora, długi rząd wagonów towarowych z kontenerami w różnych barwach, które zdawały się świecić wśród szarości, a po sekundzie zniknął za drzewami po drugiej stronie.

— Szkoda, że Vanja tego nie widziała — powiedziałem, bo Vanja spała i niczego nie mogła zauważyć. Twarz miała niemal całkiem osłoniętą spodnią czapką, przypominającą kaptur kata, która otulała jej szyję jak kołnierz, i czerwoną poliestrową czapką na białym futerku, z solidnymi nausznikami, naciągniętą na wierzch. Miała też przy twarzy szalik i była ubrana w gruby czerwony kombinezon, a pod nim w wełniany sweter i wełniane spodnie.

— Fredrik był taki kochany, kiedy chorowałam — podjęła temat Linda. — Przychodził na oddział i zabierał mnie do kina. Niewiele się odzywał. Ale to było dla mnie ogromne wsparcie, sama możliwość wyjścia, no i to, że w ogóle się mną zajmował.

— Chyba wszyscy przyjaciele się tobą zajmowali?

— Tak, na swój sposób. Ale było w tym coś... Wcześniej chyba zawsze znajdowałam się po przeciwnej stronie, zawsze byłam osobą, która pomaga, rozumie i daje... Oczywiście, nie bezwarunkowo, nie w każdej sytuacji, ale prawie. Pomagałam bratu, kiedy dorastaliśmy, ojcu, czasami też matce. A potem wszystko się odwróciło. Kiedy zachorowałam, zaczęłam brać, a nie dawać. Musiałam brać. Dziwne jest to... że właściwie jedyne chwile wolności, jakie miałam, kiedy postępowałam całkowicie zgodnie z własną wolą, to były okresy manii. Ale ta wolność powalała mnie ogromem i nie mogłam sobie z nią poradzić. To było bolesne. Chociaż miało też w sobie coś dobrego. Nareszcie czułam, że jestem wolna. No ale się nie dało, to znaczy nie w taki sposób.

— No tak — przyznałem.

— O czym myślisz?

— W zasadzie o dwóch sprawach. Jedna nie ma nic wspólnego z tobą, ale myślę o tym, co powiedziałaś: że musiałaś brać. Uświadomiłem sobie, że gdybym znalazł się w podobnej sytuacji, niczego bym nie przyjął. Nie chciałbym, żeby ktokolwiek mnie widział. A już na pewno nie pozwoliłbym, żeby ktoś mi pomagał. Nie masz pojęcia, jakie to we mnie silne. Branie jest nie dla mnie, nigdy się tego nie nauczę. To jedno. A po drugie, zastanawiam się, co robiłaś w okresach manii, skoro kojarzą ci się z takim silnym poczuciem wolności. Co robiłaś, kiedy byłaś wolna?

— No ale jeśli nie chcesz brać, to jak można do ciebie dotrzeć?

— A dlaczego uważasz, że chcę, aby ktoś do mnie dotarł?

— Przecież inaczej się nie da.

— Wiem. Odpowiedz na moje pytanie.

Z lewej strony ukazał się plac wiejskich zabaw. Była to niewielka trawiasta polana z kilkoma ławkami i długim stołem w głębi, z których korzystano w zasadzie jedynie podczas *Midsommar*, kiedy cała wioska zbierała się, żeby tańczyć wokół wysokiego słupa na środku, ozdobionego liśćmi, jeść ciastka, pić kawę i wziąć udział w konkursie; wręczenie zdobytej nagrody kończyło programową część wieczoru. Minionego lata uczestniczyłem w takiej imprezie po raz pierwszy i podświadomie cały czas czekałem, aż ktoś podpali ten słup, bo przecież nie może być wieczoru świętojańskiego bez ognia, prawda? Linda się śmiała, kiedy jej się z tego zwierzyłem. Nie, nie będzie żadnego ognia, żadnej magii, tylko dzieci tańczące wokół tego ogromnego fallusa w rytm piosenki o małych żabkach i pijące oranżadę, jak we wszystkich wioskach w całej Szwecji tego wieczoru.

Słup wciąż stał. Liście wyschły i zbrązowiały, tu i ówdzie przyprószone śniegiem.

— Chyba chodziło nie o to, co robiłam, ale raczej, co czułam — powiedziała Linda. — A czułam, że wszystko jest możliwe. Że nie ma żadnych granic. Raz powiedziałam mamie, że mogłabym zostać prezydentem USA, a najgorsze, że naprawdę tak myślałam. Kiedy wychodziłam, żadna sytuacja towarzyska mnie

nie ograniczała, przeciwnie, stawała się areną, na której mogłam coś zdziałać, cały czas będąc w pełni sobą. Każdy impuls uważałam za istotny, nie miałam nawet cienia samokrytycyzmu, uważałam, że wszystko mi się udaje, a najważniejsze, że to była prawda, rozumiesz? Naprawdę wszystko mi się udawało. Z drugiej strony, oczywiście byłam strasznie podniecona. Ciągle działo się za mało. Potrzebowałam więcej, chciałam, żeby ten stan nigdy się nie skończył, ale w głębi ducha musiałam się domyślać, że jednak przyjdzie kres, a wielka wycieczka, na którą się wybrałam, zakończy się kompletnym zastojem, upadkiem, runięciem w najgorsze piekło, jakie można sobie wyobrazić.

— Brzmi strasznie.

— Bo to było straszne. Ale nie tylko. Również możliwość poczucia takiej siły, takiej pewności siebie była fantastyczna. Po części to też jest prawda. To we mnie istnieje. Ale przecież wiesz, o co mi chodzi.

— Właściwie nie. Nigdy nie posunąłem się tak daleko. Wydaje mi się, że znam to uczucie, raz je miałem, ale to było, cholera, kiedy pisałem, siedząc nieruchomo przy biurku. To zupełnie co innego.

— Wcale nie. Uważam, że też wpadłeś w manię. Nie jadłeś, nie spałeś, wypełniał cię taki ogrom radości, że nie wiedziałeś, co z nią zrobić. Ale jednak masz w sobie jakąś granicę, zawór bezpieczeństwa. I w dużej mierze właśnie o to chodzi, żeby nie wykraczać poza to, na co w głębokim sensie masz pokrycie. Jeśli przez dłuższy czas robi się coś, na co się nie ma pokrycia, konsekwencje są ogromne. Trzeba za to zapłacić. Tego się nie dostaje za darmo.

Doszliśmy do drogi biegnącej wzdłuż jeziora i dalej w las. Wiatr odsłonił duże połacie lodu. W niektórych miejscach lodowa pokrywa lśniła jak szkło i ciemne niebo odbijało się w niej jak w lustrze, gdzie indziej była mętna i szara, niemal zielonkawa, niczym zamarznięte lodowe błoto. Kiedy przejechał pociąg i sygnał umilkł, między drzewami zapanowała prawie kompletna cisza, jedynie od czasu do czasu słychać było szelesty i trzaski, kiedy gałęzie się poruszały albo uderzały o siebie. I jeszcze zgrzyt kółek wózka, i chrzęst naszych kroków.

— W szpitalu powiedzieli mi jedną ważną rzecz — ciągnęła Linda. — To była prosta sprawa, chodziło o to, że nie wolno mi zapominać, że kiedy wpadam w manię, to w zasadzie jest mi źle. Że jestem wtedy w głębokim dole. Pomagała mi świadomość, że istnieje jakieś „w zasadzie". Przecież w takich sytuacjach człowiek kompletnie traci orientację, kim jest. W zasadzie. Wydaje mi się, że sprawy zaszły tak daleko głównie dlatego, że nigdy nie żyłam w zasadzie. To znaczy zgodnie ze swoim wnętrzem. Zawsze zgodnie z tym, co na zewnątrz. Długo jakoś to szło, przesuwałam granicę coraz dalej i dalej, aż w końcu przestało iść. Powiedziało: stop. — Spojrzała na mnie. — Wydaje mi się, że byłam w tym czasie dość bezwzględna, a przynajmniej miałam w sobie pewną bezwzględność. Jakbym była odcięta od innych, jeśli rozumiesz, o co mi chodzi.

— Pewnie masz rację — powiedziałem. — Kiedy cię spotkałem pierwszy raz, biło od ciebie zupełnie co innego niż teraz. Owszem, bezwzględność, to by się zgadzało. Pociągająca i niebezpieczna, tak wtedy myślałem. Ale teraz tak o tobie nie myślę.

— Już wtedy znajdowałam się na równi pochyłej. Właśnie w tamtych tygodniach się zaczęło. Powoli spadałam. Tak się cieszę, że wtedy nie związaliśmy się ze sobą. Nasz związek by tego nie przetrwał, nie miałby szans.

— No tak, na pewno. Ale trochę mnie zaskoczyło, kiedy odkryłem, jaka jesteś romantyczna. I jak blisko chcesz być z ludźmi. Że to dla ciebie takie ważne.

Przez chwilę szliśmy w milczeniu.

— Wolałbyś być ze mną taką, jaka byłam wtedy?

— Nie.

Uśmiechnąłem się. Linda też się uśmiechnęła. Dookoła panowała cisza, zupełna cisza, jedynie od czasu do czasu rozlegał się lekki szum wiatru przedzierającego się przez las. Dobrze mi się szło. Pierwszy raz od dawna poczułem coś na kształt spokoju ducha. Chociaż wszędzie leżał śnieg, a biel to lekki kolor, wcale nie lekkość dominowała w tym krajobrazie, bo spod śniegu, który delikatnie odbija światło nieba i bez względu na jego kolor zawsze świeci, wystawały pnie drzew, czarne i chropowate, a nad nimi zwieszały się gałęzie, również czarne, splątane ze sobą w nieskończonej liczbie wariantów. Czarne były też występy skalne, czarne były pniaki, przewrócone drzewa i boki głazów i czarne było poszycie pod dachem olbrzymich świerków.

Zarówno biel i miękkość, jak i ziejąca czerń były zupełnie nieruchome i od razu nasuwała się myśl o wszystkim, co martwe wokół nas, jak niewiele z tego naprawdę żyje i dlaczego to, co żyje, zajmuje w nas tyle miejsca. Właśnie z tej przyczyny żałowałem, że nie maluję, tak bardzo chciałem mieć ten talent, bo jedynie w malarstwie da się wszystko wyrazić. To chyba Stendhal napisał, że najwyższą formą sztuki jest muzyka i pozostałe formy chciałyby być muzyką? To była idea platońska, różne formy sztuki odwzorowują bowiem coś innego, a muzyka jako jedyna jest czymś sama w sobie, nieporównywalna z niczym. Ale ja pragnąłem czegoś bliższego rzeczywistości, tej fizycznej, konkretnej rzeczywistości, dla mnie zawsze najważniejszy był widok; również kiedy pisałem i czytałem, interesowało mnie to, co się kryje za literami. Kiedy szedłem tak jak teraz, to, co widziałem, nie dawało mi nic. Śnieg był śniegiem, a drzewa — drzewami. Dopiero kiedy patrzyłem na obraz przedstawiający śnieg albo drzewa, wszystko nabierało sensu. Monet miał wyjątkowo dobre oko do światła śniegu, podobnie Thaulow, pod względem technicznym być może najbardziej utalentowany norweski malarz wszech czasów, a oglądanie ich obrazów stanowiło dla mnie prawdziwe święto; te płótna tak sugestywnie oddawały nastrój chwili, że wartość tego, co przedstawiały, radykalnie wzrastała — stara, spróchniała szopa nad rzeką albo pomost w jakiejś miejscowości letniskowej nagle stawały się niezwykle cenne, istniały jednocześnie z nami, w intensywnej teraźniejszości, i kierowały nasze myśli ku temu, że niedługo umrzemy i rozstaniemy się z nimi,

lecz w obrazach przedstawiających śnieg widoczna była jakby druga strona owego oddawania czci chwili, bo obdarzenie duszą śniegu i jego światła wyraźnie podkreślało coś, na co nie zwraca się uwagi, a mianowicie brak życia, pustkę, coś nienacechowanego i obojętnego — przecież to była pierwsza rzecz, jaka rzucała się w oczy, kiedy się szło przez las zimą, a w takim obrazie przedstawiającym stałość i śmierć chwila nie mogła się przebić. Wiedział o tym Friedrich, lecz nie to malował, tylko wyobrażenie tego. Stąd wyłaniał się problem wszelkiego reprezentowania, oczywiście, bo żadne oko nie jest czyste, żadne spojrzenie — puste, i niczego nie widzi się takim, jakie jest w istocie. W zetknięciu z tym nasuwa się pytanie o sens sztuki w ogóle. No dobrze, widziałem las, szedłem przez las, myślałem o nim. Ale sens, jaki się z tym dla mnie łączył, pochodził ode mnie, to ja go wypełniłem tym, co moje. Jeśli miałby mieć jakiś sens obiektywny, to nie wzrokiem należałoby go chwytać, tylko działaniem, a więc wykorzystaniem. Drzewa należało ścinać, domy budować, ogniska palić, zwierzęta gonić, i to nie dla własnej przyjemności, tylko dlatego że od tego zależało moje życie. Wtedy las nabrałby sensu, i to takiego, że przestałbym ten las widzieć.

Zza zakrętu jakieś dwadzieścia metrów przed nami wyłonił się mężczyzna w czerwonym anoraku; w obu rękach trzymał kijki narciarskie. To był Arne.

— O, to wy spacerujecie! — zawołał, kiedy zbliżył się do nas na kilka metrów.

— Cześć, Arne. Dawno się nie widzieliśmy — powiedziała Linda.

Zatrzymał się przy nas, zajrzał do wózka. Nie wyglądał na przybitego skandalem.

— Ależ ona duża! Ile ma? — spytał.

— Dwa tygodnie temu skończyła rok — odparła Linda.

— Już? No tak, czas szybko płynie — stwierdził, spoglądając na mnie. Jedno oko miał zupełnie nieruchome, łzawiło. W ostatnich latach dręczyły go najprzeróżniejsze plagi, miał guza mózgu, a po jego wycięciu nie zdołał pozbyć się upodobania do morfiny, która tak mu zasmakowała, że musiał iść na odwyk. Zaraz potem przeszedł udar. A niedawno, zdaje się, wyleczył się z zapalenia płuc.

Ale chociaż za każdym razem, gdy go widziałem, wydawał się coraz bardziej udręczony i szalony, poruszał się z jeszcze większym trudem i coraz wolniej, to wcale nie wydawał się słabszy, bo przy tym wszystkim nie tracił siły, a raczej iskry życia, która stale w nim płonęła, cały czas parł naprzód, pomimo ułomności, więc słów, które słyszało się dwa lata wcześniej, że niewiele czasu mu zostało, można było tylko się wstydzić. Zapewne właśnie ta iskra — owo pragnienie życia — trzymała go na nogach. Ktoś inny dotknięty tyloma przypadłościami leżałby już chyba dwa metry pod ziemią.

— Vidar mi mówił, że twoja książka ma być tłumaczona na szwedzki, tak? — spytał.

— Owszem.

— Kiedy? Koniecznie muszę ją przeczytać.

— Mówią o jesieni, ale to pewnie będzie dopiero następna jesień.

— Zaczekam.

Ile mógł mieć lat? Dobiegał siedemdziesiątki? Trudno to było ocenić. Nie miał w sobie nic ze starca. Jedno funkcjonujące oko aż błyszczało młodzieńczością i chociaż było osamotnione w tej twarzy pomarszczonej i zniszczonej, przekrwione i załzawione, to młodzieńczość wyrażała się również na inne sposoby, głównie w pełnym zapału tonie głosu, zmuszanego do powolności, lecz także w aurze, w tym, że jego duch zdawał się przeć naprzód mimo oporu stawianego przez ciało. Wychował się w domu dziecka, ale nie zszedł na złą drogę, tak jak jego koledzy. Grał w piłkę nożną na wysokim poziomie, przynajmniej jeśli wierzyć temu, co opowiadał, i przez wiele lat pracował jako dziennikarz w gazecie „Expressen". Poza tym wydał kilka książek.

Żona patrzyła na niego pobłażliwie, kiedy coś mówił, tak jak patrzą na mężów wszystkie kobiety, które poślubiły chłopców. Była pielęgniarką i żyła na granicy wytrzymałości, bo nie dość, że miała chorego męża, to jeszcze niedawno urodziły im się wnuki, bliźnięta, i musiała się zaangażować w opiekę nad nimi.

— No tak, no tak — powiedział. — Miło was było spotkać, Linda i Karl Ove.

— Nam również — odpowiedziałem.

Zasalutował i ruszył dalej, wysoko unosząc kijki przy każdym kroku.

To jego nieruchome, łzawiące oko, które podczas rozmowy wpatrywało się wprost przed siebie, mogłoby należeć do trolla czy innego stworzenia z legend, i chociaż nie myślałem o nim stale, to wrażenie, jakie wywołało, utkwiło we mnie na cały dzień.

— Nie wyglądał na przybitego — stwierdziłem, kiedy zniknął za zakrętem i ruszyliśmy przed siebie.

— To prawda — przyznała Linda. — Ale nie zawsze łatwo ocenić, jak ludzie naprawdę się czują.

Z oddali znów dobiegł nas szum, tym razem z drugiej strony. Posadziłem Vanję, która zaczynała już otwierać oczy, i obróciłem wózek, tak żeby mogła zobaczyć pociąg, który wkrótce przemknął między drzewami. Nie pozostał niezauważony. Zaczęła go pokazywać i krzyczeć, kiedy przejeżdżał tak blisko, że moment później cieniutka warstewka delikatnego jak puder śniegu pokryła mi twarz, by natychmiast stopnieć.

Jakiś kilometr dalej, przy nasypie koło torów kolejowych, droga się kończyła. Łąka z drugiej strony, na której latem pasły się konie, rozciągała się między drzewami jak obrus, biała i nietknięta. Na lewo, od wschodu, widać było skupisko domów, a za nimi biegła droga, którą dochodziło się do dużego, pięknego dworu, należącego do brata Olofa Palmego. W pewien letni wieczór, kiedy wybraliśmy się z Lindą na przejażdżkę rowerami, trochę pobłądziliśmy, zjechaliśmy drogą między zabudowania i natknęliśmy się na towarzystwo, całe w bieli, które posilało się w ogrodzie z widokiem na wielkie jezioro i centrum Gnesty widoczne w oddali. Mimo że starannie unikałem patrzenia w ich stronę, to jednak obejrzałem sobie tę kompanię, usadowioną po bergmanowsku na białych meblach ogrodowych między surowymi białymi budynkami dworu i czerwonymi nowoczesnymi zabudowaniami gospodarczymi, wśród zielonego, falującego krajobrazu Sörmlandii.

Wyjąłem Vanję z wózka i wziąłem ją na ręce. Zawróciliśmy i tą samą drogą ruszyliśmy z powrotem.

Kiedy pół godziny później podeszliśmy pod górkę do domu, z jego głębi dotarły do nas podniesione głosy. Przez okno w kuchni zobaczyłem Ingrid i Vidara, stali po dwóch stronach stołu i krzyczeli na siebie. Widocznie wróciliśmy wcześniej, niż się spodziewali, a śnieg stłumił nasze kroki. Dopiero kiedy zacząłem głośno opukiwać buty o próg, głosy ucichły. Linda wzięła Vanję, a ja zaprowadziłem wózek do garażu, który Vidar budował przy domu tej wiosny i latem. Gdy wróciłem, stał w przedpokoju i wkładał kombinezon.

— I jak? — uśmiechnął się. — Daleko byliście?

— Nie. Tylko kawałek. Przecież jest zimno i nieprzyjemnie.

— To prawda, to prawda. — Wsunął nogi w wysokie brązowe gumiaki. — Muszę coś zreperować.

Wyminął mnie i wolnym krokiem ruszył pod górę, do szopy z narzędziami. W kuchni, zaczynającej się pół metra od miejsca, w którym się rozbierałem, Ingrid posadziła Vanję na krzesełku przy blacie i zaczęła obierać ziemniaki. Odłożyłem czapkę i rękawiczki na półkę, ściągnąłem buty, zaczepiając piętami o próg, a Ingrid postawiła przed Vanją miskę z wodą i kilka plastikowych łyżeczek-miarek. Wiedziałem, że to potrafi zająć ją na długo. Odwiesiłem płaszcz na wieszak i upchnąłem go wśród innych okryć, które tam wisiały.

Ingrid wydawała się wzburzona. Ale ruchy miała spokojne i wyważone, a do Vanji przemawiała łagodnym, życzliwym głosem.

— Co dobrego na obiad? — spytałem.

— Udziec jagnięcy. Grillowane ziemniaki. I sos z czerwonego wina.

— Pycha — powiedziałem. — Uwielbiam jagnięcinę.

— Wiem. — W jej oczach, ogromnych za szkłami okularów, dostrzegłem uśmiech.

Vanja pluskała w wodzie kółeczkiem z łyżeczkami.

— Ale ci tu dobrze, Vanju. — Zmierzwiłem jej włosy. Popatrzyłem na Ingrid. — Linda poszła się położyć?

Ingrid kiwnęła głową.

Z maleńkiej sypialni, niewidocznej dla nas, ale mimo to odległej nie więcej niż o cztery metry, rozległ się głos Lindy:

— Jestem tutaj!

Poszedłem do niej. Dwa łóżka, ustawione względem siebie pod kątem dziewięćdziesięciu stopni, zajmowały niemal cały pokój. Linda leżała na tym dalszym, z kołdrą podciągniętą pod brodę. Chociaż zasłony były rozsunięte, w środku panował mrok, niemal zupełna ciemność. Ciemne, chropowate ściany z drewna pochłaniały światło.

— Brr! — wzdrygnęła się. — Wchodzisz do mnie?

Pokręciłem głową.

— Miałem zamiar trochę poczytać. Ale ty się prześpij.

Przysiadłem na brzegu łóżka i pogładziłem Lindę po włosach. Na jednej ścianie wisiały zdjęcia dzieci i wnuków Vidara, druga była pełna książek. Na parapecie stały budzik i zdjęcie najmłodszej córki Vidara. W cudzych sypialniach zwykle czułem się nieswojo, zawsze widziałem w nich coś, czego nie powinienem widzieć, ale tutaj nie miałem takich odczuć.

— Kocham cię — powiedziała Linda.

— Śpij dobrze. — Nachyliłem się, pocałowałem ją i wyszedłem do salonu. Wyjąłem książki, które ze sobą przywiozłem; nie miałem siły na Dostojewskiego, wchodzenie w jego świat kosztowałoby mnie teraz za dużo, więc sięgnąłem po biografię Rimbauda, którą od dawna zamierzałem przeczytać, i położyłem się na łóżku pod oknem z książką w ręku. Ciekawiły mnie związki Rimbauda z Afryką, a także czas, w którym żył. Jego wiersze mnie nie interesowały, najwyżej te fragmenty, które mówiły o jego niezwykłym, wyjątkowym charakterze.

W kuchni Ingrid, pracując, rozmawiała z Vanją. Znakomicie umiała się nią zająć, potrafiła przemienić najbardziej rutynowe czynności w prawdziwą baśń, głównie dlatego, że kiedy przebywały razem, dla Ingrid w ogóle nie liczyły się własne potrzeby. Wszystko kręciło się wokół Vanji i jej przeżyć, ale ze strony Ingrid nie wyglądało to na ofiarę. Radość, jaką jej to sprawiało, wydawała się głęboka i szczera.

Pomyślałem, że chyba nie ma drugiej kobiety, która tak bardzo różniłaby się od mojej matki jak Ingrid. Mama również rezygnowała ze swoich potrzeb, ale dystans dzielący ją od Vanji i ich wspólnych zajęć był o wiele większy i mama nie czerpała z nich tak wielkiej radości. Kiedyś byłem z nimi na placu zabaw i wyraz nieobecności w jej oczach kazał mi spytać, czy się nudzi. Potwierdziła i dodała, że zawsze ją to nudziło. Również za naszego dzieciństwa.

Ingrid, jeśli tylko chciała, potrafiła skupić na sobie uwagę wszystkich dzieci. Miała w sobie coś, co pozwalało jej natychmiast nawiązać z nimi kontakt, nie mogła wejść niepostrzeżenie do żadnego pomieszczenia, od razu brała je w posiadanie. Moja matka siedziała w pokoju, a człowiek mógł się nie zorientować, że ona tam jest. Ingrid była kiedyś aktorką najważniejszej sceny w kraju, wiodła życie wielkiej artystki, bardzo aktywne.

Moja matka obserwowała, myślała, czytała, pisała, zastanawiała się, żyła w kontemplacji. Ingrid uwielbiała gotować, moja matka gotowała z konieczności.

Za oknem sypialni przeszedł Vidar w niebieskim kombinezonie, odrobinę przygarbiony, ostrożnie stawiał kroki, żeby się nie przewrócić na ścieżce. Moment później ukazał się za oknem salonu. Zmierzał w stronę garażu. W kuchni Vanja stała oparta o szafkę, a Ingrid zdejmowała z kuchenki garnek z gotującymi się ziemniakami. Wstałem i wyszedłem do przedpokoju. Włożyłem kurtkę, czapkę i buty, otworzyłem drzwi i usiadłem na krześle przy ścianie domu, żeby zapalić papierosa. Vidar wyłonił się z garażu z wiadrem w ręku.

— Będziesz mógł mi za chwilę pomóc? — spytał. — Za jakieś dziesięć minut?

— Oczywiście.

Kiwnął głową na znak, że jesteśmy umówieni, i zniknął za węgłem. Popatrzyłem przed siebie. Światło pod niebem zmatowiało. Nadciągająca ciemność nie rozchodziła się równo po okolicy — to, co wcześniej było ciemne, wchłaniało ją chciwiej, na przykład drzewa na skraju lasu: ich pnie i gałęzie były już zupełnie czarne. Słabe lutowe światło opuszczało dzień bez walki, nie stawiając oporu, nie proponowało nawet pożegnalnego rozpłomienienia, tylko powoli, niezauważalnie umierało, aż do zapadnięcia ciemności i nocy.

Ogarnęło mnie nagłe poczucie szczęścia.

Były światło nad ziemią, chłód w powietrzu, cisza między drzewami. Była czekająca ciemność. Było lutowe popołudnie, którego nastrój przeniknął mnie i obudził wspomnienia innych przeżytych przeze mnie lutowych popołudni, albo ich echo, bo wspomnienia już dawno umarły. Było tak niesłychanie bogate i pełne, ponieważ zebrało się w nim całe życie. Ukazywało jakby przekrój minionych lat; to konkretne światło wtopiło się w słoje pamięci.

Uczucie szczęścia przerodziło się w równie silne uczucie smutku. Zgasiłem papierosa na śniegu i rzuciłem go w stronę beczki stojącej pod rynną. Upomniałem się w duchu, że muszę pamiętać, by go stamtąd zabrać przed wyjazdem. Przeszedłem na tyły domu, Vidar stał w spiżarni i przykręcał pokrywę zamrażarki.

— Musimy ją przenieść do szopy — powiedział. — Trochę ślisko. Ale jeśli będziemy ostrożni, to jakoś pójdzie.

Kiwnąłem głową. Gdzieś w pobliżu zakrakała wrona. Odwróciłem się za tym dźwiękiem, popatrzyłem na szereg drzew po drugiej stronie, ale nic nie zobaczyłem.

Ślady na śniegu były świadectwem ludzkich ruchów poza domem. Wędrowały skrytymi pod śniegiem ścieżkami od drzwi wejściowych do innych zabudowań.

Dalsza część podwórza pozostawała biała i nietknięta.

Vidar zabrał się do trzeciej śruby. Palce miał sprawne, ruchy harmonijne. Potrafił naprawić wszelkie popsute drobiazgi. Mogło się wydawać, że im coś jest mniejsze, tym lepiej mu idzie. Osobiście traciłem cierpliwość do wszystkiego, czego nie mogłem ująć całą dłonią. Skręcanie mebli z Ikei doprowadzało mnie do szału.

Kiedy przykręcał śrubę, nieco rozchylił wargi. Krzywe zęby, które się spod nich wyłoniły, razem z wąskimi oczami i trójkątnym kształtem twarzy, podkreślanym jeszcze przez kształt brody, sprawiły, że przypominał lisa.

Obok stało przyniesione przez niego wiadro, pełne piasku, bladoczerwone na tle szarej betonowej podłogi.

— Miałeś zamiar posypać ścieżkę? — spytałem.

— Tak — odparł. — A co? Chciałbyś się tym zająć?

— Mogę.

Wziąłem wiadro, nabrałem garść piasku i schodząc w dół, zacząłem go rozsypywać po śladach przed sobą. Z domu wyszła Ingrid. Szła po śniegu krótkimi, pospiesznymi krokami, w rozpiętej zielonkawej wiatrówce, kierowała się do ziemianki. Nawet w tak nieznaczącej sytuacji jej obecność odczuwało się intensywnie. Pomyślałem, że Linda musiała wstać. Chyba że Vanja się przy niej położyła?

Na dwóch jabłoniach poniżej ścieżki wisiało jeszcze kilka jabłek, pomarszczonych, upstrzonych czarnymi plamkami, a resztki koloru, jakie się na nich utrzymały, były przytłumione, ściemniała zieleń i czerwień jakby w nie wrosły, a jednocześnie otoczenie czarnych, bezlistnych gałęzi mocno je podkreślało. Gdy patrzyło się od strony łąki, na tle lasu całkowicie pozbawionego kolorów wyglądały, jakby się żarzyły. Natomiast kiedy miało się przed oczami pomalowane na czerwono szopy, kolor matowiał i stawały się prawie niewidoczne.

Ingrid wyszła z ziemianki z dwiema półtoralitrowymi butelkami wody mineralnej i trzema puszkami piwa wciśniętymi pod pachę, jedną butelkę odstawiła w śnieg, żeby zaczepić haczyk na drzwiach, korek i etykietka odcinały się żółcią na tle bieli śniegu, potem znów ją podniosła i poczłapała z powrotem do domu. Doszedłem do szopy i resztę piasku rozsypałem w drodze powrotnej. Odstawiając wiadro, nagle przypomniałem sobie, do kogo był podobny mężczyzna, którego widziałem w kawiarni dzień wcześniej. Do Tarjeia Vesaasa! Był identyczny. Takie same szerokie policzki, takie same łagodne oczy, taka sama łysina. Ale skórę miał inną, zadziwiająco różową, delikatną jak u niemowlęcia. Jakby czaszka Vesaasa powstała z martwych albo natura dla kaprysu użyła tego samego kodu i obciągnęła ją inną skórą.

— No, gotowe — oświadczył Vidar, odkładając śrubokręcik na warsztat stojący za nim. — Możemy zabierać. Chwycę tutaj, a ty uniesiesz za drugi koniec, okej?

— Dobrze.

Dźwignąłem zamrażarkę i zobaczyłem, że jej ciężar przeniósł się na Vidara, jego ciało się naprężyło. Chętnie wziąłbym na siebie większą część ciężaru, bo to nie był wcale taki duży wysiłek, ale się nie dało. Ruszyliśmy ostrożnie w dół, małymi kroczkami, potem się obróciliśmy i dalej szliśmy obok siebie po łagodnym zboczu do szopy; tam najpierw postawiliśmy zamrażarkę na środku pomieszczenia, a potem przesunęliśmy ją w kąt.

— Bardzo ci dziękuję — powiedział Vidar. — Dobrze, że to zrobione.

Ponieważ nie miał mu kto pomóc, takie drobne prace często czekały na nasz przyjazd.

— Nie ma za co — odparłem.

Włożył wtyczkę do gniazdka i zamrażarka zaczęła warczeć. Stały tam jeszcze dwie inne zamrażarki szafki, a oprócz tego dwie zamrażarki skrzyniowe. Wszystkie pełne jedzenia. Łosiny i jeleniny, cielęciny i jagnięciny. Szczupaków, okoni i łososi. Warzyw i owoców. Przeróżnych domowych dań. Takie podejście do jedzenia i pieniędzy było nam kompletnie obce. Ingrid starała się być możliwie samowystarczalna, a jeśli natrafiła na coś taniego, zawsze to kupowała w dużych ilościach, dwa razy oglądała każdą koronę i poczytywała to sobie za honor. Chodziło o właściwe wykorzystanie wszelkich zasobów. Umówiła się na przykład z supermarketem, że będzie odbierać za darmo owoce przeznaczone do wyrzucenia, i przerabiała je na soki i dżemy, piekła z nich ciasta albo przetwarzała je w jakiś inny sposób, który jej przyszedł do głowy. Czasami potrafiła obwieścić, ile zapłaciła za mięso, które właśnie jedliśmy, przy czym jej zamiarem było podkreślenie różnicy wartości tego dania przed zastosowaniem w kuchni jej czarodziejskich sztuczek i po nim. Im taniej, tym lepiej. Ale nie była w żadnej mierze osobą chytrą. Obsypywała nas wszelkimi możliwymi podarunkami, nie bacząc na swoją sytuację finansową. Chodziło o coś zupełnie innego, może o dumę i honor gospodyni domowej, bo ukończyła przecież szkołę dla gospodyń i kiedy jej kariera aktorska dobiegła końca, zwróciła się najwyraźniej ku poprzedniemu powołaniu.

Szopę wypełniał warkot zamrażarek, piwniczka natomiast pełna była warzyw, owoców, słoików z przetworami i konserw. Za każdym razem, gdy tam przyjeżdżaliśmy, raczono nas wyśmienitymi potrawami, głównie daniami jadanymi w tym kraju pokolenie albo dwa pokolenia wstecz, lecz również włoskimi, francuskimi i azjatyckimi, wszystkie jednak miały tę wspólną cechę, że w taki czy inny sposób musiały być chłopskim jedzeniem.

W związku z chrzcinami Vanji Ingrid postanowiła pomóc w szykowaniu poczęstunku. Chrzciny miały się odbyć u mojej matki w Jølster, a ponieważ Ingrid nie znała ani tamtejszej kuchni, ani sklepów, zaproponowała, że przygotuje wszystkie potrawy u siebie w domu i przywiezie je ze sobą. Transportowanie jedzenia na nieduże przyjęcie na odległość kilkuset kilometrów uważałem za kompletny absurd, ale Ingrid się uparła, twierdziła, że tak będzie najprościej, i postawiła na swoim. Tak więc pewnego dnia pod koniec maja rok wcześniej Ingrid i Vidar pojawili się na lotnisku Bringelandsåsen pod Førde, a oprócz zwykłego bagażu mieli ze sobą trzy wyładowane lodówki turystyczne. Miały się odbyć dwie imprezy, najpierw w piątek sześćdziesiąte urodziny mojej matki, a następnie w niedzielę chrzciny Vanji. Przyjechaliśmy z Lindą kilka dni wcześniej i oczywiście nie obyło się bez turbulencji, bo mama w związku z uroczystościami postanowiła odnowić salon i jeszcze nie zdążyła go posprzątać, więc przypominał plac budowy, co Lindę rozczarowało i rozwścieczyło. Gdy zobaczyła, jak wygląda sytuacja, uświadomiła sobie, że będę musiał poświęcić co najmniej trzy dni na uporządkowanie tego bałaganu. Rozumiałem tę wściekłość, chociaż nie jej moc, ale nie mogłem przyznać jej racji. Poszliśmy na spacer z Vanją w głąb doliny; Linda nie przestawała złorzeczyć na moją matkę — nie takie warunki nam obiecywano, gdyby wiedziała, że tak będzie, za nic nie zdecydowałaby się na ochrzczenie Vanji w Jølster, tylko załatwiłaby to w Sztokholmie.

— Sissel jest egoistyczna, niegościnna, zimna i zamknięta! — krzyczała Linda w zielonej, zalanej słońcem dolinie. — Taka jest prawda. Mówisz, że nie widzę, co robi moja matka. Twierdzisz, że prezent od niej nigdy nie jest tylko prezentem, że mnie kompletnie od siebie uzależnia, i możliwe, że masz rację. Pewnie tak. Ale ty, do jasnej cholery, też nie widzisz, jaka jest twoja matka!

Z nerwów rozbolał mnie brzuch, jak zawsze, kiedy musiałem rzeczowymi argumentami stawić czoło dzikości Lindy, której wywody uważałem za kompletnie niesprawiedliwe, wręcz chore.

Prawie biegliśmy drogą prowadzącą przez dolinę, pchając wózek ze śpiącą Vanją.

— To chrzest n a s z e j córki. Dla mnie więc jest oczywiste, że to my musimy przygotować dom! Wiesz przecież, że moja mama, w przeciwieństwie do twojej matki, pracuje, dlatego nie zdążyła. Nie może poświęcać całego czasu nam i naszemu życiu. Ma własne!

— Jesteś ślepy! — nie ustępowała Linda. — Zawsze musisz harować, kiedy tu przyjeżdżasz, ona cię wykorzystuje, nigdy nie mamy czasu dla siebie, kiedy tu jesteśmy!

— Ale przecież ciągle jesteśmy razem! Stale jesteśmy ze sobą. Cholera, nigdy nie jest inaczej!

— Ona nam nie zostawia wolnej przestrzeni.

— Co ty, do diabła, wygadujesz? Przestrzeni? Jeśli istnieje człowiek, który zostawia nam wolną przestrzeń, to jest nim moja mama. To twoja matka nie zostawia przestrzeni. Ani jednego cholernego centymetra. Pamiętasz, jak się urodziła Vanja? Mówiłaś, że nie życzysz sobie nikogo w pierwszych dniach. Chciałaś, żebyśmy byli sami, tylko we dwoje.

Linda nie odpowiedziała. Patrzyła wrogo przed siebie.

— Moja mama bardzo chciała przyjechać. Yngve też. Ale do nich zadzwoniłem i przykazałem, żeby nie przyjeżdżali przez pierwsze dwa tygodnie, dopiero później. I co się dzieje? Kto się zjawia, zaproszony przez ciebie, jak nie twoja matka? Co wtedy powiedziałaś? „To przecież tylko mama!" No właśnie, do jasnej cholery, no właśnie! To „tylko" mówi wszystko. Ty w ogóle nic nie widzisz. Tak się przyzwyczaiłaś do jej obecności i pomocy, że niczego nie dostrzegasz. Twoja matka mogła u nas być, ale moja już nie.

— Twoja matka w ogóle nie przyjechała, żeby zobaczyć maleńką Vanję. Dopiero po kilku miesiącach.

— A jak myślisz, dlaczego? Przecież ją odrzuciłem!

— Miłość, Karl Ove, przezwycięża poczucie odrzucenia.

— O Boże.

Zamilkliśmy.

— Na przykład wczoraj — podjęła Linda. — Siedziała z nami cały czas, dopóki się nie położyliśmy.

— I co?

— Czy moja mama by tak zrobiła?

— Nie. Twoja mama kładzie się o ósmej, jeśli tylko uważa, że tego sobie życzysz. Robi dla nas wszystko, kiedy ją odwiedzamy, to prawda. Ale to chyba nie oznacza, że taki jest porządek natury, do jasnej cholery. Pomagałem mamie w różnych drobiazgach, odkąd się wyprowadziłem z domu. Malowałem dom, kosiłem trawę i sprzątałem. Jest w tym coś złego? W pomaganiu też jest coś nie tak? Co? A tym razem nawet nie jej pomagamy, tylko sobie! To przecież nasze chrzciny, nie rozumiesz?

— To ty nie rozumiesz, o co chodzi! Nie przyjechaliśmy tu po to, żebyś cały dzień był zajęty sprzątaniem, a ja żebym zostawała sama z Vanją. Przecież właśnie przed tym uciekliśmy. A twoja matka wcale nie jest taka niewinna, jak ci się wydaje. Dobrze to sobie zaplanowała.

Kurwa pierdolona mać, powtarzałem w myślach, kiedy szliśmy drogą w milczeniu, po tym jak wybrzmiały ostatnie słowa. Co za pierdolone, jebane kurestwo. Jak, do kurwy nędzy, mogłem wpaść w takie gówno?!

Słońce świeciło na pogodnym błękitnym niebie. Wzgórza wyrastały gwałtownie po obu stronach rzeki, wypełnionej wodą z topniejącego śniegu i z głośnym szumem płynącej do jeziora Jølstravatnet, gładkiego jak lustro, nieruchomego wśród gór. Na jednym ze szczytów lśnił w słońcu jęzor lodowca Jostedalsbreen. Powietrze było czyste i ostre, otaczały nas zielone łąki, a na nich owce z brzęczącymi dzwonkami, najwyższe fragmenty gór były niebieskawe, tu i ówdzie z widocznymi białymi plamami śniegu. Było pięknie aż do bólu. Szliśmy sobie z Vanją śpiącą w wózku i kłóciliśmy się o to, że muszę poświęcić kilka dni na posprzątanie domu mojej matki.

Niesprawiedliwość Lindy nie znała granic. Nie istniał punkt, w którym przyznałaby: tak, tym razem posunęłam się za daleko.

O czym myślała?

Ale przecież znałem odpowiedź na to pytanie. Od chwili gdy wychodziłem do pracowni, aż do mojego powrotu, całe dnie spędzała zupełnie sama z Vanją, czuła się samotna i wyczekiwała tych dwóch tygodni z ogromną nadzieją. Cieszyła się na tych kilka dni ze swoją małą rodziną zebraną w jednym miejscu. Ja z kolei nie cieszyłem się nigdy na nic innego, jak tylko na chwilę, kiedy zamknę za sobą drzwi pracowni i zostanę sam, żeby pisać. Zwłaszcza teraz, kiedy po sześciu latach niepowodzeń nareszcie udało mi się do czegoś dojść i czułem, że to nie koniec, że mogę więcej. Tęskniłem za tym, to wypełniało moje myśli, a nie Linda, Vanja i chrzest w Jølster, bo inne rzeczy przyjmowałem w takiej formie, w jakiej przychodziły. Będzie dobrze, no to będzie dobrze. Nie będzie dobrze, no to nie będzie dobrze. Różnica nie miała dla mnie większego znaczenia. Tę kłótnię również powinienem podciągnąć pod tę kategorię, ale tym razem emocje były za silne, wzięły nade mną górę.

Przyszedł piątek, całą noc przesiedziałem nad przemową do mamy i byłem śpiący, kiedy jechaliśmy przez ten niesamowity krajobraz, wśród fiordów, gór, rzek i zagród do Loen w Nordfjord, gdzie matka wynajęła stary budynek, przypominający dwór, pozostający do dyspozycji Związku Pielęgniarek — w tym budynku miało się odbyć przyjęcie urodzinowe. Inni goście wybrali się na lodowiec Briksdalsbreen, Linda zaś i ja zostaliśmy w pokoju z Vanją, żeby się trochę przespać. Otaczający nas krajobraz zachwycał ogromem, ale też niepokoił. Cały ten błękit, cała ta zieleń, cała ta biel, głębia i przestrzeń. Nie zawsze tak to przeżywałem, pamiętam, że dawniej ów pejzaż był dla mnie czymś powszednim, niemal trywialnym, przez co należało przejechać, żeby przedostać się z jednego miejsca w drugie.

Za oknem szumiała rzeka. Po polu w pobliżu jeździł traktor. Jego warkot to nabierał mocy, to cichł. Od czasu do czasu sprzed budynku dobiegały głosy. Linda spała obok mnie z Vanją przy piersi. Dla niej kłótnia dawno się skończyła. Tylko ja potrafiłem się złościć i gniewać przez kilka tygodni, tylko ja potrafiłem nosić w sercu urazę przez wiele lat. Ale do nikogo oprócz Lindy. Jedynie z nią się kłóciłem, jedynie na nią się obrażałem. Jeśli

moja matka, brat czy przyjaciele mówili coś nieprzyjemnego, zostawiałem to, po prostu to przyjmowałem, ich słowa nie więzły we mnie, tak naprawdę nie miały dla mnie znaczenia. Sądziłem, że to się wiąże z dorosłością, w której udało mi się ograniczyć amplitudę mojego w zasadzie wybuchowego charakteru, dlatego resztę życia spędzę w spokoju i harmonii, a wszystkie konflikty będę rozwiązywał ironią i drwiną lub ewentualnie dąsami, w których wprawiłem się w trakcie trzech długich związków. Okazało się jednak, że związek z Lindą jak gdyby rzucił mnie z powrotem w czasy, kiedy amplituda uczuć była ogromna — od największej radości, przez najgłębszą wściekłość, do bezdennej desperacji i zwątpienia — w czasy, kiedy moje życie składało się z serii samych najważniejszych chwil, których intensywność była tak wielka, że życie czasami wydawało się wręcz nie do życia i spokój zapewniały mi wyłącznie książki — opisywały innych ludzi, inne miejsca i czasy, w których byłem nikim i nikt nie był mną.

Tak działo się w okresie mojego dzieciństwa i dorastania, nie miałem wówczas innego wyboru.

Teraz skończyłem trzydzieści pięć lat, a skoro chciałem, by jak najmniej mi przeszkadzano, skoro pragnąłem jak najwięcej spokoju ducha, to chyba powinienem go mieć, albo chociaż umieć zdobyć?

Ale wcale na to nie wyglądało.

Wyszedłem na dwór, przysiadłem na kamieniu i zapaliłem papierosa, przerzucając napisaną mowę. Długo miałem nadzieję, że ominie mnie to wystąpienie, ale nie było szans. Doszliśmy z Yngvem do wniosku, że mowa od każdego z nas matce się należy. Bałem się tego jak diabli. Czasami, kiedy miałem czytać na głos swoje teksty, uczestniczyć w dyskusji albo udzielać wywiadu na scenie, denerwowałem się tak, że ledwie mogłem chodzić. Zdenerwowanie to właściwie za słabe określenie, zdenerwowanie kojarzyło mi się z czymś, co przebiega po nerwach, z lekkim zaburzeniem, z drżeniem umysłu. A ten stan był bolesny i bardzo trudny. Chociaż też musiał minąć.

Wstałem i powlokłem się na drogę, z której widać było całą wieś. Bujne, nasączone wilgocią pola wśród górskich zboczy, wieniec drzew liściastych rosnących przy rzece, na płaskim terenie nieduże centrum z garstką sklepów i domów mieszkalnych. Tuż obok fiord, zielononiebieski, gładki jak lustro, góry stromo wspinające się ku niebu po drugiej stronie, nieliczne górskie zagrody wysoko na zboczach, z białymi ścianami domów i czerwonawymi dachami, z zielonymi i żółtymi polami, a wszystko to lśniło w blasku słońca, które powoli zaczynało zachodzić i wkrótce miało zniknąć w dalekim morzu. Nagie zbocza gór nad gospodarstwami, granatowe, tu i ówdzie niemal czarne, wyżej białe szczyty, a nad nimi przejrzyste niebo, na którym wkrótce pojawią się pierwsze gwiazdy, najpierw prawie niezauważalne, w postaci ledwie jaśniejszych plamek koloru, później coraz wyraźniejsze, a w końcu migoczące i lśniące w ciemności nad światem.

Tym nie mogliśmy zawładnąć. Mogliśmy sobie myśleć, że nasz świat obejmuje wszystko, mogliśmy zajmować się swoimi małymi sprawami, tu, na dole, nad brzegiem, jeździć samochodami, telefonować i rozmawiać ze sobą, odwiedzać się, jeść, pić, siedzieć w domu i chłonąć twarze, opinie oraz losy tych, którzy pokazywali się na ekranie telewizyjnym, w tej dziwnej, na poły sztucznej symbiozie, w jakiej żyliśmy, i z roku na rok coraz bardziej mamić się wyobrażeniem, że to już wszystko, co istnieje, ale gdy podnosiliśmy wzrok i spoglądaliśmy wyżej, możliwa była jedynie myśl o naszej bezsile, o niemożliwości zawładnięcia tym światem, bo jakże małe jest właściwie to, czym się mamimy. Owszem, dramaty, które oglądamy, są wielkie, obrazy, które chłoniemy — wysublimowane, a czasami również apokaliptyczne, ale co dalej, niewolnicy, jaki właściwie jest w tym nasz udział?

Żaden.

Ale gwiazdy migoczą nad naszymi głowami, słońce świeci, trawa rośnie, a ziemia… tak, ziemia pochłania życie i zaciera ślady, wyrzuca z siebie nowe istnienia kaskadą członków i oczu, liści i paznokci, źdźbeł i ogonów, policzków, futer, kory i trzewi, a potem znów to wszystko pochłania. A my nigdy naprawdę nie rozumiemy — bo może nie chcemy zrozumieć — że to się dzieje poza nami, że nie mamy w tym żadnego udziału, jesteśmy tylko tym, co rośnie i umiera, ślepi, tak jak ślepe są morskie fale.

Za moimi plecami nadjechały doliną cztery samochody. To byli goście mojej matki, to znaczy, oprócz Ingrid i Vidara, jej rodzeństwo, mężowie i dzieci sióstr. Zawróciłem w kierunku domu. Patrzyłem, jak podnieceni i weseli wysiadają z samochodów, najwyraźniej lodowiec wywarł na nich wielkie wrażenie. Przez następną godzinę mieli się szykować w swoich pokojach, a potem zebrać w salonie, jeść pieczeń z jelenia i pić czerwone wino, słuchać przemówień, popijać kawę i koniak, dzielić się na mniejsze grupki, rozmawiać i bawić się przez cały wieczór, który przejdzie w jasną noc.

Przy stole Yngve wstał pierwszy. Wręczył mamie prezent od nas, aparat lustrzankę, i wygłosił mowę. Tak się denerwowałem, że nie dotarł z niej do mnie nawet ułamek. Yngve zakończył słowami, że mama uważała się za świetną fotografkę i pod tym względem miała ogromną wiarę w siebie, ale wiara ta nigdy nie znalazła uzasadnienia, ponieważ mama nie miała własnego aparatu fotograficznego. Stąd taki prezent.

Przyszła kolej na mnie. Wcześniej nie zdołałem nic przełknąć. A przecież dobrze znałem prawie wszystkich, którzy teraz na mnie patrzyli, znałem ich całe życie i w ich spojrzeniach widziałem wyłącznie życzliwość. Musiałem jednak wygłosić tę mowę. Nigdy nie wyznałem matce, że coś dla mnie znaczy, sama myśl o powiedzeniu czegoś takiego wywoływała we mnie obrzydzenie i niechęć. Teraz oczywiście też nie o tym miałem mówić. Ale matka kończyła sześćdziesiąt lat, a ja, jej syn, musiałem ją uczcić jakimiś słowami.

Wstałem. Wszyscy zamilkli, wpatrzeni we mnie, większość się uśmiechała. Musiałem użyć całej zdolności koncentracji, żeby moje ręce, trzymające kartkę, się nie trzęsły.

— Kochana mamo — powiedziałem, odwracając się do niej. Uśmiechnęła się, żeby dodać mi otuchy. — Chcę zacząć od podziękowania. Chcę ci podziękować za to, że byłaś tak niewiarygodnie dobrą matką. Po prostu wiem, że byłaś niewiarygodnie dobrą matką, ale rzeczy, które się po prostu wie, niełatwo nazwać słowami. W tym wypadku jest to tym trudniejsze, że twoje najlepsze cechy czasami trudno dostrzec.

Przełknąłem ślinę, spojrzałem na szklankę z wodą, zdecydowałem, że jednak po nią nie sięgnę, podniosłem głowę i spojrzałem we wpatrujące się we mnie oczy.

— Jest taki film Franka Capry, który mówi właśnie o tym, *To wspaniałe życie* z 1946 roku. Opowiada o pewnym dobrym człowieku z niewielkiego amerykańskiego miasteczka, który na początku filmu przechodzi kryzys i chce wszystko porzucić. Wtedy interweniuje anioł i pokazuje mu, jak wyglądałby świat b e z niego. Dopiero wówczas ten człowiek widzi, ile naprawdę znaczy dla innych ludzi. Nie sądzę, żebyś wymagała pomocy anioła, aby zrozumieć, jak bardzo jesteś dla nas ważna, ale czasami mogłoby się to przydać n a m. Pozostawiasz wszystkim wokół siebie przestrzeń, w której mogą być sobą. Może to zabrzmi jak oczywistość, ale wcale nią nie jest. Wprost przeciwnie, to niezwykle rzadka cecha i często trudno ją zauważyć. Łatwo jest dostrzec tych, którzy starają się wyróżnić. Łatwo jest dostrzec tych, którzy wyznaczają granice. Ale ty nigdy nie starasz się wyróżnić, ani też nigdy nie wyznaczasz granic innym, akceptujesz ich takich, jacy są, i do takich się odnosisz. Sądzę, że doświadczyli tego wszyscy tu obecni.

Wokół stołu poniósł się szmer.

— Kiedy miałem szesnaście czy siedemnaście lat, akurat to było dla mnie bezcenne. Mieszkaliśmy sami w Tveit i przechodziłem trudny okres, tak mi się wydaje, ale cały czas czułem, że masz do mnie zaufanie, a przede wszystkim, że mi wierzysz. Pozwoliłaś mi zdobywać własne doświadczenia. Wtedy oczywiście nie rozumiałem, że tak jest, nie widziałem wówczas ani ciebie, ani siebie. Ale teraz widzę. Właśnie za to chcę ci podziękować.

Kiedy to mówiłem, spojrzałem mamie w oczy i głos mi się załamał. Chwyciłem szklankę, wypiłem łyk wody, próbowałem się uśmiechnąć, ale nie bardzo mi to wyszło, wychwyciłem jakieś współczujące szepty wokół stołu i nie wiedziałem, jak nad tym zapanować. Przecież miałem tylko wygłosić przemowę, a nie wpadać w otchłań sentymentalizmu i użalać się nad sobą.

— No tak — podjąłem. — A teraz kończysz sześćdziesiąt lat. To, że nie planujesz, co będziesz robić na emeryturze, tylko przeciwnie, dopiero skończyłaś studia, również sporo mówi o tym, kim jesteś: po pierwsze, jesteś pełna życia, witalności i ciekawości intelektualnej, a po drugie, nigdy się nie poddajesz. To dotyczy ciebie, twojego życia, lecz wpływa też na twój stosunek do innych. Uważasz, że wszystko wymaga czasu. Musi trwać tyle, ile potrzebuje. Kiedy miałem siedem lat i rozpoczynałem szkołę, nie umiałem tego docenić. To ty odwiozłaś mnie na rozpoczęcie roku szkolnego, świetnie to pamiętam. Nie znałaś dobrze drogi, ale wierzyłaś, że jakoś trafimy. Trafiliśmy do dzielnicy willowej. Potem do następnej. Siedziałem w jasnoniebieskim garniturku, z tornistrem na plecach, z przyczesanymi na mokro włosami i objeżdżałem Tromøyę, w czasie gdy moi przyszli koledzy stali na szkolnym dziedzińcu i wysłuchiwali przemówień. Kiedy wreszcie dotarliśmy do szkoły, było już po wszystkim. Mógłbym przytoczyć mnóstwo podobnych anegdot; niemało kilometrów zrobiłaś, gdy gubiłaś się na bezdrożach wśród kompletnie obcych pejzaży, na przykład zorientowałaś się, że to jednak nie jest droga do Oslo, dopiero gdy zatrzymałaś się w ciemności na ścieżce wyjeżdżonej przez traktor, w jakiejś odległej dolinie. Tyle jest tych anegdot, że poprzestanę na ostatniej. Dokładnie w twoje sześćdziesiąte urodziny, a więc tydzień temu, zaprosiłaś koleżanki na kawę, ale kawy zapomniałaś kupić, więc musiały zadowolić się herbatą. Czasami wydaje mi się, że to twoje roztargnienie jest wręcz warunkiem głębokiego udziału w rozmowach ze mną i z innymi.

Znów okazałem się na tyle głupi, żeby na nią spojrzeć. Uśmiechnęła się do mnie, oczy mi zwilgotniały, a potem — nie i jeszcze raz nie! — wstała, żeby mnie uściskać.

Goście zaczęli klaskać, a ja usiadłem, pełen pogardy dla siebie, bo chociaż utrata kontroli nad uczuciami

była dość widowiskowa i dodała pieprzyku moim słowom, i tak się wstydziłem, że okazałem publicznie taką słabość.

Kilka miejsc dalej wstała starsza siostra mamy, Kjellaug; mówiła o jesieni życia, co spotkało się z łagodnymi protestami, ale jej przemowa była miła i ciepła, no a sześćdziesiątka to przecież nie czterdziestka.

W tym czasie przyszła Linda i usiadła obok mnie. Położyła mi rękę na ramieniu.

— Dobrze poszło? — spytała szeptem.

Kiwnąłem głową.

— Zasnęła? — odszepnąłem.

Linda potwierdziła z uśmiechem. Kjellaug usiadła, wstał następny mówca i tak to trwało, dopóki wszyscy goście przy stole nie wygłosili przemówień. Wyjątkiem byli oczywiście Vidar i Ingrid, którzy w ogóle nie znali mojej matki, ale i tak dobrze się tu czuli, przynajmniej

Vidar. Zniknęła gdzieś ta jego sztywność, starcza kostyczność, która czasami ujawniała się w domu. Prezentował się znakomicie, wesoły i uśmiechnięty, z zarumienionymi policzkami i błyszczącymi oczami. Ze wszystkimi umiał rozmawiać, szczerze zainteresowany tym, co mieli do powiedzenia, i odpowiadał, sypiąc jak z rękawa anegdotami, opowiastkami i ripostami. Trudniej było ocenić samopoczucie Ingrid. Wydawała się podekscytowana, głośno się śmiała i wyrażała się w samych superlatywach — wszystko było niewiarygodne, wspaniałe i fantastyczne — ale tego nie rozwijała, jakby wolała w pewnym sensie na tym poprzestać, nie uczestniczyła głębiej w tym, co się tego wieczoru liczyło, albo dlatego, że nie czuła się zbyt pewnie wśród obcych ludzi, albo była zbyt poruszona, albo z tej prostej przyczyny, że jej codzienność od takich imprez dzielił zbyt duży dystans. Wielokrotnie obserwowałem u starych ludzi nieumiejętność radzenia sobie z nagłymi zmianami, niechęć do przemieszczania się, ale u nich przede wszystkim pojawiała się sztywność, coś regresywnego, co akurat nie pasowało do sposobu bycia Ingrid, pozostającego raczej na przeciwnym biegunie, a poza tym Ingrid nie była stara, przynajmniej według miary naszych czasów. Kiedy nazajutrz wróciliśmy do Jølster, żeby przygotować chrzciny, nadal się tak zachowywała, ale na większej przestrzeni wyglądało to mniej dziwacznie. Niepokoiła się o jedzenie, starała się przygotować jak najwięcej wieczorem w dniu poprzedzającym uroczystość, a kiedy wreszcie ten dzień nadszedł, zamartwiała się na przykład o to, że drzwi do domu będą zamknięte i nie zdąży wszystkiego przygotować przed przyjściem gości, a w kuchni nie będzie umiała znaleźć wszystkich potrzebnych naczyń.

Pastorem była młoda kobieta. Staliśmy wokół niej przy chrzcielnicy; Linda trzymała Vanję, kiedy jej główkę zwilżano wodą. Ingrid wyszła z kościoła natychmiast po zakończeniu ceremonii. My wraz z resztą gości zostaliśmy. Była komunia. Jon Olav z rodziną uklękli przy ołtarzu. Z jakiegoś powodu ruszyłem za nimi, uklęknąłem, dostałem opłatek na język, napiłem się wina mszalnego, otrzymałem błogosławieństwo, a potem wstałem i wróciłem do ławki, czując na sobie mniej lub bardziej niedowierzające spojrzenia mamy, Kjartana, Yngvego i Geira.

Dlaczego to zrobiłem?

Czyżbym się nawrócił?

Ja, od wczesnej młodości żarliwie antyreligijny i w głębi serca materialista, w ciągu jednej sekundy, właściwie bez zastanowienia, wstałem, przeszedłem przez nawę kościelną i uklęknąłem przed ołtarzem.

To był odruch. A kiedy poczułem na sobie spojrzenia, nie potrafiłem się obronić, nie mogłem obwieścić, że jestem wierzący, dlatego z lekkim zawstydzeniem spuściłem wzrok.

Wiele się wcześniej wydarzyło.

Po śmierci taty rozmawiałem z pewnym pastorem; to było jak odpuszczenie grzechów, wszystko się ze mnie wylało, a on był przy mnie, żeby tego wysłuchać i żeby mnie pocieszyć. Ceremonia pogrzebowa, sam rytuał, stała się dla mnie czymś niemal fizycznym, czego mogłem się uchwycić. Dzięki niej życie taty, nędzne i destrukcyjne pod koniec, zmieniło się po prostu w życie.

Ile w tym pociechy?

No i jeszcze to, nad czym pracowałem w ostatnim roku. Nie to, co pisałem, lecz to, że powoli zaczynałem rozumieć, ku czemu dążę. Świętość. W powieści trawestowałem ją, powoływałem się na nią, ale bez powagi hymnu, istniejącej, jak wiedziałem, na tych obszarach, w tych tekstach, które zacząłem czytać, i owa powaga, jej szalona intensywność, zawsze obecna w pobliżu świętości, w której nigdy nie uczestniczyłem ani nie zamierzałem uczestniczyć, ale zawsze mimo wszystko wyczuwałem jej istnienie, kazała mi inaczej myśleć o Chrystusie — to były ciało i krew, narodziny i śmierć, a nas wiązały z tym nasze ciała i nasza krew, łączyli nasi nowo narodzeni i nasi zmarli; ciągle, stale przez nasz świat wiał sztormowy wiatr, wiał od zawsze, a jedynym znanym mi miejscem, w którym te najzupełniej zewnętrzne, a jednocześnie najprostsze rzeczy stworzono, były pisma religijne. I jeszcze ci poeci i artyści, którzy się do tego zbliżali. Trakl, Hölderlin, Rilke. Czytanie Starego Testamentu, zwłaszcza Trzeciej Księgi Mojżeszowej, ze szczegółowymi opisami praktyki składania ofiar, oraz Nowego Testamentu, o wiele młodszego i bliższego nam, znosiło czas i historię, pozostawiało jedynie podrywany w górę pył i wskazywało to, co niezmienne.

Dużo o tym myślałem.

W dodatku tutejsza pastor ledwie zgodziła się ochrzcić Vanję, ponieważ nie mieliśmy z Lindą ślubu, ja byłem rozwodnikiem, a kiedy zaczęła drążyć, nie mogłem wyznać, że tak, jestem wierzący, wierzę, że Jezus był synem Boga, bo za nic nie uwierzyłbym w taką szaloną myśl, cały czas krążyłem wokół tradycji, pogrzebu mojego ojca, życia i śmierci, rytuału, a później czułem się fałszywie, jakbyśmy ochrzcili naszą córkę na fałszywych zasadach; dlatego kiedy nadszedł czas komunii, chciałem to zniwelować, przypuszczalnie z takim rezultatem, że zrobiłem z siebie jeszcze większego fałszywca. Nie tylko ochrzciłem córkę jako człowiek niewierzący, ale jeszcze, do cholery, przyjąłem komunię!

No ale świętość.

Ciało i krew.

Wszystko, co się zmienia i pozostaje niezmienne.

Poza tym istotny był też widok Jona Olava, który mnie mija i klęka. Uważałem go za pełnego, dobrego człowieka i również to w jakiś sposób pociągnęło mnie przez nawę i rzuciło na kolana: tak bardzo chciałem być pełny. Tak bardzo chciałem być dobry.

Ustawiliśmy się na schodach kościoła do fotografii: rodzice, chrzczone dziecko, rodzice chrzestni. W sukience, którą Vanja miała na sobie, chrzczona była moja prababcia, tu, w Jølster. Na uroczystość stawiła się też część rodzeństwa mojej babci, byli między innymi ulubieńcy Lindy, Alvdis i Anfinn, całe rodzeństwo mamy, część ich dzieci i wnuków, jeden z braci taty przyjechał z bardzo daleka, a oprócz tego pojawili się przyjaciele

Lindy ze Sztokholmu, Geir i Christina, no i oczywiście Vidar i Ingrid.

Staliśmy na schodach i właśnie wtedy przybiegła zasapana Ingrid. Lęk, że zastanie dom zamknięty, okazał się uzasadniony, bo mama w roztargnieniu zamknęła drzwi na klucz. Ingrid dostała klucze i popędziła z powrotem. Kiedy wróciliśmy do domu pół godziny później, była w rozpaczy, bo nie mogła znaleźć jakichś półmisków. Oczywiście wszystko się udało, pogoda dopisała, przyjęcie odbyło się w ogrodzie z widokiem na jezioro, w którym odbijały się góry, a goście nie mogli się nachwalić jedzenia. Ale kiedy potrawy zostały już podane, a Vanja wędrowała z kolan na kolana, więc nie potrzebowała opieki, okazało się nagle, że Ingrid nie ma już żadnych zadań do wykonania, i może właśnie to było dla niej najtrudniejsze, bo poszła do swojego pokoju i nie wychodziła, aż, zaniepokojeni, zaczęliśmy jej szukać — koło piątej, może wpół do szóstej, kiedy pierwsi goście już odjechali. Linda poszła sprawdzić, co się z nią dzieje. Ingrid spała i ledwie zdołaliśmy ją dobudzić. Wiedziałem, że u niej to normalne. Linda opowiadała mi, że jej matka śpi bardzo głęboko i nie można nawiązać z nią kontaktu przez pierwszych pięć–dziesięć minut po przebudzeniu. Linda przypuszczała, że w grę mogą wchodzić tabletki nasenne. Kiedy Ingrid wyszła na dwór, prawie zataczała się na trawniku, a jej śmiech był zupełnie nie na miejscu — rozbrzmiewał za głośno w momentach, które inne osoby najczęściej uznawały za mało zabawne. Zaniepokoiłem się, widząc ją w takim stanie, coś ewidentnie się nie zgadzało, Ingrid była nie do końca obecna, a jednocześnie głośna i egzaltowana, miała błyszczące oczy i zaczerwienioną twarz. Rozmawialiśmy o tym z Lindą, kiedy wszyscy już poszli spać. Stwierdziła, że to przez tabletki i cały ten stres związany z przyjęciem, przecież Ingrid przyrządziła dania i obsłużyła dwadzieścia pięć osób, w dodatku w zupełnie obcym miejscu.

Następnym razem zobaczyłem się z nimi tutaj. Niepokój i zdenerwowanie Ingrid zniknęły, a Vidar zapadł się z powrotem w życie wypełnione powtarzalnymi czynnościami.

Stał teraz z rękami na biodrach i przyglądał się swojemu dziełu. Zza wzgórza dobiegł odgłos zbliżającego się pociągu, potem ucichł, by po kilku sekundach powrócić z drugiej strony wzgórza, głośniejszy i pełniejszy; jednocześnie w naszą stronę zaczęła iść pod górę Linda. Widząc nas, zawołała:

— Jedzenie!

Następnego dnia wcześnie rano Vidar odwiózł nas na dworzec. Dotarliśmy tuż przed odjazdem pociągu, więc nie zdążyłem kupić biletu. Ingrid, która jechała z nami, żeby zająć się Vanją przez następne trzy dni, miała miesięczny, a Lindzie na wieloprzejazdowym bilecie zostało dość odcinków pozwalających na dojazd do Sztokholmu. Usiadłem przy oknie, wyjąłem plik gazet, których jeszcze nie zdążyłem przeczytać, Ingrid zajęła się Vanją, a Linda wyglądała przez okno. Dopiero kilka stacji po przesiadce w Södertälje przyszedł konduktor. Ingrid pokazała miesięczny, Linda podała karnet, a ja zacząłem grzebać po kieszeniach, szukając gotówki. Kiedy konduktor zwrócił się w moją stronę, Ingrid powiedziała:

— On wsiadł w Haninge.

Co takiego?

Oszukiwała w moim imieniu? Co ona wyprawia, do cholery jasnej?

Spojrzałem na konduktora.

— Do Sztokholmu — powiedziałem. — Z Haninge. Ile to będzie?

Nie mogłem się przyznać, że punktem początkowym mojej podróży tak naprawdę była Gnesta, bo jak by wtedy wyglądała Ingrid? Z drugiej strony miałem taką zasadę, że zawsze za siebie płacę. Jeśli w sklepie ekspedientka wydała mi za dużo reszty, zawsze zwracałem jej uwagę. Oszukiwanie w pociągu to ostatnia rzecz, jaką bym zrobił.

Konduktor podał mi bilet i resztę, podziękowałem. Zniknął w tłumie podróżnych, dojeżdżających do pracy.

Byłem wściekły, ale się nie odezwałem, czytałem dalej. Kiedy dotarliśmy na Dworzec Centralny w Sztokholmie i wystawiliśmy wózek na peron, zaproponowałem, że zabiorę walizkę Ingrid do pracowni, żeby nie musiała jej wlec ze sobą najpierw do naszego mieszkania, a potem do pracowni, gdzie zwykle nocowała, kiedy przyjeżdżała do nas po południu. Ucieszyła się z tej propozycji.

Pożegnałem się z nimi w hali i wyszedłem z dworca przy zejściu do pociągów na lotnisko; jedną ręką ciągnąłem za sobą walizkę, w drugiej niosłem torbę z laptopem i tak ruszyłem na plac z przypominającym twierdzę budynkiem centrali związków zawodowych, stamtąd dalej Dalagatan i pięć minut później wchodziłem do pracowni.

Już zdążyła się stać miejscem pełnym wspomnień — z okresu, kiedy pisałem *Wszystko ma swój czas*. Cholera, ależ byłem wtedy szczęśliwy.

Zrobiłem miejsce na walizkę Ingrid w szafce pod zlewem, bo nie chciałem na nią patrzeć w czasie pracy, a potem poszedłem się wysikać.

I co zobaczyłem? Szampon i balsam Ingrid! A co leżało na dnie worka na śmieci? Używane przez Ingrid patyczki do uszu i nitka do zębów.

— Do jasnej cholery! — powiedziałem głośno, chwyciłem te dwie butelki i wyrzuciłem do śmieci w kuchni. — Mam tego dosyć, do diabła! — krzyknąłem, wyrwałem worek z kosza w łazience, nachyliłem się i wyciągnąłem wianuszek włosów z odpływu, jej włosów, do diabła! To moja pracownia, jedyne miejsce, które miałem tylko dla siebie i w którym mogłem być zupełnie sam, a ona nawet tutaj się panoszy, ze wszystkimi swoimi rzeczami i głupotami. Nawet tu dokonuje na mnie inwazji, pomyślałem, cisnąłem włosy do śmieci, zwinąłem worek i wepchnąłem go głęboko do kosza w szafce pod blatem w kuchni.

Niech to szlag trafi.

Włączyłem komputer i usiadłem przy biurku. Niecierpliwie czekałem, aż się uruchomi. Na podłodze widoczny był obraz Chrystusa w koronie cierniowej. Na ścianie za kanapą wisiał plakat z nocnym pejzażem Pedera Balkego. Nad biurkiem dwie fotografie Thomasa. Na ścianie za mną — rysunek rozkrojonego wieloryba i pochodzące z tej samej osiemnastowiecznej ekspedycji ryciny z niemal fotograficzną precyzją przedstawiające żuki.

Nie mogłem tu pisać. To znaczy, nie mogłem napisać niczego nowego.

Ale też nie tym miałem się zajmować w najbliższym tygodniu. Zgodziłem się wygłosić w sobotę przed południem w Bærum odczyt na temat „swojej twórczości" i właśnie nad nim zamierzałem pracować przez kolejne trzy dni. To było bezsensowne zlecenie, ale przyjąłem je już dawno. Zaproszenie pojawiło się tego samego dnia, w którym ogłoszono, że moją książkę nominowano do Nagrody Literackiej Rady Nordyckiej. Napisano wtedy do mnie, że stało się już tradycją, iż norwescy nominowani przyjeżdżają do Bærum i opowiadają o swojej książce albo twórczości, a ponieważ moje mechanizmy obronne akurat się wyłączyły — zgodziłem się.

A teraz musiałem nad tym siedzieć.

Szanowni państwo. Gówno mnie państwo obchodzą, gówno obchodzi mnie książka, którą napisałem, gówno obchodzi mnie to, czy dostanie nagrodę, czy nie, chcę jedynie dalej pisać. Więc co tu robię? Pozwoliłem sobie schlebić, miałem moment słabości, mam takich wiele, ale teraz koniec ze schlebianiem i z momentami słabości. Żeby zaznaczyć to w porządny, niedwuznaczny sposób, wziąłem ze sobą trochę gazet. Zaraz je rozłożę na podłodze przy mównicy i na nie nasram. Wstrzymywałem się przez kilka dni, żeby wyszło odpowiednio spektakularnie. O tak. Już. O. No, to mamy. Jeszcze tylko podetrę tyłek i będzie koniec. Oddaję głos drugiemu z nominowanych, Steinowi Mehrenowi. Dziękuję za uwagę.

Skasowałem to, poszedłem do kącika kuchennego, nalałem wody do elektrycznego czajnika, pogrzebałem łyżeczką w słoiku z liofilizowaną kawą, udało mi się wydłubać kilka grudek, które wrzuciłem do kubka, i chwilę później napełniłem go wrzątkiem. Włożyłem kurtkę i wyszedłem na ławkę przed budynkiem szpitala po drugiej stronie ulicy, gdzie szybko wypaliłem trzy papierosy, jednego za drugim, patrząc na ludzi i przejeżdżające samochody. Niebo było beznadziejnie szare, powietrze przenikliwie zimne, śnieg przy krawężniku ciemny od spalin.

Wyjąłem komórkę i trochę popisałem, często kasując treść, aż w końcu ułożyłem wierszyk, który wysłałem Geirowi.

Geir, Geir, umarłeś już
Twój członek na wieki pokryje kurz
Panna z ciebie powstanie
Którą każdy dostanie
Na pociechę wśród znoju i burz

Wróciłem do pracowni i usiadłem przy komputerze. Niechęć do zajmowania się odczytem plus świadomość, że na skończenie go miałem całe pięć dni, utrudniły mi, wręcz uniemożliwiły zmotywowanie się, no bo co miałem powiedzieć? Bla, bla, bla, *Ute av verden*, bla, bla, bla, *Wszystko ma swój czas*, bla, bla, bla, cieszę się i jestem dumny.

W kieszeni kurtki pisnęła komórka. Wyjąłem ją i przeczytałem wiadomość od Geira.

Rzeczywiście, zginąłem w wypadku samochodowym dziś rano. Nie sądziłem, że już wszyscy o tym wiedzą. Dostaniesz moje pornograficzne gazetki, już ich nie potrzebuję. Jestem tak sztywny jak nigdy przedtem. Poza tym — niezłe epitafium. Ale chyba potrafisz stworzyć coś lepszego?

Pewnie, odpisałem. *A co powiesz na to?*

Tu spoczywa Geir, śmierć przedwcześnie woła
Siedział w swoim saabie, gdy odpadły koła
Oczy zgasły, lecz serce mężnie dalej biło
Nikt nie zauważył, choć trzech to sprawdziło
Więc choć pierś miał wgniecioną, a minę niesforną
Śmierć ta była jedynie śmiercią — tak! — pozorną!
Aż w końcu, gdy w trumnie powietrza ubyło
Umarł —— i właśnie tak podle się to zakończyło!

Może nie było to zbyt zabawne, ale przynajmniej czas jakoś mijał. No i może Geir chociaż się roześmieje w tym swoim pokoju na uniwersytecie. Po wysłaniu SMS-a poszedłem do supermarketu po coś do jedzenia. Zjadłem i godzinę przespałem się na kanapie. Przeczytałem do końca pierwszy tom *Braci Karamazow.* Sięgnąłem po drugi. Kiedy go odłożyłem, na dworze było zupełnie ciemno, a dom wypełniały wczesnowieczorne odgłosy. Poczułem się tak jak w okresie dorastania, kiedy potrafiłem godzinami leżeć i czytać, z zupełnie chłodną głową, zmartwychwstały ze snu, zimnego snu, w którego poświacie otoczenie wydawało się kanciaste i niegościnne. Opłukałem dłonie w ciepłej wodzie, wytarłem je starannie ręcznikiem, wyłączyłem komputer i schowałem go do torby, obwiązałem szyję szalikiem, naciągnąłem czapkę na głowę, ubrałem się w kurtkę i buty, zamknąłem drzwi, włożyłem rękawiczki i wyszedłem na ulicę. Do spotkania z Geirem w Pelikanie zostało ponad pół godziny. Miałem sporo czasu.

Śnieg na chodniku był żółtobrązowy, drobnoziarnistej konsystencji niczym kasza manna, przez co jakby się przesypywał, kiedy się po nim stąpało. Ruszyłem w górę Rådmannsgatan do skrzyżowania ze Sveavägen, w stronę stacji metra. Dochodziło wpół do siódmej. Ulice dookoła były niemal wyludnione, pełne ciemności rozstępującej się na boki pod wpływem elektrycznego światła, które tutaj biło z każdego okna, z każdej latarni, padało na śnieg i asfalt, na schody, balustrady, zaparkowane samochody i porzucone rowery, fasady, gzymsy, tabliczki z nazwami ulic i słupy latarni. Idąc, pomyślałem sobie, że równie dobrze mógłbym być kimś innym, nie ma we mnie nic, co uważam za tak cenne, bym nie mógł z tego zrezygnować na rzecz czegoś innego. Minąłem Drottninggatan, na której końcu roiło się od czarnych ludzików, przypominających żuki. Zszedłem po schodach przy Observatorielunden i ruszyłem krótką uliczką, przy której znajdowała się chińska restauracja z ohydnym szyldem, i po kolejnych schodach dotarłem na stację metra. Na dwóch peronach było jakieś trzydzieści–czterdzieści osób, większość w drodze do domu z pracy, sądząc po niesionych przez nich torbach. Stanąłem w miejscu najbardziej oddalonym od wszystkich. Postawiłem torbę na ziemi między nogami, jednym ramieniem oparłem się o ścianę, wyjąłem komórkę i zadzwoniłem do Yngvego.

— Halo — odezwał się.

— Cześć, tu Karl Ove.

— Widzę.

— Dzwoniłeś.

— Owszem, w sobotę.

— Miałem oddzwonić, ale było u nas trochę stresu. Mieliśmy gości na kolacji i zapomniałem.

— Nieważne — powiedział Yngve. — Nie miałem żadnej specjalnej sprawy.

— Przywieźli kuchnię?

— Tak, dzisiaj. Stoi obok mnie. No i kupiłem nowy samochód.

— No nie!

— Musiałem przecież. To citroen xm, niezbyt stary, przedtem jeździł jako karawan.

— Żartujesz.

— Nie.

— Będziesz jeździł karawanem?

— Jest przerobiony, to chyba jasne. Nie ma w nim już miejsca na trumny. Wygląda zupełnie zwyczajnie.

— No ale mimo wszystko. Sama świadomość, że jeździły w nim trupy... Dawno nie słyszałem czegoś równie okropnego.

Yngve gwizdnął.

— Aleś ty wrażliwy! To zupełnie zwyczajny samochód. Na taki mnie było stać.

— Wiem, wiem.

Zapadła cisza.

— A co poza tym? — spytałem.

— Nic specjalnego. A u ciebie?

— Też nic. Byliśmy wczoraj na wsi u matki Lindy.

— Aha.

— No.

— A Vanja? Zaczęła chodzić?

— Zrobiła dopiero parę kroków. Bardziej się potyka, niż idzie, szczerze mówiąc.

Zaśmiał się.

— A co u Torjego i Ylvy?

— Wszystko w porządku. Torje, zdaje się, wysłał do ciebie list. Ze szkoły. Dostałeś?

— Nie.

— Nie chciał powiedzieć, co napisał. No ale sam zobaczysz.

— No tak.

W głębi tunelu ukazały się światła pociągu. Wzdłuż peronu lekko powiało. Ludzie zaczęli podchodzić bliżej krawędzi.

— Pociąg jedzie — powiedziałem. — Niedługo się zdzwonimy.

Skład zaczął wolno hamować przede mną. Podniosłem torbę i zrobiłem kilka kroków, żeby być bliżej drzwi.

— Tak, zdzwonimy się. No, to się trzymaj.

— Ty też się trzymaj.

Przede mną otworzyły się drzwi i ludzie zaczęli wysiadać. W chwili gdy odsuwałem rękę z telefonem od ucha, ktoś mnie szturchnął od tyłu w łokieć. Aparat poleciał do przodu w tłum przed drzwiami, ale dokładnie tego nie widziałem, bo odruchowo odwróciłem się w stronę osoby, która na mnie wpadła.

Gdzie się podział telefon?

Nie słyszałem, żeby stuknął o ziemię. Może uderzył o czyjąś nogę? Kucnąłem i zacząłem przeszukiwać wzrokiem peron przede mną. Telefonu nie było. Ktoś go kopnął dalej? Nie, zauważyłbym, pomyślałem, wstając, i odwróciłem głowę, żeby spojrzeć na ludzi, którzy kierowali się do wyjścia. Chyba nie wpadł do niczyjej torby? Dostrzegłem kobietę z otwartą torebką pod pachą. Mógł do niej trafić? Nie, takie rzeczy się nie zdarzają.

A może?

Ruszyłem za nią. Czy mogłem delikatnie dotknąć jej ramienia i poprosić, żeby zajrzała do torebki, bo zgubiłem telefon? Rozumie pani, może tam wpadł?

Nie, nie mogłem tego zrobić.

Z wagonu dobiegł sygnał ostrzegawczy. Następny pociąg miał być dopiero za dziesięć minut, już byłem spóźniony, a komórka nie należała do najnowszych. Tyle zdążyłem pomyśleć, zanim wskoczyłem do środka, gdy drzwi były już do połowy zasunięte. Zdezorientowany, zająłem miejsce obok dwudziestolatka ubranego w stylu gotyckim. Światła dworca migały w wagonie i zaraz zastąpiła je nagła ciemność.

Piętnaście minut później wysiadłem na stacji Skanstull, wyjąłem trochę gotówki z bankomatu, przeszedłem na drugą stronę ulicy i skierowałem się do Pelikana. To była klasyczna piwiarnia, z ławami i stołami wzdłuż ścian, z krzesłami i stolikami ustawionymi gęsto na posadzce w czarno-białą szachownicę, z brązową boazerią, malowidłami na ścianach i na suficie, kilkoma potężnymi kolumnami, na dole również obitymi brązową boazerią, też obstawionymi ławami, i z długim, szerokim barem na końcu. Prawie wszystkie kelnerki były stare, ubrane na czarno i nosiły białe fartuchy. Nie puszczano tu muzyki, ale poziom hałasu i tak był wysoki, gwar głosów, śmiechy oraz brzęk sztućców i szklanek unosiły się nad stolikami niczym pokrywa chmur, niezauważalna po pewnym czasie, ale wyraźna, a czasami również irytująca, w momencie gdy wchodziło się z ulicy — wtedy brzmiało to niemal jak huk. Wśród klienteli wciąż zdarzali się pijacy, nieprzestający pić chyba od lat sześćdziesiątych, albo jacyś starsi panowie, którzy przychodzili tu na obiady, ale ten rodzaj gości był już na wymarciu; jak we wszystkich miejscach na Söder, dominowali tu kobiety i mężczyźni z klasy średniej, dźwigającej na swoich barkach kulturę. Nie za młodzi ani nie za starzy, nie za piękni ani nie za brzydcy i nigdy za bardzo się nie upijali. Dziennikarze od kultury, stypendyści uniwersyteccy, studenci nauk humanistycznych, pracownicy wydawnictw, asystenci z radia i telewizji, od czasu do czasu trafił się aktor albo pisarz, chociaż rzadko któryś z tych najbardziej znanych.

Zatrzymałem się kilka metrów od drzwi i przesuwałem wzrokiem po ludziach, jednocześnie luzując szalik na szyi i rozpinając kurtkę. Błyskały okulary, lśniły łyse czaszki, świeciły białe zęby. Przed wszystkimi stało piwo, na tle brunatnych blatów miało niemal kolor ochry. Ale Geira nie widziałem.

Podszedłem do jednego ze stolików nakrytych obrusami i usiadłem odwrócony plecami do ściany. Pięć sekund później stała przede mną kelnerka i podawała mi grube menu, oprawione w skaj.

— Będzie nas dwóch — oznajmiłem. — Więc z zamówieniem jedzenia się wstrzymam. Mogę na razie prosić o staropramen?

— Oczywiście — odpowiedziała sześćdziesięciolatka z dużą, nalaną twarzą i nastroszonymi rudobrązowymi włosami. — Jasne czy ciemne?

— Jasne poproszę.

O, ależ tu było fajnie. Charakterystyczny dla piwiarni styl prowadził myśli ku innym, bardziej klasycznym czasom, ale lokal nie sprawiał wrażenia muzeum. W atmosferze nie wyczuwało się nic sztucznego, już od lat trzydziestych przychodziło się tutaj po to, żeby napić się piwa i porozmawiać. Jedną z największych zalet Sztokholmu było istnienie tylu miejsc z rozmaitych epok, z których wciąż korzystano, i to bez przechwalania się tym. Na przykład siedemnastowieczny Van der Nootska Palatset, w którym podobno Bellman[1] upił się pierwszy raz, a już wtedy pałac stał od stu lat; czasami jadałem tam lunch — pierwszy raz zresztą

[1] Carl Michael Bellman (1740–1796) — szwedzki poeta i kompozytor.

dzień po zamordowaniu minister spraw zagranicznych Anny Lindh, kiedy w mieście panował nastrój dziwnego przytłumienia i czujności. Była też założona w osiemnastym wieku restauracja Den Gyldene Freden na Gamla Stan, były dziewiętnastowieczne Tennstopet oraz Berns Salonger, w którym mieścił się opisywany przez Strindberga „czerwony pokój", nie mówiąc już o pięknej restauracji Gondolen, niezmiennie od lat dwudziestych trwającej na kładce przy windzie Katariny z widokiem na całe miasto, gdzie można się było poczuć jak na pokładzie zeppelina, albo może w salonie parowca płynącego przez Atlantyk.

Kelnerka przyszła z tacą pełną piw. Jedną szklankę z uśmiechem postawiła przede mną na rzuconej sekundę wcześniej podkładce i ruszyła dalej między hałaśliwymi stolikami; chyba przy co drugim witano ją żartobliwym komentarzem.

Podniosłem szklankę do ust, poczułem pianę muskającą wargi, zimny, lekko gorzkawy napój wypełnił mi usta, tak nieprzygotowane na ten smak, że aż się wzdrygnąłem, i spłynął do gardła.

Ach!

Człowiek, wyobrażając sobie przeszłość i wyczarowując świat, w którym życie miejskie rozpostarło się dookoła, a ludzie dopracowali się wytęsknionej symbiozy z maszyną, nigdy nie brał pod uwagę rzeczy najprostszych, na przykład chleba czy buraków z ich słodkim, ale ziemistym smakiem, albo piwa, złocistego, bogatego w smak i mocnego, wytworzonego z ziarna zebranego z pola i chmielu z łąki, wszystkiego, co zawsze piliśmy i jedliśmy przy stołach z drewna, pod oknami, przez które wpadają promienie słońca. Czy w tych siedemnastowiecznych pałacach, ze służbą w liberii, w butach na obcasach i przypudrowanych perukach naciągniętych na czaszki pełne siedemnastowiecznych myśli, nie pito piwa i wina, nie jedzono chleba i mięsa, nie sikano i nie srano? Tak samo w wieku osiemnastym, dziewiętnastym i dwudziestym. Wyobrażenia o istocie człowieka zmieniały się nieustannie, podobnie jak wyobrażenia o świecie i przyrodzie, najprzeróżniejsze idee i religie powstawały i znikały, wynajdywano pożyteczne i bezużyteczne rzeczy, nauka odkrywała coraz to nowe tajemnice, przybywało maszyn, wszystko działo się coraz szybciej i porzucano kolejne elementy dawnego sposobu życia, ale nikomu nie śniło się nawet, by zrezygnować z piwa albo je zmieniać. Słód, chmiel i woda. Ziemia, łąka, beczka. Zasadniczo tak było ze wszystkim. Tkwiliśmy zatopieni w tym, co archaiczne, nic istotnego w nas samych, w naszych ciałach i potrzebach, nie zmieniło się, odkąd pierwszy człowiek ujrzał światło dzienne gdzieś w Afryce czterdzieści tysięcy lat temu, czy ile tam istnieje homo sapiens. Wmawialiśmy sobie jednak, że jest inaczej, z taką mocą, że aż w to uwierzyliśmy i dostosowaliśmy się do tego — siedzieliśmy i upijaliśmy się w kawiarniach, a w ciemnych klubach tańczyliśmy swoje tańce, przypuszczalnie jeszcze bardziej nieudolne niż te wykonywane, powiedzmy, dwadzieścia pięć tysięcy lat temu w blasku ognia gdzieś u wybrzeży Morza Śródziemnego.

W jaki sposób wyobrażenie o naszej nowoczesności w ogóle mogło powstać, skoro dookoła ludzie padali jak muchy, atakowani przez choroby, na które nie istniało remedium? Kto może być nowoczesny, mając raka mózgu? Jak mogliśmy wierzyć w naszą nowoczesność ze świadomością, że wszyscy wkrótce będziemy gnić w ziemi?

Uniosłem szklankę do ust i pociągnąłem kilka głębokich łyków.

Jakże ja lubiłem pić. Wystarczyło pół szklanki piwa, a już mózg zaczynał bawić się myślą, żeby tym razem tego nie kończyć. Tylko siedzieć i pić. Pić. Ale czy naprawdę miałem to robić?

Nie.

Przez kilka minut, które tam spędziłem, drzwiami nieustannie wlewał się równy strumień ludzi. Większość zachowywała się tak jak ja. Zatrzymywała się kilka metrów od wejścia i obrzucała wzrokiem klientelę, jednocześnie gmerając przy ubraniu wierzchnim.

Na samym końcu ostatniej grupki rozpoznałem jedną twarz. To przecież Thomas!

Pomachałem do niego, podszedł.

— Cześć, Thomas — powiedziałem.

— Cześć, Karl Ove. — Podał mi rękę. — Dawno się nie widzieliśmy.

— Tak, to prawda. Wszystko u ciebie w porządku?

— W porządku, a u ciebie?

— Też.

— Przyszedłem się tu spotkać z kilkoma osobami. Siedzą tam, w rogu. Chcesz się do nas przysiąść?

— Dzięki, ale czekam na Geira.

— Aha. Chyba rzeczywiście o tym wspominał. Rozmawiałem z nim wczoraj. No, to przyjdę pogadać z wami później. Dobrze?

— Jasne. Na razie.

Thomas był jednym z przyjaciół Geira, tym, którego bezsprzecznie lubiłem najbardziej. Przekroczył już pięćdziesiątkę, zaskakująco przypominał Lenina, od brody i łysej czaszki po mongolskie oczy, i był fotografikiem. Wydał trzy albumy, jeden ze zdjęciami piechoty morskiej, drugi z fotografiami bokserów — właśnie w tym środowisku poznał Geira — ostatni zaś ze zdjęciami zwierząt, przedmiotów, krajobrazów i ludzi, nad którymi wisiał jakiś mrok, a najbardziej rzucała się w oczy pustka w nich i wokół nich. W sytuacjach towarzyskich Thomas był bardzo życzliwy i mało wymagający, w rozmowie z nim w pewnym sensie nie miało się nic do stracenia, może dlatego że nie dbał o prestiż, a jednocześnie był pewny swojej wartości, tak, możliwe, że właśnie dlatego. Czuło się, że wszystkim dobrze życzy. W pracy natomiast wykazywał wyjątkowy rygoryzm i stawiał sobie wysokie wymagania, dążył do ideału, a jego zdjęcia były raczej stylizowane niż improwizowane. Mnie najbardziej podobały się te zawieszone w przestrzeni pomiędzy jednym a drugim, stylizowana improwizacja, zamrożony zbieg okoliczności. Były naprawdę niesamowite. Na niektórych zdjęciach bokserzy przypominali rzeźby hellenistyczne, ze względu zarówno na proporcje ciał, jak i na uchwycenie ich podczas zajęć poza ringiem, inne miały w sobie wiele mroku, no i — rzecz jasna — biła z nich przemoc. Tamtej zimy kupiłem od niego dwie prace, miały być prezentem dla Yngvego na czterdzieste urodziny. Siedziałem w atelier Thomasa i przeglądałem serię składającą się na ostatni album. Długo się wahałem, ale w końcu wybrałem dwie fotografie. Kiedy wręczyłem je Yngvemu, poznałem po nim, że nie bardzo mu się podobają, więc zaproponowałem, żeby sobie wybrał dwie inne, a ja zatrzymałem tamte i powiesiłem je później w swojej pracowni. Były znakomite, lecz również złowieszcze, bo biła z nich śmierć, rozumiałem, dlaczego Yngve nie chciał ich u siebie w salonie, chociaż oczywiście poczułem się trochę urażony. A właściwie nawet nie trochę. Kiedy miałem odebrać zdjęcia, na które Yngve ostatecznie się zdecydował, i zapukałem na Gamla Stan do drzwi piwnicy z masywnymi ścianami z szesnastego wieku, w której Thomas miał atelier, otworzył mi jego kolega, rozczochrany, niechlujnie ubrany sześćdziesięciolatek, który powiedział, że Thomas wyszedł, ale mogę wejść i zaczekać. To był Anders Petersen, fotografik — Thomas dzielił z nim atelier — mnie najlepiej znany jako twórca zdjęcia na okładkę płyty *Rain Dogs* Toma Waitsa, ale sławę zdobył już w latach siedemdziesiątych albumem *Café Lehmitz*. Jego zdjęcia były brutalne, natrętne, chaotyczne i tak bliskie życia, jak tylko można się do niego zbliżyć. Petersen usiadł na kanapie w pokoju nad atelier i spytał, czy napiłbym się kawy. Podziękowałem, a on, nucąc, wrócił do swoich zajęć, między innymi do przeglądania pliku stykówek. Nie chciałem przeszkadzać ani wyjść na natręta, dlatego stanąłem przed tablicą ze zdjęciami i przez chwilę się im przyglądałem, nie pozostając obojętny na aurę Petersena, która być może rozwiałaby się, gdyby był tam ktoś jeszcze, ale ponieważ w pomieszczeniu przebywaliśmy tylko my dwaj, wyczuwałem każdy jego ruch. Biła od niego naiwność, ale nie wypływająca z braku doświadczenia, przeciwnie, widać było, że wiele przeżył, raczej jakby wszystkie te doświadczenia po prostu w siebie wchłonął, bez konsekwencji, jak gdyby pozostawiły go nieporuszonego. Z całą pewnością nie była to prawda, ale takie odnosiłem wrażenie, wymieniając z nim spojrzenia i obserwując go podczas pracy. Thomas przyszedł kilka minut później i chyba ucieszył się na mój widok, tak jak zapewne cieszył się na widok każdego. Przyniósł kawę, usiedliśmy na kanapie przy schodach, wyjął zdjęcia, uważnie je obejrzał ostatni raz, potem wsunął w oddzielne plastikowe koszulki, które z kolei schował do koperty, a ja w tym czasie położyłem kopertę z pieniędzmi na biurku, tak dyskretnie, że nie wiedziałem nawet, czy to zauważył; takie prywatne transakcje gotówkowe na ogół wprawiały mnie w zażenowanie, naturalna równowaga ulegała w pewnym sensie zachwianiu, albo nawet całkowicie przestawała istnieć, chociaż nie bardzo wiedziałem, co innego w takich sytuacjach mogłoby obowiązywać. Schowałem zdjęcia do torby, chwilę porozmawialiśmy o jakichś drobiazgach; oprócz Geira mieliśmy jeszcze jeden punkt styczny, a mianowicie Marie, jego partnerkę, poetkę — przed laty była wykładowczynią Lindy na Biskops-Arnö, a teraz kimś w rodzaju mentorki Cory, przyjaciółki Lindy. Marie była dobrą poetką, klasyczną w pewien sposób; w jej wierszach takie wielkości jak prawda i piękno potrafiły się ze sobą łączyć, a sens miał związek nie tylko z językiem. Przetłumaczyła na szwedzki kilka sztuk Jona Fossego[1], a teraz pracowała między innymi nad wierszami Steinara Opstada[2]. Spotkałem ją zaledwie parę razy, ale wydała mi się osobą o bogatym wnętrzu, obdarzoną charakterem o wielu niuansach, duchową głębią, którą się wyczuwało intuicyjnie, a przy tym pozbawioną neurotyzmu, nieodłącznego towarzysza wrażliwości; angażowała się, ale nie była natrętna. Jednak kiedy na nią patrzyłem, nie o tym myślałem, bo moją uwagę przyciągało jej prawe oko, w którym źrenica jakby się poluzowała, spłynęła w dół i zatrzymała się gdzieś między tęczówką a białkiem; wywoływało to we mnie tak fundamentalny niepokój, że całkowicie zakłócało pierwsze wrażenie.

Thomas obiecał, że któregoś dnia zaproszą Lindę i mnie na kolację, odparłem, że będzie nam bardzo miło, i zaraz się podniosłem, sięgając po torbę, on też wstał, uścisnął mi rękę, a ponieważ nie byłem pewien, czy zauważył kopertę z pieniędzmi, powiedziałem mu

---

[1] Jon Fosse (ur. 1959) — pisarz i dramaturg norweski.

[2] Steinar Opstad (ur. 1971) — poeta norweski.

o niej: Tam są pieniądze za zdjęcia, pokazałem, kiwnął głową i podziękował, a ja poczułem, że mógł to odebrać jako wymuszenie podziękowań, więc wyszedłem na zimowe ulice Gamla Stan trochę zawstydzony.

Od tamtej pory minęły blisko dwa miesiące, ale nie przejmowałem się brakiem zaproszenia; jedną z pierwszych rzeczy, jakich się dowiedziałem o Thomasie, było to, że stale o czymś zapominał. Owa przypadłość dotyczyła również mnie, więc nie mogłem go o to obwiniać.

Kiedy usiadł przy stoliku w głębi lokalu, z daleka wyglądał jak chudy, dobrze ubrany mężczyzna w masce Lenina. Wyjąłem z torby żółte opakowanie tytoniu Tiedemanns i skręciłem papierosa; z jakiegoś powodu koniuszki palców miałem tak spocone, że tytoniowe włókna cały czas się do nich lepiły. Wypiłem kilka dużych łyków piwa, zapaliłem papierosa i dostrzegłem za oknem Geira maszerującego ulicą.

Zauważył mnie, gdy tylko stanął w drzwiach, ale podchodząc do stolika i tak rozglądał się po lokalu, jakby szukał innych możliwości. Kojarzył mi się z lisem, który nie umie wejść tam, skąd nie ma innych dróg ucieczki.

— Dlaczego, do jasnej cholery, nie odbierasz telefonu? — warknął, podając mi rękę i patrząc na mnie tylko przez moment. Wstałem, uścisnąłem jego dłoń i z powrotem usiadłem.

— Myślałem, że umówiliśmy się na siódmą — powiedziałem. — Minęło już wpół do ósmej.

— A jak ci się wydaje, co chciałem ci przekazać przez telefon? Że masz uważać na dziurę między peronem a wagonem, gdy będziesz wysiadał?

Zdjął szalik i czapkę, położył je na ławce obok mnie, kurtkę powiesił na krześle i usiadł.

— Zgubiłem telefon na dworcu.

— Zgubiłeś?

— Tak, ktoś mnie szturchnął w ramię i telefon wypadł mi z ręki. Wydaje mi się, że musiał wpaść do czyjejś torby, bo nie słyszałem, żeby stuknął o ziemię, a akurat przechodziła tamtędy kobieta z otwartą torebką.

— Jesteś niemożliwy — stwierdził. — Bo zakładam, że nie podszedłeś do niej i nie poprosiłeś, żeby ci go oddała?

— No nie. Po pierwsze, akurat przyjechał pociąg, a po drugie, nie miałem pewności, co się naprawdę stało. Przecież nie mogę prosić obcych kobiet, żeby mi pozwoliły zaglądać do swoich torebek.

— Zamówiłeś już? — spytał.

Pokręciłem głową. Wziął kartę i rozejrzał się za kelnerką.

— To ta, która stoi przy kolumnie — wskazałem. — Co będziesz jadł?

— A jak myślisz?

— Boczek w sosie cebulowym?

— Może i tak.

Na początku spotkania ze mną Geir zawsze wykazywał wielki dystans, jakby nie potrafił się pogodzić z tym, że w ogóle jestem; przeciwnie, starał się nie dopuścić mnie do siebie. Nie patrzył mi w oczy, nie podejmował poruszanych przeze mnie wątków, raczej je ucinał, zwracając uwagę na coś innego, potrafił drwić, być wręcz arogancki. Czasami kompletnie wytrącało mnie to z równowagi, a wtedy się nie odzywałem, za co on z kolei potrafił mnie zaatakować: „O rany, aleś ty dzisiaj ociężały", „Będziesz tak siedział i gapił się przed siebie przez cały wieczór?", „Muszę powiedzieć, że jesteś szampańskim towarzystwem, Karl Ove". Przypominało to duchową potyczkę na przedpolach, którą toczył z samym sobą, bo po pewnym czasie — mogło minąć pół godziny, godzina albo tylko pięć minut — całkiem się zmieniał, odkładał wyposażenie obronne na bok i jakby wślizgiwał się w sytuację, uważny, troskliwy i zaangażowany, a jego śmiech, do tej pory zimny i twardy, przeradzał się w ciepły i serdeczny; przeobrażenie to obejmowało również głos i oczy. Podczas rozmów telefonicznych nie stosował takich środków, od momentu podniesienia słuchawki rozmawialiśmy jak równy z równym. Wiedział o mnie więcej niż ktokolwiek, tak jak najprawdopodobniej ja — bo nie mam co do tego pewności — wiedziałem o nim więcej niż inni.

Różnica między nami, która z upływem lat się zmniejszała, ale nie mogła całkiem się zatrzeć, ponieważ nie wynikała z opinii czy poglądów, lecz z fundamentalnych cech charakteru, a więc tkwiła głęboko w tym, co nie ulega wpływom, przejawiła się z całą wyrazistością w pewnym prezencie, który Geir mi podarował, kiedy skończyłem pisać *Wszystko ma swój czas*. To był nóż, model, jakiego używają US Marines, który nie ma zbyt wielu zastosowań oprócz tego, że służy do zabijania ludzi. Geir nie zrobił tego dla żartu, po prostu nie potrafił sobie wyobrazić niczego wspanialszego. Ucieszyłem się z prezentu, ale nóż, przerażający z tą błyszczącą stalą, ostrością i głębokimi nacięciami na ostrzu, którymi miała spływać krew, pozostał w pudełku za książkami na regale w mojej pracowni. Możliwe, że Geir zrozumiał, jak obcy jest mi ten przedmiot, bo kiedy *Wszystko ma swój czas* ukazało się drukiem kilka miesięcy później, dostałem nowy prezent, o wiele bardziej w moim guście — reprint *Encyclopædia Britannica* z osiemnastego wieku, pozycję niezwykle fascynującą z powodu wszystkich tych przedmiotów i zjawisk, których w niej nie opisano, ponieważ nie istniały jeszcze na świecie.

Geir wyjął plastikową teczkę z kilkoma kartkami i podał mi je.

— To tylko trzy strony — powiedział. — Możesz to przeczytać i stwierdzić, czy tak jest lepiej?

Kiwnąłem głową, wyjąłem kartki z teczki, zgasiłem papierosa i zacząłem czytać. To był początek eseju, którego mi brakowało, kiedy przeglądałem jego maszynopis. Za punkt wyjścia przyjmował koncepcję sytuacji granicznych Karla Jaspersa. Sytuacji, w których żyje się z maksymalną intensywnością, stanowiących antytezę codzienności, innymi słowy — w bliskości śmierci.

— To jest dobre — oceniłem, kiedy skończyłem czytać.

— Na pewno?

— Oczywiście.

— Świetnie — powiedział. Z powrotem wsunął kartki do plastikowej teczki i schował do torby stojącej na krześle obok niego. — Później dam ci więcej do poczytania.

— Nie wątpię.

Przysunął się bliżej stolika, oparł łokcie na blacie, złożył dłonie. Zapaliłem kolejnego papierosa.

— Zadzwonił do mnie dzisiaj ten twój dziennikarz — oznajmił.

— Kto? — spytałem. — Aha, ten facet z „Aftenposten".

Ponieważ dziennikarz zamierzał stworzyć mój portret, poprosił o kontakt z kilkoma moimi przyjaciółmi. Dałem mu telefon do Torego, który był pod tym względem niezabezpieczoną armatą i mógł o mnie nagadać, co mu ślina na język przyniesie, oraz do Geira, ponieważ on wiedział trochę więcej o tym, jak się sprawy mają w danej chwili.

— I co mu powiedziałeś?

— Nic.

— Nic? Dlaczego?

— A co miałem mówić? Jeślibym powiedział jakąś prawdę, to albo by jej nie zrozumiał, albo kompletnie ją zniekształcił. Dlatego starałem się mówić jak najmniej.

— I jaki tego sens?

— Skąd mogę wiedzieć? To przecież ty mu dałeś mój numer…

— Tak, żebyś mu coś powiedział. Wszystko jedno co, mówiłem ci przecież. Nie ma znaczenia, co tam będzie napisane.

Geir spojrzał na mnie.

— Chyba nie myślisz tak naprawdę? A zresztą powiedziałem jedną rzecz, chociaż nie najważniejszą.

— Jaką?

— Że jesteś człowiekiem o wysokiej moralności.

Wiesz, co ten idiota na to? „Wszyscy ją mają". Wyobrażasz sobie? Przecież właśnie wysokiej moralności nie mają wszyscy. Prawie n i k t jej nie ma. Ludzie nawet nie wiedzą, co to takiego.

— On po prostu inaczej niż ty rozumie moralność. Chyba nie ma w tym nic złego?

— No tak, ale jemu chodziło wyłącznie o jakieś duperele. Anegdoty o tym, jak się kiedyś upiłeś, czy coś w tym stylu.

— Tak, tak, jutro się okaże. Nie powinno być tak strasznie, przecież to „Aftenposten".

Geir pokręcił głową. Potem wzrokiem poszukał kelnerki, która natychmiast do nas podeszła.

— Poproszę boczek w sosie cebulowym — powiedział. — I jasny staropramen.

— A dla mnie klopsiki i jeszcze jedno takie. — Szybko uniosłem szklankę.

— Zapisałam, moi panowie. — Kelnerka schowała notesik do kieszonki na piersi i skierowała się w stronę kuchni, do której można było zajrzeć przez stale otwierające się drzwi.

— A co ty rozumiesz przez wysoką moralność? — spytałem.

— No, jesteś człowiekiem głęboko moralnym, na dnie twojej istoty znajduje się fundament etyczny, który jest nienaruszalny. Na każdą niestosowną sytuację reagujesz wręcz cieleśnie, wstyd, który cię zalewa, nie jest abstrakcyjny ani pojęciowy, tylko czysto fizyczny, nie potrafisz przed nim uciec. Nie jesteś graczem. Ale nie jesteś też moralistą. Wiesz, że mam upodobanie do wiktorianizmu, do tego systemu z *frontstage*, na której wszystko jest widoczne, i *backstage*, gdzie wszystko pozostaje ukryte. Nie sądzę, by takie życie kogoś bardziej uszczęśliwiało, ale jest prawdziwsze. Ty natomiast jesteś protestantem do szpiku kości. Protestantyzm to szczerość, bycie jednością z samym sobą. Nie potrafiłbyś prowadzić podwójnego życia, nawet gdybyś chciał, nie umiałbyś czegoś takiego zrealizować. Stosunek życia do moralności jest w tobie jak jeden do jednego. Pod względem etycznym nie można cię zaatakować. Ludzie w większości są tacy jak Peer Gynt, troszeczkę w życiu oszukują, prawda? Ty nie. Wszystko, co robisz, robisz z największą powagą i w zgodzie z sumieniem. Na przykład czy kiedykolwiek przeskoczyłeś choćby linijkę w maszynopisie, który konsultowałeś? Zdarzyło ci się nie przeczytać jakiegoś od pierwszej do ostatniej strony?

— Nie.

— No właśnie. O to chodzi. Nie potrafisz kręcić, po prostu nie umiesz. Jesteś arcyprotestancki. I jak ci już mówiłem, jesteś buchalterem szczęścia. Kiedy odnosisz sukces, za który inni daliby się powiesić, po prostu odhaczasz go w swoich rachunkach. Z niczego się nie cieszysz. Żeby być w zgodzie ze sobą — a ty jesteś prawie cały czas — musisz się kontrolować o wiele bardziej niż ja. A przecież wiesz, jak się trzymam swojego systemu. Ty oczywiście też masz białe plamy z utratą kontroli, ale kiedy w nie wkraczasz, co zresztą prawie w ogóle ci się już nie zdarza, jesteś bezwzględny w ocenie swojej moralności. Jesteś narażony na pokusy o wiele bardziej niż ja i inne osoby, które nie są sławne. Na moim miejscu wiódłbyś podwójne życie, ale nie potrafisz. Jesteś skazany na prostolinijność. Cha, cha, cha! Nie jesteś Peerem Gyntem i według mnie to stanowi sedno twojej istoty. Twoim ideałem jest niewinność. A czym jest niewinność? Ja się znajduję na przeciwległym końcu. Baudelaire o tym pisze, o Wirginii, pamiętasz, o uosobieniu czystej niewinności, której pokazują karykaturę — słyszy rubaszny śmiech i rozumie, że ma do czynienia z czymś haniebnym, ale nie wie, co to jest. Nie wie! Owija się skrzydłami. No i znów wracamy do obrazu Caravaggia, no wiesz, do *Szulerów*, do tego człowieka oszukiwanego przez innych. To ty. To również jest niewinność. I w tej niewinności, która w twoim wypadku tkwi także w przeszłości, w trzynastolatce, o której pisałeś w *Ute av verden*, i w twojej szalonej nostalgii za latami siedemdziesiątymi… Linda też ma w sobie coś takiego. Jak ją opisali? Jako skrzyżowanie madame Bovary z Kasparem Hauserem?

— Tak.

— Kaspar Hauser to przecież niezapisana karta. Nie poznałem nigdy twojej pierwszej żony, Tonje, ale widziałem jej zdjęcia, i chociaż nie jest podobna do Lindy, to też ma w sobie jakąś niewinność. Niekoniecznie wierzę, że jest niewinna, ale taka aura od niej bije.

Ta niewinność jest charakterystyczna dla ciebie. Mnie czystość i niewinność nie interesują. Ale w tobie się je wyczuwa. Jesteś głęboko moralnym i głęboko niewinnym człowiekiem. Czym jest niewinność? Czymś, co nie zostało dotknięte przez świat, czymś, co jest niezniszczone, to jakby woda, do której nikt nie wrzucił kamienia. Nie o to chodzi, że nie odczuwasz pragnień, że nie pożądasz, bo pożądasz, ale jednocześnie zachowujesz niewinność. Łączy się z tym również twoje szalone pragnienie piękna. Nie przypadkiem na temat książki wybrałeś anioły. One są przecież najczystsze. Nie ma nic bardziej czystego.

— Ale nie w mojej książce. Ona traktuje o ich cielesności, fizyczności.

— No tak, ale nadal pozostają symbolem czystości. I upadku. Ale ty je uczłowieczyłeś. Pozwoliłeś im upaść. Nie w grzech, tylko w człowieczeństwo.

— Jeśli spojrzy się na to jako na pewien abstrakt, w pewnym sensie masz rację. Ta trzynastolatka była samą niewinnością, i co się z nią stało? Miała zostać ucieleśniona.

— Co za wyrażenie!

— No dobrze, miała zostać wyruchana, jak wolisz. Anioły natomiast miały stać się ludźmi. Czyli że istnieje pewien związek. Ale to wszystko zachodzi przecież w podświadomości. W głębi. W takim rozumieniu więc nie jest to prawda. Możliwe, że tego pragnę, ale nic o tym nie wiem. Nie wiedziałem, że napisałem książkę o wstydzie, dopóki nie przeczytałem tekstu na okładce. A nad tą niewinnością trzynastolatki zacząłem się zastanawiać dużo później.

— Ale to przecież tam jest. W sposób oczywisty i bez żadnych wątpliwości.

— Owszem. Ale przede mną pozostawało zakryte. Uświadomiłem też sobie, że zapominasz o jednym.

Niewinność jest spokrewniona z głupotą. I ty właściwie mówisz o głupocie, prawda? O głupocie, o braku wiedzy?

— Ależ skąd! — zaprotestował Geir. — Niewinność i czystość stały się symbolem głupoty, ale dopiero w naszych czasach. Żyjemy w kulturze, w której wygrywa ten, kto ma najwięcej doświadczeń. To chore. Wszyscy wiedzą, w jaką stronę podąża modernizm, formę tworzy się poprzez łamanie formy, nieskończony regres, i tak to ma trwać, a dopóki będzie trwało, doświadczenie będzie miało przewagę. Rzeczą wyjątkową w naszych czasach, działaniem czystym, samodzielnym, jest rezygnacja, nieprzyjmowanie. Przyjmowanie jest za łatwe. Nie ma z niego czego czerpać. Właśnie gdzieś tam cię umiejscawiam. Widzę cię niemal jako świętego.

Uśmiechnąłem się. Kelnerka przyniosła nasze piwa.

— Na zdrowie — powiedziałem.

— Na zdrowie.

Wypiłem długi łyk, wierzchem dłoni otarłem pianę z warg i odstawiłem szklankę na podkładkę. Jasna, złocista barwa piwa miała w sobie coś radosnego. Popatrzyłem na Geira.

— Świętego? — powtórzyłem.

— Tak. Świętym Kościoła katolickiego bliski mógł być twój sposób myślenia, działania i wiary.

— Nie posuwasz się trochę za daleko?

— Ani trochę. Dla mnie to, co robisz, jest okaleczeniem w czystej postaci.

— Okaleczeniem czego?

— Życia, możliwości, istnienia, tworzenia. Tworzenia życia, nie literatury. Według mnie żyjesz we wręcz przerażającej ascezie. A raczej pławisz się w ascezie. Moim zdaniem to niezwykłe. Wyraźne odstępstwo od normy. Wydaje mi się, że nigdy nie spotkałem nikogo takiego ani o nikim takim nie słyszałem... Dlatego muszę się odwoływać do świętych albo do Ojców Kościoła.

— Przestań.

— Sam mnie o to poprosiłeś. Dla ciebie nie istnieje inny aparat pojęciowy. Nie chodzi o żadną cechę zewnętrzną, o żadną moralność, o żadną moralność społeczną. To twoja religia. Oczywiście bez żadnego boga. Jesteś jedyną znaną mi osobą, która może przyjąć komunię, nie wierząc w Boga i nie popełniając w efekcie bluźnierstwa. Jedyną, jaką znam.

— Chyba nie znasz nikogo innego, kto by to zrobił?

— Znam, ale bez zachowania takiej czystości! Sam to zrobiłem, kiedy przystępowałem do konfirmacji. Zrobiłem to dla pieniędzy. Potem wystąpiłem z Kościoła państwowego. A na co wydałem pieniądze? Kupiłem sobie nóż. Ale nie o tym rozmawialiśmy. O czym...?

— O mnie.

— Aha, no właśnie. Masz, prawdę mówiąc, coś wspólnego z Beckettem. Nie w sposobie pisania, tylko w tej swojej świętości. Cioran napisał gdzieś: „W porównaniu z Beckettem jestem dziwką". Cha, cha! Wydaje mi się, że ma rację. Cha, cha, cha! A przecież Cioran uważany jest za jednego z najbardziej nieprzekupnych. Patrzę na twoje życie i postrzegam je jako totalnie zmarnowane. Podobnie myślę zresztą o innych, ale twoje życie jest jeszcze bardziej zmarnowane, bo więcej w nim tego, co można zmarnować. Twoja moralność nie dotyczy obnażania się, jak myślał ten idiota dziennikarz, tylko istoty. Całkiem zwyczajnie istoty. Właśnie owa ogromna sprzeczność między tobą a mną sprawia, że możemy codziennie rozmawiać. Kluczem jest pojęcie *sympathio*. Mogę współodczuwać z twoim losem. Bo chodzi o los, o coś, na co nie masz wpływu. Mogę tylko się temu przyglądać. Z tobą nic się nie da zrobić. Nie ma zresztą co. Żal mi ciebie. Ale mogę to jedynie obserwować jako tragedię rozgrywającą się blisko mnie. Jak wiesz, z tragedią mamy do czynienia, kiedy coś źle pójdzie wielkiemu człowiekowi. W przeciwieństwie do komedii, która polega na tym, że złemu człowiekowi idzie dobrze.

— Dlaczego tragedia?

— Ponieważ bardzo brakuje w tym radości. W twoim życiu nie ma radości. Masz takie niesamowite zasoby, tyle talentu i na tym poprzestajesz, twój talent staje się sztuką, ale niczym więcej. Jesteś jak król Midas. Wszystko, czego dotyka, zamienia się w złoto, ale on nie ma z tego żadnej radości. Wokół niego wszystko migoce i błyszczy. Inni szukają i szukają, a kiedy znajdą bryłkę złota, sprzedają ją, aby mieć na życie, zbytki,

muzykę, taniec, przyjemności, luksus, albo przynajmniej na dziwkę, prawda, na rzucenie się w objęcia kobiety, by chociaż na godzinę albo dwie zapomnieć o swoim istnieniu. Ty natomiast pożądasz niewinności, a jej się nie da kupić. Pożądanie i niewinność wzajemnie się wykluczają. Wszystko, co najwyższe, przestanie być najwyższe, kiedy wepchniesz w to fiuta. Stoisz na pozycji Midasa, możesz mieć wszystko. Jak myślisz, ilu osobom to jest dane? Prawie nikomu. A ilu ludzi tego nie przyjmuje? Prawie nikt. Znam tylko jednego. Więc jeśli to nie jest tragedia, to ja już nic nie wiem. Myślisz, że ten twój dziennikarz mógł to wykorzystać?

— Nie.

— No właśnie. On ma tę swoją dziennikarską wagę, na której waży wszystkich. Dziennikarze mierzą wszystkich jedną miarą, właśnie na tym zasadza się system. Ale w ten sposób nigdy nawet nie zbliży się do ciebie i do tego, kim jesteś. O tym możemy zwyczajnie zapomnieć.

— To dotyczy każdego, Geir.

— No, może. A może nie. Ty przecież dodatkowo gmatwasz wszystko, wnosząc w to jeszcze swój zniekształcony obraz siebie i pragnienie, żeby się nie odróżniać od innych.

— To ty tak twierdzisz. A ja na to powiem, że nikt oprócz ciebie mnie tak nie widzi. Yngve, mama, krewni czy moi przyjaciele nie wiedzieliby, o czym mówisz.

— Jednak twój obraz wcale nie jest przez to mniej prawdziwy. Mam rację?

— Może i tak. Ale przypomniało mi się, co ktoś kiedyś powiedział o tobie, że wszystkich ludzi w swoim otoczeniu czynisz wielkimi, bo chcesz, żeby twoje życie było wielkie.

— Ależ ono jest wielkie! Życie każdego człowieka jest wielkie, jeśli chce się je takim uczynić. Przecież jestem bohaterem swojego życia, prawda? Ludzie sławni, których wszyscy znają, nie są znani i sławni sami z siebie, bo tak jest im dane, tylko ktoś ich uczynił znanymi, ktoś o nich napisał, sfilmował ich, rozmawiał z nimi, analizował ich twórczość, podziwiał. W ten sposób stali się wielcy dla innych. Ale to przecież tylko inscenizacja. Dlaczego moja inscenizacja miałaby być mniej prawdziwa? Jest przeciwnie, ponieważ ci, których znam, znajdują się w tej samej przestrzeni co ja, mogę ich dotknąć, spojrzeć im w twarz podczas rozmowy, spotykamy się tu i teraz, w przeciwieństwie do wszystkich tych nazwisk, które wirują nieustannie wokół nas. Ja jestem człowiekiem podziemnym, a ty Ikarem.

Kelnerka przyniosła nasze zamówienie. Na talerzu, który postawiła przed Geirem, kawał boczku przypominał wyspę na morzu białego sosu cebulowego. Na moim wznosił się ciemny pagórek klopsików obok jasnozielonego purée z groszku z czerwonym okiem borówek, a wszystko oblane było gęstym, jasnobrązowym śmietanowym sosem. Ziemniaki stanęły na stole w oddzielnej misce.

— Bardzo dziękujemy. — Spojrzałem na kelnerkę. — Mogę prosić o jeszcze jedno?

— Staro...? Dobrze. — Przeniosła pytający wzrok na Geira. Rozłożył serwetkę na udach i pokręcił głową.

— Dziękuję, ja się wstrzymam.

Dopiłem ostatni łyk ze szklanki i nałożyłem na talerz trzy ziemniaki.

— To nie był komplement, jeśli tak ci się wydawało — powiedział Geir.

— Co?

— To porównanie do świętego. Żaden współczesny człowiek nie chce być świętym. Czym jest życie świętego? To cierpienie, asceza i śmierć. Kto, do jasnej cholery, dba o życie wewnętrzne, jeśli nie ma żadnego życia zewnętrznego? Ludzie myślą tylko o tym, co ich wnętrze może przynieść w życiu na zewnątrz i posuwaniu się do przodu. Jaki jest pogląd współczesnego człowieka na modlitwę? Dla współczesnego człowieka istnieje tylko jeden rodzaj modlitwy. Życzeniowy. Nikt się nie modli, jeżeli czegoś nie pragnie.

— Ale przecież ja pragnę mnóstwa rzeczy.

— Wiem, wiem. Ale te pragnienia nie przynoszą ci radości. Nie pragnąć szczęśliwego życia to najbardziej prowokujące nastawienie, jakie można sobie wyobrazić. I znowu — nie bierz tego za komplement. Przeciwnie. Ja przecież pragnę życia. Według mnie jedynie ono jest coś warte.

— Rozmowa z tobą przypomina terapię u diabła — stwierdziłem, podsuwając mu miskę z ziemniakami.

— Ale diabeł zawsze w końcu przegrywa.

— Nic na ten temat nie wiemy. A poza tym to jeszcze nie koniec.

— Masz rację. Ale nic nie wskazuje na jego wygraną. Przynajmniej ja tego nie widzę.

— Nawet kiedy nie ma już wśród nas Boga?

— Wśród nas, o to właśnie chodzi. Dawniej go tu nie było, ponieważ był nad nami. Teraz go sobie przyswoiliśmy. Przejęliśmy go.

Przez kilka minut jedliśmy w milczeniu.

— No i jak? — spytał w końcu Geir. — Jak ci minął dzień?

— To prawie w ogóle nie był dzień — odparłem. — Próbowałem pracować nad wystąpieniem, wiesz. Ale nic z tego nie wychodziło, więc się położyłem i czytałem.

— To chyba nie najgłupsza rzecz, jaką mogłeś robić?

— Sama w sobie nie, ale czuję wściekłość na to wszystko. Zresztą nigdy tego nie zrozumiesz.

— A czym jest „to wszystko"? — Geir odstawił szklankę.

— W tym konkretnym przypadku to uczucie, które mnie ogarnia, kiedy mam pisać o swoich książkach. Muszę udawać, że są znaczące, bo inaczej w ogóle nie da się o nich rozmawiać. A to coś w rodzaju schlebiania samemu sobie, prawda? Według mnie to ohydne, bo oznacza, że mam stanąć przed ludźmi i pochlebnie się wyrażać o własnych książkach, a ci, którzy będą tam siedzieć i słuchać, będą tym naprawdę zainteresowani. Dlaczego? Potem będą do mnie podchodzić i mówić, jakie to fantastyczne książki i jaki niesamowicie świetny odczyt. A ja nie będę mógł spojrzeć im w oczy, nie będę mógł nawet na nich patrzeć, będę chciał za wszelką cenę wydostać się z tego piekła, bo będę się tam czuł więźniem, rozumiesz? Cholera, pochwała to najgorsza rzecz, na jaką można narazić człowieka. Georg Johannesen[1] rozprawia o kompetencjach do udzielania pochwał, ale wprowadza zupełnie zbędne pojęcie, bo stwierdza, że cenna pochwała naprawdę istnieje; nie zgadzam się z tym. Z im większej wysokości pada, tym gorzej. Najpierw robi mi się głupio, bo przecież na to nie zasługuję, a potem się wkurzam, kiedy ludzie zaczynają mnie traktować w określony sposób. No wiesz. A zresztą nie, do diabła, nic o tym nie wiesz! Przecież osiągnąłeś samo dno w hierarchii! Chcesz piąć się do góry. Cha, cha, cha!

— Cha, cha, cha!

— Zresztą z tymi pochwałami to nie do końca prawda — ciągnąłem. — Jeśli ty mówisz, że coś jest dobre, ma to dla mnie znaczenie. Ma, ponieważ powiedział to Geir. I Linda oczywiście, i Tore, i Espen, i Thure Erik. Wszyscy, którzy są blisko. Ich nie dotyczy to, o czym mówiłem. Mam na myśli wszystko, co jest dalej, tam gdzie nie mam kontroli. Właściwie nie wiem, o co w tym chodzi... Wiem tylko, że brak oporu jest zdradziecki. Czuję, że zaczynam się złościć już od samego mówienia o nim.

— Powiedziałeś kiedyś dwie rzeczy, które zapamiętałem i o których dużo myślałem. — Geir spojrzał na mnie, jednocześnie zawieszając nóż i widelec nad talerzem. — Pierwsza z nich to twoja opowieść o samobójstwie Harry'ego Martinsona. O tym, jak rozciął sobie brzuch po otrzymaniu Nagrody Nobla. Stwierdziłeś, że świetnie rozumiesz, dlaczego to zrobił.

— No tak, to przecież oczywiste. Literacki Nobel jest dla pisarza największą hańbą. A przy jego nagrodzie

[1] Georg Johannesen (1931–2005) — pisarz norweski, profesor retoryki.

systematycznie stawiano znak zapytania. Był Szwedem, siedział w Akademii, od razu nasuwało się podejrzenie, że ten Nobel jest czymś w rodzaju koleżeńskiej przysługi, bo w zasadzie wcale na niego nie zasłużył. A skoro nie zasłużył, to nagroda była jedynie drwiną. Cholera, trzeba być naprawdę silnym, żeby wytrzymać taką drwinę. Dla Martinsona z jego kompleksem niższości to musiało być zupełnie niemożliwe. Jeśli w ogóle z tego powodu się zabił. A druga sprawa?

— Hm?

— Powiedziałeś, że zapamiętałeś dwie rzeczy z tego, co ci mówiłem. Jaka jest ta druga?

— Aha. Chodziło o Jastraua w *Zniszczeniu*[1], pamiętasz?

Pokręciłem głową.

— Chyba nikomu nie można tak spokojnie powierzyć tajemnicy jak tobie — stwierdził. — Przecież wszystko zapominasz. Masz mózg jak ser szwajcarski bez sera. Mówiłeś, że *Zniszczenie* to najbardziej przerażająca książka, jaką czytałeś. Bo upadek w niej nie jest żadnym upadkiem. Jastrau się po prostu puścił i zsunął, zrezygnował ze wszystkiego, żeby pić. I że w tej książce wyglądało to na całkiem niezłą alternatywę. Wręcz dobrą. Po prostu przestać się czegokolwiek trzymać i ześlizgnąć. Jak z pomostu do wody.

— Już sobie przypominam. On tak świetnie opisuje stan upojenia alkoholowego. Jakie to może być fantastyczne. No i człowieka ogarnia poczucie, że to wcale nie jest takie groźne. Nad tym elementem rozleniwienia, niemal bezwolności przy upadku wcześniej się nie zastanawiałem, wtedy uważałem to za coś dramatycznego, decydującego. Zaszokowało mnie myślenie o tym

[1] Powieść duńskiego pisarza Toma Kristensena.

jak o czymś powszednim, przypadkowym, może nawet przyjemnym. Bo to przecież jest cudowne. Na przykład kac dzień później. To, co się wtedy wznosi...

— Cha, cha, cha!

— Ty byś się nigdy nie mógł puścić — stwierdziłem. — Prawda?

— Nie. A ty byś mógł?

— Też nie.

— Cha, cha, cha! A prawie wszyscy moi znajomi to zrobili. Stefan przecież cały czas pije na tej swojej wsi. Pije, piecze świniaki w całości i jeździ traktorem. Kiedy latem byłem w domu, Odd Gunnar pił whisky ze szklanek do mleka. Tłumaczył się, że nalewa po sam brzeg, ponieważ przyjechałem z wizytą. A ja przecież nie piłem. No i jeszcze Tony. Ale to narkoman, czyli trochę co innego.

Od jednego ze stolików po drugiej stronie lokalu wstała kobieta, która do tej pory siedziała odwrócona do nas tyłem, a gdy ruszyła w stronę drzwi do toalety, spostrzegłem, że to Gilda. Kiedy znalazłem się w zasięgu jej spojrzenia, na kilka sekund spuściłem głowę i wbiłem wzrok w blat. Nie miałem nic przeciwko niej, po prostu akurat w tej chwili nie bardzo mi się chciało z nią rozmawiać. Długo była jedną z najlepszych przyjaciółek Lindy, w pewnym okresie nawet razem mieszkały, i na początku mojego związku z Lindą spędzaliśmy razem dużo czasu. Kiedyś współpracowała z wydawnictwem Vertigo, nigdy dokładnie nie wiedziałem, czym się tam zajmowała, ale jej zdjęcie znalazło się raz na okładce książki markiza de Sade. Poza tym kilka dni w tygodniu pracowała w księgarni Hedengrena, a nie tak dawno założyła z przyjaciółką firmę również w taki czy inny sposób związaną z literaturą. Była nieprzewidywalna i chwiejna, ale nie w chorobliwy sposób, to raczej nadmiar energii życiowej sprawiał, że nigdy nie dało się do końca przewidzieć, co powie albo zrobi. Jedna strona Lindy idealnie do niej pasowała. Poznały się w typowy dla Lindy sposób. Zaczepiła ją w mieście. Nigdy wcześniej się nie widziały, ale Linda uznała, że Gilda wygląda interesująco, więc do niej podeszła i tak się zaprzyjaźniły. Gilda miała szerokie biodra, duży biust, ciemne włosy i latynoskie rysy, z wyglądu najbardziej przypominała określony typ kobiet z lat pięćdziesiątych, a zalecał się do niej pewien bardziej niż znany sztokholmski pisarz, ale często przebijały się w niej dość dziwna dziewczyńskość, niepewność, brak ogłady, dzikość. Cora, mająca delikatniejszy charakter, powiedziała kiedyś, że się jej boi. Gilda związała się ze studentem literatury Kettilem, który niedawno dostał stypendium doktoranckie; kiedy nie zaakceptowano wybranego przez niego tematu pracy o Hermanie Bangu[1], przyjął to, co mu zasugerowano, a mianowicie pracę o literaturze na temat Holokaustu, co oczywiście przeszło. Ostatnio widzieliśmy się na jakiejś imprezie u nich, zaraz po jego powrocie z seminarium w Danii, gdzie, jak opowiadał, poznał pewnego Norwega, studenta z Bergen. Kogo? — spytałem. Nazywa się Jordal, wyjaśnił. Chyba nie Preben? Właśnie tak, Preben Jordal. Powiedziałem, że to mój kolega, że razem redagowaliśmy „Vaganta" i bardzo cenię jego szerokie horyzonty i błyskotliwość, czego Kettil nie skomentował, jednak po jego wyraźnym zakłopotaniu, po tym, jak zamilkł i nagle zapragnął nalać sobie coś do picia, aby zwiększyć dystans i urwać tę rozmowę w sposób jak najbardziej naturalny, domyśliłem się, że Preben raczej nie wyrażał się o mnie z takim samym podziwem. Jak grom z jasnego nieba spadła na mnie pewna myśl:

[1] Herman Bang (1857–1912) — pisarz duński.

przypomniałem sobie, że przecież Preben zmieszał z błotem moją ostatnią książkę, i to dwa razy, najpierw w „Vagancie", a potem w „Morgenbladet", i że ten temat z całą pewnością musiał być omawiany w Danii. Kettil poczuł się skrępowany, ponieważ mojego nazwiska nie ceniono tam wysoko. Wprawdzie nie miałem nic na poparcie swojej teorii, lecz byłem pewien, że coś w tym jest. Bardziej mnie zdziwiło, że ta krytyka mojej książki nie przypomniała mi się od razu, ale wiedziałem dlaczego. Prebena zachowałem w tej części wspomnień, która wiązała się z Bergen, należał do tamtego świata, natomiast zła recenzja przynależała do czasu sztokholmskiego, do współczesności, wiązała się z książką, a nie z życiem wokół niej. Ach, jakże to zabolało! Było jak cios nożem w serce, a może raczej w plecy, to trafniejsze określenie, bo przecież znałem Prebena; miałem pretensje nie tyle do niego, ile do książki, która okazała się tak bardzo niedoskonała, że nie broniła się przed tego rodzaju krytyką, innymi słowy, nie była dość dobra, a jednocześnie bałem się, że właśnie ten wyrok zawiśnie nad powieścią, te słowa zostaną zapamiętane.

Chyba jednak nie dlatego nie chciałem rozmawiać z Gildą? A może? Tego rodzaju zdarzenia kładły się cieniem na wszystkich osobach, które miały z nimi jakikolwiek związek. Ale nie, raczej nie chciałem słuchać o jej aktywności zawodowej. Z tego co zrozumiałem, stanowiła ogniwo między wydawcami a księgarniami. Jakieś historie eventowe? Imprezy i widowiska? Wszystko jedno, i tak nie chciałem tego wysłuchiwać.

— A tak w ogóle to bardzo miło było u was ostatnio.

— Wtedy ostatni raz się widzieliśmy?

— Nie rozumiem?

— To było pięć tygodni temu. Dziwne, że do tego wracasz.

— Aha, o to ci chodzi. Wczoraj rozmawiałem o tym z Christiną, może dlatego. Myśleliśmy, żeby was wszystkich niedługo zaprosić.

— Świetny pomysł. Wiesz, jest tu Thomas. Widziałeś? Siedzi w głębi.

— Tak? Rozmawiałeś z nim?

— Zamieniliśmy kilka słów. Obiecał, że przyjdzie do nas później.

— Czyta teraz twoją książkę. Powiedział ci o tym?

Zaprzeczyłem.

— Bardzo mu się podobał esej o aniołach, uważa, że powinien być o wiele dłuższy. Ale to do niego podobne, żeby w ogóle o tym nie napomknąć. Prawdopodobnie wyleciało mu z głowy, że to ty napisałeś. Cha, cha, cha! Thomas ma wyjątkowo krótką pamięć.

— Po prostu cały czas przebywa głęboko w swoim wnętrzu — stwierdziłem. — Ze mną jest tak samo. A ja mam dopiero trzydzieści pięć lat, do cholery. Pamiętasz, jak tu byłem z Thurem Erikiem? Siedzieliśmy i piliśmy przez cały wieczór. Po jakimś czasie zaczął opowiadać o swoim życiu, o dzieciństwie, rodzicach i siostrach, o jeszcze dalszej rodzinie; po pierwsze, Thure Erik cholernie dobrze opowiada, a po drugie, powiedział parę wyjątkowych rzeczy. Ale chociaż słuchałem go z uwagą i w myślach powtarzałem: „cholera, ależ to fantastyczne", następnego dnia nic nie pamiętałem. Została mi tylko jakby rama. Wiedziałem, że mówił o dzieciństwie, o ojcu i o rodzinie i że to było wyjątkowe, ale na czym owa wyjątkowość polegała, nie pamiętałem. Nic. Kompletna pustka.

— Byłeś pijany.

— To nie miało żadnego związku. Pamiętam, jak Tonje opowiadała mi o swoim najstraszliwszym przeżyciu z dawnych czasów, wcześniej ciągle do tego wracała, ale nie chciała powiedzieć, o co chodzi, bo nie znaliśmy się jeszcze na tyle dobrze. To była tajemnica jej życia. Rozumiesz? Minęły dwa lata, zanim w końcu mi ją zdradziła. Wtedy nawet nie umoczyłem ust w alkoholu. Byłem całkowicie przytomny, słuchałem jej z wielką uwagą, a potem długo o tym rozmawialiśmy. I wszystko wyleciało mi z głowy. Po kilku miesiącach całkiem się zatarło. Niczego nie pamiętałem. Byłem w wyjątkowo trudnej sytuacji, bo dla niej to była niesłychanie delikatna kwestia, tak czuły punkt, że odeszłaby chyba ode mnie, gdybym się przyznał, że nic nie zapamiętałem. Za każdym razem, kiedy temat znów się pojawiał, musiałem udawać, że wszystko wiem. Tak samo jest z mnóstwem innych rzeczy. Kiedyś na przykład Fredrikowi z wydawnictwa Damm zaproponowałem wydanie książki z norweskimi małymi formami prozatorskimi i on w następnym mailu do tego wrócił,

ale nie odniósł się bezpośrednio do mojego pomysłu, więc nie miałem pojęcia, o czym pisze. Zupełnie o tym zapomniałem. Niektórzy pisarze opowiadali mi o swojej twórczości z wielkim żarem i zaangażowaniem, odpowiadałem im z takim samym żarem, rozmawiałem z nimi pół godziny albo godzinę bez przerwy, a kilka dni później kompletnie mi to wyparowywało. Nie wiem nawet, o czym moja matka pisała pracę magisterską. Przychodzi taki czas, że nie można już pytać w kółko o to samo, jeśli nie chce się zranić kogoś do żywego, prawda? Dlatego ciągle udaję. Siedzę, kiwam głową i się uśmiecham, a jednocześnie zastanawiam się, o co, do cholery, może chodzić. To dotyczy wszystkich dziedzin życia. Tobie się może wydawać, że się czymś niedostatecznie przejmuję albo jestem myślami gdzie indziej, ale naprawdę nie o to chodzi, bo się przejmuję i jestem obecny. Tyle że — puf! i wszystko znika.

Yngve przeciwnie, pamięta wszystko. Wszystko! Linda pamięta wszystko. Ty też. A żeby to jeszcze bardziej skomplikować, istnieją również rzeczy, które nigdy nie zostały powiedziane ani się nie wydarzyły, a ja jestem pewien, że tak właśnie było. I znów przykład Thurego Erika: pamiętasz, że na Biskops-Arnö poznałem Henrika Hovlanda?

— Oczywiście, że pamiętam.

— Okazało się, że pochodzi z gospodarstwa w pobliżu Thurego Erika, dobrze zna całą rodzinę i mówił trochę o jego ojcu. Powiedziałem, że już nie żyje. Henrik Hovland się zdziwił, bo o tym nie słyszał, ale dodał, że nie utrzymuje już tak bliskich kontaktów z sąsiadami. Mimo to był wyraźnie zdziwiony. Ale nie podawał moich słów w wątpliwość. Zresztą dlaczego miałbym mówić, że ojciec Thurego Erika nie żyje, gdyby tak nie było? Ale nie było. Kiedy następnym razem widziałem się z Thurem Erikiem, mówił o swoim ojcu w czasie teraźniejszym z największą oczywistością i bez żadnego smutku. Okazało się, że ojciec jak najbardziej żyje. Co mnie skłoniło, żeby uznać go za zmarłego? Do tego stopnia, że przyjąłem to za bezsporny fakt? Nie mam pojęcia. Żadnego pomysłu. Ale efekt był taki, że zacząłem się bać przed każdym spotkaniem z Thurem Erikiem, no bo jeśli się widział z Hovlandem, a tamten mu złożył kondolencje, Thure Erik musiał się zmienić w znak zapytania. Przecież on mówił, że twój ojciec umarł nagle. Mój ojciec? Coś ci się przyśniło. Knausgård mi powiedział. Więc on żyje? Co ty powiesz? Knausgård mówił przecież... Nikt na świecie nie uwierzyłby mi, że nie powiedziałem tego specjalnie. Że naprawdę w to wierzyłem. No bo dlaczego? Nikt nie mógł mi przekazać takiej wiadomości, żadni ojcowie znajomych w tym czasie nie umarli, więc nie było mowy o pomyłce. To moja czysta fantazja, którą uznałem za rzeczywistość. Zdarzyło mi się to kilka razy, ale nie dlatego że jestem mitomanem, ja w to naprawdę wierzę. Bóg jeden wie, w ile rzeczy wierzę, które są tylko wymysłami.

— No to dobrze się dla ciebie składa, że jestem monomaniakiem i cały czas mówię o tym samym. Dzięki temu możesz to sobie wbić do głowy i nie popełnić błędu.

— Jesteś tego pewien? Kiedy ostatnio rozmawiałeś ze swoim ojcem?

— Cha, cha.

— To taka ułomność. Coś jak słaby wzrok. Co to jest? Człowiek, czy może raczej drzewko? Oho, chyba na coś wpadłem. O, to stolik! A więc restauracja. Wobec tego trzeba posuwać się przy ścianie, żeby dotrzeć do baru. Ojoj, coś miękkiego? Człowiek? Przepraszam! Pan

mnie zna? O, Knut Arild! Cholera! W pierwszej chwili cię nie poznałem… I ta straszna myśl, która się rodzi, że wszyscy mają takie ułomności, swoje prywatne otchłanie, na których ukrycie poświęcają wiele sił. Myśl, że świat jest pełen wewnętrznych inwalidów, którzy stale na siebie wpadają, kryją się za mniej lub bardziej pięknymi, ale przynajmniej normalnymi i nieprzerażającymi twarzami. Nie jest to kalectwo duchowe ani psychiczne, ono ma związek ze świadomością, wręcz z fizjonomiką. To defekty myśli, świadomości, pamięci, zdolności pojmowania, zrozumienia.

— Ale przecież właśnie tak jest. Cha, cha, cha! Przecież dokładnie tak jest! Rozejrzyj się, człowieku! Ocknij się! Jak myślisz, ile defektów zdolności pojmowania zebrało się choćby tutaj? Jak myślisz, dlaczego skodyfikowaliśmy formy wszystkiego, czym się zajmujemy? Formy rozmowy, formy zwracania się do siebie, formy wykładów, formy podawania do stołu, formy jedzenia, formy picia, chodzenia, siedzenia, nawet seksu, *you name it*. Jak myślisz, z jakiego powodu normalność jest tak pożądana, jeśli właśnie nie z tego? To nasz jedyny punkt styczny, możliwość porozumienia, ale nawet w nim nie jesteśmy w stanie się porozumieć. Arne Næss powiedział kiedyś, że gdy wie, iż ma się spotkać ze zwyczajnym, normalnym człowiekiem, strasznie się wysila, żeby być zwyczajny i normalny, natomiast ten normalny człowiek ze swojej strony prawdopodobnie wysila się do ostateczności, aby dotrzeć do Næssa, a mimo to, według Næssa, nigdy się naprawdę nie spotkają, bo nad istniejącą między nimi przepaścią nic nie zdoła zbudować mostu. Formalnie, owszem, ale nie realnie.

— Ale czy to nie Arne Næss powiedział także, że mógłby wyskoczyć z samolotu na spadochronie w jakimkolwiek miejscu na ziemi i mieć pewność, że wszędzie spotka się z gościnnością, że zawsze dostanie coś do zjedzenia i miejsce do spania?

— Owszem, on. Pisałem o tym pracę.

— W takim razie muszę o tym wiedzieć od ciebie. Świat jest mały.

— W każdym razie nasz — uśmiechnął się Geir. — Ale Næss ma absolutną rację. Moje doświadczenia też mówią, że istnieje coś w rodzaju wspólnego minimum człowieczeństwa, z którym mamy do czynienia wszędzie. W Bagdadzie również tak było.

Za jego plecami zbliżała się Gilda, w butach na niezbyt wysokim obcasie i kwiecistej letniej sukience.

— Cześć, Karl Ove — powiedziała. — Jak się masz?

— Cześć, Gilda. Całkiem nieźle. A co u ciebie?

— W porządku. Dużo pracuję. A jak w domu? Co u Lindy i waszej córeczki? Strasznie dawno nie rozmawiałyśmy. Jak ona się czuje? Dobrze?

— Tak, wszystko okej. Ma dużo zajęć na uczelni, więc to ja wożę Vanję w wózku w ciągu dnia.

— I jak ci z tym?

Wzruszyłem ramionami.

— Okej.

— Sama się zastanawiam nad dzieckiem. Ale wydaje mi się, że dzieci są trochę obrzydliwe. No i niepokoi mnie ten wielki brzuch i mleko w piersiach, powiem wprost. A Lindzie się to podoba?

— O tak.

— No proszę. Pozdrów ją ode mnie serdecznie. Odezwę się któregoś dnia. Trzymaj się.

— Pozdrowię. Pozdrów Kettila!

Uniosła rękę, lekko mi pomachała i wróciła do swojego stolika.

— Niedawno zrobiła prawo jazdy — powiedziałem. — Opowiadałem ci o tym? Kiedy pierwszy raz je-

chała sama, miała przed sobą ciężarówkę, kawałek dalej dwa pasy łączyły się w jeden, ale jej się wydawało, że zdąży wyprzedzić, dodała gazu i ruszyła z kopyta, aby zaraz zrozumieć, że jednak nie zdąży. Samochód wcisnęło w barierkę, przewrócił się na bok i tak sunął kilkaset metrów. Ale Gilda wyszła z tego bez szwanku.

— No, to szybko nie umrze — stwierdził Geir.

Przyszła kelnerka, żeby sprzątnąć ze stolika. Zamówiliśmy kolejne dwa piwa. Przez chwilę siedzieliśmy w milczeniu. Zapaliłem papierosa i żarzącym się końcem usypałem z miękkiego popiołu kopczyk w przezroczystej popielniczce.

— Dzisiaj ja stawiam, żeby była jasność — powiedziałem.

— Okej — zgodził się Geir.

Gdybym nie uprzedził o tym, zanim kelnerka przyniosła rachunek, uparłby się, żeby zapłacić. Gdy coś takiego postanowił, nic nie skłoniłoby go do zmiany zdania. Byliśmy kiedyś razem we czwórkę, Geir, Christina, Linda i ja, w tajskiej restauracji na końcu Birger Jarlsgatan; powiedział, że on płaci, nie zgodziłem się, oświadczyłem, że co najmniej dzielimy się po równo, ale nie, postanowił zapłacić, i koniec. Kiedy kelnerka zabrała jego kartę, odliczyłem połowę kwoty w gotówce i położyłem przed nim na stoliku. Nawet nie drgnął, mogło się wydawać, że w ogóle jej nie zauważył. Przyniesiono kawę, wypiliśmy, a kiedy dziesięć minut później wstawaliśmy do wyjścia, wciąż nie ruszał tych pieniędzy. Hej, weź tę kasę, powiedziałem, przecież się zrzucamy, daj spokój. Nie, ja płacę, powtórzył, pieniądze są twoje, więc je zabierz. Nie widziałem innej rady, jak schować banknoty do kieszeni, pewien, że gdybym tego nie zrobił, zostałyby na stoliku. Uśmiechnął się tym swoim najbardziej nieznośnym uśmiechem, „a nie mówiłem?", aż pożałowałem, że nie zostawiłem tych pieniędzy. Żadna ofiara nie była zbyt wielka, żeby tylko nie stracić twarzy przed Geirem. Ale po minie Christiny, która nie umiała ukryć swoich myśli, poznałem, że ona, tak niesłychanie wrażliwa, wstydzi się za niego, a przynajmniej uważa sytuację za niezręczną. Nigdy nie stanąłem z Geirem do otwartej walki, może i roztropnie, bo miał w sobie coś, z czym nie potrafiłem walczyć. Gdybyśmy na przykład urządzili zawody, takie jak w dzieciństwie, kto dłużej nie odwróci spojrzenia od oczu przeciwnika, Geir wytrzymałby nawet tydzień, gdyby czuł taką konieczność. Ja też bym umiał długo się nie poddawać, ale prędzej czy później uznałbym, że to jednak nie jest takie ważne, i odwróciłbym wzrok. Geir nigdy nie dopuściłby do siebie takiej myśli.

— No, dobrze — powiedziałem. — A jak tobie minął dzień?

— Pisałem o sytuacji granicznej, a konkretnie o Sztokholmie w osiemnastym wieku. O dużej umieralności, o tym, jak krótko tamci ludzie żyli i co robili ze swoim życiem w porównaniu z nami. Potem przyszła do mnie Cecilia i chciała porozmawiać. Zjedliśmy razem lunch. Bawiła się wczoraj na mieście ze swoim partnerem i jego kolegą, cały wieczór z tym kolegą flirtowała, a po powrocie do domu jej partner oczywiście się wściekł.

— Od jak dawna są razem?

— Sześć lat.

— Ma zamiar od niego odejść?

— Skąd, w żadnym wypadku. Przeciwnie, chce mieć z nim dziecko.

— No, to po co flirtowała?

— Chce mieć jedno i drugie.

— Co jej powiedziałeś? Bo chyba przyszła do ciebie po radę?

— Doradziłem jej, żeby się wypierała. Po prostu wypierała się wszystkiego. Wcale z nikim nie flirtowała, tylko okazywała życzliwość. Musi mówić: „nie, nie i nie". No i nie zachowywać się tak głupio następnym razem, tylko spokojnie i rozważnie czekać, aż nadarzy się okazja. Wcale jej nie wyrzucam tego flirtu, tylko bezwzględność. Sprawiła facetowi ból. To było niepotrzebne.

— Musiała wiedzieć, że tak powiesz. Inaczej nie przyszłaby z tym do ciebie.

— Też tak myślę. Bo gdyby na przykład zwróciła się o radę do ciebie, usłyszałaby, że ma się do wszystkiego przyznać, paść na kolana, błagać o wybaczenie i od tej pory trzymać się wyłącznie swojego mężczyzny.

— No tak, albo to, albo od niego odejść.

— A najgorsze, że naprawdę tak myślisz.

— Oczywiście, że tak myślę. Rok po tym, jak zdradziłem Tonje i się nie przyznałem, był najgorszym rokiem w moim życiu. Czarna dziura. Jedna cholerna długa noc. Cały czas o tym myślałem. Podskakiwałem na krześle przy każdym dzwonku telefonu. Kiedy w telewizji padało słowo „zdrada", czerwieniłem się od stóp do głów. Paliłem się ze wstydu. Gdy wypożyczałem filmy, starannie unikałem wszystkich, które miały związek z tym tematem, bo wiedziałem, że Tonje prędzej czy później zauważy, że wiję się jak robak za każdym razem, kiedy na ekranie dochodzi do zdrady. Zdrada zniszczyła też inne rzeczy w moim życiu, nie mogłem już nic szczerze powiedzieć, wszystko zmieniło się w kłamstwo i przemilczenia. To był koszmar.

— Teraz byś się przyznał?

— Tak.

— A co z tym, co wydarzyło się na Gotlandii?

— To nie była zdrada.

— Ale tak samo cholernie cię dręczy?

— Owszem.

— Cecilia nie zdradziła. Dlaczego miałaby mówić partnerowi, co miała ochotę zrobić?

— Nie o to chodzi. Ważne są intencje. Dopóki istnieją, trzeba ponosić konsekwencje.

— A co z twoimi intencjami na Gotlandii?

— Byłem pijany. Na trzeźwo czegoś takiego bym nie zrobił.

— Ale myślałbyś o tym?

— Może. Jednak to duża różnica.

— Tony jest katolikiem, jak wiesz. Jego ksiądz powiedział kiedyś, a ja sobie to zapamiętałem, że grzeszyć znaczy ustawić się w pozycji, w której grzech jest możliwy. Upicie się ze świadomością, jakie myśli krążą ci po głowie i jakie masz w sobie ciśnienie, jest ustawieniem się właśnie w takiej pozycji.

— No tak. Ale zanim zacząłem pić, sądziłem, że jestem zupełnie bezpieczny.

— Cha, cha, cha!

— Naprawdę.

— Ależ, Karl Ove. Przecież nic takiego nie zrobiłeś. Nic się nie stało. Wszyscy to rozumieją. Wszyscy. Co właściwie zrobiłeś? Pukałeś do drzwi?

— Owszem, przez pół godziny. W środku nocy.

— Ale cię nie wpuściła?

— No nie. Otworzyła drzwi, dała mi butelkę wody i znów je zamknęła.

— Cha, cha, cha! A ty z tego powodu siedziałeś i trząsłeś się, zupełnie biały na twarzy. Kiedy cię zobaczyłem, wyglądałeś, jakbyś kogoś zabił.

— Bo tak się czułem.

— Ale przecież nic takiego się nie stało?

— Możliwe. Mimo to nie potrafię sobie wybaczyć.

I tak będzie już do śmierci. Mam długą listę przewinień, sytuacji, w których nie zachowałem się przyzwoicie, bo właśnie o to chodzi. Masz, do jasnej cholery, nie sprawiać nikomu zawodu. Można by sądzić, że to dość prosty ideał, którego należy się trzymać, i dla nielicznych rzeczywiście tak jest. Znam paru ludzi, niewielu, ale kilku, którzy zawsze postępują przyzwoicie. Są dobrymi, porządnymi ludźmi. Nie mówię o tych, którzy nie robią nic złego, ponieważ w ogóle nic nie robią, a ich życie jest takie małe, że właściwie nic w nim nie można zepsuć, bo tacy też istnieją. Mówię o tych, którzy są od początku do końca sprawiedliwi i zawsze wiedzą, jak postąpić. O tych, którzy nie stawiają siebie na pierwszym miejscu, ale też siebie nie negują. Ty też ich znasz. Takich ludzi dobrych na wskroś, prawda? Oni by nie wiedzieli, o czym mówię. Właśnie dlatego, że niczego nie zakładali, wcale nie myślą o tym, że mają być dobrzy, po prostu tacy są i o tym nie wiedzą. Dbają o przyjaciół, są troskliwi dla partnerek, są dobrymi ojcami, ale w żaden sposób nie po kobiecemu, zawsze wykonują dobrą robotę, pragną tego, co dobre, i robią to, co dobre. Ci ludzie są pełni. Na przykład Jon Olav, mój kuzyn. Wiesz, o kim mówię?

— Tak, poznałem go.

— Zawsze był idealistą, ale nie po to, by osiągnąć coś dla siebie. Zawsze był na zawołanie, kiedy inni go potrzebowali. I jest całkowicie nieprzekupny. To samo dotyczy Hansa. Jego honorowość... Tak, to jest słowo, którego szukałem. Honorowość. Jeśli człowiek jest honorowy, postępuje właściwie. A ja jestem cholernie niehonorowy, zawsze wychodzi coś... no, może nie chorego, ale niskiego... podlizywanie się, służalczość, to ze mnie aż bije. Jeżeli znajdę się w sytuacji wymagającej delikatności, prawie wszyscy rozumieją, że właśnie delikatność jest potrzebna, a ja potrafię wypalić z grubej rury, prawda? A dlaczego? Bo myślę tylko o sobie, widzę tylko siebie, troszczę się tylko o siebie. Potrafię być dobry dla innych, ale muszę to sobie uprzednio przemyśleć. Nie mam tego we krwi. To nie leży w mojej naturze.

— A gdzie, na przykład, umieszczasz w swoim systemie mnie?

— Ciebie?

— Tak.

— O, ty jesteś cynikiem. Dumnym, ambitnym człowiekiem, może najdumniejszym, jakiego znam. Jawnie nigdy nie zrobiłbyś nic, co w oczywisty sposób mogłoby cię upokorzyć, wolałbyś głodować i mieszkać na ulicy. Jesteś lojalny wobec przyjaciół, ślepo ci ufam, a jednocześnie sam jesteś sobie najbliższy i potrafisz być bezwzględny wobec innych, jeśli z jakiegoś powodu masz coś przeciwko nim, jeśli coś ci zrobili lub jeśli przez to możesz więcej osiągnąć. Prawda?

— Owszem. Ale zawsze biorę pod uwagę tych, na których mi zależy. Naprawdę. Więc może raczej jestem pozbawiony skrupułów, to chyba trafniejsze określenie. Prawdę mówiąc, to ważne rozróżnienie.

— No dobrze, pozbawiony skrupułów. Ale weźmy jakiś przykład. Mieszkałeś z żywymi tarczami w Iraku, przebyłeś z nimi całą drogę z Turcji, dzieliłeś z nimi życie w Bagdadzie. Z niektórymi się zaprzyjaźniłeś. Ci ludzie byli tam ze względu na swoje przekonania, których nie podzielałeś, ale oni nie mieli tej świadomości.

— Raczej się domyślali — uśmiechnął się Geir.

— No, a kiedy pojawili się US Marines, po prostu powiedziałeś swoim przyjaciołom: „Cześć, trzymajcie się", i przeszedłeś na stronę ich wroga, nie oglądając się za siebie. Zdradziłeś ich. Nie da się tego potraktować w inny sposób. Ale nie zdradziłeś siebie. Właśnie gdzieś w tym miejscu cię plasuję. Panuje tam samodzielność i wolność, ale cena za dotarcie do tego punktu jest wysoka. Wokół ciebie leżą ludzie poprzewracani jak kręgle. Dla mnie to niemożliwe, społeczna presja z wielu stron zaczyna się w chwili, kiedy wstaję z krzesła w pracowni, a gdy wyjdę na ulicę, mam nią już związane i ręce, i nogi. Prawie nie mogę się ruszyć. Cha, cha, cha! Ale taka jest prawda. Nie sądzę, żebyś to zrozumiał, ale powiem ci, że fundament mojego ja nie opiera się wcale na świętości ani na wysokiej moralności, tylko na tchórzliwości. Na tchórzliwości i niczym więcej. Myślisz, że nie chciałbym przeciąć wszelkich więzów i robić tego, czego pragnę, a nie to, czego chcą inni?

— Owszem.

— I sądzisz, że to zrobię?

— Nie.

— Ty jesteś wolny, ja nie. To takie proste.

— Ależ skąd — zaprotestował Geir. — Możliwe, że tkwisz uwięziony w relacjach z ludźmi, co zresztą brzmi dość dziwnie, bo przecież w ogóle się z nikim nie spotykasz, cha, cha, cha! Ale wiem, o co ci chodzi. Masz rację. Usiłujesz brać pod uwagę wszystkich naraz, sam widziałem, jak się wijesz, kiedy byliśmy u was na kolacji. Ale istnieje wiele sposobów uwięzienia, tkwienia w niewoli. Musisz pamiętać, że dostałeś wszystko, co chciałeś dostać. Zemściłeś się na wszystkich, na których chciałeś się zemścić. Masz pozycję. Ludzie czekają na twój następny ruch i wachlują cię liśćmi palmowymi, gdzie tylko się pokażesz. Możesz napisać felieton o czymś, co cię zainteresuje, a kilka dni później ukaże się w gazecie, którą wybierzesz. Różni ludzie dzwonią i zapraszają cię tu i tam, media proszą o komentarze na wszelkie możliwe tematy. Twoje książki mają się ukazać w Niemczech i w Anglii. Rozumiesz, jaka w tym wolność? Rozumiesz, co się otworzyło w twoim życiu? Mówisz o tęsknocie, o puszczeniu się i spadaniu. Gdybym ja przestał się trzymać, zostałbym w tym samym miejscu. Bo już jestem na dnie. Nikogo nie interesuje to, co piszę. Nikogo nie interesuje to, co myślę. Nikt mnie nigdzie nie zaprasza. Muszę się wciskać sam, prawda? Zawsze gdy wchodzę do jakiegoś pokoju, w którym są ludzie, muszę sam się zaprezentować. W przeciwieństwie do ciebie, nie istnieję dla nich uprzednio, nie jestem im dany z góry. Nie mam wyrobionego nazwiska, muszę za każdym razem stwarzać wszystko od początku. Siedzę na dnie dziury w ziemi i krzyczę przez megafon. Nie ma znaczenia, co wykrzykuję, i tak nikt nie słucha. I wiesz, to, co mówię na zewnątrz, zawiera krytykę tego, co jest w środku. Z definicji jestem więc besserwisserem, rozgoryczonym krytykantem. A lata płyną. Zbliżam się do czterdziestki, a nie osiągnąłem jeszcze niczego, co sobie zamierzyłem. Mówisz, że to, co piszę, jest błyskotliwe i wyjątkowe, może i tak, ale co z tego? Ty już dostałeś wszystko, czego chciałeś, więc możesz zrezygnować, zostawić to, nie skorzystać. A ja nie mogę. Muszę dalej się starać. Poświęciłem temu już dwadzieścia lat. Książka, nad którą teraz pracuję, zajmie mi co najmniej kolejne trzy. Czuję, jak otoczenie traci wiarę w nią, a przez to również zainteresowanie. Coraz bardziej zmieniam się w szaleńca, który nie chce porzucić swojego szalonego projektu. Wszystko, co mówię, jest oceniane z tego punktu widzenia. Kiedy mówiłem coś bezpośrednio po napisaniu pracy doktorskiej, odnoszono to do niej, wtedy akademicko i intelektualnie jeszcze żyłem, teraz już jestem martwy. A im dłużej to trwa, tym lepsza musi być następna książka.

Nie wystarczy, żeby była umiarkowanie dobra, niezła, bo zużycie czasu i mój wiek osiągnęły relatywnie tak wysoki poziom, że musi być wyjątkowa. Patrząc z tej perspektywy, wcale nie jestem wolny. A nawiązując do wcześniejszego tematu naszej rozmowy, do ideału wiktoriańskiego, który nie był żadnym ideałem, tylko praktyką, czyli do podwójnego życia: z nim też wiąże się pewien żal, bo takie życie nie może być pełne. No i to, o czym marzą wszyscy, ta jedyna miłość, albo miłość do jednego jedynego człowieka, kiedy znika cynizm i wyrachowanie, kiedy wszystko jest pełne, w całości. No wiesz. Romantyzm. Podwójne życie może być adekwatnym rozwiązaniem jakiegoś problemu, ale problemów wcale nie jest pozbawione. Niech ci się nie wydaje, że tak myślę. Jest praktyczne, prowizoryczne, pragmatyczne, a więc żywe. Ale nie jest pełne, nie jest idealne. Najważniejsza różnica między nami dwoma nie polega na tym, że ja jestem wolny, a ty zniewolony, bo nie wydaje mi się, żeby tak było. Najważniejszą różnicą jest to, że ja jestem zadowolony, a ty nie.

— Aż tak niekontent chyba nie jestem...

— No właśnie! Niekontent. Takiego słowa tylko ty możesz użyć. Mówi o tobie wszystko.

— Niekontent to stare, dobre słowo. Pojawia się nawet w *Heimskringla*[1]. A wydanie Storma ma przecież sto lat. Ale może pora, żeby zmienić temat rozmowy.

— Gdybyś to powiedział dwa lata temu, zrozumiałbym.

— No dobrze, wobec tego mówmy dalej. Kiedy doszło do tego wydarzenia z Tonje, wyjechałem na wyspę, na której mieszkałem dwa miesiące. Byłem tam już wcześniej, wystarczyło, że zadzwoniłem, i wszystko zostało przygotowane. Dom, niewielka wysepka daleko na morzu, tylko troje innych ludzi. To się działo pod koniec zimy, wszystko było zamarznięte i nieruchome. Chodziłem po wyspie i rozmyślałem. Głównie o tym, że za wszelką cenę muszę stać się dobrym człowiekiem. Wszystkie moje poczynania powinny ku temu zmierzać, ale nie w pełzający, unikowy sposób, który mnie charakteryzował do tej pory, no wiesz, kiedy ogarniał mnie wstyd za każdy najmniejszy drobiazg. Brak godności. Na tym nowym obrazie siebie, który malowałem, widoczne były również odwaga i proste plecy. Patrzenie ludziom w oczy, mówienie tego, w co wierzę. Wcześniej coraz bardziej się garbiłem, chciałem być coraz mniej widoczny, a tam zacząłem się prostować, dosłownie. Konkretnie. Jednocześnie przeczytałem dzienniki Haugego. Całe trzy tysiące stron. Przyniosły mi ogromną pociechę.

---

1 *Heimskringla* — zbiór sag staroskandynawskich.

— Jemu było gorzej?

— Z całą pewnością. Ale nie o to chodzi. Hauge nieprzerwanie walczył z wyśnionym ideałem samego siebie, z tym, jaki powinien być, w opozycji do tego, jaki był. Wola podjęcia tej walki była w nim ogromnie silna. A przecież był człowiekiem, który właściwie nic nie robił, niczego nie doświadczał, tylko czytał, pisał i toczył tę walkę w swoim wnętrzu w malutkiej dziadowskiej zagrodzie nad malutkim dziadowskim fiordem w malutkim dziadowskim kraju gdzieś na końcu świata.

— Nic dziwnego, że od czasu do czasu kompletnie mu odbijało.

— Można odnieść wrażenie, że przynosiło mu to również ulgę. Poddawał się temu, a część pędu, z jakim wypadał z drogi, brała się również z radości. Może się wręcz wydawać, że odpuszczał żelazną kontrolę nad sobą i cały się temu oddawał.

— Pytanie, czy nie to było dla niego Bogiem — powiedział Geir. — Czuł, że jest widziany i zmuszany do padnięcia na kolana przez coś, co człowieka cały czas widzi. My mamy na to po prostu inną nazwę. Superego, wstyd, czy co tam sobie, do cholery, chcesz. Może dlatego Bóg jest silniejszą rzeczywistością dla jednych niż dla drugich.

— Czyli że pragnienie ulegania niższym instynktom i pławienia się w rozkoszy i nałogach miałoby być diabłem?

— No właśnie.

— Na to nigdy nie miałem ochoty. No, oprócz picia. Wtedy rezygnuję ze wszystkiego. Ale pragnę podróżować, patrzeć, czytać, pisać. Być wolny. Zupełnie wolny. Miałem na to szansę wówczas, na tej wyspie, bo w rzeczywistości już wtedy zerwałem z Tonje. Mogłem pojechać dokądkolwiek, do Tokio, do Buenos Aires, do

Monachium. Ale pojechałem tam, gdzie nie było żywej duszy. Nie rozumiałem siebie, nie miałem pojęcia, kim jestem, więc to, ku czemu się zwróciłem, czyli wszystkie myśli o byciu dobrym człowiekiem, było po prostu jedyną rzeczą, jaka mi pozostała. Nie oglądałem telewizji, nie czytałem gazet, jadłem jedynie chrupki chleb i zupę. W święto klopsiki rybne i kalafiora. I pomarańcze. Zacząłem robić pompki i brzuszki. Wyobrażasz sobie? W jakie zwątpienie musi popaść mężczyzna, jeśli w celu rozwiązania swoich problemów zaczyna robić pompki?

— To wszystko jest czystość, od góry do dołu. Asceza. Nie pozwolić się zbrukać telewizji ani gazetom, jeść najmniej, jak się da. Piłeś kawę?

— Kawę piłem. Ale z tą czystością to prawda. W tym wszystkim jest niemal coś z faszyzmu.

— Hauge pisał przecież, że Hitler był wielkim człowiekiem.

— I nie był wtedy taki stary. Ale najgorsze, że ja rozumiem tę potrzebę wyeliminowania wszystkiego, co małe czy małostkowe, co tkwi i gnije w człowieku, wszystkich tych bagatelek, które złoszczą albo smucą. Wierzę, że to może wywołać pragnienie czegoś czystego i wielkiego, czym można się otoczyć i w czym można zniknąć. Usunąć najpierw cały brud, prawda? Jeden naród, jedna krew, jedna ziemia. To akurat zostało zdyskredytowane raz na zawsze. Ale nie mam żadnego problemu ze zrozumieniem, co się za tym kryje. Jednak przy takiej uległości wobec presji społecznej i takim poddawaniu się opiniom innych na swój temat, Bóg jeden wie, czym bym się zajmował, gdybym żył w latach czterdziestych.

— Cha, cha, cha! Daj spokój! Teraz nie postępujesz tak jak inni, więc i wtedy tak byś nie postępował.

— Ale kiedy przeniosłem się do Sztokholmu i zakochałem w Lindzie, wszystko się zmieniło. Jakbym się wzniósł ponad to, co w życiu małe. Nic już nie było ważne, wszystko się układało, nie istniał żaden problem. Nie wiem, jak mam to wyjaśnić... Czułem się tak, jakby moja wewnętrzna siła urosła do tego stopnia, że pokonała wszystko na zewnątrz. Stałem się nietykalny, rozumiesz? Wypełniony światłem. Wszystko było światłem! Mogłem nawet czytać Hölderlina! To był fantastyczny czas. Nigdy nie czułem się tak dobrze. Po brzegi wypełniało mnie szczęście.

— Przecież pamiętam. Siedziałeś na Bastugatan i promieniałeś. Niemal świeciłeś. Na okrągło słuchałeś Manu Chao. Prawie nie dało się z tobą rozmawiać. Szczęście się z ciebie wylewało. Siedziałeś w łóżku jak jakiś pieprzony kwiat lotosu i nie przestawałeś się uśmiechać.

— Bo chodzi o sposób postrzegania. Z jednego punktu widzenia wszystko sprawia radość. Z drugiego wywołuje tylko smutek i marność. Myślisz, że w pełni szczęścia przejmowałem się całym tym śmietniskiem, którym napychają nas media? Myślisz, że się czegokolwiek wstydziłem? Byłem niezwykle wyrozumiały. Miałem pewność, że wszystko mi się uda, do cholery. Właśnie o tym ci mówiłem, kiedy byłeś taki cholernie przygnębiony i kompletnie wyprowadzony z równowagi jesienią następnego roku. Mówiłem, że wszystko zależy wyłącznie od punktu widzenia. W twoim świecie nic się nie zmieniło, sytuacja się nie zaostrzyła, zmienił się tylko sposób, w jaki na nią patrzyłeś. Ale ty mnie oczywiście nie słuchałeś i wyjechałeś do Iraku.

— Bo kiedy człowiek tkwi pogrążony w mroku, to ostatnią rzeczą, jaką chce usłyszeć, jest bredzenie upojonego szczęściem idioty. Ale po powrocie byłem zadowolony. Wyjazd mnie z tego stanu wyciągnął.

— No tak. A teraz role się odwróciły. Teraz ja tu siedzę i uskarżam się na nędzę żywota.

— Wydaje mi się, że to naturalna kolej rzeczy. Znów zacząłeś robić pompki?

— Tak.

Uśmiechnął się. Też się uśmiechnąłem.

— No to co ja mam począć, do jasnej cholery? — spytałem.

Wyszliśmy z Pelikana godzinę później i razem pojechaliśmy metrem do Slussen, gdzie Geir przesiadł się na czerwoną linię. Żegnając się ze mną, położył mi rękę na ramieniu, powiedział, że mam na siebie uważać i pozdrowić Lindę i Vanję. Kiedy wysiadł, osunąłem się na siedzeniu; pragnąłem tak siedzieć kolejne godziny i jechać przez noc, ale za chwilę musiałem wstać i wysiąść przy Hötorget, zaledwie trzy stacje dalej.

Wagon był prawie pusty. Młody mężczyzna z gitarą w futerale na plecach trzymał się drążka przy drzwiach. Był chudy jak szczapa i miał kręcone czarne włosy, wystające spod czapki. Na miejscach w głębi dwie szesnastolatki pokazywały sobie SMS-y. Starszy pan w czarnym płaszczu, rdzawoczerwonym szaliku i szarej, wełnistej, niemal prostokątnej czapce — nosiło się takie w latach siedemdziesiątych — siedział vis-à-vis. Przy nim niewysoka, pulchna kobieta o południowoamerykańskich rysach, w wielkiej puchówce, obok pani w dżinsach i zamszowych kozakach, wykończonych sztucznym futerkiem.

O incydencie z telefonem zupełnie zapomniałem, przypomniał mi o nim Geir tuż przed wyjściem z knajpy. Dał mi swój aparat i kazał zadzwonić na moją komórkę. Zrobiłem to, ale nikt nie odebrał. Ustaliliśmy, że napisze na mój telefon SMS-a z prośbą, żeby ta kobieta zadzwoniła na mój numer stacjonarny, a wyśle go pół godziny później, kiedy powinienem już dotrzeć do domu.

Może pomyślała, że ją podrywam? Że specjalnie wrzuciłem jej telefon do torebki, żeby do niej zadzwonić?

Na T-Centralen wlali się ludzie. Głównie młodzi, dwie hałaśliwe grupki, ale też sporo pojedynczych osób z małymi słuchawkami w uszach, część z tych osób miała torby sportowe, które stawiała między nogami.

W domu na pewno już śpią.

Myśl przyszła nagle i sprawiła mi wielką przyjemność.

To jest moje życie. Właśnie to jest moim życiem.

Musiałem wziąć się w garść. Podnieść głowę.

Po sąsiednim torze przejechał pociąg, przez kilka sekund zaglądałem do wnętrza wagonu, przypominającego akwarium, w którym siedzieli ludzie pochłonięci swoimi sprawami, ale zaraz skierowano go na inny tor, a nas wciśnięto w tunel; widziałem w nim jedynie wnętrze wagonu i własną pustą twarz. Kiedy pociąg zwolnił, wstałem i podszedłem do drzwi. Przeszedłem przez peron i ruchomymi schodami wjechałem na Tunnelgatan. W budce biletowej siedziała gruba, jasnowłosa trzydziestolatka, która długo pozostawała dla mnie postacią anonimową, aż do czasu kiedy Linda się z nią przywitała, a potem wyjaśniła mi, że była z nią na Biskops-Arnö. Kiedy nasze spojrzenia się spotkały, spuściła wzrok. Wszystko mi jedno, pomyślałem, udem pchnąłem barierkę i wbiegłem na górę.

O tym, że moja trasa do domu jest tą samą trasą, którą swego czasu najprawdopodobniej uciekał morderca

Palmego, myślałem niemal za każdym razem, kiedy wspinałem się po długich schodach prowadzących do Malmskillnadsgatan. Pamiętam dokładnie ten dzień, kiedy podano wiadomość o zabójstwie. Pamiętam, co robiłem, co myślałem. To była sobota. Mama chorowała, a ja pojechałem do miasta z Janem Vidarem. Mieliśmy siedemnaście lat. Gdyby nie zabójstwo Palmego, ten dzień by zniknął w niepamięci, tak jak zniknęły wszystkie inne dni. Wszystkie godziny, wszystkie minuty, wszystkie rozmowy, wszystkie myśli, wszystkie zdarzenia. Wszystko wrzucone do jeziora zapomnienia. Maleńka ilość, która została, musiała to reprezentować. Ale ile w tym ironii, skoro zachowała się właśnie dlatego, że się od wszystkiego odróżniała?

W KGB siedziało przy oknie kilku długowłosych facetów i piło. Poza tym knajpa wyglądała na raczej pustą. Ale może tego wieczoru coś się działo w podziemiach.

W stronę centrum przemknęły dwie taksówki, lśniące czernią. Poderwane przez nie płatki śniegu sekundę później przylgnęły do mojej twarzy, znajdującej się na poziomie jezdni. Pokonałem ostatnie stopnie, przeciąłem ulicę, przebiegłem ostatni kawałek do bramy, wszedłem. Na szczęście na klatce schodowej nikogo nie było. W mieszkaniu panowała zupełna cisza.

Rozebrałem się i cicho przeszedłem przez salon, uchyliłem drzwi do sypialni. Linda otworzyła oczy i spojrzała na mnie w półmroku. Wyciągnęła ręce.

— Dobrze się bawiłeś?

— Jasne. — Nachyliłem się, żeby ją pocałować. — W domu wszystko w porządku?

— Mhm. Tęskniłyśmy za tobą. Kładziesz się?

— Tylko coś zjem i przyjdę, okej?

— Okej.

Vanja w łóżeczku spała z wypiętą pupą i buzią wciśniętą w poduszkę, tak jak miała w zwyczaju. Uśmiechnąłem się, mijając ją. W kuchni wypiłem szklankę wody, przez dłuższą chwilę wpatrywałem się w zawartość lodówki, w końcu wyjąłem margarynę i opakowanie szynki. Z szafki obok wyciągnąłem chleb. W chwili kiedy miałem ją zamknąć, spojrzałem na najwyższą półkę. Nie zrobiłem tego przypadkiem, mój wzrok przyciągnęły butelki ustawione inaczej niż zwykle. Opróżniony do połowy akevitt ze świąt zamienił się na miejsca z calvadosem. Grappa, wcześniej schowana w głębi, stała teraz z brzegu przy jałowcówce. Gdyby tylko o to chodziło, nie zastanawiałbym się nad tym dłużej, uznałbym, że w sobotę odruchowo posprzątałem w szafce, ale wydało mi się, że w butelkach jest mniej alkoholu. Ta sama myśl przemknęła mi przez głowę tydzień wcześniej; wtedy tłumaczyłem sobie, że wypiliśmy z gośćmi więcej, niż zapamiętałem. Teraz jednak butelki były dodatkowo poprzestawiane.

Przez dłuższą chwilę obracałem je w dłoniach, zastanawiając się, co się mogło zdarzyć. Grappa była przecież prawie nietknięta, prawda? Zrobiłem z niej trzy małe drinki po kolacji kilka tygodni temu, a teraz alkohol ledwie sięgał krawędzi etykietki. Akevitt też raczej nie wyparował tak, że został tylko łyk na samym dnie. Koniaku również, zdaje się, było więcej.

Te alkohole przywoziłem do domu z wyjazdów albo dostawaliśmy je w prezencie. Sięgaliśmy po nie wyłącznie wtedy, gdy mieliśmy gości.

Czy to możliwe, że wypiła je Linda?

Siedziała i piła, kiedy zostawała sama w domu?

Potajemnie?

Nie, nie. Nie ma mowy. Przecież odkąd zaszła w ciążę, nie tknęła nawet kropli alkoholu. I nie zamierzała go tykać, dopóki karmi piersią.

Czyżby kłamała?

Linda?

Nie, do jasnej cholery! Niemożliwe, żebym był aż tak ślepy.

Uporządkowałem butelki dokładnie tak, jak stały wcześniej, żeby dobrze zapamiętać ich ustawienie. Starałem się też zakonotować, ile mniej więcej alkoholu jest w każdej z nich. Zamknąłem szafkę i usiadłem do jedzenia.

Prawdopodobnie coś mi się po prostu pomyliło. Pewnie w ostatnich tygodniach zeszło więcej alkoholu, niż mi się wydawało. Przecież nie sprawdzałem, ile dokładnie ubyło z każdej butelki, a przy sobotnim sprzątaniu sam je poprzestawiałem. Nic dziwnego, że tego nie zapamiętałem. Czy to nie Tołstoj, według Szkłowskiego, pisał w swoich dziennikach, że nie mógł sobie przypomnieć, czy wytarł kurze w salonie, czy nie? A jeśli wytarł, to jaki status miało owo przeżycie i czas, który wypełniło?

Ach, ty rosyjski formalizmie, gdzie się podziałeś w moim życiu?

Wstałem i już miałem zacząć sprzątać ze stołu, kiedy w salonie zadzwonił telefon. Lęk ścisnął mi pierś. Ale zaraz mi się przypomniało, że Geir miał wysłać SMS-a na moją komórkę. Nie było się czym denerwować.

Przeszedłem do salonu i odebrałem.

— Halo, słucham, tu Karl Ove.

Po drugiej stronie przez kilka sekund panowała cisza. W końcu ktoś się odezwał:

— To pan zgubił komórkę?

Był to głos mężczyzny. Mówił łamanym szwedzkim, tonem może nie agresywnym, lecz niezbyt życzliwym.

— Tak, zgubiłem. Ma ją pan?

— Telefon leżał w torebce mojej narzeczonej, kiedy wróciła do domu. Proszę mi opowiedzieć, w jaki sposób się tam znalazł.

Przede mną otworzyły się drzwi. Linda wstała i patrzyła na mnie zaniepokojona. Uspokoiłem ją uśmiechem i gestem uniesionej ręki.

— Stałem z telefonem w ręku na stacji metra przy Rådmannsgatan, kiedy ktoś mnie potrącił i komórka mi wypadła. Odwróciłem się do osoby, która mnie szturchnęła, dlatego nie widziałem, gdzie poleciał telefon. Ale nie słyszałem, żeby upadł na ziemię. Zauważyłem tylko kobietę z otwartą torebką na ramieniu i zrozumiałem, że komórka mogła tam wpaść.

— Dlaczego pan jej o tym nie powiedział? Dlaczego chciał pan, żeby się z panem skontaktowała?

— Bo akurat podjechał pociąg, a ja się spieszyłem. Poza tym nie miałem pewności, czy komórka wpadła do jej torebki. Nie mogłem podejść do obcej kobiety i poprosić, żeby mi pozwoliła zajrzeć.

— Pan jest z Norwegii?

— Tak.

— Okej. Wierzę panu. Dostanie pan telefon z powrotem. Gdzie pan mieszka?

— W samym śródmieściu. Regeringsgatan.

— Wie pan, gdzie jest Banérgatan?

— Nie.

— Na Östermalm. Ulica odchodząca od Strandgatan, tuż przy Karlaplan. Jest tam sklep ICA. Proszę przyjść o dwunastej, będę czekał na zewnątrz. A jeśli mnie nie będzie, komórka będzie leżeć w kasie. Proszę spytać o nią obsługę, okej?

— Dobrze. Bardzo dziękuję.

— A następnym razem niech pan będzie uważniejszy.

Rozłączył się. Linda, która usiadła na kanapie z kolanami nakrytymi kocem, patrzyła na mnie pytająco.

— O co chodzi? — spytała. — Kto dzwoni tak późno?

Roześmiała się, kiedy opowiedziałem jej, co się stało. Nie tyle z samego zdarzenia, ile z podejrzeń, jakie najwyraźniej wzbudziłem w tych ludziach. Jeśli się chce nawiązać kontakt z nieznajomą kobietą, której numeru telefonu się nie zna, cóż można wymyślić lepszego niż to, by wrzucić własny aparat do jej torebki, a potem do niej zadzwonić?

Usiadłem koło Lindy na kanapie. Przytuliła się do mnie.

— Vanja jest już w kolejce do przedszkola — oznajmiła. — Dzwoniłam tam dzisiaj.

— Naprawdę? To świetnie.

— Mam mieszane uczucia, muszę przyznać. Jest taka maleńka. Może na początku posyłalibyśmy ją na pół dnia?

— Oczywiście.

— Malutka Vanja.

Spojrzałem na Lindę. Twarz miała jakby nasyconą snem, z którego przed chwilą się wyrwała. Oczy wąskie, rysy łagodne. To niemożliwe, żeby ukradkiem popijała, miała przecież tyle uczuć dla Vanji i z tak wielką powagą traktowała rolę matki.

Nie, oczywiście, że nie. Jak coś takiego w ogóle mogło mi przyjść do głowy?

— Coś tajemniczego dzieje się w szafce w kuchni — powiedziałem. — Za każdym razem, kiedy patrzę na butelki, mam wrażenie, że jest w nich coraz mniej alkoholu. Zauważyłaś?

— Nie. Ale pewnie schodzi go więcej, niż ci się wydaje.

— Pewnie tak.

Przyłożyłem czoło do jej czoła. Jej oczy, patrzące w moje, całkiem mnie wypełniły. Przez krótką chwilę, kiedy niczego poza nimi nie widziałem, jaśniały jej życiem, którym żyła wewnątrz siebie.

— Tęsknię za tobą — wyznała.

— Przecież jestem. Chcesz mnie całego?

— No właśnie. — Złapała mnie za ręce i pociągnęła na kanapę.

Następnego dnia wstałem jak zwykle o wpół do piątej, do siódmej pracowałem nad redakcją przekładu opowiadań, a potem w milczeniu zjadłem śniadanie z Lindą i Vanją. O ósmej przyszła Ingrid po małą. Linda pojechała na uczelnię, a ja pół godziny czytałem gazety w Internecie, później zaś zacząłem odpowiadać na maile, których się trochę nazbierało. Wziąłem prysznic, ubrałem się i wyszedłem. Niebo było błękitne, nad miastem świeciło niskie słońce. Chociaż ciągle panował chłód, światło dawało złudzenie wiosny, nawet w wąskiej, zacienionej ulicy, którą szedłem w stronę Stureplan. Zdaje się, że nie tylko ja tak to odbierałem; dzień wcześniej ludzie chodzili ze spuszczonymi, wciśniętymi w ramiona głowami, natomiast teraz unosili twarze, a ze spojrzeń, kiedy się rozglądali, biły zaciekawienie i radość. Czy to otwarte, lekkie miasto było tym samym miastem, po którym chodziliśmy wczoraj, zamkniętym i smutnym? Zimowe światło przebijające się przez chmury sprawiało, że wszelkie kolory i płaszczyzny jakby przyciągały się nawzajem, minimalizowało różnice między nimi swoją szarością i słabością, natomiast ten nowy, bezpośredni, czysty blask słońca je wyostrzał. Miasto wokół mnie eksplodowało kolorami. Nie ciepłymi, biologicznymi farbami lata, tylko syntetycznie chłodnymi, mineralnymi barwami zimy. Czerwony mur, żółty mur, ciemnozielona maska samochodu, niebieski szyld, pomarańczowa kurtka, fioletowy szalik, szaroczarny asfalt, jaskrawozielony metal, błyszczący chrom. Migoczące okna, lśniące mury i iskrzące się rynny po jednej stronie, a po drugiej — czarne okna, ciemne mury i przytłumione, wręcz niewidoczne rynny. Marsz przez Birger Jarlsgatan, przy której śnieg wciąż leżał w pryzmach, z jednego brzegu migoczącą, z drugiego szarą i niemą, w zależności od tego, jak padało światło. Dalej do Stureplan i do księgarni Hedengrena; kiedy tam dotarłem, młody człowiek akurat otwierał kluczem drzwi. Zszedłem na podziemny poziom, powłóczyłem się między półkami, uzbierałem stos książek i usiadłem, żeby je przejrzeć. Kupiłem biografię Ezry Pounda, bo interesowała mnie jego filozofia pieniądza i miałem nadzieję, że coś tam na ten temat znajdę, poza tym książkę o nauce w Chinach w latach 1550–1900, następną o historii ekonomicznej świata, autorstwa niejakiego Camerona, a także opasłą, sześciusetstronicową pozycję o rdzennych mieszkańcach Ameryki, opisującą plemiona, które istniały przed nadejściem Europejczyków. Oprócz tego znalazłem jeszcze książkę Starobińskiego o Rousseau i drugą, o Gerhardzie Richterze, *Doubt and Belief in Painting*, które także kupiłem. Nie wiedziałem nic o Poundzie, ekonomii, nauce, Chinach ani Rousseau, nie wiedziałem też, czy w ogóle mnie to interesuje, ale wkrótce miałem zacząć pisać powieść i od czegoś musiałem zacząć. O Indianach myślałem od dawna. Kilka miesięcy wcześniej widziałem zdjęcie Indian w kanu — płynęli po jeziorze, na dziobie stał mężczyzna w przebraniu ptaka z rozpostartymi skrzydłami. To zdjęcie przebiło się przez wszystkie warstwy moich wyobrażeń o Indianach, wszystko, co czytałem w książkach i komiksach, co oglądałem na filmach, i przeniosło się do rzeczywistości: oni naprawdę istnieli. Naprawdę żyli ze swoimi totemami, oszczepami, łukami i strzałami, sami na ogromnym kontynencie, i nie mieli pojęcia, że życie inne niż ich jest nie tylko możliwe, lecz nawet toczy się naprawdę. To była fantastyczna myśl. Romantyzm emanujący z tego zdjęcia, z jego dzikością, owym człowiekiem ptakiem i nietkniętą przyrodą, brał więc początek w rzeczywistości, a nie odwrotnie, jak dotąd bywało. To było wstrząsające. Nie potrafię tego wyjaśnić inaczej. Wstrząsnęło mną. Wiedziałem, że muszę o tym napisać. Nie o samym zdjęciu, tylko o tym, co w sobie zawierało. Potem zaczęły napływać przeciwne myśli. Oczywiście, że Indianie kiedyś istnieli, ale już nie istnieją, zarówno oni, jak i cała ich kultura zostali dawno wytrzebieni. Po co więc o tym pisać? Przecież to już nie istnieje i nigdy więcej nie będzie istnieć. Jeśli stworzę nowy świat zawierający elementy nieistniejącego, będzie to tylko literatura, wyłącznie coś zmyślonego i właściwie bezwartościowego. Przeciwko temu mogłem zaoponować, podnosząc, że Dante, na przykład, też wszystko zmyślał, podobnie jak Cervantes i Melville. Gdyby jednak ich dzieła nie istniały, ludzie bezsprzecznie nie byliby tacy, jacy są. Więc dlaczego po prostu nie zmyślać? Literatura nie musi w stu procentach odzwierciedlać rzeczywistości, żeby mówić prawdę. To dobre argumenty, ale nie pomagały. Sama myśl o fikcji, o wyimaginowanych postaciach w wyimaginowanej akcji, wywoływała mdłości. Reagowałem na nią fizycznie. Nie miałem pojęcia dlaczego. Ale tak było. Porzuciłem więc Indian. Zostawiłem sobie jednak furtkę, bo może nie zawsze będę tak czuł.

Kiedy zapłaciłem za książki, poszedłem na Plattan, do sklepu z płytami i filmami, gdzie kupiłem trzy DVD i pięć CD, a później do Księgarni Akademickiej, w której znalazłem pracę naukową na temat Swedenborga, wydaną przez wydawnictwo Atlantis, i dorzuciłem do niej jeszcze dwa czasopisma. Żadnej z tych rzeczy nie zamierzałem czytać, jednak nie przeszkodziło mi to poczuć się lepiej. Wróciłem do domu, wyładowałem zakupy, na stojąco zjadłem kilka kanapek przy blacie w kuchni i znów wyszedłem, tym razem na Östermalm, do sklepu przy Banérgatan, do którego dotarłem punktualnie o dwunastej.

Nikogo tam nie było. Zapaliłem papierosa i czekałem. Łapałem wzrokiem mijających mnie ludzi, ale nikt się nie zatrzymał ani nie podszedł. Po piętnastu minutach wszedłem do sklepu i spytałem ekspedientkę, czy nikt nie przyniósł tu dzisiaj komórki. Owszem, przyniósł. Czy mogę ją opisać?

Opisałem. Wyjęła aparat z szuflady przy kasie i podała mi.

— Dziękuję — powiedziałem. — A kto ją oddał, wie pani?

— Tak. To znaczy nie wiem, jak się nazywa, ale to taki młody facet, pracuje tu niedaleko, w ambasadzie Izraela.

— Izraela?

— Tak.

— Aha, jeszcze raz dziękuję. Do widzenia.

— Do widzenia.

Ruszyłem wolno ulicą, uśmiechając się do siebie. Ambasada Izraela! Nic dziwnego, że był taki podejrzliwy. Telefon musiał zostać sprawdzony na wszelkie możliwe sposoby. Wszystkie SMS-y, numery telefonów… He, he, he! Włączyłem go i zadzwoniłem do Geira.

— Halo — odezwał się.

— Zadzwonili do mnie wczoraj w sprawie komórki — zacząłem. — Facet był cholernie podejrzliwy. Ale w końcu zgodził się ją oddać. Właśnie po nią przyszedłem. Zostawił ją w kasie w supermarkecie. Spytałem dziewczynę, która tam pracuje, czy wie, kto to był. Wiesz, co powiedziała?

— Oczywiście, że nie wiem.

— Ten gość był z ambasady Izraela.

— Żartujesz?

— Nie. Najpierw telefon wypada mi z ręki, ale nie na ziemię, tylko do czyjejś torebki. A jak już wpada do tej torebki, to nie do torebki jakiejś pani Svensson, tylko dziewczyny pracownika ambasady izraelskiej. Dziwne, nie?

— Z tą dziewczyną pracownika ambasady to jakiś kit. Bardziej prawdopodobne, że sama pracuje w ambasadzie i kiedy znalazła komórkę, od razu poinformowała o tym kolegów. Siedzieli, oglądając twój telefon, i głowili się, kto go mógł podrzucić i co to takiego jest. Bomba, mikrofon?

— Ale dlaczego, na miłość boską, pytał mnie o Norwegię? Chodzi o ciężką wodę? Zemstę za akcję w Lillehammer[1]?

— Niewiarygodne, jak ty się potrafisz w coś wplątać. Rosyjskie prostytutki i izraelscy agenci. I jeszcze ta pisarka, która była u was na obiedzie i zanim cokolwiek zjadła, musiała to zważyć; jak ona miała na imię?

— Maria. Ma zresztą powiązania z Rosją.

— I musiała do kogoś zadzwonić zaraz po posiłku i przekazać, co dokładnie zjadła. Cha, cha, cha!

— A jaki to ma związek?

— Nie wiem. Może chodzi o dziwne rzeczy, które się dzieją w twoim otoczeniu. Druga przyjaciółka Lindy

---

[1] W lipcu 1973 roku agenci Mossadu zabili zamieszkałego w Norwegii marokańskiego kelnera Ahmeda Bouchikhiego, podejrzanego o udział w masakrze w Monachium, zabójstwie izraelskich sportowców podczas letnich igrzysk olimpijskich.

zakochana w narkomanie, którego siostra mieszka w tym samym domu co wy. Mieszkanie znalezione przez ciebie w kamienicy, w której mieszkała Linda. Twój komputer narażony na nie wiadomo co, moknie na deszczu, wypada z pociągu na tory i nic mu się nie dzieje. Więc to, że twój telefon wpadł do torebki pracownicy ambasady Izraela, jest po prostu zupełnie naturalnym uzupełnieniem tego obrazu.

— Brzmi to interesująco i fajnie — powiedziałem. — Ale jak wiesz, prawda o moim życiu jest zupełnie inna.

— Daj spokój. Nie możemy przynajmniej raz poudawać?

— Nie. Co robisz? — spytałem.

— A jak myślisz?

— No, nie słyszę, żebyś sobie używał na backstage'u, więc pewnie piszesz.

— A i owszem. A ty?

— Idę do Filmhuset. Umówiłem się z Lindą na lunch. Pogadamy później.

— Dobrze.

Rozłączyłem się, schowałem telefon do kieszeni i przyspieszyłem kroku. Minąłem wyłączoną fontannę na Karlaplan, przeszedłem przez kwartał Feltöversten na Valhallavägen, którą dotarłem do Filmhuset; stał na skraju na wpół przysypanych śniegiem błoni Gärdet i lśnił w słońcu.

Po lunchu pojechałem metrem na Odenplan i stamtąd piechotą poszedłem do pracowni, głównie po to, żeby mieć spokój. Ingrid miała klucz od naszego mieszkania i na pewno siedziała tam z Vanją. Na kawiarnie pełne obcych ludzi i ich niespokojnych spojrzeń nie byłem przygotowany. Usiadłem za biurkiem i przez jakiś czas próbowałem pracować nad odczytem, ale wywołało to we mnie jedynie przygnębienie. Położyłem się więc na kanapie i zasnąłem. Kiedy się obudziłem, na ulicy było ciemno, dziesięć po czwartej. Dziennikarz z „Aftenposten" miał przyjść o szóstej, więc jeśli tego dnia miałem pobyć trochę z Vanją i Lindą, nie pozostawało mi nic innego, jak ubrać się i wrócić do domu.

— Jest tu kto? — zawołałem po otwarciu drzwi. Vanja przypędziła do mnie na czworakach przez przedpokój. Śmiała się, kiedy kilka razy podrzuciłem ją w powietrzu, a potem zaniosłem do kuchni, gdzie Linda mieszała w garnku.

— Danie z ciecierzycy — oznajmiła. — Nic lepszego nie wymyśliłam.

— Okej. Jak poszło dzisiaj z Vanją?

— Chyba dobrze. W każdym razie całe przedpołudnie spędziły na Junibacken[1]. Mama właśnie wyszła. Może się z nią minąłeś?

— Nie — odpowiedziałem i zabrałem Vanję na łóżko, tam znów ją trochę podrzucałem, aż mi się znudziło, wtedy posadziłem ją, czerwoną i spoconą ze śmiechu, przy kuchennym stole, a sam poszedłem do salonu sprawdzić pocztę elektroniczną. Po przeczytaniu nowych maili wyłączyłem komputer i przez okno zajrzałem do mieszkania piętro niżej po drugiej stronie ulicy, gdzie świecił inny monitor. Kiedyś widziałem przy nim mężczyznę, który się onanizował. Wydawało mu się, że nikt nie może go zobaczyć, nie przewidział, że jest widoczny z mojego okna. Był sam w pokoju, ale nie w mieszkaniu; w kuchni za ścianą siedzieli

---

[1] Junibacken — Czerwcowe Wzgórze — zbudowane głównie z myślą o dzieciach muzeum poświęcone postaciom ze szwedzkiej literatury dziecięcej, przede wszystkim z książek Astrid Lindgren.

kobieta i mężczyzna. Zdumiało mnie, jak blisko tego, co otwarte, potrafi się znajdować to, co tajemnicze.

Teraz w pokoju nikogo nie było. Tylko wirowanie świetlnych punkcików na ekranie i światło lampy w kącie, padające na krzesło i nieduży stolik z rozłożoną książką.

— Jedzenie! — zawołała Linda.

Wstałem i poszedłem do kuchni. Dochodził kwadrans po piątej.

— O której mają przyjść? — spytała. Musiała zauważyć, że patrzę na zegarek.

— O szóstej. Ale od razu wyjdziemy. Nie musisz się w ogóle pokazywać. Oczywiście możesz się z nimi przywitać, jeśli chcesz, ale naprawdę nie musisz.

— Chyba zostanę tutaj. Niewidoczna. Denerwujesz się?

— Nie, ale specjalnej ochoty też nie mam. Przecież wiesz, jak będzie.

— Nie myśl o tym. Po prostu z nimi rozmawiaj, mów, co chcesz, i nie stawiaj sobie żadnych wymagań. Potraktuj to lekko.

— Pamiętam rozmowę z Majgull Axelsson. Była ze mną na wieczorach literackich w Tvedestrand i w Göteborgu, no wiesz. Podczas tego wyjazdu zaczęła mnie otaczać taką trochę macierzyńską troską. Powiedziała, że z reguły nie czyta tego, co o niej piszą, nie ogląda nic w telewizji ani nie słucha w radiu. Traktuje to jako jednorazowe wydarzenia. Czyli coś, do czego musi się odnieść wyłącznie w danej chwili. Dzięki temu spotkania z ludźmi stają się proste, bez żadnych komplikacji. To nawet miało dla mnie sens. No ale pozostaje jeszcze kwestia próżności, prawda? Czy zostanę przedstawiony jako kompletny idiota, czy tylko jako idiota? I czy to jedynie sposób, w jaki się mnie przedstawia, czy może naprawdę ja?

— Chciałabym, żebyś zrezygnował z tych wystąpień — powiedziała Linda. — To zupełnie niepotrzebne! Zabiera ci tyle sił. Przecież stale cię angażują.

— Wiem. Skończę z tym. Będę wszystkim odmawiał.

— Jesteś takim cudownym człowiekiem. Szkoda, że nie możesz tak się poczuć.

— Bo czuję coś zupełnie odwrotnego. I to odczucie przenika wszystko. Tylko nie mów mi, że mam iść na terapię.

— Nic takiego nie powiedziałam.

— Przecież z tobą jest tak samo. Jedyna różnica polega na tym, że miewasz również okresy, w których twoje poczucie własnej wartości jest w normie, mówiąc delikatnie.

— Oby Vanji to zostało oszczędzone. — Linda spojrzała na małą. Uśmiechała się do nas. Ryż leżał rozsypany na całym stole i na podłodze. Usta miała czerwone od sosu, z przyklejonymi kilkoma białymi ziarenkami.

— Ale nie będzie — orzekłem. — To niemożliwe. Albo ma to w sobie od samego początku, albo nauczy się gdzieś po drodze. Bo tego nie da się ukrywać. Nie wiadomo tylko, czy wywrze to na nią wielki wpływ. Wcale nie musi.

— Mam nadzieję — powiedziała Linda.

Oczy jej zwilgotniały.

— W każdym razie było smaczne. — Wstałem. — Pozmywam. Powinienem zdążyć, zanim przyjdą.

Odwróciłem się do Vanji.

— Jaka duża jest Vanja? — spytałem.

Z dumą wyciągnęła rączki nad głowę.

— Taka duża — potwierdziłem. — Chodź, troszeczkę się umyjesz.

Wyjąłem ją z krzesełka i zaniosłem do łazienki, opłukałem rączki i buzię, potem przed lustrem przytuliłem policzek do jej policzka. Śmiała się.

W sypialni zmieniłem Vanji pieluchę, posadziłem ją na podłodze i poszedłem sprzątnąć ze stołu. Kiedy się z tym uporałem i zmywarka zaczęła warczeć, otworzyłem szafkę, żeby sprawdzić stan butelek.

No tak. Z butelki grappy — co do tego nie miałem najmniejszych wątpliwości, ponieważ poziom alkoholu był równy z krawędzią etykietki — trochę ubyło od poprzedniego dnia. Koniak stał w innym miejscu, a jego ilość, chociaż w tym wypadku takiej pewności nie miałem, też zmalała. Co tu się wyprawia, do cholery jasnej?

Nie wierzyłem, że mogła to zrobić Linda. A już na pewno nie po naszej wczorajszej rozmowie.

No ale przecież innych osób tu nie było. Nie mieliśmy żadnej pomocy do sprzątania ani nikogo takiego.

O, jasna cholera!

Ingrid.

Była tu dzisiaj. I wczoraj. To musiała być Ingrid. Jasne jak słońce.

Czy to oznacza, że piła w trakcie opieki nad Vanją? Wlewała w siebie alkohol, gdy wnuczka kręciła jej się pod nogami?

To z kolei oznaczałoby, że jest alkoholiczką. Vanja była dla niej wszystkim. Ze względu na nią nie podejmowałaby zbędnego ryzyka. Jeśli więc piła, musiało to być silniejsze od niej i dlatego gotowa była ryzykować.

Boże w niebiosach, zmiłuj się.

Usłyszałem kroki Lindy, zbliżające się od strony sypialni, więc zamknąłem szafkę, podszedłem do blatu, wziąłem do ręki ścierkę i przetarłem stół. Była za dziesięć szósta.

— Pójdę zapalić przed ich przyjściem, dobrze? — odezwałem się. — Jeszcze trochę zostało do zrobienia, ale…

— Jasne, idź. Weźmiesz po drodze śmieci?

W tej chwili rozległ się dzwonek do drzwi. Poszedłem otworzyć. Uśmiechał się do mnie młody brodaty mężczyzna z torbą przewieszoną przez ramię. Za nim stał nieco starszy, o ciemniejszej karnacji, z dużym pokrowcem na aparat fotograficzny na ramieniu i z aparatem w ręku.

— Dzień dobry. — Młody wyciągnął rękę. — Kjetil Østli.

— Karl Ove Knausgård — odpowiedziałem.

— Bardzo mi przyjemnie.

Uścisnąłem dłoń fotografowi i zaprosiłem ich do środka.

— Napijecie się kawy?

— Tak, chętnie.

Poszedłem do kuchni po termos z kawą i trzy filiżanki. Kiedy wróciłem, stali i rozglądali się po salonie.

— Tutaj mógłby człowieka zasypać śnieg — stwierdził dziennikarz. — Niemało ma pan książek!

— Większości nie czytałem. A z tych, które czytałem, nic nie pamiętam.

Był młodszy, niż sądziłem. Zwiodła mnie jego broda, nie mógł mieć więcej niż dwadzieścia sześć czy siedem lat. Miał duże zęby, wesołe oczy, sprawiał wrażenie beztroskiego i wesołego. Ten typ nie był mi obcy. Poznałem wielu podobnych do niego, ale nie w czasach, gdy dorastałem, tylko w ostatnich latach. Mogło to mieć związek z klasą społeczną, miejscem pochodzenia lub pokoleniem, a prawdopodobnie ze wszystkim naraz. Klasa średnia z południa Norwegii, zgadywałem. Możliwe, że jego rodzice są akademikami. Dobre wychowanie, pewność siebie, bystra głowa, talenty towarzyskie. Człowiek, który do tej pory nie napotkał żadnych znaczących przeszkód, takie wrażenie odniosłem w ciągu pierwszych kilku minut. Fotograf był Szwedem, co utrudniło mi uchwycenie niuansów jego zachowania.

— W zasadzie postanowiłem, że nie będę już udzielał wywiadów. Ale w wydawnictwie powiedzieli mi, że pan jest świetny i że w żadnym razie nie mogę przepuścić takiej okazji. Mam nadzieję, że mieli rację.

Małe pochlebstwo nigdy nie zaszkodzi.

— Też mam taką nadzieję — uśmiechnął się dziennikarz.

Nalałem im kawy.

— Mogę zrobić tu kilka zdjęć? — spytał fotograf.

Kiedy się zawahałem, zapewnił mnie, że na zdjęciu będę tylko ja, żadnych szczegółów otoczenia.

Dziennikarz pierwotnie chciał przeprowadzić wywiad w domu, nie zgodziłem się, ale kiedy zadzwonił, by ustalić ostateczne miejsce spotkania, zaproponowałem, żeby jednak na początek tu zajrzeli. Zorientowałem się, że go to ucieszyło.

— Okej — odparłem. — Tutaj?

Stanąłem przed regałem na książki z filiżanką w ręku, a on chodził wokół mnie i fotografował.

Co za szatańskie gówno!

— Może pan lekko unieść rękę?

— A to nie będzie wyglądało sztucznie?

— No, to zostawimy tak.

Usłyszałem, że przez przedpokój pełznie Vanja. Usiadła w drzwiach i patrzyła na nas.

— Cześć, Vanju — powiedziałem. — Strasznie tu dużo groźnych facetów? Ale mnie przecież znasz... — Wziąłem ją na ręce. W tej samej chwili pojawiła się Linda. Krótko się przywitała, zabrała Vanję i wróciła do kuchni.

A więc wszystko, czego mieli nie zobaczyć, już zobaczyli. Wszystko, co było mną, co było moje, sztywniało i stawało się sztuczne, gdy tylko spoczął na tym czyjś wzrok. Nie chciałem, żeby tak było. Cholera jasna, nie chciałem. A jednak kolejny raz stałem tutaj i uśmiechałem się jak idiota.

— Mogę pstryknąć jeszcze kilka? — spytał fotograf.

Znów się ustawiłem.

— Pewien fotograf wyznał mi kiedyś, że robienie mi zdjęć przypomina fotografowanie drewnianego kołka — powiedziałem.

— To musiał być marny fotograf — odparł.

— Ale rozumie pan, o czym mówię?

Zatrzymał się, odsunął aparat od twarzy, uśmiechnął się i znów zaczął pstrykać.

— Pomyślałem, że możemy iść do Pelikana — zwróciłem się do dziennikarza. — Często tam chodzę. Tam nie ma muzyki. To miejsce powinno pasować.

— Wobec tego chodźmy.

— Ale najpierw zrobimy kilka ujęć na zewnątrz, a potem was puszczę — wtrącił fotograf.

W tej chwili zadzwoniła komórka dziennikarza. Spojrzał na wyświetlacz.

— Przepraszam, muszę odebrać.

Rozmowa, trwająca nie dłużej niż minutę, góra dwie, dotyczyła opadów śniegu, samochodu, rozkładu jazdy pociągów i domku w górach. Rozłączył się i spojrzał na mnie.

— W weekend wybieram się z przyjaciółmi w góry, do ich domku. Dzwonił człowiek, który odbierze nas z pociągu. Staruszek stamtąd, który zawsze nam pomaga.

— Miło się zapowiada — powiedziałem.

Wyjazd w góry z przyjaciółmi. Nigdy w czymś takim nie uczestniczyłem. Kiedy chodziłem do liceum i jeszcze przez parę lat na uniwersytecie, bardzo mnie to martwiło, to był mój czuły punkt. Prawie nie miałem przyjaciół. A tych nielicznych znałem każdego z osobna. Teraz byłem już za stary, żeby się przejmować takimi rzeczami, lecz mimo to poczułem ukłucie żalu, jakby w imieniu mojego dawnego ja.

Dziennikarz włożył komórkę do kieszeni, filiżankę odstawił na stół. Fotograf schował aparat do torby.

— To co, idziemy? — spytałem.

Poczułem się trochę nieprzyjemnie, kiedy ubieraliśmy się w przedpokoju. Był taki mały, że znaleźli się bardzo blisko mnie, a nikt nic nie mówił. Krzyknąłem do Lindy: „cześć", i zeszliśmy po schodach przed dom. Na zewnątrz od razu zapaliłem papierosa. Panowało przenikliwe zimno. Fotograf pociągnął mnie na schodki po drugiej stronie ulicy, pozowałem kilka minut z papierosem schowanym w dłoni, aż w końcu powiedział, że chętnie go ujmie na zdjęciu, jeżeli mi to nie przeszkadza. Rozumiałem go, wtedy na zdjęciu coś się działo, więc stałem na tych schodach i paliłem, fotograf pstrykał, przesuwałem się według jego wskazówek, obserwowany przez mijających mnie pieszych, aż w końcu przemieściliśmy się do wejścia do tunelu, gdzie pstrykał przez dalszych pięć minut, zanim w końcu był usatysfakcjonowany. Odszedł, a ja w milczeniu ruszyłem z dziennikarzem przez wzgórze do stacji metra po drugiej stronie. Skład wjechał na peron prawie od razu. Wsiedliśmy i zajęliśmy miejsca przy oknie naprzeciwko siebie.

— Jazda metrem ciągle kojarzy mi się z Norway Cup — powiedziałem. — Kiedy czuję ten specyficzny zapach na stacjach, właśnie o tym myślę. Przyjechałem do Oslo z małego miasta i kolejka była najbardziej egzotyczną rzeczą, jaką widziałem. I pepsi-cola. Tego też u nas nie było.

— Długo pan grał w piłkę?

— Do osiemnastego roku życia. Ale nigdy nie byłem dobry. Grałem na niskim poziomie.

— Wszystko, co pan robi, jest na niskim poziomie? Swoich książek w domu pan nie czytał, tak pan powiedział. A w wywiadach, które czytałem, często pan powtarza, że to czy tamto, co pan robi, jest niedobre lub wręcz złe. Nie za dużo samokrytyki?

— Nie, nie wydaje mi się. Zależy, gdzie się ustawi poprzeczkę.

Wyjrzał przez okno, bo pociąg wyjeżdżał właśnie z tunelu przy T-Centralen.

— Sądzi pan, że zdobędzie nagrodę? — spytał.

— Rady Nordyckiej?

— Tak.

— Nie.

— A kto ją dostanie?

— Monica Fagerholm.

— Taki pan jest pewny?

— To bardzo dobra powieść. Napisana przez kobie-

tę, a poza tym Finlandia już dawno nie dostała nagrody. To oczywiste, że właśnie ona zwycięży.

Znów zapadła cisza. Strefa przed wywiadem i po nim zawsze była mglista. On, nieznajomy, znalazł się tu, by jak najgłębiej grzebać w moim wnętrzu, ale jeszcze nie teraz, ta sytuacja jeszcze się nie zaczęła, na razie nie obowiązywał żaden podział ról. Byliśmy sobie równi, lecz nie mieliśmy żadnych punktów stycznych, a mimo to musieliśmy rozmawiać.

Myślałem o Ingrid. O swoich podejrzeniach nie mogłem nikomu powiedzieć, nawet Lindzie, dopóki nie zyskam absolutnej pewności, że mam rację. Musiałem po prostu oznaczyć butelki. Postanowiłem zrobić to jeszcze tego wieczoru. Jeśli alkoholu znowu ubędzie, zacznę działać.

Dojechaliśmy do Skanstull, wysiedliśmy bez słowa, miasto wokół nas migotało w ciemności, doszliśmy do

Pelikana, znaleźliśmy stolik w głębi lokalu i tam rozmawialiśmy przez półtorej godziny o mnie i moich sprawach, potem wstałem i wyszedłem, a dziennikarz został, ponieważ miał wracać samolotem do Norwegii dopiero nazajutrz. Jak zawsze po dłuższych wywiadach, czułem się wypompowany, zdrenowany jak rów. Jakbym zdradził siebie. Już samo siedzenie z tym dziennikarzem świadczyło o przyjęciu przeze mnie założenia, że dwie książki, które napisałem, są dobre i ważne, a ja, ich autor, jestem wyjątkowym i interesującym człowiekiem. To stanowiło przecież punkt wyjścia do rozmowy, a zatem wszystko, co mówiłem, było ważne. Gdybym nie powiedział nic ważnego, oznaczałoby to, że coś ukrywam. No bo to ważne przecież musi gdzieś być! Kiedy więc na przykład opowiadałem o dzieciństwie, o czymś kompletnie zwyczajnym i normalnym, czego każdy doświadczył, stawało się to ważne, ponieważ wychodziło z moich ust. Mówiło coś o mnie, o autorze dwóch dobrych i ważnych książek. Na taką ocenę stanowiącą punkt wyjścia nie tylko się zgodziłem, ale zrobiłem to z ochotą. Siedziałem i paplałem jak papuga w zoo. W dodatku postąpiłem tak z pełną świadomością, jak wygląda rzeczywistość. No bo jak często w Norwegii ukazuje się dobra i ważna książka? Mniej więcej raz na dziesięć – dwadzieścia lat. Ostatnią dobrą norweską powieścią była *Fyr og Flamme* Kjartana Fløgstada, a przecież została wydana w roku 1980, dwadzieścia pięć lat temu. Poprzednią dobrą pozycją były *Ptaki* Vesaasa, które wyszły w 1957 roku, czyli jeszcze dwadzieścia trzy lata wcześniej. A ile norweskich powieści wydano w tym czasie? Tysiące! Dziesiątki tysięcy! Nieliczne niezłe, trochę więcej w połowie dobrych, większość słabych. Tak po prostu jest, nie ma w tym nic nadzwyczajnego, wszyscy o tym wiedzą. Co innego stanowi problem, a mianowicie sposób, w jaki traktuje się ową twórczość, cała ta otoczka, te hymny pochwalne, które przeciętni pisarze ssą jak dropsy, i to, co po zaakceptowaniu swojego fałszywego obrazu głoszą w gazetach i w telewizji.

Wiem, o czym mówię, bo jestem jednym z nich.

Gotów byłem sam sobie urwać głowę z rozgoryczenia i wstydu, że pozwoliłem się zwabić do tego świata. I to nie raz, lecz wiele razy. Jeśli przez te lata nauczyłem się czegoś, co wydaje mi się niezmiernie ważne akurat w naszych czasach, tak nabrzmiałych przeciętnością, jest to rzecz następująca:

Niech ci się nie wydaje, że jesteś kimś[1].

Niech ci się, do jasnej cholery, nie wydaje, że jesteś kimś.

Bo nie jesteś. Jesteś po prostu przeciętnym, zarozumiałym gówniarzem.

Nie sądź, że jesteś kimś, nie sądź, że jesteś coś wart, bo nie jesteś. Jesteś po prostu gówniarzem.

Więc spuść głowę i bierz się do roboty, gówniarzu. Przynajmniej będziesz coś z tego miał. Zamknij gębę, spuść głowę, pracuj i wiedz, że jesteś gówno wart.

Mniej więcej tego się nauczyłem.

Tyle przyniosły mi moje doświadczenia.

To była, niech mnie diabli porwą, jedyna prawda, do jakiej kiedykolwiek doszedłem.

Ale to dopiero jedna strona problemu. Druga wyglądała tak, że niesłychanie zależało mi na tym, aby

---

1 Pierwsza zasada prawa Jante, opisanego w powieści norweskiego pisarza duńskiego pochodzenia Aksela Sandemosego *En flyktning krysser sitt spor* zestawu nieformalnych zasad obowiązujących w społeczności fikcyjnego duńskiego miasteczka Jante, które można podsumować: „Nikt nie jest wyjątkowy".

być lubianym, i to od dziecka. Od siódmego roku życia przykładałem niezwykłą wagę do opinii na swój temat. Kiedy więc gazety okazywały zainteresowanie moją pracą i moją osobą, z jednej strony potwierdzało to, że jestem lubiany, dlatego jedna część mnie ulegała im z wielką ochotą i radością, ale z drugiej strony stawało się to wręcz nierozwiązywalnym problemem, ponieważ nie dało się już kontrolować, co inni o mnie myślą, z tego prostego powodu, że nie znałem i nie widziałem tych ludzi. Dlatego za każdym razem, gdy w udzielonym przeze mnie wywiadzie znalazło się coś, czego nie powiedziałem lub co zostało przeinaczone, poruszałem niebo i ziemię, żeby to wyprostować. Jeśli się nie dało, mój obraz siebie płonął ze wstydu. To, że ciągle ulegałem i raz po raz siadałem twarzą w twarz z dziennikarzem, wynikało stąd, że pragnienie pochwał było silniejsze zarówno od lęku przed wyjściem na idiotę, jak i od dążenia do ideału jakości, a poza tym rozumiałem, że jest to potrzebne, aby dotrzeć z moimi książkami do czytelników. Po napisaniu powieści *Wszystko ma swój czas* oświadczyłem Geirowi Gulliksenowi, że nie będę już udzielał wywiadów, ale po rozmowie z nim zmieniłem zdanie. Często tak na mnie działał, no i przede wszystkim winien to byłem wydawnictwu, tak sobie tłumaczyłem. Ale to nie wystarczało: byłem przecież pisarzem, a nie sprzedawcą czy dziwką.

To był jeden wielki pasztet. Często się skarżyłem, że w gazetach wychodzę na idiotę, ale przecież nikt nie był temu winien oprócz mnie, bo kiedy porównywałem sposób, w jaki przedstawiani są inni pisarze, to na przykład Kjartan Fløgstad nigdy na idiotę nie wychodził. Fløgstad miał w sobie jakąś integralność, stał niczym słup, bez względu na to, co się działo wokół niego, i — jak się domyślałem — musiał należeć do rzadkiego gatunku ludzi pełnych.

No i nie mówił o sobie.

A co ja przed chwilą zrobiłem? Mówiłem o sobie, właściwie wyłącznie o sobie.

Podałem bilet wieloprzejazdowy kolorowemu kontrolerowi w okienku; mocno przybił stempel i z obojętną miną pchnął go z powrotem w moją stronę. Znów zjechałem pod ziemię ruchomymi schodami, przeszedłem tunelem na wąski peron i stwierdziwszy, że następny pociąg będzie za siedem minut, usiadłem na ławce.

Pod koniec tamtej jesieni, kiedy ukazała się *Ute av verden*, dziennikarz wiadomości z telewizji TV2 chciał przeprowadzić ze mną wywiad. Zabrał mnie z domu, pojechaliśmy na przystań promów żeglugi przybrzeżnej, gdzie się to miało odbyć, i po drodze, mniej więcej na wysokości budynku Høyteknologibygget przy końcu Nygårdsparken, odwrócił się i spytał, kim jestem.

— Kim pan właściwie jest?

— O co panu chodzi?

— No, Erik Fosnes Hansen to przemądrzałe, kulturowo konserwatywne cudowne dziecko. Roy Jacobsen to pisarz Partii Pracy. Vigdis Hjorth to seksowna, zapijaczona pisarka. No a pan? Nic o panu nie wiem.

Wzruszyłem ramionami. Śnieg migotał w słońcu.

— Nie mam pojęcia — powiedziałem. — Może jestem zwykłym facetem?

— A tam. Musi mi pan coś dać. Na przykład coś, co pan robił.

— Pracowałem trochę tu, trochę tam. Studiowałem trochę. *You know*...

Aż odwrócił się na siedzeniu. Później rozwiązał problem w taki sposób, że użył obrazu zamiast słów: pod koniec wywiadu wmontował całe mnóstwo pauz i wahania, co miało ilustrować moją osobowość, i zakończył moim stwierdzeniem: „Ibsen powiedział, że najsilniejszym człowiekiem na świecie jest ten, kto jest zupełnie sam[1]. Wydaje mi się, że się mylił".

Kiedy siedziałem na ławce na stacji metra i przypłynęło do mnie wspomnienie tej wypowiedzi, uniosłem ręce nad głowę i zacząłem głęboko oddychać.

Jak mogłem powiedzieć coś takiego?

Czy ja w to wtedy wierzyłem?

Owszem, wierzyłem. Ale wyrażałem przemyślenia swojej matki, to ją, nie mnie, interesowały relacje między ludźmi i uważała, że tylko one mają wartość. To znaczy — wtedy tak, wtedy w to wierzyłem. Ale nie na podstawie osobistych doświadczeń, to była po prostu jedna z rzeczy, które przyjmowałem.

Ibsen miał rację. Wszystko, co widziałem wokół siebie, tylko to potwierdzało. Relacje istniały po to, by wyeliminować indywidualność, uwięzić wolność, przytrzymać to, co chciało się wydostać. Moja matka nigdy tak się nie złościła, jak podczas rozmów o wolności. Kiedy przedstawiałem swoje poglądy, prychała, że to jakaś amerykańska moda, wyobrażenie bez treści, puste i kłamliwe. Istniejemy dla innych. Ale przecież ta idea stworzyła owo na wskroś usystematyzowane życie, które było naszym udziałem, w którym całkiem zniknęła nieprzewidywalność, i drogę od przedszkola, przez szkołę i uniwersytet, aż do pracy mogliśmy przebyć niczym w tunelu, z przekonaniem, że dokonaliśmy wolnego wyboru, podczas gdy w rzeczywistości już od pierwszego dnia szkoły ludzi odsiewano jak ziarenka piasku; niektórych kierowano do praktycznego życia zawodowego, innych do teoretycznego, jednych na

[1] Henrik Ibsen, *Wróg ludu*, przeł. Cecylia Wojewoda, w: *Dramaty*, Warszawa 1956, s. 474.

szczyt, drugich na dno, a jednocześnie wpajano nam, że wszyscy są równi. Właśnie ta idea sprawiła, że przynajmniej moje pokolenie oczekiwało pewnych rzeczy od życia, żyliśmy w przekonaniu, że coś się nam należy, naprawdę należy, i jeśli jakieś sprawy nie przebiegały zgodnie z planem, szukaliśmy winy w przeróżnych okolicznościach, ale nigdy w sobie. Kiedy nadeszło tsunami, a ludzie nie otrzymali natychmiastowej pomocy, wściekaliśmy się na państwo. Czuliśmy rozgoryczenie, gdy nie dostawaliśmy takiego stanowiska, na jakie zasługiwaliśmy. Jakie to żałosne. Właśnie owa idea sprawiła, że upadek przestał być ewentualnością dla wszystkich, z wyłączeniem tych najsłabszych, bo pieniądze dostawało się zawsze, a egzystencja w czystej postaci, proste życie, w którym staje się oko w oko ze skrajną nędzą czy innym niebezpieczeństwem, przestało istnieć. Ta idea przyniosła nam kulturę, w której

najwięksi przeciętniacy perorowali w mediach, głosząc swoje niby-odkrywcze myśli, syci i ogrzani, i sprawiła, że pisarzy takich jak Lars Saabye Christensen czy inny tego typu czczono, jakby byli Wergiliuszami, i proszono, by usadowieni na kanapie, opowiadali, czy piszą długopisem, na maszynie do pisania, czy na komputerze, i o jakiej porze doby to robią. Nienawidziłem tego. Nie chciałem o tym słuchać. Ale kto opowiadał dziennikarzom, jak pisze swoje przeciętne książki, jakby był gigantem literatury, tytanem słów, jeśli nie ja sam?

Jak można przyjmować oklaski za coś, co się zrobiło, ze świadomością, że to nie jest dostatecznie dobre?

Miałem jedną szansę. Musiałem przeciąć wszelkie więzy ze schlebiającym, na wskroś skorumpowanym światem kultury, w którym wszystko, każde najmniejsze gówienko, było na sprzedaż, przeciąć wszelkie więzy z pustym światem telewizji i gazet, usiąść gdzieś ɩcząć na poważnie czytać, ale nie literaturę współczesną, tylko tę najwyższej jakości, a potem pisać, tak jakby od tego zależało moje życie. Nawet przez dwadzieścia lat, jeśli taka będzie potrzeba.

Tej szansy nie mogłem jednak wykorzystać. Miałem rodzinę i byłem jej winien swoją obecność. Miałem przyjaciół. I słabość charakteru, przez którą mówiłem: tak, tak, chociaż myślałem: nie, nie, i tak się bałem zranić innych, tak się bałem konfliktów, tak się bałem, że mnie znielubią, że rezygnowałem z wszelkich zasad, z wszelkich marzeń, z wszelkich szans, ze wszystkiego, co miało smak prawdy, byle tego uniknąć.

Byłem dziwką. To jedyne trafne określenie.

Kiedy pół godziny później zamykałem za sobą drzwi mieszkania, z salonu dobiegły mnie głosy. Zajrzałem i zobaczyłem, że przyszła Mikaela. Siedziały z Lindą na kanapie z kubkami herbaty w rękach. Na stole przed nimi stał świecznik z trzema palącymi się świecami, a także półmisek z serami i koszyk pełen różnych rodzajów herbatników.

— Cześć, Karl Ove, jak ci poszło? — spytała Linda.

Uśmiechnęły się do mnie.

— Chyba okej. — Wzruszyłem ramionami. — Nie ma o czym mówić.

— Napijesz się z nami herbaty i zjesz trochę sera?

— Nie, dziękuję.

Zdjąłem szalik, powiesiłem go w szafie razem z kurtką, rozwiązałem sznurowadła i postawiłem buty na półce pod ścianą. Podłoga pod nią była zupełnie szara od piasku i żwiru. Pomyślałem, że trochę z nimi posiedzę, żeby nie wyjść na kompletnego gbura, i wszedłem do pokoju.

Mikaela opowiadała o swoim spotkaniu z ministrem kultury, Leifem Pagrotskym. Mówiła, że ten malusieńki człowieczek siedział na wielkiej kanapie z ogromną poduchą na kolanach, którą cały czas ściskał, a nawet, według jej słów, gryzł. Darzyła go jednak ogromnym szacunkiem, bo był niesamowicie bystry i ogromnie kompetentny. Co do kwalifikacji samej Mikaeli nie miałem całkowitej pewności, ponieważ spotykałem się z nią jedynie w sytuacjach towarzyskich, ale najwyraźniej okazywały się wystarczające, skoro w wieku ledwie trzydziestu lat przechodziła z jednego kierowniczego stanowiska na drugie. Jak wiele znanych mi dziewczyn, była blisko związana z ojcem, który zajmował się czymś w dziedzinie literatury. Z matką, wymagającą panią, która mieszkała sama w Göteborgu, o ile dobrze zrozumiałem, łączyły ją bardziej skomplikowane relacje. Mikaela często zmieniała partnerów; niezależnie od tego, jak bardzo się od siebie różnili, jedną cechę mieli wspólną: zawsze ich przewyższała intelektualnie.

Ze wszystkiego, co powiedziała w ciągu tych trzech lat od naszego pierwszego spotkania, zapamiętałem szczególnie jedno. Siedzieliśmy w barze w Folkoperan, a ona opowiadała o swoim śnie. Była na jakiejś imprezie i nie miała na sobie spodni, była naga od pasa w dół, mniej więcej tak jak Kaczor Donald. Trochę się tego wstydziła, ale nie tylko, czuła również, że jest w tym coś uwodzicielskiego, a potem bez żadnych zahamowań położyła się na stole z wypiętym tyłkiem. Jak sądzimy, co to może znaczyć?

Taak, co to mogło znaczyć?

Kiedy o tym opowiadała, przypuszczałem, że albo nie mówi prawdy, albo osoby zebrane wokół stołu wiedzą o niej coś więcej niż ja, bo chyba nie chciała, żeby wszyscy wiedzieli o tym, o czym świadczył jej sen. To maźnięcie pędzlem naiwności, tak nieoczekiwane w jej zwykle wyrafinowanym zachowaniu, sprawiło, że od tej pory patrzyłem na nią z sympatią i ze zdziwieniem. Może o to chodziło? Tak czy owak, wysoko ceniła Lindę i od czasu do czasu zwracała się do niej z prośbą o radę, bo tak jak ja miała świadomość niezaprzeczalnej intuicji Lindy i jej gustu. W niektórych sytuacjach nadmiernie koncentrowała się na sobie, ale nie było to wcale dziwne ani niewybaczalne, poza tym jej opowieści o kulisach władzy zawsze były interesujące, przynajmniej dla mnie, tak bardzo oddalonego od tej sfery życia. Gdyby odwrócić perspektywę i spojrzeć z jej punktu widzenia, wyglądałoby to w ten sposób, że przyszła z wizytą do bliskiej, ale kruchej przyjaciółki i jej milczącego męża, więc nie miała innego wyjścia, jak podjąć inicjatywę i ofiarować tej małej rodzinie jakąś cząstkę swojej radości i siły. Była matką chrzestną Vanji i przyjechała na jej chrzciny; zrobiła tak dobre wrażenie na mojej matce, że mamie wciąż zdarzało się o nią pytać. Mikaela z zainteresowaniem słuchała tego, co mama mówi, i pomogła jej przy zmywaniu, kiedy przyjęcie zbliżało się do końca, a więc wykazała zrozumienie dla sytuacji, jakiego nigdy nie wykazała Linda, co jeszcze wzmogło mroczne iskrzenie, do którego dochodziło między nią a mamą. Po to właśnie istnieją formy — pomagają nam być razem, same w sobie są oznaką przyjaźni albo dobrej woli i dzięki nim można wytrzymać większe jednostkowe odstępstwa od normy, większą idiosynkrazję, czego, niestety, idiosynkratyczne osoby nigdy nie zrozumieją, ponieważ niezrozumienie tego leży w samej istocie idiosynkrazji. Linda nie chciała obsługiwać gości przy stole, chciała, żeby ją obsługiwano, a w konsekwencji nie mogła na to liczyć. Natomiast Mikaela obsługiwała, zatem mogła liczyć na obsługiwanie. Po prostu. To, że mamie Mikaela tak się spodobała, ukłuło mnie głęboko również dlatego, że Linda miała w sobie zupełnie inne bogactwo i inną nieprzewidywalność. Nagłe przepastne głębie, nieoczekiwane porywy, ogromne mury oporu. Wysiłki, by wszystko szło jak z płatka, zmierzające do zniwelowania oporu, to przeciwieństwo sztuki, to przeciwieństwo mądrości, której istotą jest jego pokonywanie. Należy odpowiedzieć sobie na pytanie, co się wybiera, ruch bliski życiu, czy też przestrzeń poza ruchem, tę, w której mieści się sztuka, lecz również w pewnym sensie śmierć?

— Jednak napiję się herbaty — stwierdziłem.

— Pijemy ziołową — odparła Linda. — Takiej raczej nie chcesz. Ale woda w kuchni na pewno jest jeszcze gorąca.

— Rzeczywiście, ziołowej nie będę pił — powiedziałem i wyszedłem do kuchni. Czekając, aż woda się zagotuje, wziąłem do ręki ołówek, stanąłem na krześle

przy szafce i zacząłem znaczyć butelki. Narysowałem malutkie kropki na etykietach, tak malutkie, że aby je dostrzec, trzeba było o nich wiedzieć.

Zachowywałem się jak ojciec nastolatka i czułem się okropnie głupio, a jednocześnie nie widziałem innego sposobu na rozwiązanie tej zagadki. Nie chciałem, żeby osoba, która opiekuje się moim dzieckiem i która oprócz Lindy i mnie ma z nim najwięcej do czynienia, piła w tym czasie alkohol.

Wrzuciłem torebkę herbaty do kubka i zalałem wrzątkiem. Spojrzałem przez okno na Nalen, gdzie kucharze myli podłogę wodą z węża, a zmywarki parowały. Po odgłosach dochodzących z salonu zorientowałem się, że Mikaela wybiera się już do domu. Wyszedłem do przedpokoju, żeby się z nią pożegnać. Potem usiadłem przy komputerze, otworzyłem Internet, sprawdziłem pocztę — nic nie przyszło — zajrzałem do paru portali gazetowych, po czym wpisałem w Google własne nazwisko. Trochę ponad dwadzieścia dziewięć tysięcy trafień. Ta liczba na zmianę rosła i malała, była czymś w rodzaju indeksu. Przerzuciłem kilka stron i kliknąłem na chybił trafił. Unikałem wywiadów i recenzji, ale wszedłem na kilka blogów. Na jednym przeczytałem, że moje książki nie nadają się nawet do podtarcia tyłka. Trafiłem też na stronę jakiegoś niedużego wydawnictwa albo czasopisma. Moje nazwisko znalazło się w podpisie pod zdjęciem Olego Roberta Sundego; było tam napisane, że mówił wszystkim, kto tylko chciał go słuchać, jak słaba jest ostatnia książka Knausgårda. Potem trafiłem na dokumenty jakiegoś sporu sąsiedzkiego, w który zamieszany był najwyraźniej jeden z moich krewnych. Chodziło o ścianę garażu o kilka metrów za krótką lub za długą.

— Co robisz? — spytała Linda.

— Szukam w Googlach samego siebie. To jakaś cholerna puszka Pandory. Nie uwierzyłabyś, co ludzie potrafią napisać.

— Nie zajmuj się tym. Przyjdź tutaj, usiądź koło mnie.

— Zaraz przyjdę. Tylko jeszcze coś sprawdzę.

Następnego dnia rano, kiedy Ingrid zabrała Vanję mniej więcej koło ósmej, wyszedłem do pracowni. Siedziałem tam do trzeciej, pracując nad odczytem, a do domu wróciłem o wpół do czwartej. Linda leżała w wannie. Wybierała się na kolację z Christiną. Sprawdziłem butelki w kuchni. W dwóch ubyło alkoholu.

Poszedłem do Lindy i usiadłem na sedesie.

— Cześć — uśmiechnęła się. — Kupiłam sobie dzisiaj bombę kąpielową.

Wanna była pełna piany. Kiedy Linda uniosła rękę, żeby trochę się podsunąć, z ramienia zwisał jej biały płat.

— Widzę — powiedziałem. — Musimy porozmawiać.

— Tak?

— Chodzi o twoją matkę. Pamiętasz, mówiłem, że ostatnio jakoś dziwnie znika alkohol.

Kiwnęła głową.

— Wczoraj narysowałem znaczki na etykietach, żeby to sprawdzić. Ktoś pił z tych butelek. Jeśli nie ty, musiała to zrobić twoja matka.

— Mama?

— Tak. Pije, kiedy siedzi tu z Vanją. Piła przez cały tydzień i chyba nie ma powodu, by przyjąć, że zaczęła dopiero teraz.

— Jesteś pewien?

— Owszem. Tak jak tylko można być pewnym.

— To co zrobimy?

— Powiemy jej, że wiemy, co się dzieje. I że to dla nas nie do zaakceptowania.

— Jasne.

Umilkła.

— Kiedy wrócą? — spytałem po chwili.

— Koło piątej — odparła, patrząc na mnie.

— Co proponujesz?

— Powiedzmy jej od razu. Po prostu postawmy ultimatum. Jeżeli to się powtórzy, nie będzie mogła zostawać sama z Vanją.

— Dobrze — zgodziłem się.

— To pewnie trwa od lat. — Linda jakby zapadła się w siebie. — I sporo tłumaczy. Bywała przecież tak niewiarygodnie podminowana, prawie nie dawało się nawiązać z nią kontaktu.

Wstałem.

— Tego nie wiemy — stwierdziłem. — Możliwe, że ma to jakiś związek z Vidarem. Może kompletnie się pogubiła i jest nieszczęśliwa.

— Człowiek w wieku ponad sześćdziesięciu lat nie zaczyna pić dlatego, że jest nieszczęśliwy. To musiała być jakaś jej metoda. Od dawna.

— Wrócą za pół godziny. Zostawiamy tę sprawę na później czy bierzemy się do niej od razu, żeby mieć to za sobą?

— Chyba nie ma co zwlekać. Ale jak jej to powiemy? Nie mogę z nią rozmawiać w cztery oczy. Wyprze się wszystkiego i w taki czy inny sposób przerzuci to na mnie. Spróbujemy razem?

— Coś w rodzaju narady rodzinnej?

Linda wzruszyła ramionami i rozłożyła ręce w wannie pełnej piany.

— Już sama nie wiem — powiedziała.

— To zbyt skomplikowane. No i wypadłoby dwoje na jedną. Jak jakiś trybunał oskarżający. Mogę sam się tym zająć. Zabiorę ją z domu i porozmawiam z nią.

— Naprawdę chcesz to zrobić?

— Chcę? To ostatnia rzecz, jakiej bym chciał. To przecież moja teściowa, do diabła! Chcę jedynie odrobiny przyzwoitości, godności i spokoju.

— Cieszę się, że to załatwisz.

— Widzę, że mimo wszystko podchodzisz do tego z dużym spokojem.

— Bo nieprzewidziane kryzysowe sytuacje to chyba jedyne chwile, kiedy osiągam całkowity spokój. Zostało mi to z dzieciństwa. Wtedy to była norma. Jestem do tego przyzwyczajona. Ale też jestem wściekła, żebyś wiedział. Przecież właśnie teraz jej potrzebujemy. Ma być ważną osobą dla naszych dzieci. Prawie nie mają rodziny. Nie może nas zawieść. Nie pozwolę jej na to, nawet gdybym miała sama interweniować.

— Dzieci? — zdziwiłem się. — Czyżbyś miała na myśli coś, o czym nie wiem?

Uśmiechnęła się i pokręciła głową.

— Nie. Ale chyba coś czuję.

Wyszedłem z łazienki, zamknąłem za sobą drzwi i stanąłem przy oknie w salonie. Słuchałem, jak woda wpada do odpływu, patrzyłem na pochodnię migoczącą na wietrze przed kawiarnią po drugiej stronie wąskiej uliczki, na przechodzące ciemne postacie z białymi twarzami przypominającymi maski. Piętro wyżej sąsiad zaczął grać na gitarze. Linda wyszła do przedpokoju z głową owiniętą czerwonym ręcznikiem jak turbanem i zniknęła za otwartymi drzwiami szafy. Poszedłem sprawdzić maile. Jeden od Thurego, drugi od Giny Winje[1]. Zacząłem pisać do niej odpowiedź, ale skasowałem. Przeszedłem do kuchni, włączyłem ekspres do kawy, wypiłem szklankę wody. Linda malowała się przed lustrem w przedpokoju.

— Kiedy przyjdzie Christina? — spytałem.

— O szóstej. Ale przygotuję się do wyjścia już teraz, dopóki jesteśmy sami. Jak minął dzień? Udało ci się coś zrobić?

— Trochę. Dokończę jutro i w piątek.

— Wyjeżdżasz w sobotę? — spytała, lekko cofając twarz i przeciągając pędzelkiem po rzęsach.

— Tak.

Na klatce schodowej ruszyła winda. W domu mieszkało niewielu lokatorów, więc szansa, że to Ingrid z Vanją, była duża. Rzeczywiście, maszyneria się

---

[1] W tym czasie Gina Winje była redaktorem ds. praw autorskich w wydawnictwach Aschehoug oraz Oktober — wydawcy Karla Ovego Knausgårda.

zatrzymała, drzwi windy się otworzyły, a zaraz potem rozległy się odgłosy świadczące o tym, że ktoś siłuje się z wózkiem.

Ingrid weszła do przedpokoju, który natychmiast wypełnił się jej energiczno-gorączkową obecnością.

— Vanja zasnęła po drodze — oznajmiła. — Małe słoneczko było zupełnie wycieńczone, biedulka. Ale tyle miała dzisiaj atrakcji! Byłyśmy na Junibacken, kupiłam kartę roczną, możecie ją wziąć... będziecie mieć bezpłatny wstęp do końca roku... — Odstawiła liczne torby, wyjęła z kieszeni portfel, a z niego żółtą kartę, którą wręczyła Lindzie. — No i kupiłyśmy nowy kombinezon, identyczny jak ten stary, który już się zrobił troszeczkę za mały... Mam nadzieję, że nie macie nic przeciwko temu?

Spojrzała na mnie, pokręciłem głową.

— A przy okazji jeszcze nowe rękawiczki. — Przeszukała torby i wyciągnęła czerwone rękawiczki. — Mają klamerki, więc można je przypiąć do rękawów. Duże, wygodne i ciepłe. — Zerknęła na Lindę. — Wychodzisz gdzieś? Aha, to na dzisiaj umówiłaś się z Christiną. — Przeniosła wzrok na mnie. — Wobec tego ty i Geir też powinniście coś wymyślić. No ale nie będę wam przeszkadzać. Idę już. — Odwróciła się do Vanji, która leżała w wózku w czapce na oczach. — Na pewno pośpi jeszcze z godzinę. Przed południem mało spała. Wprowadzić wózek?

— Sam to zrobię — odparłem. — Wracasz do domu, do Gnesty?

Popatrzyła na mnie pytająco.

— Nie. Wybieram się z Barbro do teatru. Chciałam skorzystać z twojej pracowni jeszcze przez jedną noc. Myślałam... Mówiłam o tym Lindzie. Zamierzałeś jeszcze pracować?

— Nie, nie. Tak się tylko zastanawiałem. Bo chciałem z tobą porozmawiać. Muszę ci coś powiedzieć.

Duże oczy za grubymi szkłami okularów spojrzały na mnie badawczo, trochę zaniepokojone.

— Przeszłabyś się ze mną? — zaproponowałem.

— Oczywiście.

— Więc chodźmy. To nie potrwa długo.

Odkręciłem mutry śrub blokujących dwuskrzydłowe drzwi, wyciągnąłem bolec mocujący je do podłogi, otworzyłem drugą połówkę i wprowadziłem wózek. Ingrid w tym czasie poszła do kuchni napić się wody. Kiedy się ubierałem, stała kilka metrów dalej i czekała w zamyśleniu. Linda już wcześniej weszła do salonu.

— Chyba się nie rozwodzicie? — spytała Ingrid, kiedy zamknąłem za sobą drzwi do mieszkania. — Nie mów mi tylko, że zamierzacie się rozwieść!

Twarz miała zupełnie białą, jak kreda.

— Ależ skąd! Wcale nie zamierzamy się rozstawać. Chcę z tobą porozmawiać na zupełnie inny temat.

— No, to mi ulżyło.

Wyszliśmy na podwórze i przez bramę prowadzącą na David Bagares gata ruszyliśmy w stronę Malmskillnadsgatan. Nie odzywałem się, nie wiedziałem, jak mam jej to powiedzieć, jak zacząć. Ingrid też milczała. Spojrzała tylko na mnie kilka razy, ponaglająco albo może ze zdziwieniem.

— Nie bardzo wiem, jak mam to wyrazić — zacząłem, kiedy dotarliśmy do skrzyżowania i poszliśmy w stronę kościoła Świętego Jana.

Milczenie.

— Sprawa wygląda tak... Chyba równie dobrze mogę mówić wprost. Wiem, że dzisiaj, opiekując się Vanją, piłaś alkohol. Tak samo było wczoraj. A ja... ja tego po prostu nie akceptuję. Tak nie może być. Nie wolno ci tego robić.

Cały czas patrzyła na mnie z uwagą.

— Nie chcę cię w żaden sposób kontrolować. Możesz robić, co chcesz. Ale nie wtedy, kiedy zajmujesz się Vanją. Tu muszę wyznaczyć granicę. Tak nie może być, rozumiesz?

— Nie — powiedziała zdziwiona. — Nie wiem, o czym mówisz. Nigdy nie piłam w trakcie opieki nad Vanją. Nigdy. Nawet przez myśl by mi to nie przeszło. Skąd ci się to wzięło?

Zamarłem. Jak zawsze w sytuacjach, od których bardzo wiele zależy, w tych najtrudniejszych, kiedy posuwam się dalej lub jestem zmuszony posunąć się dalej, niżbym sobie życzył, widziałem całe otoczenie, a także siebie, z osobliwą, wręcz nadrealną wyrazistością. Zielony blaszany dach na wieży kościoła przed nami, bezlistne, czarne drzewa na cmentarzu, wzdłuż którego szliśmy, błyszczący niebieski samochód sunący ulicą po drugiej stronie. Swoją lekko przygarbioną sylwetkę, Ingrid kroczącą obok bardziej energicznie. Sposób, w jaki unosiła głowę, żeby na mnie spojrzeć, zaskoczona, z lekkim, ledwie widocznym cieniem wyrzutu.

— Zorientowałem się, że ubywa alkoholu. Żeby się upewnić, zrobiłem wczoraj znaczki na butelkach. Po powrocie do domu stwierdziłem, że rzeczywiście z nich ubyło. Nie ja z nich piłem. A w domu oprócz mnie nie było nikogo innego, tylko ty i Linda. Wiem, że Linda nie piła, a z tego prosty wniosek, że to musiałaś być ty. Innego wyjaśnienia nie ma.

— Musi być — odparła. — Bo ja tego nie zrobiłam. Bardzo mi przykro, Karl Ove, ale nie wypiłam twojego alkoholu.

— Posłuchaj. Jesteś moją teściową. Życzę ci jak najlepiej. Nie chciałem tej rozmowy. Oskarżanie cię o cokolwiek to ostatnia rzecz, jakiej bym pragnął. Ale jak inaczej mam postąpić, skoro wiem, jaka jest prawda?

— Nic nie wiesz. Nie zrobiłam tego.

Rozbolał mnie brzuch. Czułem się tak, jakbym się znalazł w piekle.

— Zrozum, Ingrid. Nieważne, co powiesz, i tak będzie to miało konsekwencje. Jesteś fantastyczną babcią, robisz dla Vanji więcej i jesteś dla niej ważniejsza niż ktokolwiek inny. Ogromnie się z tego cieszę. Chciałbym, żeby dalej tak było. Wiesz, że nie mamy wokół siebie zbyt wielu bliskich ludzi, ale jeśli się nie przyznasz, stracimy do ciebie zaufanie. Nie zakażemy ci kontaktów z Vanją, będziesz je utrzymywała, bez względu na wszystko, ale jeśli się nie przyznasz i nie obiecasz, że to się więcej nie powtórzy, sama z nią już nie zostaniesz. Nigdy. Rozumiesz, co mówię?

— Rozumiem. Bardzo mi przykro. Wobec tego niech tak będzie. Nie mogę się przyznać do czegoś, czego nie zrobiłam. Chociaż mam na to ochotę. Po prostu nie mogę.

— Okej. Do niczego nas to nie doprowadzi. Proponuję, żebyśmy zostawili tę sprawę na jakiś czas. Później możemy znów do niej wrócić i ustalić, co zrobimy.

— Dobrze. Ale to niczego nie zmieni.

— No tak.

Zeszliśmy po schodach przy szkole francuskiej, dalej Döbelnsgatan do Johannesplan, potem wzdłuż Malmskillnadsgatan i David Bagares gata, całą drogę bez słowa. Ja zgarbiony, sadząc długimi krokami, Ingrid obok prawie truchtem. Nie powinno tak być, to przecież moja teściowa, nie było żadnego powodu, żebym ją strofował albo karał. Oprócz jednego. Czułem się niegodnie. Tym bardziej że wszystkiemu zaprzeczyła.

Wsunąłem klucz w zamek i otworzyłem przed Ingrid bramę. Uśmiechnęła się i weszła.

Jak mogła to przyjąć tak spokojnie? Odpowiadać z taką pewnością?

Czyżby to jednak Linda?

Nie, do jasnej cholery.

A może się pomyliłem? Źle oznakowałem butelki?

Nie.

A może?

Na podwórzu ubrana na biało fryzjerka paliła papierosa. Pozdrowiłem ją, odpowiedziała uśmiechem. Ingrid zatrzymała się przy drzwiach wejściowych. Otworzyłem je kluczem.

— Pójdę już — oznajmiła, gdy wchodziliśmy po schodach. — Możemy porozmawiać o tym później. Tak jak proponowałeś. Mam nadzieję, że do tej pory dowiesz się, co się naprawdę stało.

Zabrała torebkę i dwie z przyniesionych plastikowych toreb, żegnając się, uśmiechała się jak zawsze, ale mnie nie uściskała.

Po jej wyjściu Linda przyszła do przedpokoju.

— No i jak? Co powiedziała?

— Że nigdy nie piła, kiedy opiekowała się Vanją. Dzisiaj też nie. I że nie rozumie, dlaczego alkohol znika z naszej szafki.

— Jeżeli jest alkoholiczką, to wypieranie się do tego pasuje. To element obrazu.

— Możliwe. Ale co mamy zrobić, do cholery? Cały czas powtarza: „nie, ja tego nie zrobiłam", ja na to: „właśnie, że tak", a ona: „nie, wcale nie". Przecież nie potrafię tego udowodnić, nie mamy w kuchni kamery.

— To bez znaczenia, skoro i tak o tym wiemy. Jeśli chce dalej grać w tę grę, to musi ponieść konsekwencje.

— Jakie?

— No... nie pozwolimy jej zostawać samej z Vanją.

— Niech to szlag trafi. Kurwa mać. Że też mi przyszło wmawiać teściowej, że pije. Co to wszystko znaczy?

— Cieszę się, że to zrobiłeś. Na pewno w końcu się przyzna.

— Nie wierzę.

Jak szybko zakorzeniamy się na nowo. Jak szybko obce miejsce całkowicie wchłania człowieka, który w nim przebywa. Trzy lata wcześniej mieszkałem i żyłem w Bergen. Nic wtedy nie wiedziałem o Sztokholmie, nie znałem w tym mieście nikogo. A potem przyjechałem do Sztokholmu, do tego nieznanego, zamieszkanego przez obcych miejsca, i stopniowo, dzień po dniu, chociaż całkowicie niezauważalnie, zacząłem splatać swoje życie z ich życiem, aż stały się nierozłączne. Gdybym pojechał do Londynu, co równie dobrze mogłem zrobić, to samo wydarzyłoby się tam, tyle że z całkiem innymi ludźmi. Jakby kierował tym wyłącznie przypadek, zrządzenie losu.

Ingrid zadzwoniła do Lindy następnego dnia i do wszystkiego się przyznała. Nie sądziła, że sprawa jest aż tak poważna, ale skoro my tak uważamy, zdecydowała się na podjęcie odpowiednich kroków, aby jej picie nie było dla nikogo problemem. Już zamówiła wizytę u terapeuty od uzależnień i postanowiła poświęcić więcej czasu sobie i własnym potrzebom, bo część problemu alkoholowego jej zdaniem właśnie z tego wynikała. Z presji, jakiej była poddana.

Lindę po tej rozmowie ogarnęła rezygnacja, ponieważ, jak powiedziała, matka była nastrojona tak optymistycznie i tak pełna zapału, że właściwie nie dało się z nią porozumieć, jakby straciła kontakt z rzeczywistością i zaczęła żyć w jakimś beztroskim świecie przyszłości, zupełnie pozbawionym zmartwień.

— Nie mogę z nią porozmawiać. Nie mamy prawdziwego kontaktu. To same frazesy i słowa zachwytu.

Ciebie na przykład wychwalała za sposób, w jaki się zachowałeś. Ja jestem fantastyczna, wszystko jest cudowne. I to dzień po naszej rozmowie z nią, kiedy sprawa wyszła na jaw i zabroniliśmy jej pić w trakcie opieki nad Vanją. Poważnie się o nią martwię, Karl Ove. Mam wrażenie, że cierpi, ale sama sobie tego nie uświadamia, rozumiesz? Wypiera wszystko. Zasłużyła na dobrą starość. Nie powinna się zadręczać, cierpieć i pić, żeby to stłumić. Ale co mogę zrobić? Przecież ona nie chce pomocy. Nie chce nawet przyznać, że ma jakieś problemy.

— Jesteś jej córką — powiedziałem. — To oczywiste, że nie chce, abyś jej pomagała. Tobie się nie przyzna, że coś jest nie tak. Jej życie polega przecież na pomaganiu innym. Tobie, twojemu bratu, waszemu ojcu, sąsiadom. Jeśli to wy zaczęlibyście jej pomagać, runąłby cały jej świat.

— Na pewno masz rację. Ale po prostu chcę mieć z nią kontakt, rozumiesz?

— Jasne.

Pięć dni później dostałem e-mail z wywiadem do „Aftenposten". Kiedy go przeczytałem, zrobiło mi się przykro. Był beznadziejny. Nie mogłem obwiniać nikogo oprócz siebie, a mimo to napisałem do dziennikarza długą odpowiedź, próbując pogłębić swoje wypowiedzi, to znaczy nadać im bodaj cień powagi, o jaką mi chodziło, co naturalnie doprowadziło wyłącznie do pogorszenia sytuacji. Dziennikarz zadzwonił do mnie wkrótce potem i zaproponował dołączenie mojego maila jako aneksu do wywiadu na stronie internetowej, na co się nie zgodziłem, bo nie taki był mój zamysł. Jedyne, co mogłem zrobić, to nie kupować gazety tego dnia i nie myśleć więcej o tym, na jakiego głupka wyszedłem. Byłem głupkiem i musiałem się z tym pogodzić. Ale tego rodzaju wywiad portret wymagał zdjęć z wcześniejszego okresu osoby opisywanej, a ponieważ ich nie miałem, poprosiłem matkę o przesłanie mi kilku fotografii. Niestety, nie przyszły w wyznaczonym terminie, dziennikarz się o nie upominał, więc zadzwoniłem do Yngvego, który zeskanował kilka fotek i przesłał je e-mailem, natomiast zdjęcia od mamy dotarły pocztą dopiero tydzień później, starannie naklejone na grube arkusze, opatrzone dokładnymi podpisami jej charakterem pisma. Zrozumiałem, jaka jest ze mnie dumna, i rozpacz wyrosła we mnie jak ściana. Miałem ochotę uciec gdzieś w głąb lasu, zbudować sobie szałas, siedzieć na odludziu i patrzeć w ogień. Ludzie — kto potrzebuje ludzi?

„Młody człowiek, pochodzący z południa Norwegii, z palcami pożółkłymi od nikotyny i lekko przebarwionymi zębami", tak napisał ten dziennikarz i to zdanie wryło mi się w pamięć.

Ale dostałem to, na co zasłużyłem. Czy sam nie zrobiłem przed laty wywiadu z Janem Kjærstadem i nie dałem mu tytułu *Człowiek bez podbródka*? Kompletnie nie rozumiałem, jak mogę go urazić…

Cha, cha, cha!

Nie, do jasnej cholery, nie było się czym przejmować. Od tej pory będę odmawiał, wytrzymam te ostatnie miesiące w domu z Vanją i w kwietniu znów zacznę pracować. Ciężko, metodycznie, w poszukiwaniu tego, co daje radość, siłę i światło. Zajmę się tym, co mam, a o innych rzeczach zapomnę.

W sypialni obudziła się Vanja. Wziąłem ją na ręce, przytuliłem i chodziłem z nią przez kilka minut, aż przestała płakać i była gotowa coś zjeść. Podgrzałem w mikrofalówce ziemniaka i groszek, zmiksowałem to z odrobiną masła, poszukałem w lodówce czegoś przypominającego mięso, znalazłem dwa paluszki rybne, też je podgrzałem i postawiłem przed nią. Była głodna, a ponieważ mogłem ją widzieć z salonu, poszedłem tam, znów sprawdziłem maile i na dwa odpowiedziałem, cały czas nasłuchując, czy się nie złości.

— Zjadłaś wszystko? — spytałem, wracając do niej.

Uśmiechnęła się z zadowoleniem i zrzuciła kubek z wodą na podłogę. Wziąłem ją na ręce, pociągnęła mnie za krótką brodę, wcisnęła mi palec do ust. Roześmiałem się i kilka razy podrzuciłem ją w powietrzu. Przyniosłem świeżą pieluchę, przewinąłem ją, a potem posadziłem na podłodze i poszedłem wyrzucić starą do śmieci pod zlewem. Kiedy wróciłem, stała na środku pokoju, chwiejąc się na nogach. Ruszyła w moją stronę.

— Jeden! Dwa! Trzy! Cztery! Pięć! Sześć! — policzyłem. — Nowy rekord!

Sama wyczuła, że wydarzyło się coś nadzwyczajnego, bo aż promieniała. Może wypełniło ją sensacyjne poczucie, że nauczyła się chodzić?

Ubrałem ją do wyjścia i zniosłem do wózka w rowerowni. Dzień był jasny i wiosenny, chociaż słońce nie świeciło. Asfalt był suchy. Wysłałem do Lindy SMS-a o pierwszym dłuższym spacerku naszej córki. „Fantastycznie", odpisała. „Będę w domu o wpół do pierwszej. Kocham Was".

Wszedłem do supermarketu na stacji metra przy Stureplan, kupiłem pieczonego kurczaka, główkę sałaty, kilka pomidorów, ogórek, czarne oliwki, dwie czerwone cebule i świeżą bagietkę. W drodze powrotnej zajrzałem do księgarni Hedengrena i znalazłem książkę o nazistowskich Niemczech, dwa pierwsze tomy *Kapitału*, *Rok 1984* Orwella, którego nigdy wcześniej nie udało mi się przeczytać, a także zbiór jego esejów, książkę Ekerwalda o Célinie i ostatnią powieść Dona DeLillo, kiedy Vanja się zbuntowała i musiałem szybko iść do kasy. Zakupu powieści DeLilla pożałowałem już w chwili wyjścia z księgarni, bo chociaż kiedyś byłem jego fanem, podobały mi się zwłaszcza *Nazwy* i *Biały szum*, to nie zdołałem przeczytać więcej niż połowę *Podziemi*, a ponieważ następna książka okazała się równie okropna, więc oczywiste się stało, że chylił się ku upadkowi. Mało brakowało, abym zawrócił, żeby ją wymienić na coś innego. Wypatrzyłem dwie inne książki, które chciałem mieć. Jedną z nich była ostatnia powieść Esterházyego, *Harmonia cælestis*, o jego ojcu. Ale na ogół starałem się nie czytać powieści po szwedzku, ten język był zbyt podobny do mojego ojczystego, obawiałem się, że przesączy się do niego i go zniszczy, więc jeśli jakiś tytuł ukazywał się w Norwegii, czytałem go w tym wydaniu, również dlatego że w ogóle za mało czytałem po norwesku. Ale nie zawróciłem, bo zostało mi mało czasu, jeśli chciałem zrobić sałatkę na lunch przed powrotem Lindy. A Vanja najwyraźniej uważała, że napatrzyła się już dość na księgarnię.

Przygotowałem w kuchni sałatkę z kurczaka, pokroiłem chleb, nakryłem do stołu, a Vanja w tym czasie siedziała na podłodze i stukała młotkiem w drewniane klocki, które przesuwały się przez otwory w deseczce i upadały na podłogę.

Po pięciu minutach tej zabawy Rosjanka zaczęła walić w grzejniki. Nienawidziłem tego odgłosu. Nienawidziłem czekać, aż się rozlegnie, chociaż tym razem sąsiadka rzeczywiście miała powód. Stukanie młotkiem każdego mogło doprowadzić do szaleństwa. Odebrałem więc Vanji zabawkę, posadziłem ją na krzesełku, włożyłem jej śliniak i wręczyłem kromkę chleba z masłem. Akurat w tym momencie w drzwiach stanęła Linda.

— Cześć. — Podeszła do mnie i mocno się przytuliła.

— Cześć — odparłem zdziwiony.

— Zajrzałam dziś rano do apteki. — Oczy jej błyszczały.

— No i?

— Kupiłam test ciążowy.

— Tak? Co właściwie próbujesz mi powiedzieć?

— Będziemy mieć jeszcze jedno dziecko, Karl Ove.

— Naprawdę?

Łzy zakręciły mi się w oczach.

Kiwnęła głową. Też miała wilgotne oczy.

— Tak się cieszę — powiedziałem.

— Na terapii nie mogłam mówić o niczym innym. W ogóle przez cały dzień o niczym innym nie myślałam. To fantastyczne.

— Powiedziałaś o tym swojemu terapeucie, zanim ja się dowiedziałem?

— Tak. A co?

— Co ty sobie wyobrażasz? Wydaje ci się, że to tylko twoje dziecko? Nie możesz informować innych, zanim powiesz mnie. Co się z tobą stało?

— Och, bardzo mi przykro, Karl Ove, nie pomyślałam. Taka byłam szczęśliwa. Nie chciałam cię urazić. Proszę cię, niech to nie stanie między nami!

Popatrzyłem na nią.

— W sumie nic wielkiego się nie stało. Zasadniczo.

W nocy obudził mnie jej płacz. Rozdzierający szloch — tylko ona umiała tak płakać. Położyłem jej rękę na karku.

— Co się stało, Lindo? — szepnąłem. — Dlaczego płaczesz?

Ramiona jej drżały.

— Co się stało? — spytałem jeszcze raz.

Zwróciła do mnie twarz.

— Po prostu chciałam być obowiązkowa! Nic poza tym.

— Co? O czym ty mówisz?

— Dzisiaj rano poszłam do apteki i kupiłam test, bo byłam ciekawa i nie mogłam już dłużej czekać! A kiedy pojawiła się odpowiedź, musiałam iść na terapię! Nie przyszło mi nawet do głowy, że powinnam wrócić do domu! Wydawało mi się, że muszę się tam stawić! — Znów zaniosła się płaczem. — A mogłam wrócić do domu i przekazać ci tę nowinę! Od razu! Nie musiałam iść na terapię!

Pogładziłem ją po plecach, po włosach.

— Kochana, nic się nie stało! To nie ma żadnego znaczenia! Początkowo trochę się wkurzyłem, ale przecież rozumiem. Do diabła, najważniejsze, że będziemy mieć dziecko!

Spojrzała na mnie i uśmiechnęła się przez łzy.

— Naprawdę? Tak myślisz?

Pocałowałem ją.

Jej wargi miały słony smak.

* * *

Od tamtego czasu do owego listopadowego wieczoru, kiedy siedziałem w ciemności na loggii w mieszkaniu w Malmö, po powrocie z Vanją z przyjęcia urodzinowego, minęły niemal dwa lata. Dziecko, które w tamtym czasie się poczęło, nie tylko się urodziło, ale zdążyło skończyć rok. Daliśmy córce na imię Heidi; była jasną, pogodną dziewczynką, twardszą niż siostra w niektórych kwestiach, równie wrażliwą w innych. Podczas jej chrztu, w chwili kiedy pastor miał polać wodą głowę siostry, Vanja wrzeszczała: „Nie! Nie! Nie!”, i nie można się było z tego nie śmiać, bo wyglądało to tak, jakby fizycznie reagowała na święconą wodę, niczym mały wampir albo diabeł. Kiedy Heidi miała dziewięć miesięcy, przeprowadziliśmy się do Malmö, zrobiliśmy to niemal pod wpływem impulsu; żadne z nas nigdy wcześniej nie było w tym mieście, nikogo tam nie znaliśmy, ale pojechaliśmy obejrzeć mieszkanie i po rekonesansie trwającym łącznie pięć godzin podjęliśmy decyzję. Tu zamieszkamy. Mieszkanie, duże, stutrzydziestometrowe, znajdowało się na samej górze budynku położonego w ścisłym centrum i dzięki temu było pełne światła od rana do wieczora. Pasowało nam idealnie, bo życie w Sztokholmie stawało się coraz mroczniejsze, w końcu nie widzieliśmy innej rady, niż się stamtąd wynieść. Jak najdalej od szalonej Rosjanki, z którą popadliśmy w nierozwiązywalny konflikt; wciąż słała skargi do właściciela kamienicy, a ten w końcu postanowił przystąpić do działania i wezwał nas na rozmowę, która do niczego nie doprowadziła, bo chociaż udało nam się go przekonać do swoich racji, to sytuacja się nie zmieniła. Wreszcie przejęliśmy inicjatywę. Po pewnym incydencie, kiedy Rosjanka przyszła do nas na górę, a ja z Vanją i Heidi na rękach kazałem jej się trzymać od nas z daleka, na co ona oświadczyła, że jest u niej mężczyzna, którego przyśle na górę, żeby się ze mną rozprawił, zadzwoniliśmy na policję i złożyliśmy zawiadomienie o groźbach i szykanowaniu. Nigdy nie sądziłem, że posunę się tak daleko, ale stało się. Policja nie mogła nic zrobić, lecz to wcale nie było najważniejsze, bo w rezultacie nasłali na nią opiekę społeczną, dwie osoby, które przyszły sprawdzić, w jakich warunkach żyje, a dla niej był to chyba szczyt upokorzenia. Ach, jaką przyjemność odczuwałem, myśląc o tym! Stosunków sąsiedzkich to jednak nie poprawiło.

A kiedy ma się dwoje dzieci w środku wielkiego miasta, gdzie jedynymi zielonymi obszarami wolnymi od samochodów są parki, do których wyprowadzaliśmy dziewczynki na spacer jak psy, jedyne pytanie, jakie można zadać, brzmi: dokąd i kiedy się przeprowadzimy. Linda chciała jechać do Norwegii, ja nie; wybór został więc ograniczony do dwóch miast w Szwecji, Göteborga i Malmö, a ponieważ to pierwsze kojarzyło się Lindzie negatywnie — przecież zaledwie po kilku tygodniach musiała z powodu choroby przerwać studia na wydziale twórczości literackiej — sprawa stała się jasna. Przeprowadzamy się do Malmö, jeżeli wzbudzi w nas pozytywne uczucia podczas krótkiego, kilkugodzinnego pobytu. Malmö było otwarte, niebo nad miastem wysokie, morze niedaleko, długa plaża w odległości kilku minut od centrum, do Kopenhagi trochę ponad pół godziny, a atmosfera w mieście wyluzowana, wakacyjna, zupełnie inna niż surowa, twarda, skoncentrowana na karierze aura Sztokholmu. Pierwsze miesiące w Malmö były fantastyczne, codziennie chodziliśmy się kąpać, kolacje jedliśmy na balkonie, kiedy dzieci już spały, pełni optymizmu, bliżsi sobie niż w ciągu ostatnich dwóch lat. Ale mrok sączył się i tam, powoli i niezauważalnie wypełniał wszystkie zakamarki mojego życia, to, co nowe, utraciło blask, świat się odsuwał, pozostała jedynie drżąca frustracja.

Tak jak tego wieczoru, kiedy Linda z Vanją jadły w kuchni, Heidi z gorączką spała w łóżeczku w naszej sypialni, a mnie niemal dławiła myśl o zmywaniu i o pokojach wyglądających tak, jakby przeprowadzono w nich metodyczne przeszukanie, jakby ktoś powyrzucał na podłogę wszystko z szuflad i szaf, o brudzie, piasku na podłodze, o stosie brudnych ubrań w łazience. O „powieści", którą pisałem, a która donikąd mnie nie prowadziła. O dwóch zmitrężonych latach. O zamknięciu się w tym mieszkaniu. O naszych kłótniach, coraz ostrzejszych i coraz bardziej wymykających się spod kontroli. O radości, która gdzieś przepadła.

Mój gniew był małostkowy, rozpalał się od drobiazgów; kogo obchodzi, co kto kiedyś umył czy sprzątnął, kiedy się patrzy wstecz na całe życie i je podsumowuje? Linda poruszała się między swoimi nastrojami; kiedy wpadała w kompletny dołek, leżała na kanapie albo w łóżku, i to, co na początku naszego związku budziło we mnie troskę, teraz wywoływało jedynie gniew: mam robić wszystko, a ona będzie się lenić? Owszem, mogłem, ale nie bezwarunkowo. Robiłem to, więc miałem prawo być zły, niezadowolony, ironiczny, sarkastyczny, a czasami wściekły. Ten brak radości rozpościerał się daleko poza mnie, przenikał w jądro naszego wspólnego życia. Linda powtarzała, że pragnie tylko jednego: abyśmy byli radosną rodziną — tego pragnęła, o tym marzyła — abyśmy tworzyli zadowoloną i szczęśliwą rodzinę. Moje marzenie było inne: żeby w takim samym stopniu jak ja zajmowała się obowiązkami domowymi. Twierdziła, że się zajmuje, i tak staliśmy z naszymi oskarżeniami, z gniewem i pragnieniami w środku życia, które było naszym życiem, tylko naszym.

Jak można marnować życie na złoszczenie się o prace domowe? Jak to możliwe?

Chciałem mieć jak najwięcej czasu dla siebie i jak najmniej zakłóceń. Chciałem, żeby Linda, która i tak była w domu z Heidi, zajmowała się również Vanją i zapewniała mi spokój, żebym mógł pracować. Linda nie chciała. A może chciała, tylko nie potrafiła. Wszystkie nasze konflikty i kłótnie dotyczyły w jakiś sposób tego układu sił. Gdybym z powodu Lindy i jej wymagań nie mógł pisać, odszedłbym od niej, po prostu. Gdzieś w głębi o tym wiedziała. Naciągała moje granice w zależności od swoich potrzeb, jednak nigdy nie posunęła się tak daleko, żebym osiągnął punkt krytyczny. Ale byłem blisko. Moja zemsta polegała na tym, że dawałem jej wszystko, czego żądała, to znaczy zajmowałem się dziećmi, myłem podłogi, prałem, robiłem zakupy, przygotowywałem obiad i zarabiałem pieniądze, więc nie mogła skarżyć się na nic konkretnego, jeśli chodziło o mnie i moją rolę w rodzinie. Jedyną rzeczą, jakiej jej nie dawałem, i jedyną, na której jej zależało, była moja miłość. Tak się mściłem. Potrafiłem na zimno obserwować jej coraz większą rozpacz, aż w końcu nie mogła tego dłużej wytrzymać i zaczynała na mnie krzyczeć, ze złości, frustracji i tęsknoty. O co chodzi? pytałem. Uważasz, że za mało robię? Mówisz, że jesteś wykończona, wobec tego mogę się jutro zająć dziećmi. Zaprowadzę Vanję do przedszkola, potem wyjdę z Heidi na spacer, a ty sobie pośpisz i odpoczniesz. Po południu odbiorę Vanję i zajmę się obiema wieczorem, tak chyba będzie dobrze? Złapiesz oddech, skoro jesteś taka zmęczona. Kiedy wreszcie kończyły jej się argumenty, potrafiła rzucać i tłuc różne rzeczy — szklankę, talerz, to co jej wpadło w rękę. To przecież ona powinna mnie wyręczać, żebym mógł pracować, ale tego nie robiła. A ponieważ dla niej sedno problemu stanowiła nie zbyt duża liczba obowiązków, lecz nienawiść, złość i frustracja zamiast miłości mężczyzny, którego kochała, czego jednak nie potrafiła sformułować, najlepszą zemstą z mojej strony było łapanie jej za słowa. Ach, ależ miałem satysfakcję, kiedy wciągałem ją w pułapkę i spełniałem wszystkie jej żądania. Po wybuchu wściekłości, który nieuchronnie następował, często płakała, kiedy kładliśmy się spać, i chciała się godzić. To mi umożliwiało umacnianie się w zemście, bo ja żadnej ugody nie chciałem.

Ale życie w takim stanie było niemożliwe, zresztą wcale tego nie pragnąłem, więc kiedy ten najtwardszy, najbardziej zapiekły gniew wreszcie mijał, zostawiając po sobie jedynie rozdarcie w duszy i poczucie, że wszystko, co mam, się rozpada, godziliśmy się w końcu, zbliżaliśmy się do siebie, powracaliśmy do dawnego życia. Potem cały proces zaczynał się od nowa, był cykliczny jak zjawisko przyrodnicze.

Zgasiłem papierosa, wypiłem ostatni łyk zwietrzałej coli i wstałem. Oparty o balustradę, patrzyłem w niebo, na którym gdzieś poza miastem zawisło nieruchome światełko, za niskie na gwiazdę, zbyt nieruchome na samolot.

Co to jest, do diabła?

Przypatrywałem mu się przez kilka minut. Nagle przesunęło się gwałtownie w lewo i dopiero wtedy zrozumiałem, że to jednak samolot. Wydawał się nieruchomy, ponieważ obrał kurs wprost na mnie, nadlatując wzdłuż Sundu.

Ktoś zapukał w okno, odwróciłem się. To była Vanja. Uśmiechała się i machała do mnie. Otworzyłem drzwi.

— Idziesz spać?

Kiwnęła głową.

— Chciałam ci powiedzieć dobranoc, tatusiu.

Nachyliłem się i pocałowałem ją w policzek.

— Dobranoc. Śpij dobrze.

— Dobranoc.

Pobiegła do pokoju, pełna energii nawet po takim długim dniu.

Trzeba się wziąć do tego cholernego zmywania.

Zeskrobać resztki jedzenia nad wiadrem na śmieci, wylać ze szklanek resztki mleka i wody, opróżnić zlew z obierek po jabłkach i marchewce, z plastikowych opakowań i torebek herbaty, opłukać naczynia, wystawić wszystko na blat, nalać do zlewu wrzątku, dodać trochę płynu, oprzeć czoło o szafkę i zacząć zmywać, szklankę za szklanką, filiżankę za filiżanką, talerz za talerzem. Opłukać. Potem gdy ociekacz się zapełni, zacząć wycierać, żeby zmieściło się więcej. Później podłoga, którą wokół krzesełka Heidi trzeba szorować. Zawiązać worek ze śmieciami, zjechać windą do piwnicy i przejść ciepłymi korytarzami, przypominającymi labirynt, do pomieszczenia z kontenerami na śmieci, kompletnie zarośniętego brudem, z rurami wiszącymi pod sufitem jak torpedy, owiniętymi poszarpanymi kawałkami izolacji i taśm, na którego drzwiach widnieje typowo szwedzki eufemizm: „Pomieszczenie środowiskowe", wrzucić torby do wielkich zielonych skrzyń, przypominając sobie Ingrid, która podczas ostatniej wizyty u nas znalazła w jednej z nich setki malutkich płócien malarskich i przyniosła je do mieszkania, bo uważała, że nas to uszczęśliwi, tak jak ją uszczęśliwiła myśl o dzieciach, którym przez lata nie zabraknie materiału do malowania, zamknąć pokrywę i wrócić na górę, gdzie Linda właśnie wychodziła na palcach z sypialni.

— Zasnęła? — spytałem.

Pokiwała głową.

— Jak ładnie posprzątałeś. — Stanęła w drzwiach kuchni. — Wypijesz kieliszek wina? Jest jeszcze ta butelka, którą Sissel ostatnio przywiozła.

W pierwszym odruchu chciałem odmówić, w ogóle nie miałem ochoty na wino. Ale to krótkie wyjście z mieszkania, o dziwo, usposobiło mnie do Lindy nieco przyjaźniej, więc kiwnąłem głową.

— Mogę się napić.

Dwa tygodnie później, pewnego popołudnia, kiedy Heidi i Vanja szalały wokół nas, skacząc z krzykiem po kanapie, staliśmy blisko siebie i po raz trzeci w życiu patrzyliśmy na niebieską kreseczkę na białym patyczku, przytłoczeni uczuciami. To John oznajmił w ten sposób swoje przybycie. Urodził się pod koniec następnego lata, łagodny i cierpliwy już od pierwszej chwili, zawsze skory do śmiechu, nawet gdy wokół niego rozpętywały się najstraszniejsze burze. Często wyglądał tak, jakby ktoś przeciągnął go przez kolczaste zarośla, cały podrapany przez Heidi, która wykorzystywała każdą nadarzającą się okazję, często pod pretekstem uścisku albo zwykłego pogłaskania po policzku. To, co kiedyś dokuczało mi w chodzeniu z wózkiem po mieście, zmieniło się w całkowicie zamkniętą i obcą historię, kiedy pchałem po ulicach zniszczony wózek z trojgiem dzieci, często z dwiema albo trzema torbami pełnymi zakupów majtającymi się w ręce, ze zmarszczkami na czole i na policzkach głębokimi jak rzeźbienia i z oczami, w których płonęło puste szaleństwo, czego świadomość dawno straciłem. Zupełnie przestałem się przejmować tym, że ktoś może uznać moje zajęcia za kobiece, liczyło się wyłącznie doprowadzenie dzieci tam, dokąd zmierzaliśmy, i żeby przy tym nie zaparły się na ulicy albo nie wymyśliły czegoś innego, co by przeszkodziło mnie i moim marzeniom o łatwym poranku czy popołudniu. Raz cały pochód japońskich turystów zatrzymał się po drugiej stronie ulicy i zaczął pokazywać mnie sobie, jakbym przewodził paradzie cyrkowej. Pokazywali mnie sobie *palcami*. Oto skandynawski mężczyzna! Patrzcie i opowiedzcie wnukom o tym, co widzieliście!

Rozpierała mnie duma z tych dzieci. Vanja była szalona i dzielna, aż nie do wiary, że jej chude ciałko mogło mieć tak wielki apetyt na ruch, na takie chciwe korzystanie ze świata fizycznego, z drzew, drabinek do wspinania, basenów i otwartych przestrzeni, a jej wycofanie, które w pierwszych miesiącach w nowym przedszkolu tak ją hamowało, zupełnie zniknęło, do tego stopnia, że następna „rozmowa na temat rozwoju dziecka" dotyczyła czegoś przeciwnego. Teraz problem stanowiło nie to, że Vanja się chowa, nie chce mieć kontaktu z dorosłymi i nigdy nie przewodzi w zabawie, tylko odwrotnie, że czasami zajmuje zbyt dużo miejsca, jak się delikatnie wyrażono, i że za bardzo jej zależy na tym, aby zawsze we wszystkim była pierwsza. „Mówiąc wprost — powiedział kierownik przedszkola — zdarza się, że stosuje mobbing wobec innych dzieci. Ale jest też tego dobra strona, ponieważ by tak działać, musi rozumieć sytuację i być dostatecznie inteligentna, żeby ją wykorzystać. Pracujemy nad tym, aby jej wytłumaczyć, że nie powinna tak robić. Wiecie może, skąd jej się wzięło to na-na-na-na-naaa-na? Może słyszała to na jakimś filmie? Wtedy moglibyśmy puścić dzieciom ten film i wyjaśnić, co to jest". Po poprzednim spotkaniu, na którym wysyłano nas do logopedy, a wstydliwość Vanji traktowano jak wadę albo ułomność, nie mogłem się przejąć tą nową opinią. Skończyła zaledwie cztery lata, więc za kilka miesięcy to też jej przejdzie... Heidi nie była równie szalona, w zupełnie innym stopniu panowała nad ciałem, jakby była w nim obecna inaczej niż Vanja, którą fantazja całkowicie potrafiła ponieść i dla której fikcja stanowiła jedynie wariant rzeczywistości. Vanja wpadała we wściekłość i kompletne zwątpienie, kiedy coś jej nie wychodziło od pierwszej sekundy, dlatego z wdzięcznością przyjmowała pomoc, Heidi natomiast chciała wszystko robić sama, obrażała się, kiedy pytaliśmy, czy jej czegoś nie ułatwić, i powtarzała daną czynność dotąd, aż jej się udało. Ten triumf na buzi w takich chwilach! Na czubek wielkiego drzewa na placu zabaw wspięła się szybciej niż Vanja. Za pierwszym razem tylko zacisnęła ręce na górnej gałęzi. Za drugim — powodowana hybris typową dla małych dzieci — wspięła się na nią. Czytałem na ławce gazetę, gdy nagle usłyszałem jej krzyk: siedziała sześć metrów nad ziemią na samym koniuszku gałęzi, nie miała się czego przytrzymać. Jeden nieprzemyślany ruch i spadłaby. Wlazłem na drzewo, złapałem ją, ale nie mogłem powstrzymać się od śmiechu. Czegoś ty szukała aż tam? Idąc, wykonywała często dodatkowy podskok; myślałem sobie wtedy, że to taki podskok ze szczęścia. Jako jedyny członek naszej rodziny była naprawdę szczęśliwa, tak przynajmniej to wyglądało, albo chociaż wykazywała ku temu skłonność. Tolerowała wszystko, z wyjątkiem krzyku. Warga zaczynała jej wówczas drżeć, z oczu tryskały łzy. Czasem mijała godzina, zanim pozwoliła się pocieszyć. Uwielbiała bawić się z Vanją i godziła się wtedy na wszystko, uwielbiała też jeździć konno. Kiedy siedziała na osiołku w tym parku rozrywki, w którym byliśmy latem, twarz aż błyszczała jej z dumy. Ale Vanji nawet ten widok nie skłonił do zmiany zdania, już nigdy w życiu nie chciała wsiąść na konia. Wepchnęła okulary na nos, nagle padła na ziemię przed Johnem i krzyknęła tak głośno, że wszyscy w okolicy na nas spojrzeli. Ale Johnowi się to spodobało, odkrzyknął i oboje wybuchnęli śmiechem.

Słońce wisiało już nisko nad sosnami na zachodzie, niebo przybrało intensywną niebieską barwę, którą pamiętałem z dzieciństwa i którą kochałem. Coś się wtedy we mnie otwierało, coś się luzowało. Ale nie mogłem tego w żaden sposób wykorzystać. Przeszłość nie miała znaczenia.

Linda zdjęła Heidi z głupiego osła. Heidi pomachała rączką zwierzęciu i kobiecie sprzedającej bilety.

— No, dobrze — powiedziałem. — Teraz prosto do domu.

Samochód stał niemal osamotniony na wielkim parkingu wysypanym żwirem. Przysiadłem na krawężniku z Heidi na kolanach, przewinąłem ją. Johna, któremu zamykały się oczy, przypiąłem pasami na przednim siedzeniu, a Linda zapięła dziewczynki z tyłu.

Wynajęliśmy dużego czerwonego volkswagena. Siedziałem za kierownicą dopiero czwarty raz, odkąd zrobiłem prawo jazdy, więc każda czynność związana z samochodem sprawiała mi radość. Zapalanie, wrzucanie biegu, dodawanie gazu, cofanie, prowadzenie. Wszystko było fajne. Nigdy nie sądziłem, że kiedykolwiek będę prowadził samochód, tego nie obejmował mój obraz siebie, tym większa więc była moja radość,

gdy uświadamiałem sobie, że jadę do domu autostradą z prędkością stu pięćdziesięciu kilometrów na godzinę, w równym, niemal leniwym rytmie, który się wtedy pojawiał — włączyć kierunkowskaz, wyprzedzić, wyłączyć kierunkowskaz — przez krajobraz, w którym początkowo dominowały lasy, a później, kiedy pokonałem ogromne, chociaż łagodne wzgórze — rozległe pola zbóż, niskie budynki gospodarcze, przepiękne skupiska drzew liściastych i morze, widoczne przez cały czas w postaci niebieskiego rantu na zachodzie.

— Spójrzcie! — aż zawołałem, kiedy wjechaliśmy na szczyt, a w dole roztoczył się przed nami pejzaż Skanii. — Jak tu pięknie!

Złociste pola, zielone lasy bukowe, niebieskie morze, wszystko zintensyfikowane i niemal drżące w blasku zachodzącego słońca.

Nikt nie odpowiedział.

To, że John śpi, wiedziałem. Ale czyżby one tam z tyłu też zasnęły?

Obejrzałem się przez ramię.

Owszem, wszystkie trzy dziewczyny leżały z otwartymi ustami i zamkniętymi oczami.

Szczęście we mnie eksplodowało.

Trwało to sekundę, dwie, może trzy. Potem przyszedł cień, który zawsze się pojawiał, mroczny tren szczęścia.

Uderzając ręką o kierownicę, śpiewałem do muzyki. To była ostatnia płyta Coldplay, której właściwie nie znosiłem, odkryłem jednak, że idealnie nadaje się do jazdy samochodem. Już kiedyś ogarnęło mnie dokładnie takie samo uczucie jak teraz. Wtedy miałem szesnaście lat, byłem zakochany i latem o świcie jechałem przez Danię. Wybieraliśmy się do Nyköping na obóz treningowy, spali wszyscy oprócz kierowcy i mnie, siedzącego z przodu. Kierowca puścił płytę *Brothers in Arms* Dire Straits, która wyszła tamtej wiosny i wraz z *The Dream of the Blue Turtles* Stinga oraz *It's My Life* Talk Talk stanowiła ścieżkę dźwiękową fantastycznych zdarzeń, które przeżyłem w tamtych miesiącach. Płaski krajobraz, wschodzące słońce, brak ruchu na zewnątrz, śpiący ludzie i to ukłucie szczęścia, tak silne, że pamiętałem je jeszcze dwadzieścia pięć lat później. Ale tamtemu szczęściu nie towarzyszył żaden cień, było czyste, nierozcieńczone, niezafałszowane. Wtedy miałem przed sobą całe życie. Wszystko mogło się zdarzyć. Wszystko było możliwe. To się zmieniło. Wiele już się zdarzyło, a to, co się zdarzyło, zawierało w sobie przesłanki tego, co jeszcze mogło się zdarzyć.

Nie tylko możliwości było mniej. Również uczucia, jakie im towarzyszyły, osłabły. Życie straciło na intensywności. Wiedziałem, że dotarłem już do jego połowy, może nawet dalej. Kiedy John będzie miał tyle lat, ile ja teraz, skończę osiemdziesiąt. A więc będę stał nad grobem, chyba że już będę w nim leżał. Za dziesięć lat będę miał pięćdziesiąt. Za dwadzieścia — sześćdziesiąt.

Czy to dziwne, że szczęściu towarzyszył cień?

Włączyłem kierunkowskaz i wyprzedziłem tira. Nie byłem na tyle doświadczony, by nie poczuć lekkiego niepokoju, kiedy pęd powietrza szarpnął samochodem. Ale się nie bałem. Na razie podczas jazdy bałem się tylko raz, w dniu egzaminu. Był wczesny poranek w środku zimy, na dworze zupełnie ciemno, a ja jeszcze nigdy nie prowadziłem po ciemku. Lało, a ja jeszcze nigdy nie prowadziłem podczas ulewy. Egzaminator wyglądał niesympatycznie, wręcz odpychająco. Oczywiście wyuczyłem się na pamięć obowiązkowych procedur bezpieczeństwa. Facet od razu na wstępie oznajmił, że kontrolę bezpieczeństwa sobie darujemy. „Proszę tylko wytrzeć zaparowane szyby i uznamy, że jest w porządku". Nie wiedziałem, jak to zrobić, nie stosując się do zaprogramowanej kolejności, a kiedy wreszcie coś wymyśliłem po dwóch minutach obmacywania deski rozdzielczej, zapomniałem, że muszę przekręcić kluczyk w stacyjce, żeby wycieraczki zadziałały, w związku z czym egzaminator spojrzał na mnie, spytał: „Ale samochód umie pan prowadzić, prawda?", i z rezygnacją przekręcił kluczyk. Przy tak niewiarygodnie złym początku nie pomogło mi to, że nogi pozostawały zupełnie poza moją kontrolą, trzęsły się i drżały, mała motoryka była całkowicie zaburzona, więc bardziej wskoczyliśmy, niż włączyliśmy się do ruchu. Całkiem ciemno. Poranne godziny szczytu. Lejący z nieba deszcz. Po stu metrach egzaminator zapytał, czym się zajmuję na co dzień. Wyjaśniłem, że jestem pisarzem. Niezwykle go to zainteresowało. Wyznał, że tak naprawdę jest artystą malarzem. Miał wystawę i w ogóle. Zaczął mnie wypytywać, o czym piszę. Akurat opowiadałem o *Wszystko ma swój czas*, kiedy rzucił jakąś nazwę miejscowości. Przed nami wyrósł ogromny węzeł drogowy. Nie zauważyłem żadnej tablicy z nazwą. Spytał, czy książka ukazała się po szwedzku. Kiwnąłem głową. Tam! Tam była tablica. Ale przy skrajnym lewym pasie! Skręciłem kierownicą i dodałem gazu, ale egzaminator wcisnął hamulec i gwałtownie zatrzymał samochód.

— Czerwone światło! — powiedział. — Nie widział pan? Czerwone jak cholera!

Nie zauważyłem nawet, że na tym skrzyżowaniu w ogóle są jakieś światła.

— Czyli to już koniec? — spytałem.

— Niestety. Jeśli musimy interweniować, egzamin jest oblany. Takie są zasady. Chce pan jeszcze trochę pojeździć?

— Nie. Wracamy.

Cały egzamin trwał trzy minuty. Byłem w domu o wpół do dziesiątej. Linda patrzyła na mnie z napięciem w oczach.

— Oblałem.

— O nie. Biedaku! Co się stało?

— Przejechałem na czerwonym świetle.

— Naprawdę?

— Oczywiście, że naprawdę! Kiedy dzisiaj rano wstawałem, nawet mi się nie śniło, że w trakcie egzaminu przejadę na czerwonym świetle. No ale trudno. Następnym razem będzie lepiej. Nie mogę przejechać na czerwonym świetle na dwóch kolejnych egzaminach.

Rzeczywiście, nic wielkiego się nie stało. Nie mieliśmy samochodu, więc nie miało znaczenia, czy dostanę prawo jazdy w styczniu, czy w marcu. A na lekcje jazdy wydałem już tak niewiarygodne pieniądze, że dołożenie jeszcze pewnej sumy niczego nie zmieniało. Tyle że pod koniec miesiąca zaplanowaliśmy wyjazd. Przyjąłem bowiem zlecenie w Søgne, w regionie Sørlandet na południu Norwegii, i wymyśliliśmy, że wybierzemy się tam całą rodziną, a po zakończeniu moich wystąpień pojedziemy na Sandøyę w pobliżu Tvedestrand i zatrzymamy się na parę dni w tamtejszym pensjonacie, żeby sprawdzić, jak tam jest. Kilka lat wcześniej bowiem upatrzyłem sobie Sandøyę, uznałem, że to dla nas idealne miejsce do zamieszkania, wyspa, na której nie ma ruchu samochodowego, jest zaledwie około dwustu mieszkańców, przedszkole i szkoła podstawowa do trzeciej klasy. Krajobraz taki sam jak ten, w którym się wychowałem i za którym tęskniłem, tyle że to nie były Tromøya, Arendal czy Kristiansand, gdzie za żadne skarby świata nie chciałem wracać, lecz coś innego, zupełnie nowego. Czasami wydawało mi się, że tęsknota za krajobrazem, w którym dorastamy, jest uwarunkowana biologicznie. Że ten instynkt, nakazujący kotu wyruszyć na kilkusetkilometrową wędrówkę, aby dotrzeć do miejsca, z którego pochodzi, działa również w nas, w ludzkim zwierzęciu, podobnie jak inne atawizmy.

Zdarzało mi się oglądać zdjęcia Sandøi w Internecie; tęsknota, jaką budził we mnie ów krajobraz, była tak silna, że całkowicie przesłaniała ewentualną samotność i poczucie opuszczenia, które mogły się wiązać z mieszkaniem na takim odludziu. Linda, oczywiście, była nastawiona bardziej sceptycznie, ale nie całkiem zamknięta na ten pomysł. Mieszkanie w lesie nad morzem odpowiadałoby nam o wiele bardziej niż na siódmym piętrze w środku miasta. Rozważaliśmy to więc na tyle poważnie, że postanowiliśmy się tam wybrać i sprawdzić. Tymczasem nie dostałem prawa jazdy i do

Søgne musiałem jechać sam, w związku z czym cały sens tego zlecenia przepadł. Po co miałem tam jechać i gadać bzdury?

Tamtego wieczoru, kiedy zamawiałem w Internecie bilety lotnicze, zadzwonił do mnie Geir. Rozmawialiśmy już wcześniej tego dnia, ale w ostatnich tygodniach był wyprowadzony z równowagi, chociaż jak zwykle miał nad tym kontrolę, więc nie zdziwiło mnie, że znów dzwoni. Usiadłem w fotelu, stopy położyłem na biurku. Opowiedział mi trochę o biografii, którą właśnie czytał, o Montgomerym Clifcie, o tym, jak zawsze i pod każdym względem szukał maksimum w życiu. Montgomery Clift kojarzył mi się jedynie z The Clash, z wersem *Montgomery Clift, honey!* z płyty *London Calling*; okazało się, że Geir usłyszał o nim również dzięki temu krążkowi, chociaż w szczególnych okolicznościach: w Iraku mieszkał w zakładach wodociągowych z Robinem Banksem, amerykańskim ćpunem, który był jednym z najlepszych przyjaciół zespołu, jeździł z nimi na tournée, nawet napisali dla niego piosenkę. Banks opowiedział mu, w jaki sposób Montgomery Clift zyskał tak ważne miejsce w ich życiu, co z kolei sprawiło, że Geir nabrał ochoty, aby lepiej go poznać. W dodatku *Skłóceni z życiem* to jeden z jego ulubionych filmów. Trochę pogadałem o *Buddenbrookach* Tomasza Manna, których znów zacząłem czytać, o doskonałości zdań, o wysokim poziomie wszystkiego w tej powieści, sprawiającym, że rozkoszowałem się, naprawdę rozkoszowałem się każdą stroną, co prawie nigdy mi się nie zdarza, a jednocześnie ta perfekcja zdań i pozostałe wyznaczniki formy należały do innych czasów niż współczesne Tomaszowi Mannowi, w zasadzie zatem mieliśmy do czynienia z naśladownictwem, rekonstrukcją, innymi słowy — z pastiszem. Co się dzieje, kiedy pastisz przewyższa oryginał? Czy to w ogóle możliwe? Klasyczny problem, już Wergiliusz musiał się nad nim mozolić. Jak blisko styl albo forma są związane z określonym czasem czy kulturą, w których powstają? Czy są zużyte już w chwili, gdy widać, że to styl albo forma? U Tomasza Manna styl nie był zużyty, to niedobre określenie, może raczej ambiwalentny, nieskończenie ambiwalentny, i stąd płynęła ironia, zawieszająca wszystko w niepewności. Potem zeszliśmy w rozmowie na *Świat wczorajszy* Stefana Zweiga, na ów fantastyczny obraz świata z przełomu wieków, kiedy pożądane były dojrzałość i dostojeństwo, a nie młodość i uroda, dlatego wszyscy młodzi starali się wyglądać na osoby w średnim wieku, mieli brzuchy, dewizki od zegarków, cygara i łysiny. Kres temu położyła pierwsza wojna światowa, która wespół z drugą otworzyła otchłań między tymi ludźmi a nami. Geir znów zaczął mówić o Montgomerym Clifcie, o jego intensywnym życiu, o wszechogarniającym witalizmie. Stwierdził, że wszystkie biografie, które przeczytał w ciągu ostatniego roku, miały tę cechę wspólną, że opowiadały o witalistach. Ale nie teoretykach, tylko praktykach, bo owe osoby pragnęły doświadczyć życia, tak jak to tylko możliwe. Jack London, André Malraux, Nordahl Grieg, Ernest Hemingway, Hunter S. Thompson, Majakowski.

— Dobrze rozumiem, dlaczego Sartre zażywał amfetaminę. Pragnął zwiększyć obroty, przeżyć coś więcej, zapalić się. Ale najbardziej konsekwentny był Mishima. Często do niego wracam. Miał czterdzieści pięć lat, kiedy odebrał sobie życie. Porażał konsekwencją, bohater musiał być piękny. Nie mógł być stary. Wracam też do Jüngera, który poszedł w drugą stronę. W swoje setne urodziny siedział, popijał koniak i palił cygara, ciągle bystry jak cholera. W tym wszystkim chodzi o siłę. Tylko to mnie interesuje. Siła, odwaga, wola. Inteligencja? Nie. Wydaje mi się, że jeśli chcesz, będziesz ją miał. To nie jest ważne, nie jest ciekawe. Dorastanie w latach siedemdziesiątych i osiemdziesiątych to żart. Dowcip. My nic nie robimy. A raczej robimy jakieś głupoty. Piszę, żeby odzyskać utraconą powagę. Właśnie tak. Ale to na nic. Przecież wiesz, w czym siedzę. Wiesz, czym się zajmuję. Moje życie jest takie małe. Moi wrogowie też są mali. Nie warto marnować na nich sił. Ale nic innego nie ma. Dlatego siedzę tu i boksuję się z cieniami we własnej sypialni.

— Witalizm — odpowiedziałem. — Istnieje też inny rodzaj witalizmu. Przywiązanie do ziemi, do rodu. Norweskie lata dwudzieste.

— O, to mnie ani trochę nie interesuje. W witalizmie, o którym mówię, nie ma ani śladu nazizmu. Nie wadziłoby mi, gdyby był, ale go nie ma. Mówię o antyliberalnej kulturze wysokiej.

— W norweskim witalizmie też nie było ani śladu nazizmu. To klasa średnia wprowadziła do niego nazizm, zrobiła z tego coś abstrakcyjnego, ideę, a więc coś, co nie istniało. W rzeczywistości chodziło o tęsknotę za ziemią, za rodem. Hamsun jest taki skomplikowany, ponieważ jako człowiek nie miał korzeni, żadnej formy umocowania, i pod tym względem był bardzo nowoczesny, w rozumieniu amerykańskim. Ale gardził Ameryką, człowiekiem masowym, brakiem korzeni. Gardził sobą. Ironia, która z tego przebija, jest o wiele istotniejsza niż ironia Tomasza Manna, bo ma związek nie ze stylem, tylko z podstawą egzystencji.

— Ja nie jestem pisarzem, jestem wieśniakiem — stwierdził Geir. — Cha, cha, cha! Ale ziemię możesz zachować dla siebie. Mnie interesuje tylko to, co społeczne, nic innego. Możesz sobie czytać Lukrecjusza i wołać: alleluja, możesz rozprawiać o lasach w siedemnastym wieku. Mnie to nic nie obchodzi. Liczą się tylko ludzie.

— Widziałeś ten obraz Kiefera? Las, widać tylko drzewa i śnieg, kilka czerwonych plam i białymi literami wypisane nazwiska niemieckich poetów. Hölderlin, Rilke, Fichte, Kleist. To najlepsze dzieło sztuki, jakie powstało po wojnie, a może nawet w całym ubiegłym stuleciu. Co ten obraz przedstawia? Las. O co w nim chodzi? No, to przecież Auschwitz. Gdzie jest związek? Nie chodzi o myśli, to tkwi bardzo głęboko w kulturze i nie da się tego wyrazić myślami.

— Widziałeś *Shoah*?

— Nie.

— Lasy, lasy, lasy. I twarze. Lasy, gaz i twarze.

— Ten obraz ma tytuł *Varus*. Z tego co pamiętam,

to był jeden z przywódców rzymskiej armii. Przegrał wielką bitwę w Germanii. A więc linia biegnie od lat siedemdziesiątych aż do Tacyta. Schama ciągnie ją w *Landscape and Memory*, w tej książce, którą czytałem, no wiesz. Moglibyśmy dodać do tego Odyna, który wiesza się na drzewie. Może zresztą to zrobił, nie pamiętam. Ale jest las.

— Chyba rozumiem, o co ci chodzi.

— Kiedy czytam Lukrecjusza, czytam o wspaniałości świata, a wspaniałość świata to przecież barokowa myśl. Zaginęła chyba wraz z barokiem. Mówi o rzeczach. O fizyczności rzeczy. O zwierzętach. Drzewach. Rybach. Jeśli tobie jest żal, że zaginął czyn, to mnie jest żal tego, że zaginął świat. Jego fizyczność. Mamy tylko obrazy. Do nich się odnosimy. Czym jest teraz apokalipsa? To drzewa znikające w Ameryce Południowej. Topniejące lodowce, podnoszący się poziom wody.

Jeśli piszesz po to, żeby odzyskać powagę, ja piszę po to, żeby odzyskać świat. Nie, nie ów świat, w którym tkwię. Zupełnie nie interesuje mnie to, co społeczne, chodzi mi o barokowe komnaty cudów. Gabinety osobliwości. I świat, który jest w drzewach Kiefera. Czyli o sztukę. Nic innego.

— Obraz?

— Złapałeś mnie. Tak, obraz.

Pukanie do drzwi.

— Zaraz do ciebie zadzwonię — przerwałem i szybko się rozłączyłem. — Proszę!

Do pokoju zajrzała Linda.

— Rozmawiasz przez telefon? — spytała. — Chciałam tylko powiedzieć, że idę się wykąpać. Będziesz słyszał, gdy któreś się obudzi? Sprawdzam, czy nie siedzisz w słuchawkach.

— Jasne. Kładziesz się potem?

Kiwnęła głową.

— Też niedługo przyjdę.

— To na razie — uśmiechnęła się i zamknęła drzwi.

Znów zadzwoniłem do Geira.

— Już nie wiem, do cholery — westchnąłem.

— Ja też nie.

— A co robiłeś dziś wieczorem?

— Słuchałem bluesa. Dostałem dzisiaj pocztą dziesięć nowych płyt. Zamówiłem... trzynaście, czternaście, piętnaście kolejnych.

— Zwariowałeś.

— Nie, nie zwariowałem... Mama dzisiaj umarła.

— Co ty mówisz?

— Zasnęła. Jej strach się skończył. Nie wiem w ogóle, dlaczego się bała. Ale tata jest kompletnie załamany. Odd Steinar oczywiście też. Jedziemy tam za kilka dni. Pogrzeb będzie za tydzień. Czy ty się nie wybierałeś do Sørlandet mniej więcej w tym czasie?

— Za dziesięć dni. Właśnie zamówiłem bilety.

— No, to może się zobaczymy. Na pewno zostaniemy kilka dni dłużej.

Pauza.

— Dlaczego nie powiedziałeś od razu? — spytałem. — Przecież rozmawiamy już pół godziny. Chciałeś podkreślić, że nic się nie zmieniło?

— O nie, nie. Mylisz się. Nie. Zwyczajnie nie chcę w tym tkwić, a kiedy z tobą rozmawiam, trochę się od tego odrywam. Po prostu. Nie ma o czym mówić, chyba rozumiesz. To w niczym nie pomoże. Podobnie jest z bluesem. To miejsce, do którego można uciec. Nie żebym tak dużo czuł. Ale wydaje mi się, że to też jest uczucie.

— Jest.

Kiedy się rozłączyliśmy, poszedłem do przedpokoju

między kuchnią a salonem, wziąłem jabłko i gryząc je, patrzyłem na kuchnię, ogołoconą ze wszystkiego. Mur widoczny w miejscu, gdzie był blat, długie deski oparte o gołe ściany, podłoga pokryta warstwą kurzu, rozmaite narzędzia i kable, jakieś opakowane w plastik przedmioty, przygotowane do montażu. Remont miał potrwać dwa tygodnie. Właściwie chcieliśmy tylko wstawić zmywarkę, ale blat nie pasował wymiarami, a robotnik stwierdził, że prościej będzie wymienić całą kuchnię, więc się na to zdecydowaliśmy. Płacili właściciele domu.

Jakiś odgłos kazał mi odwrócić głowę. Czyżby dobiegał z pokoju dzieci?

Wszedłem tam, spojrzałem. Dziewczynki spały, Heidi na górnym łóżku, z nogami na poduszce i głową na zwiniętej kołdrze. Vanja na dole, również na kołdrze, z rękami i nogami wyciągniętymi w taki sposób, że ciało ułożyło się w x. Poruszyła głową z boku na bok.

— Mama Mu — powiedziała.

Otworzyła oczy.

— Nie śpisz, Vanju?

Nie odpowiedziała.

A więc spała.

Czasami zdarzało się, że późnym wieczorem budziła się z przeraźliwym płaczem, ale nie można było nawiązać z nią kontaktu, cały czas płakała, jakby schwytana w siebie, jakbyśmy w ogóle nie istnieli, a ona została zupełnie sama w swoim świecie. Kiedy próbowaliśmy ją podnieść, przytulić, stawiała gwałtowny opór, kopała, biła i za wszelką cenę chciała wrócić do łóżka, ale i tam pozostawała równie dzika i niedostępna. Nie spała, ale też się nie budziła. Było to coś w rodzaju sytuacji pośredniej. Serce się ściskało na ten widok, lecz następnego dnia rano budziła się w dobrym humorze.
Ciekaw byłem, czy pamięta tę rozpacz, czy też odsuwa się ona od niej jak sen.

Ale na pewno spodoba jej się, że powiedziała przez sen „Mama Mu", postanowiłem nie zapomnieć o przekazaniu jej tego.

Zamknąłem drzwi do pokoju i poszedłem do łazienki, gdzie jedyne światło dawała nieduża świeczka ustawiona na brzegu wanny, migocząca w przeciągu od okna. Powietrze było aż gęste od pary. Linda leżała z zamkniętymi oczami i połową głowy zanurzoną w wodzie. Kiedy wyczuła moją obecność, wolno się uniosła.

— Siedzisz tu jak w grocie — zauważyłem.

— Jest cudownie. Wskakujesz?

Pokręciłem głową.

— Wiedziałam. Z kim rozmawiałeś?

— Z Geirem. Jego matka dzisiaj umarła.

— Ach, jak mi przykro. Jak to przyjął?

— Nieźle.

Znów się położyła.

— Chyba jesteśmy już w tym wieku — stwierdziłem. — Kilka miesięcy temu umarł ojciec Mikaeli. Twoja matka miała zawał. Matka Geira zmarła.

— Nie mów tak! — zaprotestowała Linda. — Mama będzie żyła jeszcze wiele lat. Twoja też.

— Może. Po przekroczeniu sześćdziesiątki można dożyć późnej starości. Zwykle tak bywa. Ale i tak już niedługo to my będziemy najstarsi.

— Karl Ove, przecież nie masz jeszcze czterdziestu lat! A ja mam trzydzieści pięć.

— Rozmawiałem kiedyś o tym z Jeppem. Stracił oboje rodziców. Powiedziałem, że dla mnie najgorsza w takiej sytuacji byłaby świadomość, że nie mam już żadnego świadka swojego życia. Nie rozumiał, o czym mówię. Nie wiem, czy naprawdę tak myślałem. Bo raczej chodzi mi o świadka nie mojego życia, tylko życia naszych dzieci. Chciałbym, żeby mama widziała, co się z nimi dzieje, nie tylko teraz, gdy są małe, ale kiedy będą dorastać. Żeby naprawdę je znała. Rozumiesz, co mam na myśli?

— Oczywiście. Ale nie wiem, czy chcę o tym rozmawiać.

— Pamiętasz, jak weszłaś do pokoju i spytałaś, czy nie wiem, gdzie jest Heidi? Poszedłem z tobą jej szukać. Wcześniej była tu Berit i otworzyła drzwi na loggię. Kiedy to zobaczyłem, te otwarte drzwi, zdjął mnie straszny lęk. Krew odpłynęła mi z głowy, mało nie zemdlałem. Ten lęk, panika czy strach, czy co to było, nadszedł momentalnie. Pomyślałem, że Heidi wyszła sama na loggię, przez tych kilka sekund miałem pewność, że ją straciliśmy. To były chyba najgorsze sekundy mojego życia. Nigdy wcześniej niczego tak silnie nie odczuwałem. A najdziwniejsze jest to, że nigdy wcześniej w ogóle nie pomyślałem, że coś się może stać, że naprawdę możemy stracić dzieci. W pewnym sensie wydawało mi się, że są nieśmiertelne. No, ale mieliśmy o tym nie rozmawiać.

— Dziękuję.

Uśmiechnęła się. Kiedy miała włosy odgarnięte do tyłu, a twarz nieumalowaną, sprawiała wrażenie bardzo młodej.

— W każdym razie nie wyglądasz na trzydzieści pięć lat — stwierdziłem. — Najwyżej na dwadzieścia pięć.

— Naprawdę?

Kiwnąłem głową.

— Prawdę powiedziawszy, ostatnio w monopolowym poprosili mnie o dowód tożsamości. Mogłabym to uznać za pochlebstwo, ale z drugiej strony na ulicy zatrzymują mnie te wszystkie chrześcijańskie organizacje. Zawsze się mnie czepiają. Kiedy idę z innymi, ich zostawiają w spokoju, ale do mnie natychmiast przybiegają. Coś musi ode mnie bić. Oto osoba, którą można zbawić. Potrzebuje zbawienia. Jak sądzisz?

Wzruszyłem ramionami.

— Może dlatego że wyglądasz niewinnie.

— Ha! Jeszcze gorzej.

Ścisnęła palcami nos i zsunęła się pod wodę. Kiedy się wynurzyła, potrząsnęła głową. Potem spojrzała na mnie z uśmiechem.

— O co chodzi? Dlaczego tak na mnie patrzysz?

— Na przykład teraz. Zachowałaś się jak dziecko.

— Kiedy?

— Zanurkowałaś.

W sypialni, znajdującej się tuż za ścianą łazienki, John zaczął popłakiwać.

— Pogłaszczesz go trochę po plecach? Przyjdę za minutę.

Poszedłem do sypialni. Leżał na wznak i płacząc, wymachiwał rączkami. Obróciłem go jak żółwia i zacząłem gładzić dłonią po plecach. Nie było dla niego nic przyjemniejszego, zawsze się wtedy uspokajał, jeśli tylko nie miał wcześniej czasu porządnie się rozzłościć.

Zaśpiewałem mu jeszcze tych pięć kołysanek, które znałem. Przyszła Linda i wzięła go do siebie do łóżka. Włożyłem kurtkę, szalik, czapkę i buty, stojące przy drzwiach loggii, i wyszedłem. Usiadłem na krześle w kącie, nalałem sobie kawy, zapaliłem papierosa. Wiało od wschodu. Niebo było przepastne, rozgwieżdżone. W kilku miejscach migotały światełka samolotów.

Latem tego roku, gdy skończyłem dwadzieścia lat, któregoś dnia zadzwoniła mama i powiedziała, że ma

w brzuchu duży guz; nazajutrz miała iść do szpitala na operację. Nie wiedziała, czy jest złośliwy, czy nie. Nie wiedziała też, jak to się skończy. Mówiła, że guz jest na tyle duży, że już od dawna nie mogła leżeć na brzuchu. Miała taki słaby, bezbarwny głos. Byłem wtedy u Hilde, koleżanki z liceum, w Søm pod Kristiansand, a kilka minut wcześniej stałem na podjeździe koło samochodu i czekałem na nią. Mieliśmy iść popływać. Hilde zawołała do mnie z balkonu: „Twoja mama dzwoni, Karl Ove!". Natychmiast pojąłem powagę sytuacji, ale nie miałem w sobie żadnych uczuć, pozostałem całkowicie zimny. Odłożyłem słuchawkę, poszedłem do Hilde, która zdążyła już wsiąść do samochodu, otworzyłem drzwiczki od strony pasażera, wsiadłem, oznajmiłem, że mama ma mieć operację i że muszę następnego dnia jechać do Førde. Czułem się tak, jakby to było jakieś wydarzenie, w którym będę uczestniczył i mam do odegrania rolę: oto przylatuje syn, żeby zająć się matką. Wyobrażałem sobie pogrzeb, jak wszyscy składają mi kondolencje, jak im będzie mnie żal, myślałem też o spadku po mamie. No i uznałem, że nareszcie będę miał o czym napisać. W czasie gdy tak rozmyślałem, inny głos jakby biegł obok, powtarzając: nie, posłuchaj, to poważna sprawa. Mama umiera, przecież tyle dla ciebie znaczy, chcesz, żeby żyła, chcesz tego, Karl Ove! Już samo to, że o chorobie mamy mogłem powiedzieć Hilde, wydawało mi się walorem, sądziłem, że w jej oczach stanę się kimś ważniejszym. Następnego dnia odwiozła mnie na lotnisko, wylądowałem na Bringelandsåsen, autobusem dojechałem do centrum Førde i dalej do szpitala, gdzie dostałem od mamy klucze od domu. Właśnie się przeprowadziła. Wszystko było w paczkach, którymi miałem się nie przejmować, zostawić tak, jak stały. Sama się tym zajmę, jak wrócę, powiedziała. J e ś l i wrócisz, dodałem w myślach. Pojechałem autobusem przez dolinę, przez przeraźliwie zielony krajobraz, byłem sam w tym domu przez cały wieczór i noc, następnego dnia znów wybrałem się do szpitala, mama była zamroczona i słaba po operacji, która się udała. Kiedy wróciłem do domu, stojącego na końcu niewielkiej równiny, przy której z jednej strony wznosiły się trawiaste zbocza góry, a z drugiej były rzeka, las i kolejna góra, zacząłem sortować kartony, przenosić te z rzeczami kuchennymi do kuchni i tak dalej. Ściemniło się, drogą coraz rzadziej przejeżdżały samochody, szum rzeki spotężniał, mój cień przesuwał się po ścianach i kartonach. Kim byłem? Samotnym człowiekiem. Właśnie zacząłem się uczyć, jak sobie z tym radzić, to znaczy minimalizować znaczenie tego faktu, ale ciągle jeszcze było sporo przede mną, więc pozostawało mi przetrwać ten chłód w głowie za każdym razem, gdy przerywałem pracę, to lodowate zło, ewentualnie ubrać się, przejść po trawie, przez furtkę, przeciąć drogę i podejść do rzeki, szaroczarnej, płynącej przez mrok letniej nocy, stać tam między jaśniejącymi białymi pniami brzóz i patrzeć na wodę, która w pewnym sensie przybierała barwę moich uczuć, dopasowywała się do nich. Coś w tym musiało być, bo w owym czasie często wychodziłem w nocy w poszukiwaniu wody. Wszystko jedno jakiej. Morza, rzeki, jeziora. Czułem się tak wypełniony sobą i tak wielki, a jednocześnie byłem nikim, byłem zupełnie sam, bez przyjaciół, dręczony myślą o tej jednej, o kobiecie, chociaż nie wiedziałem, co bym zrobił, gdybym ją miał, bo jeszcze z żadną nie spałem. Cipa była dla mnie teorią. O użyciu tego słowa nawet mi się nie śniło. Łono, biust, pośladki — tak przed sobą omawiałem pożądanie. Bawiłem się myślą o samobójstwie, robiłem to od dzieciństwa, i z tego powodu gardziłem sobą, bo to miało się nigdy nie wydarzyć, miałem za dużo do pomszczenia, zbyt wielu osób nienawidziłem i za dużo mogłem na tym zyskać. Zapaliłem papierosa, a potem wróciłem do pustego domu, w którym czekały na mnie kartony. Koło trzeciej wszystkie były już rozmieszczone. Zacząłem przenosić wystawione w korytarzu obrazy do salonu. Kiedy brałem jeden z nich, nagle poderwał się zza niego jakiś ptak i uderzył mnie w twarz. Jasna cholera! Podskoczyłem pewnie z metr do góry, ale to nie był ptak, tylko nietoperz. Zaczął krążyć po salonie dziki, oszalały. Śmiertelnie się wystraszyłem. Wybiegłem stamtąd, zamknąłem za sobą drzwi i schowałem się w sypialni na piętrze, gdzie spędziłem całą noc. Zasnąłem koło szóstej, spałem aż do trzeciej następnego dnia, potem szybko się ubrałem i pojechałem autobusem do szpitala. Mama czuła się już lepiej, ale ciągle była trochę otumaniona środkami przeciwbólowymi. Usiedliśmy na tarasie, ona na wózku. Opowiedziałem jej trochę o strasznych wydarzeniach tej wiosny. Dopiero wiele lat później uświadomiłem sobie, że raczej nie powinienem był jej niepokoić od razu po operacji. Kiedy wróciłem do domu, nietoperz siedział na ścianie. Nakryłem go miską do prania, słyszałem, jak szaleje w środku, i o mało się nie zrzygałem z obrzydzenia. Przeciągnąłem miskę po ścianie, udało mi się ją ustawić na podłodze tak, by nietoperz się nie wydostał. Przynajmniej był uwięziony, chociaż nie martwy. Zrobiłem tak jak poprzedniej nocy, zamknąłem drzwi do salonu i poszedłem do sypialni. Czytałem *Czerwone i czarne* Stendhala, dopóki nie zasnąłem. Następnego dnia znalazłem w szopie cegłę, ostrożnie uniosłem miskę, zobaczyłem, że nietoperz leży nieruchomo, zawahałem się przez chwilę, zastanawiając się, czy mogę go w jakiś sposób wynieść, przerzucić do miski i nakryć czymś, na przykład gazetą. Nie chciałem go miażdżyć, jeśli nie musiałem. Ale właściwie zanim podjąłem decyzję, uderzyłem go z całej siły i przygniotłem do podłogi. Wciskałem cegłę, przesuwając ją na boki, dopóki nie nabrałem pewności, że nie żyje. Wrażenie miękkości pod twardością utkwiło we mnie na kilka dni, a może nawet tygodni. Zmiotłem nietoperza na szufelkę i wyrzuciłem do rowu przy drodze. Potem starannie wyszorowałem miejsce, w którym leżał, i znów pojechałem autobusem do szpitala. Następnego dnia mama wróciła do domu i przez dwa tygodnie byłem dobrym synem. Wśród szalejącej zieleni, pod szarym niebem nad doliną nosiłem meble i rozpakowywałem kartony, dopóki nie rozpoczęły się zajęcia na uniwersytecie; wtedy pojechałem autobusem do Bergen.

Ile zostało we mnie z tamtego dwudziestolatka?

Niewiele, pomyślałem, patrząc na gwiazdy mrugające nad miastem. Poczucie bycia sobą, to, z którym budziłem się codziennie i co wieczór zasypiałem, wcale się nie zmieniło. Ale zniknęło owo drżenie bliskie paniki. Ogromne skupienie na innych ludziach również. Jego przeciwieństwo, tamto megalomańskie znaczenie, które sobie przypisywałem, zmalało. Może nie bardzo, ale trochę.

Kiedy miałem dwadzieścia lat, zaledwie dziesięć lat wcześniej miałem dziesięć. Dzieciństwo wciąż było bliskie. Wtedy ciągle się do niego odnosiłem. Usiłowałem zrozumieć różne rzeczy, przyjmując je za punkt wyjścia. Teraz już tak nie było.

Wstałem i wszedłem do mieszkania. W ciemności sypialni Linda i John spali wtuleni w siebie. John malutki jak piłka. Położyłem się obok, przez chwilę na nich patrzyłem, w końcu także zasnąłem.

Dziesięć dni później, wczesnym przedpołudniem, wylądowałem na lotnisku Kjevik koło Kristiansand. Chociaż od trzynastego do osiemnastego roku życia mieszkałem dziesięć kilometrów dalej i krajobraz wciąż był pełen wspomnień, tym razem nie zrobił na mnie wielkiego wrażenia, wręcz żadnego, może dlatego że nie minęły nawet dwa lata, odkąd byłem tu ostatni raz, a może oddaliłem się od tego miejsca bardziej niż kiedykolwiek. Kiedy schodziłem po schodach z samolotu, miałem po lewej ręce fiord Topdal, lśniący w blasku lutowego słońca, a po prawej równinę Ryensletta, przez którą kiedyś w sylwestra wlekliśmy się w śnieżycy z Janem Vidarem.

Wszedłem do terminalu, minąłem taśmę z bagażami i kupiłem w kiosku kubek kawy, którą wyniosłem na zewnątrz. Zapaliłem papierosa, przyglądałem się ludziom sunącym do autobusu i w kierunku taksówek. Dookoła słyszałem dialekt sørlandzki, który napełniał mnie mieszanymi uczuciami. Był wyznacznikiem przynależności kulturowej i geograficznej, a zarozumiałość, którą zawsze w nim wychwytywałem, gdyż prawdopodobnie mierzyłem go własną miarą, wciąż słyszałem, i to tym wyraźniej, że przestałem należeć do tego miejsca, a właściwie nigdy do niego nie należałem.

Życie łatwo zrozumieć, bo niewiele jest czynników, które o nim decydują. W moim życiu były dwa takie czynniki. Ojciec oraz to, że nie należałem do żadnego miejsca.

Nie było w tym niczego skomplikowanego.

Włączyłem komórkę i sprawdziłem na wyświetlaczu godzinę. Kilka minut po dziesiątej. Pierwszy odczyt tego dnia miałem wygłosić o trzynastej na nowym Uniwersytecie w Agder, więc zostało mi dużo czasu. Drugi miał się odbyć w Søgne, dwadzieścia kilometrów za miastem, o wpół do ósmej wieczorem. Zdecydowałem, że wystąpię bez scenariusza. Nigdy wcześniej tego nie robiłem, więc zdenerwowanie i lęk zalewały mnie jak fala mniej więcej co dziesięć minut. Miałem miękkie nogi, a ręka, w której trzymałem kubek, zdawała się drżeć. Stwierdziłem jednak, że wcale nie drży, zgasiłem papierosa na poczerniałej od popiołu kratce przy koszu na śmieci, przeszedłem przez automatyczne drzwi i skierowałem się do kiosku, gdzie kupiłem kilka gazet, z którymi usiadłem na wysokim barowym stołku. Dziesięć lat temu pisałem o tym miejscu, to tutaj przyszedł główny bohater *Ute av verden*, Henrik Vankel, żeby spotkać się z Miriam w końcowej scenie powieści. Pisałem to w Voldzie, a widok na fiord, na pływające od brzegu do brzegu promy, oraz światła na nabrzeżu i pod górami po drugiej stronie były jedynie cieniem opisywanych przeze mnie pomieszczeń i pejzaży, tego Kristiansand, po którym kiedyś chodziłem i które teraz przemierzałem w myślach. Nie zapamiętywałem, co ludzie do mnie mówili, nie zapamiętywałem, co się obok mnie wydarzyło, ale za to dokładnie pamiętałem, jak wyglądały miejsca i jaki panował w nich nastrój. Pamiętałem wszystkie pomieszczenia, wszystkie krajobrazy. Kiedy zamknąłem oczy, potrafiłem wyczarować w pamięci każdy szczegół domu, w którym dorastałem, domów sąsiadów i pejzażu w promieniu co najmniej kilku kilometrów. Szkoły, pływalnie, hale sportowe, kluby, stacje benzynowe, sklepy, domy moich krewnych. Podobnie było z przeczytanymi książkami. Akcja przepadała po kilku tygodniach, natomiast miejsca, w których rozgrywały się wydarzenia, pozostawały we mnie na długie lata, może nawet na zawsze.

Przerzuciłem „Dagbladet", potem „Aftenposten" i „Fædrelandsvennen", i dalej siedziałem, patrząc na przechodzących ludzi. Powinienem wykorzystać ten czas na przygotowanie się do wystąpienia, bo do tej pory jedynie poprzedniego wieczoru przejrzałem jakieś stare papiery i wydrukowałem teksty, które zamierzałem przeczytać na głos. W samolocie zapisałem dziesięć punktów do omówienia. Więcej nie dałem rady zrobić, bo myśl, że muszę po prostu mówić, a przecież nie ma nic łatwiejszego, była bardzo kusząca i z wdzięcznością można jej było ulec. Miałem mówić o swoich książkach, ale o nich mówić nie mogłem, więc pozostawało mi opowiadać o tym, jak zostały napisane, o latach pustki, zanim zaczęły przybierać konkretny kształt i powoli tę pustkę wypełniać, a potem szło już samo z siebie. Lawrence Durrell powiedział kiedyś, że pisanie powieści to wyznaczanie sobie celu i docieranie do niego we śnie; miał rację, to była prawda. Mamy dostęp nie tylko do własnego życia, ale również do życia prawie wszystkich osób żyjących w naszym kręgu kulturowym, nie tylko do własnych wspomnień, lecz również do wspomnień całej tej cholernej kultury, bo ja to ty, a ty to wszyscy, przybywamy z tego samego i zmierzamy ku temu samemu, po drodze słysząc to samo w radiu, oglądając to samo w telewizji, czytając to samo w gazetach, jest w nas ta sama fauna uśmiechniętych twarzy znanych ludzi. Nawet jeśli usiądziesz w maleńkim pokoju, w maleńkim miasteczku, odległym o setki kilometrów od centrów świata, i nie będziesz się z nikim spotykał, to i tak piekło tych ludzi stanie się twoim piekłem, ich niebo — twoim niebem, wystarczy tylko przekłuć ów balon, jakim jest świat, i pozwolić, by wszystko, co się w nim znajduje, wypłynęło na boki.

Mniej więcej to zamierzałem powiedzieć.

Język jest wspólny, wrastamy w niego, wspólne są również formy, w jakich go wykorzystujemy, więc bez względu na osobiste idiosynkrazje, w literaturze nigdy nie można oderwać się od innych. Przeciwnie, literatura nas do siebie zbliża. Poprzez język, którego nikt z nas nie jest właścicielem, przez formę, której nikt w pojedynkę nie złamie, a jeśli nawet ktoś to zrobi, i tak ma to sens tylko wówczas, kiedy niezwłocznie pójdą za nim inni. Forma odrywa cię od samego siebie, tworzy dystans do twojego ja, i właśnie ten dystans jest warunkiem bliskości z innymi.

Wystąpienie planowałem zacząć od anegdoty o Haugem, tym skwaszonym starcu, mamroczącym pod nosem i zamkniętym w sobie, który przez wiele lat żył w niemal całkowitej izolacji, a mimo to znajdował się o wiele bliżej centrum kultury i cywilizacji niż prawdopodobnie jakakolwiek inna osoba w jego czasach. Jakie rozmowy prowadził? W jakim miejscu się znajdował?

Zsunąłem się ze stołka i podszedłem do lady po dolewkę kawy. Rozmieniłem pięćdziesięciokoronowy banknot na monety, bo przed wyruszeniem w dalszą drogę musiałem zadzwonić do Lindy, a z komórki nie mogłem telefonować za granicą.

Powinno pójść nieźle, pomyślałem, patrząc na dwie kartki z hasłami. Nieważne, że to są stare przemyślenia, że wcale już tak nie uważam. Najważniejsze, żebym w ogóle coś powiedział.

W ostatnich latach coraz bardziej traciłem wiarę w literaturę. Czytałem i konstatowałem, że ktoś to po prostu wymyślił. Może dlatego że znajdowaliśmy się całkowicie pod okupacją fikcji i opowieści. Może uległy one inflacji. Gdziekolwiek człowiek się obrócił, zewsząd otaczała go fikcja. Miliony pocketbooków, książek w twardych oprawach, filmów na DVD i seriali telewizyjnych, wszystko to były opowieści o zmyślonych ludziach w zmyślonym, chociaż wiernym rzeczywistości świecie. Wiadomości w gazetach, w telewizji i w radiu miały dokładnie taką samą formę, programy dokumentalne również, to także były opowieści, więc przestawało mieć znaczenie, czy to, o czym opowiadały, wydarzyło się faktycznie, czy też nie. To był stan krytyczny, czułem to każdą cząsteczką ciała, po świadomości rozlewało się coś nasyconego, przypominającego smalec, przede wszystkim dlatego, że sedno owej fikcji, prawdy czy nieprawdy, stanowiło podobieństwo, a jej dystans wobec rzeczywistości pozostawał stały. Fikcja dostrzegała wciąż to samo, produkowała seryjnie nasz świat. Wyjątkowość, o której wszyscy mówili, została zlikwidowana, przestała istnieć, stała się kłamstwem. Życie wśród tego, w przekonaniu, że wszystko równie dobrze mogłoby być inne, doprowadzało mnie do rozpaczy. Nie potrafiłem tak pisać, nie dawało się, na każde zdanie odpowiadała myśl: przecież ty to zmyśliłeś. To nie ma żadnej wartości. To, co zmyślone, nie ma wartości, to, co dokumentalne, nie ma wartości. Jedynymi gatunkami literatury, których wartość wciąż dostrzegałem, które ciągle jeszcze miały sens, były dzienniki i eseje — w nich nie chodzi o opowieść, niczego nie opisują, składają się jedynie z głosu, głosu własnej osobowości, z życia, napotkanej twarzy czy spojrzenia. Czym jest dzieło sztuki, jeśli nie spojrzeniem innego człowieka? Nie ponad nami i nie pod nami, tylko dokładnie na wysokości naszych oczu. Sztuki nie można przeżywać zbiorowo, nie da się. Ze sztuką człowiek jest sam. W te oczy patrzy się samotnie.

Do tego miejsca dotarła owa myśl i trafiła na ścianę. Jeśli fikcja jest bezwartościowa, to świat także, bo widzimy go poprzez fikcję.

Oczywiście mogłem zrelatywizować również ten pogląd. Uznać, że chodzi bardziej o mój stan duchowy, o moją osobistą psychologię niż o faktyczny stan świata. Gdybym porozmawiał o tym z Espenem albo Torem, moimi najstarszymi przyjaciółmi, których znałem na długo przed tym, zanim zadebiutowali i zostali pisarzami, całkowicie odrzuciliby mój pogląd. Każdy na swój sposób. Espen był człowiekiem krytycznym, lecz jednocześnie żarliwie ciekawym, miał ogromny apetyt na świat, a pisząc, całą energię kierował na zewnątrz: polityka, sport, muzyka, filozofia, historia Kościoła, medycyna, biologia, malarstwo, wielkie wydarzenia współczesności, wielkie wydarzenia przeszłości, wojny i pola bitew, lecz również własne córki, własne wyjazdy wakacyjne, drobne epizody, których był świadkiem; o wszystkim pisał, usiłując zrozumieć, i to z wyjątkową lekkością, wynikającą z braku zainteresowania spojrzeniem w głąb, introspekcją, chociaż jego krytycyzm równie dobrze mógł wszystko zniszczyć. Ale Espen pragnął właśnie takiego udziału w świecie. Kiedy go poznałem, był zwrócony ku własnemu wnętrzu, skrępowany, zamknięty w sobie i niezbyt szczęśliwy. Widziałem, jak długą drogę przeszedł do obecnego życia, jak udało mu się tam dotrzeć, jak wszystko, co mu ciążyło, zniknęło. Trafił właściwie, był szczęśliwy i chociaż krytykował wiele zjawisk na świecie, to jednak światem nie gardził. Lekkość Torego miała zupełnie inny charakter, uwielbiał współczesność i głosił jej chwałę, co być może wynikało z głębokiej fascynacji muzyką pop, anatomią list przebojów, tym, co jest ważne w jednym tygodniu, ale w drugim zastępowane jest przez coś innego, i estetyką popu związaną ze zwiększaniem sprzedaży, byciem widocznym w mediach, jeżdżeniem ze swoim show; wszystko to przeniósł na literaturę, za co, rzecz jasna, dostał niezłe baty, lecz co

mimo wszystko realizował z typowym dla siebie uporem. Jeśli czegoś nienawidził, to modernizmu, ponieważ według niego był niekomunikatywny, niedostępny, zawiły i nieskończenie próżny, chociaż nie chciał tego przyznać. No ale jak można poruszyć człowieka, który swego czasu wielbił Spice Girls? Który swego czasu napisał pełen zachwytu esej o sitcomie *Przyjaciele*? Lubiłem kierunek, w jakim zwracał się Tore, czyli powieść przedmodernistyczną, autorów takich jak Balzac, Flaubert, Zola, Dickens, lecz nie podzielałem jego wiary w możliwość przejęcia tej formy. Ale też jedyną rzeczą, jaką naprawdę krytykował w moich tekstach, była forma, uważał ją za słabą. Odpowiadał mi też gatunek, który wybrał Espen, uczony, naszpikowany dygresjami uniwersalny esej, mający w sobie coś z baroku, lecz nie podobały mi się poglądy, jakie w nim prezentował, na przykład wychwalanie racjonalizmu i ośmieszanie romantyzmu. Tak czy owak, zarówno Espen, jak i Tore byli mocno osadzeni w świecie i nie dostrzegali w nim niczego złego, przeciwnie. Ja również musiałem to robić, afirmować wszystko w rozumieniu Nietzschego, bo nic innego nie było. Nic innego nie mieliśmy, nic innego nie istniało, więc mieliśmy to odrzucić?

Włączyłem komórkę. Zajaśniało zdjęcie Heidi z Vanją. Heidi z buzią prawie wciśniętą w obiektyw, jeden wielki uśmiech, Vanja z tyłu, nieco ostrożniejsza.

Za piętnaście jedenasta.

Wstałem, poszedłem do automatu telefonicznego, wrzuciłem czterdzieści koron i wybrałem numer komórki Lindy.

— No i jak było rano? — spytałem.

— Strasznie. Jeden wielki chaos. Kompletnie straciłam kontrolę. Heidi znów podrapała Johna, potem się pobiły z Vanją, a na ulicy Vanja dostała ataku wściekłości.

— O nie! — jęknąłem. — Żal mi ciebie.

— A kiedy już dotarliśmy do przedszkola, Vanja powiedziała: „Ty i tatuś zawsze się tak złościcie, cały czas jesteście źli". Zrobiło mi się okropnie przykro! Niewiarygodnie przykro.

— Rozumiem. To rzeczywiście straszne. Musimy znaleźć na to jakąś radę, Lindo. Musimy. Nie może dłużej tak być. Wezmę się w garść. W dużej mierze to moja wina.

— Musimy — przyznała Linda. — Porozmawiamy o tym po twoim powrocie do domu. Najgorsze, że chcę tylko i wyłącznie, żeby im było dobrze. Niczego bardziej nie pragnę. Ale nie potrafię im tego dać! Jestem złą matką. Nie umiem zostać sama z własnymi dziećmi.

— To nieprawda. Jesteś wspaniałą matką. Nie o to chodzi. Poradzimy sobie, zobaczysz.

— No tak… Jak podróż?

— Dobrze. Jestem w Kristiansand. Niedługo jadę na uniwersytet. Boję się jak pies. Nie ma dla mnie nic gorszego. Naprawdę. A ciągle to robię.

— I zawsze ci wychodzi.

— To prawda, ale z pewnymi modyfikacjami. Czasami rzeczywiście się udaje. Ale nie dzwonię po to, żeby się skarżyć. Wszystko jest w porządku, dobrze się czuję. Zadzwonię wieczorem, okej? A gdyby coś się działo, możesz dzwonić na komórkę. Przychodzące rozmowy mogę odbierać.

— Okej.

— Co teraz robisz?

— Chodzę z Johnem po Pildammsparken. Zasnął. Ładnie tu, właściwie powinnam być zadowolona, ale... Ten poranek kompletnie mnie załamał.

— To minie. Na pewno spędzicie miłe popołudnie. No, muszę już lecieć. Trzymaj się.

— Ty też się trzymaj. Powodzenia.

Rozłączyłem się, zabrałem torbę i wyszedłem zapalić ostatniego papierosa.

Niech to szlag trafi!

Oparłem się o ścianę, spojrzałem na las, na szare skały wystające spośród zieleni i żółci.

Było mi tak przykro z powodu dzieci. W domu ciągle się złościłem, chodziłem poirytowany i niewiele potrzebowałem, żeby zacząć krzyczeć na Heidi, wręcz na nią wrzeszczeć. No a Vanja... Kiedy miewała te swoje napady buntu i nie dość, że odmawiała wszystkiego, to jeszcze krzyczała, wrzeszczała i biła, ja też krzyczałem, szarpałem nią i rzucałem ją na łóżko, kompletnie wyprowadzony z równowagi. Potem tego żałowałem, starałem się być cierpliwy, miły, życzliwy i dobry. Dobry. Tego właśnie chciałem, jedyna rzecz, jakiej pragnąłem, to być dobrym ojcem dla tej trójki.

Nie byłem?

Niech to jasna cholera.

Rzuciłem papierosa i chwyciłem torbę. Ponieważ nie wiedziałem, gdzie jest uniwersytet, bo coś takiego nie istniało, kiedy tu mieszkałem, postanowiłem wziąć taksówkę. Usiadłem z tyłu. Ruszyła z postoju, wyjechała na drogę, najpierw wzdłuż pasa lotniska, potem przez rzekę, obok mojej starej szkoły, która ani trochę mnie nie obchodziła, sunęła w górę i w dół po wzgórzach, minęła Hamresanden, kemping, plażę, płaskowyż z osiedlem, na którym mieszkała większość moich kolegów z klasy, przejechała przez las do skrzyżowania Timenes, a stamtąd drogą E18 aż do samego Kristiansand.

Uniwersytet mieścił się za wylotem z tunelu niedaleko mojego liceum, ale był od niego całkowicie odizolowany, stał w lesie jak niewielka wyspa. Piękne, nowe, duże budynki. Od razu rzucało się w oczy, że od czasów, kiedy tu mieszkałem, w Norwegii przybyło pieniędzy. Ludzie byli lepiej ubrani, mieli droższe samochody i wszędzie budowało się coś nowego.

Przy wejściu powitał mnie brodaty mężczyzna w okularach, wyglądający na nauczyciela licealnego. Przedstawiliśmy się sobie, pokazał mi salę, w której miał się odbyć odczyt, i gdzieś poszedł. Poszukałem bufetu, wmusiłem w siebie bagietkę, a potem usiadłem w słońcu, piłem kawę i paliłem. Dookoła pełno było studentów, młodszych, niż się spodziewałem, wyglądali raczej na licealistów. Nagle zobaczyłem siebie, siedzącego samotnie podstarzałego faceta z zapadniętymi oczami. Czterdzieści lat, wkrótce będę miał czterdzieści lat. A przecież omal nie spadłem z krzesła, kiedy Olli, kolega Hansa, powiedział kiedyś, że ma już czterdzieści. Po pierwsze, nigdy bym nie pomyślał, po drugie, jego życie wydało mi się nagle zupełnie inne: co ten starzec robi wśród nas?

A teraz sam się nim stałem.

— Karl Ove?

Podniosłem głowę. Przede mną stała uśmiechnięta Nora Simonhjell.

— Cześć, Nora! Co tu robisz? Pracujesz?

— Owszem. Wiedziałam, że przyjeżdżasz. Pomyślałam, że właśnie tutaj cię znajdę. Cieszę się, że cię widzę.

Wstałem, żeby ją uściskać.

— Siadaj.

— Świetnie wyglądasz — powiedziała. — Opowiadaj. Jak żyjesz?

Przedstawiłem skróconą wersję. Troje dzieci, cztery lata w Sztokholmie, dwa w Malmö. Wszystko w porządku. Poznałem ją na jakiejś imprezie magisterskiej na uniwersytecie w Bergen, w wieczór, kiedy świętowano ukończenie studiów, a później natknąłem się na nią w Voldzie, gdzie wykładała, a ja pisałem swoją debiutancką powieść, którą czytała i komentowała jako pierwsza; teraz opowiedziała mi, że przez jakiś czas mieszkała w Oslo, pracowała w księgarni i w „Morgenbladet", wydała już drugi tomik wierszy i w końcu dostała pracę tutaj. Powiedziałem, że dla mnie Kristiansand to koszmar, ale wiele musiało się zmienić w ciągu ostatnich dwudziestu lat. Poza tym chodzenie tutaj do liceum to jedno, a praca na uniwersytecie to zupełnie co innego.

Odparła, że dobrze się tu czuje. Wyglądała na zadowoloną. Twórczość odłożyła na bok, ale nie na zawsze, nigdy nie wiadomo, co się może zdarzyć. Podeszła do nas jej koleżanka, Amerykanka, porozmawialiśmy chwilę o różnicach między jej starym a nowym miejscem zamieszkania i poszliśmy do audytorium. Do odczytu zostało dziesięć minut. Bolał mnie brzuch, bolało mnie całe ciało. Ręce, które od rana trzęsły się w mojej wyobraźni, zaczęły drżeć naprawdę. Usiadłem za katedrą, przejrzałem książki, zerknąłem na drzwi wejściowe. Na sali siedziały dwie osoby. Byliśmy jeszcze ja i tamten brodacz. Czy to będzie taki dzień?

Mój pierwszy publiczny odczyt kilka tygodni po ukazaniu się debiutanckiej książki odbył się w Kristiansand. Przyszły cztery osoby. Ku swojemu wielkiemu zadowoleniu zobaczyłem, że jedną z nich jest mój dawny nauczyciel historii, obecnie dyrektor szkoły, Rosenvold. Później podszedłem, żeby z nim porozmawiać. Okazało się, że właściwie mnie nie pamięta, ale wybrał się na odczyt, żeby spotkać się potem z innym z trzech debiutantów goszczących tam owego wieczoru, Bjartem Breiteigiem.

Tak więc wyglądał powrót do domu. Taka była zemsta za przeszłość.

— No, myślę, że zaczniemy — powiedział brodacz.

Spojrzałem na rzędy ławek. Siedziało w nich siedem osób.

Godzinę później, kiedy było już po wszystkim, Nora powiedziała, że jej zaimponowałem. Uśmiechnąłem się i podziękowałem za życzliwe słowa, ale nienawidziłem siebie i całej swojej istoty, chciałem jak najszybciej opuścić to miejsce. Na szczęście Geir zjawił się dwadzieścia minut przed umówioną godziną, stał na środku wielkiego foyer, kiedy schodziłem po schodach. Nie widzieliśmy się prawie rok.

— Nie przypuszczałem, że możesz stracić więcej włosów — powitałem go. — Ale widzę, że się myliłem.

Uścisnęliśmy sobie ręce.

— A tobie zęby tak pożółkły, że psy będą się za tobą uganiać po całym mieście. Wezmą cię za swego króla. Jak ci poszło?

— Było siedem osób.

— Cha, cha, cha!

— I wystarczy. Poza tym całkiem nieźle. Idziemy? Jesteś samochodem?

— Tak.

Biorąc pod uwagę, że dzień wcześniej pochował matkę, miał zaskakująco dobry humor.

— Ostatnio byłem tu na ćwiczeniach Młodzieżowej Obrony Cywilnej — powiedział, kiedy szliśmy przez dziedziniec. — Niedaleko stąd rozdawano nam sprzęt. Ale wtedy oczywiście tego wszystkiego nie było.

Wcisnął guzik przy kluczyku i stojący dwadzieścia metrów dalej saab błysnął światłami. Na tylnym siedzeniu był zamontowany fotelik dziecięcy, należał do

Njaala, który urodził się dzień po Heidi; byłem jego ojcem chrzestnym.

— Chcesz prowadzić? — zażartował.

Nie wpadłem na żadną błyskotliwą ripostę, więc tylko się uśmiechnąłem. Otworzyłem drzwiczki, wsiadłem, odsunąłem siedzenie do tyłu, zapiąłem pas i spojrzałem na niego.

— Nie jedziemy?

— Ale dokąd?

— No, chyba do miasta. A co innego możemy zrobić?

Przekręcił kluczyk, cofnął i wyjechał na drogę.

— Wydajesz się trochę markotny. Nie poszło najlepiej, czy jak?

— Poszło całkiem nieźle. Ale nie chcę cię dręczyć czymś, co mi nie idzie.

— Dlaczego?

— No, bo wiesz… Są problemy małe i duże.

— To, że mama została wczoraj pochowana, nie zalicza się do kategorii „problem”. Co się stało, to się nie odstanie. Mów, co ci dolega?

Wyjechaliśmy z krótkiego tunelu na równinę w okolicy Kongsgård, która zalana ostrym zimowym światłem, wyglądała wręcz pięknie.

— Przed odczytem rozmawiałem z Lindą — zacząłem. — Miała trudny poranek, no wiesz. Ataki wściekłości i chaos. Potem Vanja jej powiedziała, że jesteśmy stale rozzłoszczeni, i, cholera, miała rację. Widzę to, kiedy wyjeżdżam z domu. Właściwie mam ochotę natychmiast wracać, żeby wszystko naprawić. Właśnie to mnie gryzie.

— Czyli to co zwykle.

— No tak.

Wjechaliśmy na E18, zatrzymaliśmy się przy punkcie pobierania opłat za przejazd, Geir otworzył okno, wrzucił monety do szarego metalowego kosza, minęliśmy kościół na Oddernes, dalej była kaplica, w której odbył się pogrzeb taty, i Szkoła Katedralna w Kristiansand, do której chodziłem przez trzy lata.

— To miejsce ma dla mnie wiele znaczeń — powiedziałem. — Tu są pochowani rodzice ojca, babcia i dziadek. I tata…

— Chyba jest w jakiejś przechowalni?

— To prawda. Ach, że też nam się to nie udało. He, he, he!

— Chociaż tyle trzeba dostać od bliskich. He, he, he!

— Cha, cha, cha! Ale poważnie mówiąc, wkrótce się tym zajmę. Muszę. Trafi w końcu do ziemi.

— Dziesięć lat w przechowalni jeszcze nikomu nie zaszkodziło — stwierdził Geir.

— Właśnie, że tak. Ale rzeczywiście nikomu, kto został skremowany.

— Cha, cha, cha!

Zapadła cisza. Minęliśmy budynek straży pożarnej i wjechaliśmy do tunelu.

— Jak pogrzeb? — spytałem.

— Ładny. Przyszło naprawdę dużo ludzi. Kościół był pełny. Mnóstwo krewnych i przyjaciół rodziny, których nie widziałem od wielu lat, od dzieciństwa. Dobry i piękny. Tata i Odd Steinar płakali, kompletnie załamani.

— A ty?

Spojrzał na mnie przelotnie.

— Nie płakałem. Tata i Odd Steinar się obejmowali. Siedziałem obok nich zupełnie sam.

— Dokucza ci to?

— Nie, dlaczego? Ja czuję swoje, a oni swoje.

— Skręć tutaj w lewo — powiedziałem.

— W lewo? Tam?

— Tak.

Wjechaliśmy w Kwadraturę, starą dzielnicę przecinających się pod kątem prostym ulic, i ruszyliśmy Festningsgaten.

— Z prawej strony będzie parking. Zatrzymamy się tam?

— Dobrze.

— Jak sądzisz, co twój ojciec o tym myśli? — spytałem.

— Że nie rozpaczam?

— Tak.

— Nie myśli o tym. Myśli tylko: Geir już taki jest. Zawsze tak było. Zawsze mnie w pełni akceptował. Opowiadałem ci, jak kiedyś przyjechał po mnie na imprezę? Miałem szesnaście lat i musiałem się po drodze wyrzygać. Zatrzymał samochód, wyrzygałem się, pojechaliśmy dalej. Nigdy nie wspomniał o tym ani słowem. Pełne zaufanie. Więc to, że nie płaczę na pogrzebie mamy ani że go nie obejmuję, nie ma dla niego żadnego znaczenia. Czuje swoje, a inni czują swoje.

— Z tego co mówisz, to fajny człowiek.

Geir spojrzał na mnie.

— Tak, fajny człowiek. I dobry ojciec. Ale żyjemy na osobnych planetach. O tym mówiłeś, tutaj?

Zjechaliśmy na podziemny parking, zostawiliśmy samochód. Trochę pochodziliśmy po mieście. Geir chciał zajrzeć do sklepów płytowych, poszukać bluesa — to było jego nowe szaleństwo — potem poszliśmy jeszcze do dwóch dużych księgarni i zaczęliśmy rozglądać się za miejscem, w którym moglibyśmy coś zjeść. Stanęło na pizzerii Peppes koło biblioteki. Geir wydawał się kompletnie nieporuszony tym, co wydarzyło się w jego życiu przez ostatni tydzień, więc podczas jedzenia i rozmowy zastanawiałem się, czy faktycznie jest nieporuszony, a jeśli tak, to dlaczego, czy raczej stara się ukryć swoje uczucia. W pierwszym okresie mojego pobytu w Sztokholmie napisał kilka opowiadań, przeczytałem je — przede wszystkim zwracał w nich uwagę wielki dystans do opisywanych wydarzeń; pamiętam, powiedziałem mu, że to przypomina podnoszenie z dna zatopionego ogromnego statku. Że on wyciąga te treści gdzieś z głębi świadomości. To, o czym pisał, właściwie przestało go już obchodzić, nie było aż takie ważne, chociaż oczywiście nie całkiem bez znaczenia. Nie pogodził się z tym jednak i coś w nim zostało. Ale jaki miało status? Zostało wyparte? Zracjonalizowane? Czy też było, jak mówił, *yesterday's news*? Na pewno miał z tym związek jego dystans do rodziny: przeszłość trzymał na odległość wyciągniętej ręki. Ich życie — składające się, z tego, co mówił, z równego szeregu codziennych zdarzeń, z punktami kulminacyjnymi w postaci wypadów do centrów handlowych pod miastem, a od czasu do czasu niedzielnego obiadu w jakiejś gospodzie, podczas którego tematy rozmów rzadko dotyczyły czego innego niż jedzenia i pogody — doprowadzało go do szaleństwa, bo sam nie mógł usiedzieć na miejscu, a poza tym, jak przypuszczałem, również dlatego, że w ich życiu nie mieściło się to, czym się zajmował. Kompletnie ich nie interesowało, co robił, tak jak jego nie interesowało, co robili oni. Jeśli ów układ miał funkcjonować, musiał się z nimi spotykać, a tego nie chciał. Jednocześnie często wychwalał panujące w domu ciepło, troskę o rzeczy proste, przytulanie i objęcia, ale niemal zawsze zaczynał o tym mówić dopiero wtedy, gdy już rozprawił się ze wszystkim, czego nie mógł u nich znieść, jakby w ramach pokuty, jednocześnie wbijając mi szpilę, bo chociaż miałem w rodzinie wszystko, czego jemu brakowało, a mianowicie intelektualną ciekawość i nieustające rozmowy, co uznawał za wartości klasy średniej, to nie było w niej

owego ciepła i bliskości, typowych, według niego, dla klasy robotniczej, z której pochodził, i dążenia do przytulności, tak pogardzanej w środowisku akademickim, ponieważ gust, w jakim się ona wyrażała, uznawano za prosty, ba, wręcz prostacki. Geir gardził klasą średnią i jej wartościami, ale dobrze wiedział, że sam je przysposobił poprzez swoją karierę uniwersytecką i wszystko, co się z nią wiązało, i gdzieś tam zawisł pośrodku, jak mucha w sieci pająka.

Cieszył się, że mnie widzi, czułem to. Może też śmierć matki przyniosła mu pewną ulgę, z uwagi nie na siebie, tylko na nią. Wtedy gdy powiedział mi, że matka umarła, od razu dodał, że nie wiadomo, po co był ten jej lęk. Ale jednak był. Byliśmy tak samo uwięzieni w sobie nawzajem jak w sobie samych i nie dało się od tego uciec, nie dało się wyzwolić, człowiek miał takie życie, jakie mu było dane.

Rozmawialiśmy o Kristiansand. Dla niego było po prostu miastem, dla mnie — miejscem, w którym nie mogłem powstrzymać napływu dawnych uczuć. Głównie nienawiści, lecz również poczucia niedoskonałości, niemożności sprostania wymaganiom, które mi tu stawiano. W opinii Geira miało to związek po prostu z miejscem dorastania, przybierającym kolor właśnie od tego okresu, ale nie zgadzałem się z tym, uważałem, że już między Arendal a Kristiansand istnieją duże różnice, nawet w mentalności ludzi. Również miasta mają swój charakter, psychologię, ducha, duszę, czy jak kto chce to sobie nazwać, to, co się wyczuwa już w chwili, gdy się do nich wjeżdża, i co wywiera wpływ na mieszkających tam ludzi. Kristiansand było miastem kupieckim, miało duszę kramarza. Bergen podobnie, ale z dodatkiem dowcipu i autoironii, a więc było świadome świata poza nim, dobrze wiedziało, że nie jest jedyne.

— Latem jeszcze raz przeczytałem *Ny jord* — powiedziałem. — Czytałeś?

— Dawno temu.

— Hamsun czci tam przedsiębiorcę. Młodego, dynamicznego, to on jest przyszłością świata, wielkim bohaterem. Ludzi kultury ma w głębokiej pogardzie. Pisarze, malarze to zera. Za to kupiec!... Zabawne. Pojmujesz, jaką złą wolę miał ten człowiek?

— Mhm — mruknął Geir. — W biografii Hamsuna jest fragment mówiący o podrywaniu przez niego służących. Jego biograf, Kolloen, traktuje ten problem po macoszemu, a raczej podchodzi do niego zupełnie bez zrozumienia. A przecież Hamsun wywodził się z najniższych sfer, o tym się zapomina. Był pisarzem robotnikiem. Pochodził z najuboższych spośród ubogich. Dla niego romans ze służącą stanowił wejście o stopień wyżej na drabinę społeczną. Z Hamsuna nie można nic wynieść, jeśli się tego nie pojmuje.

— Nie oglądał się za siebie — zauważyłem. — Rodzice nie stanowią części jego psychologii, jeśli rozumiesz, o co mi chodzi. Mam wrażenie, że to jacyś szarzy staruszkowie, wciśnięci w ścianę chaty gdzieś na północy Norwegii, tacy szarzy i starzy, że prawie nie da się ich odróżnić od mebli. I tak obcy późniejszemu życiu Hamsuna, że w ogóle nie mają znaczenia. A tak przecież nie mogło być.

— Nie mogło?

— No, mogło, ale rozumiesz, o co mi chodzi? U Hamsuna nie znajdziesz opisu dzieciństwa, z wyjątkiem tego w *Ringen sluttet*. Prawie nie istnieją u niego rodzice. W jego książkach ludzie biorą się z niczego. Kompletnie nie mają przeszłości. Dlatego że jego rodzice naprawdę nie mieli znaczenia, czy raczej ich znaczenie zostało wyparte? W ten sposób jego postacie stają się w pewnym sensie pierwszymi ludźmi masowymi, to znaczy nie określa ich pochodzenie. Określa ich teraźniejszość.

Wziąłem kawałek pizzy, odskubałem długie, ciągnące się nitki sera i ugryzłem kęs.

— Spróbuj sosu. Naprawdę niezły.

— Sos możesz sobie zjeść.

— O której masz być na miejscu?

— O siódmej. Zaczynam o wpół do ósmej.

— No, to mamy dużo czasu, łagodnie mówiąc. Może trochę pojeździmy? Popatrzysz na stare śmieci. Ja też mam parę takich miejsc w Kristiansand. Wujek mamy mieszkał na Lund z rodziną, mam ochotę jeszcze raz zobaczyć te okolice.

— Napijmy się najpierw kawy w jakiejś innej knajpie. A potem pojedziemy, okej?

— Tu niedaleko powinna być kawiarnia, do której chodziliśmy, kiedy byłem mały. Sprawdzimy, czy jeszcze istnieje?

Zapłaciliśmy i wyszliśmy. Przespacerowaliśmy się do hotelu Caledonien, opowiedziałem Geirowi o pożarze i jak stałem za barierkami, gapiąc się na czarną fasadę, za którą już nic nie było. Przeszliśmy wzdłuż kontenerów w porcie do dworca autobusowego, koło giełdy, przez Markens gate, główną ulicę miasta, i trafiliśmy do jakiejś artystycznej kawiarni, w której mimo zimna usiedliśmy na zewnątrz, żebym mógł palić. Potem wróciliśmy do samochodu i podjechaliśmy najpierw do domu na Elvegaten, w którym mieszkałem tamtej zimy, kiedy rodzice się rozwodzili. Dom został sprzedany i odnowiony. Potem ruszyliśmy do domu dziadków, tego, w którym umarł tata. Zawróciliśmy na placyku przy marinie, zatrzymaliśmy się na wąskiej uliczce i popatrzyliśmy na dom. Był pomalowany na biało. Zewnętrzne deski wymieniono. Ogród uporządkowano.

— To tutaj? — spytał Geir. — Ależ piękny dom! Piękny, mieszczański, drogi. Nie przypuszczałem. Wyobrażałem go sobie zupełnie inaczej.

— Tak, to tutaj. Ale nic do niego nie czuję. To tylko dom. Nie ma już żadnego znaczenia. Teraz to widzę.

Dwie godziny później zatrzymaliśmy się przed szkołą ludową, w której miał się odbyć odczyt, usytuowaną w samym środku lasu poza Søgne. Niebo było zupełnie czarne, świeciły gwiazdy, gdzieś w pobliżu szumiała rzeka, szumiały też drzewa w lesie. Odgłos zatrzaskujących się drzwiczek samochodu odbił się od ścian budynku. Potem wokół nas zamknęła się cisza.

— Jesteś pewien, że to tutaj? — spytał Geir. — W środku lasu? Kto, na miłość boską, przyjdzie tu w piątkowy wieczór, żeby posłuchać, jak czytasz?

— No właśnie. Ale to tutaj. Fajnie, prawda?

— Pewnie. Nastrojowo.

Nasze kroki zachrzęściły na zmrożonym żwirze. Jeden ze szkolnych budynków, duży, drewniany, pomalowany na biało, pochodzący chyba z przełomu wieków, był całkiem ciemny. W drugim, w odległości dwudziestu metrów, ustawionym względem tamtego pod kątem prostym, świeciło się w trzech oknach. W jednym widoczne były sylwetki dwóch osób grających na fortepianie i na skrzypcach. Z prawej strony stała jeszcze ogromna stodoła, również ciemna, właśnie tam miał się odbyć odczyt.

Pokręciliśmy się kilka minut, zaglądając do ciemnych okien. Zobaczyliśmy bibliotekę i coś, co przypominało salon. Poszliśmy kawałek drogą, dotarliśmy do kamiennego mostu nad rzeczką czy strumieniem. Czarna woda i czarna ściana lasu po drugiej stronie.

— Musimy się napić jakiejś kawy czy czegoś — oświadczył Geir. — Spytamy tych dwojga, czy mają klucz?

— Nie. Nie będziemy nikogo o nic pytać. Organizatorzy przyjdą, kiedy uznają za stosowne.

— No, to przynajmniej się zagrzejemy. Chyba nie masz nic przeciwko temu?

— Nie, skąd.

Weszliśmy do wąskiego budynku wypełnionego dźwiękami. Młodzi muzycy mieli pewnie po szesnaście, siedemnaście lat. Dziewczyna o pięknej, łagodnej twarzy, chłopak w tym samym wieku co ona, ale pryszczaty, niezgrabny i nawet z lekkim rumieńcem. Nie wyglądali na uszczęśliwionych naszym widokiem.

— Macie może jakiś klucz do tych budynków? Kolega ma wygłosić odczyt, a przyjechaliśmy trochę za wcześnie.

Dziewczyna pokręciła głową, ale zaproponowała, żebyśmy usiedli w sąsiednim pokoju, w którym jest ekspres do kawy. Tak też zrobiliśmy.

— Mam wrażenie, jakbym się znalazł na zielonej szkole — stwierdził Geir. — Światło w środku. Zimno i ciemno na zewnątrz. I las. Nikt nie wie, gdzie jestem. Nikt nie wie, co robię. W pewnym sensie to daje poczucie wolności. Ale w dużej mierze przez tę ciemność, to ona wywołuje nastrój.

— Wiem, o czym mówisz — powiedziałem. — Ale jestem wyłącznie zdenerwowany. Całe ciało mnie boli.

— Denerwujesz się? Że będziesz tutaj występował? Uspokój się, człowieku! Wszystko będzie dobrze.

Wyciągnąłem przed siebie rękę.

— Widzisz? — spytałem.

Drżała jak u starca.

Pół godziny później zaprowadzono mnie do sali, w której miał się odbyć odczyt. Przywitał mnie kolejny brodaty mężczyzna pod sześćdziesiątkę, w okularach, wyglądający na nauczyciela w liceum.

— Prawda, że nieźle? — spytał, kiedy weszliśmy.

Pokiwałem głową. Rzeczywiście, nieźle. Duża sala amfiteatralna, jak kapsuła w stodole, zbudowana tak, aby akustyka była optymalna, na mniej więcej dwieście osób. Obrazy na ścianach we wszystkich pomieszczeniach. Po raz kolejny przeszło mi przez głowę, że w tym kraju jest dużo pieniędzy. Postawiłem torbę przy katedrze, wyjąłem papiery i książki, przywitałem się z paroma osobami, z którymi musiałem się przywitać, między innymi z przedstawicielką księgarni, zamierzającą sprzedawać książki po odczycie, miłą, energiczną starszą panią, po czym wybrałem się na kolejną przechadzkę w ciemności nad rzekę, gdzie wypaliłem dwa papierosy. Potem spędziłem kwadrans w toalecie, z głową opartą na rękach. Gdy wróciłem na salę, okazało się, że przyszło sporo ludzi. Czterdzieści, może pięćdziesiąt osób, nieźle. Rozlokował się tam też *brass band*, miał dać koncert muzyki barokowej. Grali przez pół godziny — w piątkowy wieczór w środku lasu. Potem przyszła moja kolej. Stanąłem przed wszystkimi, popiłem wody, przerzuciłem papiery i z wahaniem zacząłem mówić. Połykałem słowa, głos trochę mi drżał, aż wreszcie się rozpędziłem i mogłem po prostu gadać. Publiczność słuchała uważnie, jej zainteresowanie płynęło do mnie, coraz bardziej się rozluźniałem, bo ludzie śmiali się wtedy, kiedy mieli się śmiać, a mnie ogarnęło poczucie szczęścia, bo cóż może bardziej podnieść na duchu niż przemawianie do grupy, która słucha i nie tylko dobrze życzy przemawiającemu, lecz także daje się wciągnąć w temat? Widziałem, że ludzie się ożywili, a kiedy później usiadłem, żeby podpisywać książki, wszyscy chcieli kontynuować rozmowę, bo to, o czym mówiłem, dotyczyło czegoś w ich życiu, więc pełni zachwytu pragnęli się tym ze mną podzielić. Dopiero gdy szedłem z Geirem do samochodu, znów ze szczytu spadłem na poziom, na którym zwykle przebywałem, ten, na którym wyrastała pogarda. Nic nie mówiąc, wsiadłem do auta, wpatrzony w drogę wijącą się przez ciemność.

— Było świetnie — powiedział Geir. — Naprawdę dobrze to zrobiłeś. Nie rozumiem, na co się skarżysz. Mógłbyś jeździć po świecie i na tym zarabiać!

— Owszem, poszło nieźle. Daję im to, co chcą dostać. Mówię to, czego chcą słuchać. Podlizuję się im, tak jak wszystkiemu i wszystkim.

— Przede mną siedziała kobieta. Wyglądała na nauczycielkę. Kiedy zacząłeś mówić o molestowaniu dzieci, zdrętwiała. A potem wypowiedziałeś to uwalniające słowo. Infantylizacja. Zaczęła kiwać głową. To było pojęcie, do którego mogła się odnieść. Wszystko wygładziło. Ale gdybyś się do niego nie odwołał, gdybyś posunął się dalej, nie wiadomo, czy wszyscy chcieliby później z tobą rozmawiać. No i czy pedofilia nie jest infantylnością?

Roześmiał się, zamknąłem oczy.

— I ten *brass band* w środku lasu. Muzyka barokowa. Kto by się tego spodziewał? To był naprawdę fajny wieczór, Karl Ove. Naprawdę. Niemal magiczny. Ciemność, gwiazdy i szum w lesie.

— To prawda — przyznałem.

Wyjechaliśmy poza Kristiansand, przez most Varodd, minęliśmy zoo, Nørholm, Lillesand i Grimstad. Po drodze trochę gadaliśmy, dotarliśmy do Arendal, gdzie pochodziliśmy po starej dzielnicy Tyholmen, wypiłem piwo w jakiejś knajpie, kompletnie wyprowadzony z równowagi bez konkretnego powodu. Przebywanie w otoczeniu znajomych budynków wokół basenu portowego Pollen, z konturem Tromøi po drugiej stronie cieśniny, w świecie tak gęstym od wspomnień było przyjemne, ale dziwne, zwłaszcza że towarzyszył mi Geir, którego kojarzyłem wyłącznie ze sztokholmską częścią mojego życia. Koło północy przejechaliśmy na Hisøyę. Pokazał mi tam kilka miejsc — obejrzałem je bez większego zainteresowania — między innymi pomost na końcu wyspy, gdzie się zwykle wałęsali w czasach młodości; potem pojechaliśmy z powrotem na osiedle, na którym się wychowywał. Zaparkował przy garażu, wyjąłem z bagażnika swoją torbę i kwiatek, który dostałem po odczycie, i ruszyłem za Geirem do domu, podobnego do naszego, a w każdym razie zbudowanego w tym samym okresie.

Pierwszy pokój przy wejściu był pełen kwiatów i wieńców.

— Jak widzisz, mieliśmy pogrzeb — powiedział Geir. — Jak chcesz, możesz włożyć tego swojego chabazia do któregoś wazonu.

Tak zrobiłem. Pokazał mi przygotowany dla mnie pokój, w którym miałem przenocować, należący właściwie do jego brata, Odda Steinara. Zjedliśmy w kuchni kilka kanapek, potem porozglądałem się po tych dwóch pokojach. Geir zawsze powtarzał, że jego rodzice należeli właściwie do pokolenia naszych dziadków; kiedy zobaczyłem, jak mieszkali, zrozumiałem, co miał na myśli. Bieżniki, dywany, obrusy — wszystko było typowe dla lat pięćdziesiątych na głębokiej prowincji, to samo dotyczyło mebli i obrazów na ścianach. Dom z lat siedemdziesiątych urządzony w stylu lat pięćdziesiątych, tak to wyglądało. Wiele rodzinnych zdjęć na ścianach, duża kolekcja ozdóbek na parapetach.

Byłem już kiedyś w domu, w którym właśnie ktoś umarł. Tam wszędzie panował chaos. Ten dom pozostał jakby nietknięty.

Wypaliłem papierosa na trawniku. Powiedzieliśmy sobie dobranoc i poszedłem się położyć. Nie chciałem zamykać oczu, bałem się tego, co wyświetli mi się pod powiekami, ale musiałem je zamknąć. Z całych sił starałem się myśleć o czymś obojętnym i po kilku minutach zasnąłem.

Następnego dnia rano, około siódmej, obudził mnie ruch w pokojach nade mną. To Njaal, syn Geira, i Christina wstali. Wziąłem prysznic, ubrałem się i poszedłem na górę. Z kuchni wyjrzał starszy pan, mniej więcej siedemdziesięcioletni, o łagodnej twarzy i życzliwych oczach, przywitał się ze mną. To był ojciec Geira. Rozmawialiśmy trochę o tym, że dorastałem w okolicy i jak tu było dobrze. Biła od niego dobroć, lecz nie w tak otwarty, niemal obnażający sposób jak od ojca Lindy, nie, w tej twarzy była również stanowczość. Nie surowość, ale… charakter. Właśnie tak. Potem pojawił się brat Geira, Odd Steinar. Uścisnęliśmy sobie dłonie, usiadł na kanapie i zaczęliśmy gadać na różne tematy. Także był życzliwy i łagodny, ale w jego zachowaniu czuć było skrępowanie, którego nie miał ojciec, a już z całą pewnością nie Geir. Ojciec nakrył do śniadania w salonie, usiedliśmy; cały czas miałem w głowie, że ich żona i matka została pochowana zaledwie wczoraj i tak naprawdę nie powinienem tu być, chociaż przyjęto mnie z życzliwością i zainteresowaniem, przyjaciele Geira to ich przyjaciele, a dom jest otwarty.

Mimo to odetchnąłem głęboko, kiedy wreszcie stamtąd wyszedłem.

Samolot miałem po południu, zaplanowaliśmy, że wcześniej trochę pojeździmy — między innymi zajrzymy na Tromøyę, na której nie byłem od dawna, ale na pewno nie na Tybakken, gdzie dorastałem — a potem wyruszymy bezpośrednio na lotnisko, ale ojciec Geira uparł się, żebyśmy jeszcze wstąpili do domu, była sobota, więc na targu rybnym zamierzał kupić krewetki, muszę je zabrać ze sobą do Malmö, bo przecież takich krewetek tam nie ma.

Nie mogliśmy mu odmówić.

Wsiedliśmy do samochodu i pojechaliśmy w stronę Tromøi. Geir opowiadał anegdoty związane z mijanymi miejscami. Jego życie zaczęło się tutaj. Potem mówił o swojej rodzinie, o tym, jaka była matka, jacy byli ojciec i brat.

— Dla mnie to bardzo ciekawe spotkanie — powiedziałem. — Teraz lepiej rozumiem, o czym mówiłeś. Z ojcem i bratem nie masz prawie żadnych punktów stycznych. Przy twoim temperamencie, usposobieniu i ciekawości. Przy twoim wiecznym niepokoju. Oni uosabiają łagodność i życzliwość. Więc co was łączy? Jednej osoby brakowało i to było wyraźnie widać. Musisz być bardziej podobny do matki, prawda?

— Tak, zgadza się. Rozumiałem ją. Ale również dlatego musiałem wyjechać. Szkoda, że jej nie poznałeś.

— Przyjeżdżam, kiedy jest już po wszystkim.

— Najsolidniejszym łącznikiem trzech pokoleń jest chyba to, że wszyscy trzej, Njaal, tata i ja, mamy identyczny tył głowy.

Potaknąłem. Jechaliśmy przez wzgórza drogą prowadzącą na most na Tromøyę. Wysadzono dynamitem skały, przybyło dróg i nowych budynków przemysłowych, tak jak w całym regionie.

W dole widziałem wysepkę Gjerstadholmen, dalej w głębi wąską zatokę Ubekilen. Z prawej strony dom Håvarda. Przystanek autobusowy, niżej las, gdzie zimą budowaliśmy skocznie narciarskie, a latem chodziliśmy na skały, żeby się kąpać.

— Skręć tutaj — powiedziałem.

— Tam? W lewo? O, cholera, tutaj mieszkałeś?

Dom starego Sørena, dzika wiśnia i dalej osiedle. Nordåsen ringvei.

Na miłość boską, jakie to maleńkie!

— Tak, tutaj. Na wprost.

— W tym czerwonym domu?

— Owszem. Był brązowy, kiedy tu mieszkaliśmy.

Zatrzymał samochód.

— Jakie to wszystko małe. I brzydkie.

— Nie ma na co patrzeć — stwierdziłem. — Jedziemy dalej. Pod górkę.

Drogą schodziła kobieta w białej puchówce, przed sobą pchała wózek. Poza tym nie było tu śladów życia.

Dom Olsena.

Góra.

Nazywaliśmy ją górą, ale to był niewielki pagórek. Za nim dom Siv. Dom Sverrego i tamtych.

Nigdzie żywej duszy. Chociaż nie, kawałek dalej bawiła się gromadka dzieci.

— Co tak ucichłeś? — spytał Geir. — Przybiło cię to?

— Przybiło? Wręcz dobiło. Tak tu ciasno. Nigdy tego nie zauważałem. Przecież tu nic nie ma. A kiedyś to miejsce było dla mnie wszystkim.

— Taa — uśmiechnął się. — Dalej prosto?

— Jedziemy na tę część wyspy od strony morza, prawda? Do kościoła Tromøy. Jest ładny. Z dwunastego wieku. Są jeszcze fantastyczne siedemnastowieczne nagrobki, z czaszkami, klepsydrami i wężami. Jeden z napisów wykorzystałem w pierwszym porządnym opowiadaniu, jakie napisałem. Jako epigraf.

Wszystkie miejsca, które nosiłem w sobie i które wyobrażałem sobie nieskończenie wiele razy w ciągu życia, przelatywały za oknami, całkowicie pozbawione znaczenia, zupełnie neutralne, takie, jakie były naprawdę. Kilka skał, niewielka zatoczka, zniszczony pływający pomost, kolejna wąska zatoka, w głębi parę starych domów, równina lekko opadająca w stronę wody. To wszystko.

Wysiedliśmy z samochodu i poszliśmy na cmentarz. Trochę połaziliśmy, popatrzyliśmy na morze, ale nawet ono, nawet widok sosen, coraz niższych, w miarę jak zbliżały się do smaganej wiatrem plaży z otoczaków, niczego we mnie nie obudziły.

— Jedziemy dalej — powiedziałem. Patrzyłem na pola, na których pracowałem latem, na drogę do zatoki Sandumkilen, w której mogliśmy się kąpać już około święta 17 Maja. Dom mojej nauczycielki. Jak ona się nazywała? Helga Torgersen? Pewnie dobiegała już sześćdziesiątki. Færvik, stacja benzynowa, dom po drugiej stronie, gdzie dziewczyny z mojej klasy wykazały się takim zapałem w pewien wieczór tuż przed moją wyprowadzką, supermarket, którego budowę pamiętałem.

Dla mnie to było teraz niczym. Ale w tych domach wciąż trwało życie i wciąż były dla kogoś wszystkim.

Tutaj rodzili się ludzie, tu umierali, kochali się i kłócili, jedli i srali, pili i bawili się, czytali i spali. Oglądali telewizję, marzyli, prali, gryźli jabłka i ponad dachami domów patrzyli, jak jesienne wiatry targają wysokimi, smukłymi sosnami.

Małe i brzydkie, ale kiedyś było wszystkim.

Godzinę później siedziałem przy stole w salonie i w pośpiechu pochłaniałem krewetki zaserwowane przez ojca Geira, który sam nie jadł, ale koniecznie chciał mi przed wyjazdem zapewnić jeszcze jedno prawdziwe przeżycie w Sørlandet. W końcu uścisnąłem im ręce, podziękowałem za gościnę i znów usiadłem obok Geira w samochodzie. Ruszyliśmy na lotnisko. Wybraliśmy drogę przez Birkeland, bo chciałem zobaczyć, jak się teraz prezentuje mój drugi dom z dzieciństwa, ten w Tveit.

Geir zatrzymał samochód w pewnej odległości od domu i wybuchnął śmiechem.

— Mieszkałeś t u t a j? W środku lasu? Przecież to kompletne pustkowie! Tu nie ma żywej duszy! Bezludzie… Istne *Twin Peaks*. Albo *Pernille i Mister Nelson*[1], pamiętasz? Jako dziecko bałem się tego do szaleństwa.

Dalej się śmiał, kiedy pokazywałem mu różne miejsca. Też musiałem się roześmiać, bo widziałem wszystko jego oczami — te rozpadające się stare domy, wraki samochodów na podwórzach, zaparkowane przed nimi ciężarówki, odległości dzielące domy od siebie i jakąś taką biedę. Próbowałem mu tłumaczyć, jaki ładny był nasz dom, jak dobrze się tu mieszkało, że niczego mi nie brakowało, bo wszystko tu było, ale…

---

1 Seria przedstawień norweskiego telewizyjnego teatru lalek; Pernille jest grzeczną dziewczynką, a Mr. Nelson — niecnym oszustem.

— Daj spokój — przerwał mi. — Mieszkanie tutaj musiało być jak kara.

Nie odpowiedziałem, nieco poirytowany, odczuwałem potrzebę, żeby tego bronić. Ale nie chciało mi się. Tutaj było tak samo jak wszędzie, przeżycie wewnętrzne, nadające wszystkiemu sens, nie miało związku z tym, co na zewnątrz.

Uścisnęliśmy sobie ręce na lotniskowym parkingu, Geir wsiadł do samochodu, a ja ruszyłem do hali odlotów. Najpierw leciałem do Oslo, tam miałem się przesiąść na inny samolot, do Billund w Danii, a potem na następny, na Kastrup. Do domu dotarłem dopiero o dziesiątej wieczorem. Linda obejmowała mnie długo i serdecznie. Przygotowała kolację, usiedliśmy w salonie, opowiedziałem jej o wyjeździe; przyznała, że drugiego dnia było już lepiej, ale zrozumiała, że musimy coś zrobić, żeby się wydostać z tego zamkniętego kręgu, w którym utknęliśmy. Miała rację. Dłużej tak się nie dało. Musieliśmy znaleźć inny sposób na życie. O wpół do dwunastej poszedłem do sypialni, włączyłem komputer, otworzyłem nowy plik i zacząłem pisać.

W szybie przed sobą dostrzegam niewyraźne odbicie własnej twarzy. Oprócz błyszczącego oka i fragmentu tuż pod nim, słabo odbijającego nieco światła, cała lewa strona pozostaje w cieniu. Dwie głębokie bruzdy biegną przez czoło, po jednej wzdłuż każdego policzka, wszystkie jakby wypełnione ciemnością, a kiedy oczy patrzą z przenikliwą powagą, kąciki ust lekko opadają, wtedy tej twarzy nie można nazwać inaczej niż ponurą.

Co w niej utkwiło?

Następnego dnia kontynuowałem. Pomysł polegał na tym, by jak najbardziej zbliżyć się do mojego życia, więc pisałem o Lindzie i Johnie śpiących w pokoju obok, o Vanji i Heidi w przedszkolu, o widoku z okna, o muzyce, której słuchałem. Dzień później pojechałem do naszego domku na działkach, tam napisałem więcej, kilka zdecydowanie modernistycznych pasaży o twarzach i wzorach istniejących we wszystkich systemach — w wydmach, chmurach, finansach, w ruchu drogowym — od czasu do czasu wychodziłem do ogrodu, żeby zapalić i popatrzeć na ptaki krążące po niebie. Był luty i na całym ogromnym terenie działek nie było żywej duszy, jedynie szeregi zadbanych, małych jak dla lalek domków w maleńkich ogródkach, tak idealnie utrzymanych, że przypominały salony. Pod wieczór nadciągnęło ogromne stado wron, musiało ich być kilkaset, ciemna chmura bijących skrzydeł przeleciała i zniknęła. Zapadła noc i oprócz tego, co ukazywało się w świetle bijącym z otwartych drzwi na drugim końcu ogrodu, wszystko wokół mnie było ciemne. Siedziałem tak cicho, że w odległości zaledwie pół metra od moich stóp przedreptał jeż.

— Przyszedłeś — powiedziałem, zaczekałem, aż dotrze do żywopłotu, dopiero wtedy wstałem i wróciłem do domku. Następnego dnia zacząłem pisać o tej wiośnie, kiedy tata wyprowadził się od mamy i ode mnie, i chociaż odstręczało mnie od każdego zdania, postanowiłem się tego trzymać, musiałem się z tym uporać, opowiedzieć tę historię, której tak długo nie umiałem przekazać. W domu dalej pisałem; w jakichś notatkach, które zrobiłem, kiedy miałem osiemnaście lat i z jakiegoś powodu się ich nie pozbyłem, znalazłem zapisek: „torby z piwem w rowie" — odnosił się do pewnego sylwestra w młodości; uznałem, że mogę wykorzystać tę historię, jeżeli tylko zacznę wszystko olewać i porzucę myśl o dotarciu na wyżyny. Mijały tygodnie, a ja pisałem, zaprowadzałem dzieci do przedszkola albo je odbierałem, popołudniami chodziłem z nimi do któregoś z dużych parków, gotowałem obiad, czytałem im i kładłem je spać, a wieczorami pracowałem przy konsultacjach i innych drobnych zleceniach. Co niedziela jeździłem rowerem na Limhamnsfältet i dwie godziny grałem w piłkę. To była moja jedyna aktywność w czasie wolnym, wszystkie pozostałe czynności wiązały się z pracą albo z dziećmi. Limhamnsfältet było ogromną trawiastą polaną zaraz za miastem, blisko morza. Od końca lat sześćdziesiątych barwna gromada mężczyzn zbierała się tam co niedziela kwadrans po dziesiątej. Najmłodsi mieli po szesnaście–siedemnaście lat, a najstarszy, Kai, dochodził do osiemdziesiątki — ciężko mu już było i musiał dostać piłkę dokładnie na stopę, ale jeśli tak się stało, zaraz odżywał w nim piłkarz i potrafił celnie strzelić, a czasami nawet zdobyć bramkę. Przeważnie jednak grali tam mężczyźni między trzydziestką a czterdziestką, pochodzący z przeróżnych warstw społecznych, z rozmaitymi życiorysami, a jedyną rzeczą, jaka naprawdę ich łączyła, była radość z gry w piłkę. Ostatniej niedzieli lutego towarzyszyła mi Linda z dziećmi, Vanja i Heidi trochę mi kibicowały, ale potem poszły na plac zabaw koło plaży, a ja grałem dalej. Ziemia była zmarznięta, zazwyczaj miękka murawa stwardniała na kamień; kiedy po godzinie gry, walcząc o piłkę, straciłem równowagę i upadłem na bark, natychmiast zrozumiałem, że jest źle. Leżałem, pozostali gracze zgromadzili się dookoła. Było mi niedobrze z bólu, w końcu powoli, zgięty wpół, przeszedłem za bramkę. Zrozumieli wtedy, że nie chodzi o zwykłe stłuczenie. Odgwizdano koniec meczu, zresztą i tak było już wpół do dwunastej.

Fredrik, pięćdziesięciokilkuletni pisarz, klasyczny łowca bramek, który ciągle jeszcze strzela gole w szwedzkiej lidze amatorskiej, zawiózł mnie do szpitala, natomiast Martin, ponaddwumetrowy olbrzym, Duńczyk, którego poznałem przez przedszkole, podjął się poinformowania Lindy i dzieci o tym, co się stało. Na ostrym dyżurze było pełno ludzi, więc wziąłem numerek, usiadłem i czekałem, w barku paliło mnie i kłuło przy najlżejszym ruchu, ale nie na tyle, żebym nie wytrzymał te pół godziny, jakie musiało minąć, zanim przyszła moja kolej. Przedstawiłem sytuację pielęgniarce w okienku, wyszła na korytarz, żeby mnie szybko zbadać, złapała mnie za rękę i wolno przesunęła ją w bok, wrzasnąłem głośno: aaaaa! — aż wszyscy obecni zaczęli mi się przypatrywać. Blisko czterdziestoletniemu mężczyźnie w koszulce reprezentacji Argentyny, w korkach, z długimi włosami związanymi gumką w coś przypominającego czubek ananasa na głowie, który wyje z bólu.

— Proszę za mną — poleciła pielęgniarka. — Trzeba pana dokładnie zbadać.

Wszedłem do sąsiedniego gabinetu. Kazała mi czekać; kilka minut później przyszła druga pielęgniarka, tak samo poruszyła moją ręką, a ja znów wrzasnąłem.

— Przepraszam — powiedziałem. — Ale nie mogę się powstrzymać.

— W porządku. — Ostrożnie zdjęła mi kurtkę. — Koszulkę też trzeba będzie ściągnąć — uprzedziła. — Myśli pan, że to się uda?

Zaczęła ciągnąć za rękaw, krzyknąłem, więc zrobiła chwilę przerwy. Spróbowała jeszcze raz. Cofnęła się o krok. Spojrzała na mnie. Czułem się jak wyrośnięte dziecko.

— Będziemy musieli ją rozciąć.

Popatrzyłem na nią z oburzeniem. Rozciąć moją argentyńską koszulkę?

Przyniosła nożyczki i przecięła rękawy, a kiedy już mnie rozebrała, kazała mi usiąść na łóżku i wbiła mi wenflon w przedramię, tuż nad nadgarstkiem. Powiedziała, że dostanę trochę morfiny. Kiedy mi ją podała — nie poczułem po niej żadnej różnicy — zawiozła mnie do innego pokoju w tym budynku przypominającym labirynt, jakieś pięćdziesiąt metrów dalej; siedziałem tam i czekałem na rentgen, nie bez lęku, bo myślałem, że wybiłem sobie bark i nastawienie go będzie bardzo bolesne. Lekarz jednak stwierdził złamanie, które będzie się zrastać jakieś osiem do dwunastu tygodni. Dostałem środki przeciwbólowe, receptę na kolejne, założono mi mocny bandaż, plącząc ósemki pod i nad barkami, narzucono kurtkę na ramiona i odesłano mnie do domu.

Kiedy otworzyłem drzwi do mieszkania, Vanja i Heidi od razu przybiegły. Obie podniecone — tatuś był w szpitalu, to dopiero przygoda. Powiedziałem im i Lindzie, która też zaraz przyszła z Johnem na ręku, że mam złamany obojczyk, założono mi bandaż, ale nic groźnego się nie stało, po prostu nie będę mógł nic podnosić ani dźwigać, ani w ogóle używać tej ręki przez następne dwa miesiące.

— Mówisz poważnie? — spytała Linda. — Dwa miesiące?

— Tak. W najgorszym wypadku trzy.

— Już nigdy więcej nie zagrasz w piłkę — oświadczyła. — To przynajmniej jest pewne.

— Tak? Ty o tym decydujesz?

— W każdym razie ja ponoszę konsekwencje. Jak mam sobie radzić sama z dziećmi przez dwa miesiące, jeśli wolno spytać?

— Będzie dobrze, uspokój się. Przecież mam złamany obojczyk i mnie boli. Nie zrobiłem tego specjalnie.

Poszedłem do salonu i usiadłem na kanapie. Każdy ruch musiałem wykonywać powoli i planować z góry, bo każda najdrobniejsza zmiana pozycji wywoływała przeszywający ból. Aa, oo, uu, jęczałem, siadając ostrożnie. Vanja i Heidi obserwowały mnie wielkimi oczami.

Uśmiechnąłem się do nich, próbując wcisnąć sobie pod plecy wielką poduszkę. Podeszły blisko, Heidi przesunęła rączką po mojej piersi, jakby chciała mnie zbadać.

— Pokażesz nam bandaż? — spytała Vanja.

— Później. Trochę mnie boli, kiedy się rozbieram.

— Jedzenie! — zawołała Linda z kuchni.

John siedział w krzesełku dla dzieci i walił sztućcami w stół. Kiedy siadałem, Vanja i Heidi nie odrywały ode mnie oczu, obserwowały moje powolne, ostrożne ruchy.

— Co za dzień! — westchnęła Linda. — Martin wiedział tylko, że zabrali cię na pogotowie. Na szczęście pomógł nam się dostać do domu. Ale kiedy otwierałam drzwi, klucz się złamał. O mój Boże! Już myślałam, że będziemy musieli u nich nocować, ale na wszelki wypadek zajrzałam do torebki i znalazłam klucz Berit; czysty przypadek, że go nie odwiesiłam na miejsce. I jeszcze ty wracasz ze złamanym obojczykiem. — Popatrzyła na mnie. — Jestem taka zmęczona.

— Przykro mi. Ale na pewno tylko przez pierwsze dni nie będę mógł nic robić. No a druga ręka działa całkiem sprawnie.

Po obiedzie położyłem się na kanapie z poduszką pod plecami i obejrzałem w telewizji mecz ligi włoskiej. W ciągu ostatnich czterech lat, czyli odkąd mieliśmy dzieci, coś podobnego zdarzyło mi się tylko raz. Byłem wtedy taki chory, że nie mogłem się ruszyć, cały dzień przeleżałem na kanapie, zdołałem obejrzeć dziesięć pierwszych minut filmu o Jasonie Bournie, trochę pospałem, znów dziesięć minut filmu, znów pospałem, w międzyczasie wymiotowałem; chociaż bolało mnie całe ciało i w zasadzie czułem się nieznośnie, to jednak rozkoszowałem się każdą sekundą. Leżeć na kanapie i oglądać film w środku dnia! Żadnych obowiązków! Żadnych ubrań do prania! Żadnego szorowania podłogi, żadnego zmywania i żadnych dzieci, którymi trzeba się zająć.

Teraz czułem to samo. Nie mogłem nic robić. Bez względu na to, jak bardzo bolał i kłuł mnie bark, radość z leżenia w spokoju i tak ten ból przewyższała.

Vanja i Heidi cały czas krążyły wokół mnie. Niekiedy podchodziły bliziutko i delikatnie gładziły mnie po ramieniu. Potem znów szły się bawić i znów wracały. Uświadomiłem sobie, że dla nich moja nagła bierność i nieruchomość to prawdopodobnie rzecz niesłychana, jakby odkryły mnie na nowo.

Po meczu poszedłem się wykąpać. Nie mieliśmy ściennego uchwytu do prysznica, trzeba go było trzymać w ręku, ale teraz nie wchodziło to w rachubę, więc musiałem nalać wody do wanny i z wielkim wysiłkiem do niej wejść, a Vanja i Heidi mi w tym towarzyszyły.

— Pomóc ci się umyć, tatusiu? — spytała Vanja. — Możemy cię umyć?

— Dobrze by było. Widzicie te myjki? Weźcie po jednej, zanurzcie w wodzie i natrzyjcie trochę mydłem.

Vanja uważnie stosowała się do instrukcji, Heidi ją naśladowała. Nachylały się nad krawędzią wanny i mydliły mnie myjkami. Heidi się śmiała, Vanja była poważna i stanowcza. Umyły mi ręce, szyję i tors. Heidi po kilku chwilach się znudziło, pobiegła do pokoju, ale Vanja jeszcze została.

— W porządku? — spytała w końcu.

Uśmiechnąłem się. Zwykle ja tak pytałem.

— Jak najbardziej. Nie wiem, co bym zrobił bez ciebie.

Rozpromieniła się i też pobiegła do pokoju.

Leżałem w wannie, dopóki woda zupełnie nie wystygła. Najpierw mecz w telewizji, potem długa kąpiel. Co za niedziela!

Vanja zaglądała do mnie kilka razy, chyba czekała na bandażowanie. Mówiła po szwedzku, wciąż ze sztokholmskim akcentem, ale kiedy spędzałem z nią całe przed- albo popołudnie lub z innego powodu czuła mi się bliska, częściej pojawiały się słowa z mojego dialektu. Za każdym razem się śmiałem.

— Mogłabyś zawołać mamę? — poprosiłem.

Pobiegła. Ostrożnie wyszedłem z wanny i zanim przyszła Linda, zdążyłem się wytrzeć.

— Możesz mi założyć bandaż?

— Oczywiście.

Wyjaśniłem jej, jak ma to wyglądać, i wytłumaczyłem, że musi mocno naciągać, bo inaczej to nie ma sensu.

— Mocniej!

— A to nie boli?

— Trochę. Ale im ciaśniej bandaż jest ściągnięty, tym mniej mnie boli, kiedy się poruszam.

— No dobrze, skoro tak mówisz…

Pociągnęła mocniej.

— Aaa! — jęknąłem.

— Za mocno?

— Nie, dobrze. — Odwróciłem się do niej.

— Przepraszam, że tak się rozzłościłam. Ale otworzyła się przede mną straszna perspektywa, że zostanę sama ze wszystkim przez tyle tygodni.

— Przecież tak nie będzie. Jestem pewien, że już za kilka dni będę mógł zaprowadzać dziewczynki do przedszkola i odbierać je jak zwykle.

— Rozumiem, że cię boli, że nic nie możesz na to poradzić. Po prostu jestem taka zmęczona.

— Wiem, ale wszystko będzie dobrze. Jakoś się ułoży.

W piątek Linda była taka śpiąca, że wziąłem Johna i poszedłem po dziewczynki do przedszkola. Droga w tamtą stronę poszła gładko, wózek z Johnem pchałem prawą ręką, starając się iść najostrożniej, jak potrafiłem. W drodze powrotnej już nie było tak łatwo. Wózek z Johnem ciągnąłem za sobą prawą ręką, a złamaną lewą przyciskałem do boku, całym ciałem popychając przed sobą podwójny wózek z Vanją i Heidi. Od czasu do czasu przeszywał mnie ból, na który nie potrafiłem reagować inaczej niż krótkimi okrzykami. Musiał to być przedziwny widok, bo ludzie się na nas gapili. Niezwykłe były też moje doświadczenia zdobyte w tych tygodniach. Nie mogłem nic podnieść ani nosić, miałem kłopoty z siadaniem i wstawaniem, co wzbudziło we mnie bezradność, rozciągającą się daleko poza ograniczenia fizyczne. Straciłem władzę, nie miałem mocy, a poczucie panowania nad sytuacją, które do tej pory przyjmowałem za pewnik, okazało się nagle bardzo ważne. Siedziałem nieruchomo, byłem bierny i miałem wrażenie, że tracę kontrolę nad otoczeniem. Czy zatem do tej pory czułem, że je kontroluję i mam nad nim władzę? Tak, tak musiało być. Owej władzy i kontroli nie musiałem wykorzystywać, wystarczyła mi świadomość jej istnienia, miała wpływ na wszystko, co robiłem i myślałem. Kiedy jej zabrakło, pierwszy raz to zauważyłem i zrozumiałem. Co ciekawe, to samo dotyczyło pisania. Również nad tym miałem władzę i kontrolę, które zniknęły w momencie, gdy złamałem obojczyk. Nagle zacząłem podlegać tekstowi, nagle to on nade mną panował, jedynie największym wysiłkiem woli potrafiłem napisać pięć stron, które sobie wyznaczyłem jako codzienny cel. Jakoś to jednak szło. Nienawidziłem każdej sylaby, każdego słowa, każdego zdania, ale niechęć nie oznaczała, że to zarzucę. Rok i koniec, będę mógł pisać o czymś innym. Stron przybywało, opowieść posuwała się do przodu, a któregoś dnia trafiłem na inny zapisek w notatniku z ostatnich dwudziestu lat, dotyczący letniej imprezy urządzonej przez tatę dla przyjaciół i kolegów z pracy, kiedy miałem szesnaście lat; podczas tego przyjęcia w ciemności schyłku lata moja radość zlała się w jedno z płaczem taty; tamten wieczór był przesycony uczuciami, niesamowity, wszystko się w nim zebrało, a ja wreszcie miałem go zrelacjonować. Kiedy już to zrobiłem, pozostało mi jeszcze opisać śmierć taty. Te drzwi z trudem dały się otworzyć i ciężko było za nimi przebywać, ale wziąłem się do tego na ten swój nowy sposób — pięć stron

dziennie bez względu na wszystko. Potem wstawałem, wyłączałem komputer, zabierałem śmieci i wyrzucałem je w piwnicy, szedłem odebrać dzieci z przedszkola. Przerażenie tkwiące w piersi znikało, gdy biegły do mnie przez podwórze. Urządziły sobie zawody, która najgłośniej krzyknie i najmocniej mnie obejmie. Kiedy towarzyszył mi John, uśmiechał się i też krzyczał, dla niego siostry były czymś najwspanialszym na świecie. Oznaczały życie, a on je chłonął. Uczył się od nich wszystkiego i nigdy nie bał się nawet Heidi, która ciągle potrafiła z zazdrości podrapać go, pchnąć albo uderzyć, jeśli jej nie przypilnowaliśmy. Nigdy nie patrzył na nią z lękiem. Czyżby tak szybko zapominał? A może czerpał z tego tyle dobrego, że zło nie było istotne?

Któregoś dnia w marcu, kiedy pracowałem, zadzwonił telefon, nieznany numer, ale ponieważ nie był norweski, tylko szwedzki, mimo wszystko odebrałem. Telefonował kolega mojej matki; przyjechali na seminarium do Göteborga, mama nieoczekiwanie zemdlała w sklepie i zabrano ją do szpitala, leżała na oddziale intensywnej opieki kardiologicznej. Zadzwoniłem tam, przeszła zawał, ale była już po zabiegu i nic jej nie groziło. Późnym wieczorem zadzwoniła sama. Słyszałem, że jest słaba i trochę jakby zagubiona. Powiedziała, że tak ją bolało, iż wolała umrzeć, niż czuć dłużej ten ból. Przytomności nie straciła, po prostu zasłabła. I nie w sklepie, tylko na ulicy. Mówiła, że leżąc tam, przekonana, iż to już koniec, pomyślała, że miała wspaniałe życie. Kiedy tak powiedziała, aż mnie ciarki przeszły.

Było w tym coś niesłychanie dobrego.

Dodała też, że kiedy tak leżała, czekając na śmierć, wróciło do niej przede wszystkim dzieciństwo, w postaci nagłego olśnienia: miała wspaniałe dzieciństwo, czuła się wolna i szczęśliwa, było fantastycznie. W następnych dniach ciągle przypominały mi się jej słowa. W pewnym sensie wstrząsnęły mną. Sam nigdy bym tak nie pomyślał. Gdybym zasłabł i czekając na koniec, miał kilka sekund albo minut na myślenie, pomyślałbym coś zupełnie przeciwnego. Że nic nie osiągnąłem, nic nie widziałem, nic nie przeżyłem. Chcę żyć. No to dlaczego nie żyję? Dlaczego kiedy siedzę na pokładzie samolotu albo w samochodzie i wyobrażam sobie, że samolot spadnie, a samochód zderzy się z innym, myślę, że to nie jest takie groźne ani takie ważne, że równie dobrze mogę żyć, jak umrzeć? Właśnie tak najczęściej myślę. Obojętność to jeden z siedmiu grzechów głównych, właściwie największy ze wszystkich, bo właściwie jako jedyny sprzeciwia się życiu.

Później tej wiosny, kiedy zbliżałem się już do końca opowieści o śmierci taty i o tych strasznych dniach w domu w Kristiansand, mama przyjechała z wizytą. Wcześniej była na kolejnym seminarium w Göteborgu i potem nas odwiedziła. Od tamtego zasłabnięcia w tym samym mieście minęły dwa miesiące. Gdyby przydarzyło jej się to w domu, pewnie by nie przeżyła, mieszkała przecież sama i nawet jeśli — wbrew moim przypuszczeniom — wezwałaby pomoc, to od szpitala dzieliło ją czterdzieści minut jazdy samochodem. W Göteborgu natychmiast zareagowano i szybko trafiła na stół operacyjny. Okazało się, że ten zawał nie wziął się z niczego. Już wcześniej odczuwała bóle, czasami silne, ale uważała, że to stres, lekceważyła je, mówiła sobie, że pójdzie do lekarza po powrocie do domu, no i zasłabła.

Któregoś dnia rano siedziała u nas i robiła na drutach, ja pisałem, a Linda po odprowadzeniu dziewczynek do przedszkola wyszła na spacer z Johnem. Kiedy po pewnym czasie zajrzałem do mamy, sprawdzić, jak się czuje, zaczęła mówić o tacie. Powiedziała, że zawsze się zastanawiała, dlaczego od niego nie odeszła, dlaczego nie zabrała nas i go nie zostawiła. Czy chodziło tylko o brak odwagi? Kilka tygodni wcześniej rozmawiała o tym z przyjaciółką i nagle usłyszała samą siebie, jak mówi, że go kochała. Popatrzyła na mnie.

— Przecież ja go kochałam, Karl Ove. Kochałam go.

Nigdy wcześniej tego nie mówiła. Nawet się nie zbliżyła do takiego wyznania. Nie przypominam sobie, żeby w ogóle kiedykolwiek użyła słowa „kocham".

To mną wstrząsnęło.

Co się dzieje? — zadałem sobie w myślach pytanie. Co się dzieje? Bo coś wokół mnie się zmieniło. Czy to się działo we mnie i widziałem teraz coś, czego nie zauważałem wcześniej, czy też coś poruszyłem? Dużo bowiem rozmawiałem z mamą i z Yngvem o latach spędzonych z tatą, nagle znów powróciły.

Tamtego ranka mama opowiedziała mi jeszcze, jak się poznali. Miała siedemnaście lat i w wakacje pracowała w hotelu w Kristiansand. Któregoś dnia poszła do ogródkowej restauracji w dużym parku, siedziała w cieniu wielkiego drzewa i tam koleżanka przedstawiła jej swojego przyjaciela i jego kolegę.

— Nie zrozumiałam jego nazwiska, długo mi się wydawało, że nazywa się Knudsen. A tak w ogóle to bardziej spodobał mi się tamten drugi. No ale stanęło na twoim ojcu... To takie przyjemne wspomnienie. Słońce i trawa w parku, drzewa rzucające cień, tyle ludzi dookoła... Byliśmy tacy młodzi, no wiesz... To było jak baśń. Wydawało mi się, że to początek baśni.

Tytuł oryginału:
Min kamp. Andre bok. Roman

Wydanie pierwsze

Opieka redakcyjna
Anita Kasperek

Redakcja
Anna Milewska

Adiustacja i korekta
Henryka Salawa, Anna Dobosz, Jacek Błach

Projekt okładki i stron tytułowych
Marek Pawłowski

Redakcja techniczna
Bożena Korbut

This translation has been published with the financial support of NORLA.
Tłumaczenie dofinansowane w ramach programu dotowania tłumaczeń literatury norweskiej NORLA (Norwegian Literature Abroad).

Printed in Poland
Wydawnictwo Literackie Sp. z o.o., 2015
ul. Długa 1, 31-147 Kraków
bezpłatna linia telefoniczna: 800 42 10 40
księgarnia internetowa: www.wydawnictwoliterackie.pl
e-mail: ksiegarnia@wydawnictwoliterackie.pl
fax: (+48-12) 430 00 96
tel.: (+48-12) 619 27 70
Skład i łamanie: Scriptorium „TEXTURA"
Druk i oprawa: Drukarnia POZKAL

ISBN 978-83-08-05536-6